SOURCES DE LA FRANCE DU XXe SIÈCLE

(DE 1918 À NOS JOURS)

SOURCES DE LA FRANCE DU XXe SIÈCLE

(DE 1918 À NOS JOURS)

PIERRE MILZA

AVEC LA COLLABORATION
SCIENTIFIQUE ET TECHNIQUE DE

ODILE GAULTIER-VOITURIEZ
CAROLE GIRY-GAUTIER
ET
DOMINIQUE PARCOLLET

LAROUSSE

21, RUE DU MONTPARNASSE - 75283 PARIS CEDEX 06

Directeur de collection
Emmanuel de Waresquiel

Correction-révision
Philippe de la Genardière

Maquette, composition
et mise en page
Delacroix Assistance Graphique

Fabrication
Marlène Delbeken

ISSN : 1160-3097
ISBN 2-03-741022-0

SOMMAIRE

INTRODUCTION

Ce volume de sources offre au lecteur près de 400 textes de différente nature portant sur l'histoire de la France du XXᵉ siècle. La date qui a été choisie comme point de départ est 1918. La fin du premier conflit mondial nous paraît clore en effet un « grand XIXᵉ siècle » qui s'est ouvert sur le remodelage de l'Europe après les guerres napoléoniennes, et inaugurer — pour la France comme pour le reste du monde — une ère de turbulences et de mutations qui est loin d'être achevée à l'heure où ces lignes sont écrites. La « Grande Guerre des Français[1] », par les traces qu'elle a laissées dans leur mémoire, par les changements brutaux et irréversibles qu'elle a produits dans une société encore largement rurale et où les structures matérielles et mentales conservaient de nombreux traits hérités de l'« Ancien Régime », par le fait surtout qu'elle a porté un coup mortel (sans qu'on s'en rende compte) au statut de grande puissance de notre pays constitue un tournant majeur dans l'histoire de la France moderne et contemporaine. On l'a dit et on l'a redit : après la grande tuerie de 1914-1918, plus rien ne sera jamais « comme avant ». Le « XXᵉ siècle » voit le jour dans la douleur.

Il s'achève dans l'incertitude. Que sera pour la France le XXIᵉ siècle, ou plus près de nous cet « horizon 2015 » sur lequel se fixe aujourd'hui le regard des « futurologues » ? Quels seront pour nos concitoyens et pour les générations à venir les effets de la mondialisation, de la construction d'une Europe élargie aux anciennes démocraties populaires et peut-être à l'ex-URSS ? Ceux du recul de la natalité et de l'allongement de la vie, de l'accès généralisé aux nouvelles sources d'information et de communication, de la dégradation de notre environnement ? L'un des problèmes qui se posent à l'historien du Temps présent est qu'il ne peut évoquer le passé immédiat sans s'interroger sur le futur proche. Sans se demander si le phénomène qu'il évoque ou l'événement qu'il décrit sont ou non achevés. Et d'abord, quand la séquence qui fait l'objet de ce livre prend ou prendra-t-elle fin ? Quelle date, quel événement, quel « tournant » l'historien de demain choisira-t-il pour tracer une frontière entre le XXᵉ et le XXIᵉ siècle ? Ces questions ne sont pas indifférentes à notre propos, dès lors que nous avions, dans les derniers chapitres chronologiques et dans les chapitres thématiques de ce livre à choisir des textes significatifs, c'est-à-dire susceptibles de résister à la patine du temps et à la révision permanente d'un récit historique qui ne cesse de trier et de réévaluer les faits qui le nourrissent.

Une autre difficulté tient à la prolifération des sources. Plus on s'avance dans le siècle et plus le choix s'avère difficile à faire dans une masse documentaire qui

---

1. J.-B. Duroselle, *La Grande Guerre des Français*, Paris, Perrin, 1995.

embrasse tous les domaines et qui, pour chaque fait un peu important, nous offre mille occasions de le saisir. Pourquoi, à propos de tel événement, avoir choisi tel rapport administratif, tel article de journal, tel témoignage plutôt que tel autre ? Il y a — pourquoi s'en défendre ? — une immense part de subjectivité dans les options qui ont été prises. Nous l'assumons : avec les défauts d'accommodation et les lacunes qu'elle comporte, et avec le souci de jouer continûment sur deux registres : celui des documents essentiels, incontournables dès lors qu'il s'agissait d'offrir aux lecteurs un instrument de travail efficace, et celui de la variété et de l'originalité, voire de l'insolite. On ne pouvait pas ne pas trouver de larges extraits des actes constitutionnels qui ont fait (et parfois défait) la démocratie française, des débats parlementaires ayant fait date, comme ceux sur la peine de mort ou l'IVG, des libelles et des pétitions célèbres comme le « Manifeste des 121 », ou encore quelques morceaux de bravoure du discours politique et journalistique. En revanche, on s'attend moins peut-être à voir Roland Barthes arbitrer le « match Chanel-Courrèges », Sartre proclamer dès 1956 son horreur du totalitarisme stalinien, Edgar Morin interpréter à chaud la « folle nuit des copains » à la Nation en juin 1963, ou la direction de la « ligne de Sceaux » ordonner à ses contrôleurs d'interdire aux « gens de race noire » l'accès aux voitures de première classe, et ceci dès juillet 1940.

L'ouvrage comprend d'abord une partie chronologique qui rassemble les vingt-cinq premiers chapitres. Tous ne sont pas de même nature : certains illustrent une séquence bien délimitée de l'histoire politique (les années vingt, les années trente, la IVᵉ République, la République gaullienne, etc.), d'autres sont consacrés à un événement ou à une série d'événements majeurs (1968, la guerre d'Algérie), d'autres encore — traitant de problèmes plus difficiles à délimiter chronologiquement comme l'économie, les faits de société, la culture —, embrassent une période plus large.

La seconde partie est rigoureusement thématique. Là encore, vu l'abondance des sources et la multiplicité des problèmes, il a fallu faire des choix qui, peut-être, plus que par l'importance effective des sujets traités — tel qu'en jugera plus tard l'histoire écrite à froid du siècle où nous vivons —, nous ont été dictés par la résonance qu'ils ont dans le monde d'aujourd'hui. Benedetto Croce ne disait-il pas qu'« il n'y a d'histoire que contemporaine », soulignant ainsi le rapport existant entre le récit que fait l'historien de telle ou telle tranche du passé, aussi éloignées de nous soient-elles, et les préoccupations du temps présent ? Les principales questions abordées dans la dizaine de chapitres que comporte cette deuxième partie traitent ainsi, dans une perspective transversale, de la religion, des problèmes de communication, d'urbanisme, de défense, d'enseignement, de police et de justice, mais aussi des femmes, des jeunes, de l'immigration, des banlieues, etc.

Nous avons, dans le choix des textes, eu recours aussi souvent que possible aux documents d'archives. Beaucoup sont inédits, en particulier ceux dont l'équipe du Centre d'histoire de l'Europe du XXᵉ siècle — à qui ce livre doit beaucoup — assure la conservation et la gestion. Les fonds Auriol, Daladier, Blum, Monnerville, La Rocque, Monzie, Daniel Mayer, Gilles Martinet, Savary, Sainteny, Beuve-Méry, Baumgartner, les archives du MRP, celles du groupe parlementaire de la SFIO, ont été largement utilisés et ont livré de précieux trésors concernant non seulement les personnalités citées mais tous les aspects de l'histoire politique et sociale de la France contemporaine. Nous les publions avec l'accord des ayants droit auxquels nous tenons à dire ici toute notre gratitude, de même qu'à ceux qui nous ont transmis, à titre personnel, des documents conservés dans leurs archives familiales.

Une seconde catégorie de sources est constituée par l'ensemble du travail législatif, qu'il s'agisse des constitutions, lois, décrets et arrêtés divers qui jalonnent l'histoire institutionnelle de notre pays au cours des quatre régimes politiques qui se sont succédé durant ce siècle, ou des débats parlementaires qui ont précédé le vote de quelques textes majeurs en matière de justice, de droit, de législation du travail, d'éducation, de défense nationale, de mœurs, etc.

De nombreux textes ont été tirés de l'immense corpus éditorial produit par ce siècle — peut-être le dernier siècle de l'écrit ? —, qu'il s'agisse des articles de toute nature publiés dans la presse (d'information, politique, spécialisée, périodique), de tracts, brochures et libelles divers recueillis au fil du dépouillement des archives ou par mille autres canaux, des transcriptions de conférences de presse et d'allocutions radiotélévisées, de mémoires d'hommes politiques, de représentants du monde des affaires, de responsables syndicaux, d'intellectuels, d'artistes, etc.

Aussi nombreux et variés que soient les textes retenus, il est clair qu'ils ne suffisent pas à « raconter » l'histoire de ce siècle. Aussi, conformément à l'esprit de cette collection, nous sommes-nous efforcés de les replacer, pour chaque chapitre, dans leur contexte. Tous les documents sont précédés d'un chapeau de présentation qui en explicite la nature et la signification, fournit des informations sur l'auteur, les personnalités, les événements concernés et propose quelques clés de lecture. Le texte d'introduction du chapitre présente, dans ses grandes lignes, la période ou le thème étudié, et offre un cadre chronologique qui permet de situer les documents les uns par rapport aux autres et d'aborder la lecture de ce recueil de textes comme on le fait d'un récit historique continu. Que cet instrument de travail soit aussi, et d'abord, un livre d'histoire, dont on peut — si on le désire — suivre le fil conducteur : tel est le souhait que nous formulons auprès de nos lecteurs.

I

LA FRANCE EN 1918-1919

La date du 11 novembre 1918 marque à la fois, avec la signature de l'armistice à Rethondes, la fin d'un cauchemar qui va laisser des traces profondes dans la mémoire des Français, et le début d'une période intermédiaire entre la guerre et la paix. Officiellement, celle-ci est proclamée le 28 juin 1919, lorsque les plénipotentiaires allemands et les représentants des puissances victorieuses paraphent, dans la galerie des Glaces du château de Versailles, le long document qui est censé mettre les puissances pacifiques à l'abri d'un nouveau conflit général (texte n° 4). En fait, le « retour à la normale » n'interviendra guère avant les élections de novembre, soit un an après la fin des combats, six mois après que les pouvoirs des députés furent arrivés à expiration. C'est seulement le 12 octobre 1919 que la censure est levée en France, Clemenceau estimant que si la guerre était gagnée, il restait encore à « gagner la paix ». Au cours de cette première année de l'« après-guerre », l'opinion des Français s'est profondément modifiée, passant de l'immense euphorie qui a suivi l'annonce de l'armistice, aussi bien parmi les combattants que parmi les civils (texte n° 2), à la morosité et bientôt à la colère.

Au lendemain du 11 novembre, l'atmosphère est en effet au soulagement et à l'optimisme. Le massacre est terminé et avec lui cesse, pour la majorité des familles de combattants, l'angoisse quotidienne de voir l'un des siens tué ou grièvement blessé. La victoire est acquise après cinquante-deux mois d'incertitude, sinon de désespérance car, dans l'ensemble, « le moral a tenu ». Les territoires occupés par les Allemands sont libérés, de même que l'Alsace-Lorraine, terre allemande depuis 1871 et qui, après avoir été considérée pendant la guerre comme « pays ennemi », va bientôt faire retour à la mère patrie (texte n° 6). Pour tous, il est clair qu'une page est tournée, que la victoire remportée sur le « boche » efface l'humiliation de 1870 et qu'une ère nouvelle s'ouvre pour la France et pour l'Europe.

Or la désillusion est rapide. D'abord la France compte ses morts et le bilan est lourd : 957 000 tués officiellement recensés, 337 000 « disparus » dont il faudra parfois plusieurs années pour déterminer le sort. Cela représente, selon les catégories socio-professionnelles entre 8 et 10 % de la population active, et il faut ajouter à ces victimes du carnage, les quelque 400 000 mutilés de guerre, « gueules cassées » et autres handicapés à vie et les 1 100 000 blessés de guerre dont le handicap sera jugé suffisamment sérieux pour qu'il leur soit versé une « pension d'invalidité ». C'est pratiquement toute une génération qui a payé le prix du sang et de la souffrance pour une guerre dont on commence à se demander pourquoi on l'a faite. De là va surgir ce phénomène absolu-

ment nouveau dans la vie politique française qu'est l'esprit « ancien-combattant » : mélange de pacifisme (textes nᵒˢ 1 et 3), de détermination quant au risque de voir renaître le militarisme allemand et de méfiance à l'égard d'un parlementarisme bientôt qualifié de « bavard » et d'impotent.

Les conditions dans lesquelles se déroulent la conférence de la Paix, puis la signature du traité en juin 1919 ne vont guère apaiser les inquiétudes des Français. Entre ceux qui, comme les socialistes, souhaitent que la paix imposée à l'Allemagne ne compromette pas les chances d'une future réconciliation, et ceux qui estiment que les clauses du traité doivent rendre impossible toute velléité de revanche, Clemenceau s'applique à tenir une voie médiane et à concilier réalisme et sécurité. Ce qui lui vaut, venant après l'immense popularité qui a suivi l'annonce de la victoire, une perte de crédit perceptible aussi bien à gauche qu'à droite. De là les attaques, parfois très vives, dont il est l'objet de la part de la classe politique (textes nᵒˢ 3 et 6) et le peu d'empressement qu'il met à convoquer les électeurs pour le renouvellement du Parlement.

La position du gouvernement est d'autant plus difficile et les angoisses de la population sont d'autant plus fortes que la prise de conscience de la situation dans laquelle la France se trouve au lendemain de la guerre s'effectue dans un contexte de difficultés économiques et sociales graves dues notamment à la hausse rapide des prix, non compensée par la croissance des salaires. Il en résulte une vague de grèves et d'agitation qui prend un caractère aigu en mai 1919 et inquiète d'autant plus l'opinion conservatrice (texte nᵒ 10) qu'à cette date une fraction importante du monde ouvrier n'est pas insensible à l'attraction du modèle révolutionnaire dont paraît porteur le mouvement bolchevique russe.

En proie à ces multiples problèmes, ainsi qu'aux accusations de ceux qui lui reprochent de vouloir pérenniser sa « dictature », Clemenceau n'en réussit pas moins à franchir le cap et à faire ratifier le traité de Versailles par la Chambre le 2 octobre 1919 par 372 voix contre 53 (presque toutes socialistes) et 74 abstentions. Rien ne s'oppose donc plus à ses yeux à l'organisation d'un scrutin législatif qui aura lieu en novembre 1919.

1. « Et c'est fini... »

Né en 1885 à Amiens, dans une famille de petite bourgeoisie aisée, Roland Lécavelé — dit Roland Dorgelès — a suivi les cours de l'École des Arts décoratifs avant de faire carrière dans le journalisme et de devenir l'une des figures marquantes de la jeune bohème montmartroise. Mobilisé en 1914, cet humoriste à la plume alerte dont les premiers écrits ont dépeint ce milieu haut en couleur est revenu du front avec un roman de guerre, Les Croix de bois, *qui va asseoir sa réputation d'écrivain et qui constitue en quelque sorte le prototype de la littérature « ancien-combattant ». Dorgelès y décrit les horreurs du conflit et les souffrances des combattants dans un style grave qui tranche avec sa production antérieure et lui vaut, après avoir raté de peu le Goncourt (attribué à Marcel Proust), de recevoir en 1919 le prix Fémina.*

Le document présenté ici résume assez bien le double sentiment qu'éprouvent, à leur retour du front, les survivants du carnage : d'une part la pesanteur des « souvenirs atroces » qui hantent les combattants au sortir du conflit le plus meurtrier que la France ait connu, d'autre part le désir d'oubli et la véritable fureur de vivre qui caractérisent l'immédiat après-guerre.

*Le thème de la guerre va nourrir pendant plusieurs années l'œuvre de Dorgelès,
auteur successivement du* Cabaret de la belle femme *(1919) et du* Réveil des morts
*(1922), ainsi qu'une immense production éditoriale partagée entre deux courants nette-
ment distincts : d'un côté les œuvres qui reflètent une certaine nostalgie de l'héroïsme
et de la camaraderie virile, telles que* Les Éparges *de Maurice Genevoix,* Le Sel de la
terre *de Raymond Escholier et* L'Équipage *de Joseph Kessel ; de l'autre les livres qui
dénoncent le caractère absurde et monstrueux de la guerre comme* Le Feu *d'Henri Barbusse ou* Le Voyage au bout de la nuit *de Louis-Ferdinand Céline.*

Source : Roland Dorgelès, *Les Croix de bois*, Paris, Albin Michel, 1919, pp. 341-343.
Bibliographie : J.-J. Becker, *La France en guerre, 1914-1918. La grande mutation*,
Bruxelles, Complexe, 1988 ; J.-B. Duroselle, *La Grande Guerre des Français, 1914-
1918*, Paris, Perrin, 1994 ; M. Genevoix, *Ceux de Quatorze*, Paris, Flammarion, 4 vol.,
édition définitive, 1949.

E T C'EST FINI…
Voici la feuille blanche sur la table, et la lampe tranquille, et les livres… Aurait-on
jamais cru les revoir, lorsqu'on était là-bas, si loin de sa maison perdue ?

On parlait de sa vie comme d'une chose morte, la certitude de ne plus revenir nous en
séparait comme une mer sans limites, et l'espoir même semblait s'apetisser, bornant
tout son désir à vivre jusqu'à la relevée. Il y avait trop d'obus, trop de morts, trop de
croix ; tôt ou tard notre tour devait venir.

Et pourtant c'est fini…

La vie va reprendre son cours heureux. Les souvenirs atroces qui nous tourmentent
encore s'apaiseront, on oubliera, et le temps viendra peut-être où, confondant la guerre
et notre jeunesse passée, nous aurons un soupir de regret en pensant à ces années-là.

Je me souviens de nos soirées bruyantes, dans le moulin sans ailes. Je leur disais :
« Un jour viendra où nous nous retrouverons, où nous parlerons de nos copains, des
tranchées, de nos misères et de nos rigolades… Et nous dirons avec un sourire : "c'était
le bon temps !" »

Avez-vous bien crié, ce soir-là, mes camarades. J'espérais bien mentir, en vous parlant ainsi. Et cependant…

C'est vrai, on oubliera. Oh ! je sais bien, c'est odieux, c'est cruel, mais pourquoi
s'indigner : c'est humain… Oui, il y aura du bonheur, il y aura de la joie sans vous, car,
tout pareil aux étangs transparents dont l'eau limpide dort sur un lit de bourbe, le cœur
de l'homme filtre les souvenirs et ne garde que ceux des beaux jours. La douleur, les
haines, les regrets éternels, tout cela est trop lourd, tout cela tombe au fond…

On oubliera. Les voiles de deuil, comme des feuilles mortes, tomberont. L'image du
soldat disparu s'effacera lentement dans le cœur consolé de ceux qu'il aimait tant. Et
tous les morts mourront pour la deuxième fois.

Non, votre martyre n'est pas fini, mes camarades, et le fer vous blessera encore,
quand la bêche du paysan fouillera votre tombe.

Les maisons renaîtront sous leurs toits rouges, les ruines redeviendront des villes et
les tranchées des champs, les soldats victorieux les rentreront chez eux. Mais Vous,
ne rentrerez jamais.

C'était le bon temps…

Je songe à vos milliers de croix de bois, alignées tout le long des grandes routes poudreuses, où elles semblent guetter la relève des vivants, qui ne viendra jamais faire lever les morts. Croix de 1914, ornées de drapeaux d'enfants, qui ressembliez à des escadres en fête, croix coiffées de képis, croix casquées, croix des forêts d'Argonne dont la rigide armée suivait la nôtre, progressant avec nous de tranchée en tranchée, croix que l'Aisne grossie entraînait loin du canon, et vous, croix fraternelles de l'arrière, qui vous donniez, cachées dans les taillis, des airs verdoyants de charmille, pour rassurer ceux qui partaient. Combien sont encore debout, des croix que j'ai plantées ?

Mes morts, mes pauvres morts, c'est maintenant que vous allez souffrir, sans croix pour vous garder, sans cœurs où vous blottir. Je crois vous voir rôder, avec des gestes qui tâtonnent, et chercher dans la nuit éternelle tous ces vivants ingrats qui déjà vous oublient.

© Albin Michel

2. Paris en 1918, vu par un lycéen

Dans ce texte publié une douzaine d'années après les événements qu'il relate, le jeune Jean Oberlé évoque ce que fut, vue de l'arrière et pour un élève de classe « terminale », entré ensuite à l'Hôtel de Ville de Paris comme rédacteur auxiliaire, l'ultime année du conflit.

On retiendra de ce texte deux thèmes qui caractérisent assez bien le vécu de l'année 1918 dans la capitale. Tout d'abord celui de la relative insouciance dans laquelle évolue une partie de la population française, au moment même où les armées allemandes se trouvent à quelque cinquante kilomètres de Paris, à portée des pièces d'artillerie lourde qui ont pris position dans la région de Château-Thierry (la « grosse Bertha »). Insouciance qui est ici celle de la jeunesse, peu encline à s'apitoyer sur le sort des veuves « bavardes » et « bruyantes », et des femmes de combattants venant réclamer leur maigre « allocation », mais aussi, plus globalement, celle des non-combattants à la recherche de distractions diverses — revues de music-hall, pièces du Boulevard, soirées au café-concert, etc. On sait à quel point cette image de l'« arrière » prenant son plaisir sans retenue, tandis que souffrent et meurent des centaines de milliers de mobilisés, a pesé sur le moral des soldats lors des événements du printemps 1917, et le rôle qu'elle jouera rétrospectivement après la guerre dans le façonnement de l'esprit « ancien combattant ».

L'autre thème, développé dans la dernière partie du texte, est celui de l'immense soulagement manifesté par la population de la capitale à l'annonce de l'armistice du 11 novembre 1918 : un événement quasi inattendu, quelques mois seulement après la série des grandes offensives allemandes du printemps et du début de l'été, alors que l'on s'attendait en 1914 (comme en témoigne l'allusion aux drapeaux tricolores achetés à cette date) à une guerre courte et bien sûr victorieuse.

Source : Jean Oberlé, *Lettre d'un lycéen*, citée par *Le Crapouillot*, août 1930.
Bibliographie : J.-J. Becker, *Les Français dans la Grande Guerre*, Paris, Robert Laffont, 1980 ; J.-B. Duroselle, *Histoire de la Grande Guerre. La France et les Français, 1914-1920*, Paris, éd. Richelieu, 1972 ; P. Miquel, *La Grande Guerre*, Paris, Fayard, 1983.

J'ÉTAIS PENSIONNAIRE au lycée Lakanal et chaque matin, au réfectoire, le surveillant général, énorme sot à barbe grise[1], nous lisait le communiqué, pendant que nous buvions un insipide café au lait. Un jour, il annonça : « Mort de l'empereur François-Joseph. » Le réfectoire éclata en applaudissements. « Taisez-vous, hurla cet homme, comment osez-vous applaudir à la mort d'un vieillard ! » Le carnage des jeunes hommes semblait plus naturel.

Je passais mon bachot. Version de circonstance : Tite-Live. À l'oral, le président du jury[2], homme célèbre en Tchécoslovaquie, qu'à l'époque il était seul à connaître, se lève et maudit une jeune fille en larmes : « Zéro, mademoiselle, zéro ! à vous qui ne savez pas quel fleuve traverse Verdun ! » Et la jeune fille cachait sa honte dans ses sanglots, tandis que nous ricanions...

J'allais le dimanche au théâtre voir Sacha Guitry badiner, écouter les revues de Rip, et surtout dans les boîtes de chansonniers montmartrois, qui accommodaient la guerre à coups de bouts rimés. Pendant la journée, les obus de la « Bertha » dégringolaient. Un obus tomba sur l'église Saint-Gervais. On tirait les cadavres sous le porche...

J'étais entré comme rédacteur auxiliaire à l'Hôtel de Ville et je fus placé au bureau des allocations. Je gagnais quatorze francs par jour. Je me croyais riche... Je me trouvai mêlé à un tas de gens trop vieux pour aller à la guerre : un poète de province, des graveurs en taille-douce, des commis voyageurs, des chefs d'orchestre. Le reste du personnel était composé de veuves de guerre, bavardes, bruyantes, et qui réclamaient constamment des égards... Toute la journée, des femmes venaient réclamer leur allocation de femmes de mobilisés. Elles l'appelaient « leur location », comme si on leur avait loué leurs maris pour la guerre. Toutes pleuraient, gémissaient, montraient des enfants hâves et mal nourris. Souvent leur mari en permission accompagnait la femme et on voyait dans les couloirs des soldats timides, tremblants devant un garçon de bureau...

Les Américains étaient arrivés et, à leur profit, on avait oublié les Britanniques. On leur achetait de grands paquets de « Camel ». On les voyait partout. Ils remplissaient les music-halls, les cafés ; toutes les « poules » couchaient avec eux. Pendant ce temps, les permissionnaires français descendaient le boulevard de Strasbourg, sales, pâles, appuyés sur des cannes torses. On ne les remarquait plus, on ne regardait que les aviateurs. Je faisais la cour à une jeune femme, qui travaillait dans le même bureau que moi. Un jour, elle me dit : « Je suis contente. Mon aviateur va avoir sa tenue en gabardine... »

Et puis, un matin, le bourdon de Notre-Dame retentit, puis les cloches de toutes les églises. Et soudain, le canon tonna. Tout le monde bondissait dans le bureau. Alors, une énorme femme, employée aux fiches, retrouva une voix qu'on croyait perdue pour toujours et monta sur une table. Elle chanta le premier couplet de *La Marseillaise*, s'arrêta parce qu'elle ne savait pas le second ; ça ne faisait rien. On hurlait : « Vive la France ! » Le garçon de bureau, vieux radical, cria plus fort que tout le monde : « Vive la République ! »

Je me sauvai dans les rues. Les soldats de tous les pays embrassaient toutes les femmes. Des drapeaux, achetés en 1914, pavoisaient toutes les maisons. La foule tirait des canons chevauchés par des soldats. Devant la Chambre, une foule énorme entourait une auto, l'assiégeait. Dedans, il y avait un petit monsieur en chapeau melon et gants gris, avec une grosse moustache blanche. C'était Clemenceau.

---

1. Et naturellement surnommé « Bidon ».
2. L'historien Ernest Denis.

3. Clemenceau défend sa politique
devant les députés
(30 décembre 1918)

Après la conclusion de l'armistice, Clemenceau — qui avait été appelé par Poincaré à la tête du gouvernement en novembre 1917 — est resté au pouvoir, procédant tout juste à quelques modifications de détail dans la composition de son équipe ministérielle. Il estime en effet que la guerre ne sera véritablement gagnée que lorsque l'Allemagne et les autres puissances vaincues auront signé des traités en bonne et due forme, et pour cela il pense que sa présence à la direction des affaires est nécessaire ; tout comme il est nécessaire de maintenir jusqu'à la conclusion du traité avec le Reich les pratiques visant à assurer à l'exécutif une autonomie de décision qui implique l'effacement temporaire du Parlement.

À la fin de 1918, donc moins de deux mois après la cessation des combats, le vieux leader radical conserve dans le pays et parmi les députés une immense popularité. C'est donc dans une relative sérénité qu'il aborde à la Chambre le grand débat de politique étrangère dont il a accepté le principe et qui a lieu les 29 et 30 décembre. Commencé le dimanche matin, celui-ci va se dérouler sans interruption jusqu'au lendemain, le président du Conseil répondant avec sa vivacité et sa détermination habituelles aux questions, et parfois aux critiques de ses collègues, et faisant valoir auprès d'eux qu'il n'avait pas à déflorer devant la Chambre les arguments qu'il utiliserait lors des négociations de la conférence de la Paix, donc qu'il devait se taire.

Lors du vote qui clôt le débat à la Chambre, seuls les socialistes — qui ont réclamé que la négociation soit conduite « en pleine lumière » — refusent la confiance au gouvernement. Celui-ci n'en obtient pas moins d'être approuvé par les députés avec 386 voix contre 89.

Source : *Journal officiel, Débats parlementaires,* Chambre des députés, 30 décembre 1918.
Bibliographie : J.-B. Duroselle, *Clemenceau,* Paris, Fayard, 1988 ; G. Clemenceau, *Grandeurs et misères d'une victoire,* Paris, Plon, 1930.

O_N NOUS A REPROCHÉ, pendant que la guerre se déroulait, d'avoir souvent répondu, par le silence, aux questions que l'on nous posait. Cette méthode n'était pas si mauvaise, puisqu'à un contentement que je crois général, la guerre s'est bien terminée. Et maintenant vous nous reprochez de continuer à ne pas vouloir parler. C'est inexact !

Je demande à la Chambre de nous appuyer dans la paix, comme elle l'a fait dans la guerre. La paix est une question grave, et même terrible. Tous les continents du monde y sont intéressés ! Alors, on me dit : M. Lloyd George a parlé. M. Wilson a parlé. Vous, vous n'avez rien dit. Je ne crois pas n'avoir rien dit.

En tout cas, je ne suis pas obligé de parler, chaque fois qu'un autre chef d'État fait un discours. La France est dans une situation difficile. Elle est le pays le plus rapproché de l'Allemagne. Il y avait un vieux système, celui de l'équilibre, par les frontières bien défendues : il est aujourd'hui condamné, par de hautes autorités. Je crois, cependant, que si un tel équilibre avait précédé la guerre, si, par exemple, l'Amérique, l'Angleterre, la France, l'Italie, étaient tombées d'accord pour dire que qui attaquerait l'une verrait les trois autres prendre la défense commune...

Voix à l'extrême gauche. — Et la Russie ?

M. LE PRÉSIDENT DU CONSEIL. — Il y a dans ce système d'alliances, auquel je ne renonce pas, je le dis tout net, une pensée directrice à la conférence, si votre confiance me permet d'y aller et qui est que rien ne doit séparer, dans l'après-guerre, les grandes puissances que la guerre a réunies. À cette entente, je ferai tous les sacrifices. Mais pourquoi avant d'entrer dans les discussions, devrais-je me présenter devant vous pour déflorer les arguments que je veux faire valoir ? J'aurais donc dû vous demander la permission d'être discret. Je ne l'ai pas fait, car votre confiance dans la guerre m'était la garantie de votre confiance dans la paix. (*Applaudissements répétés à gauche, au centre et à droite.*)

4. Signature de la paix à Versailles

Signé le 28 juin 1919 dans la galerie des Glaces du château de Versailles — le choix du lieu, où avait été proclamé l'Empire allemand le 18 janvier 1871, n'était évidemment pas neutre —, le traité qui mettait fin à la guerre contre l'Allemagne fut le résultat d'une longue négociation. C'est en effet à partir du 12 janvier que se sont tenues à Paris les réunions de la conférence de la Paix. Y étaient conviés les représentants des vingt-sept États « vainqueurs » (certains, en Amérique latine notamment, n'ayant joué rigoureusement aucun rôle dans la guerre), mais l'essentiel des discussions eut lieu dans le cadre du conseil des Dix — comprenant deux représentants de chacune des grandes puissances victorieuses : France, Grande-Bretagne, États-Unis, Italie et Chine — et surtout du conseil des Quatre (Clemenceau, le Premier ministre britannique Lloyd George, le président américain Wilson et le président du Conseil italien Orlando).

On sait que la conférence de Paris a vu s'opposer les deux grandes thèses devant présider à l'établissement d'une paix durable en Europe. Celle du président Wilson privilégiait le droit des peuples à disposer d'eux-mêmes, le désarmement et les « garanties mutuelles d'indépendance politique et d'intégrité territoriale dans le cadre d'une ligue des nations ». Celle de Clemenceau reposait sur le souci de sécurité de la France, ce qui impliquait le maintien d'une force militaire prépondérante et la démilitarisation de l'Allemagne. Certes, le chef du gouvernement français ne suivait pas la droite nationaliste dans ses visées annexionnistes sur la rive gauche du Rhin. Mais il voulait obtenir des alliés la reconnaissance de la « frontière militaire » du Rhin, ce qui impliquait l'occupation de la rive gauche de ce fleuve, prolongée par des têtes de pont sur la rive droite, ainsi que la création d'un ou de plusieurs États rhénans détachés de l'Allemagne et placés sous le contrôle de la SDN. Ce programme — auquel s'ajoutait le paiement d'une lourde indemnité par le Reich — se heurta à l'opposition de Wilson et de Lloyd George, ce dernier craignant une hégémonie française sur le Rhin et désirant le maintien d'une Allemagne forte pour barrer la route au communisme.

Isolé, Clemenceau dut renoncer à son projet et accepter une simple occupation temporaire de la Rhénanie, assortie de sa démilitarisation et d'un traité de garantie des frontières de la France par les Anglo-Américains qui restera lettre morte. Mais il n'y aura ni création d'États tampons, ni même d'annexion à la France de la Sarre, cette région étant placée pour quinze ans sous le contrôle de la SDN et devant ensuite fixer son sort par plébiscite. C'est dire que la déception fut grande en France, à l'annonce des clauses du traité, et c'est cette déception qui transparaît dans le texte ci-dessous, l'auteur mettant l'accent sur ce qui aurait dû être une grande fête de la Victoire et qui ne fut, selon lui (mais son opinion reflète essentiellement celle des milieux nationalistes), qu'une cérémonie « morne et triste ».

Source : Jean Bernard Passerieu, dit Jean Bernard, *La Vie de Paris*, 1903-[1930], année 1919, Paris, A. Lemerre, 1904-1931.
Bibliographie : M. Launay, *Versailles, une paix bâclée ?*, Bruxelles, Complexe, 1981 ; P. Miquel, *La Paix de Versailles et l'opinion publique*, Paris, Flammarion, 1972 ; P. Renouvin, *Le Traité de Versailles*, Paris, Flammarion, 1969.

L E 28 JUIN 1919 est une des grandes dates historiques de la France et du monde. C'est la signature de la paix dans la grande salle des Glaces à Versailles. Il fallait assister à cette cérémonie qui aurait dû être grandiose et qui fut simplement morne et triste.

[...] Une note émouvante et juste cependant, et on la doit à M. Clemenceau ; on a placé dix poilus, des blessés dont la poitrine porte la croix de guerre et la médaille militaire. Ils sont là, au fond, à gauche, et quand M. Clemenceau est entré, c'est vers eux qu'il s'est dirigé, leur serrant la main.

« Nous y voilà, leur dit-il ; si nous sommes ici, aujourd'hui, c'est à vous que nous le devons. Merci. »

Enfin, les plénipotentiaires étant arrivés, chacun à part, et tout ce monde sans uniforme, en costumes simples, jaquettes et vestons, s'étant installé aux places qu'on avait réservées, MM. Clemenceau, Wilson et Lloyd George s'assirent au centre de la grande table en fer à cheval, recouverte d'un drap rouge qui incendie la salle. M. Clemenceau fronce ses épais sourcils à son habitude et, comme il est un peu sourd, il s'abstient de toute conversation avec ses voisins ; M. Wilson a son éternel sourire stéréotypé, c'est toujours le même ; M. Lloyd George clignote des yeux, l'air satisfait.

Tout à coup, les conversations cessent et tombent ; un grand silence se fait ; M. Clemenceau a fait un signe et, par une des portes de gauche, celle du grand salon des Batailles, un officier a conduit cinq délégués allemands. Ce fut le seul moment vraiment émouvant de la journée. M. Raux, préfet de police, marche en tête ; il est suivi par un petit monsieur, brun, assez gringalet, et dont le regard est voilé par un lorgnon, c'est M. Hermann Müller[1] ; il est suivi par un autre personnage, grand, long, sec, blond tirant sur le rouge, avec de grosses lunettes, c'est M. Bell ; trois fonctionnaires allemands les suivent et cinq officiers français ferment la marche. Les plénipotentiaires vont s'asseoir à droite de la table d'honneur ; ils m'ont paru très pâles ; après s'être légèrement inclinés, ils se sont installés sans bruit, entre les représentants du Japon et de l'Uruguay. [...]

[...] Ce sont les Allemands qui signent les premiers. Le chef du protocole les invite du geste à le suivre ; MM. Müller et Bell se lèvent, ils se rendent près d'un guéridon Louis XV qui est au centre et où se trouve le traité, sur les feuilles duquel on a, le matin même, apposé le cachet de chaque délégué.

M. Müller signe le premier, très vite, d'une petite écriture fine, menue, nerveuse ; M. Bell, au contraire, prend son temps, et sa signature est reposée, grosse, régulière.

Les deux plénipotentiaires se sont servis de leur stylo, ce qui n'a pas empêché, après la cérémonie, un général français de s'emparer d'une plume d'oie, croyant que c'est elle qui a signé le traité.

Quand tous les deux ont signé, ils reviennent s'asseoir ; ils sont affreusement pâles ; on devine qu'ils se raidissent pour marcher d'un pas ferme[2]. [...]

---

1. Monsieur Hermann Müller était député socialiste au Reichstag quand il vint, à la fin de juillet 1914, à Paris, affirmant aux socialistes français que les socialistes allemands ne voteraient pas les crédits de guerre.
2. Le lendemain 29 juin, un rédacteur du *Daily News* pouvait s'entretenir quelques instants avec MM. Mül-

5. L'action de Clemenceau jugée
par Alexandre Ribot
(1919)

Ce texte est tiré du Journal d'Alexandre Ribot, portant sur les années 1914-1922 et publié en 1936 par son fils (lui-même est mort en 1923). Il témoigne de la vive opposition à la politique de Clemenceau — et au-delà de cette politique à l'homme et au dirigeant politique — qui s'est manifestée dans divers secteurs du monde parlementaire français à la veille de la signature du traité de Versailles.

Ribot est un républicain modéré, comme Poincaré dont il est proche, qui a été de nombreuses fois ministre avant 1914 et quatre fois président du Conseil (en 1893, 1895, 1914 et 1917). Appelé par Poincaré à former le nouveau gouvernement au lendemain des élections de 1914, il a été renversé par la majorité de gauche le jour même où il se présentait devant la Chambre, celle-ci visant à travers lui le président de la République. En mars 1917, Poincaré a fait de nouveau appel à lui pour constituer le gouvernement et il a eu à affronter les difficultés majeures de l'année 1917 (échec de l'offensive Nivelle, mutineries, affaire du Bonnet rouge, attaques lancées contre le ministre de l'Intérieur Malvy qui dut démissionner). Lui-même dut quitter le pouvoir en septembre 1917, puis, devenu ministre des Affaires étrangères dans le cabinet Painlevé, toute fonction ministérielle après la chute de ce dernier et l'arrivée au pouvoir de Clemenceau.

Resté lié à Poincaré, Alexandre Ribot — qui siège toujours au Sénat — fait état ici des conversations qu'il a eues avec le président de la République et des récriminations formulées par ce dernier à l'encontre du président du Conseil, les dissensions entre les deux hommes portant essentiellement sur la politique menée par Clemenceau à la conférence de la Paix. Plus proche en effet du projet de « frontière militaire » de Foch que des vues du chef du gouvernement, lequel avait dû renoncer à la rive gauche du Rhin et à la constitution d'États tampons en Rhénanie, Poincaré aurait incontestablement souhaité se séparer du « Tigre », mais son profond attachement aux principes et aux pratiques du régime républicain lui interdisent d'envisager de « débarquer » le président du Conseil, comme le lui suggère Ribot. D'ailleurs, précise celui-ci, il n'a pas de solution de rechange, aucun dirigeant politique du moment n'ayant la confiance du chef de l'État, ce qui constitue un hommage indirect envers l'homme politique vendéen.

Source : *Journal d'Alexandre Ribot et correspondances inédites (1914-1922)*, publiés par le docteur A. Ribot, Paris, Plon, 1936, pp. 272-274.
Bibliographie : J.-J. Becker et S. Berstein, *Victoire et frustrations (1914-1929)*, Paris, Seuil, 1990 ; G. et S. Berstein, *Dictionnaire historique de la France contemporaine*, t. 1 : *1870-1945*, Paris, Complexe, 1976 ; J.-B. Duroselle, *Clemenceau*, Paris, Fayard, 1988.

---

ler et Bell. « Vous pouvez dire, lui confia M. Müller, que nous sommes très heureux que le traité soit signé. Nous nous attendions certainement à ce que la cérémonie de la signature fût plus imposante qu'elle ne le fut. En allant au palais de Versailles, nous avions une certaine appréhension qu'on ne fasse sentir à l'Allemagne son humiliation. Eh bien, la cérémonie de la signature fut monotone au point d'être fatigante ; elle ne contenait rien pour nous faire sentir notre position, plus que les circonstances ne le comportait. » (Note de l'auteur.)

2 juin 1919.

J'AI VU LE PRÉSIDENT DE LA RÉPUBLIQUE qui m'avait félicité de mon discours. Il est attristé de l'impuissance où il se trouve de faire comprendre à Clemenceau qu'il sert mal les intérêts de la France : Clemenceau est devenu irritable. Il n'a personne auprès de lui, sauf Tardieu[1] qui n'est pas un guide sûr. Dans la question de la frontière du Rhin, il n'a pas défendu la thèse qu'il avait indiquée aux membres de la commission des Affaires étrangères du Sénat : il n'a réclamé que le droit d'occuper la rive gauche du Rhin ; il a accepté que cette occupation fût temporaire ; il accepte aussi qu'elle soit contrôlée par une commission des quatre puissances, où l'Italie sera naturellement représentée... Il a désapprouvé l'action des généraux Mangin, Gérard, Fayolle qui, d'accord avec Foch, essaient d'amener les populations de la rive gauche à se séparer de la Prusse, tout en restant dans le Reich et en acceptant de payer leur part aux indemnités dues aux Alliés : il craint que cela ne serve de prétexte à Lloyd George et à Wilson pour supprimer ou réduire l'occupation. Il a envoyé Jeanneney[2] qui a rapporté des impressions plutôt favorables aux généraux. Le gouvernement allemand a protesté contre l'attitude de nos chefs militaires ; il vient de renouveler sa protestation. Clemenceau a demandé qu'on ajournât provisoirement la proclamation d'autonomie, qui était prête, et dont un exemplaire a été envoyé directement au président de la République par le général Mangin, à la demande du comité...

Le président se plaint des Chambres qui ne font pas leur devoir : elles devraient renverser Clemenceau.

J'indique au président qu'il a le droit de demander la démission d'un ministre qui lui paraît compromettre les intérêts de l'État : bien entendu, les Chambres auront à dire si le président a eu raison ou s'il a eu tort... Le président me répond qu'il sortirait de son rôle et que les Chambres se retourneraient contre lui. En fait, le président n'a pas sous la main de président du Conseil en qui il ait confiance.

Il me dit qu'il a menacé Clemenceau et Pichon de donner lui-même sa démission... S'il faisait cela, il s'exposerait aux mêmes reproches que Casimir-Périer ; je le lui ai dit, et il m'a contredit faiblement.

6. Naissance du pacifisme ancien-combattant

Publié en 1916 et couronné la même année par le jury du Goncourt, Le Feu, *journal d'une escouade, constituera au lendemain de la guerre l'un des principaux ouvrages de référence du pacifisme des anciens combattants, dans sa version de gauche, condamnant avec les horreurs du carnage ceux qui en sont jugés responsables par Henri Barbusse : les financiers, « grands et petits faiseurs d'affaires », les militaires et leurs admirateurs, les « traditionalistes », les prêtres et tous ceux qui « proclament l'antagonisme des races nationales ».*

*Né en 1873 dans une famille d'origine protestante, mais athée et républicaine, Barbusse s'est illustré avant la guerre dans la poésie et le journalisme (*Le Petit Parisien,

---

1. Élu député en 1914, mobilisé jusqu'en 1916, puis chargé par Ribot d'une mission aux États-Unis, Tardieu fut en 1919 le principal collaborateur de Clemenceau à la conférence de la Paix.
2. Sous-secrétaire d'État à la présidence du Conseil.

L'Écho de Paris). _La publication de son roman_ L'Enfer, _en 1908, marque un tournant dans son œuvre et dans son action, désormais tournée vers le pacifisme, l'antimilitarisme et le socialisme. En 1914, lorsqu'éclate la guerre, Barbusse a quarante et un ans. Son âge et son mauvais état de santé paraissent devoir le dispenser de service actif, mais contre toute attente il s'engage dès le 2 août et combat dans les tranchées d'Artois et de Picardie pendant près d'un an, avant d'être démobilisé et réformé._

De son séjour au front, Barbusse rapporte deux citations et la matière du livre qu'il fait d'abord paraître entre août et novembre 1916 dans L'Œuvre, _et qui, suscitant un immense succès, va se voir attribuer le prix Goncourt en pleine guerre. Le message délivré par_ Le Feu _est pourtant résolument et violemment pacifiste. Il conjugue à la description de la vie quotidienne des poilus une condamnation sans appel des fauteurs de guerre et un véritable appel à la révolution universelle._

C'est dans cet esprit que l'auteur du Feu _créera en 1917 l'Association républicaine des anciens combattants (ARAC) qui se réclame de l'idéal wilsonien, avant de s'engager dans l'action politique militante qui le conduira à fonder en 1919 le mouvement et la revue_ Clarté, _puis à adhérer en 1923 au jeune Parti communiste._

Source : Henri Barbusse, _Le Feu_, Flammarion, 1916, pp. 374-376 (prix Goncourt 1916).

Bibliographie : P. Baudorre, _Barbusse. Le pourfendeur de la Grande Guerre_, Paris, Flammarion, 1995 ; A. Vidal, _Barbusse, soldat de la paix_, Paris, Éditeurs français réunis, 1953.

A H ! VOUS AVEZ RAISON, pauvres ouvriers innombrables des batailles, vous qui aurez fait toute la grande guerre avec vos mains, toute-puissance qui ne sert pas encore à faire le bien, foule terrestre dont chaque face est un monde de douleurs, — et qui, sous le ciel où de longs nuages noirs se déchirent et s'éploient échevelés comme de mauvais anges, rêvez, courbés sous le joug d'une pensée ! — oui, vous avez raison. Il y a tout cela contre vous. Contre vous et votre grand intérêt général, qui se confond en effet exactement, vous l'avez entrevu, avec la justice, — il n'y a pas que des brandisseurs de sabres, des profiteurs et des tripoteurs.

Il n'y a pas que les monstrueux intéressés, financiers, grands et petits faiseurs d'affaires, cuirassés dans leurs banques ou leurs maisons, qui vivent de la guerre, et en vivent en paix pendant la guerre, avec leurs fronts butés d'une sourde doctrine, leurs figures fermées comme un coffre-fort.

Il y a ceux qui admirent l'échange étincelant des coups, qui rêvent et qui crient comme des femmes devant les couleurs vivantes des uniformes. Ceux qui s'enivrent avec la musique militaire ou avec les chansons versées au peuple comme des petits verres, les éblouis, les faibles d'esprit, les fétichistes, les sauvages.

Ceux qui s'enfoncent dans le passé, et qui n'ont que le mot d'autrefois à la bouche, les traditionalistes pour lesquels un abus a force de loi parce qu'il s'est éternisé, et qui aspirent à être guidés par les morts, et qui s'efforcent de soumettre l'avenir et le progrès palpitant et passionné au règne des revenants et des contes de nourrice.

Il y a avec eux tous les prêtres, qui cherchent à vous endormir, pour que rien ne change, avec la morphine de leur paradis. Il y a les avocats — économistes, historiens, est-ce que je sais ! — qui vous embrouillent de phrases théoriques, qui proclament l'antagonisme des races nationales entre elles, alors que chaque nation moderne n'a qu'une unité géographique arbitraire dans les lignes abstraites de ses frontières, et est peuplée d'un artificiel amalgame de races ; et qui, généalogistes véreux, fabriquent aux ambitions de conquête et de dépouillement, de faux certificats philosophiques et d'imaginaires titres de noblesse. La courte vue est la maladie de l'esprit humain. Les savants sont en bien des cas des espèces d'ignorants qui perdent de vue la simplicité des choses et l'éteignent et la noircissent avec des formules de détails. On apprend dans les livres les petites choses, non les grandes.

Et même lorsqu'ils disent qu'ils ne veulent pas la guerre, ces gens-là font tout pour la perpétuer. Ils alimentent la vanité nationale et l'amour de la suprématie par la force. « Nous seuls, disent-ils chacun derrière leurs barrières, sommes détenteurs du courage, de la loyauté, du talent, du bon goût ! » De la grandeur et de la richesse d'un pays, ils font comme une maladie dévoratrice. Du patriotisme, qui est respectable, à condition de rester dans le domaine sentimental et artistique, exactement comme les sentiments de la famille et de la province, tout aussi sacrés, ils font une conception utopique et non viable, en déséquilibre dans le monde, une espèce de cancer qui absorbe toutes les forces vives, prend toute la place et écrase la vie et qui, contagieux, aboutit, soit aux crises de la guerre, soit à l'épuisement et à l'asphyxie de la paix armée.

La morale adorable, ils la dénaturent : Combien de crimes dont ils ont fait des vertus, en les appelant nationales — avec un mot ! Même la vérité, ils la déforment. À la vérité éternelle, ils substituent chacun leur vérité nationale. Autant de peuples, autant de vérités, qui faussent et tordent la vérité.

Tous ces gens-là, qui entretiennent des discussions d'enfants odieusement ridicules, que vous entendez gronder au-dessus de vous : « Ce n'est pas moi qui ai commencé, c'est toi ! — Non, ce n'est pas moi, c'est toi ! — Commence, toi ! — Non, commence, toi ! » puérilités qui éternisent la plaie immense du monde parce que ce ne sont pas les vrais intéressés qui en discutent, au contraire, et que la volonté d'en finir n'y est pas ; tous ces gens-là qui ne peuvent pas ou ne veulent pas faire la paix sur la terre ; tous ces gens-là, qui se cramponnent, pour une cause ou pour une autre, à l'état des choses ancien, lui trouvent des raisons ou lui en donnent, ceux-là sont nos ennemis !

Ce sont vos ennemis autant que le sont aujourd'hui ces soldats allemands qui gisent ici entre vous, et qui ne sont que de pauvres dupes odieusement trompées et abruties, des animaux domestiques... Ce sont vos ennemis, quel que soit l'endroit où ils sont nés et la façon dont se prononce leur nom et la langue dans laquelle ils mentent. Regardez-les dans le ciel et sur la terre. Regardez-les partout ! Reconnaissez une bonne fois, et souvenez-vous à jamais !

7. Déclaration d'indépendance de l'Esprit

Le 26 juin 1919, deux jours avant la signature du traité de Versailles, paraît en pre-
mière page de L'Humanité _ce texte adressé au journal de Jaurès par « notre ami_
Romain Rolland » et connu sous le nom de « Déclaration d'indépendance de l'Esprit ».
_Parmi les premières signatures, on relève, outre celle de l'auteur d'_Au-dessus de la
mêlée _(publié en 1915 et qui vaudra l'année suivante à Romain Rolland, exilé en_
Suisse, le prix Nobel de littérature), celles d'Henri Barbusse, Georges Duhamel, Jules
Romains, Jean-Richard Bloch, Charles Vildrac, Pierre Jean Jouve, etc.
  L'appel est destiné aux « travailleurs de l'esprit » auquel il est reproché d'avoir suc-
combé aux sirènes du chauvinisme et d'avoir « mis leur science, leur art, leur raison au
service des gouvernements ». L'heure est venue pour les intellectuels de rompre avec
ces « alliances humiliantes » et ces « servitudes cachées », pour rendre à l'esprit son
indépendance. Ce texte, auquel répondra celui que fera paraître le 19 juillet dans Le
Figaro _un bataillon nourri d'intellectuels de droite (Bourget, Bainville, Daniel Halévy,_
Francis Jammes, Maurras, Maritain, Massis, Valois, etc.), constitue un véritable mani-
feste de la cléricature de gauche en regard du problème de l'engagement et des rap-
ports avec le pouvoir politique.

Source : Texte adressé par Romain Rolland à _L'Humanité_, 26 juin 1919.
  Bibliographie : _Intellectuels des années trente. Entre le rêve et l'action_, sous la
direction de D. Bonnaud-Lamotte et J.-L. Rispail, Paris, éd. du CNRS, 1989 ; J.-F. Sirinelli, _Intellectuels et passions françaises. Manifestes et pétitions au XXᵉ siècle_, Paris,
Fayard, 1990.

TRAVAILLEURS DE L'ESPRIT, compagnons dispersés à travers le monde, séparés depuis
  cinq ans par les armées, la censure et la haine des nations en guerre, nous vous
adressons, à cette heure où les barrières tombent et les frontières se rouvrent, un appel
pour reformer notre union fraternelle — mais une union nouvelle, plus solide et plus
sûre que celle qui existait avant.
  La guerre a jeté le désarroi dans nos rangs. La plupart des intellectuels ont mis leur
science, leur art, leur raison au service des gouvernements. Nous ne voulons accuser
personne, adresser aucun reproche. Nous savons la faiblesse des âmes individuelles et la
force élémentaire des grands courants collectifs : ceux-ci ont balayé celles-là, en un instant, car rien n'avait été prévu afin d'y résister. Que l'expérience au moins nous serve
pour l'avenir !
  Et d'abord, constatons les désastres auxquels a conduit l'abdication presque totale de
l'intelligence du monde et son asservissement volontaire aux forces déchaînées. Les penseurs, les artistes ont ajouté au fléau qui ronge l'Europe dans sa chair et dans son esprit
une somme incalculable de haine empoisonnée : ils ont cherché dans l'arsenal de leur
savoir, de leur mémoire, de leur imagination des raisons anciennes et nouvelles, des raisons historiques, scientifiques, logiques, poétiques de haïr ; ils ont travaillé à détruire la
compréhension et l'amour entre les hommes. Et ce faisant, ils ont enlaidi, avili, abaissé,
dégradé la pensée, dont ils étaient les représentants. Ils en ont fait l'instrument des passions et (sans le savoir, peut-être) des intérêts égoïstes d'un clan politique ou social, d'un
État, d'une patrie ou d'une classe. Et à présent, de cette mêlée sauvage, d'où toutes les

nations aux prises, victorieuses ou vaincues, sortent meurtries, appauvries, et, dans le fond de leur cœur — bien qu'elles ne se l'avouent pas — honteuses et humiliées de leur crise de folie, la pensée compromise dans leurs luttes sort, avec elles, déchue.

Debout ! Dégageons l'Esprit de ces compromissions, de ces alliances humiliantes, de ces servitudes cachées ! L'Esprit n'est le serviteur de rien. C'est nous qui sommes les serviteurs de l'Esprit. Nous n'avons pas d'autre maître. Nous sommes faits pour porter, pour défendre sa lumière, pour rallier autour d'elle tous les hommes égarés. Notre rôle, notre devoir est de maintenir un point fixe, de montrer l'étoile polaire, au milieu du tourbillon des passions, dans la nuit. Parmi ces passions d'orgueil et de destruction mutuelle, nous ne faisons pas un choix ; nous les rejetons toutes. Nous honorons la seule vérité, libre, sans frontières, sans limites, sans préjugés de races ou de castes. Certes, nous ne nous désintéressons pas de l'Humanité. Pour elle, nous travaillons, mais pour elle tout entière. Nous ne connaissons pas les peuples. Nous connaissons le Peuple — unique, universel. Le Peuple qui souffre, qui lutte, qui tombe et se relève, et qui avance toujours sur le rude chemin trempé de sa sueur et de son sang — le Peuple de tous les hommes, tous également frères. Et c'est afin qu'ils prennent, comme nous, conscience de cette fraternité que nous élevons au-dessus de leurs combats aveugles l'Arche d'Alliance — l'Esprit libre, un et multiple, éternel.

8. L'Alsace heureuse

Ce texte est tiré de l'ouvrage, destiné aux enfants, que Jean-Jacques Waltz, dit Hansi, a publié en 1919 sous le titre L'Alsace heureuse. *Il constitue un exemple très caractéristique de la littérature patriotique de l'immédiat après-guerre, laquelle ne fait guère d'ailleurs que reproduire des modèles répandus dans l'Hexagone depuis la défaite de 1871. Hansi est lui-même un pur produit de la génération de la « revanche ». Né à Colmar en 1872, un an après l'annexion de l'Alsace au Reich, il est le fils du conservateur du musée d'Unterlinden. Après avoir étudié l'art populaire alsacien, il a fréquenté l'École des Beaux-Arts de Lyon, puis celle de Mulhouse et a publié en 1912 un premier ouvrage engagé,* Le Professeur Knatschke, *dans lequel il caricaturait, par le texte et par l'image, les instituteurs allemands dont il avait suivi les enseignements dans son enfance. La même année, il fit paraître un livre qui devait assurer sa célébrité et populariser en France l'image naïve du petit Alsacien en sabots et de l'Alsacienne en coiffe, symboles de la province perdue :* L'Alsace racontée aux petits enfants par l'oncle Hansi, *suivie en 1913 de* Mon village.

Poursuivi pour propagande anti-allemande et emprisonné par les autorités locales, Hansi réussit à s'évader et à trouver refuge en France où il s'engagea dès les premiers jours de la guerre, avant d'être employé par les services de la propagande pour rédiger en allemand des tracts et des journaux diffusés en Alsace.

L'Alsace heureuse *est un très classique pamphlet anti-allemand qui reprend, sans la moindre nuance, tous les thèmes rabâchés par la propagande de guerre : la violence, la « folie sanguinaire », la « mentalité de pillards et d'assassins » des soldats allemands, la sauvagerie de leurs méthodes de combat et d'occupation, le sang-froid et l'héroïsme des populations alsaciennes, etc. Il témoigne de la force du sentiment anti-germanique au lendemain du conflit et de la pérennisation, une fois la paix revenue, du « bourrage de crâne » du temps de guerre, encore que, nous le savons aujourd'hui, certaines des accu-*

sations lancées dès le début des hostilités contre les armées du Reich — concernant notamment les exécutions sommaires et les viols — n'étaient pas toutes dénuées de fondement (cf. les travaux de Stéphane Audouin-Rouzeau indiqués dans la bibliographie).

Source : Jean-Jacques Waltz, dit Hansi, _L'Alsace heureuse, la grande pitié du Pays d'Alsace et son grand bonheur racontés aux petits enfants par l'oncle Hansi_, Paris, éd. H. Flouny, 1919, pp. 22-24.

Bibliographie : S. Audouin-Rouzeau, _La Guerre des enfants (1914-1918), essai d'histoire culturelle_, Paris, Armand Colin, 1993 ; S. Audouin-Rouzeau, _L'Enfant de l'ennemi (1914-1918). Vie, avortement et infanticide pendant la Grande Guerre_, Paris, Aubier, 1995 ; Y. Pourcher, _Les Jours de guerre. La vie des Français au jour le jour entre 1914 et 1918_, Paris, Plon, 1994.

LA GUERRE peut paraître belle sur les images où l'on voit des charges de cuirassiers, des attaques de chasseurs. Elle semblera même fraîche et joyeuse au vieux général pangermaniste qui rabâche loin du front les mensonges de l'agence Wolff, bien à l'abri derrière sa grande cruche de bière ! Mais, croyez-moi, vue de près, la guerre est une chose faite de boue et de sang, d'une laideur sans nom, d'une tristesse infinie. Ceux qui ont vu les pauvres paysans du Nord et de l'Est fuir devant le Boche, poussant devant eux leurs quelques hardes, traînant les enfants, les vieillards s'en aller, les yeux grandis d'épouvante, vers l'inconnu et la misère — ceux qui ont vu l'obus éclater, les pauvres corps sanglants et pantelants que l'on retrouve quand la fumée jaune et âcre s'est dissipée — ceux-là ne me démentiront pas. La guerre a toujours été affreuse, et cette grande guerre telle que les Boches l'ont voulue, avec ses gaz asphyxiants, ses jets de flammes, ses fusillades, ses assassinats, ses déportations, cette guerre est le crime le plus effroyable que l'histoire ait jamais eu à enregistrer. Les fous furieux de la Ligue pangermanique, les officiers prussiens, les hobereaux sans cœur ni conscience, l'empereur et ses complices qui ont froidement préparé ce crime en infusant au peuple allemand cette folie sanguinaire, cette mentalité de pillards et d'assassins, ne comprendront jamais, dans l'inconsciente perversion de leur âme, toute l'étendue de leur crime. Si ces gens-là avaient une conscience comme nous autres, ils ne pourraient survivre un jour aux remords d'avoir fait couler tant de larmes et tant de sang. [...]

Mais l'Alsace eut à subir surtout des tortures morales, et les brutalités d'une police exaspérée par les victoires françaises et la calme résistance des habitants. Dès le premier jour de la guerre, l'Alsace fut considérée comme pays ennemi ; les villages de Bourzwiller, de Dalheim et beaucoup d'autres subirent le sort de tant de villages français et belges. On y fusilla des vieillards, des femmes, des enfants à la lueur de l'incendie allumé par les Boches ivres de sang et d'alcool. Puis commença un cruel régime de terreur. Les conseils de guerre siégeant en permanence jugeaient, condamnaient. Les horribles affiches rouges annonçant le supplice de nombreux Alsaciens ensanglantaient les murs de Colmar, de Mulhouse.

On arrêta, on mit en prison, on envoya en exil des milliers de bons Alsaciens. Mais la confiance souriante de ces braves gens resta inébranlable. Les bonnes nouvelles se colportaient en cachette ; quant aux mauvaises, annoncées par les communiqués boches, c'était bien simple : on n'en croyait pas un traître mot. La confiance en la bravoure invincible de l'armée française était telle que jamais en Alsace on ne douta de la victoire. Les privations et même les réquisitions étaient autant de bonnes raisons pour espérer. Ils prenaient les cloches, réquisitionnaient les objets en cuivre, jusqu'aux boutons de portes : tant mieux, cela prouvait qu'ils étaient à court de munitions. Les vivres devenaient de plus en plus rares, il fallait se nourrir d'un pain noir, gluant et lourd comme du mastic, assaisonné d'une horrible marmelade de betteraves : cela paraissait presque bon parce qu'on se disait qu'ils ne pourraient tenir jusqu'au bout.

9. « Nous autres, civilisations, nous savons maintenant que nous sommes mortelles... »

Avec ce texte célèbre de Paul Valéry, nous touchons à une autre manifestation de la crise morale qui affecte, au lendemain du conflit mondial, toute une fraction de l'intelligentsia française. Ici, à la condamnation de la guerre et de ses horreurs s'ajoute la méditation de l'écrivain sur la fragilité des constructions humaines et sur les dangers qui menacent la civilisation occidentale. Pour l'auteur de La Jeune Parque, *il est clair que celle-ci n'est pas à l'abri d'une catastrophe comparable à celles qui ont mis fin aux grandes aventures humaines de l'Orient antique et qu'une civilisation, aussi brillante qu'elle soit, peut disparaître de la surface du globe aussi brutalement et aussi complètement qu'un paquebot géant comme le* Lusitania, *coulé par un sous-marin allemand en 1915.*

Bien que ce texte soit d'une tout autre nature, et d'une tout autre portée intellectuelle que le document précédent, il n'en révèle pas moins chez son auteur un sentiment d'extrême réserve à l'égard de l'Allemagne et du peuple allemand. Valéry reconnaît les qualités de ce dernier (le « travail consciencieux », « l'instruction la plus solide », la discipline, etc.), mais il explique en même temps que science et devoir ont conduit chez nos voisins aux plus « épouvantables desseins ». En ce sens, il participe de l'air du temps, ce qui n'empêchera pas l'écrivain sétois de se joindre quelques années plus tard, en compagnie de Romain Rolland, de Claudel, de Gide et de quelques autres, à la petite cohorte d'intellectuels qui, dans l'orbite du Comité franco-allemand d'information et de documentation, fondé par le sidérurgiste luxembourgeois Émile Mayrish, s'appliquera à favoriser le rapprochement entre les deux ex-ennemis.

Source : Paul Valéry, « Première lettre, la crise de l'esprit », dans *La Nouvelle Revue française*, 1ᵉʳ août 1919, puis repris dans *Variété* (1924), *Œuvres*, Paris, Gallimard, coll. La Pléiade, 1957, pp. 988-989.

Bibliographie : P. Ory, J.-F. Sirinelli, *Les Intellectuels en France de l'Affaire Dreyfus à nos jours*, Paris, Armand Colin, 1986.

Nous autres, civilisations, nous savons maintenant que nous sommes mortelles. Nous avions entendu parler de mondes disparus tout entiers, d'empires coulés à pic avec tous leurs hommes et tous leurs engins ; descendus au fond inexplorable des siècles avec leurs dieux et leurs lois, leurs académies et leurs sciences pures et appliquées, avec leurs grammaires, leurs dictionnaires, leurs classiques, leurs romantiques et leurs critiques. Nous savions bien que toute la terre apparente est faite de cendres, que la cendre signifie quelque chose. Nous apercevions, à travers l'épaisseur de l'histoire, les fantômes d'immenses navires qui furent chargés de richesse et d'esprit. Nous ne pouvions pas les compter. Mais ces naufrages, après tout, n'étaient pas notre affaire.

Elam, Ninive, Babylone étaient de beaux noms vagues, et la ruine totale de ces mondes avait aussi peu de signification pour nous que leur existence même. Mais *France, Angleterre, Russie...* ce seraient aussi de beaux noms. *Lusitania*[1] aussi est un beau nom. Et nous voyons maintenant que l'abîme de l'histoire est assez grand pour tout le monde. Nous sentons qu'une civilisation a la même fragilité qu'une vie. Les circonstances qui enverraient les œuvres de Keats et celles de Baudelaire rejoindre les œuvres de Ménandre ne sont plus du tout inconcevables : elles sont dans les journaux.

Ce n'est pas tout. La brûlante leçon est plus complète encore. Il n'a pas suffi à notre génération d'apprendre par sa propre expérience comment les plus belles choses et les plus antiques, et les plus formidables et les mieux ordonnées sont périssables par *accident* ; elle a vu, dans l'ordre de la pensée, du sens commun, et du sentiment, se produire des phénomènes extraordinaires, des réalisations brusques de paradoxes, des déceptions brutales de l'évidence.

Je n'en citerai qu'un exemple : les grandes vertus des peuples allemands ont engendré plus de maux que l'oisiveté jamais n'a créé de vices. Nous avons vu, de nos yeux vu, le travail consciencieux, l'instruction la plus solide, la discipline et l'application les plus sérieuses, adaptés à d'épouvantables desseins.

Tant d'horreurs n'auraient pas été possibles sans tant de vertus. Il a fallu, sans doute, beaucoup de science pour tuer tant d'hommes, dissiper tant de biens, anéantir tant de villes en si peu de temps ; mais il a fallu non moins de qualités morales. Savoir et Devoir, vous êtes donc suspects ?

Ainsi la Persépolis spirituelle n'est pas moins ravagée que la Suse matérielle. Tout ne s'est pas perdu, mais tout s'est senti périr.

Un frisson extraordinaire a couru la moelle de l'Europe. Elle a senti, par tous ses noyaux pensants, qu'elle ne se reconnaissait plus, qu'elle cessait de se ressembler, qu'elle allait perdre conscience — une conscience acquise par des siècles de malheurs supportables, par des milliers d'hommes du premier ordre, par des chances géographiques, ethniques, historiques, innombrables.

Alors, — comme pour une défense désespérée de son être et de son avoir physiologiques, toute sa mémoire lui est revenue confusément. Ses grands hommes et ses grands livres lui sont remontés pêle-mêle. Jamais on n'a tant lu, ni si passionnément que pendant la guerre : demandez aux libraires. Jamais on n'a tant prié, ni si profondément : demandez aux prêtres. On a évoqué tous les sauveurs, les fondateurs, les protecteurs, les martyrs, les héros, les pères des patries, les saintes héroïnes, les poètes nationaux.

---

1. Allusion au paquebot britannique qui fut torpillé près des côtes d'Irlande, le 7 mars 1915, par un sous-marin allemand.

10. Les grèves de mai 1919
vues par Georges Valois

Tandis qu'il négocie les traités de paix, Clemenceau doit faire face à un vaste mouvement de revendications ouvrières et de grèves. Celui-ci trouve son origine dans la forte hausse des prix que connaît la France au lendemain de l'armistice et est bientôt pris en charge par la CGT.

Au sortir de la guerre, la grande centrale syndicale a le vent en poupe. Forte de ses 2 400 000 adhérents, elle bénéficie d'une image favorable aux yeux des ouvriers du fait de l'efficacité de son action durant les deux dernières années du conflit. Mais elle est également profondément divisée quant à la tactique à suivre et aux buts qui sont assignés au mouvement ouvrier. À la majorité réformiste qui soutient le secrétaire général Léon Jouhaux, s'oppose un fort courant extrémiste qui rassemble les syndicalistes révolutionnaires de l'avant-guerre et les admirateurs de la révolution bolchevique. C'est lui qui insuffle à la CGT un esprit violemment contestataire et s'applique à transformer le mouvement revendicatif en prologue de la révolution.

Conscient des risques que comporte cette situation, Clemenceau tente de la désamorcer. À la veille de la célébration du 1er Mai 1919, il décide d'accorder aux salariés une de leurs plus vieilles revendications, la loi de huit heures, votée le 23 avril. Mais cela ne suffit pas à enrayer un mouvement qui débouche sur de violents affrontements avec la police lors de la manifestation du 1er Mai et s'étend par la suite à de nombreux secteurs du monde ouvrier, l'agitation contre l'intervention française en Russie prenant le relais des grèves sectorielles.

C'est contre cette stratégie révolutionnaire d'une CGT qu'il considère comme entièrement acquise au marxisme, noyautée par les partisans de la révolution russe et financée par l'« or étranger » (aussi bien bolchevique que fourni par la finance internationale) que s'élève Georges Valois. Venu du syndicalisme révolutionnaire et disciple de Sorel, ce dernier a adhéré en 1906 à l'Action française et représente au sein du mouvement maurrassien le courant gauchisant qui, cherchant à opérer la synthèse entre nationalisme et anarcho-syndicalisme, entre le catholicisme social d'un La Tour du Pin et les thèmes proudhoniens, s'inscrit dans la famille des « préfascismes européens ». Cette orientation, dont Maurras est loin d'approuver tous les aspects, le conduira à rompre après la guerre avec les dirigeants de l'Action française et à fonder quelques années plus tard son propre mouvement, le Faisceau, la première formation politique se réclamant en France du fascisme.

Source : « Les Grèves et les idées », *L'Action française*, 9 juin 1919.
Bibliographie : Y. Guchet, *Georges Valois, l'Action française, le Faisceau, la République syndicale*, Paris, éd. Albatros, 1975 ; Georges Valois, *L'Homme contre l'argent. Souvenirs de dix ans (1918-1928)*, Paris, Librairie Valois, 1928 ; E. Weber, *L'Action française*, Paris, Stock, 1964.

E N HUIT JOURS, des grèves ont été déclenchées de tous côtés, dans presque toutes les corporations. Nous trouvons-nous devant un mouvement de nature purement économique n'ayant d'autre moteur que l'intérêt ouvrier ? Il est d'une évidence aveuglante aujourd'hui que, si les intérêts ouvriers sont utilisés dans ces mouvements, la direction n'en est nullement ouvrière. Utilisant les revendications des employés et des ouvriers dans une crise économique sans précédent, un parti provoque ou exploite des mouvements en vue d'un résultat politique. Il les coordonne, à l'insu de ceux qui y participent, leur donne l'allure de mouvements spontanés, afin de faire croire aux uns et aux autres qu'ils agissent, non selon un plan élaboré en dehors d'eux, mais sous la pression des mêmes nécessités. Il s'agit d'organiser une grève générale, sans prononcer le mot, qui eût déterminé une hostilité profonde dans tout le pays. Ainsi peut-on entraîner les masses vers un objectif qu'elles ne voient pas, et dont elles s'éloigneraient si on le leur révélait. Un très petit nombre d'hommes peuvent ainsi manœuvrer une foule considérable.

Veut-on savoir comment l'on procède pour entraîner dans une action révolutionnaire des hommes qui tiennent la révolution pour le pire des maux ? Actuellement, les conditions économiques étant telles qu'il n'est pas de corporations où l'on ne souffre des difficultés générales, la tactique est d'une extrême simplicité. Si l'on vise une corporation où il n'y a pas de vie syndicale, on choisit quelques hommes de la profession pour engager le mouvement ; on les gagne par le cœur ou par l'intérêt ; on leur fournit un plan d'action, avec les premiers subsides. Puis on les invite à réunir leurs camarades et l'on disparaît. À la première réunion les camarades sont en état de défiance : ils veulent bien présenter des revendications ; ils veulent bien se syndiquer ; mais ils se défient de la CGT. Leurs entraîneurs se gardent bien de heurter de front cette défiance, et fondent un premier groupement. Le groupement fondé, on parle doucement de la CGT. Résistances ; mais il se trouve toujours un camarade pour dire que l'adhésion à la CGT n'entraîne pas l'adhésion à la révolution, un autre déclare que, plus il y aura de non-révolutionnaires à la Confédération et plus le mouvement ouvrier sera « modéré ». Au surplus, il faut des statuts, des bureaux, des salles de réunion. Où cela se trouve-t-il, sans avances de fonds, sinon à la Bourse du travail ? Ceci dit, les propagandistes peuvent reparaître : la défiance à leur égard n'est pas tombée, mais elle est désormais impuissante. Les nouveaux syndiqués ne sont pas encore fiers d'adhérer à la CGT, mais ils sont convaincus que l'on ne peut faire grand-chose en dehors d'elle, et comme ils désirent augmenter leurs salaires, ils se laissent faire violence. S'il s'agit d'une corporation bien organisée syndicalement, il suffit d'avoir le bureau du syndicat pour entraîner tout le monde. Si le bureau du syndicat résiste, et c'est très fréquent, on crée à côté de lui un comité d'entente syndicale qui lui suscite toutes les difficultés et qui, exploitant les passions contre lui, le contraint à une action qu'il condamne. S'agit-il de faire marcher les grandes fédérations, le procédé est le même. Veut-on enfin agir sur le comité confédéral lui-même ? C'est par l'action de ces groupes extra-syndicaux que l'on obtient le résultat recherché.

Car il faut bien s'en rendre compte : les mouvements que nous observons n'ont pas été conçus par cette entité que l'on nomme la CGT, ni par les hommes les plus connus comme « meneurs » ouvriers. La grande majorité des hommes qui participent à la vie syndicale confédérale sont hostiles au mouvement engagé. Ils y sont entraînés par une infime minorité, mais par une minorité agissante et qui, utilisant dans la troupe ouvrière les intérêts immédiats, utilise chez les chefs les idées et les doctrines.

L'or étranger, l'or bolchéviste, l'or de la finance facilite cette action et en décuple la force. Mais l'or ne crée pas, il ne permet que de multiplier et d'accélérer les mouvements. L'or n'explique pas l'ardeur de la minorité ni la passivité de la majorité. La vérité, la grande vérité, c'est que la minorité, avec ou sans or, exploite l'idée pure contre une majorité qui est obligée de ne regarder sa conscience des réalités que comme une faiblesse humaine, opportuniste, devant l'idée. L'idée, c'est le marxisme, répandu à fortes ou faibles doses dans les groupements syndicalistes. Si les chefs syndicalistes cèdent devant des hommes qui ont peu ou point d'autorité syndicale, c'est parce qu'ils sont tout autant qu'eux pénétrés de marxisme, et qu'ils se trouvent ainsi sans défense contre ceux qui les accusent de tiédeur dans la foi. Ce n'est pas, comme on le dit trop souvent, le jeu de la surenchère ; c'est le rappel aux principes, c'est le rappel à la doctrine qui joue. La plupart des chefs syndicalistes ont vu depuis longtemps que l'application de la doctrine déterminerait une catastrophe ; mais ils ne l'ont pas abandonnée ; ils ont conçu qu'ils laisseraient leurs successeurs se débrouiller dans les difficultés d'application. Il est aisé à leurs adversaires de faire pression sur eux, rien qu'en les dénonçant comme de simples opportunistes.

C'est dans ce prestige des idées qu'il faut chercher l'explication de l'absurdité extraordinaire des événements actuels, où l'on voit tant d'hommes entraînés contre leurs intérêts, contre leur volonté, vers une fin qui leur fait horreur. Que l'intérêt allemand exploite cela, et qu'il provoque l'explosion au moment utile pour lui, c'est un jeu facile, avec le concours de quelques complices bien placés et bien camouflés en humanitaires. Et l'Allemagne est bien outillée pour exploiter une idée qui est née chez elle et qui est représentée aujourd'hui dans son gouvernement. Mais la force et la violence que l'on veut déchaîner résident dans les idées. Il ne faut pas compter sur le « robuste bon sens » des Français pour réagir contre l'idée marxiste ; ce « robuste bon sens », dans le trouble de la vie économique actuelle, fonctionne au profit du marxisme chez tous ceux qui ont été touchés par la propagande socialiste. En l'absence, chez un grand nombre d'ouvriers français, d'une idée qui s'oppose nettement au marxisme, c'est d'ailleurs que viendra le salut. C'est le cœur, c'est le sang français qui rendra au pays le sens de sa destinée, mais non sans obéir aux raisons qui sont enseignées depuis vingt ans par les hommes qui ont fondé ce journal. Mais n'oublions pas, quand la crise décroîtra, qu'il est périlleux de confier la fortune d'un peuple aux coups de cœur. Si l'on veut que le cœur français demeure sain, ne se ronge pas, donnons à l'esprit sa nourriture. À l'idée, opposons l'idée. Propagande ! Propagande !

II

LA VIE POLITIQUE EN FRANCE
DE 1918 À 1930

Au lendemain du premier conflit mondial, nombreux sont les Français qui souhaitent le retour pur et simple au passé : un passé plus ou moins mythique et idéalisé, qui est celui de la « Belle Époque ». Or, ni le « Bloc national », coalition hétérogène qui triomphe en novembre 1919, ni l'éphémère « Cartel des gauches » qui remporte les élections de 1924 ne s'avèrent capables de restaurer les structures et les catégories politiques de l'avant-guerre. Il faut attendre 1926 et le retour de Poincaré au pouvoir pour que la nation ait le sentiment de retrouver des bases stables. Illusion de courte durée, qui ne survivra guère à la retraite définitive de l'homme d'État lorrain, en juillet 1929, et aux premières manifestations de la crise.

Les élections de 1919 se sont faites autour de deux thèmes. Le premier est celui de l'« Union sacrée » : prolongement en temps de paix de la formule visant à répudier les luttes de partis et à rassembler tous ceux qui ont accepté durant la guerre de faire passer l'intérêt de la nation avant les revendications catégorielles, les oppositions de classes et les querelles partisanes. Le second est celui du barrage contre le communisme. L'hostilité à la révolution bolchevique ne se limite pas en effet à la bourgeoisie conservatrice. Elle est également le fait de la majorité des ruraux (ils représentent alors près de la moitié de la population française), d'un nombre important de petits rentiers (les porteurs de fonds russes), de larges secteurs de la classe moyenne, opposés par principe et par intérêt à toute violence, de beaucoup de Français enfin que la défection de l'allié russe en 1917 et le massacre de la famille impériale ont dressés contre les Soviets.

La peur de la contagion révolutionnaire, accentuée par la montée d'un puissant courant de revendications ouvrières et par des événements tels que la mutinerie de la flotte française devant Sébastopol, est largement utilisée par la droite (texte n° 1), tandis que la gauche se divise. Une partie des radicaux s'associe à la coalition conservatrice et les socialistes — qui vont eux-mêmes se partager lors du congrès de Tours entre une majorité favorable à l'adhésion à l'Internationale communiste et une minorité hostile aux conditions posées par Lénine (texte n° 2) — décident de faire cavalier seul et refusent de soutenir les partis « bourgeois ». Résultat : le Bloc national l'emporte avec 433 sièges contre 180 seulement à la gauche, dont 68 pour les socialistes.

Fort de cette majorité écrasante, la Chambre « bleu horizon » étant la plus à droite que la France ait connue depuis 1871, les gouvernements du Bloc national vont, après avoir adopté diverses mesures de circonstance destinées à satisfaire l'aile conservatrice de la coalition (retour des congrégations, rétablissement des relations diplomatiques avec le Saint-Siège, etc.), qui ne sont pas sans réveiller des réflexes anticléricaux *(texte n° 3), réprimer avec une extrême fermeté l'agitation révolutionnaire (deux morts lors de la commémoration du 1er Mai 1920) et les grèves, engageant des poursuites contre la CGT (qui va elle aussi connaître une scission en 1922) et révoquant des milliers de cheminots.*

En dépit de la bonne conjoncture économique, les dépenses de la reconstruction et l'indemnisation des victimes de la guerre ont pour effet d'accroître le déficit du budget et aboutissent à une crise monétaire que le gouvernement Poincaré tente d'enrayer par des mesures déflationnistes qui concourent à la victoire du Cartel des gauches, lors des élections de mai 1924. Mais l'alliance des radicaux et des socialistes ne repose guère sur d'autre ciment que leur hostilité commune au président de la République Millerand (qui devra démissionner), le rejet de la politique allemande menée par Poincaré (occupation de la Ruhr) et leur attachement à la laïcité (texte n° 4). Mais l'aggravation de la situation financière et la résistance du « mur d'argent » vont obliger Herriot à renoncer aux réformes promises par le programme du Cartel (texte n° 4) et finalement à quitter le pouvoir, tandis que se développe dans le pays une agitation favorable au réveil et à l'essor des ligues antiparlementaires (texte n° 5).

Herriot éliminé à la suite d'une violente manifestation devant le Palais-Bourbon, c'est Poincaré qui est rappelé aux affaires en juillet 1926. Très hostile au communisme (texte n° 6), mais républicain ardent (texte n° 7), l'ancien président de la République va constituer un gouvernement d'Union nationale avec les modérés, des représentants de la droite conservatrice et les radicaux, et va s'appliquer à redresser la situation financière et monétaire de la France (texte n° 8). Nanti des pleins pouvoirs financiers, il parvient grâce à des mesures drastiques à restaurer l'équilibre budgétaire (le budget est même excédentaire en 1927) et à stabiliser le franc en 1928 au niveau de son pouvoir d'achat.

Les élections de 1928 vont dès lors se faire sur le thème de l'approbation de la politique financière de Poincaré et vont permettre à la droite, libérale ou conservatrice (texte n° 9), de regagner une grande partie des positions qu'elle avait perdues en 1924 et de remporter la majorité des sièges. Poincaré va donc continuer de gouverner avec la majorité d'Union nationale jusqu'au congrès radical d'Angers (novembre 1928), qui décide de rompre avec les « réactionnaires », puis avec les seuls représentants de la coalition des droites. Malade, il doit quitter le pouvoir en juillet 1929, son départ inaugurant une ère d'instabilité ministérielle qui va s'aggraver avec la crise...

1. « L'homme au couteau entre les dents »

Né en 1872, avocat, Joseph Paul-Boncour a été successivement avant la guerre secrétaire de Waldeck-Rousseau, directeur du cabinet de Viviani (ministre du Travail dans le gouvernement Clemenceau), puis député et lui-même ministre du Travail et de la Prévoyance sociale en 1911. Rentré du front où il a passé les quatre années de la guerre, son adhésion à l'idée de la paix par la sécurité collective l'incline à adhérer à la SFIO où il rejoint le courant de droite de Renaudel et Albert Thomas.

Paul-Boncour, qui suivra évidemment la minorité hostile à l'adhésion à la IIIe Internationale lors du congrès de Tours, n'a aucune sympathie pour les Bolcheviks et pour leurs partisans au sein du mouvement ouvrier français. Mais il juge dangereuse pour la paix la politique pratiquée par la France à l'égard de la jeune révolution russe et scandaleuse l'assimilation par la droite du parti socialiste et des Bolcheviks, représentés de *manière caricaturale sur l'affiche qui recouvre les murs des grandes villes lors de la campagne pour les législatives de 1919 et sur laquelle figure un moujik hirsute avec un couteau entre les dents.*

En utilisant massivement l'épouvantail communiste, la droite a certes réussi à conquérir le pouvoir et à écarter les socialistes de la direction des affaires. Mais, estime Paul-Boncour, il s'agit à bien des égards d'une victoire à la Pyrrhus, en ce sens que les promesses faites au peuple durant les quatre années de guerre n'ont aucune chance d'être tenues : ce qui ne peut que favoriser les extrêmes et rejeter vers le communisme une partie des classes populaires, avec le danger que comporte pour la démocratie — et pour le socialisme — la radicalisation du monde ouvrier...

Source : Joseph Paul-Boncour, *Entre-deux-guerres. Souvenirs sur la IIIe République. 2/Les lendemains de la victoire (1919-1934)*, Paris, Plon, 1945, pp. 55-56.

Bibliographie : J.-J. Becker et S. Berstein, *Histoire de l'anticommunisme en France*, t. 1, *1917-1940*, Paris, Olivier Orban, 1987.

L ORS D'UNE RÉUNION de la Commission des Affaires étrangères, où il avait été question de la Russie et des mesures que prenait le gouvernement pour ajouter des réseaux de fils de fer barbelés à ceux qu'on y avait déjà posés, je demandai à M. Millerand : « Mais enfin, s'il arrivait que la Russie renonçât à son hostilité contre nos alliés, la Pologne et la Roumanie, dont nous avons garanti les frontières et l'indépendance, maintiendriez-vous tout de même le blocus, la rupture des relations diplomatiques, la mise hors la loi d'un pays, qui jouera sa partie en Europe et en Asie ? »

M. Millerand me répondit :

« Sans aucun doute... »

C'était le parti pris délibéré de réduire la révolution russe par la force, sans d'ailleurs, je le répète, qu'on en prît les moyens.

On conçoit que, du point de vue socialiste, une telle politique ne facilitait pas notre tâche. D'ailleurs, le souhaitait-on ? Je n'en suis pas sûr. La peur du bolchevisme était arrivée fort à propos pour fausser le sens des élections du 16 novembre 1919 et, s'ajoutant à ses propres fautes, barrer la route au socialisme. La grande affiche de l'homme au couteau entre les dents, qui tapissait les murs de Paris et des grandes villes, fut le symbole criard de cette campagne de panique.

Campagne injuste, quand on considère ceux qui menaient la lutte contre le bolchevisme au sein du Parti. Ce n'étaient pas seulement nous, de la droite, donc un peu suspects : Albert Thomas, Varenne, Renaudel, moi-même, mais Blum, mais Paul Faure, mais Bracke, tous ceux qui avaient autorité, et, si Vaillant était mort, Guesde était toujours là qui, de sa chambre de malade, nous soutenait dans cette bataille, mettant son âpreté, que l'âge n'avait pas affaiblie, à dénoncer le danger que comportaient pour le présent et l'avenir du socialisme ces thèses, en contradiction manifeste et violente avec celles du Parti, positions traditionnelles, qui étaient en grande partie son œuvre à lui.

Campagne absurde ! Au lendemain d'une guerre victorieuse, dans un pays où les souffrances avaient été accompagnées de hauts salaires pour l'ouvrier et de l'enrichissement des paysans, où les privations n'avaient pas joué ou si peu, le bolchevisme n'était pas à craindre. C'est de la défaite, de la misère, de la souffrance, des colères, de l'arbitraire et des persécutions qu'il peut tirer son aliment. On pourrait bien s'en apercevoir.

Mais l'échec du socialisme, ses efforts inutiles dans la nouvelle Chambre, une majorité conservatrice installée au pouvoir, ce qui avait été proclamé, promis, au cours des quatre années de guerre, l'idéal pour lequel on s'était battu, tout cela relégué avec les vieilles lunes, comme des promesses électorales, devaient rejeter vers l'extrême des militants déçus.

À une démocratie, qui s'avérait impuissante, à un suffrage universel, qui n'avait pas suffi à la conquête du pouvoir par les voies légales, le bolchevisme avait beau jeu d'opposer sa dictature du prolétariat.

© Plon

2. Léon Blum au congrès de Tours
(Décembre 1920)

Le discours prononcé par Léon Blum le 27 décembre 1920, lors de la séance de l'après-midi, constitue l'un des moments forts du congrès de Tours.

Au lendemain de la guerre, le mouvement socialiste français se trouvait partagé entre trois courants principaux. Un courant syndicaliste révolutionnaire, antiparlementaire, partisan des solutions violentes et d'une société sans classes, mais soucieux en même temps de ne pas s'inféoder à une organisation politique trop envahissante et méfiant à l'égard des aspects autoritaires du léninisme. Un courant « jaurésien », également favorable dans ses fins à la révolution sociale et à une société sans classes, mais réformiste dans ses méthodes et partisan de la conquête du pouvoir par les voies légales. Enfin un courant « bolcheviste » animé par le Comité de la IIIᵉ Internationale et finalement appuyé par la délégation envoyée en Russie par la SFIO et dirigée par Marcel Cachin, directeur de L'Humanité, *et L.-O. Frossard, secrétaire général du Parti. Ceux-ci, assez réticents au départ, paraissent avoir été convertis à l'adhésion par le climat d'élan révolutionnaire qui régnait à Moscou.*

Lorsque s'ouvre le congrès de Tours, fin décembre 1920, il s'agit de voter ou de refuser l'adhésion du Parti à la IIIᵉ Internationale, Lénine ayant fait poser 21 conditions très strictes : acceptation du principe de la dictature du prolétariat, exclusion des réformistes, agitation, propagande illégale et surtout « soutien sans réserve à toutes les républiques soviétiques dans leur lutte contre la contre-révolution ». Les « réformistes » (Léon Blum, Paul Faure, Marcel Sembat) se déclarent d'entrée de jeu hostiles à l'adhésion. Ils estiment que la France n'est pas mûre pour une révolution sociale et qu'il est dès lors inutile de briser l'unité du mouvement ouvrier pour fonder un parti de combat. Les partisans de l'adhésion pensent pour leur part que si la situation n'est pas révolutionnaire en France, et ils en conviennent, elle l'est en revanche dans de nombreux pays et qu'il ne faut pas désarmer, par une attitude réformiste, les possibilités d'une révolution mondiale.

Au-delà de ces considérations tactiques, ce sont deux conceptions radicalement différentes du socialisme et de l'exercice du pouvoir qui s'affrontent. Au moment où il monte à la tribune pour exposer le point de vue de ses amis, Blum — qui a été pendant la guerre l'un des avocats de l'Union sacrée au sein de la SFIO — sait que la scission est devenue inévitable. Il vient donc en même temps dire adieu à ses anciens compagnons de lutte et demander aux futurs « frères ennemis » de ne pas se déchirer sous les yeux satisfaits de la bourgeoisie. L'émotion qui imprègne son discours traduit à la fois l'atmosphère du congrès et le « style » personnel du futur leader du Front populaire.

Source : Discours du 27 décembre 1920, _L'Œuvre de Léon Blum, 1914-1928_, t. 3, Albin Michel, 1972, pp.157-160.
Bibliographie : A. Kriegel, _Le Congrès de Tours_, Paris, Gallimard, 1975, pp. 132-136 ; l'auteur y présente — outre de nombreux textes précédés d'une introduction — les principales conclusions de sa thèse sur les origines du PCF. Voir également J.-P. Brunet, _Histoire du PCF_, Paris, PUF (coll. « Que sais-je ? »), 1982, et du même auteur : _L'Enfance du Parti communiste (1920-1938)_, Paris, PUF, 1972.

CELA DIT, je me hâte de conclure et de descendre de la tribune. Sur les questions d'organisation, sur les questions de conception révolutionnaire, sur les rapports de l'organisation politique et de l'organisation corporative, sur la question de la dictature du prolétariat, sur la question de la défense nationale, je pourrais dire aussi sur ce résidu sentimental de la doctrine communiste que nous ne pouvons pas plus accepter que sa forme théorique, sur tous ces points, il y a opposition et contradiction formelles entre ce qui a été jusqu'à présent le socialisme et ce qui sera demain le communisme.

Il ne s'agit plus, comme on l'a dit inexactement, d'une question de discipline. Chacun de nous est mis en face d'un cas de conscience individuel et collectif à la fois. Devant une situation entièrement nouvelle, et que vous avez voulue telle, il faut l'envisager et dire : Je peux ou je ne peux pas. Il faut le dire sans réticence, sans arrière-pensée, sans chicane, sans restriction mentale, sans quoi que ce soit qui serait indigne des uns et des autres.

Je vous pose très simplement une question. Croyez-vous que, s'il m'avait été possible, après votre vote, d'adhérer à l'Internationale communiste, j'aurais attendu jusqu'à votre vote pour le faire ? Si j'avais pu m'imposer cet effort humain, croyez-vous que je ne l'aurais pas fait hier ? Croyez-vous que je n'aurais pas, pour ma part, procuré à mon Parti l'économie de ces semaines et de ces mois de discussions et de controverses ?

Si j'avais eu quelques objections de détail, je les aurais fait taire ; je les aurais refoulées en moi. J'aurais essayé que cet acte, dont nous sentons la solennité, s'accomplît, s'il était possible, avec l'unanimité d'entre nous. Si j'avais pu faire cet effort sur moi-même, je le répète, je l'aurais fait dès le premier jour, au moment où Frossard et Cachin sont revenus de Russie, au moment où Frossard me l'a demandé personnellement. Je n'ai pas pu.

Croyez-vous qu'un vote de majorité va changer l'état de ma conscience ? Parce que tant de voix se sont prononcées pour et tant de voix contre, croyez-vous que l'état de ma raison et de mon cœur, vis-à-vis d'un problème comme celui-là, va se transformer ? Croyez-vous que des chiffres aient cette vertu ? Allons donc ! Pas un de vous ne peut le croire.

Il n'y a qu'une chose qui pourrait changer notre décision ; c'est que l'Internationale communiste elle-même changeât ; ce serait qu'on nous présentât quelque chose de différent de ce qu'on nous offre, quelque chose qui ne fût pas contraire à ce que nous avons et que nous voulons préserver.

Je sais très bien que certains d'entre vous, qui sont de cœur avec nous, n'entrent dans l'Internationale communiste qu'avec l'arrière-pensée de la modifier du dedans, de la transformer une fois qu'ils y auront pénétré. Mais je crois que c'est là une illusion pure. Vous êtes en face de quelque chose de trop puissant, de trop cohérent, de trop stable pour que vous puissiez songer à le modifier. Je crois aussi que c'est une attitude qui n'est pas très noble. On entre ou on n'entre pas. On entre parce qu'on veut ou on n'entre pas parce qu'on ne veut pas. On entre ou on n'entre pas parce que la raison adhère ou n'adhère pas.

Moi non plus, je peux vous le dire comme Sembat, je ne veux pas faire d'émotion. Je ne suis entré qu'à deux reprises dans la vie publique du Parti, à quinze ans de distance. J'y suis entré en 1904-1905 pour travailler à l'unité, et je n'y suis revenu qu'en 1917, à un moment où l'unité me paraissait menacée. Je n'y suis rentré que pour cela.

Quand on suppose comme mobiles la rancune, l'entêtement, l'amour-propre, l'attachement à la tradition, quand on nous attribue de pareils sentiments devant un événement aussi formidable et qui peut avoir des conséquences démesurées, on nous fait une injure bien gratuite et imméritée.

On a parlé à tout instant dans ce débat des chefs dont il fallait détruire une bonne fois l'autorité usurpée. Je ne sais pas si je suis un chef ou si je ne suis pas un chef du Parti socialiste ; je ne m'en rends nullement compte. Je sais que j'y occupe un poste qui comporte des responsabilités.

J'ai souvent pensé à cette vieille plaisanterie : « Je suis leur chef, il faut donc que je les suive. » Dans un parti comme le Parti socialiste, cette plaisanterie contient une grande part de vérité et, pour ma part, je n'en ai jamais disconvenu. Je sais que dans un parti de formation populaire, comme le nôtre, les chefs ne sont que des voix pour parler plus fort au nom de la masse, ils ne sont que des bras pour agir plus directement au nom de la foule.

Tout de même, ils ont un droit ; ils ont un devoir. Ils sont les serviteurs de la volonté collective. Mais cette volonté, ils ont le droit d'essayer de la reconnaître et de l'interpréter. Ils ont le droit de se demander si ce qu'ils voient devant eux n'est qu'un remous de tourbillons contraires, s'égarant vers les rives, ou si c'est le vrai courant profond, lent, majestueux, qui descend du fleuve. Puis ils conservent, malgré tout, une conscience individuelle. Et il y a des moments où ils ont le droit et le devoir de se dire : « Est-ce que je peux ou est-ce que je ne peux pas suivre ? »

C'est là que nous en sommes aujourd'hui. Un vote de majorité, je le répète, ne changera rien à un cri de conscience assez fort chez nous pour étouffer ce souci de l'unité qui nous a toujours guidés.

Nous sommes convaincus, jusqu'au fond de nous-mêmes que, pendant que vous irez courir l'aventure, il faut que quelqu'un reste garder la vieille maison.

Nous sommes convaincus qu'en ce moment il y a une question plus pressante que de savoir si le socialisme sera uni ou ne le sera pas. C'est la question de savoir si le socialisme sera, ou s'il ne sera pas.

C'est la vie même du socialisme que nous avons la conscience profonde de préserver en ce moment dans la mesure de toutes nos forces.

Et puisque c'est peut-être pour moi la dernière occasion de vous le dire, je voudrais vous demander quelque chose qui est grave à mes yeux. Pouvons-nous vraiment, les uns et les autres, prendre là-dessus une sorte d'engagement suprême ? Demain, nous serons peut-être divisés comme des hommes qui comprennent différemment l'intérêt du socialisme, le devoir socialiste ? Ou serons-nous divisés comme des ennemis ?

Allons-nous passer notre temps devant la bourgeoisie à nous traiter les uns de traîtres et de renégats, les autres de fous et de criminels ? Ne nous ferons-nous pas, les uns et les autres, crédit de notre bonne foi ? Je le demande : « Y a-t-il quelqu'un ici qui croie que je ne suis pas socialiste[1] ? »

Dans cette heure qui, pour nous tous, est une heure d'anxiété tragique, n'ajoutons pas encore cela à notre douleur et à nos craintes. Sachons nous abstenir des mots qui blessent, qui déchirent, des actes qui lèsent, de tout ce qui serait déchirement fratricide.

Je vous dis cela parce que c'est sans doute la dernière fois que je m'adresse à beaucoup d'entre vous et parce qu'il faut pourtant que cela soit dit. Les uns et les autres, même séparés, restons des socialistes ; malgré tout, restons des frères, des frères qu'aura séparés une querelle cruelle, mais une querelle de famille, et qu'un foyer commun pourra encore réunir.

3. Les Camelots du roi à l'assaut de la statue d'Émile Combes
(Octobre 1923)

Cet article de Maurice Pujo — l'un des fondateurs et des principaux dirigeants de l'Action française — paru dans la feuille maurrassienne le 19 octobre 1923 témoigne de la virulence avec laquelle s'opposent à cette date, quelques mois avant les élections qui vont marquer la victoire du Cartel des gauches, partisans et adversaires d'une politique qui, sous la houlette de la majorité de Bloc national, a multiplié depuis quatre ans les mesures destinées à satisfaire les milieux conservateurs et cléricaux : rétablissement de l'ambassade à Rome/Saint-Siège, retour de congrégations religieuses et octroi d'un statut concordataire pour le clergé et les écoles d'Alsace-Lorraine.

Au moment où a lieu l'incident relaté par l'Action française, Émile Combes est mort depuis deux ans. Après la démission de son gouvernement, en janvier 1905, il s'était tenu dans une semi-retraite, demeurant sénateur de Charente-Inférieure jusqu'à sa mort, président le Parti radical en 1911-1912, mais ne jouant plus aucun rôle actif en dépit de sa présence comme ministre d'État dans le cabinet d'Union nationale de Briand d'octobre 1915 à décembre 1916.

Les affirmations de Pujo selon lesquelles les forces de l'ordre — effectivement rassemblées en nombre important à la demande du préfet qui redoutait des troubles graves — auraient froidement ouvert le feu sur de paisibles « bons Français » sont évidemment à prendre avec d'infinies précautions. L'initiative de l'échauffourée revient de toute évidence aux Camelots du roi, venus à la fois pour briser la statue de Combes et pour en découdre avec la maréchaussée. Au cours de la bousculade qui a suivi, plusieurs gendarmes ont ouvert le feu contre les manifestants pour se dégager, tuant Jean Guiraud et blessant grièvement Louis Rouzet. Il apparaît ainsi à la lecture de ce document que l'action subversive et violente des ligues a commencé bien avant l'arrivée au pouvoir du Cartel.

Source : « L'Inauguration sanglante », *L'Action française*, 19 octobre 1923.
Bibliographie : E. Weber, *L'Action française*, Paris, Stock, 1964 ; J. Plumyene et R. Lasierra, *Les Fascismes français, 1923-1963*, Paris, Seuil, 1963 ; G. Merle, *Émile Combes*, Paris, Fayard, 1995.

---

1. À ce moment de sa péroraison, Blum est interrompu par un partisan de l'adhésion, Cartier, qui lui crie : « Tu es confusionniste. » (Cf. le texte du discours cité par A. Kriegel, *op. cit.*)

CHARLES MAURRAS commente plus loin le crime atroce qui vient, une fois de plus, de couvrir la République de honte et de sang. Bornons-nous ici à fixer les faits.

De jeunes Français, des Camelots du roi, ont juré de ne pas souffrir les affronts des politiciens à l'honneur national. On prétendait hier élever une statue à Émile Combes[1], le malfaiteur qui ne fut pas seulement le fauteur de la guerre religieuse en France et le proscripteur des congrégations, mais aussi celui qui, quelques années avant la grande guerre, désorganisa la défense nationale et ruina le moral de notre armée par les fiches de délation[2], le ministre enfin du « régime abject » dont un des plus beaux exemplaires fut son fils, le chef de cabinet Edgar Combes, qui fut reconnu pour être un voleur. Fait inouï et qu'on n'a pas encore dit : cet Edgar concussionnaire et escroc avéré a lui-même sa statue à Pons[3], près de l'Hôtel de Ville !

L'évêque de La Rochelle, puis le cardinal archevêque de Bordeaux, ont élevé des protestations contre la glorification du politicien anticlérical. Que, parmi les catholiques soumis, auxquels ils s'adressaient, il ne se soit trouvé personne pour répondre à leur appel et pour empêcher que leur indignation restât platonique et vaine, cela n'est pas pour nous surprendre. Les Camelots du roi, eux, avaient à venger la patrie offensée. Ils n'y ont pas manqué.

En plein jour, en dépit des énormes forces de police et de tous les militants radicaux de l'Ouest rassemblés à Pons, quelques instants à peine après l'inauguration, ils ont atteint le monument infâme, ils ont martelé et défiguré sans remède le buste d'Émile Combes. Ils ont annulé la honte dont on avait voulu salir notre sol.

On a vu alors cette chose abominable : les gendarmes punir cet acte vengeur en ouvrant immédiatement le feu contre les bons Français qui l'avaient osé. Deux jeunes hommes, nos amis Jean Guiraud et Louis Rouzet sont tombés, le premier mort, le second grièvement blessé.

Une tentative nocturne pour enlever le buste s'étant produite il y a quelques jours, le gouvernement et sa police étaient alertés. Des notes du ministère de l'Intérieur avaient informé la presse que l'on amènerait à Pons, pour cette journée, des forces considérables : de la troupe, les brigades de gendarmerie de plusieurs départements, et le personnel de Sûreté générale envoyé de Paris. Mille ou quinze cents hommes avaient été mobilisés pour maintenir l'ordre dans une petite ville de moins de quatre mille habitants, où Combes avait encore pour défenseurs les milliers de radicaux, socialistes et communistes anticléricaux qu'on y avait rassemblés.

C'est dans ces conditions que l'on a ouvert le feu contre quelques dizaines de Camelots du roi sans armes, que la vingtième partie de ces forces aurait dû suffire à repousser et à arrêter. Des troubles étaient prévus et, au contraire de ce que l'on fait aujourd'hui dans toutes les grèves, on avait laissé leurs cartouches aux soldats et aux gendarmes, on ne leur avait donné aucun ordre de ne pas se servir de leurs armes, aucune consigne de modération et de sang-froid. Tout s'est passé comme si on leur avait donné la consigne contraire et comme si la franc-maçonnerie avait décidé qu'au cas où le sacrilège contre son grand homme se produirait, il fût aussitôt lavé dans le sang.

---

1. Combes a été président du Conseil de mai 1902 à janvier 1905.
2. Le ministère Combes a été renversé le 18 janvier 1905, après la révélation de l'« affaire des fiches », le général André, ministre de la Guerre, ayant fait établir des fiches sur les convictions religieuses et politiques des officiers.
3. Ville de Charente-Inférieure où Combes s'était établi médecin en 1868 et où il est mort.

Mais ce sang du nouveau martyr que nous pleurons sera une semence féconde. La France, qui s'endormait, sera réveillée par les coups de feu de Pons. À leur lueur elle aura revu l'odieuse figure du combisme assassin toujours présent et en face de lui, seules à ne pas le craindre, seules à engager la vraie lutte avec lui, seules décidées jusqu'à la mort à poursuivre la délivrance et le saint du pays, les phalanges irréductibles de l'Action française et les Camelots du roi.

Maurice Pujo

4. Juin 1924 : l'arrivée au pouvoir du Cartel des gauches

Les élections du 11 mai 1924, si elles ont donné l'avantage à la droite en termes d'addition des voix, ont eu pour résultat, par le jeu du système électoral, d'assurer au Cartel une courte majorité : 327 élus sur 610, si l'on retranche les 26 sièges du Parti communiste et en comptant les 40 députés de la « gauche radicale », formation modérée dont va dépendre le sort des cabinets, situation d'autant plus inconfortable pour ceux-ci que l'alliance tactique nouée par les radicaux et les socialistes a toute chance d'achopper sur la question des nationalisations et de l'impôt sur le capital, mise en avant par la SFIO durant la campagne électorale.

La formation du premier gouvernement cartelliste a été précédée de l'élimination du président de la République, Alexandre Millerand, auquel la gauche reprochait d'avoir manqué à la réserve constitutionnelle en quittant son rôle d'arbitre pour intervenir dans la campagne électorale en faveur des candidats du Bloc national. Pour obtenir son départ, les chefs de la nouvelle majorité ont refusé de constituer un gouvernement, obligeant le président à désigner un représentant de la majorité sortante, l'ex-ministre des Finances François-Marsal auquel la Chambre a refusé la confiance. Il ne restait plus à Millerand qu'à démissionner, et c'est Gaston Doumergue, radical modéré et candidat du Sénat, dont il était président, qui a accédé à la magistrature suprême.

Comme il est d'usage, le nouveau chef de l'État fait appel au chef du parti le plus nombreux de la majorité pour constituer le gouvernement. Édouard Herriot, président du Parti radical, va donc devoir réunir une équipe ministérielle sur un programme qui soit à la fois acceptable pour les plus modérés des radicaux et pour les dirigeants de la SFIO, lesquels, pour éviter l'éclatement du Parti sous la pression des doctrinaires, n'offriront au gouvernement qu'un « soutien sans participation ».

C'est ce programme qui est présenté aux députés par Herriot le 17 juin 1924. Programme incontestablement réformiste en matière sociale, avec l'annonce du respect de la loi de huit heures et des droits syndicaux (qui seront reconnus aux fonctionnaires), la mise en place des assurances sociales et diverses mesures visant à élargir l'accès de l'enseignement secondaire. Programme orthodoxe en matière de finances publiques, le gouvernement s'engageant à rétablir l'équilibre du budget — ce qui constitue un vœu pieux — par l'application rigoureuse de l'impôt sur le revenu et la lutte contre la fraude. Mais surtout, l'accent est mis sur une série de gestes symboliques destinés à effacer la politique du Bloc national : la suppression des décrets-lois, la réintégration des cheminots révoqués par Millerand en 1920, la suppression de l'ambassade au Vatican, l'application de la loi sur les congrégations, le rétablissement de la « législation *républicaine »* en Alsace-Lorraine, etc. *Herriot place ainsi la défense de la laïcité au centre des préoccupations gouvernementales, espérant ainsi maintenir la cohésion de sa majorité en faisant jouer le vieux réflexe anticlérical des républicains.*

Source : *Journal officiel. Débats parlementaires*, Chambre des députés, séance du 17 juin 1924.
Bibliographie : S. Berstein, *Histoire du Parti radical*, t. 1, *La Recherche de l'âge d'or*, Paris, Presses de la FNSP, 1980 ; J.-N. Jeanneney, *Leçon d'histoire pour une gauche au pouvoir. La faillite du Cartel (1924-1926)*, Paris, Seuil, 1977.

M. ÉDOUARD HERRIOT — président du Conseil, ministre des Affaires étrangères. Au-dedans, comme au-dehors, le gouvernement n'aura qu'un but : donner à ce pays, dans le travail et par le progrès, la paix qu'il a si noblement méritée. *(Très bien ! très bien !).*

La paix morale, tout d'abord. Si nous sommes décidés à ne pas maintenir une ambassade près le Vatican *(Applaudissements à gauche et à l'extrême gauche)* et à appliquer la loi sur les congrégations… *(Interruptions à droite.)* […]

Ce n'est en aucune façon dans une pensée de persécution ou d'intolérance. *(Exclamations et interruptions à droite.)* […]

Nous prétendons seulement assurer la souveraineté républicaine, ainsi que la distinction nécessaire entre le domaine des croyances et celui des affaires publiques. *(Très bien ! très bien ! à gauche.)*

L'idée de laïcité, telle que nous la concevons, nous apparaît comme la sauvegarde de l'unité et de la fraternité nationales. *(Très bien ! très bien ! à gauche).* Les convictions personnelles, tant qu'elles ne portent pas atteinte à la loi, nous avons l'obligation de les ignorer ; nous ne pouvons les connaître, le cas échéant, que pour les protéger. *(Applaudissements à gauche. — Interruptions à droite.)* […]

De même notre ambition est de donner à la France la paix sociale. Pour marquer nos intentions par des actes, nous procéderons tout d'abord à une série de mesures bienveillantes. Nous déposons aujourd'hui même un projet de large amnistie *(Vifs applaudissements à gauche et à l'extrême gauche)* qui n'exclut que les traîtres et les insoumis[1].

Nous poursuivons la réintégration des agents de chemins de fer révoqués. *(Applaudissements à gauche et à l'extrême gauche.)* […]

Pour rétablir les garanties dues à tous, nous supprimerons sans délai les décrets-lois. *(Vifs applaudissements à gauche et à l'extrême gauche.)*

Ces mesures prises, une grande tâche s'imposera à cette législature ; il faut la préciser. La Troisième République a déjà donné à notre démocratie l'essentiel de ses formes politiques. L'œuvre n'est pas achevée. Il est temps de procéder à une large réforme administrative, d'accroître les libertés locales. *(Très bien ! très bien !)* Nous demanderons au Parlement d'entreprendre sans retard cette réforme. Elle ne saurait être menée à bien sans la collaboration des agents de l'État eux-mêmes. *(Applaudissements à gauche et à l'extrême gauche).* Ainsi se pose le problème des fonctionnaires civils.

Le gouvernement ne leur interdit pas l'organisation professionnelle. *(Applaudissements à gauche et à l'extrême gauche.)* Il leur accorde donc le droit syndical. *(Vifs applaudissements sur les mêmes bancs.)* […]

---

1. Il s'agit de l'amnistie des condamnations du temps de guerre.

La guerre a posé deux problèmes qui n'ont reçu à ce jour que d'incomplètes solutions. Le gouvernement est persuadé qu'il interprétera fidèlement le vœu des chères populations rendues à la France, en hâtant la venue du jour où seront effacées les dernières différences de législation entre les départements recouvrés et l'ensemble du territoire de la République[1]. _(Applaudissements à l'extrême gauche. — Interruptions à droite.)_ [...]

Dans cette vue, il réalisera la suppression du commissariat général _(Très bien! très bien! à gauche)_ et préparera les mesures qui permettront, en respectant les situations acquises, en ménageant les intérêts matériels et moraux de la population, d'introduire en Alsace et en Lorraine l'ensemble de la législation républicaine. _(Applaudissements à gauche et à l'extrême gauche.)_ [...]

Nous ne laisserons pas toucher aux avantages acquis par le monde du travail. Nous maintiendrons la loi de huit heures _(Applaudissements à gauche et à l'extrême gauche)_ dont l'expérience a démontré la souplesse et qui a déjà si profondément amélioré la condition matérielle et morale du salarié. _(Très bien! très bien! à l'extrême gauche.)_ [...]

Mais l'agent essentiel de la production, ouvrier ou paysan, a le droit d'être protégé contre le chômage et la maladie, la vieillesse et l'invalidité. Nous voulons réaliser les assurances sociales... _(Applaudissements à gauche et à l'extrême gauche et sur divers bancs au centre.)_ [...]

...et en faire pour la démocratie un statut de santé, de sécurité familiale, de dignité. Il n'est pas possible de concevoir l'affranchissement des travailleurs sans le développement de l'instruction. Nous supprimerons les décrets qui tendent à priver de culture générale les enfants,... _(Applaudissements à gauche, à l'extrême gauche et sur divers bancs au centre. — Interruptions à droite.)_ [...]

...s'ils n'ont pas été soumis, dès leur sortie de l'école primaire, à une discipline excellente, sans doute, mais non pas exclusive d'autres formules d'éducation[2]. _(Applaudissements à l'extrême gauche, à gauche et sur divers bancs au centre.)_

Nous pensons aussi que la démocratie ne sera pas complètement fondée tant que, dans notre pays, l'accession à l'enseignement secondaire sera déterminée par la fortune des parents et non, comme il convient, par le mérite des enfants. _(Vifs applaudissements à l'extrême gauche, à gauche et au centre, et sur divers bancs à droite.)_ [...]

Un régime démocratique doit offrir l'exemple de l'ordre et de la bonne administration. Comment pourrions-nous, sans de sévères finances, réaliser notre programme? [...]

Nous défendrons l'équilibre. Comme l'a demandé avec autorité la Commission des Finances du Sénat, nous renforcerons le contrôle des dépenses engagées _(Applaudissements à gauche)_, résolus à poursuivre sans ménagement les fraudeurs dont la mauvaise foi dupe tous les bons citoyens _(Applaudissements)_, nous ferons de l'impôt sur le revenu, sincèrement appliqué, la base d'une fiscalité vraiment démocratique.

---

1. Le Bloc national avait établi un régime concordataire pour le clergé et les écoles d'Alsace-Lorraine.
2. Herriot entend ainsi abolir le décret Bérard sur l'obligation du grec et du latin dans l'enseignement secondaire.

5. 1924 : le retour des ligues

Bien que la menace « bolchevique » soit, en 1924, devenue fantasmatique et serve surtout à nourrir la propagande conservatrice contre la politique du Cartel, les mesures anticléricales adoptées par le gouvernement Herriot ont pour effet de dresser contre lui la majorité des catholiques et de provoquer, dans certaines régions, des troubles violents. La crise financière aidant, on assiste bientôt au réveil des ligues de droite et d'extrême droite, surtout après le transfert des cendres de Jaurès au Panthéon, grande fête de rassemblement républicain mais qui est suivie, le 23 novembre 1924, d'une imposante manifestation communiste, accompagnée de heurts violents avec la police et aussitôt interprétée dans les milieux conservateurs comme le prologue de la révolution. Tel est le contexte dans lequel se développe, au lendemain de cet événement et au sein de la vieille Ligue des Patriotes — que présidait le général de Castelnau — le mouvement des Jeunesses patriotes dont Pierre Taittinger, ancien président des Jeunesses bonapartistes de la Seine et élu député de Paris en 1924, va prendre la tête.

La Ligue des Chefs de Section et des Soldats combattants, qui s'exprime ici en la personne de son président, Binet-Valmer, s'inscrit dans la même mouvance d'une droite populiste reliant le vieux fond bonapartiste et plébiscitaire aux thèmes et aux aspirations du mouvement « ancien-combattant ».

Source : Réponse du président de la Ligue des Chefs de Section et des Soldats combattants, Binet-Valmer, à l'appel de la Ligue des Patriotes ; publiée dans *La Liberté* du 11 décembre 1924.
Bibliographie : Ph. Machefer, *Ligues et fascisme en France*, Paris, PUF, 1974 ; P. Milza, *Fascisme français. Passé et présent*, Paris, Flammarion, 1988.

L E COMITÉ DIRECTEUR de la Ligue des Chefs de Section et des Soldats combattants, dans sa séance du mardi 9 décembre 1924, a décidé d'apporter le concours de son action personnelle contre les révolutionnaires internationaux, à l'œuvre entreprise par la Ligue des Patriotes. Tout comme la Ligue des Patriotes, la Ligue des Chefs de Section est au-dessus des partis. Elle réunit, en dehors des ambitions politiques, des conceptions philosophiques, des croyances religieuses, et sans distinction de classes sociales, des Français qui, s'étant battus pour la civilisation et pour leur Patrie, refusent d'oublier le sacrifice des morts. [...]

Aujourd'hui..., devant le péril de l'émeute qu'ils n'ont en aucune façon provoquée, ils se dressent pour barrer la route aux envahisseurs de Moscou. Douloureusement émus de trouver dans les bandes bolchevistes certains de leurs frères d'armes, ils leur rappellent le coude à coude qui nous a permis de vaincre l'impérialisme germanique. Contre l'impérialisme des Soviets, le coude à coude est nécessaire et nous demandons à nos camarades égarés de songer, avant les actes irréparables, à l'abjection de la guerre civile. Qu'ils prennent garde ! Nous serons devant la cohue qui les déshonore comme ils étaient sur la Marne, sur l'Yser, en Champagne, de l'Artois à Verdun. Pour empêcher cette lutte fratricide, il nous faut prouver tout de suite la force qui s'oppose aux ennemis des foyers français, et notre comité directeur, engageant toute notre Ligue, qui garde néanmoins son autonomie et son programme et laisse à ses membres leur liberté d'opinion religieuse ou politique, adhère à l'organisation proposée par le général de Castelnau, le président de la Ligue des Patriotes.

D'autre part, il demande cordialement à chaque ligue nationale d'apporter à la Ligue des Patriotes la même adhésion désintéressée, afin que sous la direction d'un seul chef, tous les Français qui veulent travailler, dans le calme, à la reconstruction de leur maison et de leur Patrie, imposent silence, même par la force, aux ennemis de la nation. Ils vous conjurent de vous rappeler les heures de 1917. Qui croyait à la victoire ? La trahison était maîtresse de Paris. Georges Clemenceau puis Foch nous ont rendu confiance, et nous avons gagné la guerre. Voulez-vous perdre la paix ? [...]

Après la bataille, quand aura disparu la menace de la guerre civile, de la guerre abominable, chacun redeviendra libre d'agir selon sa conscience, dans les luttes politiques. Mais, contre les révolutionnaires, les ennemis de la famille, contre ceux qui veulent nous déposséder de votre gloire, vous dépouiller du fruit d'un long labeur, contre les pillards des économies bourgeoises et des greniers où s'entassent les récoltes de la terre, il faut l'union, le coude à coude, la discipline.

Nous réclamons un chef.

La Ligue des Patriotes sonne au ralliement,

Nous voici et jusqu'au bout.

6. La République selon Poincaré
(Avril 1928)

Après l'échec des cabinets cartellistes et la chute du second gouvernement Herriot, en juillet 1926, Poincaré est de retour au pouvoir à la tête d'un gouvernement d'« Union nationale » qui, après avoir rétabli l'équilibre financier et procédé à la stabilisation de la monnaie, va s'appliquer à promouvoir un certain nombre de réformes. La durée du service militaire est ramenée à un an. Des dispositions sont prises pour démocratiser le système scolaire, en particulier l'établissement de la gratuité de l'enseignement secondaire public de la 6ᵉ à la 3ᵉ, puis aux classes du second cycle. La loi d'avril 1928 introduit pour la première fois en France un système d'assurances sociales applicable à l'ensemble des salariés dont le salaire n'excède pas un certain seuil. En juin de la même année, le ministre du Travail, Louis Loucheur, fait adopter la loi qui porte son nom et qui prévoit l'intervention de l'État dans le financement de logements sociaux.

Au moment où il prononce à Carcassonne ce discours qui constitue une véritable profession de foi républicaine, et dans lequel il rappelle les grands principes sur lesquels se fonde le régime instauré en 1870 et inspiré par les idéaux des Lumières et les constituants de 1789, l'homme d'État lorrain est à l'apogée de sa gloire. Quelques semaines plus tard, les élections législatives vont donner la victoire à ceux qui se réclament de sa politique et vont être perçues comme un véritable plébiscite en sa faveur. Triomphe toutefois relativement éphémère puisque, dès novembre 1928, le passage des radicaux à l'opposition — suite au congrès d'Angers — contraint Poincaré à s'appuyer sur la majorité de droite ; sans grand changement il est vrai dans la conduite des affaires, essentiellement consacrée à cette date aux problèmes internationaux.

Source : Discours prononcé à Carcassonne le 1ᵉʳ avril 1928 par le président du Conseil Raymond Poincaré, texte dactylographié. Archives FNSP/CHEVS, Fonds Jean du Buit, BU 1, dr 7.

Bibliographie : P. Miquel, _Poincaré_, Paris, Fayard, 1961.

Lorsque l'on a appris, il y a quelques années, que j'avais accepté pour aujourd'hui l'aimable invitation de mes collègues et amis les sénateurs de l'Aude et de la municipalité de Carcassonne, certains journaux de Paris et de province se sont livrés à des suppositions variées et même contradictoires. La date du 1er avril a donné lieu à des plaisanteries qui n'étaient pas précisément inattendues ; mais des commentaires moins joyeux ont accompagné cette inoffensive raillerie. Les intentions les plus noires m'ont été prêtées. J'ai été accusé de venir ici rompre, au profit exclusif d'un parti, l'union que j'ai essayé de maintenir devant les périls de la guerre et de rétablir devant les graves difficultés de la paix. Ai-je besoin de vous dire que, pas plus ici qu'à Bordeaux, je ne viens me mêler aux luttes électorales et qu'au surplus je reste aujourd'hui ce que j'étais hier, ce que j'ai toujours été, ce que je serai jusqu'à mon dernier jour, un républicain, fils de républicain, frère de républicain[1], fermement attaché à la liberté démocratique et laïque, et un Français qui a toujours cru, qui continue à croire, que la meilleure manière de servir l'humanité est de commencer par aimer sa patrie ? [...]

Sans doute, il est quelquefois arrivé à Albert Sarraut de me dire affectueusement qu'il me considérait comme le représentant d'une génération à peu près disparue. Il n'avait pas tout à fait tort, puisque plus de quarante années se sont écoulées depuis le jour où les électeurs de la Meuse m'ont envoyé au Parlement. Mais sa remarque signifiait surtout qu'il me rangeait parmi les anciens qui ont été les héritiers les plus directs des fondateurs de la République et qui se font avec obstination les gardiens de nos institutions et de nos mœurs démocratiques.

Je n'ai pas besoin d'ajouter que, lorsqu'il veut m'être tout à fait agréable, Albert Sarraut complète sa pensée par cet éloge : « Vous êtes digne d'être du Midi. » Et je vous assure que le jugement qu'il porte ainsi sur moi, il pourrait, avec la même vérité, l'étendre à tous mes compatriotes lorrains. Il n'y a que des étrangers qui, trompés par une observation superficielle, opposent en France le Nord et le Midi ou l'Est à l'Ouest. Notre nation est, depuis longtemps, la plus fortement unie de toutes celles qui se partagent le monde. Les nuances n'existent que pour mieux faire valoir l'ensemble. Nous autres, nés sur les marches lorraines, nous apparaissons souvent comme des hommes froids, renfermés, un peu secs, volontiers silencieux, mal préparés aux formes oratoires de la pensée ; et il est vrai que, physiquement et moralement, nous avons à vous envier votre climat et votre soleil, votre éloquence et votre généreuse ardeur. Mais, au fond de nous-mêmes, nous gardons cachés et protégés contre une température plus ingrate les sentiments qui sont les vôtres, et que vous savez exprimer avec plus de force que nous, l'amour fervent de la patrie, le sincère et fidèle attachement à la vieille devise de la Révolution française : Liberté, Égalité, Fraternité. [...]

La liberté, l'égalité, la fraternité, ce sont, Messieurs, des mots qui n'ont pas vieilli, malgré les interprétations erronées ou abusives qu'on en a parfois données, ce sont des mots qui traduisent les idées essentielles de tout programme démocratique.

La liberté, telle que nous la concevons dans le Nord-Est, telle que vous la concevez vous-mêmes, telle que la conçoivent certainement presque tous les Français, c'est la liberté dans l'ordre et dans le respect de la loi. L'égalité, ce n'est pas la méconnaissance aveugle des différences naturelles, ce n'est ni le nivellement des esprits ou des destinées, ni le triomphe immérité de l'envie, c'est l'identité complète des droits politiques pour tous les citoyens, la suppression des privilèges légaux et des barrières artificielles. La fra-

---

1. Le mathématicien Henri Poincaré.

ternité, ce n'est pas le vain étalage de sympathies verbales pour les déshérités de la vie, c'est une activité efficacement employée au développement continu du bien-être collectif et de tous les progrès, matériels et moraux, qui peuvent améliorer le sort des peuples.

Tels sont les principes directeurs dont doit s'inspirer tout bon républicain et je n'ai pas besoin de vous dire qu'ils ont toujours animé la conduite du gouvernement dont M. Albert Sarraut et moi faisons partie. Nous aurions même voulu n'avoir pas autre chose à faire que de les appliquer dans nos ministères respectifs et je vous assure que lorsque M. le Ministre de l'Intérieur a eu l'occasion de mettre fin, dans les banlieues des grandes villes, aux abus et aux injustices des lotissements, il n'a pas laissé échapper cette occasion de réaliser une heureuse réforme sociale.

7. Poincaré et les communistes
(Mars 1928)

Avec l'adoption par la IIIe Internationale de la tactique « classe contre classe » en 1927, le Parti communiste — déjà soumis depuis trois ans aux consignes de « bolchevisation » données par les représentants du Komintern — s'est engagé dans une série d'actions visant à la déstabilisation des gouvernements en place, qu'ils fussent de droite ou de gauche. Après les campagnes menées contre l'occupation de la Ruhr et contre la guerre du Rif, les communistes se lancent en 1927 dans une offensive générale visant en premier lieu l'armée et à laquelle le gouvernement Poincaré réplique avec une très grande fermeté. Cité par le président du Conseil dans son discours de Bordeaux, le radical Sarraut, en charge du portefeuille de l'Intérieur, adresse en avril 1927 une circulaire aux préfets demandant à ceux-ci de réprimer avec énergie les menées communistes dans les arsenaux et les casernes.

Au moment où l'ancien président de la République prononce son discours, la répression contre les dirigeants du Parti communiste et de la CGT bat son plein. En janvier 1928, en effet, Marcel Cachin, Jacques Doriot (alors étoile montante du Parti) et Paul Vaillant-Couturier ont été condamnés et incarcérés pour incitation de militaires à la désobéissance, tandis que Duclos, lui aussi arrêté et condamné, a réussi à prendre la fuite.

On notera que Poincaré ne cherche pas à jouer, comme les dirigeants du Bloc national en 1919, sur la peur du communisme dont il ramène le danger à sa juste mesure. Sa péroraison vise davantage à susciter un réflexe patriotique en opposant aux menées du « parti de l'étranger » la culture et l'héritage de la République, et ceci dans le but de renforcer la cohésion de l'union nationale.

Source : Discours prononcé à Bordeaux le 25 mars 1928, Archives FNSP/CHEVS, Fonds Jean du Buit, BU 1, dr 7.
Bibliographie : P. Miquel, _Poincaré_, Paris, Fayard, 1961 ; J.-P. Brunet, _L'Enfance du Parti communiste, op. cit._ ; J.-J. Becker et S. Berstein, _Histoire de l'anticommunisme en France_, t. 1, _1917-1940, op. cit._

J E N'IGNORE PAS qu'il y a maintenant en France, comme dans tous les pays, un parti qui se flatte de recevoir ses mots d'ordre de l'étranger et qui, sur les cartes qu'il distribue à ses adhérents, pour soutenir à la fois la campagne électorale « contre la bourgeoisie et contre la social-démocratie », reproduit, sous forme de commandement, ces paroles de Lénine : « La tâche du prolétariat consiste à briser et à détruire la machine gouvernementale de la bourgeoisie, y compris les institutions parlementaires, qu'elles soient républicaines ou monarchistes constitutionnelles. » Et en effet, pendant ces derniers mois, les communistes ont fait de vains efforts pour essayer de troubler la Chambre et de déshonorer le Parlement. Ils ont, en même temps, redoublé d'outrages envers nos plus vaillants chefs militaires et tenté, sinon de fomenter immédiatement, du moins de préparer l'indiscipline dans les casernes et dans les arsenaux. MM. Barthou et Sarraut[1] ont montré aux Chambres, par des faits, des dates et des chiffres, qu'aucun de ces actes coupables n'était resté impuni et nous n'avons pas voulu admettre, ces jours derniers, qu'on nous enlevât les seules armes que la loi nous donne actuellement pour les réprimer. Nous n'avons pas davantage accepté que l'immunité parlementaire fût détournée de sa signification et de son but, au point de couvrir de pareilles tentatives de bouleversement. Nous n'exagérons pas le péril communiste. La propagande soviétique ne mordra jamais très profondément sur un peuple comme le nôtre, qui n'a pas à chercher en Orient des leçons de progrès, qui a fait l'épreuve de plusieurs révolutions, qui a supprimé les privilèges, promulgué les droits de l'homme et du citoyen, proclamé la liberté et l'égalité, et dont le sol, cultivé avec amour, est depuis longtemps partagé entre des millions de propriétaires. C'est trop cependant qu'une poignée de prétendus réformateurs veuillent donner comme modèle à la France du XXe siècle, non pas un paradis terrestre inexploré, mais un purgatoire trop connu, où règnent la misère et le chômage, et où ne se maintient l'apparence du calme que par la prison et l'exil. Le bon sens français saura faire justice de ces utopies moscovites.

8. Poincaré dresse le bilan de sa politique économique et financière

Poincaré, qui vient de remporter les élections d'avril 1928 et qui n'a pas encore été lâché à cette date par les radicaux, présente devant la Chambre le bilan de sa politique économique et financière après deux années passées à la tête du gouvernement.

Au moment où, en juillet 1926, l'homme d'État lorrain a remplacé Herriot, la France se trouvait au bord de la faillite financière. Pour redresser la situation, Poincaré s'est appliqué en tout premier à rétablir l'équilibre du budget en réduisant de manière drastique les dépenses de l'État (Défense nationale, Travaux publics, Justice, etc.), en créant une Caisse d'amortissement destinée à résorber la dette flottante et disposant de ses ressources propres (tabac, droits de mutation et de succession, loterie nationale), en procédant enfin à l'augmentation de certains impôts et à celle des droits de douane. Grâce à ces mesures, l'équilibre du budget a été rétabli dès la fin de 1926. Rassurés, les capitalistes n'ont pas tardé à faire rentrer leurs avoirs et les spéculateurs à jouer à la hausse du franc, prélude à la stabilisation monétaire de 1928.

On remarquera que le chef du gouvernement ne cherche pas — dans un souci de préserver l'union nationale — à rejeter sur ses prédécesseurs la responsabilité des difficultés financières dont il a hérité. Il préfère faire valoir auprès des députés le poids des « lourdes dépenses de la guerre » et « la nécessité d'avancer le montant des réparations ».

---

1. Respectivement ministres de la Justice et de l'Intérieur.

Source : *Journal officiel. Débats parlementaires*, Chambre des députés, séance du 21 juin 1928.
Bibliographie : R. Poincaré, *Au service de la France*, Paris, Plon, t. 9 à 11 ; H. Bonin, *Histoire économique de la France depuis 1880*, Paris, Masson, 1988.

LORSQUE NOUS AVONS CRU devoir apporter à la Chambre, pour rétablir l'équilibre budgétaire, un certain nombre de mesures fiscales et de relèvements d'impôts, la Chambre s'est résignée à nous suivre. Elle s'est résignée par patriotisme, mais, vous le supposez bien, elle a, comme nous-mêmes, manqué d'enthousiasme. [...]

Nous ne nous sommes pas laissés détourner de notre voie. Nous avons écarté les remèdes violents. Nous avons cherché à rétablir d'abord l'équilibre budgétaire par le vote des impôts indispensables. Nous avons organisé un amortissement rationnel et régulier de notre dette flottante. Nous nous sommes efforcés d'inspirer au-dedans et au-dehors confiance dans le crédit de la France.

À l'intérieur, nous avons rassuré les porteurs de bons. À l'extérieur, nous avons fait face à toutes nos échéances. Dans la question des dettes interalliées, nous ne nous sommes pas engagés pour un avenir indéfini, parce que nous ne pouvions pas être sûrs d'avoir toujours les moyens de transférer pendant soixante-deux ans, mais, nous trouvant, hier et aujourd'hui, à même de payer, grâce à l'exécution, régulière jusqu'ici, du plan Dawes, nous avons payé. [...]

Une des causes principales de la dépréciation du franc, c'était, messieurs, l'énormité des avances que l'État avait dû demander à la Banque de France[1]. Nous nous sommes appliqués à les rembourser, non pas en une fois, bien entendu, ni même en deux ou trois fois, mais peu à peu et, en moins de deux ans, nous y avons presque totalement réussi. Nous y aurons demain totalement réussi. [...]

En même temps, nous avons reconstitué, que dis-je ? considérablement augmenté, nos encaisses à l'étranger et rendu à notre trésorerie l'élasticité qui, depuis plusieurs années, lui faisait complètement défaut.

Je laisse de côté, messieurs, les diverses améliorations budgétaires ou fiscales que ce redressement général nous a permis de réaliser. [...]

Travaillant à l'assainissement de nos finances et de notre monnaie, nous n'avions pas le droit, bien entendu, de fermer les yeux sur l'énormité de la dette publique qui nous a été imposée d'abord par les lourdes dépenses de la guerre et, depuis la guerre, par la nécessité d'avancer le montant des réparations. [...]

La politique d'amortissement et de consolidation facultative, que nous avons poursuivie, n'est nullement, comme on l'a prétendu parfois par ignorance ou par mauvaise foi, une politique d'emprunts. Elle a, au contraire, consisté à remplacer des emprunts remboursables à court terme et par conséquent menaçants et dangereux, par des emprunts à plus long terme automatiquement amortissables et n'ayant, par conséquent, rien de menaçant.

Cette politique a rapidement fortifié le crédit de l'État et, en abaissant peu à peu le taux de l'intérêt, elle a, réfléchissez-y, préparé des conversions futures qui viendront à leur tour alléger notre dette *(Très bien ! très bien !).* [...]

---

1. En 1925, Herriot avait dû faire appel aux avances de la Banque de France, dépassant le « plafond » légal de la circulation monétaire tout en masquant cette atteinte à la légalité par divers artifices (notamment en truquant le bilan hebdomadaire de la Banque de France).

L'ensemble de toutes ces mesures a eu très vite une grande influence sur le cours des changes. À elle seule, la formation d'un gouvernement de concorde républicaine et nationale avait déjà ramené en quelques jours la livre sterling de 240 à 200 francs[1] ; mais, aussitôt après l'adoption de nos premiers projets financiers, et notamment après le vote de la loi constitutionnelle qui a créé la Caisse d'amortissement, la hausse du franc s'est très vite accentuée. [...]

9. Programme de la Fédération républicaine
(1928)

Née en 1903, la Fédération républicaine a rassemblé des « progressistes » et des catholiques ralliés appartenant au camp antidreyfusard. Elle constitue donc une force politique résolument conservatrice, très attachée à la tradition catholique et hostile à la laïcité, ce qui fait qu'elle a été tenue à l'écart du pouvoir jusqu'en 1914.

En 1919, bénéficiant du puissant courant anticommuniste qui porte au pouvoir le Bloc national, elle figure au contraire parmi les vainqueurs et son groupe parlementaire (l'Entente républicaine démocratique) compte le plus grand nombre d'élus. Ses bastions se situent dans les régions les plus fortement attachées aux traditions de l'ancienne France : l'Ouest intérieur, la Lorraine (ses deux principaux dirigeants sont Louis Marin et le sidérurgiste François de Wendel, l'un et l'autre Lorrains), la Savoie, la Franche-Comté, la Provence, le Pays basque, et son programme, quoique ne répudiant pas tout l'héritage de la Révolution française (cf. l'évocation de la Déclaration des droits de l'homme), se situe nettement à droite. Sont mis en avant, en effet, le respect de la propriété (on va jusqu'à réclamer la suppression des droits de succession), de la famille, de la liberté scolaire. En termes plus ou moins voilés, on envisage d'interdire les organisations politiques pouvant être suspectées d'action « antipatriotique » et l'on exige une politique restrictive en matière d'immigration et d'accès à la nationalité française. Bref, un catalogue de propositions qui restera jusqu'à nos jours celui de la droite ultraconservatrice et qui sera, point par point, appliqué par Vichy. En attendant, aucun de ses membres n'accédera entre les deux guerres à la direction du gouvernement et rares sont les cabinets dans lesquels ils obtiendront des portefeuilles importants.

Source : Cité *in* Georges Bourgin, Jean Carrère, André Guérin, *Manuel des partis politiques en France*, éd. Rieder, 7 place Saint-Sulpice, Paris, 1928, pp. 69-71.

Bibliographie : R. Rémond, *Les Droites en France*, Paris, Aubier, 1982 ; D. Irvine, *French Conservatism in crisis. The Republican Federation of France in the 1930's*, Bâton Rouge, 1979.

NOUS VOULONS ASSURER aux citoyens la pleine jouissance de leurs droits individuels : liberté, sûreté, propriété.

Nous faisons nôtre la définition de la liberté inscrite par la Révolution française dans l'article 4 de la Déclaration des droits de l'homme. [...]

---

1. Elle était à 104 francs en 1925 et elle retombera à 122 francs à la fin de 1926.

La propriété est le devoir de disposer librement de ses biens et de ses revenus, du fruit de son travail et de son industrie.

Nous proclamons les droits de la famille : droit d'exister, de se gouverner, de se perpétuer et nous voulons poser à ce sujet des principes simples et permanents qui domineront toute notre législation, notamment **la répression de toute propagande antifamiliale** ; la liberté entière, pour le père et la mère, de diriger **l'éducation** et **l'instruction** de leurs enfants conformément à leurs convictions religieuses ou morales ; **l'extension de la liberté testamentaire** et la suppression des taxes successorales destructrices du patrimoine familial.

Aux Associations, nous reconnaissons le droit de se former, sauf pour celles qui poursuivent un but criminel, délictueux, antipatriotique ou antisocial. Nous réclamons l'élaboration d'un régime général des associations. Par là sera notamment donné un statut précis aux associations de fonctionnaires. [...]

Nous proclamons hautement les droits de la Patrie. Nous voulons la défendre aussi bien contre les doctrinaires qui la minent que contre les actes qui l'attaquent. À l'égard des étrangers que la Patrie accueille, nous voulons une politique rationnelle d'immigration, à laquelle se rattachent le problème de la naturalisation et la question des propriétés étrangères sur le sol national.

Le programme préconise encore la rétrocession à l'industrie privée de la plupart des monopoles actuels, à des compagnies privées de tous les réseaux de Chemin de fer exploités par l'État ou les départements ainsi que des téléphones. [...]

III

LA CRISE DES ANNÉES TRENTE

La crise économique mondiale touche la France dans le courant de l'année 1931, avec un certain retard sur les autres grands pays industriels : conséquence d'un archaïsme du capitalisme français qui constitue paradoxalement un atout au moment où le marché mondial se contracte, mais qui, en revanche, multiplie par la suite les obstacles à la reprise.

De 1930 à 1935, le revenu moyen des Français diminue d'environ 30 %, mais cette forte baisse touche différemment les diverses catégories sociales. Les plus fortement atteints sont les agriculteurs et les chefs de petites entreprises commerciales ou industrielles (texte n° 1), alors que les pensionnés et retraités — dont les revenus ont été revalorisés en 1930 —, les professions libérales et les propriétaires d'immeubles voient au contraire leur situation maintenue ou améliorée.

Les victimes de la crise mettent en cause le régime parlementaire et les partis de gouvernement, jugés incapables de résoudre leurs problèmes et de trouver une issue à la crise, non seulement économique et sociale que traverse le pays, mais également morale. En effet, tandis que les grands anciens disparaissent — Clemenceau, qui s'interroge dans ses derniers écrits sur la décadence ou le possible renouveau de la France (texte n° 2), meurt en 1929, Poincaré en 1934 (texte n° 3) —, le régime s'enlise dans le jeu des partis et dans les scandales politico-financiers. L'affaire Stavisky met ainsi en jeu des parlementaires, des magistrats, des journalistes et contraint à la démission le président du Conseil Chautemps, en janvier 1934 (texte n° 4).

Depuis le début de la décennie, l'instabilité ministérielle s'accélère. Elle est d'autant plus grande que le système électoral n'amène jamais à la Chambre une majorité solide capable d'exécuter un programme préalablement défini. Ceci est particulièrement vrai pour les élections de 1932. La droite battue n'a que 260 sièges contre 345 à la gauche, dont 330 au Cartel. Mais qu'y a-t-il de vraiment commun, outre une fois de plus la laïcité et le souci de la « défense républicaine », entre les 160 radicaux-socialistes, défenseurs d'une petite bourgeoisie économiquement conservatrice et anti-dirigiste et les 132 socialistes dont la campagne a été menée sur le thème de la réforme des structures et des nationalisations ? La non-participation socialiste oblige les radicaux à constituer avec le centre et une partie de la droite des ministères dits de « concentration » dont l'hétérogénéité explique l'extrême fragilité. Il en résulte une « cascade de ministères » et une paralysie de l'exécutif qui exaspèrent l'opinion publique.

À droite comme à gauche, on cherche des remèdes à la crise du régime, tantôt dans une rénovation de la doctrine (les « néo-socialistes » et les « Jeunes Turcs » radicaux), tantôt dans des projets de réforme autoritaire de l'État (André Tardieu : texte n° 5), tantôt encore dans un bouleversement plus profond de l'ordre établi souhaité aussi bien par les communistes que par les partisans d'un fascisme à la française aux multiples facettes.

L'attrait du modèle mussolinien s'exprime en effet de manière diffuse dans une large partie de l'opinion, sans que le pouvoir d'attraction du fascisme — mélange de rejet du parlementarisme, d'aspiration à l'ordre, d'admiration pour l'efficacité supposée des régimes forts, d'engouement pour les cérémonies collectives organisées autour d'un chef charismatique, d'exaltation du sentiment national —, débouche sur une véritable adhésion, réfléchie et cohérente, à une doctrine politique.

Pour l'essentiel, la contestation du régime se traduit par une nouvelle flambée ligueuse visant à l'établissement d'un exécutif fort et à la restauration d'un ordre social fondé sur les valeurs traditionnelles. Tel est le programme de la formation de loin la plus nombreuse : la Ligue des Croix de Feu du colonel de La Rocque (textes n°s 6 et 7), qui compte plusieurs centaines de milliers d'adhérents en 1934 et donnera naissance par la suite au Parti social français. Tel est également le cas du mouvement des Jeunesses patriotes. Le fascisme proprement dit s'exprime soit dans des groupuscules paramilitaires calqués sur le modèle mussolinien (texte n° 8) et parfois financés par les services italiens, comme le Francisme de Marcel Bucard (texte n° 9), soit — dans le contexte de radicalisation de la droite nationaliste qui suit l'avènement du premier gouvernement Léon Blum — dans le véritable parti de masse que constitue le PPF (Parti populaire français) de l'ancien dirigeant communiste Jacques Doriot (texte n° 10).

Quoi qu'il en soit, les ligues constituent un péril réel pour la démocratie. Certes, les événements du 6 février 1934 — une manifestation contre le renvoi du préfet Chiappe par le président du Conseil Daladier qui tourne à l'émeute et fait quinze morts et des centaines de blessés — ne doivent pas être interprétés comme un putsch « fasciste », selon l'interprétation qu'en ont donnée les dirigeants de la gauche. Elle n'en a pas moins porté un coup mortel à la République parlementaire, le gouvernement ayant en fin de compte capitulé devant l'émeute (texte n° 11) pour laisser la place à un cabinet d'union nationale dans lequel figurent, aux côtés des radicaux, Tardieu et les chefs de la droite vaincue en 1932.

1. Les doléances des victimes de la crise

La crise économique a touché de manière sélective les diverses catégories socioprofessionnelles. Du côté des salariés, les ouvriers salariés ont vu leur salaire horaire décliner très lentement entre 1932 et 1935, mais le mouvement a été largement compensé par la hausse précédente (plus de dix points entre 1929 et 1931) et par la forte diminution des prix. Ici, le vrai problème est celui du chômage qui finira par toucher 465 000 salariés en 1936, chiffre relativement modeste si on le compare à celui de la Grande-Bretagne (2,5 millions en 1933), de l'Allemagne (6 millions) et des États-Unis (de 14 à 17 millions).

Les fonctionnaires, qui ne connaissent ni le chômage ni la réduction des horaires de travail, ont subi une amputation de leur traitement à partir de 1933, variant entre 13 et 17 % selon les catégories : ce qui a entraîné chez eux un vif mécontentement.

Toutefois, les deux catégories les plus touchées sont les représentants du monde rural et ceux de la classe moyenne indépendante. Chez les agriculteurs, la chute des revenus a été, semble-t-il (les statistiques se fondent sur les déclarations fiscales des intéressés et manquent donc de rigueur), de l'ordre de 50 à 60 % en valeur nominale et de 30 à 40 % en pouvoir d'achat réel (compte tenu de la baisse des prix). Du côté des artisans, des petits commerçants et des patrons de la petite industrie, la chute se situe autour de 40 % en valeur nominale, de 20 % en termes de pouvoir d'achat et elle a eu pour corollaire une très forte augmentation du nombre des faillites. On conçoit que ce soit dans ces deux catégories que les plaintes aient été les plus vives et la désaffection à l'égard du régime la plus profonde, les ligues se nourrissant de leur mécontentement et exploitant leurs revendications pour se lancer à la conquête du pouvoir. On peut constater à la lecture des deux textes présentés ici que le Parti radical, structure d'accueil traditionnelle des classes moyennes en France, n'est pas à l'abri des récriminations démagogiques et volontiers xénophobes formulées par ses délégués aux congrès de 1933, 1934 et 1935.

Source : Intervention de délégués aux congrès du Parti radical de 1933, 1934, 1935. Citées *in* Serge Berstein, *Histoire du Parti radical*, vol. 2, *La crise du radicalisme*, Paris, Presses de la FNSP, 1982.
Bibliographie : S. Berstein, *La France des années 30*, Paris, Armand Colin, 1988 ; G. Dupeux, *La Société française*, Paris, Armand Colin, 1964.

Les plaintes du monde rural...

NÉGLIGEANT COMPLÈTEMENT notre jeunesse rurale, on voit distribuer en abondance et sans contrôle parfois dans les grandes agglomérations des allocations de chômage qui n'existent pas dans nos petites communes rurales parce que celles-ci sont trop pauvres pour avoir des fonds de chômage... Donc assez de palabres. Qu'on passe aux actes, qu'on prohibe les importations inutiles, qu'on remplace les travailleurs étrangers par des chômeurs français, qu'on donne à nos villages l'eau, l'hygiène, la lumière auxquelles ils ont droit. [...]
Il y a ce fait que, sans distinction d'étiquette ou de drapeau, nous ne pouvons plus payer nos impôts.

...Et celles des petits patrons du commerce et de l'industrie

LES COMMERÇANTS et les industriels qui se débattent dans une crise sans précédent sont les éternels sacrifiés ; ce sont eux qui sont le plus lourdement imposés. Ils ne représentent que 6 % de la population et ils paient plus de 50 % des impôts... C'est dans ces classes moyennes, dans nos milieux commerciaux, que vous trouvez votre appui le plus sûr. Croyez-vous que nos pères qui avaient placé leurs économies dans les rentes d'État, si dépréciées aujourd'hui, soient contents ? Croyez-vous que lorsque nous donnons quelques économies en échange de valeurs qui s'écroulent sans cesse et que vous ne trouviez rien à dire nous soyons satisfaits ? Il paraît que c'est le petit commerce qui est la cause de tous les maux, en particulier de la vie chère. Mais qu'avez-vous fait en sa faveur ? [...] Actuellement, bien des commerçants connaissent la faillite ou l'approchent de très près. Certains ne mangent pas toujours à leur faim. Ils ne sont plus effrayés du communisme, soyez-en certains. Ils se disent : nos pères travaillaient car ils pensaient se reposer sur leurs vieux jours. Maintenant, nous travaillons pour rien, tous les impôts retombent sur nous. Le petit fonctionnaire, lui, a sa retraite assurée. [...] Les classes moyennes se détachent peu à peu de vous, nous ne pouvons plus les retenir. [...]

2. Décadence ou renouveau ?
Le regard de Georges Clemenceau

Battu contre toute attente à l'élection présidentielle de janvier 1920, Clemenceau s'est définitivement retiré de la vie politique, passant les dernières années de sa vie à voyager et à écrire, dans le calme de sa résidence vendéenne où il s'éteindra le 24 novembre 1929. L'ouvrage qui sera publié après sa mort sous le titre Grandeurs et misères d'une Victoire *porte la trace de la blessure portée au « Tigre » par les parlementaires qui, en 1920, lui ont préféré l'inconsistant Paul Deschanel, et reflète une amertume tenace à l'égard de ses ex-collègues.*

La conclusion du livre ne traduit pas moins de la part de l'ancien président du Conseil une hauteur de vues et une profondeur d'analyse qui font de ce texte tout autre chose qu'un constat désabusé de la « décadence » française effectué classiquement par un homme appartenant à une génération en voie d'extinction. Certes, le tableau que fait Clemenceau du monde issu de la guerre ne pèche pas par excès d'optimisme. Il n'est pas évident, estime-t-il, que dans le monde qui est en train de naître, la civilisation aura raison de la barbarie et, au fond, son diagnostic ne s'éloigne guère de celui que faisait Valéry au lendemain de la guerre. Pourtant, rien n'est joué. La France, l'Europe, le monde civilisé traversent une crise dont peuvent sortir le pire ou le meilleur. Au-delà des incertitudes du présent, le vieil homme d'État conserve quelque espérance d'un renouveau possible.

Ces lignes ont été écrites à un moment où l'on ne parlait encore ni de crise économique — la France vivait dans l'illusion euphorique du « retour à la normale », symbolisée par le franc Poincaré — ni de crise du régime. C'est d'un malaise plus profond — « l'épuisement de la pensée française » — dont s'inquiète, comme nombre d'intellectuels « non conformistes » qui commencent à s'interroger à la fin des années 20 sur l'avenir de la société occidentale, l'ancien fondateur de L'Homme libre.

Source : Georges Clemenceau, *Grandeurs et misères d'une Victoire*, Paris, Plon, 1930, pp. 346-348.
Bibliographie : J.-B. Duroselle, *Clemenceau*, Paris, Fayard, 1988 ; D. R. Watson, *Georges Clemenceau. A Political Biography*, Londres, Methuen, 1974.

ENFIN, de toute cette confusion de tout, que doit-il, que peut-il advenir ? Nous le saurons trop tôt. Le meilleur que je puisse dire, c'est que, pour une part encore, cela dépend de nous. Sans cela, je n'aurais pas répondu. Chacun est le soldat mal connu d'une histoire inconnue. Même à cette heure périlleuse, notre sort est peut-être encore entre nos mains. Pour vous, Français, une coalition de faibles qui attendent de vous plus que vous ne pouvez leur donner. Contre vous, des ennemis qui s'acharnent, et des amis qui ne sont plus amis.

L'Angleterre aux prises avec tous les embarras de la conquête, harcelée sur mer par l'Amérique inquiète elle-même du Japon, oublie trop aisément que notre défaite éventuelle l'aurait mise à la merci de l'Allemagne. Ses soldats sont partout. Combien, l'heure venue, seraient présents à Calais ?

L'Amérique brise nos ressorts économiques pour un temps indéterminé. Qu'attendre d'un idéologue à court d'idéologie, qui donne généreusement son sang et cherche des compensations dans un compte de monnaie ?

Nous ne voulons pas déchoir. D'effroyables journées, et puis l'appel au Destin qui refera, de nos membres épars, un autre champion de la Destinée.

Je fais effort pour espérer contre l'espérance et je n'ignore pas que des décompositions de la décadence naissent des possibilités de régénération. Cela ne me console pas de l'épuisement de la pensée française quand j'appelle en vain des cœurs aux efforts du redressement. On nous parle souvent du « surhomme ». Et le « sous-homme », qu'en fait-on ? On a plutôt fait de s'accorder pour des développements de barbarie que pour des raffinements de civilisation. J'en suis à me demander parfois s'il est écrit quelque part que la barbarie s'éliminera sûrement sous les assauts de la civilisation ? Vaste est le champ des possibilités. Tout homme a sa moyenne de fautes et d'heureux mouvements à distribuer autour de lui-même. Quelles compositions de haute conscience ne faut-il pas pour une détermination d'humanité supérieure qui ne durera pas au-delà de l'éclair d'une de nos chanceuses journées !

En ce désarroi d'âmes troublées d'impuissance, à l'appel du soldat inconnu de ce jour, je voudrais échanger quelques signes de confiance avec le soldat inconnu de demain, de toujours, légataire universel de toutes les expériences triomphantes ou frustrées, dont le sort est suspendu aux surprises de l'existence.

J'ai répondu pour répondre, et non pas pour l'audace de conclure, sauf contre les dégénérés, acharnés devant la foule indifférente aux destructions de tous les ressorts qui ont mis en action l'histoire de notre malheureux pays. J'ai essayé de remettre la vérité en selle. Il ne m'appartient point de dire où son coursier la conduira. Jugeant, chacun accepte d'être jugé. Que les temps qui viendront règlent le compte du nôtre. L'histoire des hommes est peut-être beaucoup plus simple qu'on ne le pense. Elle consiste à proclamer le droit et à construire l'iniquité. Dans le sentiment de son insuffisance, chacun cherche des compositions de moyennes pour des positions de moyennes pour des demi-satisfactions de demi-consciences. Qui donc est sûr de pouvoir s'efforcer au-delà ?

Tous les ancêtres de tous les peuples ont commencé par vivre de rapines et des violences de la guerre, et, à travers toutes les catastrophes humaines, la tradition s'en est assez bruyamment conservée. Malgré les barbaries de l'Orient couronnées de toutes les fleurs de la poésie, le peuple qui a vraiment fondé notre civilisation s'est déchiré de ses propres mains en d'inexpiables guerres civiles, coupées de poèmes tragiques et de philosophie. Ce fut l'Hellade, jusqu'à ce qu'Alexandre mît fin à cet état de choses pour livrer le monde naissant à César et à ses imitateurs.

Aujourd'hui l'Allemagne tente de refaire, dans les procédures de la paix, un empire germanique qu'elle n'a pu réaliser par la guerre. Cela, elle ne saurait l'accomplir sans des rencontres qui pourront changer les destinées d'une France offerte à toute entreprise ennemie. Qu'adviendra-t-il de nous en ce tumulte de pays dont personne ne peut prévoir le développement de forces dans la durée ? Il y a des peuples qui commencent. Il y a des peuples qui finissent. La conscience de nos actes veut des attributions de responsabilités. La France sera ce que les Français ont mérité.

© Plon

3. Poincaré est mort, vive Poincaré !

Dans cet article paru au lendemain de la mort de Poincaré dans Le Populaire, *Léon Blum, qui fait déjà figure à cette date de leader du Parti socialiste, présente de l'homme d'État lorrain un portrait qui trahit de sa part une certaine sympathie, voire une réelle émotion. Certes, le député de Narbonne ne cache pas les traits qui font à ses yeux que ce surdoué de la politique n'a pas été, comme il le dit, un « grand homme », et notamment sa difficulté à « prendre contact avec le concret ». De même, il n'hésite pas à rappeler quels ont été pour lui les aspects les plus funestes de sa politique, depuis le resserrement de l'alliance avec le tsarisme jusqu'aux mesures déflationnistes de 1926-1928, en passant par l'occupation de la Ruhr. Mais, ajoute-t-il, les contraintes du combat politique n'enlèvent rien à l'estime que l'on peut avoir pour un adversaire honnête, loyal, et pour un républicain sincère.*

Car c'est ici que le véritable éloge funèbre de celui qui fut le chef du Bloc national par celui qui va devenir le principal dirigeant du Front populaire prend un sens dans le contexte tourmenté de la crise des années 30. Poincaré mort, ce n'est pas seulement une grande figure de la politique qui s'éteint. C'est toute une génération qui disparaît avec lui et qui, à gauche comme à droite, était composée de républicains sans faille. Après lui, viennent les Tardieu et les Laval et tous ceux qui se réclament de son héritage, voire de celui de Clemenceau, et qui n'hésitent pas pour asseoir leur médiocre autorité à demander la « protection des bandes fascistes ».

Source : Article de Léon Blum, in *Le Populaire*, 16 octobre 1934.
Bibliographie : J. Lacouture, *Léon Blum*, Paris, Seuil, 1977 ; I. Greilsammer, *Blum*, Paris, Flammarion, 1996.

POINCARÉ vient de mourir, mais voilà plus de cinq ans qu'un mal soudain avait terminé sa vie. Quel coup dramatique du destin ! Cet homme dont l'existence entière n'était qu'une suite de succès éclatants et précoces, qui réunissait sur lui toutes les charges et tous les honneurs, avait été frappé brutalement, en pleine vivacité d'action et d'esprit, au plus haut point de sa course, tandis qu'il exerçait sur les Chambres, sur l'opinion, sur l'Europe une autorité sans conteste et qui semblait sans fin. Il était tombé sans transition dans la retraite, dans l'immobilité, dans le silence, livrant d'ailleurs sa succession à l'un des hommes qu'il avait le plus méprisés. S'il était demeuré lui-même, combien de temps eût-il conservé le pouvoir ? Si les élections de 1932 l'en avaient fait descendre, n'est-ce pas lui que nous retrouverions encore aujourd'hui ? Car après un Poincaré qu'aspirait, depuis de longs mois, la bourgeoisie française, et M. Doumergue n'a jamais été qu'une fade et une fausse réplique du modèle ; on avait espéré en lui un Poincaré qu'il n'était pas.

En revanche, il n'y a guère d'homme d'État contre lequel le socialisme ait conduit des luttes plus âpres et plus lourdes d'un plus grave enjeu. De 1912 à 1914, président du Conseil ou président de la République, il reprenait la funeste politique de Delcassé ; il resserrait l'alliance avec le tsarisme en dépit des enseignements de la guerre balkanique. En 1922 et 1923, il pratiquait contre l'Allemagne de Weimar la politique de « rétorsion » et de sanction qui devait trouver sa conclusion logique dans l'expédition de la Ruhr. En

1926, il tentait la revalorisation progressive du franc par la superfiscalité et la « confiance ». Nous l'avons alors combattu pied à pied, et je puis bien rappeler que dans les deux dernières occasions j'ai porté ma bonne part de la bataille. Mais pourquoi cacher que la lutte avec M. Poincaré créait un sentiment d'estime et de considération. Nous avons dénoncé ses erreurs, nous avons essayé d'en prévenir les suites fatales, mais nous n'avons jamais pu les rapporter à un noble mercenaire. Il était tenace, irascible et parfois acrimonieux dans la polémique, mais il était sincère ; il s'efforçait de comprendre la contradiction et il n'était pas incapable de l'honorer quand il la sentait sérieuse et loyale.

Je me suis demandé souvent, avec une collection si rare de grands dons, ce qui l'avait empêché d'être un grand homme. Il avait, non seulement dans le caractère mais dans l'esprit, la probité, la modestie et la règle. Le labeur, chez lui, était aussi aisé que scrupuleux, la méthode exacte, la mémoire infaillible. Sa facilité quasi universelle avait pris la forme précoce de la gravité et de la maturité. La virtuosité extraordinaire de son intelligence et de sa parole avait fait de lui, à peine sorti de l'adolescence, quelque chose comme le lauréat de la politique, et il avait su en tirer un ascendant, un prestige. Il aimait la bataille ; il s'y acharnait et s'y surpassait. Ainsi comblé de mérites incomparables, comment se fait-il que dans les plus graves occasions de sa vie publique, il n'ait pas vu clair ? C'est que chez lui le jugement était, si je puis dire, dissocié de l'expérience et de la sensibilité. Sa décision ne se formait pas sur la réalité vivante, mais sur une armature purement dialectique ou de procédure qui s'interposait entre la réalité et lui. On eût dit qu'un mince paravent de papier l'empêchât de prendre contact avec le concret, avec les grands courants de la vie et de l'histoire. Quand il avait triomphé dans une dispute, « cloué » l'adversaire par un argument sans réplique, il croyait volontiers avoir eu raison, mais les forces humaines sont trop complexes et trop mouvantes pour se laisser enfermer ainsi dans des syllogismes, et l'événement lui donnait tort.

Sa grande lacune a été cette séparation, et presque ce retrait vis-à-vis des réalités de la vie. J'ajoute que ses façons obstinées, intrépides, batailleuses couvraient un caractère trop fragile et plus mobile qu'il n'eût voulu le laisser paraître. J'ai même soupçonné parfois qu'au fond, tout au fond de lui, se recelait quelque chose d'inquiet, de souffrant, de peureusement sensible, qui réprimait l'abandon, et paralysait le vrai contact avec les êtres aussi bien qu'avec les choses... C'est en ce sens, je le crois bien, qu'il faudrait chercher la réponse à la question que j'ai posée, et que l'histoire se posera. Mais l'ensemble du caractère compose un personnage singulier, d'une sorte rare, vis-à-vis duquel l'indifférence n'était pas permise, qu'on a pu attaquer, qu'on a pu détester, mais à qui personne n'a jamais disputé, durant sa vie, l'hommage intime dont il était digne. Il y a une injure contre laquelle je veux défendre en tout cas sa mémoire. Qu'on ne lui compare pas les hommes que sa disparition a installés aujourd'hui à sa place[1]. Lui, il était républicain. Lui, il n'aurait pas toléré un seul instant la protection ou la menace des bandes fascistes. Lui, il exerçait naturellement l'autorité qui s'attachait à sa personne, mais il lui conservait pour cadre et pour limite les institutions libres de la démocratie. Lui, il était assez indépendant, assez intelligent et assez fier, pour exercer un arbitrage entre les partis. Je tenais à lui rendre ce dernier témoignage. Pour le surplus, il appartient à l'histoire, et les contemporains ne peuvent rien de plus grand que de renvoyer un des leurs à son jugement.

Léon Blum

---

1. Blum fait ici clairement allusion à Tardieu et à Laval, considérés à droite comme les successeurs de Poincaré.

4. L'affaire Stavisky vue par Léon Daudet

La critique du régime ne porte pas seulement sur les institutions. Elle se nourrit également des mœurs des milieux économiques et financiers qui gravitent autour du monde parlementaire. Déjà, en 1928 et 1930, deux affaires ont défrayé la chronique des scandales politico-financiers : l'affaire de la Gazette du franc *et le krach de la banque Oustric dans lequel s'est trouvé impliqué le ministre de la Justice Raoul Péret, ancien président de la Chambre et ancien ministre des Finances de Briand.*

Mais l'affaire la plus célèbre, celle qui va véritablement ébranler le régime, est celle qui met en scène l'escroc international Stavisky. Celui-ci, d'origine ukrainienne, a su se ménager dans le milieu politique des relations multiples dont il joue habilement. Inculpé d'escroqueries variées, il a été arrêté en 1926 puis relâché, son procès étant remis une vingtaine de fois à la suite de mystérieuses interventions. Lorsque le scandale éclate à la fin de 1933, on s'aperçoit que des députés, des journalistes, des magistrats comme le procureur de la République Pressard, beau-frère du président du Conseil Chautemps, sont de près ou de loin mêlés à l'affaire. Le ministre du Travail doit démissionner, tandis qu'à la Chambre les leaders de l'extrême droite, Ybarnégaray et Philippe Henriot, mettent en cause le chef du gouvernement et que la presse nationaliste, L'Action française *en tête, se déchaîne contre le monde parlementaire. Lorsque le 8 janvier, quatre jours après la parution dans le quotidien royaliste de l'article de Léon Daudet présenté ici, la police découvre dans un chalet de Chamonix Stavisky mourant, une balle dans la tête, commence un assaut contre le régime qui va culminer, un mois plus tard, avec l'émeute du 6 février.*

Source : Article de Léon Daudet, in *L'Action française*, 4 janvier 1934.
Bibliographie : E. Weber, *L'Action française*, op. cit. ; F. Kupferman, « L'affaire Stavisky », *L'Histoire*, n° 7, décembre 1978.

CERTAINS JOURNAUX, à propos de cette nouvelle horreur, évoquent le Panama, coup de police monté, avec de nombreuses complicités parlementaires, contre les malheureux Ferdinand et Charles de Lesseps, et dont l'histoire complète n'a pas encore été écrite. Mais au temps du Panama, cette machine à purin sanglant qu'est la République ne fonctionnait pas encore à plein. On n'avait pas encore vu, dans la magistrature, un type de scélérat comme le président Monier ; un type d'érotomane, sanglé par ses vices, comme le garde des Sceaux Louis Barthou ; un type de concussionnaire comme le garde des Sceaux Péret[1] d'Oustric ; un type d'escroc en activité comme le ministre ex-garde des Sceaux Dalimier ; un type de magistrat félon comme feu Audièvre ou feu Mancel. On n'avait pas vu, au temps du Panama, un voleur connu, classé, ayant avoué par écrit, comme Dubarry[2], contribuant à la formation d'un cabinet perpétuel — bien que renversé quatre fois par la Chambre — le cabinet de la bande à Chautemps.

---

1. Raoul Péret était ministre de la Justice à l'époque du krach de la banque Oustric.
2. Directeur du journal *La Volonté*, lié au Parti radical et impliqué dans l'affaire Stavisky.

5. André Tardieu
ou « la révolution à refaire »

Lorsque Poincaré, malade, doit quitter le pouvoir en 1929, André Tardieu, qui avait été en 1919 le collaborateur direct de Clemenceau à la conférence de la Paix, fait figure de chef de file de la droite libérale, et c'est lui qui remplace l'homme d'État lorrain à la tête du gouvernement. Keynésien avant la lettre, il mène de 1930 à 1932, dans les trois cabinets qu'il préside, une politique de relance de l'économie par l'appel aux dépenses publiques grâce à un vaste plan d'équipement national et à l'élargissement des assurances sociales. L'échec de la majorité qu'il conduit aux élections de 1932 l'affecte profondément et l'incline à en rejeter la responsabilité sur le fonctionnement des institutions parlementaires et l'archaïsme du système électoral. Dès cette date, Tardieu s'engage donc dans une réflexion sur la réforme de l'État qui va peu à peu le faire glisser vers des positions de franche hostilité à l'égard du régime. Après son retour aux affaires, en tant que ministre d'État dans le cabinet Doumergue en février 1934, et devant l'impossibilité de faire triompher ses idées par la voie parlementaire, il abandonne ses fonctions de député de Belfort en mars 1936 et se retire dans une petite localité de la Côte d'Azur où il entreprend d'écrire des ouvrages dans lesquels il ne cache pas sa sympathie pour une République de type plébiscitaire.

Source : André Tardieu, *Alerte aux Français*, Paris, Flammarion, 1936, pp. 5-8.
Bibliographie : F. Monnet, *Refaire la République, André Tardieu (1876-1945), une dérive réactionnaire*, Paris, Fayard, 1992 ; L. Aubert et divers, *André Tardieu*, Paris, Plon, 1957.

L A FRANCE, depuis les élections d'avril 1936, est ou joyeuse, ou mécontente. Dans les deux cas, elle est inquiète.

Ce petit livre ne cherche à plaire ni aux joyeux, ni aux mécontents. Sa seule ambition est d'éclairer les inquiets.

Et, tout de suite, je pose le problème.

Le trouble français. — Il n'y a plus trace, dans le régime du Front populaire, de ce dont s'est nourrie, pendant un siècle et demi, la foi démocratique de la France.

Les pouvoirs légaux sont dessaisis. Ni le Gouvernement, ni les Chambres ne gardent plus d'initiative. Le premier présente, les secondes enregistrent des textes, qu'elles ne discutent même pas et qui ne sont pas leur œuvre.

Ces textes sont la reproduction d'accords conclus entre des groupements syndicaux, qui s'attribuent, dans la vie nationale, un rôle, qui n'est pas le leur.

Ces groupements syndicaux ne représentent, ni du côté ouvrier, ni du côté patronal, la totalité, mais seulement une faible fraction de ceux au nom de qui ils stipulent.

Dans ces conditions, les lois votées par les Chambres n'expriment que la volonté de deux millions de syndiqués, ou, plus exactement, la volonté des quelques douzaines de meneurs, qui manœuvrent ces deux millions. C'est un despotisme de minorité.

Les intérêts généraux sont ainsi sacrifiés à des improvisations de réformes sociales, qui, par le mépris qu'elles affichent des réalités économiques et des réalités financières, se retourneront tôt ou tard contre les travailleurs.

Cette politique, menée au cri de : « À bas le fascisme ! », impose à la nation un régime de dictature.

Cette politique, qui se dit pacifiste, nous mène à la guerre.

Pourquoi j'écris ce livre. — J'écris pour les millions de Français et de Françaises, que je n'ai jamais vus et qui ne m'ont jamais vu.

Les uns, sans me connaître, m'ont toujours fait confiance. Les autres, sans me connaître non plus, n'ont pour moi que défiance et que haine.

C'est de ces diversités irraisonnées qu'est formé ce qu'on nomme l'opinion publique.

Je voudrais que, amie ou ennemie, cette opinion fût, par ce que j'écris, obligée de raisonner sur les choses essentielles, à quoi elle ne pense jamais.

Pourquoi vous pouvez me croire. — Vous pouvez me croire, d'abord, parce que je connais ce dont je parle.

J'ai été vingt ans député, onze fois ministre, trois fois président du Conseil.

J'ai dirigé, pendant onze ans, et souvent à plusieurs reprises, les Régions libérées, les Travaux publics, la Marine marchande, l'Intérieur, l'Agriculture, la Guerre et les Affaires étrangères.

Par ailleurs, ayant renoncé à la vie publique et à ce qu'on appelle les honneurs, je n'ai rien à attendre d'aucun de ceux qui me liront.

Les hommes, qui parlent au peuple, ont, presque toujours, quelque chose à lui demander, soit dans le présent, soit dans le futur. Moi, pas !

Le peuple m'avait donné tout ce qu'il peut donner. Je n'en ai rien voulu garder, pour être mieux cru, quand je m'adresse à lui.

La recherche des causes. — La France, pour retrouver la paix matérielle et morale, a besoin de se mettre en face du problème de ses destinées et de comprendre qu'elle a tout à refaire, c'est à savoir :

Son régime constitutionnel, qui n'est que néant ;

Son régime parlementaire, qui n'est qu'usurpation ;

Son régime électoral, qui n'est que dérision ;

Son régime administratif, qui n'est qu'anarchie ;

Son régime social, qui n'est qu'iniquité ;

Son régime intellectuel et moral, qui n'est que matérialisme.

Le régime tout court, qui n'a su ni créer l'autorité, ni défendre la liberté.

Il faut, en d'autres termes, ne pas se contenter de regarder les effets, mais, d'une volonté résolue, chercher les causes.

Et, parmi ces causes, retenir, avant toutes autres, la principale.

Je parle de l'immense mensonge, dans lequel vous vivez et qui est à la base de votre impuissance.

Le mensonge des institutions. — Vous êtes des citoyens impuissants, parce que rien de ce que vous croyez vrai n'est vrai.

Vous croyez être souverains et vous n'êtes pas souverains.

Vous croyez être libres et vous n'êtes pas libres.

Vous croyez être égaux et vous n'êtes pas égaux.

Vous croyez être représentés par les assemblées que vous élisez et vous n'êtes pas représentés.

Vous croyez être protégés par les lois et vous êtes opprimés par elles.

De tous les principes, par quoi vous pensez être régis, il n'en est pas un qui ne soit démenti par les faits.

La Révolution est à refaire. — Pour sortir de cette immense tromperie, la Révolution, que vous croyez faite depuis un siècle et demi, est à refaire.

Si vous voulez vous en convaincre, regardez comment vous vivez !

© Flammarion

6. L'objectif des Croix de Feu

À la suite des événements de février 1934, une commission d'enquête parlementaire a été mise en place, avec pour mission de faire la lumière sur les causes et les responsabilités de l'émeute du 6 février. Présidée par le député Laurent-Bonnevay, inscrit au groupe des républicains de gauche (dirigé par Pierre-Étienne Flandin), cette commission recueillera pendant plusieurs mois les témoignages de toutes les personnalités directement ou indirectement impliquées dans cette affaire et remettra son rapport en octobre 1934. Au cours de l'une de ces auditions, les questions posées par les députés Petrus Faure et Catalan vont permettre au colonel de La Rocque, leader des Croix de Feu, de préciser ses positions en regard du régime politique de la France et d'affirmer l'apolitisme de son mouvement.

En 1934, celui-ci rassemble plusieurs centaines de milliers d'adhérents, pour la plupart anciens combattants appartenant aux classes moyennes et à la bourgeoisie des « beaux quartiers ». L'idéologie est floue, dans la tradition des ligues nationalistes et antiparlementaires de l'avant-guerre, avec comme élément nouveau un anticommunisme virulent qui ne diffère pas de celui des autres formations de droite. Mais s'ils s'en prennent aux éléments corrompus de la classe dirigeante, les partisans du colonel de La Rocque ne remettent en cause ni l'ordre bourgeois, ni les fondements économiques du système, ni davantage la nature républicaine du régime. Lors de la journée du 6 février, les troupes de choc de la ligue, les « dispos », organisés militairement en « mains » (petits groupes de cinq hommes) et en « divisions » mobilisables à tout moment, vont d'ailleurs recevoir l'ordre du « chef » de ne pas donner l'assaut contre le Palais-Bourbon ; ce qui provoquera le lendemain un véritable déchaînement de l'extrême droite monarchiste et des ligues fascisantes contre le « colonel félon ».

Source : Rapport fait au nom de la Commission d'enquête chargée de rechercher les causes et les origines des événements du 6 février 1934 et les jours suivants, ainsi que toutes les responsabilités encourues. Chambre des députés, 15e législature, session de 1934, pp. 121-123.

Bibliographie : S. Berstein, *Le 6 février 1934*, Paris, Gallimard/Julliard, 1975 ; J. Nobécourt, *Le Colonel de La Rocque 1885-1946, ou les pièges du nationalisme chrétien*, Paris, Fayard, 1996.

(Déposition du colonel de La Rocque à la commission d'enquête parlementaire.)

M. DE LA ROCQUE : Je reprends l'article 2, qui est relatif au but de notre groupement et j'y relève ces mots : «...en général, le relèvement moral et matériel de la France. »

Je fais cette distinction qu'on a toujours établie à l'association. Quand on me demandait : « Faites-vous ou ne faites-vous pas de la politique ? », je répondais — nous sommes tous d'accord et nous avons toujours été d'accord là-dessus — : « Faire de la politique, c'est s'affilier à un parti quelconque, c'est adopter un programme, une position politique. Sous cette forme, qui est peut-être la conception vulgaire de la question, nous ne faisons pas de politique. Mais l'article 2 de nos statuts et, en particulier les six derniers mots... — ceux que je viens de relire —... nous donne le droit de travailler pour le maintien de ce pour quoi nous nous sommes battus. »

M. Petrus Faure[1] : J'en conclus que, à votre avis, vous ne faites pas de politique.

M. de La Rocque : Nous nous occupons simplement de la chose politique.

M. Petrus Faure : Vous pensez que l'influence socialiste ne fait pas partie de la moralité publique ?

M. de La Rocque : Sous une forme un peu simpliste, mais qui traduira bien notre pensée, voici ce que je puis vous dire : nous servons le drapeau tricolore seul, et nous sommes prêts à le servir avec tous ceux qui le servent. Mais là où nous voyons un drapeau d'une autre couleur, nous ne sommes pas d'accord.

M. Catalan[2] : Vous avez écrit : « Nos frontières sont, à droite, le monarchisme ; à gauche, le drapeau rouge. »

Ma question est celle-ci : avez-vous fait des déclarations publiques dans le même sens, par tracts, affiches, communiqués aux journaux avant le 6 février ?

M. de La Rocque : Oui. À l'Assemblée générale des Croix de Feu de mars 1931, si je ne m'abuse, la question m'a été posée par des Croix de Feu : êtes-vous républicain où ne l'êtes-vous pas ? Et à cette assemblée générale, j'ai déclaré que les Croix de Feu étaient républicains et que je l'étais moi-même.

7. La Rocque est-il républicain ?

(1934)

Lors de l'émeute du 6 février, au cours de laquelle les troupes de choc du colonel de La Rocque, qui avaient tenu un meeting à la salle Wagram après le suicide de Stavisky, puis manifesté le 5 février aux abords du ministère de l'Intérieur et de l'Élysée, se sont contentées de manœuvrer en bon ordre sur la rive gauche, entre l'esplanade des Invalides et la rue de Bourgogne, sans chercher à forcer le mince barrage de police qui défendait l'accès du Palais-Bourbon. Légalisme ? Sans aucun doute, mais aussi sentiment chez le leader des Croix de Feu que son mouvement, alors en plein essor, était devenu suffisamment puissant pour faire revenir au pouvoir les hommes de la droite « nationale », et ceci par la simple pression de la rue.

Ce respect sourcilleux de la légalité, en contradiction avec des propos qui incitent les « frères » et les « héritiers du poilu » à considérer les ministres responsables de la tuerie du 6 février comme « hors des lois françaises », provoquera de vives réactions dans les rangs liguers, et particulièrement à l'Action française où l'on fait grief au chef des Croix de Feu d'afficher ses convictions républicaines. Quelques semaines après l'émeute, l'amiral Schwerer, président de l'organisation maurrassienne, adresse en ce sens une lettre comminatoire au colonel de La Rocque.

Source : Archives CHEVS/FNSP, Fonds François de La Rocque (DLR 2, dr. IIC1).

Bibliographie : J. Nobecourt, *op. cit.* ; P. Milza, *Fascisme français. Passé et présent*, Paris, Flammarion, 1988 ; Ph. Rudaux, *Les Croix de Feu et le PSF*, Paris, 1967.

---

1. Député « socialiste-communiste » de la Loire.
2. Député radical-socialiste.

Paris, le 17 mars 1934

Le Président de la Ligue d'Action française
au colonel de La Rocque

Colonel,

AU MOMENT où les communistes et les socialistes s'organisent et s'arment en vue d'un mouvement révolutionnaire qui amènerait la guerre civile et une nouvelle invasion allemande ; au moment où les auteurs de la tuerie du 6 février s'apprêtent à verser de nouveau le sang des bons Français pour établir une dictature de gauche, destinée à sauver du châtiment qu'ils méritent des voleurs et des assassins, il est, me semble-t-il, nécessaire que tous les patriotes, tous les honnêtes gens, tous les groupements nationaux, quelles que soient leurs préférences politiques, se prêtent un mutuel concours pour défendre la France menacée dans ses libertés, dans son honneur, dans son existence même.

L'Action française, ardemment royaliste parce qu'elle a démontré que seul le rétablissement de la monarchie peut sauver le pays, n'hésitera cependant jamais à tendre la main à tous ceux qui, plaçant les intérêts de la patrie au-dessus des intérêts des partis, lutteront pour défendre la France menacée par les ennemis de l'intérieur.

J'ai non seulement autorisé mais même encouragé nos ligueurs à adhérer au groupement des Croix de Feu, parce que, d'après vos déclarations et d'après vos statuts, ce groupement avait pour but de réunir des anciens combattants ayant vaillamment défendu leur pays pendant la guerre et décidés à continuer à le défendre. La politique devait être bannie de l'organisation. Toutes les opinions étaient admises pourvu qu'elles fussent « françaises » et nos nombreux amis qui ont adhéré aux Croix de Feu n'ont jamais caché en y entrant leurs opinions royalistes.

Cependant, voici qu'à Paris un vice-président d'une section de Croix de Feu est « démissionné » par le président sans que celui-ci puisse invoquer un autre motif que ses opinions royalistes. En province, plusieurs de nos amis sont considérés pour le même motif par le chef local comme ne faisant plus partie des Croix de Feu.

De ces faits et de certaines déclarations que vous avez faites publiquement, il semble résulter que le groupement des Croix de Feu est devenu un groupement non plus national mais républicain.

Dans vos déclarations à MM. Thome et Bonnefoy-Sibour, ainsi qu'à la Commission d'enquête et dans votre lettre au président de la République, vous avez proclamé vos convictions républicaines. Nul ne songe à vous contester le droit d'affirmer vos opinions politiques. Mais, chef des Croix de Feu, vous avez déclaré aussi votre volonté de défendre le régime républicain.

Ici — permettez-moi de vous faire remarquer que le mot républicain est devenu très vague. Il s'applique à M. Doriot, à M. Blum, à M. Frot, à M. Daladier, à M. Chautemps, à M. Pressard, à M. Herriot, à M. Tardieu, à M. Marin comme à MM. Bonnaure, Dubarry et Garat. Chacun de ces messieurs représente un régime républicain particulier. Lequel voulez-vous défendre ?

Permettez-moi aussi de vous dire mon étonnement à la lecture de l'interview publiée dans *Marianne* qui a peut-être du reste déformé vos paroles. Vous auriez dit que l'association des Croix de Feu, son président en tête, était profondément républicaine et que vous estimiez que « le progrès était à gauche ». Vous auriez dit aussi que vos frontières étaient : à droite, le monarchisme ; à gauche, le drapeau rouge, semblant ainsi assimiler aux internationalistes du drapeau rouge, les royalistes que vous avez sollicités cependant d'entrer dans vos groupements.

Je désire très vivement que les relations entre les ligueurs d'Action française et les Croix de Feu, pour lesquels nous avons estime et sympathie, restent toujours cordiales et pour cela il faut qu'il n'y ait entre les chefs des deux groupements aucun malentendu, aucune équivoque. Je m'adresse donc à votre loyauté et je vous demande de me fixer d'une façon très précise sur les points suivants :

1) Pour faire partie du groupement des Croix de Feu, faut-il maintenant faire une profession de foi républicaine ?

2) Les Croix de Feu ont-ils maintenant comme but la défense du régime républicain ?

J'avais eu l'honneur de vous écrire le 22 février pour vous demander si vous approuviez un article publié dans un journal radical-socialiste sous la signature du bureau des Croix de Feu de Toulon et qui contenait des attaques contre l'Action française. Vous ne m'avez pas répondu.

J'espère que vous voudrez bien répondre aux deux questions simples et nettes que je vous pose aujourd'hui et je vous prie d'agréer, colonel, l'assurance de mes sentiments distingués.

Signé : amiral Schwerer

8. Une ligue « révolutionnaire » : la Solidarité française

Avec la Solidarité française, nous entrons de plain-pied dans la mouvance du fascisme français. Un « fascisme-mouvement » réduit à sa plus simple expression, sans doctrine structurée ni véritables cadres. Une sorte de cohorte prétorienne composée de nervis, recrutés dans les éléments marginaux du prolétariat et parmi les chômeurs pour appuyer les ambitions mégalomanes du parfumeur milliardaire François Coty, fondateur du journal L'Ami du Peuple. Organisée par un ancien officier des troupes coloniales, Jean Renaud, Solidarité française, qui prétend rassembler 300 000 adhérents en 1934, n'en comptera sans doute jamais plus de 10 000, dont 4 000 ou 5 000 militants actifs.

L'idéologie de ce mouvement, qui figure parmi les groupes les plus agressifs lors de l'émeute du 6 février 1934, ne s'éloigne guère des propos de « café du commerce » tenus depuis le début des années 30 par l'éditorialiste de L'Ami du Peuple et repris, sur différents modes, par l'ensemble de la presse Coty, ainsi que dans l'organe officiel du mouvement : Le Journal de la Solidarité française.

Très affaibli par la ruine, puis par la mort de Coty, ce qu'il subsiste du mouvement sera dissous avec les autres ligues factieuses par le gouvernement Blum en juin 1936.

Source : Reportage sur la Solidarité française in *Politique et politiciens*, n° 94, 1er décembre 1935.

Bibliographie : Ph. Mâchefer, *Ligues et fascismes en France*, Paris, PUF, 1974 ; R. Soucy, *Le Fascisme français, 1924-1933*, Paris, PUF, 1989 ; P. Milza, *Fascisme français. Passé et présent, op. cit.*

L A SF n'est vraiment révolutionnaire que dans le compartiment du social. Le social, à son sens, domine tout aujourd'hui. La Révolution sociale de la SF est tout entière dans l'instauration du corporatisme. Ce dernier reste donc l'essentiel. C'est le _Deus ex machina_ de la transformation générale. C'est pourquoi elle lui donne la première place. Sa doctrine n'a pas négligé non plus le domaine spirituel. Elle a ses racines dans le monde des idées. Elle comporte une éthique, une philosophie. [...] L'avance de la SF sur les autres mouvements nationaux, exception faite de l'Action française, vient de ce que son bureau politique voit les choses sous un angle où s'inscrivent tous les problèmes actuels, c'est-à-dire sous l'angle d'une révolution sociale. D'une révolution républicaine, car il faut le répéter, la SF est républicaine. Pour bien le montrer elle a été à la Bastille le 13 juillet, mais le 14 elle était à l'Étoile. Elle reste avant tout patriote. Elle est partisane résolue du suffrage universel, mais d'un suffrage rénové où l'on verra les voix professionnelles et qualitatives venir s'ajouter aux voix quantitatives qui, seules, commandent aujourd'hui[1].

La réforme de l'État de la Solidarité française a pourtant quelques points communs avec le communisme, du point de vue de la réforme économique et sociale, parce qu'elle partage avec lui la haine du libéralisme, de ses banques et de ses trusts. Elle veut, comme lui, l'anéantissement de la ploutocratie et la libération de l'ouvrier. Mais, pour parvenir à ces résultats, elle et le communisme suivent des routes bien différentes. Elle partage également certaines opinions des marxistes sur le machinisme et son intégration dans le régime de la production. Certaines opinions, pas toutes. Tout le reste dans le communisme lui est odieux. L'internationalisme en particulier...

9. Marcel Bucard
ou le fascisme des anciens combattants

Né en 1895 à Saint-Clair-sur-Epte, Marcel Bucard était sur le point d'être ordonné prêtre lorsqu'a éclaté la guerre de 1914. Engagé volontaire à dix-huit ans, capitaine issu du « rang », deux fois décoré, trois fois cité, dix fois blessé, l'armistice a fait de lui un nostalgique de l'aventure guerrière et un déclassé, incapable de renouer avec sa vocation d'adolescent. Peut-être aurait-il pu faire carrière dans l'armée si le handicap dû à ses blessures ne l'avait obligé à démissionner en 1923. En 1925, il suit Georges Valois au Faisceau et se trouve bientôt à la tête des Légions, troupes de choc du premier fascisme français. Ayant rompu avec Valois, qui lui reproche sa moralité douteuse, il se voit confier en 1928 par le parfumeur Coty la rédaction de la page du combattant dans L'Ami du Peuple _et va jouer pendant plusieurs années, au profit du milliardaire fascisant, le rôle de poisson pilote en milieu ancien-combattant._

C'est en septembre 1933 que Bucard, en quête d'une clientèle politique, va fonder avec une poignée de fidèles le mouvement franciste. Il veut être le Mussolini français. Il copie les poses avantageuses du Duce. Il se fait donner par ses partisans le titre de « chef » et exige de ses troupes une discipline et une obéissance absolue. Le mouvement franciste ne rassemblera jamais plus de quelques milliers d'adhérents, recrutés comme

---

1. Le thème de la pluralité des voix dont devraient bénéficier certaines catégories (chefs d'entreprises, « capacités », chefs de famille, etc.) est récurrent dans l'ultra-droite française.

ceux de Solidarité française dans les éléments déclassés de la petite bourgeoisie, parmi les « cols blancs » et dans certaines couches marginales du prolétariat urbain. Financé par les services italiens, le mouvement de Bucard participera en 1934 au « congrès international fasciste » de Montreux et constituera, jusqu'à sa dissolution par le gouvernement Blum en 1936, un soutien sans faille de la politique étrangère mussolinienne.

Dans l'article reproduit ici, le chef du francisme s'adresse à ses partisans dans un style qui, entre autres modèles, est celui des squadristes italiens à la veille de la Marche sur Rome.

Source : Article de Marcel Bucard, in *Le Franciste*, 20 janvier 1935.
Bibliographie : A. Deniel, *Bucard et le francisme*, Paris, éd. Jean Picollec, 1979.

MON REVOLVER est mon meilleur ami. Il est mon meilleur ami parce qu'il m'a protégé la vie à la guerre et parce que, aujourd'hui, il me permet de défendre la vie de ma femme, de mes enfants, de ma mère, de ma famille et de mes amis.

C'est, entre tous, le plus précieux de mes biens matériels. Je l'ai reçu des mains de mon ami, le lieutenant Léandre Marcq, commandant la 2ᵉ compagnie du 4ᵉ régiment d'infanterie, le matin du 16 avril 1917. Touché à mort, gorge ouverte et poitrine crevée, Marcq, avant d'expirer, m'a confié dans un râle la mission de commander la compagnie et de le venger. Et il m'a donné son revolver encore chaud et rouge de son sang.

Avec ce revolver, je me suis battu tant que j'ai pu. J'ai fait des coups de main, des nettoyages de tranchées et des assauts, j'ai tué à bout portant, au corps à corps.

J'aime mon revolver. Il a encore dans les rainures de sa crosse de la boue des trous d'obus, séchée comme un dur ciment. C'est pour moi un souvenir sacré. Je ne donnerai mon revolver à personne. C'est une arme d'honneur. On ne rend jamais ses armes.

Il me reste quelques chargeurs que je n'ai pu vider avant l'armistice. J'en donne ma parole de combattant, fait chevalier de la Légion d'honneur sur le champ de bataille par mes hommes, je suis toujours prêt à m'en servir !

Je m'en servirai pour défendre ma patrie si, demain, elle était encore attaquée.

Je m'en servirai si, demain, on essayait de toucher à ma femme, à mes enfants, à ma mère, à ma famille, à mes amis.

Je m'en servirai contre les crapules et les charognards qui, dans leurs tanières et leurs journaux innommables, essaient d'attenter à mon honneur de citoyen, de soldat et de père de famille. C'est de la légitime défense !

Il y a maintenant autour de moi, connus ou cachés, à Paris et dans tous les coins de France, des dizaines de milliers de bras prêts comme hier à défendre la Patrie et à abattre les chiens pestiférés. Il n'y a rien au monde qui les fera trembler !

10. Doriot ou le fascisme de masse

Né en 1888, Jacques Doriot a travaillé avant la guerre comme ajusteur dans différentes entreprises. Inscrit aux Jeunesses socialistes, puis à la SFIO, il est mobilisé en 1917, décoré l'année suivante, et finit la guerre dans l'armée d'Orient. D'abord hostile à la scission qui aura lieu à Tours, il rejoint le Parti communiste dont il devient bientôt l'un des principaux dirigeants.

Député de la Seine en 1924, maire de Saint-Denis en 1931, Doriot se voit écarté par Staline — qui lui préfère Thorez — du poste de secrétaire général du Parti. Partisan de l'unité d'action avec les socialistes, il s'écarte de la ligne fixée par le Komintern après le 6 février 1934 et sera exclu du PCF au moment même où l'Internationale adopte la stratégie qu'il défend.

Réélu député en mai 1936, Doriot fonde en juin le Parti populaire français (PPF), qui va devenir la première formation de masse du fascisme français. Comme son modèle italien, le fascisme de Doriot ne va pas tarder à évoluer des positions révolutionnaires de ses débuts vers des vues beaucoup plus traditionalistes qui sont, classiquement, celles du nationalisme français. En associant, comme on le voit ici, dans l'article de Paul Marion — un autre exclu du PCF, ancien chef des services de la propagande du Parti, devenu néo-socialiste et l'un des créateurs du Comité France-Allemagne —, le culte de Jeanne d'Arc et celui des communards, et en exaltant la France « provinciale et paysanne », l'état-major du PPF renoue à bien des égards avec le discours barrésien.

Source : Article de Paul Marion, in _L'Émancipation nationale_, 5 juin 1937.
Bibliographie : J.-P. Brunet, _Jacques Doriot_, Paris, Balland, 1986 ; Ph. Burrin, _La Dérive fasciste. Doriot, Déat, Bergery_, Paris, Seuil, 1986 ; D. Wolf, _Doriot, du communisme à la collaboration_, trad. de l'allemand, Paris, Fayard, 1969.

L E Parti Populaire Français est la seule formation politique qui, en plein accord avec sa doctrine et ses desseins, ait, à quelques jours d'intervalle, déposé deux couronnes, l'une au pied de la statue de Jeanne d'Arc, l'autre au mur des Fédérés.

Il n'y avait là ni complication tactique, ni désir de frapper les esprits mais simple fidélité à la pensée fondamentale de Jacques Doriot ; unir le social et le national. [...]

Jeanne d'Arc, ça n'est pas seulement la sainte et l'héroïne de la patrie, c'est aussi un symbole.

Le symbole de la France des débuts du XVe siècle, essentiellement provinciale et paysanne, mais déjà travaillée d'un sourd et tenace désir d'unité.

Nos pères, ces artisans et ces paysans d'alors, fiers de leurs franchises durement conquises, solides sur leurs pieds et leurs pieds bien plantés dans leurs terroirs, ne pouvaient supporter l'invasion extérieure et ses complices les ennemis de l'intérieur.

Que l'on fût évêque, seigneur, bourgeois ou simple homme d'armes, ils vous boutaient dehors, et sec, si l'on servait l'Anglais.

L'amour de la terre, de leurs libertés et de leur pays se confond chez eux et le sens des intérêts sociaux de la collectivité villageoise, avec le sens naissant de la communauté française.

À travers quatre siècles d'histoire la Commune, par bien des côtés, témoigne dans un cadre différent et chez les classes sociales nouvelles, de sentiments analogues. La Garde nationale de Paris — c'est-à-dire le peuple ouvrier des fabriques, les artisans et les boutiquiers — ne peut supporter les capitulards de Versailles soumis aux Prussiens.

Un grand rêve de libération et de transformation se mêle d'ailleurs, intimement, à ce sursaut populaire et l'idée d'une fédération des communes françaises et d'une République sociale s'allie à la grande colère parisienne contre le défaitisme des notables ruraux. Ainsi Jeanne d'Arc et la Commune sont deux étapes de notre Histoire qu'il s'agit de comprendre et de réconcilier, non d'opposer.

11. Au lendemain du 6 février :
la « capitulation » de Daladier

Dans cette note rédigée durant sa captivité, Édouard Daladier, qui se trouvait en charge de la présidence du Conseil lors de l'émeute du 6 février, explique les raisons qui l'ont incliné à présenter sa démission au président de la République. Le leader radical met essentiellement en avant le fait que, pour rétablir l'ordre face à un inévitable redoublement des violences, il aurait été contraint de faire appel à l'armée et de provoquer un bain de sang. C'est effectivement dans ce sens que s'est prononcé le ministre de l'Intérieur Frot au vu des rapports fournis par les Renseignements généraux. Ce que Daladier ne dit pas, c'est que sa propre détermination a été fortement ébranlée d'abord par la défection d'une bonne partie de ses ministres — à commencer par ceux qui, appartenant comme lui au courant « jeune radical », faisaient figure de fidèles du chef du gouvernement : Guy La Chambre (Marine), Pierre Cot (Air), Jean Mistler (Commerce), Léon Martinaud-Déplat (sous-secrétaire d'État à la présidence du Conseil) —, ensuite par les réticences des militaires à la proclamation de l'état de siège et par les rapports alarmistes sur l'état d'esprit des forces de l'ordre.

Il est clair que dans ces conditions la résistance n'était possible que si la majorité du Parlement appuyait avec détermination le président du Conseil. Or, ni Ferdinand Bouisson, ni Jules Jeanneney, respectivement présidents de la Chambre et du Sénat ne se sont prononcés en ce sens, pas plus qu'Édouard Herriot, principale figure du Parti radical. Autrement dit, à quelques exceptions près (Léon Blum, Paul-Boncour, en charge du portefeuille de la Guerre), c'est l'ensemble de la classe politique qui abdique devant la rue : préfiguration de la capitulation des Chambres devant Pétain et Laval le 10 juillet 1940.

Source : Propos rapportés par Édouard Daladier dans une note rédigée en captivité. Archives FNSP/CHEVS, Fonds Édouard Daladier, 1DA5, Dr. 5.
Bibliographie : É. du Réau, *Édouard Daladier (1884-1970)*, Paris, Fayard, 1993 ; É. Daladier, *Journal de captivité, 1940-1945*, Paris, Calmann-Lévy, 1991.

C'ÉTAIT À MOI qu'il appartenait de prendre la décision et, quelle qu'elle fût, d'en assumer la responsabilité personnelle. Je sais bien que celle que j'ai prise a été beaucoup discutée ; j'ai reçu depuis ces événements des centaines de lettres de menace de mort, qui me sont indifférentes, bien entendu. J'ai reçu des milliers de lettres d'approbation et même de félicitations ; j'ai reçu également des lettres de protestation assez nombreuses d'hommes s'étonnant qu'un gouvernement investi de la confiance de la majorité de la Chambre, qu'un gouvernement étant le gouvernement légal parut, comme on l'a dit, avoir capitulé devant une émeute et avoir donné aux forces de la rue, à des forces irresponsables et à des hommes irresponsables, ce triomphe d'avoir jeté bas un gouvernement que les élus de la nation avaient cependant soutenu de leurs suffrages.

Eh bien, messieurs, j'ai prévu tout cela. Je savais bien que je serais l'objet de critiques très vives et qui me sont, je dois le dire, extrêmement pénibles, car de tous les reproches qu'au cours de ma vie, on peut m'adresser, certainement celui qui m'est le plus sensible, c'est celui qu'on m'a fait, à la suite de ces événements, d'avoir capitulé, d'avoir reculé, d'avoir tremblé. Cependant, je crois aujourd'hui encore que j'ai bien fait. Le 6 février, l'émeute n'a pas été victorieuse, l'émeute a été vaincue. On voulait entrer à la Chambre, on voulait faire la révolution nationale, proclamer la déchéance du Parlement, élever un gouvernement provisoire. Aucun de ces objectifs n'a été atteint, l'émeute, la manifestation a été arrêtée, aucun de ces objectifs n'a été atteint. Mais cependant, ce soir-là, déjà trop de sang avait coulé et maintenant, le 7 février, il fallait faire intervenir l'armée ; il fallait jeter des enfants de vingt ans contre la foule, contre une foule exaspérée, trompée, les laisser se défendre avec leurs fusils, avec leurs mitrailleuses ; des centaines de morts parmi lesquels nous aurions eu certainement, peut-être même sûrement, une majorité de braves gens trompés, d'anciens combattants abusés...

Non, je vous le dis franchement, si j'avais eu la possibilité de résister le 7, le 8, le 9, je serais resté ; mais je n'ai pas voulu. Je sais que dans d'autres pays, on est moins ménager du sang des soldats. Dans mon enfance, j'ai entendu parler de Draveil, de Villeneuve-Saint-Georges, des troubles du Midi, du 17e et de tous ces régiments qu'on avait fait tirer sur la foule ; j'ai comme beaucoup d'autres aussi des souvenirs de guerre. On peut me blâmer, m'approuver, peu m'importe. Ceci est une question de conscience, mai j'ai eu le sentiment que si j'avais envisagé délibérément ces scènes dont je vous parle, se produisant le 7, se renouvelant les autres jours... eh bien, je ne crois pas que j'aurais accompli mon devoir de républicain résolu à défendre des institutions de liberté... c'est plutôt qu'on aurait pu dire que pour sauver la vie d'un ministère, que pour protéger la vie d'un gouvernement, je n'avais pas hésité à faire tomber les Français dans les rues de Paris ; cela je ne l'ai pas voulu. Pour moi, le sang français a un autre prix.

Bien que ce soit là un argument beaucoup moins fort dans ma pensée, je dois vous en rendre compte, puisque je m'y suis attaché pendant quelques instants. Après cet argument, selon moi décisif et suffisant, il en est un second : une période de crise économique et financière, une crise de trésorerie devenait fatale dans cette atmosphère de troubles. Et alors l'inflation, le recours à l'inflation... menaçant la sécurité du lendemain et qui se serait rencontrée non pas dans les grands établissements financiers, non pas dans les grandes entreprises industrielles, dans les grandes organisations économiques, qui ont le moyen de faire face à l'inflation, de n'en pas être trop victimes, comme l'expérience l'a prouvé, mais chez de petites gens, de braves gens !...

C'est pourquoi, cette décision étant prise, je me suis rendu à l'Élysée où le président de la République m'a communiqué un message qu'il avait reçu de M. Frot[1], où M. Frot insistait — le message devait dater à peu près de 11 heures ou 11 heures 30 et être concomitant de la démarche de M. Frot auprès de moi —, dans ce message M. Frot disait qu'il valait mieux en effet dans l'intérêt du pays, que le gouvernement démissionnât et qu'on fît appel à l'union sacrée. C'est alors que j'ai pris officiellement la décision, dans l'intérêt supérieur du pays, de quitter le pouvoir et de remettre ma démission. Afin qu'un mouvement d'apaisement pût être commencé, je donnai tout de suite un communiqué de presse.

Je l'ai rédigé, bien entendu, dans cette période extrêmement pénible, et j'y ai donné les raisons de ma démission : elles étaient brèves et exactement celles que je vous rapporte aujourd'hui :

« Le gouvernement responsable de l'ordre se refuse à l'assurer aujourd'hui avec le concours de moyens exceptionnels susceptibles d'entraîner une répression sanglante et une nouvelle effusion de sang. Il ne veut pas employer les soldats contre les manifestants. J'ai donc remis à M. le Président de la République la démission du Cabinet. »

1. Ministre de l'Intérieur dans le gouvernement Daladier.

IV

DU FRONT POPULAIRE À LA GUERRE
(1936-1939)

La persistance des difficultés économiques et les mesures déflationnistes du gouvernement Laval (texte n° 1) ont accru le mécontentement des salariés et des représentants des classes moyennes. Mais c'est surtout la crainte inspirée par les ligues qui hâte le regroupement des forces de gauche autour du thème de l'antifascisme. Dès le 12 février 1934, un rapprochement s'est dessiné entre socialistes et communistes, concrétisé le 12 juillet par la signature d'un pacte d'unité d'action entre les deux partis, proposé par le PCF avec l'accord du Komintern et de Staline qui ont tiré la leçon de l'arrivée au pouvoir des nazis en Allemagne (texte n° 2). En juin 1935, les radicaux conduits par Édouard Daladier se rallient à l'idée d'un front commun contre le fascisme dont la première manifestation d'envergure a lieu à l'occasion du 14 Juillet (texte n° 3) et a été préparée par un Comité national du rassemblement populaire dans lequel siégeaient des représentants des trois partis de gauche.

C'est cet organisme qui va mettre au point un accord de désistement pour le second tour des élections de mai 1936, les candidats devant se ranger derrière un « programme de Front populaire » que résume la formule « Le pain, la paix, la liberté », c'est-à-dire la lutte contre la crise, contre la guerre et contre le fascisme. Cette entente est complétée en mars 1936 par la réunification syndicale CGT/CGTU.

À l'issue d'un premier tour incertain, la « discipline républicaine » va permettre à la gauche de l'emporter au second avec 376 élus contre 222 pour ses adversaires et à Léon Blum, chef de la formation la plus nombreuse (147 élus SFIO contre 106 pour le Parti radical, 72 pour le PC et 51 « divers gauche »), d'accéder à la direction d'un gouvernement à participation radicale mais non communiste.

Blum constitue son ministère le 4 juin. Il doit aussitôt faire face à un puissant mouvement de grèves avec occupation des locaux qui s'est développé dans le pays depuis le 26 mai. De l'industrie aéronautique, celui-ci gagne la métallurgie parisienne, puis de nombreux autres secteurs d'activité et finira par affecter de deux à trois millions de salariés. Effrayée par l'ampleur et le caractère insolite du mouvement, la classe dirigeante a vu dans les grèves de juin 1936 les prodromes d'une révolution conçue à l'étranger par quelque chef d'orchestre clandestin (allemand ou soviétique) et préparée en France même par le Parti communiste. En fait, tous les historiens s'accordent aujourd'hui à voir dans les événements du printemps 1936 une explosion spontanée où se mêlent — dans une atmosphère de kermesse et de fête qui rappelle les débuts de la Commune et annonce 1968 (texte n° 6) — l'aspiration à de meilleures conditions de vie et de travail (texte n° 4), la joie d'avoir remporté une victoire électorale qui est à bien des égards défensive (le spectre du fascisme paraît être écarté) et la volonté, exprimée dans une démonstration de force préventive, de recueillir les fruits de ce succès.

Pour mettre fin à la crise, le gouvernement Blum a proposé son arbitrage aux partenaires sociaux et c'est sous son patronage qu'est signé le 7 juin l'accord Matignon (texte n° 5) qui établit le droit syndical dans l'entreprise, définit les conditions dans lesquelles seront élaborées les conventions collectives du travail et accorde aux ouvriers des augmentations de salaires de 7 à 15 %. Cet accord est complété par deux lois qui instituent la semaine de 40 heures sans diminution de salaire et les deux semaines de congés payés.

Encouragés par Maurice Thorez («Il faut savoir terminer une grève dès que satisfaction a été obtenue»), les travailleurs reprennent peu à peu le chemin de l'usine ou de l'atelier, tandis que le gouvernement Blum procède à quelques grandes réformes de structure (création de l'Office du blé, nationalisation des chemins de fer, des usines d'armement et de l'industrie aéronautique, modification du statut de la Banque de France) et tente de relancer l'économie par une politique qui s'apparente à celle du New Deal.

L'embellie toutefois est de courte durée. Le patronat s'efforce de limiter la portée de l'accord Matignon. La hausse des prix freine les exportations et contraint le gouvernement à dévaluer le franc en octobre 1936. La droite attaque le gouvernement avec une extrême violence (texte n° 7). Les ligues, dissoutes, font leur réapparition sous la forme de partis politiques organisés (PSF, PPF) ou d'organisations clandestines (la « Cagoule » d'Eugène Deloncle) qui multiplient les provocations. Mais surtout, c'est un événement extérieur, la guerre d'Espagne, qui provoque l'éclatement du Front populaire, Blum choisissant une voie moyenne, celle de la « non-intervention » officielle entre ceux qui, à sa droite, sont pour l'abstention totale, et ceux qui, à sa gauche (communistes, mais aussi minorités gauchisantes au sein même de la SFIO), militent au contraire pour l'intervention aux côtés des républicains (texte n° 8).

Attaqué sur ces deux fronts, lâché aussi bien par les communistes qui lui reprochent d'avoir « trahi les espérances des travailleurs » (texte n° 9) que par les radicaux, qui ne veulent pas se couper des classes moyennes, le gouvernement Blum devra démissionner en juin 1937 à la suite du refus opposé par les sénateurs à sa demande des pleins pouvoirs financiers.

Après la chute de Blum, le Front populaire agonise pendant un an. Le radical Chautemps dirige un gouvernement avec, puis sans les socialistes (ceux-ci se retirent lorsque le gouvernement tente par décret de limiter la portée de la loi des 40 heures). Un second gouvernement Blum échoue en avril 1938, et c'est Édouard Daladier qui devient à cette date président du Conseil. Rompant avec la majorité de Front populaire, celui-ci s'appuie sur la droite, fait entrer des modérés dans son équipe (Paul Reynaud, Georges Mandel) et, désirant « remettre la France au travail » (texte n° 10), adopte des décrets-lois qui autorisent le dépassement des 40 heures hebdomadaires. La CGT et les partis de gauche répliquent par l'organisation d'une grève générale qui échoue le 30 novembre 1938 devant la détermination du gouvernement. À la veille d'une guerre qu'il juge inévitable et à laquelle il s'efforce de préparer le pays, Daladier dispose d'une autorité considérable et d'une très forte popularité.

1. La politique de déflation
du gouvernement Laval

Confrontés à l'ampleur et à la durée d'une dépression économique qui a commencé à se manifester en France dans le courant de l'année 1931, les divers gouvernements qui se sont succédé à la direction des affaires à partir de cette date, qu'ils soient présidés par des hommes de droite, comme Laval, Flandin, Doumergue et Tardieu, ou par des hommes de gauche comme Herriot, Daladier, Sarraut ou Chautemps, ont tous adhéré aux principes de l'orthodoxie libérale, laquelle impliquait qu'il fût porté remède au déséquilibre budgétaire et à l'inflation. Toutefois, jusqu'en 1935, les équipes ministérielles se sont contentées de prendre des mesures timides visant à réduire les dépenses de l'État par des réductions du personnel des administrations et en opérant des prélèvements sur le traitement des fonctionnaires et les pensions des anciens combattants. Cette politique déflationniste, pratiquée notamment par Daladier en février 1933 et par Doumergue en avril 1934, provoque — bien que les prix soient nettement orientés à la baisse — un vif mécontentement parmi les catégories visées. Celui-ci va se transformer en exaspération avec les décrets-lois adoptés en juillet, août et octobre 1935 par le cabinet Laval et qui imposent une réduction générale de 10 % de toutes les dépenses de l'État (traitements des agents de la fonction publique, pensions, intérêts des emprunts), ainsi que des loyers et des émoluments des professions libérales. Présentée ici aux sénateurs comme le seul remède possible contre la crise, la politique de Laval va fortement concourir à la montée d'un mécontentement des classes moyennes qui explique que nombre de ses représentants aient choisi d'apporter leurs suffrages à la gauche lors des élections de mai 1936.

Source : *Journal officiel Débats parlementaires*, Sénat, Séance du 8 juin 1935.
Bibliographie : F. Kupferman, *Laval (1883-1945)*, Paris, Balland, 1987 ; J.-P. Cointet, *Pierre Laval*, Paris, Fayard, 1992 ; A. Sauvy, *Histoire économique de la France entre les deux guerres*, 3 vol., Paris, Fayard, 1965-1972.

L A GRAVITE DE LA SITUATION résulte du mauvais état de notre trésorerie et du déséquilibre de notre budget. [...] Des discours, des articles de journaux ou de revues, des doctrines, rien de tout cela ne peut pallier le fait qu'il faut prendre des mesures. En quoi consisteront-elles ? Je vais l'énoncer sous une forme simple ; il faut ajuster ses dépenses à ses recettes ; Il n'y a pas d'autres formules.

Je ne suis pas un technicien des finances, je suis un homme politique chargé de diriger les affaires de mon pays et je pense comme vous qu'aussi longtemps que nous n'aurons pas le courage d'ajuster nos dépenses à nos recettes, nous continuerons d'aggraver le mal que nous voulons réparer aujourd'hui. [...]

2. Le Komintern
et la tactique des Fronts populaires

Ce texte est tiré d'un ouvrage paru en 1937 sous la signature de Georges Luciani (Pierre Berland). Arrivé en URSS en 1930, ce normalien, ancien élève des Langues O a séjourné six ans au pays des Soviets où il a mené des recherches en vue de la préparation d'une thèse sur les Décabristes. Il a été durant cette période correspondant particulier du Temps *et du* Petit Parisien *et ce sont les articles qu'il a, à ce titre, fait paraître dans ces deux journaux, qui constituent la substance de son livre. Celui qui est présenté ici et qui traite de « la nouvelle tactique du Komintern » a été rédigé à l'occasion du VIIe Congrès de l'Internationale communiste.*

À cette date, il y a déjà plus d'un an que cette organisation a effectué un virage à 180° en renonçant à la tactique « classe contre classe » qui avait eu pour effet, en Allemagne, de faciliter la conquête du pouvoir par Hitler. Par l'intermédiaire d'Eugène Fried (dit Clément), son représentant auprès de la direction du PCF, elle a fait passer le message à Thorez, secrétaire général du Parti depuis 1930, lequel Thorez — suite à un télégramme du Komintern — va créer la surprise lors de la conférence nationale d'Ivry, fin juin 1934, en lançant un appel à l'unité de la gauche en complète contradiction avec les péroraisons des autres orateurs.

Source : Georges Luciani (Pierre Berland), *Six ans à Moscou*, Paris, Librairie Picart, 1937, pp. 408-409.
Bibliographie : J.-J. Becker, *Le Parti communiste veut-il prendre le pouvoir ? La stratégie du PCF de 1930 à nos jours*, Paris, Seuil, 1982 ; S. Courtois et M. Lazar, *Histoire du Parti communiste*, Paris, PUF, 1995.

D E LÀ, la nouvelle tactique du Komintern, qui tend à la formation non seulement d'un front commun socialiste-communiste, mais encore d'un front plus large de lutte antifasciste, comprenant tous les partis, même bourgeois, qui se réclament des libertés démocratiques. Les partis communistes nationaux ne doivent plus se figer dans une attitude particulariste. L'unité de front de tous les partis de gauche est devenue nécessaire. [...]

On voit toute l'étendue de cette évolution. Autrefois, les communistes combattaient avec acharnement les socialistes qualifiés de « social-traîtres » et dans les luttes électorales, opposaient leurs candidats à ceux de tous les autres partis, sans distinction. Aujourd'hui, on va très loin dans la voie des concessions pour élargir le front antifasciste. De même que le gouvernement soviétique accepte l'hypothèse de sa participation militaire aux côtés d'États bourgeois dans une guerre défensive contre l'agression fasciste, de même les sections nationales du Komintern doivent s'assurer le concours des couches modérées de la population. « Il ne s'agit plus de combattre la démocratie bourgeoise », a déclaré Dimitrov[1]. « À l'heure actuelle, les masses laborieuses n'ont plus à choisir entre la démocratie bourgeoise et la dictature du prolétariat, mais seulement

────────────────
1. À cette date secrétaire général du comité exécutif de l'Internationale communiste.

entre la démocratie bourgeoise et le fascisme. » Il faut gagner de vitesse le fascisme et rallier les classes moyennes à la défense des libertés démocratiques.

De là, des formules qui, il y a quelques années, auraient vivement étonné sur les lèvres de communistes, par exemple celle-ci du délégué allemand Pieck. « Si l'Allemagne s'attaque à l'indépendance nationale et à l'unité d'un des petits pays de l'Europe (lisez la Lituanie, glacis de la défense de l'URSS), la guerre de la bourgeoisie nationale de ces pays contre cette agression sera une guerre juste à laquelle le prolétariat et les communistes ne pourront pas ne pas prendre part. » De là aussi l'anathème lancé par Dimitrov contre le « nihilisme nationaliste » de certains agitateurs. Pour Dimitrov, le premier devoir d'un communiste est le respect du sentiment national populaire, et citant son propre exemple, il rappelle comment il a su prendre au cours du procès de Leipzig la défense de l'honneur national du peuple bulgare[1]. Il faut battre les fascistes sur leur propre terrain : l'exaltation du sentiment national, ne pas leur laisser le monopole d'une idée-force aussi puissante et faire auprès des masses une propagande concrète et facilement accessible.

De là aussi le discours d'André Marty sur l'attitude des communistes devant l'armée. Les communistes sont contre le refus du service militaire, contre les désertions. Ils ne refusent pas de servir en cas de mobilisation, même s'il s'agit d'une guerre réactionnaire. Ils vont à l'armée où ils apprennent soigneusement le maniement des armes. Pour combattre le fascisme dans l'armée, les communistes doivent évidemment être dans l'armée pour y remplir leur mission qui est avant tout de grouper les masses pour la défense de l'URSS, pour surveiller les officiers fascistes, c'est-à-dire hostiles à l'alliance franco-soviétique, sinon favorables à une entente avec l'Allemagne. [...]

On voit ici un développement curieux, mais logique, du communiqué Laval-Staline du 16 mai[2]. Non seulement, les communistes comprennent et approuvent la politique militaire de la France, mais ils trouvent que cette politique n'est pas assez énergique et qu'ils doivent s'en mêler. [...] « La bourgeoisie français est pacifiste », a déclaré avec mépris André Marty. Il faudra donc la secouer, si l'intérêt de l'URSS l'exige.

3. Les Assises de la Paix et de la Liberté, prélude au Front populaire

Né à Nîmes en 1900, d'ascendance cévenole (il considérera que son action antifasciste « prolonge la lutte des camisards »), André Chamson a été élève de l'École des Chartes avant de s'engager dans la carrière littéraire (son premier récit, Roux le Bandit, *qui met en scène un objecteur de conscience, a été publié en 1925) et de s'insérer dans le monde politique en devenant l'année suivante membre du cabinet d'Édouard Daladier. Familier du député du Vaucluse, il suit tout naturellement celui-ci dans sa*

---

1. Se trouvant en exil politique en Allemagne en 1933, le dirigeant communiste bulgare Georges Dimitrov fut impliqué par le gouvernement nazi dans l'incendie du Reichstag. Au procès de Leipzig, il fit face à Gœring et fut acquitté.
2. À la suite de la conclusion, le 2 mai 1935, du pacte d'assistance mutuelle franco-soviétique, Laval s'est rendu en URSS où il a obtenu de Staline, le 16 mai, une déclaration favorable aux efforts de réarmement du gouvernement français. Ceci a eu pour effet de faire cesser la campagne menée en France par le PC contre la loi de deux ans.

démarche de rapprochement avec les socialistes et les communistes. Membre du Comité de vigilance des intellectuels antifascistes, il fonde en 1935, avec Jean Gué-henno et Andrée Viollis, l'hebdomadaire de gauche Vendredi. *C'est donc un acteur, et pas seulement un spectateur des événements qui préparent en France l'avènement du Front populaire, qui fait, dans ce texte extrait des* Cahiers des droits de l'homme, *le récit du meeting organisé le 14 juillet 1935 au matin, au stade-vélodrome Buffalo à Montrouge, en prélude à la grande manifestation unitaire de l'après-midi. Cette réunion des « Assises de la Paix et de la Liberté » a été préparée sous l'égide du Comité Amsterdam-Pleyel, autrement dit dans la mouvance directe du Parti commu-niste, le but étant pour celui-ci d'organiser des comités de « sans-parti » rattachés au Rassemblement populaire et de pouvoir, par ce biais, peser sur les orientations de la coalition des partis de gauche au moment où cette dernière s'apprête à se donner une plate-forme commune en vue des législatives de 1936.*

Source : Article d'André Chamson, in *Cahiers des droits de l'homme*, 10 août 1935.
Bibliographie : M. Berry, *Chamson, sa vie, son œuvre*, Paris, Fischbacher, 1984 ; G. Castel, *André Chamson et l'histoire. Une philosophie de la paix*, Aix-en-Provence, Édisud, 1980 ; P. Ory et J.-F. Sirinelli, *Les Intellectuels en France de l'Affaire Dreyfus à nos jours*, Paris, Armand Colin, 1992.

AU MATIN DU 14 JUILLET 1935, les Assises de la Paix et de la Liberté se sont réunies aux portes de la capitale, sur les immenses gradins du vélodrome Buffalo. À ce moment-là, ni Paris, ni la province n'avaient fait déferler à travers les rues leurs masses résolues et disciplinées et nul ne pouvait assurer encore que la vigilance populaire répondrait entièrement à l'appel du comité d'organisation.

Ces circonstances donnent tout leur sens aux Assises de la Paix et de la Liberté. Avant l'engagement des masses populaires, avant la réponse que devaient apporter des centaines de milliers d'hommes marchant sous les acclamations des faubourgs pavoisés, dix mille porteurs de mandats venaient prêter le serment solennel de faire barrage au fascisme et se liaient les uns aux autres par un même acte de volonté lucide qui faisait d'eux les responsables du grand mouvement dont le peuple seul pou-vait devenir le réalisateur. [...]

Trois grands moments ont donné son sens à cette assemblée. Ils peuvent apparaître comme ayant symbolisé, dans leur émotion puissante et grave, le passé, le présent et l'avenir tels qu'ils apparaissaient à ces hommes qui, de partager la même volonté, se sentirent pris ce matin-là par une espérance commune.

Le passé ? Tout pouvait l'évoquer, tout l'évoquait avec force, la date de la réunion et ses circonstances. Mais il apparut que le destin avait voulu le condenser dans un seul fait et comme le cristalliser en une minute de silence. À l'appel de son président, l'assemblée se leva pour accompagner d'un pieux hommage la dépouille du capitaine Dreyfus dont on célébrait alors les obsèques[1]. Rien ne pouvait relier de façon plus concrète le souvenir des batailles et des victoires du passé aux luttes de l'heure présente. [...]

---

1. Né en 1859, Alfred Dreyfus est mort le 12 juillet 1935. Réintégré dans l'armée après son acquittement en 1906 avec le grade de chef d'escadron, il a terminé sa carrière comme lieutenant-colonel durant la Pre-mière Guerre mondiale.

Cette assemblée ne manquait donc pas d'unité profonde. Mais pourtant tous ces hommes, hier encore habitués à lutter isolément chacun dans son organisation ou dans son parti, avaient besoin de sentir s'opérer entre eux la synthèse de tous les symboles et de toutes les forces qui peuvent lutter pour la paix, pour le pain et pour la liberté. Dans le déroulement des discours, ce fut le discours de Jacques Duclos qui apporta l'étincelle d'où jaillit ce moment de communion. Tous les délégués, dressés d'un seul mouvement, le poing levé, entonnèrent *La Marseillaise* et l'unirent à *L'Internationale*, faisant ainsi de ces deux hymnes un même appel à la fraternité et à la justice, lancé par les mêmes hommes sur les longues routes de l'histoire. Ceux qui avaient désappris de chanter l'hymne de 92 marquaient ainsi qu'ils se sentaient les vrais gardiens des destins de la Nation française et les continuateurs de ceux qui la donnèrent en exemple au monde dans le passé. Confondant dans une même voix tous les accents des régions de France, dix mille hommes rendaient dans ce matin de 14 juillet l'hymne de la Grande Révolution à sa signification originale.

Il ne restait plus alors à tous ces hommes, réunis par un même amour de la justice, décidés à s'opposer aux entreprises de la barbarie et de la misère qu'à lier l'avenir par un serment solennel. Plus fortement encore que le silence d'une minute, que le chant des deux hymnes alternés, sous le frémissement des drapeaux, la réponse unanime de ces dix mille volontés et de leur espérance quand une voix juvénile eut achevé la lecture du serment que des centaines de milliers d'hommes devaient prêter le soir même devant la statue de Baudin[1], les délégués répondirent d'une seule voix : « Nous le jurons ! », il n'y avait dans leur attitude ni raideur, ni emphase. [...] Pour chacun, au contraire, ce serment n'était que la conclusion logique d'une certitude confirmée et d'une décision totale. Ce n'était pas tant pour eux de prêter serment qui avait une signification, mais de le prêter ensemble en se sentant emportés par un de ces événements qui dépassent les hommes et fixent la marche de l'histoire.

4. Pourquoi la grève ?

Le mouvement de grèves avec occupation des locaux qui va servir de toile de fond aux premiers pas du gouvernement de Front populaire a commencé dans la première quinzaine de mai, soit près de trois semaines avant la formation du premier cabinet Léon Blum. Il a d'abord affecté, sans défrayer beaucoup la chronique, l'industrie aéronautique : les établissements Bréguet au Havre, dès le 11 mai, Latécoère à Toulouse le 13, Bloch à Courbevoie le 14. C'est seulement à partir du 26 mai que la presse, y compris la presse de gauche, commença à s'y intéresser sérieusement, les débrayages ayant gagné la sidérurgie (Longwy) et les industries mécaniques (Farman, Hotchkiss, puis Renault). Le 28 mai, on comptera déjà plus de 100 000 grévistes.

Début juin, et surtout au lendemain de l'installation de Léon Blum à Matignon, la vague de grèves prend brusquement de l'ampleur et s'étend aux secteurs d'activité les plus divers : bâtiment, industries chimiques, transports, cafés-restaurants, grands magasins, compagnies d'assurances, etc. Au total, il y aura entre 2 et 3 millions de grévistes au moment de la signature de l'accord Matignon.

---

1. Il s'agit de Jean-Baptiste Baudin, député républicain montagnard à l'Assemblée législative de 1849, tué sur une barricade du faubourg Saint-Antoine au lendemain du coup d'État du 2 décembre 1851.

Le problème qui s'est immédiatement posé, aussi bien aux adversaires les plus virulents du Front populaire qu'aux responsables gouvernementaux, a été celui de l'origine des grèves. S'agissait-il d'un mouvement spontané ou au contraire d'une action conçue par les organisations révolutionnaires (communistes, trotskystes, syndicalistes révolutionnaires), voire par des puissances étrangères ? Et s'il s'agissait d'un mouvement spontané, ce que tous les historiens s'accordent aujourd'hui à reconnaître, le désir de changement dont il témoignait de la part des travailleurs s'appliquait-il seulement aux conditions de travail et de salaire ? Ne révélait-il pas une volonté plus profonde de bouleversement politique et social ? Bref, était-il ou non « révolutionnaire » ? Les réponses données dans ce texte par les dirigeants de la grève d'une usine de reliure-brochure de Malakoff au représentant du Mouvement social (la revue mensuelle publiée par cette institution de 1914 à 1939) vont dans le sens de l'interprétation spontanéiste et non révolutionnaire du mouvement de juin 36.

Source : Interview des dirigeants d'une grève dans une usine de reliure-brochure de Malakoff publiée dans *Le Mouvement social* en juin 1936 ; cité *in* G. Lefranc, *Juin 1936, l'explosion sociale*, Paris, Julliard (coll. « Archives »), 1964, pp. 185-186.
Bibliographie : G. Lefranc, *Juin 1936, l'explosion sociale, op. cit.*

*D*EMANDE *:* Lorsque vous avez déclenché le mouvement de grève avec occupation de l'usine, l'avez-vous fait de votre propre initiative ou d'après les ordres reçus ?
Réponse : Nous l'avons fait de notre propre initiative, ayant vu dans les journaux que des usines comme Renault avaient débrayé et étaient occupées et nous pensions, de la même manière, faire aboutir nos revendications.
Demande : Mais, si je ne me trompe, vous n'aviez pas déposé de cahier de revendications dans l'usine ?
Réponse : Non, parce que la plupart d'entre nous n'étaient pas syndiqués. Nous avons préféré demander à la CGT de s'occuper de nous et de rédiger un cahier de revendications comme pour toutes les usines de notre corporation.
Demande : Pourquoi n'avez-vous pas accepté, le lendemain du débrayage, la proposition directe de vos patrons proposant de donner aux bons ouvriers, mais à ceux-là seulement, une augmentation presque égale à celle que vous alliez obtenir par la suite ?
Réponse : Parce qu'à ce moment il était trop tard. Nous avions donné notre parole aux délégués de la CGT de ne traiter que par leur entremise et par un accord commun à toute la corporation.
Demande : Pouvez-vous m'affirmer que votre mouvement, bien que se présentant sous une forme illégale et révolutionnaire, ait été purement revendicatif et que vous n'avez pas agi à l'instigation d'un parti politique ?
Réponse : Nos préoccupations étaient purement d'ordre revendicatif. Nous trouvions injuste que des ouvriers imprimeurs, à quelques pas de nous, aient des salaires beaucoup plus élevés.

5. L'accord Matignon
(7-8 juin 1936)

Constitué le 5 juin 1936, le gouvernement présidé par Léon Blum s'est présenté le 6 devant la Chambre, le chef de la majorité annonçant à cette occasion le dépôt imminent d'un certain nombre de projets de lois portant sur la semaine de 40 heures, les congés payés, les conventions collectives du travail, etc, et obtenant la confiance des députés par 384 voix contre 210.

À cette date, la situation sur le front des grèves étant devenue hautement périlleuse, des contacts avaient déjà été pris par le chef du gouvernement avec les représentants du patronat et de la CGT. Le 7 juin, Blum réunit autour de lui à l'hôtel Matignon à Paris, siège de la présidence du Conseil, les délégués de la Confédération générale de la production française — Duchemin (président de la CGPF), Dalbouze (président de la Chambre de commerce de Paris), Lambert-Ribot (pour le Comité des forges) et Richemond (pour les industries métallurgiques et mécaniques) —, et l'état-major cégétiste (CGT et CGTU avaient rétabli l'unité syndicale en mars 1936), composé de Léon Jouhaux (secrétaire général), Benoît Frachon et René Belin (secrétaires adjoints), Cordier (Fédération du bâtiment), Milan (chapellerie) et Semat (métallurgie).

À l'issue d'une négociation jugée « courtoise, difficile et douloureuse » par le principal délégué du patronat, R.-P. Duchemin, et une pause de quelques heures au cours de laquelle les deux délégations ont pris langue avec leurs mandants, l'accord fut signé dans la nuit du 7 au 8 juin : très exactement le 8 à 0 h 30. Quelques heures plus tard, Le Populaire, organe de la SFIO publie un éditorial triomphaliste : « Victoire ! Victoire ! Les patrons ont capitulé... Les Patrons ? Quels patrons ? Tous !... Une victoire. Mieux : un triomphe ! »

Source : *L'Humanité*, 8 juin 1936.

Bibliographie : G. Lefranc, *Histoire du Front populaire*, Paris, Payot, 1974 ; S. Berstein, *La France des années 30*, Paris, Armand Colin, 1988.

*A*RTICLE PREMIER — La délégation patronale admet l'établissement immédiat de contrats collectifs de travail.

Art. 2 — Ces contrats devront comprendre notamment les articles 3 à 5 ci-après :

Art. 3 — L'observation des lois s'imposant à tous les citoyens, les employeurs reconnaissent la liberté d'opinion ainsi que les droits pour les travailleurs d'adhérer librement et d'appartenir à un syndicat pour arrêter leurs décisions en ce qui concerne l'embauchage, la conduite ou la répartition du travail, les mesures de discipline ou de congédiement.

Si une des parties contractantes conteste le motif de congédiement d'un travailleur comme ayant été effectué en violation du droit syndical ci-dessus rappelé, les deux parties s'emploieront à reconnaître les faits et à apporter au cas litigieux une solution équitable.

Cette intervention ne fait pas obstacle au droit pour les parties d'obtenir judiciairement réparation du préjudice causé.

L'exercice du droit syndical ne doit pas avoir pour conséquences des actes contraires aux lois.

Art. 4 — Les salaires réels pratiqués pour tous les ouvriers, à la date du 25 mai 1936, seront, du jour de la reprise du travail, réajustés suivant une échelle décroissante commençant à 15 % pour les salaires les moins élevés pour arriver à 7 % pour les salaires les plus élevés. Le total des salaires de chaque établissement ne devant en aucun cas être augmenté de plus de 12 %. Les augmentations de salaires consenties depuis la date précitée seront imputées sur les réajustements ci-dessus définis. Toutefois, ces augmentations resteront acquises pour leur partie excédant lesdits réajustements.

Les négociations pour la fixation par contrat collectif de salaires minima par région et par catégorie qui vont s'engager immédiatement devront concerner en particulier le réajustement nécessaire des salaires anormalement bas.

La délégation patronale s'engage à procéder au réajustement nécessaire pour maintenir une relation normale entre les appointements des employés et des salaires.

Art. 5 — En dehors des cas particuliers déjà réglés par la loi, dans chaque établissement employant plus de dix ouvriers, après accord entre organisations syndicales ou, à défaut, entre les *intéressés*, il sera institué deux titulaires ou plusieurs délégués ouvriers (titulaires et suppléants) suivant l'importance de l'établissement. Ces délégués ont qualité pour présenter à la direction les réclamations individuelles qui n'auraient pas été directement satisfaites visant l'application des lois, décrets, règlements ou code du Travail, des tarifs de salaires et des mesures d'hygiène et de sécurité.

Seront électeurs tous les ouvriers définis ci-dessus, de nationalité française, âgés d'au moins vingt-cinq ans, travaillant dans l'établissement sans interruption depuis un an, sous réserve que cette durée de présence devra être abaissée si elle réduit à moins de cinq ans le nombre des éligibles.

Les ouvriers tenant commerce de détail, de quelque nature que ce soit, soit par euxmêmes, soit par leur conjoint, ne seront pas éligibles.

Art. 6 — La délégation patronale s'engage à ce qu'il ne soit pris aucune sanction pour fait de grève.

Art. 7 — La délégation confédérale ouvrière demandera aux travailleurs en grève de décider de la reprise du travail dès que les directeurs des établissements auront accepté l'accord général intervenu, et dès que les pourparlers relatifs à son application auront été engagés entre les directions et le personnel des établissements.

Paris, le 7 juin 1936.

6. La grève, « un pique-nique prolongé »

Cet article de Bertrand de Jouvenel a été publié dans Marianne, *principal hebdomadaire de la gauche française jusqu'à l'apparition de* Vendredi *en 1935. Fondé par Gallimard en 1932, destiné au grand public et largement illustré, il rassemble autour d'Emmanuel Berl, son directeur, et de Pierre Brossolette, son directeur technique, une équipe très ouverte aux différentes tendances et dans laquelle figurent quelques-uns des plus prestigieux parmi les intellectuels non-conformistes des années 30. Drieu la Rochelle et Jean-Richard Bloch y côtoient Ludovic-Oscar Frossard, Ramon Fernandez et Bertrand de Jouvenel. C'est à ce dernier, fils du diplomate et homme politique Henry de Jouvenel, lui-même journaliste et membre actif de la petite cohorte des « Jeunes Turcs » du parti radical, que la direction de* Marianne *a confié en juin 1936 le soin de réaliser un reportage dans les usines en grève.*

Jouvenel n'a rien d'un révolutionnaire. Mais il fait partie de cette génération de jeunes intellectuels pour lesquels le règlement du problème social constitue un devoir pour les partis de gauche, et qui estime que les organisations politiques du moment sont inadaptées aux nécessités de leur temps, qu'il s'agisse de la maîtrise des questions économiques, de l'organisation du corps social ou des institutions politiques. C'est dans cette perspective qu'il préconise, dès la fin des années 20, un rapprochement entre les socialistes et les radicaux. Jugeant le parti d'Édouard Herriot incapable de se réformer et surtout d'être l'instrument de la rénovation politique à laquelle il aspire, Bertrand de Jouvenel quitte en 1934 la formation de la rue de Valois pour fonder l'hebdomadaire La Lutte des jeunes _auquel collaborent Pierre Andreu, Pierre Dominique, Henri de Man, Emmanuel Mounier, Drieu la Rochelle, etc._

Bien qu'il n'ait pas été insensible, comme nombre d'intellectuels non-conformistes de sa génération, au pouvoir d'attraction du fascisme, et ait publié en février 1936 dans Paris-Midi _une interview d'Adolf Hitler qui présentait le Führer sous un jour relativement favorable, Jouvenel va accueillir avec enthousiasme l'expérience du Front populaire. Du moins jusqu'à ce que la politique sociale de Blum, l'indifférence de l'équipe dirigeante à l'égard des classes moyennes et la mise à l'écart de Déat ne l'éloignent des dirigeants de la gauche gouvernementale. Il adhère alors au PPF de Doriot et deviendra en 1937 rédacteur en chef de son organe de presse,_ L'Émancipation nationale.

Au moment où ces lignes sont écrites, c'est-à-dire au tout début de l'expérience Blum et à l'apogée du mouvement revendicatif, Jouvenel figure donc encore parmi les compagnons de route du Front populaire, et il manifeste dans son article une vive sympathie à l'égard d'un mouvement dont ils se plaît à souligner le caractère à la fois chaleureux, respectueux de l'ordre et bon enfant.

Source : Bertrand de Jouvenel, « Quand on débraye en riant… », _Marianne_, 17 juin 1936.
Bibliographie : L. Bodin et J. Touchard, _Front populaire 1936_, Paris, Armand Colin, 1961 ; J. Kergoat, _La France du Front populaire_, Paris, La Découverte, 1986 ; S. Wolikow, _Le Front populaire_, Bruxelles, Complexe, 1996.

T̲OUS LES DÉBUTS DE RÉVOLUTION donnent raison à Jean-Jacques Rousseau. Il n'est rien qui mette l'homme de meilleure humeur que d'échapper à l'ennui de sa routine et à la paresse de ses devoirs. Il rit, il se promène, et on se dit qu'il est naturellement bon.

Durant trois jours j'ai été d'usine en usine. J'ai vu des bousculades joyeuses autour des corbeilles de nourriture apportées du dehors. J'ai entendu applaudir des voix de fausset et des imitations de comiques. Je n'ai assisté à aucune brutalité. Je n'ai entendu parler de mauvais traitements infligés à personne, de dégâts occasionnés à aucune machine. La « grève sur le tas », c'est un pique-nique prolongé.

Il faut un effort pour se rappeler qu'on assiste à une bataille. Qui est l'adversaire ? Où est l'adversaire ?

Elle est close, la porte sur laquelle est écrit le mot jadis redoutable : « Direction ». Dans ce bureau respecté par les ouvriers, il y a les livres de comptes. En les examinant de près, on verrait quelles augmentations de salaires sont possibles sans provoquer la faillite de l'affaire. […]

Cette porte close, la pensée de ce bureau vide me fascinent. Comment le chef n'est-il pas là pour parler à ses ouvriers ? S'il venait à l'usine, on l'empêcherait d'en sortir ? Le beau malheur ! Dans cette vie de gourbi une sorte de chaleur s'établit, un contact humain qui n'est jamais inutile, entre celui qui commande et ceux qui exécutent. Mais le patron dans la plupart des cas est resté chez lui.

7. Le désespoir des puissants

Cet article paru dans Le Figaro *du 22 novembre 1936 sous la signature de François Mauriac a été écrit au lendemain des funérailles à Lille de Roger Salengro, député-maire socialiste de cette ville et ministre de l'Intérieur dans le gouvernement présidé par Léon Blum. Quelques jours plus tôt, Salengro s'est donné la mort à son domicile lillois. Cet événement, qui va provoquer une immense émotion dans les rangs de la gauche — mais aussi chez certains adversaires du Front populaire auxquels répugnent les méthodes diffamatoires employées par la fraction la plus radicale de l'opposition pour discréditer l'équipe dirigeante — marque l'épilogue tragique de la campagne menée depuis quatre mois par la presse d'extrême droite (notamment* L'Action fran-çaise *et* Gringoire) *à l'encontre de Salengro, baptisé « Proprengros » pour la circonstance et accusé sur des rumeurs suspectes d'avoir déserté durant la guerre, sous le prétexte d'aller rechercher le cadavre d'un ami derrière les lignes allemandes, et d'avoir fourni des renseignements à l'ennemi.*

Défendu avec vigueur par le chef du gouvernement lors de la séance du 13 novembre à la Chambre des députés — Blum rappelant à ses collègues que si son ministre est bien passé devant un conseil de guerre en 1915 à la suite de sa capture sur le front, il s'agit d'un conseil de guerre allemand, Salengro ayant été envoyé dans un camp disci-plinaire pour avoir refusé de travailler dans une usine métallurgique —, le député-maire de Lille se verra lavé de toute accusation par ses collègues par 427 voix contre 103 (en fait 63 car il y aura 40 rectifications de vote). Toutefois, profondément blessé, épuisé nerveusement et traumatisé par la mort de sa femme, Roger Salengro choisit quatre jours plus tard de se suicider.

*À droite, Mauriac n'est pas seul à prendre la plume après le suicide de Salengro, encore que celle-ci soit plus employée dans cet article à manifester la commisération de l'éditorialiste à l'égard du défunt, et à opposer la solitude du ministre à la chaleur qui entoure un Charles Maurras, qu'à fustiger le discours haineux des feuilles ultra-droi-tières. D'autres voix vont en effet s'élever dans les rangs des adversaires du Front populaire pour condamner, avec le cardinal Liénart, évêque de Lille, les « attaques infamantes » dont a été victime le ministre disparu, et pour rappeler que « la politique ne justifie pas tout » et que « la calomnie ou même la médisance sont des fautes que Dieu condamne » (*La Croix *du 21 novembre 1936).*

Source : François Mauriac, « Le désespoir des puissants », *Le Figaro*, 22 novembre 1936.

Bibliographie : L. Bodin et J. Touchard, *Front populaire 1936*, Paris, *op. cit.* ; G. Lefranc, *Histoire du Front populaire, op. cit.*

IL N'EST PAS NATUREL à l'homme d'éprouver de la pitié pour ses maîtres : il les hait ou il les adore, il les vénère ou il les méprise ; il n'a pas pitié d'eux.

Un ministre de l'Intérieur évoque des idées de puissance. Que ce soit un devoir de ménager, comme on ferait avec un adversaire débile, celui qui règne sur les préfets, ces quatre-vingt-dix muets de la République, sur la garde, sur toutes les forces policières de l'État, cette idée-là ne peut venir à un polémiste qui, croyant viser Goliath, se sait cruel peut-être, mais à la façon de David.

Pascal dit qu'il faudrait avoir une raison bien épurée pour regarder comme un autre homme le grand Seigneur environné dans son superbe sérail de quarante mille janissaires. Il faudrait à un journaliste de l'opposition une raison encore mieux épurée pour deviner que ce ministre, qui a pour lui à la fois le Parlement et la rue, est en réalité une créature à bout de résistance, un pauvre gibier forcé.

Quel Français imaginerait que le ministre de l'Intérieur puisse être cet homme, qui, au soir d'une journée exténuante, se retrouve seul dans un petit appartement vide, en province, cet abandonné que la femme de ménage n'a même pas attendu et dont la pitance refroidit sur un coin de table entre deux assiettes ?

Dangereuse frugalité ! Les princes savent pourquoi ils s'entourent de faste : l'exercice du pouvoir tue le petit bourgeois solitaire.

Les masses vont s'ébranler aujourd'hui pour honorer la mémoire du désespéré. Mais un désespéré n'a que faire des masses. Ce qu'il aurait fallu à celui-là, ce ne sont pas les suffrages d'un million de partisans ; c'est sur son front, à l'heure où les autres hommes s'éloignent, la main d'un unique ami.

Plus notre vie est publique et plus nous avons besoin d'une tendresse cachée ; plus nous sommes exposés aux regards et aux coups et plus nous est nécessaire l'ombre d'un cœur. Je ne sais pas ce qu'est un homme politique, mais je sais ce qu'est un simple écrivain : invulnérable au milieu de ceux qu'il aime et qui le chérissent, mais si facilement atteint dès qu'il se retrouve seul !

Sans doute la plume leur serait tombée des mains, à ces accusateurs impitoyables, s'ils avaient vu se dérouler le film muet : un ministre de l'Intérieur, le plus abandonné de tous les hommes, dans cette grande ville dont il était deux fois le chef, cherchant au milieu de la nuit, sur le carreau d'une petite cuisine, la place où dix-huit mois plus tôt sa femme s'était couchée pour mourir. Cette scène, ses ennemis ne pouvaient même l'imaginer... mais ses amis ?

Qu'ils aillent donc voir, dans le camp adverse, de quelle chaleur d'amitié, de quelle adoration est entouré un Maurras ! Dans tous les partis, c'est à nous de créer autour des chefs que nous aimons cette atmosphère passionnée que la calomnie ne traverse pas. Naguère, encore, à l'occasion d'un autre suicide dans les rangs du colonel de La Rocque, Dieu sait que vous vous êtes abattu sur ce cadavre avec une immense espérance qui a été déçue... Mais là aussi, celui que vous visiez, un rempart vivant le protège : il est à l'abri parce qu'il est aimé.

L'amour nous prémunit contre la diffamation, et non les lois. Aucune loi sur la presse n'empêche le polémiste-né d'aboyer aux chausses des puissants qu'il hait, ni de tout ramasser de ce qui peut leur nuire.

Le polémiste de vocation n'est pas toujours méchant dans le privé. Les familiers de Léon Daudet assurent que sa cruauté ne se manifeste guère en dehors de ses articles. Tous les amis de Béraud, tous les camarades, savent que ce qui domine chez lui, c'est le cœur.

Le polémiste-né est l'homme le plus dépourvu de cette sorte d'imagination (dont je suis moi-même très doué) qui sous les robes oranges, les habits verts et les hermines, sous les chamarrures des dictateurs et tout l'appareil auguste du pouvoir se représente la créature telle qu'elle se comporte, loin des regards humains, quand elle se couche seule et dépouillée.

À une heure tardive de la nuit, le maître d'un grand nombre d'hommes s'enferme avec lui-même entre quatre murs, et là, terré au secret de son gîte, le loup exténué lèche ses blessures. Il découvre que, durant cette interminable journée, tandis qu'il recevait des solliciteurs, des délégués, qu'il présidait des cérémonies et arbitrait des conflits, il n'a pas cessé de perdre son sang et qu'à son insu il a déjà accompli près de la moitié du chemin vers ces sombres bords où nos bien-aimés nous attendent et où les flèches des chasseurs ne nous atteignent plus.

8. Blum et la guerre civile espagnole

(6 septembre 1936)

Au moment où Léon Blum prononce ce discours, dans le parc d'attractions de Luna-Park, proche de la Porte Maillot à Paris, devant les militants de la Fédération socialiste de la Seine, la guerre civile espagnole fait rage depuis un peu moins de deux mois. Tout naturellement, au lendemain du pronunciamiento franquiste et alors que les nationalistes ont commencé à bénéficier de l'aide massive que leur apportent l'Italie fasciste et l'Allemagne hitlérienne, la solidarité s'apprête à jouer entre les deux gouvernements de Front populaire issus d'une libre consultation électorale, et de fait, dès le 24 juillet 1934, une petite livraison d'armes a été effectuée en direction de l'Espagne. Mais Léon Blum se trouve très vite en butte aux manœuvres conjuguées des diplomates espagnols passés à la dissidence, des responsables du Foreign Office qui l'incitent à demeurer passif, de certains dirigeants radicaux (dont Herriot) qui menacent de retirer leur soutien à son cabinet, enfin de la droite, à peu près unanime à dénoncer les « fauteurs de guerre ». Une formidable campagne de presse se déchaîne contre le leader de la SFIO, montant en épingle, photos truquées à l'appui, des massacres d'ecclésiastiques ou des profanations de tombes de religieuses, appelant à la résistance contre le « bolchevisme » en passe d'étendre son pouvoir sur l'Espagne et agitant plus ou moins explicitement la menace de la guerre civile.

C'est pour empêcher celle-ci, et au moins pour éviter l'éclatement de sa majorité, que le chef du gouvernement prend l'initiative, le 1ᵉʳ août 1936, de proposer aux autres puissances européennes « l'adoption rapide et la mise en pratique immédiate d'un accord visant à la non-intervention en Espagne ».

Cette décision de la non-intervention, à laquelle s'opposent, dans son propre parti, les représentants de la « gauche révolutionnaire », rassemblés autour de Marceau-Pivert et de Zyromski, Blum l'a prise la mort dans l'âme, comme il l'explique le 6 septembre aux militants et aux sympathisants du Parti réunis à Luna-Park.

Source : *Le Populaire*, 7 septembre 1936
Bibliographie : J.-B. Duroselle, *La Décadence, 1932-1939*, Paris, Imprimerie nationale, 1979 ; J. Lacouture, *Léon Blum*, Paris, Seuil, 1977 ; É. Temime, *La Guerre d'Espagne*, Bruxelles, Complexe, 1996 ; I. Greilsammer, *Blum*, Paris, Flammarion, 1996.

TROIS MOIS d'exercice du pouvoir auraient-ils fait de moi un homme autre que celui que vous connaissez depuis tant d'années ?

Vous savez bien que je n'ai pas changé et que je suis toujours le même. Est-ce que vous croyez qu'il y ait un seul de vos sentiments que je ne comprenne pas et que je n'éprouve pas ?

Vous avez entendu l'autre soir, au Vélodrome d'hiver, les délégués du Front populaire espagnol ; je les ai vus le matin même. Croyez-vous que je les ai entendus avec moins d'émotion que vous ?

Comme je lisais comme vous dans les dépêches le récit de la prise d'Irun et de l'agonie des derniers miliciens, croyez-vous par hasard que mon cœur n'était pas moins déchiré que le vôtre ? Est-ce que vous croyez, d'autre part, que j'ai été subitement destitué de toute intelligence, de toute faculté de réflexion et de prévision, de tout don de peser dans leurs rapports et dans leurs conséquences les événements auxquels j'assiste ? [...]

Camarades, je vous parle gravement, je le sais, je suis venu ici pour cela. Je sais bien ce que chacun de vous souhaite au fond de lui-même. Je le sais très bien. Je le comprends très bien. Vous voudriez qu'on arrivât à une situation telle que les livraisons d'armes puissent être faites au profit du gouvernement régulier et ne puissent pas l'être au profit des rebelles. Naturellement, vous désirez cela. Dans d'autres pays, on désire exactement l'inverse.

Je vous le répète, c'est bien ce que vous pensez, j'ai traduit votre pensée ! Mais vous comprenez également qu'ailleurs on veuille agir de telle sorte que les rebelles soient munis sans que le gouvernement régulier reçoive quelque chose.

Alors à moins de faire triompher la rigueur du droit international par la force et à moins aussi que l'égalité même sur le plan international ne soit rétablie par la reconnaissance, alors ? Devant quelle situation se trouve-t-on ? N'espérez dans la possibilité d'aucune combinaison qui, sur le plan européen, permette d'assister les uns, sans qu'on assiste les autres.

Demandez-vous aussi qui peut fournir dans le secret, par la concentration des pouvoirs dans la même main, par l'intensité des armements, par le potentiel industriel, comme on dit ; demandez-vous aussi qui peut s'assurer l'avantage dans une telle concurrence. Demandez-vous cela ! Une fois la concurrence des armements installée, car elle est fatale dans cette hypothèse, elle ne restera jamais unilatérale. Une fois la concurrence des armements installée sur le sol espagnol, quelles peuvent être les conséquences pour l'Europe entière, cela dans la situation d'aujourd'hui ?

Et alors, si ces pensées sont maintenant suffisamment claires et suffisamment présentes devant votre esprit, ne vous étonnez pas trop, mes amis, si le gouvernement a agi ainsi. Je dis le gouvernement, mais je pourrais aussi bien parler à la première personne, car j'assume toutes les responsabilités.

(Vifs applaudissements.)

Au nom du gouvernement que je préside, je n'accepte pas d'exception de personnes ou d'exception de partis. Si nous avons mal agi aujourd'hui, je serais aussi coupable, en ayant laissé faire qu'en le faisant moi-même ; je n'accepte pas ces distinctions.

Ne vous étonnez pas si nous sommes venus à cette idée. La solution, ce qui permettrait peut-être à la fois d'assurer la salut de l'Espagne et le salut de la paix, c'est la conclusion d'une convention internationale par laquelle toutes les puissances s'engageraient, non pas à la neutralité — il ne s'agit pas de ce mot qui n'a rien à faire en l'espèce — mais à l'abstention, en ce qui concerne les livraisons d'armes, et s'engageraient à interdire l'exportation en Espagne du matériel de guerre.

Nous sommes arrivés à cette idée par le chemin que je vous trace, chemin sur lequel nous avons connu, je vous l'assure, nous aussi, quelques stations assez cruelles. Je ne dis pas que nous n'ayons pas commis d'erreurs, je ne veux pas laver toute faute possible. Qui n'en commet pas ?

9. Blum jugé par Thorez en 1940

Ce texte signé de Maurice Thorez est paru au début de 1940 dans la revue L'Internationale communiste. *À cette date, le numéro un du Parti communiste français, qui avait rejoint son unité le 3 septembre 1939, a dû, sur ordre de Staline, déserter et prendre le chemin de Moscou, via Bruxelles. Il y restera jusqu'en 1944. Le 17 septembre, après l'entrée des troupes soviétiques en Pologne, le PCF a été dissous par une décision du gouvernement Daladier. Fin septembre, suite à une lettre adressée à Herriot, président de la Chambre, par les parlementaires du groupe « ouvrier et paysan » (nouvelle dénomination du groupe communiste), recommandant au dirigeant radical d'accepter les offres de paix du Führer, un certain nombre d'entre eux sont arrêtés (ils seront déchus de leur mandat en 1940, jugés et emprisonnés ou déportés en Afrique du Nord pour intelligence avec l'ennemi). Les autres gagneront la clandestinité.*

L'image de Léon Blum que le secrétaire général du PCF s'applique à façonner, à savoir celle d'un grand bourgeois traître à la cause de la classe ouvrière, « agent de l'impérialisme et du grand capital », reproduit sans le moindre bémol les plus virulents des textes kominterniens de l'époque. On est loin des scènes de fraternisation entre les responsables des deux grands partis de la gauche française qui ont marqué, entre juillet 1935 et la fin de l'année suivante, les principales étapes de la courte « embellie » du Front populaire.

Source : Maurice Thorez, « Blum, tel qu'il est », *L'Internationale communiste*, n° 2, 1940 (également publié en allemand dans *Die Welt*, 16 février 1940).

Bibliographie : Ph. Robrieux, *Maurice Thorez, vie publique et vie privée*, Paris, Fayard, 1977.

EN 1914 LE PARTI SOCIALISTE, à la remorque de ses chefs traîtres, abandonna la cause du prolétariat et se mit au service de l'impérialisme. En 1939, le Parti communiste, avec son comité central en tête — à l'exception d'une poignée de renégats lâches et sans influence[1] — demeure fidèle à la cause de la paix. Il stigmatise le caractère injuste, réactionnaire, impérialiste de la guerre actuelle. Il appelle tous les travailleurs à la lutte contre la réaction en France, en vue d'imposer la paix immédiate. Il lutte pour la défense des revendications de tous les exploités. Il popularise avec enthousiasme la ferme politique de paix de l'Union soviétique que les fauteurs de guerre impérialistes, malgré tous leurs efforts, n'ont pas pu précipiter dans le sanglant chaos.

La réaction est folle de rage à cause de cette opposition conséquente et résolue à la guerre impérialiste. Une campagne d'oppression est déchaînée contre la classe ouvrière, contre le Parti communiste. L'hyène Blum se met à la tête de la meute hurlant furieusement aux trousses du communisme et de l'Union soviétique. Dès la signature du pacte de non-agression entre l'Union soviétique et l'Allemagne, Blum commença une campagne ignominieuse et provocatrice. Comme première satisfaction, Daladier et Sarraut lui présentèrent l'interdiction de _L'Humanité_. Alors cette misérable créature se livra, pour ainsi dire, à une danse du scalp. Il adressa aux permanents communistes des invites offensantes et éhontées. Il les pressa de renier leur parti et leur Internationale, de désavouer l'Union soviétique, de trahir les intérêts de la classe ouvrière s'ils ne voulaient pas être déférés devant les cours martiales. Il renouvela contre les communistes l'abjecte calomnie qui avait coûté la vie à Jaurès. Blum se fit le pourvoyeur des prisons et des bagnes. Il tomba dans le plus profond abîme de l'infamie ; il proposa au gouvernement de « traduire les dirigeants communistes en justice, de les juger et de les exécuter ». [...]

À qui le policier auxiliaire et le dénonciateur Blum veut-il faire croire que la France, avec un désintéressement sans exemple, n'aurait pris les armes que pour « rester fidèle à ses engagements vis à vis de la Pologne » ? Il prétend que la guerre imposée à la France a pour véritable et seul but « l'indépendance et la sécurité de la patrie » (_Le Populaire_, 25 novembre 1939). Quelle répugnante hypocrisie, quel abominable cynisme dans ces paroles de l'escroc inventeur de la politique de non-intervention, cette rupture unilatérale des engagements que la France avait contractés dans son accord commercial avec l'Espagne républicaine, — de ce défenseur lâche et honteux de Munich, rupture unilatérale des engagements contractés par la France dans son traité d'alliance avec la Tchécoslovaquie, — du représentant de cette bourgeoisie rapace qui opprime 70 millions d'esclaves coloniaux. [...]

Mais, où Blum se surpasse lui-même en infamie, c'est dans ses attaques contre l'Union soviétique, le parti bolchevik et Staline, ce géant de la pensée révolutionnaire. Dans sa folie furieuse de belliciste frénétique, Blum dévoile le fond de la politique antisoviétique de la bourgeoisie française. En lisant les élucubrations de Blum dans les colonnes de sa méprisable petite feuille, chaque travailleur peut reconnaître que l'ennemi contre lequel la bourgeoisie française aimerait le mieux rassembler les forces des impérialistes rivaux est l'Union soviétique, le pays du socialisme.

---

1. En fait, la signature du pacte germano-soviétique, le 23 août 1939, a provoqué une crise grave dans les rangs du PCF. Nombre d'élus et de militants ont démissionné du Parti.

Blum ne fait ainsi que traduire la rage et la déception des provocateurs de guerre, qui n'ont pas réussi à entraîner l'Union soviétique dans un conflit sanglant dont elle aurait été la seule à porter le poids.

Blum foule aux pieds la dernière exhortation de Guesde, qui disait : « Nous devons défendre la Révolution russe. » Heureusement, les travailleurs français ne veulent pas faire la guerre à l'Union soviétique. Et en cas de nécessité, ils imiteraient le glorieux exemple d'André Marty et des marins de la mer Noire.

L'histoire du mouvement ouvrier international est riche en figures sublimes de combattants révolutionnaires, de militants courageux et fermes pour la grande cause du socialisme. Mais elle connaît des traîtres méprisables et méprisés de tous les travailleurs. Les Millerand, Pilsudski, Mussolini, Noske et Trotski ont été vomis par le mouvement ouvrier. Blum unit en sa personne l'horreur du socialisme de Millerand, la cruauté de Pilsudski, la sauvagerie de Mussolini, la lâcheté qui engendre des chiens sanglants comme Noske et la haine de Trotski pour l'Union soviétique.

La classe ouvrière ne manquera pas de clouer au pilori ce monstre moral et politique. Elle ne manquera pas de condamner et de rejeter avec horreur Blum le bourgeois, Blum l'homme de la non-intervention, Blum l'homme de la pause, Blum l'assassin de Clichy [1], Blum le sbire de la police, Blum l'homme de la guerre. C'est une condition de la lutte victorieuse pour la paix, pour le socialisme.

10. « Remettre la France au travail »
(Daladier, août 1938)

Nommé président du Conseil le 10 avril 1938, Édouard Daladier, qui a pourtant été l'un des promoteurs du Front commun, va dès les premiers mois de sa présence à la tête du gouvernement, marquer sa détermination de rompre avec la politique sociale du gouvernement Blum, et en tout premier lieu avec la loi des 40 heures de travail hebdomadaire, jugée ruineuse pour l'économie française et paralysante pour les entreprises engagées dans l'effort de réarmement par l'aile droite de sa majorité. Entre ceux qui, parmi ses ministres, souhaitent comme Frossard et Ramadier le maintien de la loi, et ceux qui, avec Paul Reynaud, ministre de la Justice jusqu'en novembre 1938, puis en charge du portefeuille des Finances, demandent qu'elle soit abolie, Daladier finit par choisir la voie prônée par l'homme politique modéré. Dans son discours radiodiffusé du 21 août 1938, conclu par la formule : « Il faut remettre la France au travail », le chef du gouvernement fait savoir aux Français qu'entre les thèses de Reynaud et celles de Frossard et Ramadier il a tranché pour celles du premier.

Les décrets-lois publiés à partir du 13 novembre 1938 et qui visent à la fois à permettre la relance de l'économie et le financement de la politique de réarmement, portent sur de draconiennes économies budgétaires et sur l'assouplissement de la loi des 40 heures. Celle-ci est théoriquement maintenue, mais son aménagement permet de

---

1. Thorez fait allusion à la fusillade de Clichy, le 16 mars 1937. Le gouvernement Blum avait refusé d'interdire une manifestation du PSF dans un cinéma de cette commune de la banlieue parisienne. Les élus communistes appelèrent à une contre-manifestation qui se heurta violemment au service d'ordre. Il y eut 6 morts et 200 blessés.

demander aux ouvriers des heures supplémentaires payées à un taux de 10 à 25 % supérieur au taux normal. En tournant ainsi le dos à la politique sociale du Front populaire, le gouvernement Daladier provoque une vive réaction des partis de gauche et de la CGT. Toutefois, si elle sonne le glas de la coalition qui avait porté Blum au pouvoir deux ans et demi plus tôt, la grève générale du 30 novembre 1938 se solde par un échec pour les nostalgiques du printemps 1936. Porté non seulement par sa majorité parlementaire (désormais axée sur la droite modérée), mais aussi par une opinion publique qui lui sait gré d'avoir « sauvé la paix » à Munich, Daladier réquisitionne les transports et prend des sanctions contre les contrevenants, tandis que le patronat procède à des licenciements de grévistes. En rejetant communistes et socialistes dans l'opposition, cette épreuve de force signe bel et bien l'arrêt de mort du Front populaire.

Source : Édouard Daladier, *Défense du pays*, Paris, Flammarion, mai 1939, pp. 20-24.
Bibliographie : É. du Reau, *Édouard Daladier (1884-1970)*, Paris, Fayard, 1993 ; *Édouard Daladier, chef de gouvernement*, sous la direction de R. Rémond et de J. Bourdin, Paris, Presses de la FNSP, 2 vol., 1980-1982.

J E VOUS AI DIT que je ne croyais pas à la fatalité de la guerre. Comme tous les
[…] anciens soldats du front, je suis résolu à tout mettre en œuvre pour épargner à l'Europe l'anéantissement de sa civilisation. Vous savez aussi qu'au service de notre volonté pacifique, nous avons organisé nos propres forces. Nous venons encore de les perfectionner et de décider des mesures propres à les accroître. Personne, dans le monde, ne songe à sous-estimer leur puissance matérielle et morale. Vous connaissez enfin les liens d'amitié et de solidarité qui nous unissent à de grandes démocraties animées de la même passion de la liberté que la France.

Mais cela ne suffit pas. La Défense nationale est un bloc. La force d'un pays, la garantie de son indépendance, ne s'affirment pas seulement par la puissance de ses armées, mais au moins autant pas son effort quotidien à l'usine, à l'atelier, sur tous les chantiers du travail, par la stabilité de sa monnaie et l'heureux état de ses finances. […]

La route du salut est donc droite devant nous. Il faut accroître le revenu national. Il faut remettre la France au travail. Certes, la révision des dépenses publiques est nécessaire et j'ai décidé de créer l'organisme dont le contrôle et l'initiative feront apparaître les économies indispensables. De même, nous sommes résolus à un effort vigoureux pour l'équilibre du budget et la réduction énergique des dépenses hors budget. Mais je ne proposerai jamais une politique de déflation stérile qui a fait la preuve répétée de son impuissance. Ce ne sont pas des sacrifices que je demande aux Français, c'est un effort plus vigoureux, un effort résolu et tenace, qui a pour but de ranimer l'activité, d'augmenter le rendement, de créer des capitaux nouveaux, d'élever les ressources du pays en proportion des charges que tout État moderne doit s'imposer pour son administration comme pour sa défense.

Il faut d'abord aménager la loi de 40 heures, en vertu des nécessités nationales comme en raison de la situation générale de l'Europe. Dans aucun pays du monde, sauf la France et le Mexique, elle n'est le régime normal du travail. Dans aucun pays du monde, on ne laisse chômer, un jour ou deux par semaine, l'outillage qui est précisément créé pour réduire la peine des hommes. Tant que la situation internationale demeurera aussi délicate, il faut qu'on puisse travailler plus de 40 heures et jusqu'à

48 heures dans les entreprises qui intéressent la Défense nationale. Et il faut que sans formalités inutiles ni discussions interminables, toute entreprise qui en a le besoin puisse disposer non plus de 40 heures par semaine, mais des heures nécessaires à son activité. Il ne s'agit nullement d'abroger la loi de 40 heures, mais de permettre à toutes les entreprises qui le peuvent de travailler davantage, les heures supplémentaires n'étant plus payées à un taux prohibitif comme aujourd'hui, mais selon une majoration raisonnable qui peut, certes, varier suivant les industries mais qui ne devrait pas dépasser en moyenne 10 %. En face d'États autoritaires qui s'équipent et qui s'arment, sans aucune considération de la durée du travail, en face d'États démocratiques qui s'efforcent de recouvrer leur prospérité ou d'assurer leur sécurité, et pour cela ont adopté la semaine de travail de 48 heures, la France, plus appauvrie, s'attardera-t-elle en des controverses qui compromettent son avenir ? [...]

© Flammarion.

V

ÉCONOMIE ET SOCIÉTÉ EN FRANCE ENTRE LES DEUX GUERRES

Au lendemain du premier conflit mondial, les finances de la France accusent de graves difficultés. Les dépenses engendrées par la guerre et par la reconstruction ont en effet creusé le déficit budgétaire, provoqué un lourd endettement intérieur et extérieur et déclenché un processus d'inflation qui fragilise le franc et érode le pouvoir d'achat de nombreuses catégories sociales. La France se trouve ainsi dépendante de l'étranger, en particulier des États-Unis auprès desquels elle s'est lourdement endettée, et de l'Allemagne qui s'est engagée à lui verser des réparations que les divers gouvernements ont inscrites dans le budget au chapitre des dépenses recouvrables. En attendant, ils s'efforcent de combler le déficit en émettant des bons du Trésor à court terme (la moitié de la dette intérieure), ce qui implique le maintien de la confiance de la part des détenteurs de ces bons. Que celle-ci vienne à manquer et les demandes de remboursements peuvent mettre l'État en difficulté. Il en est ainsi en 1920 et surtout en 1924-1926, lors de l'expérience du Cartel (texte n° 1). Le franc s'effondre jusqu'au moment où, revenu au pouvoir en juillet 1926, Poincaré procède au redressement financier et à la stabilisation de la monnaie française réalisée au prix d'une dévaluation effective de 80 % par rapport à la valeur du franc en 1913 (texte n° 2).

En dépit de l'archaïsme et de la stagnation qui affectent certains secteurs, l'industrie française connaît une rapide croissance au cours de la décennie qui suit la guerre. Stimulée par la reconstruction, elle double sa production entre 1920 et 1929 et s'engage dans un processus de modernisation qui concerne principalement les branches porteuses de la seconde révolution industrielle : industries mécaniques (automobile, aviation), aluminium, chimie, industrie pétrolière, électricité. La standardisation et la rationalisation du travail, importées des États-Unis, s'imposent dans les grandes unités de production et avec elles les contraintes du travail à la chaîne (texte n° 3) et la multiplication du nombre des OS (ouvriers spécialisés) soumis aux cadences rapides et aux effets démoralisateurs du « travail en miettes » (selon l'expression du sociologue Georges Friedmann).

Contrairement à ce que l'on imagine souvent, au regard des images qui mettent en scène la France des « années folles », les structures de la société n'ont pas été bouleversées par la guerre. La France compte encore 36 % d'actifs employés dans le secteur primaire (contre 43 % en 1906) et sur les 14 millions de personnes qui forment l'effectif de la paysannerie (pour 13 millions d'ouvriers et 12 millions d'individus vivant du tertiaire), 80 % sont propriétaires ou exploitants. Dans l'ensemble, les paysans ont vu leur situation s'améliorer durant le conflit mais, s'ils ont payé leurs dettes et arrondi leurs domaines, ils n'ont pas modernisé leur outillage ni radicalement changé leurs pratiques agraires. Aussi vont-ils être fortement touchés par la crise. En attendant, la campagne française continue de jouer son rôle de stabilisateur de la société française (texte n° 4).

En dépit du brassage qui s'est opéré dans les tranchées et d'une relative homogénéisation du vêtement, les hiérarchies sociales demeurent fortes entre les deux guerres. La bourgeoisie s'est accrue de quelques milliers de « nouveaux riches », profiteurs de guerre en tout genre ou simplement bénéficiaires des possibilités d'ascension sociale liées aux nouveaux créneaux de la réussite qui se sont ouverts dans le monde des affaires et de la finance (texte n° 5). En revanche, l'érosion monétaire a entamé les patrimoines et fait baisser les revenus traditionnels — obligations, emprunts publics français et étrangers, loyers —, réduisant le pouvoir d'achat de certaines catégories, s'accompagnant parfois d'un certain déclassement social et obligeant les « filles de famille » à rechercher (par l'accès aux études supérieures, par exemple) un autre statut social que celui qui leur était assuré avant la guerre par la dot (texte n° 6).

Si l'on considère la société française dans son ensemble, on constate que les modes de vie, les mœurs, les systèmes de valeurs, n'ont pas non plus été radicalement changés par la guerre. Ici, comme dans le domaine politique, le désir de « retour à la normale » est largement répandu, et ceci dans toutes les catégories sociales. Il est clair que l'image d'une France en proie à la fièvre festive et à la libéralisation généralisée des mœurs relève pour une part du mythe. S'agissant, par exemple, du rôle des femmes dans la société, et notamment de celles qui appartiennent aux diverses strates de la bourgeoisie, il ne s'éloigne guère, pour la majorité d'entre elles, des fonctions traditionnelles qui étaient les leurs jusqu'alors, à savoir celles de génitrices et de maîtresses de maison. Seule une minorité de citadines, sans pour autant suivre l'exemple décapant de Monique Lerbier, l'héroïne libérée du roman de Victor Margueritte, vont couper leurs cheveux « à la garçonne » et revêtir les tenues extravagantes des jeunes beautés noctambules, familières des « boîtes » de Montparnasse ou de Montmartre (texte n° 7).

Il reste que le goût de l'argent facile, l'appétit de jouir d'une existence dont on a pu mesurer la précarité durant la guerre, l'érosion des valeurs et des repères traditionnels, ont affecté certains milieux plus que d'autres : le monde de la finance et des affaires (texte n° 8), celui de la politique et de la presse (texte n° 9), provoquant par réaction un rejet global de la société bourgeoise, de l'idéologie démocratique et du régime parlementaire et poussant à une radicalisation dont le déclenchement de la crise économique (document n° 10) va considérablement amplifier les effets.

1. La situation financière de la France au lendemain des élections de 1924

Suite à la victoire du Cartel aux élections de mai 1924 et à la démission du président de la République Millerand, remplacé à l'Élysée par le radical (très modéré) Gaston Doumergue, c'est Herriot qui est appelé le 13 juin à constituer le nouveau gouvernement. Dans la nouvelle équipe, le ministère des Finances échoit à Clémentel, lequel conservera cette charge jusqu'au 2 avril 1925, date de sa démission et de son remplacement par Anatole de Monzie.

Herriot et Clémentel héritent d'une situation financière difficile dont le directeur _général des Fonds au ministère des Finances, Pierre de Mouÿ, rend compte au nouveau ministre dans cette note datée du 24 juin 1924, soit une dizaine de jours après la prise en charge de leurs fonctions par les hommes du Cartel. À cette date, le gouvernement Herriot ne s'est pas encore heurté au « mur d'argent » — symbole aux yeux du dirigeant radical des grandes féodalités financières (Comité des forges, Comité central des houillères, hauts responsables des principales banques d'affaires et autres représentants des « deux cents familles ») —, mais il se trouve comme son prédécesseur Poincaré contraint de recourir à la pratique des avances de la Banque de France, avec le risque de voir dépassé le plafond fixé par la loi à ce type d'opération._

Parfaitement conscient de ce danger, Mouÿ conseille à Clémentel, avec lequel il s'est entretenu peu de temps auparavant (et indirectement à Herriot), de renoncer à la politique de déflation et au mythe de la parité d'avant-guerre, quitte à relever le plafond des avances de la Banque de France à l'État (fixé à un peu plus de 23 milliards de francs par la loi du 31 décembre 1923), et à la condition expresse de « dire la vérité au pays », c'est-à-dire aux Chambres. Le président du Conseil préférera garder le silence, plaçant en quelque sorte son gouvernement sous la coupe des Régents de la Banque de France. Aussi, lorsqu'à la suite de la crise du crédit qui se manifeste au début de 1925, le public refusant de souscrire aux emprunts d'État et se pressant pour obtenir le remboursement des bons du Trésor, le gouvernement sera amené à « crever le plafond légal » des avances et à masquer cette atteinte à la loi par des artifices divers, les Régents le contraindront indirectement à la démission.

Source : Note du directeur général des Fonds, Pierre de Mouÿ, au ministre des Finances, 27 juin 1924, Archives FNSP/CHEVS, Fonds Jean du Buit, BU 1 dr 2.

Bibliographie : J.-N. Jeanneney, _Leçon d'histoire pour une gauche au pouvoir, la faillite du Cartel (1924-1926)_, Paris, Seuil, 1977 ; S. Berstein, _Histoire du Parti radical_, 2 vol., Paris, Presses de la FNSP, 1980-1982.

J'AI CRU DEVOIR DÉVELOPPER dans une note que j'ai l'honneur de placer sous les yeux du Ministre diverses observations sur la situation actuelle de la trésorerie que j'ai eu l'occasion de formuler succinctement au cours d'un entretien avec lui.

J'ai exposé, en effet, au ministre que le débit du compte d'avances à l'État ouvert dans les écritures de la Banque de France et dont les oscillations mesurent le montant des disponibilités immédiates du Trésor, n'a cessé depuis plusieurs mois de se tenir à un niveau si voisin du maximum prévu pour les avances de l'espèce aux termes de la Convention du 14 décembre 1923, que s'il n'avait été fait appel d'une façon permanente à des avances occultes de la Banque et par intermittences à diverses opérations de trésorerie d'un caractère exceptionnel, ledit maximum eût été constamment dépassé. Je rappelle en effet que le bilan du 3 janvier 1924 accusait un montant de 23 milliards 100 millions pour les avances de la Banque au Trésor, le maximum étant de 23 milliards 200 millions et le chiffre total des avances occultes s'élevant à la même date, d'après les renseignements verbalement fournis par la Banque, à 600 millions environ, soit compte tenu de tous les éléments un dépassement de 500 millions du maximum conventionnel consacré par la loi. Depuis cette date, le montant des avances n'a jamais été inférieur à 22 milliards 600 millions, chiffre le plus bas une seule fois atteint au bilan du 24 janvier et qui laissait au Trésor une disponibilité à la Banque de 600 millions manifestement insuffisante pour faire face à des mouvements de fin de mois dont l'amplitude moyenne dépasse un milliard et a même, fin mai, atteint 1 400 millions.

Cet état de choses qui, bien loin de s'améliorer pendant le présent mois, accuse au contraire une tendance à l'aggravation, aucun remboursement n'ayant été effectué à l'institut d'émission depuis le début de juin, va sans doute placer à bref délai le Ministre dans l'obligation de faire appel aux établissements de crédit de la place pour leur demander de consentir momentanément au Trésor l'avance des disponibilités nécessaires à la couverture des besoins de fin de mois. Je signale à cet égard que cette opération, de même que l'avance obtenue lors de l'échéance de mars 1924 et à la différence des précédentes qui ne constituaient qu'une anticipation sur recettes d'emprunt, sera réalisée en dehors de toute prévision des ressources exceptionnelles. Sans doute et dans des conditions analogues l'avance du mois de mars s'élevant à 700 millions environ a-t-elle pu néanmoins être exactement remboursée. Mais encore doit-on faire observer que ce remboursement n'a été opéré que grâce à d'importantes plus-values dans le rendement des impôts et plus encore au moyen d'un placement de valeurs du Trésor particulièrement intense pendant le mois d'avril. [...]

Ces diverses considérations m'obligent en conséquence à attirer de la façon la plus instante, l'attention du Ministre sur les risques inhérents à cette situation, d'autant que si tous les moyens mis en œuvre jusqu'à ce jour pour remédier à des défaillances passagères des caisses publiques venaient à être épuisés, le recours à la Banque de France et par suite l'augmentation du maximum conventionnel des avances s'imposerait évidemment. En une semblable occurrence et en raison des inconvénients qu'auraient présentés la convocation inopinée des Chambres pour sanctionner une augmentation du pouvoir d'émission de la Banque de France, un précédent gouvernement avait obtenu du Parlement tous pouvoirs d'autoriser cette augmentation, le Conseil d'État entendu, dans l'intervalle des sessions. Je ne puis que laisser le Ministre apprécier si dans la situation financière actuelle une procédure analogue ne devrait pas être instituée en vue d'une élévation éventuelle du maximum des avances que la Banque de France s'est engagée à consentir au Trésor et si cette mesure inspirée par un sentiment de prudence dont nul ne pourrait actuellement contester la légitimité, ne constitue pas en dépit de l'émotion qu'elle soulèverait l'indispensable préparation à une éventualité qui, n'étant la précaution ainsi prise, s'accompagnerait d'un appareil parlementaire susceptible à lui seul de déchaîner la panique s'il était requis en dehors des époques habituelles de session. [...]

Je veux croire, au reste, que la Banque de France ne manquera pas d'apercevoir elle-même combien il serait imprudent de poursuivre dans les circonstances actuelles une politique de déflation conçue en un temps où l'on pouvait former sur l'évolution financière des espoirs que les événements ont malheureusement démentis. [...]

2. La stabilisation du franc
(1928)

Ce texte est extrait du livre que Mme Moreau, épouse de l'ancien gouverneur de la Banque de France Émile Moreau, a fait paraître en 1954 à partir du journal tenu par son mari entre le 24 juin 1926, date de sa nomination à la tête de l'institut d'émission et le 28 juin 1928, date du premier bilan qui a suivi le retour du franc à la convertibilité métallique.

La décision de Poincaré de stabiliser le franc au niveau de son pouvoir d'achat, c'est-à-dire à une valeur égale à 20 % du franc-or, a été prise par le président du Conseil à l'issue d'un long débat entre « revalorisateurs » et « stabilisateurs ». Les premiers, conformément aux souhaits des banquiers et de nombre de souscripteurs des emprunts de la Défense nationale, estimaient qu'il fallait ramener le franc à sa valeur-or d'avant guerre. Cette solution aurait permis de rembourser ceux qui avaient confié leur or à l'État durant le conflit sans que leur créance fût amputée du fait de la dévaluation effective de la monnaie. Elle revêtait donc aux yeux du chef du gouvernement le double mérite du patriotisme et de l'honnêteté. À quoi les partisans de la stabilisation du franc au niveau de son pouvoir d'achat opposaient l'argument du réalisme et de l'intérêt de l'État, celui-ci devant, si l'on choisissait la revalorisation, rembourser sa dette en monnaie forte : ce qui impliquait une forte hausse des impôts et un renchérissement des prix fortement dommageable au commerce extérieur de la France. L'exemple de la Grande-Bretagne, qui avait dû payer le rétablissement de la parité-or de la Livre à son niveau de l'avant-guerre au prix d'une grave crise économique et sociale, leur fournissait un argument de poids auquel finit par souscrire le président du Conseil.

Pour les principaux acteurs de l'opération, tous très attachés au symbole du franc fort, la stabilisation de 1928 a été vécue comme un véritable drame : « un drame antique — écrira Jacques Rueff, dans la préface qu'il fera du livre de Moreau —, celui de la Fatalité imposant à la France, contre la volonté quasi unanime de son opinion publique, contre le sentiment toujours exprimé du chef de son Gouvernement, et même contre les tendances profondes du gouverneur de sa Banque d'émission ».

Source : Émile Moreau, *Souvenirs d'un gouverneur de la Banque de France. Histoire de la stabilisation du franc (1926-1928)*, Paris, éd. par M.-Th. Génin, Librairie de Médicis, 1954.

Bibliographie : F. Braudel et E. Labrousse, *Histoire économique de la France entre les deux guerres*, t. 4, vol. 2, Paris, PUF, 1980 ; F. Caron, *Histoire économique de la France, XIXᵉ-XXᵉ siècle*, Paris, Armand Colin, 1981 ; A. Dauphin-Meunier, *La Banque de France*, Paris, Gallimard, 1937 ; A. Sauvy, *Histoire économique de la France entre les deux guerres*, t. 1, Paris, Fayard, 1965.

C E MOT « drame » surprendra, appliqué à un événement qui, après le relèvement financier et monétaire accompli en deux ans, était dans la nature des choses. L'équilibre budgétaire était assuré depuis juillet 1926, la Trésorerie de l'État se trouvait en super-équilibre, l'assainissement du bilan de la Banque de France allait être réalisé. Les élections de 1928 venaient de consacrer le triomphe de M. Poincaré et des idées de sagesse qu'il représentait. La situation politique était stabilisée, les finances publiques étaient stabilisées. Quoi de plus naturel, dans ces conditions, qu'on stabilisât à son tour la monnaie, qui depuis dix-huit mois déjà était fixée, en fait, à un niveau immuable[1] ?

Les choses n'étaient pas si simples. Le redressement de 1926-1928 avait rendu, à ceux-là mêmes qui désespéraient de leur pays et de ses capacités de relèvement aux heures sombres de juillet 1926, la confiance..., trop de confiance même.

Des esprits distingués soutenaient qu'on pouvait ramener le franc à sa parité d'avant-guerre, au même titre que la Livre sterling. Comme c'était tentant, en effet, d'annuler ainsi les effets de la guerre et de l'après-guerre et de payer les rentiers de l'État avec la monnaie dans laquelle ils avaient prêté ce qui représentait pour eux bien souvent toute une vie de labeur acharné !

À ceux-là, la spéculation internationale semblait donner raison puisqu'elle ne se lassait pas d'échanger ses dollars et ses livres contre des francs, dans l'espoir que ceux-ci seraient finalement revalorisés.

Raymond Poincaré qui était l'honnêteté même, et qui avait, à un point peu commun chez les hommes politiques, le souci de l'intérêt public et de la gloire de la France, était au fond de son cœur avec les revalorisateurs.

Mais moi, j'avais le rôle ingrat de représenter les techniciens, ceux qui savaient qu'après la saignée financière des dernières années, il était impossible de retrouver la parité du franc de Germinal.

Je savais que, comme l'avait établi le Comité des Experts dès 1926, il n'était pas possible de revaloriser le franc au-delà de certaines limites sans imposer un effort de réadaptation particulièrement douloureux à l'économie nationale. Si nous sacrifiions les forces vives de la nation à sa richesse acquise, nous compromettions le redressement accompli et nous préparions à plus ou moins bref délai une contre-spéculation sur notre monnaie.

Or, la parité de 125 francs pour une Livre avait été tenue depuis de longs mois. L'économie nationale paraissait y être adaptée. C'est donc à ce cours qu'il fallait stabiliser sans retard.

C'est ce que je fus obligé de dire à M. Poincaré au début de juin 1928, en mettant dans la balance de son jugement la menace de ma démission.

La partie était difficile à jouer. Car j'avais contre moi le sentiment de ce qu'il y avait de plus noble dans le pays. Là était le véritable drame. À ceux qui me disaient avec le président du Conseil : « Il faut que l'État tienne ses engagements, il ne faut pas appauvrir les classes moyennes », j'étais obligé de répondre : « Ce n'est pas possible, il faut stabiliser. Aussi respectable que soit le passé, il faut songer à l'avenir de la France. »

© Librairie de Médicis

---

[1]. Revenu de 208 francs fin juillet 1926 à 120 francs en décembre, le cours de la Livre sterling a été maintenu à ce niveau de manière constante au cours des dix-huit mois suivants, la Banque de France retenant désormais ce cours pour ses propres achats.

3. Le travail « rationalisé » aux usines Berliet

Dans l'ouvrage dont nous présentons ici un extrait et qui a été publié en 1946, Georges Navel décrit une grande usine « rationalisée » entre les deux guerres : les établissements Berliet à Vénissieux, dans la banlieue de Lyon. Exemple tout à fait caractéristique du modèle qui s'est imposé depuis la guerre de 1914-1918 dans les industries mécaniques, et en particulier dans l'automobile.

Avec les mutations technologiques qui sont intervenues dans ce secteur de forte concentration (Renault emploie déjà 22 000 personnes dans ses ateliers en 1918), un nouveau type d'ouvrier est apparu, encore peu répandu avant la guerre, et qui occupe désormais une situation intermédiaire entre les ouvriers qualifiés et les manœuvres. Produits de l'acclimatation en France du travail parcellisé mis au point dans les usines américaines, les « ouvriers spécialisés » ne sont nombreux que dans les branches les plus modernes de l'industrie : celles qui, comme l'automobile ou l'aéronautique, ont adopté les pratiques du taylorisme et ont transformé de manière radicale la nature du travail industriel. C'est particulièrement le cas chez Renault, où les méthodes de l'ingénieur américain ont été introduites dès 1913, à la suite d'un séjour outre-Atlantique du fondateur de la firme.

Qu'ils viennent des campagnes ou de l'étranger, ou qu'il s'agisse de professionnels qualifiés réduits au statut de robots par l'obsolescence de leur activité, les OS sont astreints à effectuer un « travail en miettes » (G. Friedmann) dont la signification leur échappe. Ils sont seuls devant leur machine. Ils n'accomplissent qu'un minimum de gestes auxquels ils ont été formés en quelques jours. Ils sont soumis à des cadences très rapides, mises au point dans les « bureaux des méthodes » et contrôlées par les « chronométreurs ». À la différence de leurs prédécesseurs, ils ne fabriquent pas eux-mêmes leurs outils mais reçoivent un outillage standard et ne réparent pas la machine dont ils ont la charge. Il en résulte une forte démoralisation de l'ouvrier d'usine. Confiné dans une tâche répétitive, épuisante et totalement déshumanisée, celui-ci évolue d'autre part dans un milieu où sont aggravées les procédures de surveillance et de répression tandis que se généralise la pratique du salaire au rendement.

L'usine de l'entre-deux-guerres est ainsi fréquemment vécue comme un « bagne » et le travail à la chaîne comme une forme moderne de l'esclavage, une violence à laquelle on ne pourra échapper que par la révolte et le bouleversement des structures qui ont rendu possible cette exploitation du monde ouvrier. C'est parmi les OS de l'industrie « rationalisée » que le jeune Parti communiste va recruter ses troupes les plus nombreuses et les plus combatives durant la phase de contestation violente qui caractérise ses dix premières années d'existence.

Source : Georges Navel, _Travaux_, Paris, Stock, 1945, pp. 84-85.

Bibliographie : A. Dewerpe, _Le Monde du travail en France, 1800-1950_, Paris, Armand Colin, 1989 ; G. Friedmann, _Le Travail en miettes. Spécialisation et loisirs_, Paris, Gallimard, 1956 ; G. Noiriel, _Les Ouvriers dans la société française, XIXᵉ-XXᵉ siècle_, Paris, Seuil, 1986 ; S. Schweitzer, _Des engrenages à la chaîne. Les usines Citroën, 1915-1935_, Presses universitaires de Lyon, 1982.

C'ÉTAIT UNE BONNE USINE, de construction récente, bien conçue. Elle passait pour être un bagne. C'était assez vrai hors du régime encore privilégié des outilleurs. D'abord à cause de la rationalisation. Les fraiseurs, les perceurs, les tourneurs professionnels ou les manœuvres spécialisés, ce qu'on peut appeler les robots, ceux dont le travail de série est d'une désespérante monotonie, devaient fort se démener pour usiner le nombre de pièces qui leur était demandé comme production normale. Tout leur travail était chronométré. Chronométreurs, démonstrateurs luttaient contre l'ouvrier. En l'observant travailler, montre en main, le chronométreur paraissait compter loyalement le temps nécessaire à l'usinage d'une pièce. Après quoi, il fixait le temps valable pour toute la série. Si les gestes de l'ouvrier étaient gauches ou trop lents, c'était au démonstrateur à lui faire sa leçon de choses. Le temps d'exécution du démonstrateur ou de l'ouvrier le plus habile servait de base. C'était l'application bien connue du système Taylor. Inhumain, absurde, appliqué dans le sport, il exigerait du premier venu dans le saut, la nage, le lancement du disque, qu'il parvienne au record des champions. C'était ça qui donnait à l'usine une réputation de bagne d'abord, puis le nombre excessif de gardiens en casquette qui ne cessaient de circuler dans l'usine, poussant même la porte des cabinets ou jetant un coup d'œil par-dessus les box pour s'assurer que des ouvriers accroupis n'étaient pas en train de fumer. C'était rigoureusement interdit, même là où le risque d'incendie était inexistant.

L'usine était spacieuse. Une série de grands halls clairs avec de larges travées pareilles à des avenues. L'intérieur du hall n'était pas sans beauté par les proportions, la hauteur, la légèreté de la construction métallique. Les fumées montaient haut. Quand le soleil pénétrait, il jouait sur les teintes variées des bleus de travail. Le bruit des machines n'était pas trop assourdissant. On aurait pu arriver à le trouver musical.

Ce qui était triste, il me semble que c'est la tristesse fatale à la grande industrie, ce qui était triste, c'était la foule du matin des bataillons ouvriers en marche vers l'usine, le long de ses murs, vers son portail. Qu'il pleuve, c'est triste. L'eau dégouline sur les pardessus, les parapluies, la foule des pieds dans la boue sent le papier de journal ; elle est aussi triste que les faits divers qu'elle a lus. C'est triste encore quand il fait beau parce qu'elle va s'enfermer. Triste en hiver, parce qu'il fait noir le matin quand elle entre et noir le soir quand elle sort. Triste en été de s'enfermer dans une usine de banlieue qui touche à la campagne. Le train du matin qu'il fallait prendre sentait le vieux mégot, le schnik, le café-crème, le soulier mouillé. Dans le noir du wagon, je reprenais un supplément de sommeil près des ombres transies. […]

© G. Navel

4. La campagne française

C'est en 1932 que Gaston Roupnel a publié son Histoire de la campagne française, *appelée à devenir un classique, tout comme les* Caractères originaux de l'Histoire rurale française *que Marc Bloch venait de faire paraître peu de temps auparavant. À la différence de ce dernier, Roupnel est un peu — comme plus tard Philippe Ariès — un « historien du dimanche ». Ce Bourguignon a été à la fois en effet vigneron, publiciste et romancier à succès (*Nono, Le Facteur Garain, *etc.), avant de mettre sa double expérience d'homme de la terre et de littérateur au service de la recherche historique, soutenant à plus de cinquante ans une thèse sur la ville et la campagne au XVIIᵉ siècle,*

Étude sur les populations du pays dijonnais, *et rédigeant dix ans plus tard, donc la soixantaine passée, l'ouvrage dont cette page est extraite.*

Plus qu'un ouvrage d'histoire proprement dite, le livre de Roupnel se situe au confluent de trois disciplines : l'histoire bien sûr, dans la perspective du temps long qui allait devenir celle de l'école des Annales *(c'est le grand Lucien Febvre lui-même qui a rédigé pour la revue le compte rendu du livre de Roupnel), mais aussi la géographie (de facture vidalienne) et l'ethnologie. Au-delà de son intérêt culturel, en tant que témoignage portant sur les débuts de ce qui deviendra beaucoup plus tard la « Nouvelle Histoire », cet extrait de la conclusion du livre de Gaston Roupnel constitue un échantillon particulièrement suggestif de la littérature ruraliste de l'entre-deux-guerres. L'auteur, en effet, ne se contente pas de décrire le paysage rural français, d'analyser les structures agraires de l'Hexagone et de s'appliquer, à partir de ces données, à reconstruire des pans entiers de la société traditionnelle ; son ouvrage est également un « hymne à l'âme paysanne » et s'achève par une réflexion sur ce qui non seulement forme le noyau dur de l'identité française, mais qui de surcroît représente à ses yeux un atout majeur de la France par rapport aux « pays qui nous menacent de leur colossale production ». Atout à la fois matériel et immatériel, face à des géants sans âme, dont Roupnel n'a pas besoin de prononcer les noms pour que le lecteur de l'époque sache de quoi il parle. Ainsi, pour cet intellectuel solitaire enraciné dans le sol de sa Bourgogne, l'avenir n'appartient pas à ceux qui ont « les sols neufs et les espaces d'un monde » — États-Unis et Russie soviétique — mais aux détenteurs de l'« antique expérience où s'accumule la sagesse et l'épreuve d'un immémorial passé de fidélité à la terre ».*

Source : Gaston Roupnel, *Histoire de la campagne française*, Paris, Grasset, 1932, pp. 341-343.
Bibliographie : A. Moulin, *Les Paysans dans la société française. De la Révolution à nos jours*, Paris, Seuil, 1988 ; E. Weber, *La Fin des terroirs. La modernisation de la France rurale*, Paris, Fayard, 1983.

C ETTE CAMPAGNE FRANÇAISE elle est, en effet, une humanité complète. Ce qui la [...] défend victorieusement contre les grands pays qu'accable la production, c'est moins encore sa composition matérielle et le régime de sa terre que les forces spirituelles de l'être. Car l'esprit est ici à l'image de cette terre où chaque lieu contient tout.

Les pays qui nous menacent n'ont souvent que des grandeurs superficielles et arithmétiques. Certaines de ces étendues ne sont emplies que de foules et non d'individus. L'homme n'a pas encore eu le temps d'y réaliser son être particulier. L'humanité n'y est qu'un contenu, incolore liquide dont les seuls reliefs sont pris sur les formes du vase commun. Et il suffirait de pencher un peu sous l'épreuve ces urnes continentales pour les vider.

Ici, en France, chez nous, chaque campagne est un monde complet d'existence terrestre, et qui suffit au cœur comme à la vie. Chaque être y est retenu à écouter ces choses qui parlent. Et toutes les générations vouées à ce sol accumulent en l'être leurs legs d'amour et de fidélité, accrus des labeurs de chaque vie, des espérances de chaque naissance, et des sérénités de chaque trépas. Nos regards et nos âmes sont ici attachés à des contemplations qui ont des millénaires de force fixatrice ; et tous les lieux sont la beauté attachante qui s'exerce de générations en générations, et qui a des milliers et des milliers d'années de séduction et d'autorité sur les âmes.

Mais ce qui fait surtout notre fidélité, ce qui nous retient plus au sol que les sourires et les grâces du paysage [...], plus que les souvenirs et les morts [...], ce sont de vieilles habitudes devenues les vertus qui nous défendent, nous protègent du Monde entier, et nous assurent nos destinées. Ce sont des vertus recueillies à force de patience et de misère.

Au fond de toute notre âme paysanne, et comme cause qui la détermine essentiellement, il y a la modestie même de notre production, la médiocrité salutaire d'une terre qui n'a jamais donné trop ou donné trop peu. Le calme de nos vies vient de cette modération qui ne redoute ou n'espère ni l'excessive indigence, ni la funeste abondance.

De là sont nées les deux vertus du paysan français : prudence et esprit d'épargne.

Vertus vieillottes, vertus de pauvres gens, vertus qui sentiez le pain noir et la fumée des âtres, vous êtes les deux vigilantes et infatigables protectrices de nos foyers paysans et de nos campagnes, dont vous avez tant de fois déjà prévenu les crises, soulagé les détresses, réparé les désastres ! [...]

Ces vertus sans éclat, ces vertus de salut, sont fruits de notre indigence. Elles ne sont au fond que l'économie morale enfouie dans notre âme par les épreuves et les privations. Elles sont l'infinie résignation de nos campagnes millénaires. Notre richesse spirituelle est une accumulation de misères. Notre force d'âme est trésor des douleurs.

L'antique et puissante structure de notre campagne française, le régime foncier de sa terre, la variété de ses sols, l'attachante beauté qui la pare, voilà des droits suffisants à triompher des pays qui nous menacent de leur colossale production ! [...] Mais, bien plus que de cette assistance matérielle des choses, les victorieux recevront leur aide décisive des forces immatérielles. Le succès appartiendra à ceux qui ont à leur disposition non les sols neufs et les espaces d'un monde, mais l'antique expérience où s'accumule la sagesse et l'épreuve d'un immémorial passé de fidélité à la terre. Le dernier mot appartiendra aux résistances de l'âme plus qu'aux grandeurs du territoire. Lisez-le : il est écrit du caractère moral sur le socle antique de l'âme. Il est gravé déjà sur les âges de pierre, tel qu'il gît au fond de nos cœurs.

La terre qui vivra le plus longtemps, c'est celle qui a déjà toujours vécu. Ce vieux sol français, où tant de dépouilles et de souvenirs humains reposent avec éternité, cette terre antique, fouillée et dépecée, chargée de ses âges innombrables, a autant de destinées qu'elle a de passé ; et elle porte autant de forces vives qu'elle a de morts en elle. Ce qui nous défend, ce qui nous assure l'avenir, c'est cette vieillesse. Notre petite terre des Gaules n'a de grandeur que son passé ; mais son avenir mesure l'immensité des souvenirs. Ses réalités sont établies, non sur l'Espace, mais sur le Temps et la Durée ; et, venues du plus loin des Origines, elles iront jusqu'aux fins humaines. [...].

© Grasset

5. Les « nouveaux riches »

L'historien Alexandre Zévaès, auquel on doit notamment d'avoir dirigé une Histoire des partis socialistes de France, *publiée par la Librairie Marcel Rivière, stigmatise, dans ce court extrait de l'*Histoire de la III⁰ République, *le monde composite des détenteurs de fortunes hâtivement bâties à la faveur de la guerre et de l'après-guerre.*

Dans la France des années 20, la plupart des fortunes sont anciennes ou datent de la seconde révolution industrielle. Mais l'on dénombre également des réussites récentes effectuées pour la plupart durant le conflit mondial et qui forment le groupe universellement décrié des « nouveaux riches ». On peut difficilement évaluer l'ampleur des _bénéfices de guerre. On sait seulement que le montant des déclarations des assujettis à la « contribution extraordinaire sur les bénéfices supplémentaires » réalisés du 1ᵉʳ août 1914 au 30 juin 1919 s'est élevé à 17,5 milliards de francs. Mais les fraudes et la dissimulation fiscale ont sans doute été considérables. D'autre part, tous les bénéficiaires ne sont pas connus du public et ce sont souvent les plus discrets — intermédiaires ou spéculateurs plutôt que producteurs — qui ont accumulé les plus gros profits. Ce sont eux que l'auteur de ce texte dénonce avec le plus de virulence, opposant leur mercantilisme éhonté au sacrifice et aux souffrances des combattants. Zévaès montre que leur action prédatrice ne s'est d'ailleurs pas éteinte avec la guerre et qu'ils continuent d'amasser, la paix revenue, des fortunes scandaleuses. Il n'oublie pas toutefois de mentionner les « féodaux de l'industrie », eux aussi bénéficiaires des commandes de guerre et des fructueux contrats avec l'intendance, et il est vrai qu'un certain nombre d'industriels ont pu, grâce aux fournitures massives de matériels divers livrés aux armées, troquer leur statut de petits ou de moyens patrons contre celui de capitaines d'industrie. Tel a été le cas d'un André Citroën, dont l'usine édifiée en six semaines au quai de Javel a produit, à partir de 1915, 55 000 obus par jour, d'un Marcel Boussac, organisateur de l'industrie textile vosgienne pendant la guerre et inventeur de la « toile d'avion », d'un Louis Loucheur, fabricant de gaz de combat, d'un Marius Berliet, créateur à Vénissieux, près de Lyon, d'un empire de construction de poids lourds, etc._

Source : Alexandre Zévaès, _Histoire de la IIIᵉ République de 1870 à 1925_, Paris, éd. Georges Anquetil, 1926.

Bibliographie : F. Bedarida, J.-M. Mayeur, J.-L. Monneron, A. Prost, _Histoire du peuple français_, t. V, _Cent ans d'esprit républicain_, Paris, Nouvelle Librairie de France, 1965.

L E SOUCI DU PROFIT INDIVIDUEL, qui est à la base des sociétés modernes, a trouvé dans la guerre prolongée et dans l'après-guerre, l'occasion inespérée et facile de se déchaîner furieusement. Tandis que sur les rives boueuses de l'Yser, dans les boyaux humides et gluants de l'Artois, de la Champagne et de l'Argonne, dans les cols neigeux des Vosges, les jeunes hommes et même les territoriaux aux tempes grisonnantes tombaient par milliers, à l'arrière, calfeutrés dans leur luxueux embusquage, féodaux de l'industrie et mercantis du négoce concluaient avec l'Intendance de savants et fructueux contrats de fournitures et pêchaient dans la défense nationale les fortunes les plus rapides et les plus éhontées. Dans l'après-guerre le même mercantilisme continue. Des intermédiaires parasites, des commerçants occasionnels, des spéculateurs sans vergogne, étrangers à toute production et à tout travail, ne _s'emmillionnent-ils_ pas chaque jour sous nos yeux, — profiteurs cyniques et jamais rassasiés auxquels le législateur ne sait pas ou ne veut pas faire rendre gorge et qui, sur les places publiques de la cité, étalent insolemment le scandale de leur rapines doublé du scandale de leur impunité ?... Ainsi derrière le paravent de la grande guerre dans laquelle sont tombés quinze cent mille braves et que l'on a appelée « la guerre pour le Droit et la civilisation », se profile la ruée formidable et précipitée des appétits, des convoitises et des cupidités.

6. Quand les études remplacent la dot

Simone de Beauvoir est née en 1908 dans une famille de la « bonne bourgeoisie » pari-
sienne. Ses parents habitent un vaste appartement du boulevard Raspail et elle-même
fréquente le très strict cours Désir. Rien ne la prédispose donc à devenir la future com-
pagne de Sartre et la figure de proue du féminisme des années 60 et 70. Ce sont les
revers de fortune de la famille, conséquence d'une guerre qui a fortement écorné les
patrimoines rentiers, qui modifient la trajectoire de la « jeune fille rangée » et inclinent
son père à choisir pour la jeune Simone un autre destin que celui d'épouse bourgeoise
dotée et promise au statut programmé de génitrice et de maîtresse de maison.

En effet, la notion de « bonne bourgeoisie » n'a pas disparu avec la guerre et elle
s'accommode mal du travail de l'épouse. Aussi, celle-ci vit-elle généralement dans une
semi-oisiveté, partageant son temps entre la surveillance des domestiques, l'éducation
des enfants, les vacances en leur compagnie dans la maison de campagne ou au bord
de la mer, les visites d'amies, la lecture, le piano et quelques « travaux de dames »
(couture et broderie). Ceci implique d'une part que le chef de famille soit détenteur
d'une fortune personnelle, ou d'une rente versée par ses parents et arrondie par des
émoluments divers, d'autre part que sa femme soit dotée. Or, la guerre et l'instabilité
monétaire qui a suivi le conflit, si elles n'ont pas nécessairement ruiné et prolétarisé la
masse des épargnants et des rentiers, ont néanmoins fortement érodé certaines fortunes
bourgeoises et contraint nombre de familles à réduire leur train de vie et leurs espé-
rances. Les Beauvoir se rangent dans cette catégorie.

Source : Simone de Beauvoir, *Mémoires d'une jeune fille rangée*, Paris, Gallimard,
1958, « Livre de Poche », pp. 245-247.
Bibliographie : M. Perrot, *Le Mode de vie des familles bourgeoises*, Paris, Armand
Colin, 1961.

D ANS MON MILIEU, on trouvait alors incongru qu'une jeune fille fît des études poussées ; prendre un métier, c'était déchoir. Il va de soi que mon père était vigoureusement anti-féministe ; il se délectait, je l'ai dit, des romans de Colette Yver ; il
estimait que la place de la femme est au foyer et dans les salons. Certes, il admirait le
style de Colette, le jeu de Simone ; mais comme il appréciait la beauté des grandes
courtisanes : à distance ; il ne les aurait pas reçues sous son toit. Avant la guerre,
l'avenir lui souriait ; il comptait faire une carrière prospère, des spéculations heureuses, et nous marier ma sœur et moi dans le beau monde. Pour y briller, il jugeait
qu'une femme devait avoir non seulement de la beauté, de l'élégance, mais encore de
la conversation, de la lecture, aussi se réjouissait-il de mes premiers succès
d'écolière ; physiquement, je promettais ; si j'étais en outre intelligente et cultivée, je
tiendrais avec éclat ma place dans la meilleure société. Mais s'il aimait les femmes
d'esprit, mon père n'avait aucun goût pour les bas-bleus. Quand il déclara : « Vous,
mes petites, vous ne vous marierez pas, il faudra travailler », il y avait de l'amertume
dans sa voix. Je crus que c'était nous qu'il plaignait ; mais non, dans notre laborieux
avenir, il lisait sa propre déchéance ; il récriminait contre l'injuste destin qui le
condamnait à avoir pour filles des déclassées.

Il cédait à la nécessité. La guerre avait passé et l'avait ruiné, balayant ses rêves, ses mythes, ses justifications, ses espoirs. Je me trompais quand je le croyais résigné; il ne cessa pas de protester contre sa nouvelle condition. Il prisait par-dessus toute la bonne éducation et les belles manières; pourtant, quand je me trouvais avec lui dans un restaurant, un métro, un train, j'étais gênée par ses éclats de voix, ses gesticulations, sa brutale indifférence à l'opinion de ses voisins; il manifestait, par cet exhibitionnisme agressif, qu'il n'appartenait pas à leur espèce. Au temps où il voyageait en première classe, c'est par sa politesse raffinée qu'il indiquait qu'il était né : en troisième, il le démontrait en niant les règles élémentaires de la civilité. [...]

Il ne fréquentait plus guère à présent que des gens qu'il jugeait « communs »; il renchérit sur leur vulgarité; n'étant plus reconnu par ses pairs, il prit un aigre plaisir à se faire méconnaître par des inférieurs. En de rares occasions — quand nous allions au théâtre, et que son ami de l'Odéon le présentait à une actrice connue — il retrouvait toutes ses grâces mondaines. Le reste du temps, il s'appliquait si bien à paraître trivial qu'à la fin, personne sauf lui ne pouvait penser qu'il ne l'était pas.

À la maison, il gémissait sur la dureté des temps; chaque fois que ma mère lui demandait de l'argent pour le ménage, il faisait un éclat; il se plaignait tout particulièrement des sacrifices que lui coûtaient ses filles; nous avions l'impression de nous être indiscrètement imposées à sa charité. S'il me reprocha avec tant d'impatience les disgrâces de mon âge ingrat, c'est qu'il avait déjà contre moi de la rancune. Voilà que je n'étais plus seulement un fardeau : j'allais devenir la vivante incarnation de son échec. Les filles de ses amis, de son frère, de sa sœur, seraient des dames; moi pas. Certes, quand je passai mes bachots, il se réjouit de mes succès; ils le flattaient et lui évitaient bien du souci : je n'aurais pas de peine à gagner ma vie. Je ne compris pas qu'il se mêlait à sa satisfaction un âpre dépit.

« Quel dommage que Simone ne soit pas un garçon : elle aurait fait Polytechnique ! » J'avais souvent entendu mes parents exhaler ce regret. Mais mon sexe leur interdisait de si hautes ambitions et mon père me destina prudemment à l'administration; cependant il détestait les fonctionnaires, ces budgétivores, et c'est avec ressentiment qu'il me disait : « Toi, au moins, tu auras une retraite ! » J'aggravais mon cas en optant pour le professorat; pratiquement il approuvait mon choix, mais il était loin d'y adhérer du fond du cœur. Il tenait tous les professeurs pour des cuistres.

© Gallimard

7. Jazz, mode et chansons

Mobilisé en septembre 1939, Robert Brasillach a écrit l'ouvrage de souvenirs qu'il publiera en 1941 sous le titre Notre avant-guerre _pendant la « drôle de guerre » et au cours de l'année passée en captivité en Allemagne. Souvenirs de jeunesse : l'ancien normalien devenu journaliste engagé, romancier et rédacteur en chef de l'hebdomadaire fascisant_ Je suis partout _n'a que trente ans au moment où il entreprend de rédiger ses_ Mémoires. _Mais, dit-il, « le goût du passé ne s'acquiert pas. L'enfant le possède qui est triste à sept ans d'avoir atteint ce qu'on nomme autour de lui l'âge de raison, qui ne veut pas grandir, qui veut retenir autour de lui un monde fuyant et beau, ses jouets, sa mère jeune »._

C'est donc à bien des égards le « monde fuyant et beau » de l'entre-deux-guerres qui constitue l'objet du livre de Brasillach. L'aurait-il écrit si la guerre n'avait pas brutale-

ment mis fin à un temps qui a coïncidé avec la jeunesse de l'écrivain ? « Il est des époques de l'existence pourtant, dit encore Brasillach, où le passé même le plus voisin, constitue un abri tellement profond que le reste de l'univers semble avoir disparu. Si je me retourne vers lui en ce moment, c'est que j'ai, pour quelques mois, l'impression que ce passé forme un tout désormais descendu, quoi qu'il arrive, dans l'irrévocable. »

Dans le premier chapitre de Notre avant-guerre, Brasillach évoque le Paris de ses dix-sept ans, celui de 1925, de l'exposition des « Arts déco », de la « Revue nègre » et des coiffures « à la garçonne », symbolisant une époque dont la mémoire collective a surtout retenu le caractère festif et le goût de la liberté qui était dans l'air du temps. En réalité, pas plus que la « Belle Époque », les « Années folles » n'ont été vécues comme telles par la majorité des Français. La guerre a plutôt eu tendance à renforcer les déséquilibres sociaux et à aggraver les problèmes qui se posaient au plus grand nombre à la veille du conflit. La plupart des ruraux voient leur univers familier se défaire sans que le triomphe de la civilisation urbaine change grand-chose à leurs conditions d'existence. Toute une fraction du monde ouvrier partage son temps entre les contraintes dégradantes du travail à la chaîne et la désespérance des banlieues-dortoirs. La bourgeoisie de province et la majorité des représentants des classes moyennes sont trop attachées à leurs idéaux d'austérité et de patiente ascension sociale pour considérer la fête citadine autrement que comme un spectacle vis-à-vis duquel on conserve en général quelque distance. Le Paris de 1925 n'en incarne pas moins la fureur de vivre d'une société qui, au sortir du cauchemar, manifeste son soulagement et son rejet des contraintes.

Source : Robert Brasillach, *Notre avant-guerre*, Paris, Plon, 1941, pp. 3-5.
Bibliographie : M. Laval, *Brasillach ou la trahison du clerc*, Paris, Hachette, 1992.

JE N'AI PAS BESOIN de beaucoup réfléchir pour ranimer autour de moi le Paris de ma dix-septième année. [...] Le boulevard Haussmann n'était pas percé, et, dans la rue Rataud, un chevrier menait encore ses chèvres, au petit matin, sur les pentes de la colline Sainte-Geneviève. La Seine était dominée par un étrange monument ventru, sommé de deux tours, qui tenait du Colisée et de Saint-Sulpice : il nous venait d'une lointaine Exposition universelle[1], à travers bien des railleries et des brocards, et se nommait le Trocadéro. C'était en 1925, l'Exposition des Arts décoratifs venait de fermer ses portes, c'était en 1925, c'était Paris. [...]

C'étaient les jours des illusions, et nous ne devrons jamais oublier qu'en même temps que la rentrée scolaire, les étudiants de cette année-là, le 17 octobre, apprenaient la signature du pacte de Locarno qui abolissait les réalités de la guerre, et dans une atmosphère de guinguette, profitait aux banquiers anglais et aux banquiers allemands. La France était riche, et toute prête aux gaspillages de l'euphorie, elle avait terminé son occupation de la Ruhr, elle avait joué avec toute chose, et, elle avait élu, pour finir, lasse de ses anciens combattants et de sa Chambre bleu horizon, un Parlement de Cartel, amicale alliance des révolutionnaires bourgeois et des radicaux. Nous regardions en riant,

---

1, Le Trocadéro avait été construit au sommet de la colline de Chaillot à l'occasion de l'Exposition universelle de 1878.

en province et à Paris, les albums et les dessins du plus grand historien de l'époque, c'est-à-dire de Sennep[1] [...].

Le jazz devenait langoureux, les guitares hawaïennes faisaient entendre leurs miaulements, et déjà c'en était fini des premières danses sommaires de l'après-guerre, et l'on se déhanchait à la mode nègre. L'exotisme à bas prix pénétrait les milieux les plus simples : on avait chanté _Nuits de Chine_, et _Les Jardins de l'Alhambra_, on chantait _Dinah_ et _Ukulele-Lady_, on dansait le charleston et la upa-upa, et les dominos avaient laissé la place au mah-jong, où l'on jonglait avec les vents et les fleurs. Les mots croisés naissaient, on les présentait alors sous forme de dessin, l'éléphant, le paysage, la libellule, l'araignée [...].

Les femmes portaient la robe au genou, en forme de chemise, la taille basse, les cheveux souvent coupés à « la garçonne », comme on disait alors, car on n'avait pas oublié un scandaleux roman de ce titre, qui paraîtrait aujourd'hui plus ridicule que méchant[2]. [...] La belote avait remplacé la manille, parfois le bridge, et Mistinguett en consacrait la mode dans une java alors célèbre. Les chansonniers la prenaient pour cible, avec Mme Cécile Sorel[3], et avec Maurice Rostand, mais elle régnait toujours sur ses escaliers géants au music-hall, dans ses parades de plumes, ou en pierreuse des faubourgs, comme y régnaient les fantaisies adroites de Maurice Chevalier, cependant que se levait une étoile nouvelle, bien faite pour cette époque : les vingt ans crépus, agiles et noirs, de Joséphine Baker. Aux carrefours de Montmartre, la foule cosmopolite continuait d'affluer, on montrait aux étrangers la place de Lénine, tous les chauffeurs de taxi étaient princes russes, on avait joué les _Six personnages en quête d'auteur_[4], on employait à force les expressions « climat » et « sous le signe de », on disait de toute chose qu'elle était « formidable », on découvrait encore la drogue et la pédérastie, le voyage, Freud, la fuite et le suicide. Bref tous les éléments de la douceur de vivre. Alain Gerbault s'en allait seul en barque à travers les océans, et les jeunes Français, qui avaient vu leur échapper la révolution soviétique, la Marche sur Varsovie, la Marche sur Rome, se disaient que l'époque était calme et terne. Ils ne faisaient pas assez confiance à l'imagination du destin.

© M. Bardèche

---

1. Jean-Jacques Charles Sennès, dit Jean Sennep, ou Sennep tout court : le plus talentueux et le plus célèbre des caricaturistes français de l'entre-deux-guerres. Après avoir collaboré au _Rire_, il est devenu au début des années 20 le chroniqueur attitré de la droite, faisant paraître ses dessins dans l'_Action française_ et _L'Écho de Paris_.
2. Publié en 1922, _La Garçonne_ de Victor Margueritte racontait l'histoire d'une jeune bourgeoise déçue par les hommes et qui décidait de vivre sa vie en toute liberté, prenant des amants, faisant usage de stupéfiants, cherchant à avoir un enfant hors mariage pour l'élever dans la haine du sexe fort, jusqu'au moment où elle rencontrait l'amour en la personne d'un homme qui admettait l'égalité des sexes. Le roman eut un immense succès, pulvérisa les records éditoriaux, fut adapté au théâtre et au cinéma et donna le nom de son héroïne à la mode féminine des années 20. Mais il scandalisa la presse de droite, suscita les protestations indignées des autorités religieuses et des académiciens, et entraîna la radiation de l'auteur de l'ordre de la Légion d'honneur.
3. Actrice de la Comédie-Française, qui fut souvent l'objet des quolibets des chansonniers du fait de son âge (elle avait cinquante-deux ans en 1925 et continua longtemps à jouer), pas toujours en rapport avec les rôles qu'elle interprétait.
4. La pièce de Luigi Pirandello connut à Paris un très grand succès.

8. « L'argent peut tout »

Marcel Pagnol, alors âgé de trente-trois ans, a présenté pour la première fois Topaze *au théâtre des Variétés en 1928, l'année où éclatent successivement deux scandales politico-financiers qui vont défrayer la chronique et accroître, dans toute une partie de l'opinion, le discrédit à l'égard du régime parlementaire. Ruiné par la spéculation, l'ancien ministre des Finances Louis Klotz est arrêté pour émission de chèques sans provision. En même temps, éclate l'affaire de la* Gazette du franc *: la directrice de cette feuille financière, Marthe Hanau, avait profité de ses relations dans les milieux politiques pour obtenir de personnalités éminentes (de Laval à Herriot) des articles qui étaient une caution pour son journal. À l'abri de ces grands noms, elle avait entraîné ses lecteurs, petits épargnants pour la plupart, dans des spéculations désastreuses. Il avait fallu que Poincaré lui-même porte plainte pour que son arrestation soit décidée.*

Topaze, on le sait, met en scène un modeste et honnête professeur. Congédié de l'institution Muche où il exerçait, il devient à son corps défendant l'homme de paille d'un politicien véreux. D'abord effrayé par le milieu et par les affaires dans lesquels il s'est laissé entraîner, il ne tarde pas à se prendre au jeu et à se transformer, pour finalement évincer son patron et lui enlever sa maîtresse. La dernière séquence de la pièce voit Topaze recevoir son ancien collègue, Tamise, auquel il explique le pouvoir de l'argent. Tamise, d'abord indigné, finira par envisager de devenir le secrétaire de son ami.

Topaze n'est pas la première pièce de Marcel Pagnol. Dès 1925, dans Les Marchands de gloire, *écrite en collaboration avec P. Nivoix, le futur académicien avait présenté une satire corrosive des profiteurs de guerre qui avait rencontré un certain succès, tout comme sa seconde pièce,* Jazz, *donnée en 1927 au théâtre des Arts (le futur théâtre Hébertot). « J'avais devant moi, écrira-t-il, un capital qui représentait cinq ans d'enseignement à Condorcet. Je demandai donc un congé qui me fut accordé, je décidai de vivre en ermite, et de travailler dix heures par jour pour le théâtre : c'était le moment ou jamais. »*

Résultat de cette retraite, effectuée dans un petit appartement du boulevard Murat, la gestation de la comédie qui s'appellera d'abord Monsieur Topaze. *L'idée lui en serait venue du souvenir des conversations entre son père et ses collègues instituteurs dans la petite école communale des Chartreux à Aubagne, au tout début du siècle, et dans celles qu'il avait eues avec l'oncle Jules à propos du scandale de Panama.* Topaze, *c'est le maître d'école de la IIIe République dévoyé par le monde des affaires douteuses et de la politique dans la France des années 20. C'est aussi, que Pagnol l'ait ou non voulu, le triomphe du cynisme et de l'argent sur l'honnêteté bernée. Dans la scène dont nous reproduisons ici des extraits, à qui allaient les applaudissements du public ? Au petit pion minable campant encore, pour quelques minutes, sur ses principes ? Ou à celui qui avait su vaincre ses propres scrupules pour s'intégrer au monde corrompu des « affaires » et y prendre sa revanche ?*

Source : Marcel Pagnol, *Topaze*, texte définitif, Paris, éd. Pastorelly, 1970, pp. 330-336.

Bibliographie : P. Gounelle Kline, *Le Théâtre de Pagnol, personnages et thèmes dans les œuvres de jeunesse*, New York, Peter Lang, 1986.

TAMISE. – (se lève en tremblant) — Quoi ! C'est donc vrai ? Tu es devenu malhonnête ?

TOPAZE. – Tamise, mon bon ami, ne me regarde pas avec horreur, et laisse-moi me défendre avant de me condamner...

TAMISE. – Toi ! Toi qui étais une conscience, toi qui poussais le scrupule jusqu'à la manie...

TOPAZE. – Je puis dire que pendant dix ans, de toutes mes forces, de tout mon courage, de toute ma foi, j'ai accompli ma tâche de mon mieux avec le désir d'être utile. Pendant dix ans, on m'a donné huit cent cinquante francs par mois. Et un jour, parce que je n'avais pas compris qu'il me demandait une injustice, l'honnête Muche m'a fichu à la porte. Je t'expliquerai quelque jour comment mon destin m'a conduit ici, et comment j'ai fait, malgré moi, plusieurs affaires illégales. Sache qu'au moment où j'attendais avec angoisse le châtiment, on m'a donné la récompense que mon humble dévouement n'avait pu obtenir : les Palmes.

TAMISE. – Tu les as ?

TOPAZE. – Oui, et toi ?

TAMISE. – Pas encore.

TOPAZE. – Tu le vois, mon pauvre Tamise. Je suis sorti du droit chemin, et je suis riche et respecté. [...]

Ah ! l'argent... Tu n'en connais pas la valeur... Mais ouvre les yeux, regarde la vie, regarde tes contemporains... L'argent peut tout, il permet tout, il donne tout... Si je veux une maison moderne, une fausse dent invisible, la permission de faire gras le vendredi, mon éloge dans les journaux ou une femme dans mon lit, l'obtiendrai-je par des prières, le dévouement, ou la vertu ? Il ne faut qu'entrouvrir ce coffre et dire un petit mot : « Combien ? » [...]

Tu t'effares, mon pauvre Tamise, mais je vais te dire un secret : malgré les rêveurs, malgré les poètes et peut-être malgré mon cœur, j'ai appris la grande leçon : Tamise, les hommes ne sont pas bons. C'est la force qui gouverne le monde, et ces petits rectangles de papier bruissant, voilà la forme moderne de la force.

TAMISE. – Il est heureux que tu aies quitté l'enseignement, car si tu redevenais professeur de morale...

TOPAZE. – Sais-tu ce que je dirais à mes élèves... « Mes enfants, les proverbes que vous voyez au mur de cette classe correspondaient peut-être jadis à une réalité disparue. Aujourd'hui on dirait qu'ils ne servent qu'à lancer la foule sur une fausse piste, pendant que les malins se partagent la proie ; si bien qu'à notre époque, le mépris des proverbes c'est le commencement de la fortune... » Si tes professeurs avaient eu la moindre idée des réalités, voilà ce qu'ils t'auraient enseigné, et tu ne serais pas maintenant un pauvre bougre.

TAMISE. – Mon cher, je suis peut-être bougre, mais je ne suis pas pauvre.

TOPAZE. – Toi ? Tu es pauvre au point de ne pas le savoir.

TAMISE. – Allons, allons... Je n'ai pas les moyens de me payer beaucoup de plaisirs matériels, mais ce sont les plus bas.

TOPAZE. – Encore une blague bien consolante ! Les riches sont bien généreux avec les intellectuels : ils nous laissent les joies de l'étude, l'honneur du travail, la sainte volupté du devoir accompli ; ils ne gardent pour eux que les plaisirs de second ordre, tels que caviar, salmis de perdrix, Rolls-Royce, champagne et chauffage central au sein de la dangereuse oisiveté !

TAMISE. – Tu sais pourtant que je suis très heureux !

TOPAZE. – Tu pourrais l'être mille fois plus, si tu pouvais jouir du progrès. Et pourtant, le progrès, ceux qui l'ont permis, ce sont les gens à grosse tête, les gens comme toi.

TAMISE. – Allons donc… Tu sais bien que je n'ai rien inventé.

TOPAZE. – Je le sais bien… Tu n'es pas un de ceux qui nourrissent la flamme, mais tu la protèges de tes pauvres mains, et j'ai la rage au cœur de les voir pleines d'engelures, parce que tu n'a jamais pu te payer ces gants de peau grise fourrée de lapin que tu regardes depuis trois ans dans la vitrine d'un magasin.

TAMISE. – C'est vrai. Mais ils coûtent soixante francs. Je ne puis pourtant pas les voler.

TOPAZE. – Mais c'est à toi qu'on les vole, puisque tu les mérites et que tu ne les as pas ! Gagne donc de l'argent !

TAMISE. – Comme toi ? Merci bien. Et puis, moi, je n'ai pas les mêmes motifs.

TOPAZE. – Quels motifs ?

TAMISE. – Toutes ces théories, je vois très bien d'où elles viennent. Tu aimes une femme qui demande de l'argent…

TOPAZE. – Elle a raison.

TAMISE. – Je te l'avais bien dit, Topaze. C'est une chanteuse… Et peut-être une chanteuse qui ne chante même pas… Ça coûte cher.

TOPAZE. – Tu as vu des femmes qui aiment les pauvres ?

TAMISE. – Tu ne vas pourtant pas dire qu'elles font toutes le même calcul ?

TOPAZE. – Non. Je dis qu'en général, elles préfèrent les hommes qui ont de l'argent, ou qui sont capables d'en gagner… Et c'est naturel. Aux temps préhistoriques, pendant que les hommes dépeçaient la bête abattue et s'en disputaient les lambeaux, les femmes regardaient de loin… Et quand les mâles se dispersaient, en emportant chacun sa part, sais-tu ce que faisaient les femmes ? Elles suivaient amoureusement celui qui avait le plus gros bifteck.

TAMISE. – Allons, Topaze, tu blasphèmes… Et puis, même si tu as raison, je ne veux pas te croire… Topaze, si tu n'es pas complètement pourri, fais un effort… Sauve-toi… Quitte cette femme qui t'a perdu, viens, pars tout de suite avec moi…

TOPAZE. – Tu es fou, mon bon Tamise… Ce n'est pas moi qu'il faut sauver. C'est toi. Veux-tu quitter la pension Muche ?… Veux-tu travailler avec moi ?

TAMISE. – Quand tu feras des affaires honnêtes.

TOPAZE. – Celles que je ferai désormais le seront, mais pas pour toi. Pour gagner de l'argent, il faut bien le prendre à quelqu'un…

TAMISE. – Mais à ce compte, il n'y aurait plus d'honnêtes gens.

TOPAZE. – Si. Il reste toi. Viens demain me voir, et nous étudierons la possibilité de changer ça…

9. L'état de la presse entre les deux guerres

Quinze ans avant Simone de Beauvoir (elle est née en 1893) et à une époque où le fait était beaucoup plus rare, Louise Weiss a choisi, passant outre aux résistances paternelles, de s'engager dans une carrière intellectuelle et de passer l'agrégation, en l'occurrence celle des lettres où elle est reçue à la veille de la Première Guerre mondiale. Il est vrai que si elle appartient elle aussi à une famille de la bourgeoisie, celle-ci se situe dans le camp laïque et dreyfusard. Ses premiers articles, Louise Weiss, qui a d'entrée de jeu troqué le statut d'enseignante pour celui de journaliste, les écrit pour Le Radical, _le journal de son père. Au sortir de la guerre, devenue ardemment pacifiste, elle lance_ L'Europe nouvelle, _hebdomadaire de politique étrangère qui rassemble les partisans de la sécurité collective et relève de la mouvance briandiste._

Formée à l'école austère de la bourgeoisie républicaine et laïque, dotée d'un fort bagage intellectuel et familière d'un milieu où se côtoyaient les stars de la vie politique (d'Herriot à Briand et à Louis Barthou), femme de lettres en même temps que grand reporter, Louise Weiss jette dans ses Mémoires d'une Européenne, _publiés entre 1968 et 1976, un regard sans indulgence sur ce que fut la presse française entre les deux guerres, majoritairement corrompue, vénale et racoleuse._

Source : Louise Weiss, _Mémoires d'une Européenne_, t. II, _1919-1934_, Paris, Payot, 1968-1976, pp. 50-51.

Bibliographie : C. Bellanger, J. Godechot, P. Guiral, F. Terrou, _Histoire générale de la presse française_, t. IV, Paris, PUF, 1974.

L E MONDE DE LA PRESSE était très différent de celui d'aujourd'hui. La radio et la télévision ne jouaient encore aucun rôle. Le papier, l'impression, les exigences syndicales ne représentaient pas de charges prohibitives. La profession n'était guère réglementée. N'importe qui pouvait imprimer n'importe quoi. Il se trouvait toujours un quidam fortuné qui voulait soit une circonscription électorale, soit un marché de l'État, soit un tarif protecteur ou encore, pour sa maîtresse, un engagement dans les théâtres subventionnés. L'ambitieux s'attachait alors des folliculaires à gages. Ces marchands d'influence étaient nombreux et jouèrent souvent, par la peur qu'ils inspiraient sinon par les services qu'ils pouvaient rendre, un rôle sans rapport avec le tirage de leurs minables gazettes. Les mots à l'emporte-pièce de ces pittoresques personnages, leurs flâneries dans les couloirs parlementaires, leurs invitations à de bons déjeuners, leur assiduité aux courses, leur permettaient à tout moment d'embêter les autorités, et ils ne s'en privaient pas, même s'ils émargeaient aux caisses noires du gouvernement. Le matin, en parcourant leurs éditoriaux, les ministres s'apercevaient qu'ils avaient réchauffé des serpents en leur sein, des serpents dont ils ne pouvaient se débarrasser, sans plus grand dommage encore. L'État ne contrôlait pas l'agence Havas, la grande entreprise de distribution de nouvelles. Ne disposant que du _Journal officiel_, ses moyens de pression eussent été courts sans les fonds secrets. Les magots occultes des banques et des comités patronaux avaient aussi leurs bénéficiaires attitrés — au demeurant les meilleurs fils du monde et ne montrant les crocs que si leurs fifrelins étaient menacés. [...]

Le foisonnement de ces petites feuilles vénales expliquait qu'aux heures difficiles des influences étrangères, hitlériennes ou mussoliniennes, s'infiltrèrent dans la société parisienne et pourrirent les milieux influents. De plus les ministères, ou plutôt les ministres, avaient des créatures dans chaque rédaction — souvent des amis que le goût du pouvoir déterminait plus que celui de l'argent. Climat malaisé à définir. En dernière analyse, peut-être le sentiment national n'était-il maintenu que par le respect qu'inspirait la République telle qu'elle avait créé l'école gratuite, conquis l'Outre-mer et vaincu les Allemands. En dépit de la corruption, jusqu'au traité de Munich, mais pas au-delà, il y eut toujours en France un plus petit dénominateur commun de conscience entre les grands hommes de presse et les grands hommes politiques. Les journaux communistes, eux, dépendaient des subsides du Kremlin — mais on le savait.

Deux fois, je vis Élie-Joseph Bois[1] bouleversé par l'exercice de notre profession.

La police avait découvert un tueur auprès duquel Landru faisait figure d'enfant de chœur. Une dizaine de victimes avaient été dépecées dans des conditions atroces. La description des agissements du monstre risquait de devenir une telle incitation au crime qu'Élie-Joseph Bois avait donné des consignes de discrétion à ses rédacteurs judiciaires. Aussitôt les journaux qui jalousaient l'imbattable tirage du *Petit Parisien* spéculèrent sur le goût du public pour l'ignoble et l'insolite et firent du massacreur leur principal sujet d'intérêt. Des éditions spéciales furent même annoncées, consacrées tout entières à ses instruments de torture et à son érotisme. Le tirage du *Petit Parisien* fléchit. Alors Élie-Joseph Bois s'annonça chez l'un des magnats qui essayait ainsi de l'abattre et plaida l'accord qui s'imposait entre eux pour limiter le ravage de l'opinion.

— Sommes-nous des marchands de papier ou des professeurs de vertu ? lui rétorqua son interlocuteur.

Élie-Joseph Bois le mit en garde :

— Ne me poussez pas à bout. Pour l'information, même sadique, mes gens continueront à en remontrer aux vôtres. [...]

Une deuxième fois, lors du traité de Munich, imposé par Adolf Hitler et signé pour la France par Édouard Daladier, Élie-Joseph se révolta. Je continuais d'aller presque tous les soirs, vers minuit, au *Petit Parisien*. Paralysé par les habitudes que j'ai décrites, les intérêts de son groupe, le jeu des partis, les routines parlementaires et, aussi, il faut le souligner, par le lâche soulagement des Français acclamant Édouard Daladier comme le sauveur de la paix alors qu'il tremblait de mauvaise conscience dans l'avion de retour, Élie-Joseph Bois ne pouvait donner libre cours à l'indignation qui l'étouffait. Tandis que le *Petit Parisien* paraissait, neutre et rassurant, il notait avec fièvre ses renseignements particuliers. De ces renseignements, il tira plus tard son remarquable volume intitulé : *Les Malheurs de la France*, lequel parut dans Londres bombardé pendant que les nazis occupaient notre pays.

© Payot

---

1. Rédacteur en chef du *Petit Parisien*.

10. La crise en France

Ces quelques indicateurs permettent de considérer ce qui fait la spécificité de la crise française des années 30 par rapport à ses principaux partenaires économiques : États-Unis, Allemagne et Grande-Bretagne. La France a été touchée par la récession et par le chômage un peu plus tard que les autres grandes nations industrielles. La baisse de la production y a été moins forte et le nombre des chômeurs moins élevé qu'ailleurs. Conséquence à la fois d'une autonomie économique plus grande (production agricole suffisante, achats de matières premières limités), d'une industrialisation moins poussée, de l'importance relativement modeste des investissements étrangers et de la grande solidité du franc Poincaré. Beaucoup plus que d'une crise brutale, on peut parler pour la France d'un marasme prolongé, comparable à bien des égards à celui qu'a connu l'économie britannique au cours des années 20. En revanche, l'archaïsme des structures économiques a constitué un obstacle à la reprise. Alors que de nombreux pays redressent leur situation en 1935, la France, elle, s'enfonce dans la crise, avec les conséquences sociales et politiques que l'on sait (voir chap. 3 et 4).

Source : Statistique générale de la France, années 1930 à 1938.
Bibliographie : H. Bonin, _Histoire économique de la France depuis 1880_, Paris, Masson, 1988 ; J. Nere, _La Crise de 1929_, Paris, Armand Colin, 1968.

Indices de la production industrielle
(1928 = 100)

ANNÉES	ENSEMBLE	MÉTALLURGIE	TEXTILES	ÉLECTRICITÉ
1930	108	100	94	119
1931	96	82	80	109
1932	83	58	74	105
1933	90	67	89	115
1934	84	64	78	119
1935	82	65	81	125

La crise dans l'agriculture (1. Froment)

ANNÉES	PRODUCTION	RENDEMENT	PRIX
	(Millions de Q^x)	*(en Q^x à l'ha)*	*(en F par quintal)*
1931	71,9	13,8	153,4
1932	90,8	16,6	117,3
1933	98,6	18,0	105,8
1934	92,1	17,0	118,0
1935	77,6	14,5	74,5
1936	69,3	13,3	146,0
1937	70,2	13,8	189,0
1938	98,0	19,4	208,0

La crise dans l'agriculture (2. Betteraves industrielles)

ANNÉES	PRODUCTION	RENDEMENT	PRIX
	(Millions de Q^x)	*(en Q^x à l'ha)*	*(en F par quintal)*
1931	72,3	249,6	15,5
1932	88,5	285,6	14,8
1933	87,1	273,4	15,3
1934	103,5	307,5	13,6
1935	83,2	274,7	12,1
1936	82,6	265,4	16,0
1937	86,7	272,5	18,9
1938	79,8	250,0	23,4

La crise dans l'agriculture (3. Vins)

ANNÉES	PRODUCTION	RENDEMENT	PRIX
	(Millions d'hl)	_(Hl par ha)_	_(F l'hl)_
1931	59,3	38,3	121
1932	49,6	32,2	128
1933	51,8	33,7	117
1934	78,1	50,2	78
1935	76,1	49,1	64
1936	43,7	28,9	139
1937	54,3	35,8	180
1938	60,3	39,9	169

Commerce extérieur
(Indices – base 100 en 1928)

ANNÉES	TOTAL EXPORTATIONS	TOTAL IMPORTATIONS
1930	89	123
1931	76	122
1932	58	102
1933	59	107
1934	61	91
1935	55	89
1936	52	98
1937	57	104
1938	61	93

Chômage

ANNÉE	NOMBRE DE CHÔMEURS SECOURUS
1929	0,9
1930	2,4
1931	54,6
1932	273,8
1933	276,3
1934	341,6
1935	425,8

VI

VIE INTELLECTUELLE ET CULTURE
ENTRE LES DEUX GUERRES

La vie intellectuelle et artistique de l'entre-deux-guerres a fortement subi les effets de l'air du temps. Au lendemain du conflit, celui-ci a déterminé, on l'a vu, un puissant courant pacifiste auquel ont participé nombre d'écrivains et autres producteurs de culture (cf. chap. 1). Toutefois, au-delà de la pure et simple condamnation du fait guerrier et des horreurs qui s'y rattachent, c'est le socle même des valeurs sur lesquelles reposait jusqu'alors la civilisation occidentale qui se trouve atteint. Le mépris de la vie humaine, l'opposition entre les souffrances des combattants et l'insouciance de l'arrière, le spectacle d'immenses fortunes acquises parfois aux dépens des soldats, tout cela a laissé des traces profondes dans la mentalité collective. Le sentiment d'avoir été, au nom de grands principes, le jouet d'intérêts sordides, suscite une révolte contre les morales traditionnelles et une réhabilitation du plaisir sans contrainte qui nourrissent l'esprit et les pratiques hédonistes des « années folles » (texte n° 1).

La réaction contre le rationalisme, déjà très vive à la fin du XIX° siècle, se trouve d'autre part accentuée par la guerre et triomphe en France avec Bergson. Elle peut soit favoriser un renouveau du sentiment religieux, soit déboucher sur une évasion vers l'irrationnel et sur un refus du monde présent. Dès 1919, ce refus a donné naissance au Manifeste dada (texte n° 2), protestation d'une petite légion d'artistes d'avant-garde contre l'absurdité et la faillite de la société et de la culture « bourgeoises », et remise en question par un non-conformisme poussé jusqu'au scandale de toutes les valeurs intellectuelles et artistiques. Dans la même veine se développe un peu plus tard le mouvement surréaliste (texte n° 3) qui rassemble autour d'André Breton les poètes Paul Eluard, Louis Aragon, Robert Desnos et les peintres Max Ernst, Picasso, Salvador Dali etc., et proclame la primauté du rêve et de l'instinct, ainsi que sa volonté de rompre avec les « modes de penser et de sentir de l'humanisme traditionnel ».

Cette fuite dans l'irrationnel ne constitue pas la seule façon de réagir au naufrage des valeurs établies. D'autres, parfois les mêmes, vont chercher l'évasion dans l'esthétisme (Valéry), dans la vie dangereuse (Saint-Exupéry, Malraux) ou dans l'action politique. C'est en effet dans la voie tracée par les intellectuels dreyfusards du début du siècle, que s'engouffrent dès la fin de la guerre de petites cohortes de représentants du monde intellectuel et artistique, qu'ils relèvent de chapelles avant-gardistes comme les surréalistes, où qu'ils entrent en lice au faîte de leur carrière, comme le vieil Anatole France, prenant la défense de Victor Margueritte dans l'affaire de La Garçonne (texte n° 4), ou adressant dans L'Humanité, en novembre 1922, un « Salut aux Soviets » qui ne sera pas sans écho.

Jusqu'à la fin des années 20, le phénomène reste largement minoritaire. Toutefois, au cours de la décennie suivante, l'extension de la crise à toute l'Europe, la montée des totalitarismes et la confrontation des grandes idéologies de l'heure — démocratie libérale, socialisme réformiste, communisme, fascisme — bouleversent la vie culturelle du vieux continent et inclinent de plus en plus d'intellectuels à s'engager dans la bataille.

Le débat au sein de l'intelligentsia française ne relève pas seulement du champ politique. Dans la première moitié des années 30, il porte plus globalement sur le modèle de civilisation qui s'offre à l'homme du XXe siècle, confronté aux transformations qui résultent de la modernisation technologique — admirée par les uns (texte n° 5), redoutée par les autres —, et à la force d'expansion des doctrines et des pratiques matérialistes. Pour les « non-conformistes » des années 30, le danger vient tout autant d'Amérique, où triomphent le productivisme destructeur de la personne humaine et la toute-puissance de l'argent, que de la Russie bolchevique, et c'est en réaction contre ces deux formes de matérialisme qu'ils inscrivent leur projet de restauration des valeurs spirituelles (texte n° 6).

À l'heure cependant où l'extrême droite ligueuse s'apprête à donner l'assaut contre la République, où les régimes fascistes unissent leurs forces pour lancer leur offensive conquérante, où Staline soumet son pays à la terreur organisée, le combat des idées prend une tout autre forme, les contraintes de l'actualité poussant les créateurs à l'engagement politique, les uns dans le champ exclusif de la culture, d'autres dans celui de l'action militante.

Ainsi, au lendemain du 6 février 1934, des écrivains, des artistes, des savants appartenant aux divers courants de la gauche fondent le Comité de vigilance des intellectuels antifascistes, dont l'action — relayée par des organes de presse comme Vendredi *(texte n° 7) — a été déterminante dans la genèse et dans l'essor du Front populaire.*

Mais surtout, c'est la guerre d'Espagne qui, de 1936 à 1938, mobilise artistes et gens de lettres, quelques-uns comme combattants (André Malraux), les autres comme témoins présents sur le terrain (Bernanos) ou simplement par le truchement de leurs œuvres : L'Espoir, *de Malraux, les* Présages de la guerre civile *de Salvador Dali, les affiches appelant à aider l'Espagne républicaine de Joan Miró, ou le* Guernica *de Picasso (texte n° 8).*

Si la gauche et l'extrême gauche n'ont pas eu le monopole de l'engagement politique, il est clair que « l'immense lueur née à l'Est » en 1917 a exercé sur l'intelligentsia française de l'entre-deux-guerres un immense pouvoir de fascination et de captation, l'attrait pour le marxisme et pour la forme qu'il est censé avoir pris en Russie dépassant largement le cercle restreint des adhérents du Parti communiste. Adhésion à une idéologie structurée et globalisante de la part d'intellectuels appartenant à la génération de ceux qui ont fait la guerre, et à celle de leur cadets ? Pour quelques-uns d'entre eux, comme Nizan, cela ne fait guère de doute, mais ils sont minoritaires. L'important pour la plupart de ceux qui s'engagent aux côtés du PC, c'est moins la doctrine que le message révolutionnaire dont il est porteur, et le romantisme que nourrit le mythe ouvriériste et libérateur de la révolution d'Octobre. Jouent dans le même sens le rejet d'une société bourgeoise qui a enfanté la guerre et le non-conformisme d'un milieu qui se veut en marge des valeurs consensuelles inspirées par la classe dirigeante. Que l'image de l'URSS et celle du Parti changent, que la morale et l'esthétique « prolétariennes » entrent en conflit avec les tendances libertaires du monde intellectuel et artistique, que surtout la réalité du stalinisme apparaisse au grand jour _avec les procès de Moscou et la chasse aux « trotskystes », en Espagne ou ailleurs, et les défections vont se multiplier (texte n° 9)._

On ne saurait réduire, certes, toute la vie intellectuelle et artistique de l'entre-deux-guerres au débat et aux combats idéologiques. Engagés ou non, artistes et écrivains n'ont pas cessé en effet, chacun dans son domaine, d'explorer des voies nouvelles (textes n°s 10 et 11), de même que les savants, souvent amenés, du fait des contraintes budgétaires, à travailler dans des conditions difficiles (texte n° 12).

1. Au temps du « Bœuf sur le Toit »

Né en 1904, Maurice Sachs est issu d'une famille bourgeoise, comme Jean Cocteau, son aîné d'une quinzaine d'années, avec lequel il entretiendra une amitié tumultueuse. C'est Cocteau qui l'introduit, dans les années 20, dans le milieu du Tout-Paris intellectuel et noctambule qui a son centre de gravité au Bœuf sur le Toit et dont il tirera la substance de l'ouvrage qu'il publie à New York en 1929 sous le titre The Decade of Illusion.

Le Paris que décrit Maurice Sachs est, avec Berlin, le lieu où le mythe des « années folles » prend consistance. On y vient du monde entier pour y goûter une certaine douceur de vivre. Le phénomène n'est pas nouveau, mais il prend dans les années 20 une ampleur sans précédent. Dancings, cabarets, « boîtes de nuit », music-halls, théâtres du Boulevard accueillent une population cosmopolite venue pour s'étourdir et goûter des plaisirs qui lui sont ailleurs refusés. On danse le lascif tango, récemment importé d'Argentine, au son des bandonéons du Coliséum et de L'Oasis. On s'agite au rythme effréné du charleston et du shimmy, qui ont débarqué avec les noirs américains en 1917 et 1918. On se passionne pour le jazz, importé lui aussi par les soldats de l'armée Pershing et qui triomphe en 1925 sur les Champs-Élysées, avec la Revue nègre qu'animent successivement Flossie Mills et Joséphine Baker.

De tous les cabarets à la mode, le plus célèbre, celui où se côtoient tout ce que la « Ville lumière » compte d'intellectuels et d'artistes d'avant-garde, d'écrivains et de journalistes de renom, de vedettes du monde politique et économique, d'altesses et de jolies femmes, est le Bœuf sur le Toit, ainsi baptisé par référence au titre d'un ouvrage de Cocteau qui fait un peu figure d'animateur des lieux. Tout ce monde « parisien » ne constitue qu'une infime partie de la France, mais il donne le ton à la mode, crée l'événement et consacre — parfois de manière éphémère il est vrai — les réputations et les talents.

Source : Maurice Sachs, _Au temps du « Bœuf sur le Toit »_, Paris, Nouvelle Revue critique, 1939, rééd. Grasset, 1987, pp. 128-130.
Bibliographie : M. Sachs, _Souvenirs d'une jeunesse orageuse_, Paris, Corréa, 1946 ; J.-M. Belle, _Les Folles Années de Maurice Sachs_, Paris, Grasset, 1979.

C'EST AINSI QUE *GAYA* se transporta le 15 décembre 1921 au 28 de la rue Boissy-d'Anglas et devint le *Bœuf sur le toit*, car Moysès[1] avait vu que Cocteau lui porterait bonheur[2].

On y est allé, on y va encore tous les soirs. On y trouve le même public qu'aux Ballets russes ; les jeunes gens, étourdis, charmés, regardent avec de grands yeux ces personnages célèbres qui boivent comme n'importe qui mais dont les noms les font trembler d'admiration. Il s'y saoulent autant de gloire que d'alcool.

Je revois très bien Raymond Radiguet immobile, la tête toute droite, son monocle, son air obstiné et secret que lui donnait le whisky, Jean Hugo toujours souriant (on est toujours sûr de son indifférence, disait une dame), la mèche de Picasso, la manche vide de Cendrars[3], une grande quantité de mains qui appartenaient toutes au comte Étienne de Beaumont, le pied de Lifar sous la table, la bonne grosse figure de Jean Borlin, la petite moustache de Drian, et la grande moustache militaire du maréchal Lyautey, les deux joues de Fargue un jour barbues, un jour pas, la verrue et la cape d'André Gide, le battement de paupières, l'œil étonné d'Yvonne Printemps, la petite cravate bleue de Gaston Gallimard, l'hermine d'Yvonne George, les cheveux frisés d'Arthur Rubinstein, la frange de Missia Sert, le sourcil unique de Chanel, le grand-duc Dimitri qui n'était que jambes et bras, la barbiche de Satie, le petit ventre d'Auric qui commençait à s'arrondir, le sourire massif de Derain et son bras qu'il vous tend comme une trompe et parfois j'entends se répéter en moi, parmi cent rumeurs du passé, cette voix de Waldemar George qui lui sort par les oreilles comme du coton, le fracas, le tonnerre, la fureur, les mots épais et l'affection soudaine que manifestait Florent Fels, l'indolence aimable, la voix au bout des lèvres de Robert Trébor, l'accent passionné, la voix éparse, la douleur contenue et prête à déferler de Lucienne Boggaert, le rythme coupant sur lequel parle Marcel Herrant, la voix ondulée du comte Jean de Segonzac, entre des voix lourdes, des voix basses, des voies d'eau chaude, des voix glacées, des voix pédantes, bonhommes, camarades, arrivées, étonnées, suffisantes, sourdes, le ton aventurier, gaillard, assuré, satisfait de Simenon, la fatigue des veilles, de la fumée, des boissons qui envahit peu à peu le monologue fluant, poétique et las de Fargue, l'amertume purulente qui tombe goutte à goutte des lèvres de Marcel Jouhandeau, le ton pieux, égrillard et compassé de Paul Bourget venu se documenter pour écrire le *Danseur mondain*, la harangue pâteuse, trouble, vague, la fatigue bavarde de Claude Farrère, les silences de Marcel Aymé, la voix emphatique, caverneuse et gonflée de José-Maria Sert, l'optimisme bien nourri, la voix prometteuse de Ramon Fernandez, l'accent anglais héréditaire du vicomte Charles de Noailles, l'enthousiasme, les éclats, le ravissement continu de Mlle Le Chevrel, le ton alternativement chanté, puis vif, mielleux, dévot et plein d'une vaniteuse humilité de Max Jacob, l'entêtement bourru, la manière explicative, la voix paysanne et brûlante de Chanel, l'accent grave, l'accent définitif de Pierre Reverdy, la voix fusante d'André Fraigneau, et le récit en sourires et silences dont Emmanuel Boudot-Lamotte ne dit que la moitié, la voix rancunière, haineuse, puis la façon bonhomme, le rire engageant, puis mauvais, la plaisanterie courte mais coupante comme un fouet de Picasso, la voix ronde, amicale, le rire court, aimable et beurré de Georges Auric, la voix de Francis Poulenc

---

1. Le patron du *Gaya*, puis du *Bœuf sur le Toit*.
2. « C'est par le même fétichisme qu'il a ouvert ensuite *Le Grand Écart* et *Les Enfants terribles* qui n'ont pas résisté à la crise. » (Note de l'auteur.)
3. « Picasso disait : Cendrars est revenu de la guerre avec un bras en plus. » (Note de l'auteur.)

qui lui sort du nez, cette voix un peu brisée par l'âge mais toute jeune cependant et d'un tendre enfant de Stephen Hudson, la voix basse, presque perdue, puis retrouvée, remontante et bien assaisonnée de Paul Claudel, où se relèvent de phrase en phrase les troupes graves et ordonnées d'un vocabulaire en somptueux uniforme de parade, le rire gras, bavard, incompréhensible et barbu de Tristan Bernard, la voix tiède de Jacques-Émile Blanche et par-dessus toutes ce bruit de vitres brisées que faisait la voix enchantante de Cocteau, qui résonnait par-dessus les tables.

© Grasset

2. Le Manifeste du mouvement Dada

Le « dadaïsme » est né en pleine guerre, à Zurich, dans le cabaret Voltaire fondé par un révolutionnaire allemand émigré en Suisse, Hugo Ball. Il constitue donc dans sa forme originelle un spectacle de cabaret anarchiste au cours duquel on lit des textes sulfureux affirmant le dégoût des auteurs pour la civilisation et l'art bourgeois. Réuni autour de Tristan Tzara, le mouvement a pris le nom de « Dada » par référence aux balbutiements de l'enfance : l'idée étant que l'art et la littérature devaient aider l'homme à retrouver sa spontanéité primitive, écrasée ou pervertie par la civilisation industrielle. Pour cela, il lui faut d'abord rompre radicalement avec la culture bourgeoise, ou plutôt la tuer par la dérision et par des provocations en tout genre visant à en faire éclater à la fois la forme et le contenu.

Au lendemain de l'armistice, Tzara quitte la Suisse pour s'installer à Paris, nouvelle capitale du dadaïsme et lieu de rencontre d'artistes et d'écrivains qui ont eux-mêmes fortement subi le traumatisme de la guerre et qui partagent la fureur nihiliste du fondateur de « dada ». En mars 1919, autour d'André Breton, de Louis Aragon et de Philippe Soupault, se créée la revue Littérature, *dont l'objectif affiché est de détruire les « fausses idoles » et dans laquelle paraissent en 1920 diverses moutures du « Manifeste Dada » signées Tzara, Hans Arp, Francis Picabia et Aragon.*

Source : Louis Aragon, « Manifeste du mouvement Dada », *Littérature*, 1ʳᵉ série, n° 15, 1929.

Bibliographie : G. de Cortanze, *Le Surréalisme*, Paris, éd. M.A., 1985 ; M. Nadeau, *Histoire du surréalisme*, Paris, rééd., 1970 ; P. Ory et J.-F. Sirinelli, *Les Intellectuels français de l'affaire Dreyfus à nos jours*, Paris, Armand Colin, 1985.

PLUS DE PEINTRES, plus de littérateurs, plus de musiciens, plus de sculpteurs, plus de religions, plus de républicains, plus de royalistes, plus d'impérialistes, plus d'anarchistes, plus de socialistes, plus de bolcheviques, plus de politiques, plus de prolétaires, plus de démocrates, plus de bourgeois, plus d'aristocrates, plus d'armées, plus de police, plus de patries, enfin assez de toutes ces imbécillités, plus rien, plus rien, rien, rien, rien.

De cette façon, nous espérons que la nouveauté qui sera la même chose que ce que nous ne voulons plus, s'imposera moins pourrie, moins égoïste, moins mercantile, moins obtuse, moins immédiatement *grotesque*.

Vivent les concubines et les concubistes. Tous les membres du Mouvement DADA sont présidents.

3. Surréalisme, littérature et révolution

C'est en 1922 que, prenant ses distances à l'égard de Tzara, auquel elle reprochait de mener une action purement destructrice, l'équipe de Littérature *(Cf. texte n° 2), composée de Louis Aragon, André Breton, Robert Desnos et Paul Eluard, a décidé de rompre avec lui pour lancer la « révolution surréaliste ». Sans doute s'agissait-il toujours pour ses promoteurs d'afficher un non-conformisme de choc. Les surréalistes ne répugnent pas à la provocation et au scandale. Mais, à cette volonté de démolition des valeurs morales et esthétiques de la bourgeoisie, s'ajoute chez eux le souci de reconstruire une culture, fondée non plus sur l'humanisme traditionnel mais sur la sincérité qui est censée habiter chaque être humain. De là, le désir de créer de nouvelles formes d'art et de poésie, en explorant l'inconscient, en libérant l'univers onirique dont chacun est dépositaire, en pratiquant l'écriture automatique « en l'absence de tout contrôle exercé par la raison, en dehors de toute préoccupation esthétique et morale ».*

Le surréalisme va ainsi servir pendant une dizaine d'années de lieu de rencontre et de programme commun à de jeunes créateurs d'avant-garde — poètes (Aragon, Breton, Desnos, Eluard), peintres (Max Ernst, Joan Miró, Salvador Dali, Picabia), sculpteurs (Hans Arp, Germaine Richier) et même cinéastes (Buñuel, René Clair, Cocteau) qui se reconnaissent dans le premier Manifeste du surréalisme, *publié par André Breton en 1924, comme dans le « cri de révolte » lancé par le même Breton au début de l'année suivante et dont nous présentons ici des extraits. Les mots* Révolte *et* Révolution *y reviennent comme un leitmotiv, sans qu'il soit encore question de révolution politique. Il est clair cependant que, dans leur désir de voir se constituer un monde nouveau sur les ruines de l'ordre bourgeois, les surréalistes ne pouvaient pas ne pas se sentir concernés par le grand souffle rénovateur qui paraissait s'être levé à l'Est avec la victoire des Bolcheviks en Russie. C'est ce qui va conduire nombre d'entre eux à adhérer au Parti communiste. Toutefois, leur souci d'indépendance et leur esprit libertaire auront tôt fait de se heurter aux tendances centralisatrices et bientôt totalitaires d'une organisation qui subit à la fin des années 20 les premiers effets de la glaciation stalinienne. De là découlent des voies divergentes qui pousseront beaucoup de surréalistes à renouer, comme Breton, avec les tendances anarchisantes du dadaïsme, tandis que d'autres s'engageront totalement aux côtés du PC.*

Source : André Breton, « Déclaration du 27 janvier 1925 », *La Révolution surréaliste,* janvier 1925.
Bibliographie : Y. Duplessis, *Le Surréalisme,* Paris, PUF, coll. « Que sais-je ? » ; M. Nadeau, *Histoire du surréalisme, op. cit.* ; G. de Cortanze, *Le Surréalisme, op. cit.*

1°– NOUS N'AVONS RIEN À VOIR avec la littérature. Mais nous sommes très capables, au besoin, de nous en servir comme tout le monde.

2°– Le surréalisme n'est pas un moyen d'expression nouveau ou plus facile, ni même une métaphysique de la poésie. Il est un moyen de libération totale de l'esprit et de tout ce qui lui ressemble.

3°– Nous sommes bien décidés à faire une Révolution.

4°– Nous avons accolé le mot de surréalisme au mot Révolution, uniquement pour montrer le caractère désintéressé, détaché et même tout à fait désespéré de cette révolution.

5°– Nous ne prétendons rien changer aux erreurs des hommes, mais nous pensons bien leur démontrer la fragilité de leurs pensées, et sur quelles assises mouvantes, sur quelles caves, ils ont fixé leurs tremblantes maisons.

6°– Nous lançons à la société cet avertissement solennel. Qu'elle fasse attention à ses écarts, à chacun des faux pas de son esprit, nous ne la raterons pas. [...]

7°– Nous sommes des spécialistes de la Révolte. Il n'est pas un moyen d'action que nous ne soyons capables au besoin d'employer. [...]

Le surréalisme n'est pas une forme poétique.

Il est un cri de l'esprit qui retourne vers lui-même et est bien décidé à broyer désespérément ses entraves.

4. Lettre ouverte de M. Anatole France à la Légion d'honneur

C'est en 1922 que Victor Margueritte fait paraître chez Flammarion *son roman* La Garçonne *qui va devenir le best-seller de l'après-guerre, avec 300 000 exemplaires vendus en six mois. Rien ne prédisposait son auteur à faire figure d'écrivain « pornographique ». Fils d'un général, mortellement blessé à la tête de ses hommes lors de la charge de cavalerie du plateau d'Illy au début de la guerre de 1870, il a lui-même servi dix ans dans l'armée avant de se lancer dans la carrière littéraire, publiant avec son frère Paul, en pleine affaire Dreyfus, les quatre volumes d'une vaste fresque patriotique :* Une époque, *et devenant en 1905 président de la Société des gens de lettres.*

Dès cette époque, Victor Margueritte se singularise cependant par son engagement féministe. Il publie Prostituée *en 1907 et milite en faveur de l'union libre et du divorce par consentement mutuel. Rallié pendant la guerre aux positions pacifistes, il prend dans* Le Pays *la défense de Joseph Caillaux. C'est donc un intellectuel en décalage avec les tendances dominantes de son milieu, sinon avec celles de son temps, qui, en complète rupture avec le romanesque un peu démodé dans lequel il s'était cantonné jusqu'alors, donne vie en 1922 au livre emblématique des « années folles » (cf. introduction du chap. 5), sorti en librairie le jour même où le Sénat rejetait le vote des femmes. Il est clair que son immense succès doit moins aux tendances féministes de l'opinion qu'au parfum de scandale qui entoure sa parution, les clameurs effarouchées venues d'une presse majoritairement pudibonde n'ayant pas manqué d'éveiller la curiosité troublée de nombreux lecteurs potentiels. Seul* Le Canard *enchaîné prendra la défense du livre.*

Aussi anodin que puisse apparaître aujourd'hui le roman de Victor Margueritte, il n'en a pas moins provoqué un véritable séisme parmi les défenseurs de la morale traditionnelle. Le film qui en a été tiré a été censuré en 1923. L'Église l'a mis à l'Index et il a été interdit à la vente dans les librairies de gare. La Ligue des pères de familles nombreuses du général de Castelnau a porté plainte contre son auteur. Celui-ci surtout, après avoir échappé de peu à un procès d'assises, a été radié de l'ordre de la Légion d'honneur, dont il était commandeur.

C'est pour protester contre cette décision que le vieil Anatole France, alors au sommet de sa gloire et quasiment panthéonisé de son vivant, comme l'avait été Victor Hugo quarante ans plus tôt — il a été couronné l'année précédente par le jury du Nobel de littérature —, prend la parole dans cette lettre ouverte à la Légion d'honneur, faisant grief à la chancellerie de sa pudibonderie hors de saison et comparant son attitude à celle des juges qui ont, dans le passé, condamné Baudelaire et Flaubert. L'auteur de L'Île des pingouins *n'a rien lui-même d'un écrivain scabreux. Ses adversaires comme ses partisans reconnaissent en lui l'un des maîtres de la langue et de l'esprit français, et s'il est parfois brocardé avec vigueur, c'est plutôt du côté des surréalistes que viennent les attaques les plus corrosives. Sa parole a donc du poids, même si, depuis la guerre, Anatole France s'est assez nettement rapproché des communistes, moins par adhésion, il est vrai, à l'idéologie marxiste que par haine de la guerre et du capitalisme qui a rendu celle-ci possible. C'est d'ailleurs, à bien des égards, parce qu'il partage les sentiments pacifistes et conciliateurs de l'auteur de* La Garçonne *— il a lui-même condamné la politique française de sanctions contre l'Allemagne — qu'il s'engage à soixante-dix-huit ans dans le combat perdu d'avance de sa réhabilitation.*

Source : Anatole France, « Lettre ouverte de M. Anatole France à la Légion d'honneur », en prologue à *La Garçonne* de Victor Margueritte, Livre de Poche, 1966.

Bibliographie : A. Manson, « Le scandale de *La Garçonne* » (1922), in *Le Roman vrai de la IIIᵉ République. Les Années folles*, sous la direction de G. Guilleminault, Paris, Denoël, 1956 ; A.-M. Sohn, « La Garçonne face à l'opinion publique. Type littéraire ou type social des années 20 », *Le Mouvement social*, n° 80, juillet-septembre 1972 ; P. de Villepin, *Victor Margueritte. La vie scandaleuse de l'auteur de* « La Garçonne », Paris, François Bourin, 1991 ; M.-C. Bancquart, *Anatole France. Un sceptique passionné*, Paris, Calmann-Lévy, 1984.

MESSIEURS,
Permettez-moi de vous représenter très respectueusement les dangers où vous vous exposeriez en jugeant une cause qui ne peut vraiment être discernée que par la conscience publique, dans la paix du temps.

Des affaires semblables ont déjà été portées devant certaines juridictions, et la justice n'eut point à se féliciter de les avoir évoquées. Deux chefs-d'œuvre qui honorent la France et charment le monde, *Madame Bovary* et *Les Fleurs du Mal*, ont été poursuivis. Un très noble poète, dont s'honore l'Académie française, Jean Richepin, a été condamné pour une œuvre que tous les lettrés admirent aujourd'hui[1]. Que votre tribunal, Messieurs, instruit par ces exemples et inspiré par votre sagesse, n'ajoute pas *La Garçonne* à la liste déjà longue des livres qui condamnent aujourd'hui et pour des siècles, les juges qui les ont condamnés à leur apparition.

Messieurs, Victor Margueritte est connu pour un grand nombre de livres qui témoignent d'un noble talent et d'une haute moralité. Comment serait-il devenu tout à coup l'auteur d'un ouvrage infâme ? Cela ne peut être et cela n'est pas. On retrouve dans ce livre, qui souleva tant de feintes fureurs, les idées ingénieuses qui ont toujours inspiré

---

1. Son premier recueil de poèmes, *La Chanson des gueux*, publié en 1876, l'a fait condamner à un mois de prison et 500 francs d'amende.

l'auteur. Jugez-en par le sujet. Une jeune fille bien douée et d'un caractère énergique, trouve avec raison le monde bien laid. Par une erreur que Victor Margueritte n'approuve nullement, cette jeune fille désespérée s'égare dans des vices pour lesquels elle n'était point faite. Après quelques années d'erreur, qu'elle aime trop peu elle-même pour les faire aimer, elle rentre dans une vie honnête et régulière où elle trouve la paix du cœur et le contentement qu'elle cherchait vainement ailleurs. Voilà, en substance, la fable de *La Garçonne*. Elle est vertueuse, et il se peut que tels auteurs que ce livre fait crier d'indignation pourraient bien, dans les leurs, développer des thèmes moins moraux.

À vrai dire, ce sont certains détails qui ont choqué, me dit-on, dans l'ouvrage incriminé. Il serait bien surprenant qu'un écrivain aussi sûr de sa forme que l'est Victor Margueritte ait perdu tout à coup sa maîtrise. N'a-t-on pas méconnu, à son préjudice, les droits de l'art, les justes libertés de la pensée et les exigences d'un sujet qui traite d'une société telle qu'il n'y en eut jamais de pareille en France ? Victor Margueritte peint, dans *La Garçonne*, la société que la guerre a faite ; il a montré la dépravation qui avait atteint, chez les nouveaux riches, une outrance inouïe. Tout le monde le sait, puisque, en ces temps éhontés, la débauche débordait jusque dans la rue. À mon sentiment, le peintre est resté, dans ses tableaux, bien en-deçà de la réalité. Les maux immesurés d'une longue guerre avaient produit des mœurs abominables, que le moraliste devait peindre. C'est ce qu'a fait Margueritte, avec une mesure qui décèle l'homme de goût. Avant de le condamner, voyez de quel crayon vigoureux d'Aubigné peint en son temps ceux qu'il nomme des Hermaphrodites. Est-ce donc à Juvénal qu'il faut reprocher les fureurs de Messaline ?

Ah ! Messieurs, vous avez le bonheur de vivre dans des régions sereines où vous n'avez pu voir se former les jalousies et les haines qu'on vous demande de sanctionner.

Je vous en prie, dans votre intérêt, ne faites pas ce qu'il ne vous convient pas de faire. Abstenez-vous dans une affaire qui passe infiniment votre compétence.

Craignez de censurer le talent. C'est ce que fit, à l'endroit de Gustave Flaubert, Monsieur Pinard, qui passait pour homme d'esprit et honnête magistrat et dont la mémoire reste à jamais ridicule. Respectons les droits sacrés de la Pensée qui trouvent dans l'avenir des vengeurs implacables.

Voilà, Messieurs, les observations que j'ai cru pouvoir vous présenter respectueusement, à la faveur de mon âge et des occupations qui ont rempli ma vie.

Agréez, Messieurs […].

Anatole France

5. « Normandie »
ou le triomphe de la modernité

Lancé le 31 octobre 1932, le paquebot Normandie *a été mis en service en 1935 par la Compagnie générale transatlantique. Très fortement ébranlée par les lourdes pertes subies durant la guerre, puis par la crise des années 30, la « Transat » est à cette date passée sous le contrôle de l'État qui détient la majorité de son capital. La mise en chantier de la* Normandie *(à noter que l'homme de la rue dit plutôt « le » Normandie) a pré-*

cédé le début des difficultés de la CGT et s'inscrit dans la perspective d'une prospérité dont personne n'imaginait alors la brièveté. On a vu grand. Des chantiers de Penhoët est sorti en effet un géant de le mer : 313 mètres de longueur, 36 mètres de large, 83 000 tonneaux de jauge, un système de propulsion turbo-électrique capable de développer une puissance de 160 000 chevaux et de transporter, à une vitesse de plus de 30 nœuds, 2 200 passagers et 1 300 hommes d'équipage. Dès l'année de sa mise en service, le plus luxueux paquebot du monde va remporter le « ruban bleu » qui couronne le record de traversée de l'Atlantique, battant de plusieurs heures le record détenu par le navire allemand Bremen.

À l'occasion de cette traversée « historique », saluée par la presse comme le signe de la bonne santé de la technologie française, le quotidien Paris-Soir *a dépêché au Havre deux prestigieux « envoyés spéciaux », l'académicien Claude Farrère et l'écrivain d'origine suisse Blaise Cendrars, qui vont l'un et l'autre suivre jusqu'à son apothéose à New York, le 5 juin, l'exploit de la* Normandie. *Nous reproduisons ici le texte que Cendrars a rédigé à la veille du départ du paquebot ; texte dans lequel l'auteur de la* Prose du Transsibérien *et de la petite* Jehanne de France *manifeste son attitude devant l'exploit technique et la modernité, attitude assez rare à l'époque et qui s'oppose par exemple aux* Scènes de la vie future *de Georges Duhamel. Vision d'un globe-trotter qui a voyagé partout dans le monde et a fait tous les métiers avant de s'engager dans la Légion étrangère pendant la Première Guerre mondiale et de perdre un bras sur le front. Aventurier de haut vol, un peu à la manière de Malraux, mais non engagé comme celui-ci dans l'action politique militante, Cendrars se situe un peu aux antipodes des « non-conformistes » des années 30, grands pourfendeurs d'une modernité technicienne qui est censée favoriser la pénétration en France du modèle de civilisation américain, productiviste et matérialiste.*

Ce texte est d'autre part révélateur du véritable mythe culturel que représente à l'époque le navire transatlantique. La foule se presse aux appareillages de l'Ile-de-France et de la Normandie. *Elle suit avec une attention passionnée les courses contre la montre que ces paquebots disputent contre les mastodontes britanniques et allemands. Mais, au-delà de l'exploit sportif et technique, c'est de rêve dont est porteur le transatlantique de luxe, symbole à la fois de l'aventure exotique, de la fête permanente et de la rencontre érotique.*

Source : Blaise Cendrars, « Veillée d'armes sur le plus grand navire du monde », *Paris-Soir*, 30 mai 1935.

Bibliographie : B. Cendrars, *Aujourd'hui*, Paris, Grasset, 1931 ; J. Rousselot, *Blaise Cendrars*, Paris, Éditions universitaires, 1955 ; *L'Avènement des loisirs*, sous la direction d'A. Corbin, Paris, Aubier, 1996 (chap. 5).

L E HAVRE, 30 mai
Ils m'avaient donné rendez-vous dans un bar, mais ils ne sont pas venus, car cette nuit tout l'équipage de la *Normandie* est consigné à bord. J'aime autant cela, car au lieu d'écouter des histoires, je les verrai à l'œuvre dans les fonds, les soutiers, les huileurs, les graisseurs, les mécanos, tous les gars de la machine qui sont prêts à en mettre un bon coup et à faire équipe pour s'attribuer le fameux ruban bleu en battant avec leur « sabot » le record de la traversée de l'Atlantique.

N'ayant pu rencontrer les hommes, je vais voir leur bateau. Solidement amarré à quai, surchargé de chaînes, de liens, de câbles et de cordages, le géant des mers, la *Normandie*, me fait penser à Gulliver ligoté par les Lilliputiens, livré qu'il est, à la veille de son appareillage, à une armée d'ouvriers qui l'assiègent, le battent, le frappent, le cognent, sont suspendus à ses flancs, l'attaquent à bout portant avec d'étranges outils qui pétaradent ou braquent et dirigent sur lui d'immenses grues silencieuses, semblables, quoique marchant à l'électricité, à d'antiques machines de guerre, à des catapultes. Le spectacle est réjouissant, infernal, chahuté et semble irréel à cause de la lumière crue déversée par les projecteurs et les ombres qui s'agitent, s'embrouillent, s'emmêlent, tombent à l'eau. D'où l'impression de surprendre sur le vif l'activité fiévreuse d'une fourmilière.

Le coup de feu

Cela est passionnant et donne le vertige. Deux, trois mille ouvriers sont à bord, martèlent, cisaillent, liment, soudent, entrent, sortent, montent, descendent, vont et viennent. Et pendant ce temps-là, on charge à l'avant et à l'arrière des montagnes de denrées et de marchandises les plus hétéroclites, des caisses de champagne et des sacs postaux, des quartiers de viande et de l'ébénisterie, des tonneaux, des paniers, des légumes verts, de la farine, des portes, des tuyaux de cuivre, des plaques de fer, d'amiante, du cloisonné, car bien des fournitures arrivent à la dernière heure et certaines installations ne sont pas terminées. Cependant que de nouvelles files de camions, de wagonnets, de chariots arrivent, trépident et se déchargent dans un grand tintamarre.

C'est le coup de feu ! Sera-t-on prêt à temps ? Partira, partira pas ? Les bruits les plus sinistres circulent en ville, dont le moindre est celui d'une nouvelle grève déclenchée à la dernière minute. Mais à la Compagnie on a confiance. Le bateau partira à l'heure dite.

Les quais sont noirs de monde. La moitié du Havre est là et, par chaque train, arrivent de nouveaux et de nouveaux curieux. Beaucoup de Parisiens, venus par la route, s'apprêtent à passer la nuit dans leur voiture, car les hôtels sont au complet.

Un malin, qui a de la veine, est un Espagnol bossu qui a improvisé une cantine en plein vent et qui débite des mètres de saucisses, du pain, du vin, de la bière et de la limonade. Cette nuit, ses affaires sont tellement prospères qu'il charge un taxi d'aller au ravitaillement.

Dans toute sa grandeur...

Au coin d'un hangar, assis sur une caisse renversée, je découvre un couple de vieux qui contemple la *Normandie* avec extase. C'est un vieil ouvrier et sa femme arrivés ce matin de Jeumont, pour voir appareiller le navire « car, me dit le vieux, j'ai travaillé à la fabrication des ancres. Nous en avons loupé six avant de réussir la première, alors je suis venu voir si elle tient. »

J'attends l'aube en compagnie de ce brave homme, aussi bavard qu'ingénu. Enfin la *Normandie* sort de la brume et je puis la contempler dans toute sa grandeur. Je pensais être impressionné par les dimensions du plus grand paquebot du monde. Certes la *Normandie* est un géant, mais comparé à l'*Ile-de-France*, et au *Paris*, qui sont également à quai aujourd'hui, ses dimensions ne surprennent pas. Il ne s'agit en somme que de quelques dizaines de mètres de plus ou de moins.

Par contre, ce qui vous frappe d'étonnement en contemplant cette masse, c'est la forme nouvelle de ce transatlantique, et c'est surtout par sa ligne audacieuse et si heureuse dans la perfection que la *Normandie* fait grand. De tout temps, les long courriers français, comme les navires de haut bord de l'ancienne marine royale, se sont toujours distingués par la finesse et l'élégance de leurs lignes, et la *Normandie* ne fait pas exception à cette règle qui est de tradition française et que les autres marines du monde nous envient.

L'œil ne se lasse pas d'admirer les proportions harmonieuses et immédiatement intelligibles de ce beau navire, proportions qui font de cette ville flottante, de cet immense engin pratique, conçu par des ingénieurs et destiné à une fin utile, une œuvre d'art, un chef-d'œuvre de l'esthétique contemporaine au sens le plus profond, le plus aigu, le plus moderne du mot.

6. « Refaire la Renaissance »

Ce texte constitue à bien des égards le manifeste de la « révolution personnaliste et communautaire » conçue par Emmanuel Mounier et à laquelle la petite légion d'intellectuels catholiques qui se rassemblent à partir d'octobre 1932 autour de la revue Esprit *va tenter de donner un contenu concret.*

Le groupe s'est constitué deux ans plus tôt dans le sillage de Jacques Maritain, professeur de philosophie à l'Institut catholique de Paris et véritable maître à penser de la génération antimoderniste des années 20. C'est d'ailleurs dans la maison de Maritain, à Meudon, que fréquentent des artistes (Georges Rouault), des philosophes comme l'exilé russe Nicolas Berdiaev et de jeunes intellectuels en quête d'une révolution spirituelle parmi lesquels, outre Mounier qui vient d'être brillamment admis à l'agrégation de philosophie, André Deléage, Georges Izard et Louis-Émile Galey, que prend corps l'idée d'une revue qui, en réaction contre le « désordre établi », s'inscrit d'entrée de jeu dans la mouvance de Péguy. Elle va servir de point d'ancrage et de tribune aux animateurs des groupes « Esprit », lancés en août 1932 lors d'une rencontre à Font-Romeu.

Dirigé dès sa fondation par Emmanuel Mounier, qui va consacrer sa vie à l'entreprise, Esprit *réunit bientôt autour de l'équipe fondatrice des hommes comme Étienne Borne, Jean Lacroix, Pierre-Henri Simon, Georges Duvau, Henri-Irénée Marrou, André Philip, etc., en majorité des universitaires appartenant à la génération des 25-35 ans et proches pour la plupart d'un catholicisme influencé par la pensée de Maritain ou par les divers courants de la démocratie chrétienne.*

Le « personnalisme », dont Mounier dessine les grandes lignes dans cet article-manifeste publié dans le premier numéro de la revue, paru en octobre 1932, s'oppose à la fois à l'individualisme libéral et au collectivisme étatiste. Rejetant dos à dos les modèles matérialistes et productivistes dont sont porteurs le capitalisme et le communisme, l'auteur de « Refaire la Renaissance » ne tardera pas à se démarquer pareillement du fascisme, lequel, après avoir exercé un certain attrait sur lui comme sur nombre d'autres « non-conformistes », sera condamné pour son « faux spiritualisme ».

En attendant de faire campagne contre l'Italie fasciste durant la guerre d'Éthiopie et de prôner l'intervention aux côtés des républicains espagnols, Mounier expose ici un programme qui ne répugne pas à parler de « révolution » et qui refuse « l'identification _du spirituel et du réactionnaire ». Pour lui, comme pour ses compagnons rassemblés autour de la revue de la rue Jacob, l'ordre social chrétien ne signifie plus la restauration d'une situation antérieure à la Révolution, mais bel et bien la mise en place d'un ordre nouveau fondé sur la justice et le respect de la personne humaine._

Source : Emmanuel Mounier, « Refaire la Renaissance », _Esprit_, octobre 1932, pp. 5-51.
Bibliographie : J.-M. Domenach, _Mounier_, Paris, Seuil, 1972 ; M. Winock, _Histoire politique de la revue « Esprit »_, Paris, Seuil, 1975.

NOUS DISONS : Primauté du spirituel, et l'on est tout de suite rassuré. L'esprit, ce vieux cher obstacle, si confortable, si familier. On est donc entre gens biens. Qui disait que le monde n'avait pas de bonnes intentions ? Primauté du spirituel ! Qu'ils faisaient du tapage avec leurs cris, leurs rumeurs de catastrophe : voici enfin une de ces paroles sereines qui portent la paix devant soi. La terre redevient un lieu sûr. Tout est résolu, comme en ce moment de nos chagrins d'enfants où le dernier sanglot fondait en douceur à travers nos bras, à travers nos vies.

Non. C'est le cri que vous écouterez, puisque la parole ne déchire plus les cieux et les cœurs. Le cri est impur, je sais bien ; mais les cœurs aussi, et le dard de la pureté ne pénètre plus vos cœurs impurs. Entendez ces mille voix en déroute. Leur appel à l'esprit, qui pourrait être un mouvement régulier des âmes, il est plus âpre que l'angoisse. Il sort de la faim et de la soif, de la colère du sang, de la détresse du cœur : voilà le calme que nous vous apportons.

Situation d'alarme et de révolte. Alors, branle-bas, cartel hâtif des détresses et des peurs, union sacrée autour d'une étoffe impersonnelle, où chacun avilira le plus précieux de lui-même pour protéger sa vie contre les raisons de vivre ? Non. Je garde la révolte, car elle surgit des profondeurs pour emporter l'universelle indifférence. […]

Nous avons contre nous la lassitude des doctrines. Voyez, nous dit-on, les cœurs ne sont-ils pas plus véreux que les intelligences ? Il y a bien plus de médiocrité que de vraie passion dans les vices du monde moderne, et c'est à restaurer l'amour qu'il faut dépenser aujourd'hui la générosité des hommes.

Mais quand naît l'indifférence, si ce n'est lorsqu'une nourriture affadie est offerte à l'amour ? La lumière de la nue vérité, la présence concrète et exigeante de l'esprit s'est peu à peu retirée de notre monde. Sur cette épaisseur de mots décharnés et d'habitudes étrangères, où perceront nos regards et les tentatives de nos cœurs ? Renvoyés sur eux-mêmes dans la nuit, où trouveront-ils à se rencontrer ? Nous sommes ceux qui ne possèdent pas même leurs matériaux parce que le plan est égaré et qu'on ne découpe pas les pierres sans le plan. Refaire notre amour du monde avec les mots, avec les gestes, avec les mœurs qui sont là tout autour, autant combiner des opacités pour faire de la lumière. Ne comptons pas sur un peu de bonne volonté et de douceur d'âme pour lier le tout. On ne reconstruit pas la vérité avec des morceaux de mensonge et une absolution. On refond par le feu ce qu'a pénétré le mensonge. Une transfiguration dans la masse de toutes nos valeurs doit précéder leur réintégration universelle dans l'esprit. C'est cela, être révolutionnaire.

Il n'y a des mots qu'on ne veut penser qu'avec la peur. On veut que la révolution ce soit cet éblouissement rouge et flammes. Non, la révolution, c'est un tumulte bien plus profond. […]

Radicaux, révolutionnaires, que nous importent ces beaux mots usés, et le panache, et la surenchère, et la mode. Nous ne le sommes pas au nom de l'envie semeuse de haine, ni du mieux-être, qui est secondaire. Nous ne le sommes pas au nom des culbutes de la dialectique, car il y a pour nous des valeurs que le temps n'use pas. Nous ne le sommes pas au nom de la violence intérieure ; si elle n'est l'enthousiasme et la décision de la vérité dans nos cœurs, même confusément devinée dans l'émoi d'une révolte, je n'y vois pas autre chose que vivacité des humeurs ; certaine brutalité de l'esprit n'est que vocation militaire sublimée, et non pas cette ferme structure, cet héroïsme impérieux qu'on en veut bien dire. Nous sommes révolutionnaires doublement, mais au nom de l'esprit. Une première fois, et tant que durera l'humanité, parce que la vie de l'esprit est une conquête sur nos paresses, qu'à chaque pas nous devons nous secouer contre l'assoupissement, nous adapter à la révélation nouvelle, nous épanouir au paysage qui s'amplifie. Une seconde fois, en 1932, parce que la moisissure du monde moderne est si avancée, si essentielle qu'un écroulement de toute la masse vermoulue est nécessaire à la venue de nouvelles pousses. Avant notre Renaissance, on l'a dit, il nous faut un nouveau Moyen Âge.

7. « "Vendredi" paraît »

Cet article est le premier éditorial signé par André Chamson dans Vendredi, *à l'occasion de la sortie du numéro 1 de cet hebdomadaire fondé, en novembre 1935, par Chamson lui-même et par deux autres représentants de la gauche intellectuelle : Jean Guéhenno, depuis 1928 secrétaire de la revue* Europe, *et Andrée Viollis, journaliste et grand reporter au* Petit Parisien. *Créé dans la perspective des élections de 1936,* Vendredi *se présente comme un hebdomadaire « fondé par des écrivains, dirigé par des écrivains », et destiné à être « l'organe des hommes libres ». De fait, animé par une équipe qui réunit à peu près toutes les composantes du Front commun, il sera jusqu'à sa disparition, en 1938, le principal organe de presse du Rassemblement populaire et le plus fidèle soutien du gouvernement Blum, tout en restant indépendant des partis organisés.*

Source : Premier éditorial de *Vendredi*, rédigé par André Chamson, *Vendredi*, n° 1, 8 novembre 1935.
Bibliographie : C. Duret, *André Chamson, un intellectuel dans la cité : 1919-1939*, mémoire de DEA, IEP Paris, dir. M. Winock, 1995, 179 p. ; B. Laguerre, *Vendredi*, mémoire de l'IEP, 1985 ; A. Chamson, *Il faut vivre vieux*, Paris, Grasset, 1984.

Est-ce à toi, lecteur, homme de la grande ville, du village ou de la campagne, que pourrait échapper le caractère solennel de cette affirmation d'indépendance totale ? À toi, si avide de t'instruire, de savoir, de comprendre — si désireux aussi de trouver un délassement dans la lecture, sans que ce délassement puisse servir à te masquer la vérité, — à toi dont l'espoir et l'attente ont été trop souvent trahis pour que, même répondant à ce désir, nous puissions nous engager envers toi par de simples promesses.

Aussi bien, nous ne t'apportons pas ici des engagements passagers et révocables. Fondé par des écrivains, dirigé par des écrivains, *Vendredi* sera l'organe des hommes libres de ce pays et l'écho de la liberté du monde. Il a été créé dans ce but, il ne pourrait vivre en s'en écartant, car il trouverait la place déjà prise.

Car nous avons fondé notre action sur ce double pari — sur cette certitude — qu'il y a en France un groupe d'écrivains libres et un immense public d'hommes libres qui ne demandent qu'à communiquer directement l'un avec l'autre. Un groupe d'écrivains libres ? Oui, un vaste groupe et, je puis le dire avec orgueil, le plus lourd d'œuvres et de promesses. Sans doute renferme-t-il des nuances diverses, mais son unité fondamentale repose justement dans un ardent désir de garder libre la culture et de garder libres les moyens d'expression par lesquels l'homme peut s'adresser aux autres hommes pour se faire comprendre ou pour les convaincre.

Ce large front littéraire, nous lui garderons sa diversité. Elle est déjà une de nos forces et s'il faut une formule simple pour aider à toutes les entreprises humaines, nous pouvons dire que la nôtre sera : « D'André Gide à Jacques Maritain ». Des intellectuels qui ont rallié la Révolution aux intellectuels catholiques qui ont maintenu le parti de la Liberté.

* * *

Ce groupement est rendu possible — comme d'autres groupements de l'heure présente — par le seul fait que ce qui nous menace est plus fort que ce qui nous sépare. Nous savons que la rupture brutale de la liberté, par des forces inhumaines, marquerait la fin de notre effort à tous. Alors, il nous faudrait passer à travers un de ces défilés infernaux de l'histoire, un de ces défilés comme en traversent l'Allemagne ou la malheureuse Italie de l'heure présente, au-delà desquels tout doit être reconquis, rebâti, retrouvé. L'amour de la Liberté, ce n'est pas tant pour nous-mêmes que nous le gardons intact, mais pour cet avenir dont nous sommes les responsables. [...]

Un cynique adversaire nous répliquait que notre effort échouerait à cause des difficultés que connaissent à l'heure actuelle tous ceux auxquels nous voulons d'abord nous adresser. « Ni le paysan, nous disait-il, ni l'ouvrier, ni le fonctionnaire, ni l'employé, ni le commerçant, ni l'intellectuel, écrasés par la crise, ne vous achèteront. Il vous faudrait un public d'oisifs fortunés pour vous servir de base. »

Ce défi méprisant, nous l'avons relevé, en pensant à nos lecteurs... Nous saurons leur donner un journal vivant, animé par les réalités du monde, traversé d'éclats de rire : un journal qui saura servir la vérité sous sa forme la plus concrète et qui prouvera que cette vérité n'est pas plus ennuyeuse que le mensonge.

Nous devons réussir.

Aux dévouements que nous avons trouvés chez les écrivains répondent, nous en sommes sûrs, les dévouements de tous ceux pour lesquels la recherche de la vérité est une angoisse aussi grande que la recherche du pain quotidien.

Tout nous indique la foule immense de ceux qui doivent devenir nos lecteurs. Nous savons déjà quels seront nos amis. Mais nous avons l'audace d'espérer plus encore. Nous savons que beaucoup de ceux qui sont aujourd'hui dans les rangs de nos adversaires sont encore attentifs à chaque fois que s'élève une voix d'homme, le cri d'un espoir, d'une volonté, et du courage. Ils nous écouteront aussi, ils nous liront eux aussi. Notre premier espoir est de ne pas laisser mettre fin, par l'injure et par la violence, au dialogue qui rend l'homme fraternel aux autres hommes. Les masses profondes de ce pays ne demandent pas autre chose, nous saurons leur parler. Chacun de nous est ici l'écho d'une province, ou d'une grande ville. Combien en ont gardé encore l'accent ou le visage ? Combien sont encore liés par la famille ou par les amitiés ? Nous nous sommes regardés au départ, nous tous, les écrivains qui ont pu faire ce journal et, Parisiens, Bretons, Auvergnats, Languedociens, Provençaux, [...], hommes de Normandie, de Lorraine, d'Alsace ou de Flandre, nous nous sommes aperçus qu'à nous tous, nous pouvions constituer réellement toute la France. Il n'est pas une région qui ne soit liée à notre effort, au moins par l'un de nous. Nous saurons nous en souvenir et parler aux pays tout entier.

8. À propos du « Guernica » de Picasso : le « faire-part » de Michel Leiris

Ce texte de Michel Leiris, paru en 1937 dans les Cahiers d'Art, *témoigne doublement de l'engagement des intellectuels dans le combat antifasciste. D'abord par l'intervention même de son auteur dans le champ du politique où Leiris est présent de manière militante depuis 1926, en tant que dissident du groupe surréaliste passé au Parti communiste français. Ensuite par l'objet évoqué par ce « faire-part » : le tableau que Picasso a peint à la demande des responsables du pavillon républicain de l'Exposition universelle de 1937. Jusqu'à cette date, le co-inventeur avec Braque du cubisme s'était tenu à l'écart de tout engagement politique. Il a fallu que sa patrie d'origine soit mêlée aux combats du siècle et que se profile, avec les premières victoires franquistes, la menace d'une dictature autrement répressive que celle qui avait été instaurée en 1923 par le général Primo de Rivera, pour qu'il se décide à entrer dans l'arène. Il commencera par une violente charge picturale dirigée contre le chef de la rébellion nationaliste :* Songe et mensonge de Franco (Sueno y mentira de Franco), *dont un autre collaborateur des* Cahiers d'Art, *Christian Zervos, nous dit qu'à travers elle Picasso « a vêtu la cruauté, la sottise et l'incongruité d'une apparence que plus rien ne pourra effacer ; nulle formule conjuratoire ne permettra plus au général fantôme de s'évader du cercle magique dans lequel l'artiste l'a définitivement enfermé » (*Cahiers d'Art, *1937, p. 106). Tableau-pamphlet si l'on veut, qui va moins secouer l'opinion que ne le fera le* Guernica *exposé sur les rives de la Seine et devant lequel défileront pendant des semaines des dizaines de milliers de visiteurs de l'« Expo » de 1937. Picasso, qui réalise ici une œuvre de commande, y traite symboliquement du bombardement par les Allemands de cette petite ville du Pays Basque où ont péri le 26 avril 1937 1 650 civils.*

« Dans Guernica, *écrit encore Christian Zervos, « on trouve exprimé de la manière la plus saisissante un monde de désespoir, où la mort est partout, partout le crime, le chaos et la désolation ; un désastre plus violent que la foudre, l'eau et l'ouragan, car tout y est hostile, incontrôlable, hors de portée de l'entendement, d'où se lève le long cri déchirant des êtres qui mourront par la cruauté des hommes. »*

Source : Michel Leiris, « Faire-part », in *Cahiers d'Art*, 12e année, 1937, édition Cahiers d'Art, 14 rue du Dragon, Paris.
Bibliographie : J.-L. Ferrier, *De Picasso à Guernica*, Paris, Denoël, 1985 ; D. Caute, *Le Communisme et les intellectuels français (1914-1966)*, Paris, Gallimard, 1967 ; P. Cabanne, *Le Siècle de Picasso*, Paris, Denoël, 1975 ; R.-H. Simon, *Autobiographie de Michel Leiris*, Paris, L'Âge d'Homme, 1984.

LE MONDE CHANGÉ en chambre d'hôtel meublé — où tous, gesticulant, nous attendons de crever —, le soleil réduit aux proportions d'une ampoule électrique luisant à deux doigts de nos têtes en une sordide intimité, les affres du cheval tordu comme un Pégase pris soudain dans quelque affreux coupe-gorge, le taureau — seul vainqueur — dardant éternellement ses cornes, les personnages convulsés, la table dure, l'oiseau s'égosillant : inutile de chercher des mots pour tenter de décrire cet abrégé de notre catastrophe noire et blanche, la vie que nous vivons, pareils aux pièces d'un échiquier qui seraient capables de sentir comme autant de couteaux tous les rapports hostiles qui s'établissent entre elles, selon le bon plaisir des joueurs et sans que leurs soubresauts de douleur puissent infléchir en rien les règles d'une sauvage géométrie.

Prendre une plume, aligner des mots comme s'ils devaient ajouter quelque chose au *Guernica* de Picasso est, de toutes les tâches, la plus vaine. En un rectangle noir et blanc telle que nous apparaît l'antique tragédie, Picasso nous envoie notre lettre de deuil : tout ce que nous aimons va mourir, et c'est pourquoi il était à ce point nécessaire que tout ce que nous aimons se résumât, comme l'effusion des grands adieux, en quelque chose d'inoubliablement beau.

Tel le cri du « cante hondo » qui doit attendre d'être monté jusqu'à la gorge du chanteur pour que se nacre, s'irise enfin sa peste venue de la terre, entre les doigts de Picasso se cristallisent et se diamantent les vapeurs noires et blanches, haleine d'un monde à l'agonie que les plus hideux météores — surins de notre amour — perceront jusqu'aux os.

9. Engagement et désengagement des intellectuels : le cas de Gide

André Gide, dont la réputation reposait à bien des égards sur l'apologie qui était faite dans ses écrits de l'hédonisme et du non-conformisme (Les Nourritures terrestres, 1897, L'Immoraliste, 1902, Corydon, 1924), est passé dans le courant des années 30 de la dénonciation des hypocrisies bourgeoises à la critique d'un système politique et social qui entretenait exclusions et inégalités. Dénonciateur du colonialisme dans son Voyage au Congo, paru en 1927, il s'est rapproché des communistes au début de la décennie suivante, pour des raisons assez proches de celles des surréalistes. Il voit dans le message révolutionnaire dont le Parti est porteur un instrument de libération de l'Homme et de destruction de l'ordre bourgeois. Choyé par le PC, qui utilise sans ménagement ce sympathisant prestigieux, au demeurant très éloigné de la morale et de l'esthétique « prolétariennes », Gide va occuper pendant quelques années une place de choix dans la nébuleuse du compagnonnage de route. Il figure au comité de rédaction de la revue Commune, organe de l'Association des écrivains et artistes révolutionnaires. Il préside des meetings antifascistes. Il fait avec Malraux le voyage à Berlin pour plaider, après l'incendie du Reichstag, la cause de Georges Dimitrov, maintenu en prison par les nazis malgré la reconnaissance de son innocence. En juin 1935, il préside la séance d'ouverture du « Congrès international des écrivains pour la défense de la culture » où s'opposent les intellectuels marxistes purs et durs et ceux qui, parmi les écrivains, entendent ne pas subordonner leur art aux directives du Parti.

Gide appartient à ce second courant : ce n'est donc pas un inconditionnel de l'engagement aux côtés de l'URSS et des communistes qui, à l'initiative du gouvernement soviétique, prend en juin 1936 le chemin de Moscou. Il y prononce sur la place Rouge l'éloge funèbre de Gorki et passe près de deux mois dans le pays des Soviets, accueilli partout avec beaucoup d'honneurs. *Il en revient néanmoins déçu par ce que l'on a bien voulu lui montrer et il le dit, sans se plier aux pressions de certains de ses amis, dans un ouvrage paru en novembre 1936,* Retour de l'URSS, *qui provoque un tollé parmi les adhérents et les sympathisants du Parti. L'heure est à la défense de la République espagnole et aux premières difficultés sérieuses rencontrées par le gouvernement Blum, et le livre est perçu à gauche comme susceptible de porter tort au rassemblement antifasciste. De là la violence qui oppose l'écrivain non seulement à la mouvance communiste mais à des hommes aussi peu suspects d'être inféodés à celle-ci que Jean Guéhenno. Elle conduira l'auteur des* Caves du Vatican *à rompre avec le Parti après la publication l'année suivante de ses* Retouches à mon retour d'URSS, *plus dures à l'égard d'un régime de « profiteurs » et de « bourreaux », et à faire repli vers des formes d'expression strictement littéraires.*

Sources : André Gide, *Retour de l'URSS*, Paris, Gallimard, 1936 (premier texte) ; André Gide, *Retouches à mon retour de l'URSS*, Paris, Gallimard, 1937 (deuxième texte).

Bibliographie : R. Maurer, *André Gide et l'URSS*, Berne, Tillier, 1983 ; D. Moutote, *André Gide : l'engagement (1926-1939)*, Paris, SEDES, 1991.

Retour de l'URSS

J'AI DÉCLARÉ, il y a trois ans, mon admiration pour l'URSS, et mon amour. Là-bas une expérience sans précédents était tentée qui nous gonflait le cœur d'espérance et d'où nous attendions un immense progrès, un élan capable d'entraîner l'humanité tout entière. Pour assister à ce renouveau, certes il vaut la peine de vivre, pensais-je, et de donner sa vie pour y aider. Dans nos cœurs et dans nos esprits nous attachions résolument au glorieux destin de l'URSS l'avenir même de la culture ; nous l'avons maintes fois répété. Nous voudrions pouvoir le dire encore.

Déjà, avant d'y aller voir, de récentes décisions qui semblaient dénoter un changement d'orientation ne laissaient pas de nous inquiéter. [...]

Pourtant, jusqu'à plus ample informé m'entêtant dans la confiance et préférant douter de mon propre jugement, quatre jours après mon arrivée à Moscou je déclarais encore dans mon discours sur la place Rouge, à l'occasion des funérailles de Gorki : « Le sort de la culture est lié dans nos esprits au destin même de l'URSS. Nous la défendrons. »

J'ai toujours professé que le désir de demeurer constant avec soi-même comportait trop souvent un risque d'insincérité ; et j'estime que s'il importe d'être sincère c'est bien lorsque la foi d'un grand nombre, avec la nôtre propre, est engagée.

Si je me suis trompé d'abord, le mieux est de reconnaître au plus tôt mon erreur ; car je suis responsable, ici, de ceux que cette erreur entraîne. Il n'y a pas, en ce cas, amour-propre qui tienne ; et du reste j'en ai fort peu. Il y a des choses plus importantes à mes yeux que moi-même ; plus importantes que l'URSS : c'est l'humanité, c'est son destin, c'est sa culture.

Mais m'étais-je trompé tout d'abord ? Ceux qui ont suivi l'évolution de l'URSS depuis à peine un peu plus d'un an, diront si c'est moi qui ai changé ou si ce n'est pas l'URSS Et par : l'URSS j'entends celui qui la dirige.

D'autres plus compétents que moi diront si ce changement d'orientation n'est peut-être qu'apparent et si ce qui nous apparaît comme une dérogation n'est pas une conséquence fatale de certaines dispositions antérieures.

L'URSS est « en construction », il importe de se le redire sans cesse. Et de là l'exceptionnel intérêt d'un séjour sur cette immense terre en gésine : il semble qu'on y assiste à la parturition du futur.

Il y a là-bas du bon et du mauvais ; je devrais dire : de l'excellent et du pire. L'excellent fut obtenu au prix, souvent, d'un immense effort. L'effort n'a pas toujours et partout obtenu ce qu'il prétendait obtenir. Parfois l'on peut penser : pas encore. Parfois le pire accompagne et double le meilleur ; on dirait presque qu'il en est la conséquence. Et l'on passe du plus lumineux au plus sombre avec une brusquerie déconcertante. Il arrive souvent que le voyageur, ne soit sensible qu'à l'un ou qu'à l'autre. Il arrive trop souvent que les amis de l'URSS se refusent à voir le mauvais, ou du moins à le reconnaître ; de sorte que, trop souvent, la vérité sur l'URSS est dite avec haine, et le mensonge avec amour.

Or, mon esprit est ainsi fait que son plus de sévérité s'adresse à ceux que je voudrais pouvoir approuver toujours. C'est témoigner mal son amour que le borner à la louange et je pense rendre plus grand service à l'URSS même et à la cause que pour nous elle représente, en parlant sans feinte et sans ménagement. C'est en raison même de mon admiration pour l'URSS et pour les prodiges accomplis par elle déjà, que vont s'élever mes critiques ; en raison aussi de ce que nous attendons encore d'elle ; en raison surtout de ce qu'elle nous permettait d'espérer.

Qui dira ce que l'URSS a été pour nous ? Plus qu'une patrie d'élection : un exemple, un guide. Ce que nous rêvions, nous osions à peine espérer mais à quoi tendaient nos volontés, nos forces, avait eu lieu là-bas. Il était donc une terre où l'utopie était en passe de devenir réalité. D'immenses accomplissements déjà nous emplissaient le cœur d'exigence. Le plus difficile était fait déjà, semblait-il, et nous nous aventurions joyeusement dans cette sorte d'engagement pris avec elle au nom de tous les peuples souffrants.

Jusqu'à quel point, dans une faillite, nous sentirions-nous de même engagés ? Mais la seule idée d'une faillite est inadmissible.

Si certaines promesses tacites n'étaient pas tenues, que fallait-il incriminer ? En fallait-il tenir pour responsables les premières directives, ou plutôt les écarts mêmes, les infractions, les accommodements si motivés qu'ils fussent ? [...]

Je ne me dissimule pas l'apparent avantage que les partis ennemis — ceux pour qui « l'amour de l'ordre se confond avec le goût des tyrans » — vont prétendre tirer de mon livre. Et voici qui m'eût retenu de le publier, de l'écrire même, si ma conviction ne restait intacte, inébranlée, que d'une part l'URSS finira bien par triompher des graves erreurs que je signale ; d'autre part, et ceci est plus important, que les erreurs particulières d'un pays ne peuvent suffire à compromettre la vérité d'une cause internationale, universelle. Le mensonge, fût-ce celui du silence, peut paraître opportun, et opportune la persévérance dans le mensonge, mais il fait à l'ennemi trop beau jeu, et la vérité, fût-elle douloureuse, ne peut blesser que pour guérir.

© Gallimard

Retouches à mon retour de l'URSS

C'EST LA HAUTEUR de votre bluff qui fit si profonde et si douloureuse la chute de ma confiance, de mon admiration, de ma joie. Aussi bien ce que je reproche à l'URSS, ce n'est point tant de ne pas avoir obtenu mieux (et l'on m'explique à présent qu'elle ne pouvait obtenir mieux plus vite, et que je devrais le comprendre ; l'on fait valoir qu'elle était partie de beaucoup plus bas que je ne pourrai jamais supposer ; et que le misérable état où végètent présentement des ouvriers par milliers est un état qu'auraient inespérément souhaité quantité d'opprimés sous l'ancien régime. Je crois même, ce disant, qu'on exagère un peu). Non : ce que je reproche surtout à l'URSS, c'est de nous l'avoir baillé belle en nous présentant la situation des ouvriers là-bas comme enviable. Et je reproche aux communistes de chez nous (oh ! je ne parle pas des camarades dupés, mais de ceux qui savaient, ou du moins auraient dû savoir) d'avoir menti aux ouvriers, inconsciemment ou sciemment — et dans ce cas par politique.

L'ouvrier soviétique est attaché à son usine, comme le travailleur rural à son kolkhose ou à son sovkhose, et comme Ixion à sa roue. Si, pour quelque raison que ce soit, parce qu'il espère être un peu mieux (un peu moins mal) ailleurs, il veut changer, qu'il prenne garde : enrégimenté, classé, bouclé, il risque de n'être accepté nulle part. Même si, sans changer de ville, il quitte l'usine, il se voit privé du logement (non gratuit, du reste) si difficilement obtenu, auquel son travail lui donnait droit. En s'en allant, ouvrier, il se voit retenir un important morceau de son salaire : kolkhosien, il perd tout le profit de son travail collectivisé. Par contre, le travailleur ne peut se dérober aux déplacements qu'on lui ordonne. Il n'est libre ni d'aller, ni de demeurer, où il lui plaît ; où peut-être l'appelle ou l'attache un amour ou une amitié.

S'il n'est pas du Parti, les camarades inscrits lui passeront sur le dos. S'inscrire au Parti, s'y faire admettre (ce qui n'est pas facile et demande, en plus de connaissances particulières, une parfait orthodoxie et de souples dispositions à la complaisance) est la première et indispensable condition pour réussir.

Une fois dans le Parti, il n'est plus possible d'en sortir sans perdre aussitôt sa situation, sa place et tous les avantages acquis par un précédent travail ; sans enfin s'exposer à des représailles et à la suspicion de tous. Car, pourquoi quitter un Parti où l'on était si bien ? qui vous procurait de tels avantages ! et ne vous demandait, en échange, que d'acquiescer à tout et de ne plus penser (et par soi-même, encore !) quand il est admis que tout va si bien ? Penser par soi-même, c'est aussitôt devenir « contre-révolutionnaire ». On est mûr pour la Sibérie. [...]

Depuis l'assassinat de Kirov, la police a encore resserré ses mailles. La remise de la supplique des jeunes gens à Émile Verhaeren (lors de son voyage en Russie aussitôt avant la guerre) qu'admire Vildrac et qu'il raconte de manière charmante, ne serait certes plus possible aujourd'hui ; non plus que l'activité révolutionnaire (disons : contre-révolutionnaire, s'il vous plaît) de la *Mère* (du très beau livre de Gorki) et de son fils : où l'on trouvait hier, autour de soi, aide, appui, protection, connivence, on ne rencontre plus que surveillance et délation.

Du haut en bas de l'échelle sociale réformée, les mieux notés sont les plus serviles, les plus lâches, les plus inclinés, les plus vils. Tous ceux dont le front se redresse sont fauchés ou déportés l'un après l'autre. Peut-être l'Armée rouge reste-t-elle un peu à l'abri ? Espérons-le ; car bientôt, de cet héroïque et admirable peuple qui méritait si bien notre amour, il ne restera plus que des bourreaux, des profiteurs et des victimes. [...]

10. « La photographie
a beaucoup dérangé l'imagination »

La décennie qui a suivi la guerre a vu se développer, dans le domaine des arts plastiques, deux tendances opposées. Les provocations dada et les premières recherches esthétiques des surréalistes, qui constituent la partie la plus « visible » de la création artistique, sont contemporaines en effet d'une tendance générale au « retour à l'ordre ». Pour nombre de créateurs, tout se passe comme si la grande tuerie de 1914 les avait incités à réfréner leurs audaces et à se rapprocher d'un public que l'hermétisme de leurs œuvres de jeunesse avait éloigné d'eux, donc de renouer partiellement avec la figuration.

C'est paradoxalement Picasso qui, après avoir ouvert les voies les plus révolutionnaires, a donné l'exemple dès 1915, en abandonnant la géométrisation totale pour une peinture (celle des périodes « bleue » et « rose ») qui, sans renoncer entièrement au cubisme, rend leur importance à la couleur et aux formes figuratives. La rupture est moins nette chez Georges Braque qui va désormais adopter une voie moyenne entre le figuratif et une transcription très interprétée et structurée du réel dont il ne se départira pas.

Avec Henri Matisse au contraire, on en revient à une approche plus conventionnelle de la réalité et à un choix des sujets (nus, danseuses, etc.) qui fait la part belle au goût du public. Pas pour très longtemps, il est vrai. Dès le début des années 30, à son retour des États-Unis, l'ancien élève de Gustave Moreau renoue avec son grand style synthétique visant à ne retenir de la vision du réel que l'essence des formes. Telle est pour lui — c'est ce qu'il explique dans ce texte publié en 1933 — la voie qui s'impose au peintre et dont l'accès lui a été facilité par la photographie. Celle-ci permet en effet à l'artiste de percevoir l'essence des objets qu'il a choisi de représenter, dépouillés des sentiments de ses prédécesseurs ; à partir de quoi, il peut laisser aller son imagination.

Source : Propos d'Henri Matisse rapportés par Tériade, extraits de « Émancipation de la peinture », *Minotaure*, vol. I, n° 3-4, 1933.
Bibliographie : Henri Matisse, *Écrits et propos sur l'art*, éd. par D. Fourcade, Hermann, 1972.

L A PHOTOGRAPHIE a beaucoup dérangé l'imagination, parce qu'on a vu les choses en dehors du sentiment. Quand j'ai voulu me débarrasser de toutes les influences qui empêchent de voir la nature d'une façon personnelle, j'ai copié des photographies.

Nous sommes encombrés des sentiments des artistes qui nous ont précédés. La photographie peut nous débarrasser des imaginations antérieures. La photographie a déterminé très nettement la peinture traduction des sentiments et la peinture descriptive. Cette dernière est devenue inutile.

Les choses qu'on acquiert consciemment nous permettent de nous exprimer inconsciemment avec une certaine richesse. D'autre part, l'enrichissement inconscient de l'artiste est fait de tout ce qu'il voit et qu'il traduit picturalement sans y penser. Un acacia de Vésubie, son mouvement, sa grâce svelte, m'a peut-être amené à concevoir le corps d'une femme qui danse.

Je ne pense jamais en voyant une de mes toiles aux sources d'émotion qui ont pu motiver telle figure, tel objet ou tel mouvement. La rêverie d'un homme qui a voyagé est autrement plus riche que celle d'un homme qui n'a jamais voyagé[1]. La divagation d'un esprit cultivé et la divagation d'un esprit inculte n'ont de commun qu'un certain état de passivité.

On se met en état de création par un travail conscient. Préparer un tableau, ce n'est pas travailler sur des compartiments plus ou moins arrêtés de ce tableau. Préparer son exécution, c'est d'abord nourrir son sentiment par des études qui ont une certaine analogie avec le tableau, et c'est alors que le choix des éléments peut se faire. Ce sont ces études qui permettent au peintre de laisser aller l'inconscient.

L'accord de tous les éléments du tableau qui participent à une unité de sentiment amenée par le travail impose à l'esprit une traduction spontanée. C'est ce qu'on peut appeler la traduction spontanée de sentiment, qui vient non pas d'une chose simple mais d'une chose complexe et qui s'est simplifiée par l'épuration du sujet et de l'esprit de celui qui l'a traduit.

On ne met pas d'ordre chez soi en se débarrassant de ce qu'on n'a pas, parce qu'on ne crée ainsi que le vide, et le vide n'est ni l'ordre ni la pureté.

11. « Cette prétendue laideur »

Dans ce court extrait d'un livre publié en 1936 dans lequel cet autre disciple de Gustave Moreau explique son rapport à l'art, Rouault réplique à ceux qui lui faisaient grief de « ne pas peindre les belles choses » et de se complaire dans la représentation du grotesque et de la misère. De fait, ce fils d'un artisan parisien qui a appris son métier en entrant tout jeune comme apprenti chez le peintre verrier Hirsch et en restaurant les vitraux de l'église Saint-Séverin, n'a pas cessé de pratiquer un art violent qui s'est successivement incarné dans le fauvisme et dans l'expressionnisme. Pauvre lui-même, et en révolte contre l'ordre bourgeois, il fait de la misère l'un des thèmes majeurs de son œuvre et de la dérision une façon privilégiée d'exprimer le tragique.

Au moment où ces lignes sont écrites, l'art de Rouault a toutefois sensiblement évolué. Il a perdu en violence et gagné en sérénité. Le peintre lui-même se reproche certains excès et se demande s'il n'est « pas allé trop loin », pour finalement conclure que « toute révolte peut s'orienter vers l'amour ».

Source : Georges Rouault, « Sur l'art et la vie », *Les Belles Lettres*, 1936.
Bibliographie : L. Venturi, *Georges Rouault*, Genève, Skira, 1959 ; P. Courthion, *Rouault*, Paris, Flammarion, 1962.

---

1. Matisse a été lui-même un grand voyageur. Il a longuement visité l'Italie, l'Espagne, le Maroc, avant de se rendre en Russie, aux États-Unis et à Tahiti.

CETTE PRÉTENDUE LAIDEUR, c'est une étape, un instant de mes recherches, peut-être ai-je été trop objectif. Telle chose m'advint, j'ai été là, mais je ne suis pas de ces gens prudents, habiles à l'excès, qui ne fautent jamais. Suis-je allé trop loin ? peut-être bien. Cependant, « toute révolte peut s'orienter vers l'amour ». Mes plus affreux grotesques, les aurais-je peints avec du « vitriol », en leurs pauvres faces de crucifiés, je l'ai fait sans aucune intention préconçue ni littéraire, et j'ai toujours été étonné de voir combien on inventoriait, disséquait ou pesait de haut, au nom de je ne sais quel dogme social, moral, des choses qu'on prétend mépriser et auxquelles, alors, il conviendrait de ne pas donner tant d'importance, mais bien plutôt dire comme le peintre célèbre que cite Lhote[1] : « *Rouault ? mais on n'en parle pas.* » Ce serait bien plus équitable, en fait. Mais je fus le premier surpris de voir qu'on me donnait, à la longue, infiniment plus d'importance que je n'eusse jamais osé le supposer. [...]

Mon cas est devenu plus grave ensuite ; à mesure que j'ai mieux pénétré au cœur de ma passion picturale, j'ai senti la forme plus sobre et sévère, l'effort à donner plus dépouillé. C'est en ce sens que j'entends un effort religieux, car le visage humain, à l'instant qu'il ne représentait pour certains que le type du portrait officiel de Salon, et pour d'autres peu d'intérêt, je le sentais une source infinie de moyens d'expression d'une richesse incomparable.

12. La valeur de la science

Au moment où Marie Curie publie ces lignes, extraites d'un ouvrage consacré à son mari, le physicien Pierre Curie, mort accidentellement en 1906, le prix Nobel de physique a pris quelque distance par rapport à l'engagement du savant dans les combats de la cité. Ardemment positiviste, dreyfusarde à l'époque de l'Affaire, elle a eu à subir en 1911 les attaques de la droite bien-pensante à l'occasion de sa candidature à l'Académie des sciences en 1911, puis, quelques mois plus tard, à la suite du scandale provoqué par sa liaison avec Paul Langevin. Après la guerre, Marie Curie ne s'éloignera du strict champ de ses travaux que pour tenter d'obtenir une meilleure organisation et un financement décent de la recherche scientifique. Tel est le sens de l'appel qu'elle lance ici indirectement aux pouvoirs publics et à d'éventuels mécènes, citation de Pasteur à l'appui.

Source : Marie Curie, *Pierre Curie*, Payot, 1924.
Bibliographie : E. Curie, *Madame Curie*, Paris, Gallimard, 1938.

NOTRE SOCIÉTÉ, où règne un désir âpre de luxe et de richesse, ne comprend pas la valeur de la science. Elle ne réalise pas que celle-ci fait partie de son patrimoine moral le plus précieux, elle ne se rend pas non plus suffisamment compte que la science est à la base de tous les progrès qui allègent la vie humaine et en diminuent la souffrance. Ni les pouvoirs publics ni la générosité privée n'accordent actuellement à la science et aux savants l'appui et les subsides indispensables pour un travail pleinement efficace.

---

1. André Lhote, peintre lui-même et critique d'art.

J'invoque pour terminer l'admirable plaidoirie de Pasteur : « Si les conquêtes utiles à l'humanité touchent votre cœur, si vous restez confondus devant les effets surprenants de la télégraphie électrique, du daguerréotype, de l'anesthésie et de tant d'autres découvertes admirables ; si vous êtes jaloux de la part que votre pays peut revendiquer dans l'épanouissement de ces merveilles — prenez intérêt, je vous en conjure, à ces demeures sacrées que l'on désigne du nom de laboratoires. Demandez qu'on les multiplie et qu'on les orne : ce sont les temples de l'avenir, de la richesse et du bien-être. C'est là que l'humanité grandit, se fortifie et devient meilleure. Elle y apprend à lire dans les œuvres de la nature, œuvres de progrès et d'harmonie universelle, tandis que ses œuvres à elle sont trop souvent celles de la barbarie, du fanatisme et de destruction. »

Puisse cette vérité être largement répandue et pénétrer profondément dans l'opinion publique, afin que l'avenir soit moins dur aux pionniers qui viendront défricher des domaines nouveaux pour le bien général de l'humanité.

© Payot

VII

LA POLITIQUE ÉTRANGÈRE DE LA FRANCE
DE 1918 À 1939

Jusqu'au début des années 1930, la France exerce en Europe continentale une pré-pondérance qui tient davantage à l'affaiblissement des autres puissances (Empire austro-hongrois éclaté, Russie épuisée par la révolution et la contre-révolution, Alle-magne désarmée) qu'à sa propre capacité à imposer ses vues aux autres acteurs de la scène internationale. Sans doute dispose-t-elle de la plus forte armée du monde et parvient-elle à établir un système d'alliances de revers avec quelques petits États de l'Est européen (Pologne, Roumanie, Tchécoslovaquie, Yougoslavie). Mais elle doit compter d'une part avec sa propre fragilité financière (cf. chap. 5), d'autre part avec le souci qu'ont les Anglo-Saxons de maintenir l'équilibre en Europe, donc de favori-ser le relèvement de l'Allemagne, enfin avec les revendications révisionnistes de tous ceux qui s'estiment avoir été lésés par les traités de paix : l'Allemagne, bien sûr et ses ex-alliées (Bulgarie, Hongrie), mais aussi l'Italie à laquelle n'ont pas été accor-dés tous les avantages territoriaux promis en 1915 pour qu'elle entre dans la guerre aux côtés de l'Entente.

Jusqu'en 1924, la politique étrangère de la France est essentiellement déterminée par le désir qu'ont ses gouvernants et son opinion publique de faire payer l'Alle-magne. Il y va de l'équilibre de ses finances et surtout de sa sécurité. Privée de la « frontière stratégique » sur le Rhin que réclamaient les militaires, elle ne peut guère compter pour préserver celle-ci que sur le maintien d'une forte puissance militaire (qu'il faut bien financer) et sur l'affaiblissement durable de son ex-ennemie. De là son intransigeance à exiger sa part des réparations dues par l'ancien Reich. Pour l'obte-nir, alors qu'en proie à une inflation galopante et à de graves difficultés sociales ce dernier rechigne à payer, Poincaré fait occuper la Ruhr en janvier 1923 et pratique, face à la résistance passive de la population (grève générale, sabotages), une politique de force (texte n° 1) qui réussit dans un premier temps à remettre en route l'économie de la région occupée, mais à laquelle il doit bientôt renoncer, la chute du franc obli-geant son gouvernement, en échange de l'aide de la banque Morgan, à souscrire à l'idée américaine de révision des réparations.

L'arrivée au pouvoir du Cartel en 1924 et le redressement financier de l'Allemagne favorisent, à partir de 1924, un rapprochement entre les deux pays. « L'ère Briand-Stresemann » est marquée par la signature du pacte de Locarno en octobre 1925, qui établit une garantie mutuelle des frontières franco-allemande et belgo-allemande, l'entrée de l'Allemagne à la SDN en 1926, la conclusion deux ans plus tard du pacte Briand-Kellog condamnant le recours à la force dans les relations entre les États (texte n° 2), l'adoption du plan Young en 1929, l'évacuation anticipée de la Rhénanie par les alliés. D'autre part, la détente internationale favorise la reprise de relations normales avec la Russie soviétique (textes nᵒˢ 3 et 4).

La mort de Stresemann et la retraite, puis la disparition de Briand marquent la fin de la sécurité collective. Mais surtout, ce sont les effets directs et indirects de la crise qui provoquent le retour à la tension. Après l'avènement d'Hitler au début de 1933, les relations franco-allemandes se détériorent rapidement, le Reich exigeant que lui soit appliquée l'égalité des droits en matière de défense et se décidant finalement à quitter conjointement la Conférence sur le désarmement et la SDN. Le refus de la France de légaliser son réarmement clandestin entraîne la rupture (texte n° 5) et en mars 1935 le Führer rétablit la conscription en Allemagne.

Pour faire barrage à l'expansionnisme hitlérien, le ministre des Affaires étrangères Barthou tente d'opérer un encerclement diplomatique du Reich. Il cherche à resserrer les liens avec la «Petite Entente», fait admettre l'URSS à la SDN et pousse au rapprochement avec l'Italie initié, dès 1932, par le gouvernement Paul-Boncour (texte n° 6). Politique poursuivie par Laval après l'attentat de Marseille, en octobre 1934, mais dans un esprit très différent, et qui de toute façon va achopper sur l'affaire éthiopienne (texte n° 7).

La remilitarisation de la Rhénanie par Hitler en mars 1936 marque le commencement des épreuves de force entre les démocraties et les dictatures. Tandis que l'arrivée des socialistes au pouvoir en France met fin au rapprochement avec l'Italie fasciste, celle-ci se rapproche de l'Allemagne à l'occasion du conflit espagnol. Les deux États totalitaires interviennent militairement dans la péninsule alors que Blum et ses successeurs, paralysés par les divisions qui opposent les divers courants de l'opinion publique et les composantes mêmes du Front populaire (textes nᵒˢ 8, 9 et 10), s'en tiennent au principe de la non-intervention.

Après la constitution de l'axe Rome-Berlin, les liens se resserrent entre Berlin et Rome (texte n° 11). Hitler a donc les mains libres pour procéder à l'annexion de l'Autriche (mars 1938), puis, encouragé par l'absence de réaction des démocraties, pour exiger du gouvernement de Prague la cession du territoire des Sudètes. La France est liée à la Tchécoslovaquie par un traité signé en 1925 mais ni le gouvernement Daladier, ni Staline qui a lui aussi passé contrat avec ce pays en 1935 ne sont enclins à agir seuls, et la Grande-Bretagne refuse de se battre pour un enjeu qu'elle juge « mineur ». Aussi, les dirigeants franco-britanniques acceptent-ils la tenue d'une conférence internationale qui se tient à Munich, fin septembre 1938, et au cours de laquelle l'Allemagne obtient tout ce qu'elle demande. À Paris et à Londres, c'est l'« illusion de la paix ». Daladier et Chamberlain sont acclamés, tandis que Léon Blum parle de « lâche soulagement ». La France, où l'opinion se fracture entre « munichois » et « anti-munichois » (texte n° 12), achève de se discréditer aux yeux de ses alliés européens.

L'année 1939 est celle du réveil. France et Angleterre offrent aux États les plus menacés par l'Allemagne une garantie d'assistance en cas d'agression que refusent d'ailleurs les Pays-Bas et la Belgique. Mais le changement d'attitude des démocraties est venu trop tard. Après avoir conclu avec l'Italie une véritable alliance offensive — le « pacte d'Acier » — Hitler réussit à prendre les Occidentaux de vitesse et à obtenir de Staline, le 23 août 1939, la signature d'un pacte de non-agression qui lui permet d'avoir les mains libres à l'Est et d'attaquer la Pologne. En dépit des ultimes efforts des Franco-Britanniques pour apaiser le Führer (texte n° 13), ses armées pénètrent dans ce pays le 1ᵉʳ septembre, provoquant, deux jours plus tard, l'entrée en guerre de la Grande-Bretagne et de la France.

1. L'Allemagne doit payer

Au moment où Raymond Poincaré, président du Conseil et ministre des Affaires étrangères adresse cette lettre à son ambassadeur à Londres, Saint-Aulaire, les troupes franco-belges occupent la Ruhr depuis cinq mois, suite à la décision prise le 26 décembre 1926, à la demande de la France, par la Commission des réparations et exécutée à partir du 11 janvier 1923.

La crise a commencé dans le courant de l'été 1922, lorsque le gouvernement allemand, présidé par Cuno, a fait savoir qu'il était dans l'impossibilité de poursuivre le paiement des réparations et a réclamé un moratoire de six mois que Poincaré a refusé de lui accorder. Sauf si, en échange, les mines de la Ruhr étaient temporairement remises aux alliés à titre de « gage productif ». En adoptant cette attitude ferme à l'égard du vaincu de la veille, l'ancien président de la République cherchait à la fois à faire payer l'Allemagne — et ceci était d'autant plus urgent que l'équilibre du budget en dépendait largement —, à favoriser le ravitaillement de la France en charbon et en coke et à contraindre les Britanniques à montrer plus de compréhension vis-à-vis des positions françaises réclamant la liaison entre réparations et dettes de guerre. Dès la fin de l'automne, le gouvernement français était décidé à prendre prétexte du moindre manquement allemand au paiement des réparations pour engager l'épreuve de force. Un retard de quelques semaines dans une livraison en nature (un chargement de poteaux télégraphiques) allait lui fournir l'occasion souhaitée pour saisir la Commission interalliée chargée de l'exécution des réparations, laquelle prit acte de la défaillance allemande par trois voix (France, Belgique, Italie) contre une (celle de la Grande-Bretagne).

L'Allemagne répliqua à l'occupation de la Ruhr par la résistance passive : une grève générale de deux millions d'ouvriers, soutenue financièrement par le gouvernement qui a vu venir l'épreuve de force et l'a acceptée en connaissance de cause, estimant que la France était tombée dans un piège, qu'elle s'était isolée sur le plan international et qu'elle serait incapable de remettre en marche l'énorme machine industrielle de la Ruhr.

Or, du côté français, on ne s'était pas non plus lancé dans l'affaire sans en mesurer préalablement les conséquences. Préparé depuis 1920, le plan d'occupation de la Ruhr comportait une série de mesures qui furent immédiatement appliquées. Une « frontière » fut mise en place entre le Reich et la région occupée. Tenue par des douaniers français et belges, elle était destinée à faire payer aux marchandises transitant dans les deux sens des droits de douane qui devaient alimenter la caisse des réparations. On établit d'autre part une régie des chemins de fer qui fut la grande réussite de l'opération et le coin enfoncé dans la résistance passive. En mai 1923, cet organisme employait 32 000 cheminots français et 7 000 allemands qui, lassés de la grève, avaient repris le travail, la remise en marche du réseau ferroviaire permettant de relancer la vie économique de la région. Enfin, on procéda à plus de 100 000 expulsions, dont celles de nombreux fonctionnaires.

La lettre de Poincaré à l'ambassadeur Saint-Aulaire se situe donc dans un contexte relativement favorable à la France. La résistance allemande donne alors d'évidents signes d'essoufflement. Le gouvernement de Berlin avait cru qu'il suffirait de tenir bon quelques mois pour que les Britanniques interviennent, ou du moins proposent leur médiation. Or, si les dirigeants de Londres ont désapprouvé la politique française, ils se sont bien gardés de prendre la moindre initiative. Pour Poincaré, il est clair que le temps travaille désormais pour la France et qu'il n'y a pas d'autre attitude à tenir que celle de la fermeté, face à un pays qui, quoique vaincu, conserve toutes ses forces vives, et qui pourrait, si on lui laissait la bride sur le cou, établir son hégémonie économique sur l'Europe tout entière.

Source : Raymond Poincaré, président du Conseil, ministre des Affaires étrangères, à M. de Saint-Aulaire, ambassadeur à Londres, 29 juin 1923, *Documents relatifs aux notes allemandes des 2 mai et 5 juin sur les réparations*, Paris, Imprimerie nationale, 1923, pp. 52-54.

Bibliographie : J. Bariéty, *Les Relations franco-allemandes après la Première Guerre mondiale*, Paris, Pedone, 1977 ; D. Artaud, *La Question des dettes interalliées et la reconstruction de l'Europe (1917-1929)*, thèse multigraphiée, université de Lille III, 1976 ; D. Artaud, *La Reconstruction de l'Europe (1919-1929)*, Paris, PUF, 1973.

EST-IL UTILE DE RÉPÉTER ce que tout le monde sait : les devises étrangères provenant de l'exportation systématique maintenues au-dehors ; les marks vendus à l'étranger, qui subissent de ce fait des pertes considérables au point que l'opinion américaine a sensiblement évolué à l'égard de l'Allemagne ; les impôts non perçus, au détriment du budget, dont l'équilibre est détruit, et au bénéfice d'une grande industrie toujours plus avide et plus envahissante ; l'écroulement du mark favorisant une exportation dont les statistiques sont camouflées, supprimant les obligations financières, les dettes privées, les hypothèques, toutes les dettes intérieures de l'Allemagne, faisant disparaître ainsi la bourgeoisie qui vivait de ses rentes, et l'obligeant à travailler, c'est-à-dire à devenir productrice ; tous les bénéfices faits par l'agriculture, par l'industrie, par le commerce, investis en valeur réelle, c'est-à-dire en augmentation de capital. Il résulte de tout cela que, le jour où l'Allemagne le voudra, le jour où elle réduira ses dépenses au niveau de ses recettes, ce qui est facile dans un pays qui n'a plus de dépenses militaires et qui n'aura d'autre dette que celle des réparations, elle se trouvera en présence du contribuable le plus libéré de charges, le plus enrichi qu'il y ait dans le monde entier. Cette situation nous préoccupe, si elle ne paraît pas préoccuper l'Angleterre. Celle-ci ne voit que l'heure présente, un mark liquéfié, une instabilité telle dans les marchés que tout le monde semble gêné ; elle ne pense pas à l'avenir ; elle ne se rend pas compte du danger véritablement effrayant qui menace, non seulement la France et la Belgique, mais l'Angleterre et toute l'Europe ; une hégémonie économique qui apparaîtra brusquement et qui donnera à l'Allemagne tous les résultats qu'elle attendait de la guerre si elle avait été victorieuse.

Il nous est impossible d'entrer dans les vues du gouvernement britannique, sans risquer notre indépendance ; la Belgique a exactement les mêmes intérêts que la France, et c'est pourquoi elle nous a accompagnés dans la Ruhr.[…]

Nous savons également qu'il est impossible de compter sur la bonne foi de l'Allemagne. Les Anglais nous ont répété bien souvent que, le jour où l'Allemagne connaîtrait ses obligations et qu'elle les aurait loyalement acceptées, nous pourrions compter sur sa parole, et qu'elle les remplirait sans qu'il soit besoin de contrôle ou de contrainte.

Il suffit de rappeler les paroles que prononçait, le 8 juin dernier, au Reichstag, M. Becker, ministre de l'Économie publique du Reich, et que j'ai déjà souvent citées : « Lorsque nous serons libérés des charges des réparations et que nos produits pourront trouver des débouchés sur le marché international, alors, mais alors seulement, nous pourrons songer à l'assainissement de notre monnaie. »

L'Allemagne n'exécutera rien sans contrainte. Cette contrainte doit être constante et maintenue sans faiblesse.

2. Discours de Briand
à l'occasion de la signature du « pacte de Paris »
(27 août 1928)

Signé en août 1928, le pacte Briand-Kellog ou « pacte de Paris » marque l'apogée de la « sécurité collective ». Briand, qui détenait depuis avril 1925 le portefeuille des Affaires étrangères et qui avait consacré depuis cette date l'essentiel de ses efforts à la réconciliation franco-allemande, en avait eu l'initiative et aurait voulu qu'il restât limité à la France et aux États-Unis, qu'il espérait faire ainsi revenir sur la scène européenne. Mais le secrétaire d'État américain, Franck B. Kellog, refusa de se laisser enfermer dans cette combinaison et transforma l'engagement initialement envisagé en un pacte multilatéral sans contenu réel. Stresemann, qui avait été mis dans la confidence par les Américains, s'empressa de s'associer au projet, trop heureux de pouvoir démontrer aux autres puissances européennes que le maintien par la France d'une armée importante et de son réseau d'alliances à l'Est était devenu caduc.

Les quinze puissances signataires — dont la France et l'Allemagne — condamnaient solennellement le recours à la guerre et s'engageaient à rechercher la solution d'éventuels conflits par des moyens exclusivement pacifiques. Le 27 août 1928, devant les représentants des États intéressés, Briand a prononcé le discours dont nous présentons ici des extraits.

Source : Discours d'Aristide Briand, ministre des Affaires étrangères, lors de la signature du pacte général de renonciation à la guerre, 27 août 1928 ; Archives de la SDN, bibliothèque du Palais des Nations, Genève.

Bibliographie : P. Gerbet, V. Ghebali, M.-R. Mouton, *Les Palais de la Paix. Société des Nations et Organisation des Nations unies*, Paris, éd. Richelieu, 1973 ; G. Suarez, *Aristide Briand, sa vie, son œuvre*, Paris, Plon, 1952, 6 vol. ; G. Oudin, *Aristide Briand, une biographie*, Paris, R. Laffont, 1987.

[…] QUELLE LEÇON PLUS HAUTE peut être offerte au monde civilisé que ce spectacle d'une réunion où, pour la signature d'un pacte contre la guerre, l'Allemagne de son plein gré et de plain-pied, prend place entre tous les signataires, ses anciens adversaires ? Illustration encore plus frappante quand l'occasion se trouve ainsi donnée au représentant de la France recevant pour la première fois depuis un demi-siècle un ministre des Affaires étrangères d'Allemagne sur le sol de France, de lui faire le même accueil qu'à tous ses collègues étrangers. J'ajoute, messieurs, lorsque ce représentant de l'Allemagne s'appelle M. Stresemann, que l'on peut me croire particulièrement heureux de rendre hommage à la distinction d'esprit, au courage de l'éminent homme d'État qui, pendant plus de trois ans, n'a pas hésité à engager toute sa responsabilité dans l'œuvre de coopération européenne pour le maintien de la paix. [...]

Pour la première fois, à la face du monde, dans un acte solennel engageant l'honneur des grandes nations, ayant toutes derrière elles un lourd passé de luttes politiques, la guerre est répudiée sans réserve en tant qu'instrument de politique nationale, c'est-à-dire dans sa forme la plus spécifique et la plus redoutable : la guerre égoïste et volontaire.

Considérée jadis comme de droit divin et demeurée dans l'éthique internationale comme une prérogative de la souveraineté, une pareille guerre est enfin destituée juridiquement de ce qui constituait son plus grave danger : sa légitimité. Frappée désormais d'illégalité, elle est soumise au régime conventionnel d'une véritable mise hors-la-loi, qui expose le délinquant au désaveu certain, à l'inimitié probable de tous ses contractants. C'est l'institution même de la guerre qui se trouve ainsi attaquée directement, dans son essence propre. Il ne s'agit plus seulement d'organisation défensive contre le fléau, mais d'une attaque du mal à sa racine même.

Ainsi la légitimité du recours à la guerre comme moyen d'action arbitraire et égoïste cessera de faire peser sa menace latente sur la vie économique, politique et sociale des peuples et de rendre illusoire, pour les petites nations, toute indépendance réelle dans les discussions internationales. Libérés d'une telle servitude, les peuples signataires du nouveau contrat s'accoutumeront peu à peu à ne plus associer la notion de prestige national, avec celle de la force. Et ce seul fait psychique ne constituera pas le moindre gain dans l'évolution nécessaire à une stabilisation réelle de la paix. Ce pacte n'est pas réaliste ? Il y manque des sanctions ? Mais est-ce bien du réalisme, celui qui consiste à exclure du domaine des faits les forces morales, dont celle de l'opinion publique ? En fait, l'État qui affronterait la réprobation de tous ses contractants s'exposerait au risque positif de voir se former, peu à peu et librement, contre lui une sorte de solidarité générale dont il ne tarderait pas à sentir les redoutables effets. Et quel est le pays, signataire du pacte, que ses dirigeants prendraient la responsabilité d'exposer à un tel danger ? La loi moderne d'interdépendance des nations impose à tout homme d'État de prendre à son compte cette parole mémorable du président Coolidge : « Une action de guerre en tout lieu du monde, est une action qui porte préjudice aux intérêts de mon pays. » [...]

Messieurs, dans un instant le télégraphe annoncera au monde l'éveil d'une grande espérance. Ce sera pour nous un devoir sacré de faire désormais tout ce qui sera possible et nécessaire pour que cette espérance ne soit pas déçue. La paix proclamée, c'est bien, c'est beaucoup. Mais il faudra l'organiser. Aux solutions de force, il faudra substituer des solutions juridiques. C'est l'œuvre de demain.

À cette heure mémorable, la conscience des peuples, épurée de tout égoïsme national, s'efforce sincèrement vers des régions sereines où la fraternité humaine puisse s'exprimer dans le battement d'un même cœur. Cherchons une commune pensée où recueillir notre ferveur et notre abnégation. Il n'est pas une des nations ici représentées qui n'ait versé son sang sur les champs de bataille de la dernière guerre ; je vous propose de dédier aux morts, à tous les morts de la Grande Guerre, l'événement que nous allons consacrer de notre signature.

3. Octobre 1924 :
le gouvernement Herriot reconnaît l'Union soviétique

Pendant les mois décisifs du printemps et de l'été 1924 où s'opère, après la victoire de la gauche aux élections législatives, le tournant de la diplomatie française, tout repose sur Édouard Herriot, leader du Cartel, président du Conseil et ministre des Affaires étrangères. S'agissant des rapports avec l'Allemagne, qui constituent la principale préoccupation de la nouvelle équipe dirigeante, l'heure n'est plus à l'épreuve de force et à l'intransigeance sans faille. Certes Herriot, qui est un bon connaisseur de l'Allemagne, est de ceux qui redoutent la volonté de revanche de ce pays. Élu à la présidence du Parti radical en 1919, dans un climat de grande fièvre patriotique, il n'est nullement disposé à mener une politique d'abandon. Mais il croit en même temps qu'une attitude conciliatrice pourrait consolider en Allemagne le camp des partisans de la démocratie et de la paix et il s'engage donc, à la fois pour cette raison, et parce que la situation financière de la France ne lui permet guère d'en choisir une autre, dans la voie qui lui est imposée par les Anglo-Saxons et qui doit, selon lui, permettre à la France de sortir de l'isolement dans lequel l'a enfermée son action dans la Ruhr.

C'est également pour rompre cet isolement, et aussi pour empêcher que le rapprochement amorcé à Rapallo, en avril 1922, entre la Russie des Soviets et l'Allemagne, n'aboutisse à une alliance de fait entre les deux principales puissances révisionnistes, que le leader radical, sensible aux arguments développés entre autres par le sénateur Anatole de Monzie, décide en octobre 1924 de reconnaître de jure le jeune État soviétique, comme l'avait fait huit mois plus tôt le gouvernement britannique présidé par le travailliste MacDonald.

Outre la reprise des relations entre les deux pays, deux questions sont mises en avant par le chef du gouvernement : la « possibilité » pour les porteurs français d'emprunts russes de voir honorés les engagements du régime tsariste, et le respect du principe de non-intervention dans les affaires intérieures de chacun des deux pays, ce qui, du côté français, signifie la mise en veilleuse de l'action menée en France par le Komintern.

Source : Télégramme d'Édouard Herriot, président du Conseil, ministre des Affaires étrangères, à MM. Rykov, président du Conseil des commissaires du peuple et Tchitchérine, commissaire du peuple aux Affaires étrangères de l'URSS, 28 octobre 1924, copie, Fonds Anatole de Monzie, Archives FNSP/CHEVS, Conférence franco-soviétique I/Documents préparatoires et annexes.

Bibliographie : A. Hogenhuis-Seliverstoff, _Les Relations franco-soviétiques, 1917-1924_, Paris, Publications de la Sorbonne, 1991.

COMME SUITE à la déclaration ministérielle du 17 juin 1924 et après communication du 19 juillet dernier, le gouvernement de la République, fidèle à l'amitié qui unit le peuple russe et le peuple français, reconnaît _de jure_ à dater de ce jour le gouvernement de l'URSS comme le gouvernement des territoires de l'ancien Empire russe où son autorité est acceptée par les habitants, et dans ces territoires comme le successeur des précédents gouvernements russes.

Il se tient prêt, en conséquence, à nouer dès maintenant des relations diplomatiques régulières avec le gouvernement de l'Union par un envoi réciproque d'ambassadeurs.

En vous notifiant cette reconnaissance, qui ne saurait porter atteinte à aucun des engagements pris et des traités signés par la France, le gouvernement de la République veut croire à la possibilité entre nos deux pays d'un accord d'ensemble dont la reprise des relations diplomatiques est la préface. À cet égard, il entend réserver expressément les droits que les citoyens français tiennent des obligations contractées par la Russie ou ses ressortissants sous les régimes antérieurs, obligations dont le respect est garanti par les principes généraux du droit, qui restent pour nous la règle de la vie internationale. Les mêmes réserves s'appliquent aux responsabilités assumées depuis 1914 par la Russie envers l'État français et ses ressortissants.

Dans cet esprit, le gouvernement de la République, pour servir une fois de plus les intérêts de la paix et de l'avenir européen, a le dessein de rechercher avec l'Union un règlement équitable et pratique qui permette de rétablir entre les deux nations des rapports utiles et des échanges normaux quand la confiance française aura reçu ses justes apaisements. Dès que vous aurez fait connaître votre assentiment à l'ouverture des négociations d'ordre général et plus particulièrement d'ordre économique, nous accueillerons à Paris vos délégués munis de pleins pouvoirs pour qu'ils se rencontrent avec nos négociateurs.

Jusqu'à l'heureuse issue de ces négociations, les traités, conventions et arrangements ayant existé entre la France ou les citoyens français et la Russie ne devront pas avoir d'effets, les rapports de droit privé nés avant l'établissement du pouvoir des Soviets entre Français et Russes resteront régis comme ils l'ont été jusqu'ici et il sera sursis à tous égards à l'apurement des comptes entre les deux États, toutes mesures conservatoires en France étant ou devant être prises.

Enfin, il doit être entendu d'ores et déjà que la non-intervention dans les affaires intérieures sera la règle des rapports entre les deux pays.

4. Pour une nouvelle politique à l'Est
(Avril 1931)

À la suite de la reconnaissance par la France du gouvernement de l'URSS (texte n° 3), une conférence franco-soviétique s'ouvrit à Paris en février 1925 pour étudier le problème du remboursement des dettes russes. La délégation française était présidée par Anatole de Monzie, sénateur proche du Parti radical auquel Herriot allait confier le portefeuille des Finances après la démission de Clementel. Monzie avait été, à l'époque du Bloc national, l'un des plus fervents partisans du rapprochement avec l'URSS. En 1923, il avait effectué un voyage en Russie et en était revenu très impressionné. Mais, surtout, il était partisan d'une politique étrangère de présence indépendante des considérations idéologiques et partisanes et il avait été parmi ceux qui, au lendemain de la guerre, avaient réclamé le rétablissement des relations diplomatiques avec le Saint-Siège.

La délégation soviétique, présidée par l'ambassadeur Rakovsky, ne rejetait pas sans appel les demandes françaises. Elle acceptait le remboursement des emprunts contractés par le gouvernement tsariste auprès des porteurs français, mais elle demandait en _contrepartie l'octroi de crédits correspondant aux sommes dues, ainsi que la restitution de la flotte russe de la mer Noire qui avait été internée à Bizerte. Monzie était pour sa part favorable à ce compromis, mais Poincaré — qui avait dans l'intervalle succédé à Herriot — jugeait celui-ci illusoire et le refusa._

L'échec de la négociation a inauguré une période de tension entre Paris et Moscou, la France envisageant même à la fin de 1926 de rompre ses relations diplomatiques avec l'URSS comme le fera le Royaume-Uni quelques mois plus tard. À partir de 1927, l'État communiste vit dans la hantise d'une nouvelle « croisade antibolchevique » dont l'Angleterre et la France seraient le fer de lance. De là l'adoption par le Komintern d'une stratégie de lutte contre la « guerre impérialiste » qui se traduira en France par la radicalisation du Parti communiste et aura pour effet d'entretenir un climat d'hostilité entre les deux pays.

Au moment où Anatole de Monzie publie cet article dans La Petite Gironde _(avril 1931), Poincaré — qui avait mené la vie dure aux communistes — a quitté le pouvoir depuis deux ans et l'atmosphère des rapports franco-russes s'est un peu améliorée, surtout depuis que l'URSS a adhéré au pacte Briand-Kellog. Amorcé par Briand et Laval, le rapprochement s'est traduit en mars 1931 par la conclusion d'un accord commercial qui sera suivi, en novembre 1932, de la signature d'un pacte de non-agression. Gauche et droite modérées paraissent donc en accord sur la nécessité de faire prévaloir l'intérêt et la sécurité de la France sur les sympathies ou les antipathies idéologiques. C'est en substance ce qu'écrit l'ancien ministre des Finances du Cartel._

Source : Anatole de Monzie, «Une nouvelle politique franco-russe», _La Petite Gironde_, 9 avril 1931.

Bibliographie : Article « Monzie (Anatole de) » _in_ G. et S. Berstein, _Dictionnaire historique de la France contemporaine_, t. I, _1870-1945_, Bruxelles, Complexe, 1996, pp. 548-549 ; É. Herriot, _La France et le monde_, Paris, Hachette, 1933 ; M. Mourin, _Les Relations franco-soviétiques, 1917-1967_, Paris, Payot, 1967.

_É_CRIRE L'HISTOIRE, disait Goethe, _c'est une manière de se débarrasser du passé._ » « J'ai souvent médité, depuis la guerre, sur la sagesse de ce propos. Il existe, en effet, une certaine tyrannie du passé, une oppression sentimentale des souvenirs par quoi la liberté, l'activité des temps nouveaux sont incessamment frappées d'interdit.

Le pacte de Locarno, populaire en 1925, eût été impossible en 1920. Une boutade sans doute apocryphe de Clemenceau, au sujet de Fiume, a suffi pour interdire jusqu'à ce jour toute coopération franco-italienne. Il faut croire que nous-mêmes, en 1926 et 1927, nous n'avions pas encore assez oublié le traité germano-russe de Brest-Litovsk pour discuter avec les plénipotentiaires de Moscou sur la base éternelle du _do ut des_[1]. Il y a, semble-t-il, des délais de deuil ou de rancœur que la bienséance patriotique impose au jeu normal des intérêts. Ces délais sont un peu plus longs en France qu'en Angleterre — d'où la différence essentielle des méthodes dont usent les deux nations alliées et amies.

Mais la peine et la colère des hommes s'atténuent au réel des événements qui, jadis, motivèrent leurs émois. On pardonne déjà quand on raconte. Raconter, c'est presque

---

1. Donnant, donnant.

excuser, puisque l'impartial historien doit admettre, au bénéfice de ceux dont il relate l'histoire, une logique humaine différente de la sienne propre. La hantise contre-révolutionnaire qui tint l'Europe jusqu'en 1830 fut vite dissipée quand les écrivains se prirent à détailler les origines, les causes et les fastes de la République française. J'ai songé à ce glorieux précédent au moment où je décidais d'écrire un *Petit Manuel de la Russie nouvelle*. J'ai songé, non à enseigner, mais à renseigner, et, ce faisant, dans la mesure de mon pouvoir d'historien improvisé, à libérer mes concitoyens des ignorances ou des craintes qui, depuis tantôt quatorze ans, s'imposent à une reprise sincère des contacts avec la Russie des Soviets.

Car voici bientôt quatorze ans que dure l'URSS, bientôt sept ans que nous avons reconnu le gouvernement de la Russie communiste, et pourtant nous n'avons pas tout à fait désavoué, définitivement désavoué les mots d'ordre donnés en 1918, durant les dernières batailles, en 1920, durant la dernière offensive des Blancs. Nous n'avons abandonné que les métaphores malchanceuses de notre optimisme occidental ; mais si nous ne parlons plus de blocus, ni de fil de fer barbelé, les moyens que nous adoptons pour repousser l'invasion économique sont inspirés des mêmes erreurs que d'aucuns préconisaient au lendemain de notre victoire militaire. Les décrets d'octobre 1930, destinés à combattre le soi-disant *dumping* russe, n'ont guère influencé le mouvement des importations, mais ils ont, par contre, réduit à néant nos exportations sur la Russie, qui, dans la balance commerciale, représentent aujourd'hui un dixième environ du volume des importations.

« *On ne traite pas avec ces gens-là* », répète une voix qui monte du passé. L'Allemagne, cependant, traite ; l'Italie traite ; l'Angleterre traite, et les groupes américains s'empressent vers ce marché que notre vertu ferme à notre commerce. Nous nous effrayons à la nouvelle qu'une convention douanière entre Berlin et Vienne prépare une fusion de l'Autriche avec l'Allemagne[1] ; mais nous acceptons sans frayeur l'idée d'une entente économique entre le Reich et le Kremlin, qui préluderait à d'éventuelles combinaisons d'armées. Est-ce donc que nous escomptons un miracle de la démocratie à Moscou ? La débâcle de la force devant la raison ? Ou simplement l'échec de ce *plan quinquennal* sur lequel la Russie a misé toutes ses ressources et toute sa foi ?

Affaire de cœur ! La prescription est acquise aux horreurs d'août 1914. Pourquoi ne le serait-elle pas à la défection de 1918, qui, tout compte fait, ne profita point aux ennemis de nos armes ? Affaire de régime ! Il faut s'habituer à considérer que chacun est maître chez soi et qu'il n'y a pas lieu d'instituer le parlementarisme à coups d'anathèmes, sinon à coups de canon. La paix suppose autant de concessions idéologiques que de concessions matérielles. Nos aïeux, qui aimaient la Pologne comme nous l'aimons, et d'une affection peut-être plus bruyante, ont supporté que le tsar régnât à Varsovie ; quels que soient les sentiments des socialistes français envers les socialistes géorgiens, nous ne saurions sacrifier notre politique, notre industrie et nos porteurs de fonds russes à l'attente d'une Géorgie libre ou d'une Ukraine émancipée.

L'attente ne nous vaut rien. La bouderie ne vaut rien. Un créancier compromet sa créance s'il laisse son débiteur arriver à ce point où il peut se passer de ses soins. La Russie soviétique pourra se passer de nos soins et de nos produits si tous vont à elle sauf nous, qui devenons les puritains de l'Europe.

---

1. Au moment où Monzie publie son article, l'Autriche et l'Allemagne viennent tout juste de signer un projet d'union douanière. L'émotion est extrêmement vive en France où l'on craint que l'*Anschluss* économique ne débouche sur la fusion des deux pays comme le *Zollverein* prussien du XIX siècle avait abouti à l'unité allemande.

1917 ! 1931 ! Pas un traité de commerce provisoire. Pas une convention d'établissement autorisant l'espoir de relations régulières. [...] Une franche rupture serait préférable à cette expectative bougonne, parce qu'elle serait suivie d'une réaction du bon sens, du sens pratique, ainsi qu'il advint à Londres. Mais nul parmi nous n'envisage désormais cette hypothèse. Individuellement et presque à la dérobée, les meilleurs des nôtres s'acheminent, avec le dessein de s'informer, dans la direction de cet ancien empire, où quelque chose de neuf se construit. Il ne s'agit que d'agréger en forme gouvernementale, en forme nationale, ces velléités et ces curiosités individuelles. Il y a urgence opportune.

Plus de danger communiste ! La IIe Internationale s'emploie à transformer en électeurs les meneurs de la IIIe ; l'esprit de parti résorbe l'esprit de la révolution. Aussi bien avons-nous compris, par le triple exemple de l'Allemagne, de l'Italie et de la Turquie, que les rigueurs envers le communisme s'accommodent aisément d'une liaison avec l'Union soviétique. La vieille distinction du spirituel et du temporel trouve ici un emploi inédit mais précieux. Un bourgeois accompli conciliera sans effort son goût du capitalisme et ses fréquentations mercantiles avec l'URSS. Il suivra la trace des bourgeois de tous les pays comme nous suivrons la trace de tous les États du monde civilisé. J'eusse préféré que la France fût initiatrice, en place d'être imitatrice. La question ne se pose plus que d'éviter d'être dupes, dupes par coquetterie de sentiment.

5. La « note » française du 17 avril 1934

En décembre 1932, l'Allemagne avait obtenu à Genève la reconnaissance du principe de l'égalité des droits avec les autres puissances en matière d'armements militaires. Devenu chancelier du Reich quelques semaines plus tard, Hitler s'applique aussitôt à en obtenir l'application. Devant les résistances françaises, il annonce le 14 octobre 1933 que l'Allemagne quitte la Conférence du désarmement et, cinq jours plus tard, qu'elle se retire de la Société des Nations, affirmant ainsi sa volonté de ne soumettre à aucun arbitrage la question du réarmement de l'Allemagne.

Des négociations se poursuivent cependant jusqu'au 17 avril 1934. À cette date, le gouvernement français, suivant le président du Conseil Doumergue et le maréchal Pétain, ministre de la Guerre (le ministre des Affaires étrangères Barthou et l'ambassadeur à Berlin François-Poncet étant plutôt favorables à un accord), publie la note dont nous présentons ici des extraits et qui consacre la rupture des pourparlers. Hitler se contentera désormais pendant près d'un an d'accélérer le réarmement clandestin du Reich, avant de décider unilatéralement, le 16 mars 1935, de rétablir le service militaire obligatoire et de porter à 36 divisions les effectifs de la Wehrmacht.

Source : *Documents diplomatiques français, 1932-1939*, 1re série (1932-1935), t. VI (3 mars-26 juillet 1934), Paris, Imprimerie nationale, n° 104, pp. 270-272.

Bibliographie : M. Vaïsse, *Sécurité d'abord. La politique française en matière de désarmement (9 décembre 1930-17 avril 1934)*, Paris, Pedone, 1981.

E N RÉALITÉ, et sans attendre les résultats des négociations qui s'échangeaient, le
... gouvernement allemand a voulu imposer sa résolution de poursuivre son réarmement, sous toutes les formes, dans les limites dont il prétend être le seul juge, et au
mépris des dispositions du traité qui, en l'absence de toute autre convention, continuent
à déterminer le statut de ses armements. Il entend augmenter immédiatement, dans de
fortes proportions, non seulement la puissance de son armée, mais encore celle de sa
marine et de son aviation. À ce dernier point de vue, il est d'autant moins loisible aux
voisins de l'Allemagne de négliger la menace suspendue sur eux que de nombreux aérodromes ont été récemment organisés dans la zone démilitarisée, toujours en violation du
traité. Parallèlement, le gouvernement allemand se soucie moins de supprimer ou de
rendre à un but civil les organisations paramilitaires que d'en perfectionner l'usage,
adapté à la guerre. Il n'est que de lire, pour en avoir la preuve, d'autres budgets que
ceux de la Défense nationale.

Quelque explication que l'on tente d'en donner après coup, ces faits, d'une gravité si
exceptionnelle, appellent une observation et une conclusion communes.

Ils prouvent que le gouvernement du Reich a, de propos délibéré ou non, rendu
impossibles des négociations dont son ministre a ruiné la base.

Cette constatation dicte au gouvernement de la République son devoir et sa réponse.
Avant même de rechercher si un accord peut se réaliser sur un système de garanties
d'exécution assez efficace pour permettre la signature d'une convention qui légaliserait
l'important réarmement de l'Allemagne, la France doit placer au premier plan de ses
préoccupations les conditions de sa sécurité propre, dont elle ne sépare pas du reste
celle des autres puissances intéressées.

Le retour de l'Allemagne à la Société des Nations, qu'elle a si brusquement quittée,
aurait pu fournir l'occasion et les moyens de dissiper, au moins en partie, ces préoccupations. Dans sa note du 17 mars, le gouvernement de la République constatait son
accord avec le gouvernement britannique sur la nécessité de faire de cette rentrée préalable de l'Allemagne dans la communauté des États une condition essentielle de la
signature d'une convention de désarmement. Il s'est, depuis, rencontré de nombreux
gouvernements qui, ayant le même souci, ont affirmé la même opinion. Cette présence
de l'Allemagne dans l'assemblée de Genève ne serait pas moins indispensable pour réaliser un système satisfaisant de garanties d'exécution. Or, sur ce point capital, M. Eden
n'a pu rapporter de Berlin aucune solution favorable, et le silence gardé au cours des
dernières communications ne permet pas de meilleures espérances.

Le gouvernement de la République ne saurait, pour sa part, renoncer, en principe, à la
condition essentielle et nécessaire qu'il avait formulée. Il peut moins encore assumer la
responsabilité d'une renonciation aussi dangereuse à l'heure même où le réarmement
allemand s'affirme, se prépare et se développe sans tenir aucun compte des négociations
engagées conformément aux vœux mêmes de l'Allemagne.

L'expérience de la dernière guerre, dont la France a plus que tout autre pays supporté
les horreurs, lui fait un devoir de se montrer prudente. Sa volonté de paix ne doit pas se
confondre avec l'abdication de sa défense. Elle sait gré à l'amitié du gouvernement britannique d'avoir voulu rechercher avec elle un système efficace pour entourer de garanties l'exécution d'une convention de désarmement. Elle regrette qu'une initiative
étrangère ait brusquement rendu vaines des négociations poursuivies par les deux pays
avec une bonne volonté et une bonne foi égales. [...]

6. La mission d'Henry de Jouvenel à Rome

(Février 1933)

Ministre des Affaires étrangères, d'abord, dans le cabinet qu'il préside pendant une quarantaine de jours à la fin de 1932 et au début de 1933, puis dans les divers gouvernements radicaux qui se succèdent jusqu'en 1934, Joseph Paul-Boncour a été membre de la délégation française à la SDN de 1928 à 1930, puis président de la Commission des Affaires étrangères de la Chambre, membre enfin de celle du Sénat où il a été élu en 1931, date de sa rupture avec le Parti socialiste auquel il avait adhéré au lendemain de la guerre. C'est donc un véritable spécialiste de la politique internationale qui se trouve en charge du Quai d'Orsay au moment où l'arrivée d'Hitler au pouvoir pose à la France, en termes nouveaux, le problème de sa sécurité et incite ses responsables politiques à rechercher des appuis contre la menace d'une guerre de revanche.

Parmi les soutiens possibles figure celui de l'Italie fasciste, certes proche idéologiquement du Reich hitlérien mais en même temps inquiète des visées allemandes sur la zone danubienne. Encore faut-il que Mussolini accepte de répondre à d'éventuelles avances de la part d'une puissance avec laquelle les relations n'ont cessé de se détériorer depuis le milieu des années 20. La chose est d'autant plus malaisée que le chef de la diplomatie française n'est pas considéré à Rome comme un ami de l'Italie nouvelle et de son chef, qu'il a jadis qualifié de « César de Carnaval ». Et il est vrai que, même après sa sortie des rangs de la SFIO, Paul-Boncour n'a aucune sympathie pour l'homme ni pour le régime qui ont provoqué la mort de Matteotti.

Pourtant, c'est bien un rapprochement avec l'Italie fasciste que Paul-Boncour va tenter d'opérer au début de 1933. Parce que, estime-t-il, le pouvoir du Duce est maintenant consolidé et que, de toute manière, la France « n'a plus le choix ». Et pour amorcer des négociations avec Rome, il nomme comme ambassadeur au palais Farnèse son « vieil ami », Henry de Jouvenel, qui avait comme lui fait partie de la délégation française à Genève. Devenu lui aussi sénateur, Jouvenel n'accepta qu'une mission de six mois, dont Paul-Boncour fixait les grandes lignes dans une longue lettre datée du 10 février 1933 et dont nous reproduisons ici quelques extraits. Ses instructions portaient principalement sur l'amélioration de l'opinion publique dans les deux pays, le statut des Italiens de Tunisie, les compensations coloniales que la France devait apporter à l'Italie en vertu du traité de Londres de 1915, la recherche d'une collaboration économique et financière plus active entre les deux pays, l'élaboration d'un traité d'amitié et d'arbitrage, l'Éthiopie et la zone danubienne, ainsi que les problèmes relatifs aux rapports franco-italo-yougoslaves.

_Aux discrètes avances de Jouvenel, Mussolini répondit, lors de la première visite que lui rendit l'ambassadeur de France, par la présentation du projet de « Pacte à Quatre » qu'il avait fait adopter par le Grand Conseil du fascisme et qui prévoyait la constitution d'une sorte de directoire des grandes puissances (Italie, France, Allemagne, Angleterre) sur le modèle du « concert européen » du XIX_e _siècle._

Source : Lettre du ministre des Affaires étrangères Joseph Paul-Boncour à Henry de Jouvenel, ambassadeur de la République française à Rome, portant la mention « Instructions générales », 10 février 1933, ministère des Affaires étrangères, Direction des affaires politiques et commerciales, Europe, n° 210.

Bibliographie : Ch. Manigand, *La Carrière politique d'Henry de Jouvenel*, thèse de doctorat, IEP Paris, 4 vol. dactyl., 1996.

COMME LE TEMPS vous est compté et qu'il importe tout particulièrement d'éviter les délais qui risqueraient de paralyser votre activité et priveraient de sens la mission que le gouvernement vous a confiée, je crois nécessaire de ne fixer au début de votre mission que les grandes lignes de la politique qu'il convient de suivre dans nos rapports avec l'Italie. [...]

Vous éviterez d'émietter une négociation d'ensemble en concessions de détail, qui n'ont d'autre résultat que d'irriter l'opinion d'un pays par les abandons qu'elles marquent et de décevoir celle de l'autre en lui rappelant l'étendue de ses ambitions insatisfaites.

Ce qui importe d'ailleurs n'est point d'améliorer les relations entre la France et l'Italie pour quelques mois, mais au contraire de fixer pendant ces mois les principes d'une entente durable associant pour longtemps les intérêts des deux pays. [...]

[...] Amélioration de l'opinion publique en France et en Italie

Sans attendre à cet égard qu'un complet apaisement des esprits puisse être réalisé dès le début de votre mission, il va de soi que celle-ci doit être facilitée de la part des organes qui expriment ou guident l'opinion par une plus juste appréciation des choses, aussi bien en France qu'en Italie. À cet égard, vous saurez faire valoir que, si nous ne pouvons nous départir à l'égard des réfugiés politiques italiens des règles élémentaires tracées par la coutume internationale autant que par notre tradition, l'opinion française a généralement modifié avec le temps l'appréciation qu'elle se faisait de la stabilité du statut politique de l'Italie et des progrès qui, tout au moins dans l'ordre matériel, ont pu en résulter, et qu'au surplus elle tient chaque nation pour le meilleur juge de ses affaires intérieures. En retour, nous sommes en droit d'attendre de la presse italienne, en raison de son inspiration gouvernementale, une plus juste compréhension de la politique française. [...]

[...] Problèmes démographiques et questions coloniales

Si, comme il est probable, M. Mussolini vous expose le problème démographique de l'Italie, vous n'aurez garde de le nier, mais vous devrez faire remarquer qu'il ne peut pas trouver une solution dans les territoires actuellement placés sous l'autorité de la France.

Seule, en effet, de ces contrées, l'Afrique du Nord se prête au peuplement européen. Or, tous nos efforts doivent tendre à y consolider l'œuvre entreprise depuis un siècle. Nous avons notamment un intérêt capital à lever l'hypothèque que les conventions de 1896 font peser sur la Tunisie, où elles garantissent la perpétuité de la nationalité italienne et le maintien des écoles du Gouvernement royal. [...]

Je n'ai pas besoin, d'autre part, de souligner le danger qu'il y aurait à désigner expressément à l'expansion italienne des territoires d'États indépendants, même dans le cas où nous pourrions y renoncer en sa faveur à toute poursuite d'influence française, car il suffirait au gouvernement italien de rapporter cette initiative aux gouvernements intéressés pour nous les aliéner immédiatement sans qu'il soit lui-même tenu envers nous à aucune compensation.

Vous ne repousserez pas de prime abord les suggestions qui vous seraient faites relativement à l'Abyssinie, mais sans perdre de vue que l'Éthiopie fait déjà partie de la Société des Nations et que nous devons conserver du moins, dans ce pays, l'_hinterland_ économique du chemin de fer franco-éthiopien, dont dépend la prospérité de Djibouti, escale indispensable à nos communications avec Madagascar et l'Indochine. [...]

[...] Entente économique

Indépendamment des échanges commerciaux que nous désirons voir contribuer le plus possible au resserrement des rapports généraux entre les deux pays, mais qui demeurent avant tout subordonnés aux conditions propres à chacun d'eux, vous aurez à rechercher la possibilité d'une collaboration économique et financière plus active.

Des progrès pourraient être réalisés dans ce domaine, où les besoins et les capacités des deux pays, loin d'être concurrents, sont généralement complémentaires, l'Italie disposant notamment d'une main-d'œuvre surabondante, laborieuse et intelligente, la France pouvant apporter des capitaux et offrir sur son propre territoire et dans ses possessions d'outre-mer des champs d'activité susceptibles de développement. [...]

[...] Traité d'amitié et d'arbitrage

Vous rappellerez à M. Mussolini que le gouvernement français, envisageant une procédure plus large que le règlement immédiat des questions particulières intéressant les deux pays, s'est montré et demeure disposé à conclure avec le gouvernement italien un traité général d'amitié et d'arbitrage, dont un projet lui a déjà été communiqué il y a plusieurs années. [...]

7. La « main libre » en Éthiopie
_(1935)_

Ministre des Affaires étrangères depuis octobre 1934 (il a remplacé Barthou, assassiné à Marseille par un terroriste croate), puis cumulant cette charge avec celle de président du Conseil, Pierre Laval doit faire face, fin décembre 1935, à un grand débat de politique étrangère à la Chambre portant principalement sur le problème de l'Éthiopie et sur l'attitude adoptée par le gouvernement français à l'égard de Mussolini.

Peu de temps auparavant, la presse a révélé la teneur du « plan Laval-Hoare », un projet qui, élaboré par le président du Conseil et par le chef du Foreign Office, Sir Samuel Hoare, propose d'abandonner au Duce les deux tiers du territoire éthiopien. Assumant la succession de Barthou, Laval s'est apparemment engagé dans la même voie que lui, en menant parallèlement le rapprochement avec Rome et la recherche d'une alliance avec l'URSS. En fait, s'il ne peut faire autrement que de conclure la négociation déjà très avancée avec Moscou (un pacte d'assistance est signé le 2 mai 1935, qu'il se gardera bien d'ailleurs de faire ratifier par les Chambres), c'est du côté de Rome que penchent ses sympathies. Début janvier, il s'est rendu dans la capitale italienne et a signé avec Mussolini un accord portant sur la cession par la France de quelques dizaines de milliers de km² de territoires désertiques au nord du Tchad et aux *confins de l'Érythrée et sur la modification du statut privilégié des Italiens de Tunisie. En échange de quoi, l'Italie s'est engagée à collaborer avec la France dans l'éventualité d'une nouvelle menace allemande dans la zone danubienne (venant après la tentative nazie de juillet 1934).*

Laval est-il allé plus loin ? Dans l'entretien en tête à tête qu'il a eu avec Mussolini le 6 janvier au soir, au palais Farnèse, il s'est engagé — reconnaît-il — à laisser à son interlocuteur les « mains libres » en Éthiopie. Que signifiait à ses yeux, et aux yeux du Duce, cette formule peu explicite ? Pour Mussolini, elle indiquait que la France donnait en quelque sorte un blanc-seing à ses entreprises conquérantes en Afrique orientale, et c'est bien ce que reprocheront ensuite à Laval ses adversaires politiques. Pour ce dernier au contraire, et c'est ce qu'il écrira à Mussolini le 22 décembre 1935, les « riches perspectives d'avenir » ouvertes par l'accord du 7 janvier « ne s'étendaient pas au-delà du terrain économique ». Tel est l'argument qu'il oppose à ses détracteurs lors du débat à la Chambre.

Source : Discours de Pierre Laval à la Chambre des députés, 28 décembre 1935 ; *Journal officiel*, Débats parlementaires, Chambre des députés, 29 décembre 1935, pp. 2865.

Bibliographie : M. Gallo, *L'Affaire d'Éthiopie. Aux origines de la guerre mondiale*, Paris, Le Centurion, 1967 ; F. Kupferman, *Laval (1883-1945)*, Paris, Balland, 1987 ; J.-P. Cointet, *Pierre Laval*, Paris, Fayard, 1992.

MAIS, dit-on, on nous a caché quelque chose et la rumeur traîne, elle court ; j'aurais laissé carte blanche à Monsieur Mussolini. Messieurs, je n'ai rien à vous cacher, je le dis pour la Chambre et pour ailleurs : j'ai consenti à l'Italie, par le désistement économique de la France, le droit de demander des concessions dans toute l'Éthiopie, les droits acquis étant respectés. En échange, l'Italie a consenti à la France la même faculté pour une zone qui avait été délimitée sur la carte et qui m'était apparue suffisante, en tout cas nécessaire pour alimenter le trafic du chemin de fer de Djibouti à Addis-Abeba.

L'Italie obtenait ainsi des avantages correspondant à ceux que l'Angleterre lui avait concédés en 1925. Il lui appartenait d'en tirer parti en recherchant avec l'Éthiopie, dont l'évolution s'est faite sur un rythme plus lent, une collaboration aussi profitable à celle-ci qu'avantageuse pour elle-même.

La France n'entendait faire aucun obstacle à ce développement pacifique.

J'étais en droit de penser que de cette liberté l'Italie userait dans la paix seulement. Rien dans les accords ni dans les conversations qui ont précédé ou suivi, ne pouvait encourager l'Italie à recourir à la guerre.

8. Lettre de Vincent Auriol à Léon Blum sur la guerre d'Espagne

(1936)

Dès le 20 juillet 1936, trois jours seulement après le pronunciamiento *nationaliste, le gouvernement français, présidé par Léon Blum, faisait savoir au chargé d'affaires d'Espagne, qu'il était prêt à lui fournir des avions, des armes et des munitions. Or, cinq jours plus tard, le Conseil des ministres prenait une décision contraire à ce choix initial en faveur de la République espagnole. Sensible à la fois aux premières attaques de la presse de droite, aux réticences britanniques, aux avertissements de l'ambassadeur à Berlin François-Poncet et surtout aux divisions qui avaient commencé à se manifester au sein même du cabinet — Vincent Auriol, ministre des Finances, et Pierre Cot, ministre de l'Air, étaient favorables aux livraisons d'armes, Yvon Delbos, en charge du Quai d'Orsay, était contre —, le chef du gouvernement a opté pour l'abstention. Le 30 juillet, devant la Commission des Affaires étrangères du Sénat il déclarait que la France ne livrait pas de matériel à l'Espagne, imité le lendemain par Delbos à la Chambre. Ils en furent félicités.*

Le 1ᵉʳ août, à l'issue d'un nouveau Conseil des ministres, la France proposa au gouvernement de Londres une politique commune de « non-intervention », afin d'éviter la formation de « blocs de puissance » qui ne pouvaient que tendre la situation internationale et conduire à la guerre. Les Britanniques acceptèrent dès le 4 août, à condition que les Allemands, les Italiens et les Portugais adoptent la même attitude. Le 6, l'URSS et l'Italie se prononcèrent dans le même sens.

Le choix que Blum a fait de la non-intervention a été d'autant plus difficile à effectuer qu'il se heurtait à l'hostilité non seulement des communistes — qui ne participaient pas au gouvernement mais n'en faisaient pas moins partie de sa majorité — mais aussi de l'aile gauche de son parti (Marceau Pivert, Zyromski), voire de certains membres du cabinet, parmi lesquels Vincent Auriol qui, en tant qu'élu de Toulouse, se sentait particulièrement concerné par les événements d'Espagne.

Dans la lettre qu'il adresse le 12 août 1936 à Léon Blum, Auriol fait part au chef du gouvernement de ses craintes de voir le principe de non-intervention bafoué par les dictatures. À cette date, les preuves en effet du soutien donné par l'Italie fasciste aux généraux rebelles ne manquent pas. Le 30 juillet, par exemple, deux avions italiens ont dû atterrir au Maroc. Auriol, il le dit clairement, est prêt à respecter loyalement le principe de la neutralité. Comme Blum, c'est la mort dans l'âme qu'il a dû se résoudre à « abandonner un peuple ami » et à « méconnaître nos obligations nationales et internationales ». Mais l'avertissement qu'il donne au président du Conseil est tout aussi net. Si la non-intervention devait être « un jeu de dupes », il ne pourrait y assister impuissant ; ce qui constitue une menace à peine voilée de possible démission. En fait, lorsqu'il sera avéré que ni les Allemands ni les Italiens ne respectent la non-intervention, il fera partie des personnalités politiques qui, notamment depuis la plaque-tournante de Toulouse, faciliteront le passage en Espagne de matériel de guerre destiné aux républicains.

Source : Archives FNSP/CHEVS, Fonds Gaston Monnerville.
Bibliographie : G. Hermet, *La Guerre d'Espagne*, Paris, Seuil, 1989 ; P. Renouvin, « La politique extérieure du premier gouvernement Léon Blum », *Léon Blum chef de*

gouvernement, 1936-1937, Actes du colloque de la FNSP, Cahiers de la FNSP, n° 155, Paris, Armand Colin, 1967, pp. 329-353 ; D. W. Pike, *Les Français et la guerre d'Espagne, 1936-1939*, Paris, 1975.

12 août 1936

MON CHER PRÉSIDENT ET AMI,
Vous savez avec quelle inquiétude d'esprit et quel déchirement de cœur je me suis résigné l'autre jour à l'attitude dite de neutralité. Jamais je n'ai pensé à une intervention pas plus que vous ni quiconque, mais j'ai estimé que du moment que les insurgés étaient aidés puissamment par d'autres nations, qui à mon avis poursuivent une politique à longue échéance contre la démocratie, la France et la Paix, il y avait lieu d'aider, de notre côté, un gouvernement ami, régulier et reconnu, à qui nous devons par accords formels, aide, assistance, fournitures d'armes.

Je suis convaincu que si nous avions été décidés à aider ce gouvernement régulier et reconnu par tous comme légitime, l'Angleterre aurait proposé elle-même sa médiation et il aurait beaucoup mieux valu, à mon sens, qu'elle en prît la direction. En tout cas, c'est chose faite.

Mais depuis vendredi dernier, j'ai l'impression que par ses ajournements l'Italie manœuvre. Je sais qu'elle continue d'aider le général Franco. Par des postes de douanes, j'apprends qu'en contrebande des munitions arrivent aux insurgés.

Nous risquons d'être les victimes de notre générosité. Depuis cinq jours on avait parfaitement le temps d'organiser la neutralité désirée et à laquelle je me suis rallié et continue de me rallier. Mais il est temps que la diplomatie soit active pour obtenir, demain ou après-demain, avec l'Angleterre l'organisation précise de cette neutralité, par un contrôle formel dans les postes espagnols et les divers postes frontières.

S'il n'en était pas ainsi, nous encourrions la plus lourde des responsabilités. Je n'insiste pas sur le fait que je ne me place nullement au point de vue sentimental, ni au seul point de vue de l'amitié pour l'Espagne républicaine, mais sur le terrain même de notre défense nationale et de notre défense républicaine par crainte d'une guerre immédiate dont je ne vois pas comment elle aurait pu être déclenchée aussi rapidement parce que nous aurions fait comme les autres, en attendant que l'Angleterre ou les États-Unis proposassent une médiation.

Je pense au contraire et plus que jamais que si Franco triomphe, ce sera sûrement grâce à une Espagne fasciste et militarisée, une guerre étrangère contre la France doublée peut-être d'une guerre civile.

Donc, puisqu'on est pour la neutralité, qu'on l'applique tout de suite, mais qu'on attende pas. Telle est ma position après une longue réflexion.

Pour ma part, je vous le dis franchement, je ne pourrai plus assister impuissant à un jeu de dupes. Je le pourrai d'autant moins que j'ai soulevé la question qui n'a pas paru devoir être retenue et qui pourtant m'apparaît importante : celle de la protestation du Sultan contre l'utilisation des Marocains dans une guerre civile. Ce qui est une ironie cruelle, c'est que l'Espagne a participé aux réunions de la Commission internationale de Tanger. Le gouvernement espagnol est donc reconnu et siège à côté des grandes Nations, en vertu d'un acte international. Mais on laisse les insurgés dresser les troupes marocaines contre ce même gouvernement régulier et reconnu.

Évidemment, je ne demande pas l'intervention au Maroc, vous le pensez bien, mais je crois que si le Sultan laissait entendre une vive protestation et qu'elle fût portée à la connaissance de ses sujets lancés par Franco contre les fils de l'Espagne, je crois qu'au point de vue moral cela produirait un grand effet et gênerait le général fasciste.

De toute façon, il y a une question à étudier : celle du droit de Franco d'agir au Maroc et peut-être une intervention diplomatique des puissances pourrait-elle lui faire comprendre qu'il risque de troubler la paix en Afrique du Nord.

Quel exemple fâcheux si demain n'importe quel insurgé, marocain ou autre, se permettait la même attitude...

Ce qui me préoccupe et me navre, c'est que la diplomatie a été très active pour faire triompher sa thèse de neutralité, mais que maintenant elle paraît lente à se mouvoir quand il s'agit d'organiser cette neutralité à laquelle nous avons sacrifié nous-mêmes une abstention, quitte à paraître abandonner un peuple ami et à méconnaître nos obligations nationales et internationales à son égard.

Je crois que si nous ne voulons pas encourir de graves reproches, il faut fixer des réponses rapides à la proposition française, mais surtout une organisation pratique et immédiate de la neutralité proposée.

Je m'excuse d'insister auprès de vous mais je vous vois si peu souvent que je confie à ce papier mes impressions profondes, où je vous assure une grande tristesse se mêle à de vives appréhensions.

Je vous embrasse affectueusement.

Vincent Auriol

9. Bernanos dénonce la répression fasciste aux Baléares durant la guerre civile espagnole

Rien ne prédisposait Georges Bernanos à devenir l'un des dénonciateurs les plus virulents de la répression nationaliste en Espagne. Issu d'une famille catholique très conservatrice, il a suivi l'enseignement des bons Pères et a subi, de bonne heure, l'influence de Drumont et de Maurras. Militant activement à l'Action française, il a dirigé avant la guerre de 1914 à Rouen l'hebdomadaire monarchiste L'Avant-Garde de Normandie. _Un moment éloigné de Maurras, il va s'en rapprocher en 1926 lorsque le mouvement royaliste doit affronter les foudres du Saint-Siège, puis rompre une nouvelle fois avec lui au début des années 30, gardant ses convictions monarchistes mais critiquant en même temps l'esprit de l'Action française, «caricature bourgeoise et académique de l'esprit totalitaire»._

Romancier connu (depuis le succès en 1926 de Sous le soleil de Satan_), mais pauvre, Bernanos, qui a subi un grave accident de moto, se fixe en 1933 à Majorque avec sa famille. C'est là qu'il rédige coup sur coup le_ Journal d'un curé de campagne _et_ La Nouvelle Histoire de Mouchette, _qui vaut à son auteur — déjà couronné par le Fémina en 1929 — le Prix du roman de l'Académie française._

L'ancien thuriféraire de Drumont — qu'il avait glorifié dans La Grande Peur des bien-pensants _en 1931 — se trouve donc aux premières loges au moment où éclate la guerre civile espagnole. Ses premières réactions sont loin d'être hostiles au franquisme dans lequel il voit une croisade contre l'athéisme et le communisme. La cruauté de la_ *répression nationaliste ne tarde pas cependant à lui paraître odieuse et c'est pour la dénoncer qu'il écrit et publie en 1938, en France où il a fait retour avant de prendre le chemin de l'Amérique du Sud,* Les Grands Cimetières sous la lune, *un pamphlet d'une grande violence dans lequel Bernanos pourfend non seulement les hommes de Franco et leurs alliés fascistes, mais aussi la soif du pouvoir, la bêtise humaine et l'appât de l'argent. Le livre aura, en France et hors de France, un immense retentissement.*

Source : Georges Bernanos, *Les Grands Cimetières sous la lune*, Paris, Plon, 1938, pp. 127-129.

Bibliographie : A. Beguin, *Bernanos*, Paris, Seuil, rééd. 1982 ; M. Winock, « Le cas Bernanos », in *Édouard Drumont et Cie*, Paris, Seuil, 1982.

'EST ALORS qu'apparut le général comte Rossi.

Le nouveau venu n'était, naturellement, ni général, ni comte, ni Rossi, mais un fonctionnaire italien, appartenant aux Chemises noires. Nous le vîmes, un beau matin, débarquer d'un trimoteur écarlate. Sa première visite fut pour le gouverneur militaire, nommé par le général Godet. Le gouverneur et ses officiers l'accueillirent poliment. Ponctuant son discours de coups de poing sur la table, il déclara qu'il apportait l'esprit du Faisceau. Quelques jours plus tard, le général entrait avec son état-major dans la prison de San-Carlos, et le comte Rossi prenait le commandement effectif de la Phalange. Vêtu d'une combinaison noire, ornée sur la poitrine d'une énorme croix blanche, il parcourut les villages, pilotant lui-même sa voiture de course, que s'efforçaient de rejoindre, dans un nuage de poussière, d'autres voitures remplies d'hommes, armés jusqu'aux dents. Chaque matin les journaux rendaient compte de ces randonnées oratoires, où flanqué de l'alcade et du curé, dans un étrange sabir mêlé de majorquin, d'italien et d'espagnol, il annonçait la Croisade. [...]

Dès lors, chaque nuit, des équipes recrutées par lui opérèrent dans les hameaux et jusque dans les faubourgs de Palma. Où que ces messieurs exerçassent leur zèle, la scène ne changeait guère. C'était le même coup discret frappé à la porte de l'appartement confortable, ou à celle de la chaumière, le même piétinement dans le jardin plein d'ombre, ou sur le palier le même chuchotement funèbre, qu'un misérable écoute de l'autre côté de la muraille, l'oreille collée à la serrure, le cœur crispé d'angoisse. — « Suivez-nous ! » —... Les mêmes paroles à la femme affolée, les mains qui rassemblent en tremblant les hardes familières, jetées quelques heures plus tôt, et le bruit du moteur qui continue à ronfler, là-bas, dans la rue. « Ne réveillez pas les gosses, à quoi bon ? Vous me menez en prison, n'est-ce pas, señor ? » « Perfectamente », répond le tueur, qui parfois n'a pas vingt ans. Puis c'est l'escalade du camion, où l'on retrouve deux ou trois camarades, aussi sombres, aussi résignés, le regard vague... Hombre ! La camionnette grince, s'ébranle. Encore un moment d'espoir, aussi longtemps qu'elle n'a pas quitté la grand'route. Mais voilà qu'elle ralentit, s'engage en cahotant au creux d'un chemin de terre. — Descendez ! — Ils descendent, s'alignent, baisent une médaille, ou seulement l'ongle du pouce. Pan ! Pan ! Pan ! — Les cadavres sont rangés au bord du talus, où le fossoyeur les trouvera le lendemain, la tête éclatée, la nuque reposant sur un hideux coussin de sang noir coagulé. Je dis le fossoyeur, parce qu'on a pris soin de faire ce qu'il fallait non loin d'un cimetière. L'alcade écrira sur son registre : « Un tel, un tel, un tel, morts de congestion cérébrale. »

© Plon

10. « C'est une chance que nous ayons Franco »

En écho aux propos de Georges Bernanos dans Les Grands Cimetières sous la lune _(cf. texte n° 9), voici un article paru dans_ La France catholique _en mai 1938 et qui reflète l'opinion de la droite catholique en regard des événements d'Espagne. Pour l'auteur, qui salue au passage la propagande « intelligente » des Allemands et brocarde « en toute amitié » ceux qui, parmi les catholiques français, « raisonnent encore, à l'égard de l'Espagne en général et de Franco en particulier, au rebours du bons sens et des faits » (au premier rang desquels figurent Mauriac et Maritain), ni les bombardements de civils par les avions allemands et italiens, ni même l'exécution de prêtres basques par les nationalistes ne sauraient en quoi que ce soit porter préjudice à la cause de Franco. Celle-ci s'identifie à la civilisation chrétienne et se réclame très légitimement de la croisade. De même que la brutalité des croisés trouve sa justification dans « l'idéal admirable » que constituait la libération des Lieux saints, de même le combat mené par Franco contre l'athéisme et le communisme justifie les exactions épisodiquement commises par ses partisans. Entre ceux qui, avec Bernanos, Mauriac, Maritain, Mounier, et la petite légion de démocrates-chrétiens rassemblée autour de Georges Bidault, estiment que l'Église est en train de perdre son âme en soutenant la répression franquiste ou en fermant les yeux devant les massacres perpétrés au nom de la croisade, et ceux qui jugent légitime et « sainte » l'action des nationalistes, c'est une fois de plus le problème de la fin et des moyens qui se trouve posé._

Source : G. Bernoville, _La France catholique_, 9 mai 1938.
Bibliographie : R. Rémond, _Les Catholiques, le communisme et les crises, 1929-1939_, Paris, Armand Colin, 1966 ; D.W. Pike, _Les Français et la guerre d'Espagne, 1936-1939_, Paris, 1975.

QUAND JE DIS NOUS, je veux parler des catholiques français. Un bon nombre d'entre eux raisonnent encore, à l'égard de l'Espagne en général et de Franco en particulier, au rebours du bon sens et des faits...

Non, il n'y a pas eu irruption soudaine du germanisme en Espagne, au début de la guerre civile. Quand les Allemands expédièrent à l'Espagne matériel et techniciens, ils travaillaient en terrain préparé de longue date, tant par leur propagande intelligente, tenace et portant au juste point, que par les fautes de la vieille idéologie sectaire dont MM. Herriot et Blum sont les plus néfastes illustrations. Puis il y eut, dès le début de la guerre civile, le déchaînement des gauches françaises en faveur de l'Espagne marxiste.

Dans ces conditions, c'est une chance, je le dis tout net, que nous ayons en face de nous Franco. C'est un esprit essentiellement religieux, calme et méditatif. Il fait un départ judicieux entre les éléments d'une question, en toutes occasions : même aux pires moments du Front populaire, quand les cortèges de braillards réclamaient « des canons, des avions pour l'Espagne », il a toujours marqué qu'il distinguait entre la France officielle et l'autre, celle de nos traditions profondes. Aucun de ses propos ne fut jamais agressif à notre égard. [...]

Sa force, et c'est là-dessus que j'insiste, car c'est de quoi nous bénéficions, est d'être littéralement possédé par l'idéal de la civilisation chrétienne. [...] Du point de vue chrétien, on lui oppose Guernica ou le bombardement de Barcelone, ou l'exécution de plusieurs prêtres basques. Chacun de ces faits doit être étudié de près. Mais ce n'est point aujourd'hui mon propos. Ces faits ou d'autres, fussent-ils au passif des nationalistes espagnols, ils ne signifient rien, exactement rien, contre la cause incarnée par Franco. Ceux qui en douteraient, je leur demande de lire ou de relire une histoire sérieuse des Croisades. Ils y verront qu'il ne faisait pas bon parfois — pour les particuliers comme pour les collectivités — tomber aux mains des croisés. Cela vaut-il contre l'idéal admirable qui souleva la chrétienté au point de la conduire, en un itinéraire épique, à la conquête du Tombeau ? Je soumets en toute amitié cette considération à François Mauriac et à Jacques Maritain.

11. « La croix gammée entre les sept collines »
(4 mai 1938)

Rassemblés depuis 1924 dans le Parti démocrate populaire, les représentants français de la démocratie chrétienne constituent alors une minorité au sein du monde catholique. Le PDP ne rassemble guère plus de 2 à 3 % des voix lors des élections législatives et sa presse est loin de pouvoir rivaliser avec les tirages des organes de la droite cléricale : qu'il s'agisse du Petit Démocrate, *de l'*Ouest-Éclair *ou de* L'Aube *qui a été créé en 1932 par Francisque Gay et qui réunit les signatures d'hommes comme Louis Terrenoire, Georges Hoog, Maurice Vaussard et Georges Bidault.*

Agrégé d'histoire, ce dernier fait fonction dans la feuille démocrate-chrétienne d'éditorialiste de politique étrangère. Très hostile au fascisme, dont il condamne le caractère terroriste et totalitaire, il est encore plus farouchement opposé à l'hitlérisme dans lequel il voit, dès 1933, le principal ennemi de la démocratie et de la France. Aussi admettrait-il que, pour faire barrage à Hitler, la France s'engage dans une politique de rapprochement avec l'Italie mussolinienne et c'est en ce sens qu'il se prononce lors du voyage de Laval à Rome en janvier 1935.

Ce choix tactique — que partage d'ailleurs la très grande majorité de l'opinion — n'empêche pas Bidault de condamner sévèrement l'agression fasciste contre l'Éthiopie, puis la politique menée par l'Italie en Espagne. En mai 1938, lorsque le Führer se rend à Rome où il est triomphalement accueilli, l'alliance des deux dictatures paraît devoir s'accomplir et Georges Bidault ne peut guère que prendre acte d'une évolution qu'il réprouve et qu'il juge contre nature. Pourtant, il conserve le vague espoir que Mussolini n'accomplira pas l'irréparable en se liant plus étroitement encore avec Hitler et qu'il sera sensible, ne serait-ce que par souci de ne pas se couper des masses catholiques, à l'exemple donné par le Saint-Siège, lequel, en la personne de Pie XI, a condamné l'année précédente les principes fondamentaux dont s'inspire le nazisme dans l'Encyclique Mit Brennender Sorge.

Source : Georges Bidault, *L'Aube*, éditorial du 4 mai 1938.
Bibliographie : F. Mayeur, *«L'Aube», étude d'un journal d'opinion*, Paris, FNSP, 1966 ; R. Rémond, *Les Catholiques dans la France des années trente*, Paris, Cana, 1979.

L A TROISIÈME ROME fait, en service commandé, un accueil triomphal au maître du Troisième Reich. M. Hitler connaîtra donc les acclamations qui paraîtront une grande nouveauté, pour peu que l'on se souvienne des conditions dans lesquelles, au cours des âges, les envoyés du germanisme ont abordé l'Italie.

Les frais immenses consentis pour faire au Führer dans la capitale d'un pays pauvre un accueil digne à la Sardanapale sont un fait significatif dans le moment où l'Italie fasciste fête le deuxième millénaire d'Auguste. Arminius doit être bien étonné de ce qui arrive à son successeur.

Dans la Ville éternelle, que le Pape a quittée, la croix gammée s'étale partout comme un défi à des traditions saintes partout présentes. Du Colisée au Vatican, des Catacombes au Latran, les pierres elles-mêmes crient la catholicité de Rome. C'est un véritable attentat contre Rome elle-même que l'exhibition intempérante qui y est faite d'un symbole antichrétien chargé de violence et de barbarie, stigmate indubitable de régression intellectuelle et morale. Espérons que les sacrifices consentis à l'axe Rome-Berlin prendront fin avec cette débauche d'insignes provocants et que, terminées ces fêtes auxquelles la disparition de l'Autriche fournit un dramatique arrière-plan, M. Mussolini reviendra avec notre aide à des vues raisonnables sur la situation du monde et particulièrement sur celle de son pays.

Beaucoup de choses vont dépendre des entretiens qui accompagneront ce voyage à grand orchestre. Il semble que ce soit bien M. Mussolini qui tienne aujourd'hui en ses mains la paix et la guerre. De ce qu'il décidera peut sortir la paix, s'il refuse de s'engager à fond derrière son dangereux chef de file et s'il garde réellement la liberté d'action que l'accord anglo-italien et les négociations franco-italiennes ont eu pour but de lui faciliter. Mais ce sera la guerre, si le besoin de prestige et l'esprit d'aventure l'emportent, si l'alliance se noue étroitement entre les deux voisins du Brenner en vue d'intimider ou d'attaquer les autres.

Il y a des raisons d'espérer que M. Mussolini ne fera pas le pire choix. Mais nous aurions grand tort de nous rassurer trop vite. C'est d'ailleurs de la Rome fasciste que nous viennent aujourd'hui les grands motifs de réconfort. (Nous n'en sommes point étonnés, ici.) M. Georges Goyau annonçait hier matin, dans *Le Figaro*, une condamnation explicite et détaillée des doctrines racistes qui sont à la base de l'hitlérisme. L'événement ne peut à aucun degré surprendre ceux qui ont si peu que ce soit prêté attention à l'immuable enseignement du Saint-Siège en la matière. Mais le moment choisi et aussi, semble-t-il, la vigueur du ton comme la précision des censures font de cette nouvelle condamnation un événement important, important sur tous les plans. Même si la presse transalpine, muette par ordre, n'y fait point écho, les déploiements romains ne manqueront pas d'en être affectés. La tradition catholique de l'Italie se trouve alertée solennellement. Et même un pays comme le nôtre où l'abjection raciste avait, en dépit de son origine, trouvé des serviteurs, ressentira une fois de plus le bienfait de la vérité qui délivre.

12. Le dernier appel de Daladier à Hitler

(26 août 1939)

Après la conclusion, le 23 août 1939, du pacte germano-soviétique, Hitler a multiplié les démarches diplomatiques dans le but d'obtenir de la France et de la Grande-Bretagne qu'elles se tiennent à l'écart du conflit avec la Pologne. Le Führer a en effet décidé très précisément de la date de l'assaut contre sa voisine de l'Est, et rien ne peut désormais le faire changer d'avis. Il s'agit donc essentiellement pour lui de retarder l'explication finale avec les démocraties en éliminant aux moindres frais l'armée polonaise, et pour cela il n'hésite pas à faire des promesses qu'il n'a nulle envie de tenir.

À l'ambassadeur Coulondre, qu'il reçoit à Berlin le 25 août, Hitler explique que l'Allemagne a définitivement renoncé à l'Alsace-Lorraine et qu'il lui serait « extrêmement pénible » de devoir combattre la France à cause de la Pologne. Il charge le représentant de la France de communiquer à Daladier que l'appui donné par les Franco-Britanniques aux Polonais a incité ces derniers à déclencher une « terreur intolérable » contre les populations germanophones dans le corridor de Dantzig. Que ferait la France, ajoute-t-il, si son territoire était coupé en deux par un couloir ? « Il n'est pas possible, pour un homme d'honneur, de voir maltraiter deux millions de ses fils à proximité de son territoire. » « Si vous attaquez la Pologne, réplique Coulondre, la France, avec toutes ses forces, se battra à ses côtés. » Ce qui met fin à l'entretien.

Aussitôt informé par Coulondre de la teneur de cette entrevue, Daladier rédige sa réponse dans la matinée du 26 août. C'est le texte dont nous présentons ici des extraits et qui, envoyé en début d'après-midi, sera remis au Führer aux alentours de 19 heures, le même jour. Pendant trois quarts d'heure, l'ambassadeur s'efforcera de faire valoir auprès du chancelier les inévitables conséquences de sa décision, en lui parlant des femmes et des enfants qui vont mourir. Sans réussir à obtenir du Führer autre chose qu'une sèche conclusion faisant porter sur la Pologne toutes les responsabilités de la crise. Le lendemain, à 16 heures, c'est Ribbentrop qui communique à Coulondre la réponse d'Hitler au message de Daladier : une fin de non-recevoir rédigée dans un style filandreux et qui paraît avoir profondément déçu le chef du gouvernement français, lequel avait fortement exagéré la portée de sa lettre et le poids de ses arguments.

Source : Message du président du Conseil français Édouard Daladier au chancelier Hitler remis à ce dernier par l'ambassadeur Coulondre, T n° 638 à 643, 26 août 1939, *Documents diplomatiques français (1932-1939), 2ᵉ Série (1936-1939), T. XIX, (26 août-3 septembre 1939)*, Paris, Imprimerie nationale, 1986, pp. 9-10.

Bibliographie : J.-B. Duroselle, *La Décadence, 1932-1939*, Paris, Imprimerie nationale, 1979 ; E. du Reau, *Édouard Daladier (1884-1970)*, Paris, Fayard, 1993.

MONSIEUR LE CHANCELIER,
L'ambassadeur de France à Berlin m'a fait part de votre message personnel.

À l'heure où vous évoquez la plus lourde responsabilité que puissent éventuellement assumer deux chefs de gouvernement, celle de laisser répandre le sang de deux grands peuples qui n'aspirent qu'à la paix et au travail, je vous dois, à vous-même, je dois à nos deux peuples, de dire que le sort de la paix est encore entre vos seules mains.

Vous ne pouvez pas douter de mes sentiments envers l'Allemagne ni des sentiments pacifiques de la France envers votre nation. Aucun Français n'a jamais fait plus que je n'ai fait moi-même pour affermir entre nos deux peuples non seulement la paix, mais une sincère collaboration dans leur intérêt propre comme dans celui de l'Europe et du monde. [...]

Avec la bonne volonté de la France, j'atteste celle de tous ses alliés. Je me porte personnellement garant des dispositions qu'a toujours manifestées la Pologne pour un recours mutuel à des méthodes de libre conciliation, telles qu'elles peuvent se concevoir entre les gouvernements de deux nations souveraines. [...]

En une heure si grave, je crois sincèrement qu'aucun homme de cœur ne pourrait comprendre qu'une guerre de destruction puisse s'engager sans qu'une dernière tentative d'arrangement pacifique ait lieu entre l'Allemagne et la Pologne. Votre volonté de paix peut s'y exercer en toute certitude sans déroger en rien au souci de l'honneur allemand. Pour moi, chef du gouvernement de la France, qui ne désire, comme vous, que la bonne harmonie entre le peuple français et le peuple allemand, et qui est, d'autre part, unie à la Pologne par des liens d'amitié et par la parole donnée, je suis prêt à faire tous les efforts qu'un honnête homme peut accomplir afin d'assurer le succès de cette tentative.

Vous avez été, comme moi, un combattant de la dernière guerre. Vous savez, comme moi, tout ce que la conscience des peuples garde à jamais d'horreur et de réprobation des désastres de la guerre, quelle qu'en soit l'issue. L'idée même que je puis me faire de votre rôle éminent comme chef du peuple allemand pour le conduire dans les voies de la paix au plein accomplissement de sa mission, dans l'œuvre commune de la civilisation, m'invite à vous demander une réponse à cette proposition. Si le sang français et le sang allemand coulent de nouveau, comme il y a vingt-cinq ans, dans une guerre encore plus longue et plus meurtrière, chacun des deux peuples luttera avec la confiance dans la victoire, mais la victoire la plus certaine sera celle de la destruction et de la barbarie.

VIII

LA FRANCE ET SON EMPIRE DE 1918 À 1940

En apparence, l'Empire français a traversé la guerre de 1914-1918 sans bouleverse-ment majeur. Il y a bien eu en Indochine, à Madagascar et en Algérie, quelques rébel-lions locales provoquées par l'augmentation des impôts, les réquisitions d'hommes et la propagande des puissances centrales, mais elles ont été réprimées rapidement et ont été à peu près ignorées à l'extérieur du fait de la censure. D'autre part, les colonies ont fourni à la métropole des matières premières, des combattants (environ 600 000 hommes) et des travailleurs qui n'ont pas été pour rien dans le succès de l'Entente et qui, de retour dans leur pays, ont commencé à s'interroger sur la signification de ces « principes de 1789 » dont les démocraties victorieuses ont fait leur cheval de bataille.

La période de l'entre-deux-guerres coïncide avec l'apogée de l'empire. Le traité de Versailles lui a permis de récupérer, en Afrique équatoriale, le territoire cédé à l'Alle-magne en 1911 en échange du droit d'établir son protectorat au Maroc et d'élargir ses possessions sur le continent noir, sous la forme de mandats confiés par la SDN à son administration au Togo et au Cameroun. Au Proche-Orient, le démembrement de l'Empire ottoman a également donné lieu à une distribution de mandats partagés avec l'Angleterre, et elle a reçu à ce titre la Syrie et le Liban. Elle se trouve désormais à la tête d'un vaste ensemble territorial de plus de 12 millions de km² dont la population dépassera les 70 millions d'habitants en 1939.

Au lendemain immédiat du conflit, la contestation de la domination coloniale ne pré-sente pas encore un véritable danger pour le maintien de la présence française dans les territoires d'outre-mer. En effet, dans la majorité des cas, ce que réclament les élites indigènes, ce n'est pas l'indépendance de leur pays, mais au contraire une association plus étroite avec la métropole et un accès plus aisé à la citoyenneté française. Il en est ainsi des jeunes intellectuels algériens, comme en témoignent les écrits de jeunesse de Ferhat-Abbas, des instituteurs kabyles s'exprimant par la revue La Voix des humbles *et qui en rajoutent parfois en militantisme laïque sur leurs collègues métropolitains, ou encore des adhérents à la Ligue française pour l'accession des indigènes de Madagas-car aux droits de citoyens français. Mais la réponse donnée par les colons à ces exi-gences modérées et l'indifférence ou la bonne conscience (texte n° 1) qui caractérisent l'opinion métropolitaine ne vont pas tarder à transformer la revendication assimilatrice en un projet révolutionnaire et indépendantiste.*

C'est principalement dans les territoires récemment acquis par la France, et où celle-ci exerce son autorité par le système du protectorat, que les oppositions se font les plus vives. En Indochine, l'instituteur Nguyen Thaï Hoc fonde en 1927 le Parti national vietnamien qui propose l'action directe pour accéder à l'indépendance. En Tunisie, une campagne d'agitation se développe dans la première moitié des années 20 autour du mouvement nationaliste du Destour. Elle trouve un second souffle à la fin de la décennie, lorsque, rompant avec la direction du Parti, de jeunes éléments groupés autour d'Habib Bourguiba décident de lancer une formation rivale, le Néo-Destour, qui adopte aussitôt une attitude beaucoup plus radicale.

Mais c'est au Maroc que la remise en cause de la tutelle française prend le caractère le plus grave. Au printemps 1924, un mouvement de dissidence animé par Abd el-Krim et parti du Maroc espagnol menace Fez et met en danger l'ensemble du pays. Après avoir écarté Lyautey et chargé Pétain d'une mission exceptionnelle, le gouvernement français enverra plus de 100 000 hommes pour rétablir l'ordre. Il faudra un peu plus d'un an pour gagner la « guerre du Rif », mais l'alerte aura été chaude. De même qu'au Liban et en Syrie où se développe, entre 1925 et 1927, une révolte des populations chrétiennes et druzes, relayée par des éléments musulmans (texte n° 2).

Aux prises avec ces formes diverses de l'opposition nationaliste, l'entreprise impériale française doit également compter avec l'influence du communisme international (texte n° 5). D'abord sur le terrain avec la constitution d'organisations reliées au Komintern, en particulier le Parti communiste indochinois, fondé en 1930 par Nguyen Ai Quoc (le futur Hô Chi Minh), et l'Étoile nord-africaine, constituée en 1926 en Algérie et qui ne tarde pas à trouver un leader dynamique en la personne de Messali Hadj (texte n° 4). Et en métropole, avec l'action menée au moment de la guerre du Rif, sur injonction formelle de la IIIᵉ Internationale, par les militants du Parti communiste français (texte n° 3).

L'anticolonialisme ne rassemble encore, entre les deux guerres, que des légions clairsemées. Face aux réquisitoires contre les excès de la colonisation que prononcent quelques intellectuels anarchisants comme Louis-Ferdinand Céline (texte n° 5) ou compagnons de route du PC comme Gide (Le Voyage au Congo, 1927, Le Retour du Tchad, 1928) et Andrée Viollis (SOS Indochine, 1935), la tendance générale est plutôt à l'exaltation de l'épopée coloniale française. Forgée par soixante années de culture scolaire glorifiant l'œuvre impériale de la France, nourrie par l'action de propagande des comités et des ligues coloniales, par les innombrables enquêtes et reportages parus dans la grande presse, par le discours triomphaliste des organes coloniaux (on en compte plus de 70 à Paris et 5 en province en 1930), l'opinion hexagonale est majoritairement persuadée que les colonies concourent d'une manière décisive à la puissance de la mère patrie en fournissant à celle-ci des soldats, des bases, des matières premières stratégiques, des débouchés pour les jeunes, voire un espace de repli dans le cas d'une guerre à l'issue malheureuse. Dès 1931, Tardieu développe ainsi le thème du « salut par l'empire », dont nous savons aujourd'hui qu'il est largement mythique, s'agissant du moins du volet économique, en ce sens que, dans le couple que forment la métropole et ses possessions d'outre-mer, les bénéficiaires ont plutôt été les secondes.

Ce véritable culte de l'empire explique l'immense succès de l'Exposition coloniale de Vincennes, organisée par le maréchal Lyautey en 1931, inaugurée par Paul Reynaud et qui a attiré près de 7 millions de visiteurs (texte n° 6). Ignorant pour l'essentiel les mouvements de contestation qui se développent dans le courant des années 30 en divers points de l'empire, l'opinion métropolitaine vit ainsi dans l'illusion consensuelle d'un attachement indéfectible des populations indigènes à l'œuvre civilisatrice entreprise par la France. Conjuguant ses effets avec ceux de l'immobilisme imposé par les colons, cette attitude empêche toute réforme sérieuse d'être entreprise durant cette période (texte n° 9). Rares sont les voix qui s'interrogent sur l'avenir de la présence française outre-mer, compte tenu des évolutions en cours, en particulier dans le monde musulman (texte n° 8). Le réveil sera rude au lendemain du deuxième conflit mondial.

1. La présence française en Indochine vue par Paul Claudel

(1921)

Né en 1868, Paul Claudel a déjà passé de nombreuses années en Extrême-Orient, en Chine notamment où il a occupé le poste de consul général entre 1895 et 1909, lorsqu'il rédige ce texte. « M. Maurice Long, gouverneur de l'Indochine, écrit-il en pro-logue à son livre, publié en 1921, avait témoigné au Département le désir que les repré-sentants de la France dans les différents pays d'Extrême-Orient ne rejoignissent pas leurs postes avant d'avoir pris une connaissance personnelle du grand empire installé dans une des parties les plus riches et les plus peuplées du Continent asiatique et où notre politique dans le Pacifique et les mers de Chine trouve son principal, ou mieux, son unique point d'appui. »

C'est pour répondre à ce vœu que l'auteur de Tête d'Or et du Partage de Midi va sillonner pendant plusieurs semaines, de septembre à novembre 1921, les routes de Cochinchine, d'Annam et du Tonkin. Son Voyage en Indochine constitue un témoignage classique sur la façon dont un haut fonctionnaire juge l'action colonisatrice de la France, en mettant l'accent sur l'œuvre accomplie en matière scolaire, sanitaire, huma-nitaire, etc., et en se montrant beaucoup plus discret quant aux résistances rencontrées et à la répression exercée à la suite des révoltes indigènes.

Source : Paul Claudel, *Voyage en Indochine*, in *Œuvres complètes*, t. IV, Paris, Galli-mard, 1952, pp. 333-344.

Bibliographie : P.-R. Feray, *Le Vietnam au XXᵉ siècle*, Paris, PUF, 1979 ; P. Guillaume, *Le Monde colonial, XIXᵉ-XXᵉ siècle*, Paris, Armand Colin, 1974.

L E CARACTÈRE LE PLUS FRAPPANT et le plus original de l'Indochine, c'est la tranquillité parfaite dont elle donne l'image. Le voyageur vient de passer par l'Égypte où le nationalisme donne tant de préoccupations aux protecteurs anglais. Il a passé par l'Inde. Il a trouvé sur la table de son hôtel ces numéros du *Times* où M. Valentin Chirol fait de la situation dans la péninsule une peinture si inquiétante. [...] À Singapour, à demi ruiné par la crise du caoutchouc, on recueille des rumeurs inquiétantes qui arrivent des Indes néerlandaises.

On arrive à Saïgon et il n'y a plus rien. On dirait que l'on franchit les frontières d'un royaume de paix où tous les bruits de l'extérieur viennent expirer, où toutes les agita-tions d'un monde en travail ne suffisent pas à rider la surface d'un océan de paddy. L'univers souffre d'une crise commerciale et économique sans précédent. L'Indochine vend son riz chaque jour demandé à des prix que les plus folles imaginations n'auraient jamais rêvés. Toute l'Asie semble lasse de l'exploitation européenne ou du moins est agitée par des politiciens qui essaient de la soulever contre elle. Jamais en Indochine la collaboration entre l'élément indigène et l'élément européen n'a été plus intime et plus pacifique. [...]

La France a gardé l'Indochine pendant toute la guerre avec six cents baïonnettes européennes. Il faut une situation politique bien rassurante pour justifier ce désarmement. [...] Les superficies cultivées ont augmenté d'une manière surprenante. Jadis, il y a dix-huit ans, quand j'arrivais à Saïgon, le bateau cheminait entre deux forêts de palétuviers. Aujourd'hui, les rizières vont presque jusqu'à la mer. Elles ont mangé une portion notable de la fameuse plaine des joncs. [...]

Comme elle prend soin de la terre, la France a pris soin aussi de ceux qui la cultivent. Le développement des œuvres d'assistance médicale est une des choses qui m'ont le plus frappé dans mon voyage. Là, toute circonscription importante a une centrale médicale avec hôpital, dispensaire, pharmacie, clinique et maternité. Cette œuvre a un immense succès malgré la campagne que font contre elle les charlatans indigènes. Les lits sont toujours pleins, et beaucoup de communes s'imposent d'elles-mêmes pour fonder des maternités à leurs frais. [...]

Mais la grande œuvre de la France en Indochine au point de vue matériel a été une œuvre de rapprochement et d'unification. Jusqu'à notre arrivée la partie de la péninsule que nous occupons avait été divisée par la nature en une série de compartiments cloisonnés à l'intérieur desquels vivaient des peuples, parfois de race et de civilisation différentes, parfois réunis par un lien purement nominal. Entre les deux vastes plaines, les deux riches deltas qui se font équilibre au Sud et au Nord de la Cochinchine et du Tonkin, il n'a longtemps existé d'autre communication, à part une mer semée d'écueils et de dangers de toutes sortes au long d'une côte inhospitalière, que la fameuse route Mandarine dont la ville capitale Hué, au pied du col des Nuages, marque le nœud et la barrière centrale. [...] C'est la France qui a donné à tout ce pays ses organes vitaux. Je ne parle pas seulement du réseau de chemin de fer qui couvre le Tonkin, de celui qui relie la Cochinchine à l'Annam, de cette œuvre commencée par M. Doumer[1], interrompue par la guerre et qui va bientôt, il faut l'espérer, souder ses tronçons interrompus et lancer vers l'Ouest une nouvelle voie nécessaire. Je parle de ces routes superbes qui maintenant, depuis l'achèvement de la « Corniche » du cap Varellas, traversent d'un bout à l'autre et dans tout sens notre possession. [...]

Mais l'unité matérielle n'est rien auprès de l'unité morale. C'est là le problème le plus difficile et le plus important qui s'impose aux nations colonisatrices et que bien peu d'entre elles ont résolu. Entre deux peuples aussi différents, séparés par la race, par les mœurs et par la culture aussi profondément que la France et l'Annam, comment établir non pas des rapports de domination et de servilité, mais un esprit de collaboration cordiale, où l'émulation et la docilité de l'élève répondent à la générosité de l'enseignement ? J'avoue qu'avant de venir en Indochine, j'étais très sceptique sur la possibilité d'une solution, et l'œuvre qui a été réalisée a été pour moi une complète surprise. Évidemment l'idée d'une tyrannie bienfaisante exercée par une oligarchie de race blanche sur un peuple qu'on laisse vivre dans ses traditions et dans son ignorance était la plus simple et la plus tentante. On voit quels résultats elle a produits dans les Indes. L'Annamite n'est ni un sauvage, ni un fanatique, et il n'est pas notre ennemi. C'est un homme remarquablement intelligent, d'un amour-propre intense, avide de

---

1. Paul Doumer a été gouverneur de l'Indochine de 1896 à 1902.

s'instruire et de s'élever. Il s'est rendu compte aujourd'hui que la culture chinoise ne répondait plus à ses besoins. Il s'en est complètement détourné et c'est à nous qu'il s'adresse pour la remplacer.

© Gallimard

2. Proclamation faite aux peuples de Syrie et du djebel Druze

(1921)

La France avait reçu de la SDN, en 1919, un mandat sur les anciennes provinces otto-manes de la Syrie et du Liban, avec mission plus ou moins explicite de les préparer à l'indépendance. En 1925, la situation sur le terrain s'était fortement détériorée. Une véritable rébellion s'était développée dans le djebel Druze où la politique menée par le capitaine Carbillet, promu gouverneur, se heurtait à l'influence des grands féodaux et où les Britanniques — qui avaient dû renoncer à installer en Syrie leur client, Fayçal, fils du chérif de La Mecque —, poussaient à la révolte. En octobre, l'insurrection s'étendit à Damas où le Haut-Commissaire français, le général Sarrail, dut faire inter-venir les chars et bombarder la ville : ce qui eut pour effet de susciter l'interpellation du gouvernement à la Chambre et d'entraîner le rappel de Sarrail.

Pour remplacer ce dernier, Aristide Briand a choisi non pas un militaire comme ses trois prédécesseurs (les généraux Gouraud, Weygand et Sarrail), mais un politique en la personne du sénateur de la Corrèze, Henry de Jouvenel. Celui-ci siégeait à la Com-mission des Affaires étrangères de la haute assemblée, mais c'est surtout à Genève, où il participait depuis 1922 aux travaux de la délégation française à la SDN, que Briand avait pu apprécier ses qualités de diplomate, son excellente connaissance des dossiers et sa forte autorité naturelle.

Arrivé à Damas fin novembre, Jouvenel s'est donné comme tâche d'une part de réta-blir l'ordre — mission qui incombe essentiellement aux militaires, placés sous le com-mandement du général Gamelin —, d'autre part d'organiser le mandat en facilitant le passage du régime militaire au régime civil. Il adopte donc une attitude ferme à l'égard des rebelles («ceux qui ne cesseraient pas les hostilités contre nous tous auraient prouvé au monde entier que ce n'est ni l'amour de la patrie, ni celui de la liberté qui les guident, mais la passion du pillage et du meurtre ») et bienveillante à l'égard des autochtones auxquels il promet de donner une Constitution, et le 10 décembre 1925 il lance une proclamation solennelle au peuple syrien que nous reproduisons ici. Il ne faudra pas moins de deux ans pour qu'un terme soit mis à la rébellion du djebel Druze.

Source : Proclamation faite aux peuples de la Syrie et du djebel Druze par le Haut-Commissaire de France Henry de Jouvenel, 10 décembre 1925, Archives départemen-tales de la Corrèze, Fonds Henry de Jouvenel, 15 J 34.

Bibliographie : Ch. Manigand, *La Carrière politique d'Henry de Jouvenel*, thèse IEP Paris, 4 vol. dactyl., 1996 ; L. Bokova, *La Syrie à l'époque du mandat français*, Paris, L'Harmattan, 1992 ; J.-L. Aujol et N. Abou-Rahal, *Ce cèdre qu'on abat*, Paris, éd. Cariscript, 1989 ; N. Picaudou, *La Décennie qui ébranla le Moyen-Orient, 1914-1923*, Bruxelles, Complexe, 1992.

QUE VOUS SOYEZ musulmans, chrétiens ou israélites, et quel que soit le rite auquel vous appartenez, c'est en ami que je m'adresse à vous et que je vous dis :

« VOTRE SORT EST ENTRE VOS MAINS »

Aujourd'hui, 10 décembre, chez vos frères du Liban, se réunit le Conseil élu par ceux que j'ai chargés de délibérer sur la Constitution et de choisir le gouvernement du pays. Il en serait de même dans les États de Syrie et du djebel Druze, si ceux-ci jouissaient, comme le Liban, des bienfaits attachés à la paix.

Malheureusement, une minorité s'obstine dans une guerre qui n'atteint pas la France, car la France est trop loin et trop haut, mais qui réduit la Syrie à la misère en épuisant son Trésor public, en ruinant les villages et les récoltes, en privant les femmes et les enfants de leur abri et en retardant l'organisation de l'indépendance syrienne. Je n'entends pas confondre avec cette minorité l'ensemble des populations qui demande à travailler en paix et à se voir doter des institutions libres qui sont le privilège des peuples pacifiques.

Si les hostilités m'obligent à confier à l'armée le soin exclusif de la défense de Damas contre les bandes, je ne me laisserai pas détourner de veiller au développement et à la prospérité des autres régions de la Syrie demeurées fidèles à la cause du Mandat et de la Paix.

J'appelle donc tous les Syriens de bonne volonté, tous les patriotes de bonne foi, à travailler avec moi, à l'abri de la justice et de la force de la France, afin de garantir la sécurité des individus, le développement des richesses, le progrès des libertés nationales qui constituent à mes yeux les raisons d'être du mandat de la France.

3. Doriot contre la guerre du Rif
(1925)

Après sa victoire sur les Espagnols, l'émir Abd-el-Krim a envahi en avril 1925 une partie de la zone française du Maroc, menaçant Fez et entraînant par contagion des révoltes locales. Pour venir à bout de la rébellion, le gouvernement français décide de retirer le commandement des troupes au Résident général au Maroc (le maréchal Lyautey, auquel la gauche reproche de se comporter en proconsul), qui démissionne aussitôt, et de le confier au maréchal Pétain. Disposant d'une force de plus de 100 000 hommes, celui-ci engage une offensive conjuguée avec les Espagnols qui aboutira en mai 1926 à la défaite d'Abd-el-Krim, déporté à l'île de la Réunion.

La guerre du Rif a donné lieu à une violente offensive de la part du Parti communiste, poussé dans cette voie par les injonctions du Komintern. En septembre 1924, au nom du Parti et des Jeunesses communistes, Pierre Semard et Jacques Doriot ont adressé à Abd-el-Krim un télégramme appuyant sa lutte contre « l'impérialisme colonial », dont le second donne lecture aux députés lors de la séance du 4 février 1925 à la Chambre, provoquant un véritable scandale parmi ses collègues.

Jacques Doriot est considéré à cette date comme l'étoile montante du Parti, en même temps que l'enfant chéri de l'Internationale. En 1922, après un premier séjour à Moscou, l'ancien ouvrier métallurgiste est devenu secrétaire à l'Internationale communiste des jeunes, ce qui lui permet de siéger au Présidium de l'exécutif du Komintern et d'y _côtoyer les ténors de la révolution européenne, ainsi que les dirigeants du jeune État soviétique. Deux ans plus tard, il est membre du Comité central et dirigeant des Jeunesses communistes de France. Il a vingt-six ans et, porté par la vague de retour qui a balayé le Bloc national, il est depuis mai 1924 député du secteur « Seine-banlieue », élu (alors qu'il était encore sous les verrous, condamné pour propagande antimilitariste) avec huit de ses camarades du « Bloc ouvrier et paysan »._

Source : _Journal officiel, Débats parlementaires_, Chambre des députés, 4 février 1925, pp. 293-296.

Bibliographie : G. Ayache, _Les Origines de la guerre du Rif_, Paris, publ. de la Sorbonne, 1981 ; C.-A. Julien, _Le Maroc face aux impérialismes, 1914-1956_, Paris, Jeune Afrique, 1978 ; _Abd-el-Krim et la République du Rif_, Paris, 1976, Actes du colloque organisé sur ce thème à Paris en 1975 ; P. Robrieux, _Histoire intérieure du Parti communiste_, I, _1920-1945_, Paris, Fayard, 1980 ; J.-P. Brunet, _Doriot_, Paris, Balland, 1985.

M. DORIOT. — Comme Jaurès l'a si fortement marqué, notre entrée au Maroc nous a conduits à faire une politique de concessions envers toutes les grandes puissances impérialistes, elle nous a obligés à nous taire lorsque les cinq ou six grandes puissances qui se battaient pour le partage du monde s'emparaient de territoires plus ou moins vastes. (_Applaudissements à l'extrême gauche communiste._) Il ne pouvait pas en être autrement.

La lutte pour la conquête du Maroc nous a conduits à nous lier les mains vis-à-vis de l'Italie, de l'Espagne, de l'Allemagne, de l'Angleterre et, du moment où nous avons mis le pied au Maroc, nous avons perdu toute indépendance politique nous permettant de protester, si nous en avions eu l'envie, contre une occupation coloniale des autres pays. Le Maroc, cause de tant de marchandages, a, selon le mot très juste de M. Paul-Boncour, amené par un enchaînement tragique à la grande guerre mondiale. (_Très bien ! très bien ! à l'extrême gauche communiste._) Voilà le rôle du Maroc avant la guerre. C'est lui qui nous a empêchés de faire une politique de paix. Je sais bien que, dans les pays où il y a des intempéries, il en est ainsi. C'est votre rôle à vous, capitalistes et impérialistes français, de vous emparer de territoires coloniaux, de chercher à agrandir toujours votre puissance coloniale et de créer ainsi des conflits avec les autres nations capitalistes. Et, par là, vous conduisez inévitablement à la guerre. C'est votre rôle historique. Tant que vous vivrez, il en sera ainsi. (_Applaudissements à l'extrême gauche communiste._)

On nous a dit souvent : le Maroc sert maintenant toute la population française. C'est dans l'intérêt de tous les Français que nous sommes allés là-bas. Permettez-moi d'examiner quelques chiffres et de vous montrer pour quel intérêt, dans quel intérêt, nous sommes allés au Maroc.

En vérité, le Maroc est une opération impérialiste, je l'ai dit. À l'époque du capitalisme financier, c'est-à-dire à l'époque où vous avez besoin d'exporter les capitaux que vous avez en excès dans vos banques, il ne peut en être autrement. [...]

Aujourd'hui, Abd-el-Krim lutte pour la paix, il veut la paix. Je déclare, au nom de mon parti, que nous, qui reconnaissons le droit d'insurrection aux ouvriers parisiens, nous reconnaissons aussi aux indigènes le droit de se dresser contre les colonisateurs (_Vives protestations._)

M. MORINAUD. — Vous les poussez à la révolte. Vous êtes des provocateurs de révoltes. C'est un crime. (_Très bien ! très bien !_)

M. DORIOT. — Je constate qu'Abd-el-Krim ne va pas jusque-là.

M. LE RAPPORTEUR. — Au bénéfice de qui tout cela ? Au bénéfice de l'étranger ?

M. MARCEL CACHIN. — Au bénéfice des indigènes et des prolétaires de tous les pays !

M. DORIOT. — Nous soutiendrons Abd-el-Krim tant qu'il représentera l'indépendance nationale du Rif. Actuellement aucun d'entre nous ne peut nier qu'Abd-el-Krim représente la lutte pour l'indépendance. (*Très bien ! très bien ! à l'extrême gauche communiste.*) […]

Il y a mieux : si lui-même ne représentait pas tout à fait cette tendance, son peuple la représente.

Abd-el-Krim disait l'autre jour à M. Jacques Marcillac, dont j'ai invoqué le témoignage : « Croyez-vous que c'est si facile que cela dans le Rif ? mais il y en a d'autres que moi, et ces autres me poussent. »

On a parlé avec beaucoup de joie, dans la presse française, d'une certaine dissension qui se produirait dans les rangs rifains. Quelle en était la cause ? C'est justement qu'il y a là-bas des gens qui luttent pour l'indépendance. Avec ceux-là, nous sommes pleinement solidaires. C'est pourquoi nous avons envoyé notre télégramme à Abd-el-Krim.

M. MORINAUD. — Lisez-le !

M. MORINAUD. — Osez lire votre télégramme ! (*Très bien ! très bien !*)

M. DORIOT. — Oh ! il est tout à fait simple : il salue la victoire du peuple rifain, il félicite Abd-el-Krim, et il déclare que tous les peuples coloniaux ont le droit de lutter contre tous les impérialismes, le français y compris. C'est ce que vous vouliez me faire dire ? (*Exclamations.*)

À gauche. — Vous voulez susciter la révolte dans nos colonies.

M. MORINAUD. — C'est cela ! Vous poussez Abd-el-Krim à tirer sur les soldats et les colons français au Maroc. Voilà votre travail. (*Applaudissements.*)

M. FRANKLIN-BOUILLON, *président de la Commission des Affaires étrangères.* — C'est une honte, pour un orateur, de prononcer de telles paroles à la tribune française ! (*Applaudissements.*)

M. DORIOT. — Vraiment, monsieur Morinaud, je n'ai aucune sympathie pour vous,…

M. MORINAUD. — La réciproque est vraie, monsieur. (*Applaudissements.*)

M. DORIOT. — …mais vous avez, par vos interruptions, singulièrement facilité mon exposé.

Une première fois, vous avez parlé de la civilisation du capitalisme français, et vous m'avez donné l'occasion de vous répondre ; maintenant que vous parlez de la mort de soldats français. Je veux vous répondre encore sur ce point. Nous n'admettons pas que les soldats français soient là-bas. Nous demandons l'évacuation immédiate du Maroc. (*Exclamations sur un grand nombre de bancs.*)

M. DORIOT. — Si vous ne voulez pas que les soldats français soient massacrés, ramenez-les tous en France où leur vie ne sera pas menacée. (*Nouvelles exclamations.*)

M. JOSEPH VIDAL. — Quel aveu !

M. DORIOT. — Quel aveu ? Oui, nous voulons l'évacuation du Maroc. Nous l'avons dit maintes fois à cette tribune.

M. MARCEL CACHIN. — Le Maroc a coûté 3 milliards et demi à ce pays et ne lui a rien rapporté. Il n'a rapporté qu'aux grands capitalistes.

M. MAURICE VIOLETTE, *rapporteur général.* — L'évacuation ferait la joie des grands caïds.

M. DORIOT. — Et la joie des indigènes.

M. FRANKLIN-BOUILLON. — L'évacuation se ferait au grand dommage des indigènes et au profit des féodaux marocains.

M. DORIOT. — Puisque vous ne voulez pas faire évacuer le Maroc...

M. LE RAPPORTEUR. — Vous pouvez en être sûr !

M. DORIOT. — Je vais vous donner lecture du complément du télégramme à Abd-el-Krim que, il y a trois mois, j'ai rédigé au nom de l'organisation que je représente. C'est très instructif, même pour vous, monsieur Morinaud.

M. MORINAUD. — En tout cas, ce n'est pas à l'école de Bobigny que j'irai m'instruire. (*Rires.*)

M. DORIOT. — Voilà un argument de second ordre, de ceux qu'on produit quand on ne sait pas quoi répondre.

J'ajoutais dans ce télégramme :

« La cause que défendent les Marocains est également la vôtre. Vous êtes les ennemis du capitalisme français et espagnol, tout comme Abd-el-Krim et les harkas qui le suivent. La défaite de Primo de Rivera est aussi bien accueillie par le soldat de Malaga qui se soulève et le gréviste de Barcelone que par le Marocain qui a vaincu.

« Les révolutionnaires de France et d'Espagne, les jeunes communistes qui ont organisé la fraternisation dans la Ruhr, vous disent que votre devoir d'ouvrier et de paysan est de fraterniser avec les populations opprimées du Maroc... » (*Protestations sur un grand nombre de bancs.*)

M. LE RAPPORTEUR. — Ce n'est pas là un langage français.

M. CHARLES DESJARDINS. — Vous faites un joli travail !

M. FRANKLIN-BOUILLON. — C'est une honte de tenir un pareil langage, à la tribune. (*Très bien ! très bien !*)

M. LE RAPPORTEUR. — Retournez en Russie !

M. RENÉ LAFARGE. — C'est un langage d'agent provocateur qui devrait tomber sous le coup de la loi !

M. FRANKLIN-BOUILLON. — Il est inadmissible qu'on puisse parler ainsi dans une Assemblée française.

M. LÉON BARÉTY. — Quel abominable langage !

M. DORIOT. — Monsieur Franklin-Bouillon, je vous ai invité à venir en Seine-et-Oise parler devant des ouvriers français, et vous n'êtes pas venu !

M. FRANKLIN-BOUILLON. — Votre langage est une honte ! (*Applaudissements.*)

M. LE RAPPORTEUR. — Vous déshonorez la tribune. (*Nouveaux applaudissements.*)

M. DORIOT. — « En France, en Espagne, notre campagne pour l'évacuation du Maroc se développe chaque jour davantage. À chaque instant, la poussée ouvrière se fait plus forte pour arrêter ce meurtre utile aux intérêts de quelques requins capitalistes. (*Exclamations*).

« La force et l'union des ouvriers, des paysans, des soldats, des peuples coloniaux imposeront aux capitalistes de France et d'Espagne l'évacuation du Maroc et des autres colonies. » (*Vives protestations.*)

M. RENÉ LAFARGE. — C'est une provocation à la désobéissance. Pourquoi ne poursuit-on pas ?

M. FRANKLIN-BOUILLON. — C'est une véritable provocation à la désertion. Monsieur le président, je répète que c'est une honte qu'un pareil langage puisse être tenu à la tribune française (*Vifs applaudissements sur un grand nombre de bancs. Interruptions sur les bancs du Parti communiste.*)

M. Léon Baréty. — On ne devrait pas tolérer que de semblables paroles soient prononcées à la tribune de la Chambre française. (*Applaudissements.*)
À droite et au centre. — À l'ordre ! à l'ordre !
M. Doriot. — Je n'ai plus que deux lignes à lire.
M. le Président. — L'orateur termine. Écoutez-le.
M. Doriot. — « Vive l'évacuation du Maroc !
« Vive la fraternisation des soldats français, espagnols et arabes ! Vive l'indépendance totale du Maroc ! »

4. Le Programme de l'Étoile nord-africaine
(1927)

À la fin des années 20, le mouvement national en Algérie se trouve partagé entre trois courants. Une élite minoritaire, de culture française, — représentée par Fehrat Abbas et par le Dr Ben Djelloul — milite pour l'intégration progressive des musulmans dans le corps électoral français. Le second courant est celui de l'association des oulémas (docteurs de la Loi) : rassemblé autour du cheikh Abd el-Hamid ben Bâdis, il fonde sa revendication nationaliste sur l'Islam et sur l'identité arabe. Le troisième courant est né en France dans les milieux de l'immigration algérienne et a pour principal représentant Messali Hadj.

Ce dernier, issu d'une famille d'artisans et de cultivateurs, est né à Tlemcen en 1898. Il a fait son service militaire à Bordeaux, en 1918, et c'est cette première expérience métropolitaine qui l'a poussé à émigrer en France cinq ans plus tard. À Paris, il pratique divers métiers avant de s'engager, à l'occasion de la guerre du Rif, dans l'action politique. C'est en juin 1926 qu'il fonde dans la capitale française, et avec le soutien direct du Parti communiste, l'Étoile nord-africaine dont il assume le secrétariat général et qui adopte un programme radical exigeant l'indépendance totale de l'Algérie et la création d'une Assemblée constituante souveraine.

Alors qu'elle regroupe déjà plus de 3 500 militants, répartis en quinze sections dont huit à Paris, et publie un journal, l'Ikdam, l'Étoile nord-africaine sera dissoute en novembre 1929 par le gouvernement français.

Source : Programme de l'Étoile nord-africaine, cité *in* B. Stora, *Histoire de l'Algérie coloniale, 1830-1954*, Paris, La Découverte, 1991, pp. 119-120.

Bibliographie : B. Stora, *Histoire de l'Algérie coloniale, 1830-1954*, Paris, La Découverte, 1991 ; J. Jurquet, *La Révolution nationale algérienne et le PCF*, Paris, éd. du Centenaire, 1974 ; M. Kaddache, *Histoire du nationalisme algérien*, Alger, SNED, 2 vol., 1980 ; B. Stora, *Dictionnaire biographique des militants nationalistes algériens*, Paris, L'Harmattan, 1985.

LES REVENDICATIONS IMMÉDIATES
1. Abolition immédiate de l'odieux code de l'indigénat[1] et de toutes les mesures d'exception.

2. Amnistie pour tous ceux qui sont emprisonnés, en surveillance spéciale ou exilés pour infraction au code de l'indigénat ou pour délit politique.

3. Liberté de voyage absolue pour la France et l'étranger.

4. Liberté de presse, d'association, de réunions, droits politiques et syndicaux.

5. Remplacement des délégations financières[2] élues au suffrage restreint par un Parlement national algérien élu au suffrage universel.

6. Suppression des communes mixtes et des territoires militaires, remplacement de ces organismes par des assemblées municipales élues au suffrage universel.

7. Accession de tous les Algériens à toutes les fonctions publiques sans aucune distinction, fonction égale, traitement égal pour tous.

8. Instruction obligatoire en langue arabe ; accession à l'enseignement à tous les degrés ; création de nouvelles écoles arabes. Tous les actes officiels doivent être simultanément rédigés dans les deux langues.

9. Application de lois sociales et ouvrières. Droit au secours de chômage aux familles algériennes en Algérie et aux allocations familiales.

LE PROGRAMME POLITIQUE
1. L'indépendance totale de l'Algérie.

2. Le retrait total des troupes d'occupation.

3. La constitution d'une armée nationale, d'un gouvernement national révolutionnaire, d'une Assemblée constituante élue au suffrage universel ;
— le suffrage universel ;
— le suffrage universel à tous les degrés et l'éligibilité dans toutes les assemblées pour tous les habitants de l'Algérie ;
— la langue arabe considérée comme langue officielle.

4. La remise en totalité à l'État algérien des banques, des mines, des chemins de fer, des forts et services publics accaparés par les conquérants.

5. La confiscation des grandes propriétés accaparées par les féodaux alliés des conquérants, les colons et les sociétés financières et la restitution aux paysans des terres confisquées. Le respect de la moyenne et petite propriété, le retour à l'État algérien des terres et forêts accaparées par l'État français.

6. L'instruction gratuite obligatoire à tous les degrés en langue arabe.

7. La reconnaissance par l'État algérien du droit syndical, de coalition et de grève, l'élaboration des lois sociales.

8. Aide immédiate aux fellahs pour l'affectation à l'agriculture de crédits sans intérêts pour l'achat de machines, de semences, d'engrais ; organisation de l'irrigation et amélioration des voies de communication, etc.

© La Découverte

---

1. Adopté en 1881, le Code de l'indigénat codifiait toutes les dispositions répressives prises antérieurement à cette date et qui faisaient des colonisés des sujets taillables, corvéables et condamnables à merci.
2. Les décrets d'août 1898 ont renouvelé l'administration algérienne, créant notamment une nouvelle assemblée en Algérie, *les délégations financières* : Délégation de colons (24 membres agriculteurs), Délégation des non-colons (24 membres industriels et commerçants), Délégation des indigènes (21 membres dont 6 Kabyles).

5. « Le communisme, voilà l'ennemi ! »

(23 avril 1927)

Sénateur radical-socialiste, maire de Carcassonne, Albert Sarraut est entré en juillet 1926 dans le cabinet d'union nationale formé par Raymond Poincaré et dans lequel il détient le portefeuille de l'Intérieur. C'est à ce titre qu'il prononce, en avril 1927 à Constantine, ce discours resté célèbre par l'apostrophe finale : « le communisme, voilà l'ennemi ! » Avant de consacrer une bonne part de son énergie à la lutte contre les communistes dont il dénonce le comportement hostile à la présence de la France dans les colonies, Sarraut a eu à deux reprises à affronter sur le terrain les problèmes posés par la colonisation française. En 1911, il a en effet été nommé gouverneur de l'Indochine où une révolte venait d'éclater. Il a réussi à rétablir l'ordre tout en s'intéressant de près au développement économique du territoire. De retour en métropole en 1914 et engagé volontaire (à quarante-trois ans) comme sous-lieutenant d'infanterie, il combat à Verdun, mais, en 1916, Gaston Doumergue, alors ministre des Colonies, le renvoie en Indochine où il demeurera jusqu'en 1919, faisant participer le territoire à l'effort de guerre et poursuivant une réflexion sur la question coloniale dont il tirera en 1931 un livre : Grandeur et servitude coloniales.

Le discours de Constantine s'inscrit dans la tradition de la défense de l'œuvre coloniale française par les hommes de la gauche modérée. Il témoigne à la fois de leur attachement à l'empire et de la virulence de leurs sentiments anticommunistes.

Source : Discours prononcé à Constantine par le ministre de l'Intérieur Albert Sarraut, *Le Petit Parisien*, 23 avril 1927.

Bibliographie : S. Berstein, *Histoire du Parti radical*, 2 vol., Paris, Presses de la FNSP, 1980-1982 ; C.-R. Ageron, *Politiques coloniales au Maghreb*, Paris, PUF, 1972.

IL ÉTAIT RÉSERVÉ À NOTRE TEMPS d'être le témoin de cette ignominie. Il était réservé à une propagande communiste de faire assumer par certains Français la honte indélébile de trahir ouvertement leur patrie, en appelant à la révolte, en Algérie, comme dans nos domaines coloniaux, les sujets et protégés français sur lesquels la France tutélaire n'a cessé de répandre ses bienfaits.

Monstrueux en soi, le fait apparaît plus monstrueux encore quand on a pénétré l'inspiration qui le détermine. L'insurrection coloniale, la perte ou l'abandon par la France de ses colonies, est en effet l'un des articles essentiels du programme de déchéance française dont l'exécution méthodique est impérieusement tracée par une influence étrangère aux affiliés français servilement courbés sous sa loi. Une logique rigoureuse ordonne à cet égard les desseins de la IIIe Internationale de Moscou. La France représente dans le monde la force morale la plus capable sans doute de résister victorieusement à l'entreprise universelle de désagrégations nationales et sociales d'où les dirigeants du communisme moscovite espèrent faire surgir le nouvel impérialisme d'on ne sait quelle immense hégémonie slave. La France est le pays dont le prodigieux ressort d'énergie et la raison exceptionnellement équilibrée sont toujours prêts à offrir à l'univers le spectacle et la leçon des plus étonnants redressements — que ce soit le redressement militaire de la Marne ou le redressement financier de 1926. La solidité française apparaît comme la caution de la solidité européenne. La France agit en Occident à la façon de ces larges pieux qui fixent les terrains glissants. Qu'elle devienne la proie d'une anarchie communiste et ce sera autour d'elle comme un éboulement de nations et de gouvernements. Il importe donc au succès de l'entreprise moscovite de détruire la force française, en ébranlant les divers éléments qui composent sa robuste structure.

La puissance coloniale, élément vital de sécurité et de prospérité

Sa puissance coloniale est un de ces éléments fondamentaux, dans le présent et dans l'avenir. Avec son domaine d'outre-mer, la France est une nation de cent millions d'habitants, riche d'incomparables richesses. Sa force militaire, c'est-à-dire sa sécurité, et son avenir économique, c'est-à-dire son indépendance, dépendent largement encore demain de ce potentiel colonial. Voilà donc ce qu'il faut analyser. Et le communisme français, qui, sur l'ordre de l'extérieur, se porte sur tous les points où s'articule notre vie nationale pour fausser successivement tous les rouages, désagréger les organes, rompre les assemblages, saboter les mécanismes de notre activité, s'est attaché spécialement, en ces dernières années, à essayer de briser les clés de voûte de notre grande œuvre coloniale.

Vainement, le groupement révolutionnaire qui s'acharne à cette besogne essaie-t-il de donner le change en invoquant un prétexte d'humanité, au nom duquel il prétend émanciper des colonies opprimées et des indigènes asservis. Stratagème trop grossier, dont il sait lui-même que l'on ne peut plus être dupe. Car l'honneur de la colonisation française est précisément d'avoir totalement transfiguré l'esprit de l'entreprise coloniale, en la pénétrant du sens profond du droit humain. La colonisation n'est plus pour la France une opération à caractère mercantile, elle est essentiellement une création d'humanité : si le colonisateur a le droit évident d'en recueillir de légitimes avantages, il considère — c'est la doctrine française — qu'elle n'est pas simplement un enrichissement universel, profitant à l'ensemble du patrimoine mondial, dont la colonisation augmente sans cesse, et à la fois la richesse morale et la richesse matérielle ; et cet enrichissement d'humanité doit être fait et poursuivi dans l'acceptation et avec la collaboration des races que le colonisateur gouverne et qu'il a pour premier devoir d'accroître en valeur et en dignité humaine. [...]

La destruction de la patrie n'est pas une opinion

Le gouvernement, pas plus en Algérie qu'ailleurs, ne saurait tolérer ces excitations à la révolution, à la guerre intérieure, à la déchéance nationale. Contre elles il a déjà sévi et il sévira encore aussi longtemps et autant qu'il le faudra. Il usera des armes que la loi lui donne. Il en usera sans faiblesses et sans ménagements. On ne saurait ici invoquer les droits de la liberté d'opinion. La destruction de la patrie n'est pas une opinion. C'est un crime. Une doctrine dont les tenants préparent le carnage des guerres civiles et font de l'espionnage pour le compte de l'étranger n'est pas une doctrine. Elle est un attentat qualifié contre la vie des citoyens et contre l'indépendance du pays. Elle est au ban de la conscience publique. Elle relève non de la critique du dilettante, mais de la police et du prétoire. L'opinion publique en dépit des avertissements que certains d'entre nous lui prodiguent a peut-être mis trop de temps à mesurer la malfaisance du communisme.

Désormais, elle est éclairée. Les masses ouvrières les premières, avec leur sagesse et leur bon sens accoutumés, ont discerné le péril et réagi vigoureusement contre l'emprise des agents de Moscou. Comment le gouvernement et le Parlement feraient-ils preuve d'une clairvoyance moindre ou d'une moindre fermeté ? Pour eux comme pour les masses laborieuses, la devise, le mot d'ordre doit rester le même : le communisme, voilà l'ennemi !

6. L'Exposition coloniale de Paris
(1931)

L'idée de présenter à Paris une exposition destinée à exalter l'œuvre coloniale de la France est antérieure à la Première Guerre mondiale. La paix revenue, sa réalisation a été retardée pour des raisons principalement financières. C'est en 1927, une fois rétablie la situation monétaire de la France, donc à l'initiative du gouvernement Poincaré, que le projet a pris corps. L'organisation de l'Exposition coloniale a été confiée au maréchal Lyautey, devenu disponible à la suite de sa démission du poste de Résident général au Maroc (cf. texte n° 3) et auquel le gouvernement entendait ainsi apporter une compensation d'amour-propre au quasi-limogeage dont il avait été victime de la part des dirigeants cartellistes.

Commissaire général de l'Exposition, Lyautey a voulu en faire une manifestation grandiose de l'œuvre accomplie par la France dans les territoires d'outre-mer, ce qui a demandé beaucoup de temps. Il a fallu attendre, en effet, le 6 mai 1931 pour qu'elle ouvre ses portes sur le site du bois de Vincennes, et c'est le président de la République Gaston Doumergue qui a procédé à son inauguration.

L'Exposition coloniale a tout de suite connu un immense succès. On estime à 8 millions (dont un million d'étrangers) le nombre de visiteurs. Il y a bien eu, au début, quelques manifestations anticolonialistes organisées par le PC et par les socialistes, mais elles ont été peu suivies. Est-ce à dire que le but recherché ait été atteint ? En fait, plutôt que l'attachement à l'empire, c'est semble-t-il un certain goût du dépaysement et de l'exotisme qui a joué, la foule des visiteurs se pressant dans les reproductions de villages africains et océaniens, ou dans celle du temple d'Angkor où évoluaient des groupes de danseuses cambodgiennes. Le parc zoologique a attiré lui aussi des centaines de milliers de curieux, tandis que le musée des Colonies de la porte Dorée s'appliquait à fixer de manière permanente les acquis de la colonisation française.

Dans cet article, paru dans L'Illustration quelques jours après l'inauguration, Lyautey expose dans ses grandes lignes la philosophie qui a présidé à l'organisation de l'Exposition.

Source : Maréchal Lyautey, « Le sens d'un grand effort », *L'Illustration*, n° 4603, 23 mai 1931.

Bibliographie : C.-R. Ageron ; « L'Exposition coloniale », *in* P. Nora (s.l.d.), *Les lieux de mémoire*, t. I, *La République*, Paris, Gallimard, 1984.

I L Y A, paraît-il, des spécialistes dans l'art d'organiser des expositions. Je n'ose me flatter d'être de ceux-là. Je ne suis cependant pas tout à fait un débutant puisque j'ai mis sur pied une première exposition, il y a seize ans. C'était au début de la guerre, et cela se passait au Maroc.

Le lieu et l'heure où elle se tenait la firent taxer de gageure. Elle n'atteignit pas moins le double but que je lui avais assigné. Elle rendit à nos colons du Maroc confiance dans les destinées de la Patrie et dans leur propre labeur; elle prouva aux indigènes ralliés de la veille et travaillés par une intense propagande ennemie que la France, sûre d'elle-même, sûre de la victoire, demeurait une grande nation.

Casablanca 1915. Paris 1931. La comparaison s'imposait irrésistiblement dans ma pensée au moment où le président de la République, en présence de l'élite française et des représentants des nations étrangères, déclarait ouverte l'Exposition coloniale internationale de Paris. Mais l'Exposition de Casablanca ne fut, à tout prendre, qu'une machine de guerre. Nous avons inauguré hier une grande œuvre de paix. C'est que, dans l'intervalle, le monde a beaucoup appris. Il a découvert, entre autres choses, la vraie signification de l'action coloniale; il s'est pénétré de cette vérité que c'est dans l'action coloniale qu'il peut, dès à présent, réaliser une notion de solidarité humaine, acquise péniblement au milieu des déchirements et des ruines.

Il reste encore sur la terre de vastes champs à défricher, de pacifiques batailles à livrer à la misère, à l'ignorance, à toutes les forces mauvaises de la nature. En montrant l'immense labeur déjà accompli par les nations colonisatrices, l'Exposition montrera, par surcroît, qu'il reste encore beaucoup à faire.

Puisse-t-elle être comprise! Puisse-t-elle insuffler à tous les peuples aînés, un esprit nouveau, une conscience nouvelle! Coloniser, ce n'est pas uniquement, en effet, construire des quais, des usines ou des voies ferrées; c'est aussi gagner à la douceur humaine les cœurs farouches de la savane ou du désert.

Mais la voix de l'Exposition sera entendue. L'effort dépensé depuis des années par les milliers d'ouvriers qui l'ont édifiée ne l'aura pas été en vain, et notre pays, qui en prit l'initiative, pourra l'inscrire à l'actif de sa gloire.

Pour moi, qui eus l'honneur d'y présider, je ne pouvais, au soir d'une existence tout entière consacrée à l'œuvre coloniale, espérer une meilleure fortune. Je me garderai d'en tirer un orgueil excessif. Dans une entreprise comme celle-ci, la part du chef, si grande que veuille la faire la bienveillance du public, est peu de chose quand on la compare à celle de ses collaborateurs, et les miens furent innombrables.

L'un des meilleurs et des plus efficaces me donne aujourd'hui l'occasion de le remercier publiquement; je le fais avec gratitude. *L'Illustration*, expression parfaite du goût français, de la pensée française, nous a donné sans réserve le talent de ses rédacteurs, l'habileté de ses artistes et de ses photographes, la perfection de son outillage. Elle a été pour nous, à travers le monde, une ambassadrice de choix. Elle a été d'une grande force au service d'une grande œuvre.

7. Pour une politique « musulmane » de la France
(1939)

*Ce texte est tiré d'un ouvrage publié en 1939 et qui rassemble une série de six confé-
rences tenues par le grand orientaliste Louis Massignon. Texte prophétique, d'une
clairvoyance exceptionnelle à cette date, dans lequel ce professeur au Collège de
France, spécialiste du mystique musulman Al-Halladj (pendu à Bagdad en 922 pour
avoir dit son amour d'Allah en des termes jugés blasphématoires par l'Islam officiel),
évoque à la fois l'universalité et la diversité culturelles du monde islamique, l'apport
immense du creuset méditerranéen à la civilisation et la nécessité pour la France de
pratiquer à l'égard de ses « sujets » musulmans — considérés par Massignon comme
les membres égaux d'une communauté qui transcende les clivages ethniques et religieux — une politique de tolérance lui permettant à la fois de maintenir son influence
dans le monde musulman, particulièrement dans le Maghreb, et d'intégrer sans heurt
les 100 000 Nord-Africains qui vivent en France à la veille de la guerre. Pour lui, il ne
s'agit ni de procéder à une « francisation » brutale, destructrice des racines islamiques
des populations concernées (colonisées ou importées en métropole), ni d'isoler et
d'exclure celles-ci de la communauté nationale, mais de promouvoir — en jouant sur le
rapprochement des deux grandes religions qui règnent sur l'Orient et sur l'Occident —
une « formule commune de vie » entre Français de souche et musulmans. C'est dire à
quel point ses propos avaient peu de chance de rencontrer une audience consistante
dans la classe politique et dans l'opinion publique françaises à l'heure de la montée
des périls et du repli frileux sur l'empire.*

Source : Louis Massignon, *Situation de l'Islam, six causeries*, Paris, Librairie orientaliste Paul Geuthner, 1939, pp. 30-32.
Bibliographie : J. Morillon, *Massignon*, Paris, Éd. universitaires, 1964.

C'EST TOUT LE MONDE MUSULMAN que nous devons comprendre, pour que la France
survive, car, culturellement, tous les pays musulmans se tiennent, depuis Java
jusqu'au Maroc ; il y a depuis treize siècles un profond brassage vital familial, où se
dosent de façon originale les qualités et les tendances des diverses races islamiques :
c'est le fils d'un Kabyle émigré à Bornéo, un Zouaoui, qui était, il y a quinze ans, grand
mufti des shafi'ites à La Mecque, et j'ai connu un savant du Turkestan, un Bokhari,
comme grand cadi à Damas ; en dépit des dialectes, c'est la radio orientale d'Abou
Zabal, en Égypte, que les Marocains écoutent le plus volontiers. Et le problème musulman est pour nous beaucoup plus qu'il n'est pour la Grande-Bretagne, pour qui c'est un
problème externe et impérial d'influence économique, tenir l'Inde et les routes de
l'Inde. Pour la France, c'est un problème social interne, de structure nationale : comment incorporer vraiment nos nationaux musulmans d'Algérie au foyer national. Et cela
seul préservera, par surcroît, l'avenir des colons de notre race qui, en Algérie, ne représentent qu'une élite de 18 % du chiffre total des habitants.
  Sans insister sur la nécessité, pour tous les spécialistes de l'Islam et de l'arabe en
France, de regarder au-delà des étroites limites de notre domaine nord-africain musulman, pour « réaliser » comment il baigne dans une atmosphère spirituelle plus vaste ;

Tunis, par exemple, ne se comprend au point de vue musulman que si l'on a réfléchi au puissant ascendant historique de la Turquie, à l'attirance croissante de l'Égypte sur ce petit pays frémissant et complexe.

Regardons la carte de la Méditerranée. On a comparé cette mer intérieure à une caisse de résonance, à un instrument de musique. Il y a toujours eu diversité entre les cultures qui s'y sont plus ou moins harmonieusement entrechoquées, pour aboutir pourtant à des régimes d'échange à peu près équilibrés, depuis Carthage et Rome jusqu'à la Chrétienté et l'Islam, entre Latins et Sémites plus ou moins hellénisés. Cette caisse de résonance méditerranéenne, c'est une sorte d'instrument à neuf cordes, Espagne, France, Italie, Balkans grécoslaves, Turquie, Syropalestine arabe, Égypte, Libye et Maghreb, dont quatre sont musulmanes (et il faudrait peut-être ajouter ce subtil diapason britannique, qui, posé au-dessus et en travers de part en part, de Gibraltar à Suez, l'accorde au concert des échanges mondiaux).

Dès le Moyen Âge, nous l'avons vu mardi dernier[1], la rive musulmane influençait la rive française, non pas seulement au point de vue des marchandises manufacturées, mais au point de vue intellectuel, corporations, universités.

Depuis cent ans et plus, l'influence s'est inversée, c'est maintenant la rive musulmane qui subit, après la pression de notre économie, notre influence culturelle. Influence éducationnelle et pédagogique, d'abord, puis juridique et parlementaire, morale ; on sait tout ce que les nouveaux États d'Orient musulmans ont su s'assimiler à cet égard, et cela n'est pas terminé, dont Bonaparte au Caire, et Lyautey à Fès, n'avaient qu'entrevu les prémisses.

Il y a davantage : nous devons méditer sur les conséquences à notre égard, de cette situation de fait. Il nous faut envisager en France, dans la métropole, ce que sera l'élément musulman dans la France de demain, son rôle constitutif. Depuis vingt-cinq ans, il y a près de 100 000 musulmans nord-africains qui vivent dans la France métropolitaine, surtout des ouvriers, dans la banlieue parisienne, magasiniers spécialisés, manœuvres dans des usines à gaz et métallurgiques, les docks et les garages, il y en a plus de 4 000 qui ont fondé des foyers dont les mères de famille sont de race française (et plusieurs même sont rentrées avec eux en Afrique du Nord). Ce sont des hommes de vingt à soixante ans et l'on a calculé que dans certains villages de la montagne kabyle, du Guergour, 70 % des hommes de cet âge ont vécu deux ou trois ans en France. Cette francisation instrumentale massive de musulmans authentiques pose de façon aiguë, tant au point de vue familial du statut personnel et communal, qu'au point de vue civique et politique, la nécessité d'une formule de vie commune entre Français de France, et musulmans, non pas sujets mais déjà « nationaux français » depuis 1865 et dont toute une élite, déjà, vit en « citoyens français ».

---

1. L'auteur prononce une série de conférences.

8. Le projet de loi Blum-Violette

En 1936, à la veille de l'arrivée au pouvoir du gouvernement de Front populaire, les indigènes musulmans demeurent soumis, en Algérie, à un statut qui fait d'eux des citoyens mineurs. Vivant sur un territoire administrativement assimilé à la métropole, puisqu'il est divisé en trois départements et dépend du ministère de l'Intérieur, ils sont assujettis à des obligations militaires plus lourdes que celles des conscrits européens (24 mois de présence au lieu de 10), ne perçoivent pas, lorsqu'ils exercent leur activité dans la fonction publique, l'indemnité du « quart colonial » versée à tous les autres fonctionnaires en Algérie, et surtout, ils ne sont pas représentés à la Chambre des députés.

Devenu chef du gouvernement, Léon Blum va confier le portefeuille des Colonies à Marius Moutet, un avocat qui s'était illustré dans la défense des opposants annamites à la domination française, le secrétariat d'État aux Affaires étrangères (chargé notamment des relations avec les pays arabes) à Pierre Viénot, disciple de Lyautey et le secrétariat général du tout jeune « Haut Comité méditerranéen » à l'historien Charles-André Julien, spécialiste de l'Afrique du Nord et observateur très critique des méthodes du colonialisme français. C'est dire qu'il paraît prêt à orienter l'action de son gouvernement dans les territoires d'outre-mer dans un sens réformateur.

C'est au vice-président du Conseil, Maurice Violette, qu'échoit la responsabilité des affaires algériennes. Le projet dont celui-ci partage la paternité avec le chef du gouvernement vise à accorder progressivement la citoyenneté française à la masse des musulmans algériens, en commençant par une première tranche d'une vingtaine de milliers de personnes titulaires de certains diplômes, grades ou distinctions militaires. Complété par une série de mesures favorisant la promotion sociale, politique et culturelle des indigènes, le projet Blum-Violette, qui ne se plaçait en aucune façon dans la perspective d'une future indépendance de l'Algérie, fut à la fois vivement combattu par les colons « ultras » et par les nationalistes de l'Étoile nord-africaine. Il ne survécut pas à la chute du premier gouvernement Blum.

Source : Texte du projet de loi Blum-Violette, Chambre des députés, Commission de réformes, t.2, p. 3436.
Bibliographie : B. Stora, *Histoire de l'Algérie coloniale, 1830-1954*, Paris, La Découverte, 1991.

ARTICLE PREMIER. — Sont admis à l'exercice des droits politiques des citoyens français, sans qu'il en résulte aucune modification de leur statut ou de leurs droits civils, et à ce titre définitif, sauf application de la législation française sur la déchéance des droits politiques, les indigènes algériens français des trois départements d'Algérie remplissant les conditions énumérées aux paragraphes suivants :

1°– les indigènes algériens français ayant quitté l'armée avec le grade d'officier ;

2°– les indigènes algériens français sous-officiers ayant quitté l'armée avec le grade de sergent-chef ou un grade supérieur après y avoir servi pendant quinze ans et en être sortis avec le certificat de bonne conduite ;

3°– les indigènes algériens français ayant accompli leur service militaire et ayant obtenu tout ensemble la médaille militaire et la croix de guerre ;

4°– les indigènes algériens français titulaires de l'un des diplômes suivants : diplômes de l'enseignement supérieur, baccalauréat de l'enseignement secondaire, brevet supérieur, brevet élémentaire, diplôme de fin d'études secondaires, diplôme des medersas [1], diplôme d'enseignement professionnel, industriel, agricole ou commercial ainsi que les fonctionnaires recrutés au concours.

5°– les indigènes algériens français élus aux chambres de commerce et d'agriculture ou désignés par le conseil d'administration de la Région économique et par les chambres d'agriculture d'Algérie, dans les conditions prévues à l'article 2 ;

6°– les indigènes algériens français, délégués financiers, conseillers généraux, conseillers municipaux des communes de plein exercice et présidents de djemâs [2] ayant exercé leurs fonctions pendant la durée d'un mandat ;

7°– les indigènes algériens français bachagas, aghas, caïds [3], ayant exercé leurs fonctions pendant au moins trois ans ;

8°– les indigènes algériens français commandeurs de l'ordre national de la Légion d'honneur ou nommés dans cet ordre à titre militaire ;

9°– les ouvriers indigènes titulaires de la médaille du Travail et les secrétaires de syndicats ouvriers régulièrement constitués après dix ans d'exercice de leur fonction.

ART. 2. — Le conseil d'administration de la Région économique d'Algérie désignera à celle des sessions qui suivra la mise en application de la présente loi deux cents commerçants, industriels ou artisans par département qui seront lors investis des droits politiques accordés par l'article 1er de la présente loi, par arrêté du gouverneur général. Les trois chambres d'agriculture d'Algérie désigneront chacune dans les mêmes conditions et dans le même but, deux cents agriculteurs à leur première session de chacune des années qui suivront celle de la mise en application de la présente loi. Le conseil d'administration de la Région économique d'Algérie désignera, dans les mêmes conditions que précédemment, cinquante commerçants, industriels ou artisans par département algérien, et les trois chambres d'agriculture d'Algérie désigneront chacune, dans les mêmes conditions et dans le même but, cinquante agriculteurs.

ART. 3. — Les condamnations prévues par la loi du 2 février 1852 en ses articles 15 et 16, ainsi que toute révocation intervenue à l'égard des titulaires des fonctions énumérés à l'article 1er, nos 6 et 7, ainsi que la radiation des cadres, entraîneront de plein droit la radiation des listes électorales.

ART. 4. — Tout indigène algérien français bénéficiaire des dispositions de la présente loi pourra se voir retirer le bénéfice des dispositions précédentes par application des dispositions de l'article 9, paragraphe 5, de la loi du 10 août 1927.

Art. 5. — Les dispositions de la présente loi n'ont aucun effet rétroactif et s'appliquent seulement aux indigènes algériens français qui remplissent actuellement ou rempliront à l'avenir les conditions qu'elles énumèrent. La représentation de l'Algérie à la Chambre des députés est assurée à raison d'un député par 20 000 électeurs inscrits ou fraction de 20 000.

ART. 6. — Le ministre de l'Intérieur est chargé de l'application de la présente loi.

---

1. Établissements d'enseignement supérieur musulmans.
2. Réunion des notables qui représentent le douar.
3. Chefs indigènes : le bachaga est supérieur à l'agha qui est lui-même au-dessus du caïd.

IX

LA FRANCE DANS LA DEUXIÈME
GUERRE MONDIALE – VICHY

L'agression allemande contre les Pays-Bas et la Belgique, le 10 mai 1940, suivie trois jours plus tard de l'offensive des panzerdivisionen de Von Rundstedt sur la Meuse, met fin brutalement aux huit mois de « drôle de guerre » au cours desquels les armées des démocraties sont restées l'arme au pied, sauf pour une brève et malheureuse opération à Narvick, en Norvège, destinée — après l'attaque hitlérienne contre ce pays — à « couper la route du fer » aux Allemands. Après avoir occupé la Hollande, contraint les Belges à la capitulation et isolé les Franco-Britanniques dans la poche de Dunkerque, évacuée par mer dans des conditions extrêmement difficiles (28 mai-3 juin), ces derniers lancent le 5 juin une nouvelle offensive qui, en moins de trois semaines, aboutit à l'occupation de Paris (14 juin) et à la débâcle de l'armée française.

Tandis que l'avance des armées du Reich chasse devant elle, en un exode tragique, des hordes de réfugiés où se mêlent civils et militaires en pleine débandade, le gouvernement de Paul Reynaud se réfugie à Tours, puis à Bordeaux. Le coup de grâce est donné par Mussolini qui, désirant une part du butin, déclare la guerre à la France le 10 juin 1940.

La démission de Paul Reynaud, favorable à la poursuite de la guerre outre-mer, le 16 juin, porte à la présidence du Conseil le maréchal Pétain qui, pour éviter à l'armée française l'humiliation d'une capitulation, préconise un armistice qui est signé le 22 juin et qui impose à la France des conditions draconiennes (textes n°^{os} 1 et 2) et partage l'Hexagone entre une zone occupée au nord et une zone dite « libre » au sud sur laquelle va directement s'exercer l'autorité du gouvernement de Vichy.

Profitant du désarroi qui frappe l'opinion et les parlementaires, Pierre Laval, devenu vice-président du Conseil, et l'entourage du maréchal Pétain ont en effet convoqué à Vichy députés et sénateurs. Usant à la fois des promesses et de l'intimidation, ils leur font voter le 10 juillet 1940 un acte constitutionnel donnant tous pouvoirs au chef du gouvernement pour rédiger une « nouvelle Constitution de l'État français ». Seuls 80 parlementaires sur 666 se sont opposés à cette mise à mort de la IIIᵉ République (textes n°^{os} 3 et 4).

Détenteur de pouvoirs dictatoriaux, Pétain entend régénérer la France autour d'une doctrine nouvelle, la « Révolution nationale » (texte n° 5), qui est en fait une contre-révolution inspirée des principes maurrassiens et du modèle mythique de l'Ancien Régime. En fait, se retrouvent à Vichy des groupes disparates qui entendent profiter de l'effondrement de la République parlementaire pour faire prévaloir leurs idées : réactionnaires d'extrême droite d'obédiences diverses, antisémites de tous bords, fonction-

naires ou administrateurs de sociétés qui songent à un gouvernement de « techno-crates », socialistes et syndicalistes en rupture avec leur formation d'origine et qui rêvent d'un État dirigiste et social, libéraux anticommunistes, etc.

Au nom d'un « ordre nouveau » dont le projet s'ordonne autour du slogan « Travail, Famille, Patrie », le régime instauré par le maréchal Pétain s'applique à réorganiser la société sur une base corporatiste qui, du fait des contraintes économiques de l'heure, est étroitement soumise au contrôle de l'État. Il adopte des mesures favorables aux familles et attache une attention particulière à la formation de la jeunesse (texte n° 6). S'il rejette le parti unique des États fascistes, il pousse au rassemblement des vétérans de la guerre dans une « Légion française des combattants » qui est chargée de diffuser dans le public les principes du régime et dont le « service d'ordre » — transformé en Milice — servira d'auxiliaire aux Allemands dans la chasse aux résistants après l'occu-pation de la zone sud en novembre 1942.

Dès 1940, le régime de Vichy développe une politique d'exclusion et de répression en complète rupture avec les traditions de la République. Les étrangers sont internés dans des camps. Un nombre important de naturalisations opérées depuis 1927 sont annulées. Des mesures discriminatoires sont prises à l'encontre des Juifs (texte n° 7) et d'autres populations jugées « inférieures » (texte n° 8). L'administration est épurée, les conseils municipaux des grandes villes dissous, les syndicats supprimés, les francs-maçons pourchassés et de nombreux dirigeants de la IIIe République, comme Blum, Daladier ou Reynaud, emprisonnés.

Tandis que le poids de l'occupation s'exerce sur les populations de l'Hexagone avec une rigueur croissante — qu'il s'agisse du pillage économique du pays, générateur de pénurie alimentaire, ou de la répression impitoyable qui frappe les Juifs, les communistes et les résistants (texte n° 9) —, Vichy s'engage de plus en plus ouvertement dans la voie de la collaboration. Entamée dès l'automne 1940, après l'entrevue de Montoire (texte n° 10), la collaboration d'État vise à réserver à la France un sort favorable dans l'Europe nazie. Elle est en fait un marché de dupes, Hitler n'entendant faire aucune concession aux Fran-çais vaincus, mais elle va conduire le gouvernement de Vichy —surtout après le retour au pouvoir de Laval en avril 1942 — aux pires compromissions avec l'occupant, Vichy met-tant à son service sa police et sa milice pour la chasse aux Juifs et aux résistants.

À côté de cette collaboration d'État, de plus en plus impopulaire aux yeux de la majorité des Français, se développe une collaboration économique aux motivations ambiguës (éviter la ruine ? préserver l'emploi ? accroître les profits ?), et une collabo-ration idéologique dont les partisans — extrêmement minoritaires — appartiennent aux mouvements fascistes, surtout nombreux en zone nord : Parti populaire français de Doriot, Mouvement social révolutionnaire de Deloncle, Rassemblement national popu-laire de Déat (texte n° 11), francisme de Bucard, etc, ou se recrutent parmi les intellec-tuels d'extrême droite. Rêvant de faire de la France un État fasciste ayant sa place dans l'« Europe nouvelle » hitlérienne, ils jugent la politique de Vichy trop modérée et ten-tent de s'attirer les faveurs des nazis en faisant de la surenchère antisémite, antidémo-cratique et anticommuniste. Nombre d'entre eux iront jusqu'au bout de leur engagement, en rejoignant la Waffen SS (comme Doriot), en suivant les Allemands dans leur retraite de 1944, ou en choisissant volontairement la mort, comme Drieu la Rochelle (texte n° 12).

Après le débarquement allié en Afrique du Nord et l'occupation de la zone sud par les Allemands, Vichy n'est plus qu'un État fantoche, satellite du Reich. Le gouverne-

ment du maréchal Pétain s'acharne toutefois à conserver la fiction de sa souveraineté en feignant d'accorder de plein gré aux Allemands ce que ceux-ci lui imposent en fait. Pétain est surveillé par un délégué allemand qui censure les lois. Les collaborationnistes parisiens entrent au gouvernement. La Milice coiffe l'administration, la police et la justice. Vichy n'est plus que l'auxiliaire des Allemands qui, en août 1944, emmènent de force Pétain et Laval dans leur retraite.

1. Convention d'armistice
entre l'Allemagne et la France

C'est dans la nuit du 16 au 17 juin 1940, alors qu'il vient d'être chargé par le président de la République, Albert Lebrun, de constituer le nouveau gouvernement — en remplacement de Paul Reynaud, démissionnaire —, que le maréchal Pétain a adressé aux Allemands une demande d'armistice. Conclusion d'un dramatique débat au sein du cabinet Reynaud (alors réfugié à Bordeaux) entre les partisans de cette solution (Pétain, alors vice-président du Conseil, le généralissime Weygand et les ministres pacifistes : Baudouin, Bouthillier, Chautemps) et ceux qui, comme Reynaud, Mandel (Intérieur), Campinchi (Marine) et le général de Gaulle (tout récemment promu sous-secrétaire d'État à la Guerre), auraient souhaité que les militaires signent une capitulation mettant fin aux combats en métropole, tandis que le chef de l'État, le gouvernement et le Parlement seraient passés en Afrique du Nord pour y continuer la lutte.

Le camp Pétain l'ayant emporté, le maréchal n'a pas attendu la réponse du Führer pour se mettre à la merci de l'ennemi. Le 17 juin en effet, il adresse aux Français un message radiodiffusé dans lequel il leur fait clairement part de ses intentions: « C'est le cœur serré que je vous dis aujourd'hui qu'il faut cesser le combat ! » Et il décide de rester en métropole « pour protéger les Français » tandis que Laval, le député-maire de Bordeaux Adrien Marquet et un groupe de parlementaires pacifistes intriguent pour retenir le président Lebrun. Seuls quelques parlementaires (avec Daladier, Mandel, Jean Zay, Pierre Mendès France) s'embarquent à bord du Massilia pour le Maroc où ils seront arrêtés sur ordre du nouveau gouvernement et internés jusqu'en juillet.

La réponse à la demande française d'armistice fut mûrement réfléchie. Le premier projet, concocté dès le 15 juin à l'Oberkommando der Wehrmacht (OKW), était particulièrement rigoureux. Il exigeait en effet l'occupation totale de la France, le désarmement complet de ses forces armées et la cession à l'Allemagne de tout son matériel de guerre. C'est sur ordre d'Hitler qu'il fut révisé à la baisse, le Führer ayant le souci d'isoler complètement la Grande-Bretagne et d'éviter que le gouvernement Pétain ne cherche à continuer la lutte en Afrique du Nord. Pour la même raison, Hitler s'opposa aux revendications du Duce, qu'il rencontra le 18 juin à Munich et qui réclamait pour l'Italie la frontière du Rhône. C'est sur ses instructions précises qu'une nouvelle version de la Convention d'armistice fut mise au point et présentée aux plénipotentiaires français. Partie de Bordeaux le 20 juin en début d'après-midi, la délégation française comprenait le général Huntziger, l'ambassadeur Léon Noël, le contre-amiral Leluc, le général d'aviation Bergeret, le général Parisot, Charles Rochat (un homme de Laval, responsable des affaires politiques au Quai d'Orsay) et Lagarde. Après une brève étape à Paris, elle fut conduite dans la forêt de Compiègne, au carrefour de Rethondes où se *trouvait le wagon de Foch, ramené de Paris pour la circonstance et dans lequel elle fut introduite le 21 en début d'après-midi en présence du Führer.*

Après avoir pris connaissance de la Convention, les plénipotentiaires français furent autorisés à se mettre en contact avec Bordeaux où se tinrent deux conseils des ministres (de 1 heure à 3 heures du matin, puis à 8 h 30, le 22). Les discussions furent âpres, aussi bien à Rethondes avec Keitel, chef de la délégation allemande, qu'à Bordeaux. Finalement, Huntziger reçut l'ordre de signer, ce qui fut fait le 22 un peu avant 19 heures.

Source : Convention d'armistice entre l'Allemagne et la France (extraits).
Bibliographie : M. Launay, *L'Armistice de 1940*, Paris, PUF, 1972 ; F. Avantaggio Puppo, *Gli armistizi francesi del 1940*, Milan, 1963.

A RTICLE PREMIER. — Le gouvernement français ordonne la cessation des hostili- [...] tés contre le Reich allemand, sur le territoire francais comme sur les posses- sions coloniales, protectorats et territoires sous mandat et sur les mers. Il ordonne que les troupes françaises déjà encerclées par les troupes allemandes déposent immédiate- ment les armes.

Art. 2. — Pour assurer les intérêts du Reich allemand, le territoire français situé au nord et à l'ouest de la ligne tracée sur la carte ci-annexée[1], sera occupé par les troupes allemandes. Les territoires qui ne sont pas encore aux mains des troupes allemandes seront immédiatement occupés après la conclusion de la présente convention.

Art. 3. — Dans les régions françaises occupées, le Reich allemand exerce tous les droits de la puissance occupante. Le gouvernement français s'engage à faciliter par tous les moyens les réglementations et l'exercice de ces droits ainsi que l'exécution avec le concours de l'administration française. Le gouvernement français invitera immédiate- ment toutes les autorités et tous les services administratifs français du territoire occupé à se conformer aux réglementations des autorités militaires allemandes et à collaborer avec ces dernières d'une manière correcte.

Le gouvernement allemand a l'intention de réduire au strict minimum l'occupation de la côte occidentale après la cessation des hostilités avec l'Angleterre. Le gouvernement français est libre de choisir son siège dans le territoire non occupé ou, s'il le désire, de le transférer à Paris. Dans ce dernier cas, le gouvernement allemand s'engage à accorder toutes les facilités nécessaires au gouvernement et à ses services administratifs centraux afin qu'il soit en mesure d'administrer de Paris les territoires occupés et non occupés.

Art. 4. — Les forces françaises sur terre, sur mer et dans les airs devront être démobi- lisées et désarmées dans un délai encore à déterminer. Sont exemptes de ces obligations les troupes nécessaires au maintien de l'ordre intérieur. Leur importance et leur arme- ment seront déterminés respectivement par l'Allemagne et par l'Italie[2].

Les forces armées françaises stationnées dans les régions qui devront être occupées par l'Allemagne seront rapidement transportées en territoire non occupé et seront démo- bilisées. Avant leur repli en territoire non occupé, ces troupes déposeront leurs armes et

1. Les Allemands exigèrent d'occuper la zone maritime comprise entre le point atteint par leurs troupes et la frontière espagnole de manière à contrôler toutes les voies d'accès par mer au territoire français.
2. L'effectif de l'armée de l'armistice fut ultérieurement fixé à 100 000 hommes.

leur matériel aux endroits où elles se trouvent au moment de l'entrée en vigueur de la présente convention. Elles seront responsables de la remise régulière du matériel et des armes aux troupes allemandes.

Art. 5. — Comme garantie de la stricte observation des conditions de l'armistice, il pourra être exigé que toutes les pièces d'artillerie, les chars de combat, les engins anti-chars, les avions militaires, les canons de la DCA, les armes d'infanterie, tous les moyens de traction et les munitions des unités de l'armée française engagées contre l'Allemagne soient livrés en bon état. La commission allemande décidera de l'étendue de ces livraisons. Il peut être renoncé à la livraison d'avions militaires si tous les avions encore en possession des armées françaises sont désarmés et mis en sécurité sous le contrôle allemand.

Art. 6. — Les armes, munitions et matériel de guerre de toute espèce restant en terri-toire français non occupé — dans la mesure où ceux-ci n'auront pas été laissés à la dis-position du gouvernement français pour l'armement des unités françaises autorisées — devront être entreposés ou mis en sécurité respectivement sous contrôle allemand ou sous contrôle italien. […]

[...] Art. 8. — La flotte de guerre française — à l'exception de celle qui est laissée à la disposition du gouvernement français pour la sauvegarde de ses intérêts dans l'empire colonial — sera rassemblée dans des ports à déterminer et devra être démobili-sée et désarmée sous le contrôle respectif de l'Allemagne ou de l'Italie. La désignation de ces ports sera faite d'après les ports d'attache des navires en temps de paix. Le gou-vernement allemand déclare solennellement au gouvernement français qu'il n'a pas l'intention d'utiliser pendant la guerre, à ses propres fins, la flotte de guerre française stationnée dans les ports sous contrôle allemand, sauf les unités nécessaires à la sur-veillance des côtes et au dragage des mines.

Il déclare en outre solennellement et formellement qu'il n'a pas l'intention de formu-ler de revendication à l'égard de la flotte de guerre française lors de la conclusion de la paix. Exception faite de la partie de la flotte de guerre française à déterminer qui sera affectée à la sauvegarde des intérêts français dans l'empire colonial, tous les navires de guerre se trouvant en dehors des eaux territoriales françaises devront être rappelés en France. […]

[…] Art. 10. — Le gouvernement français s'engage à n'entretenir à l'avenir aucune action hostile au Reich allemand avec aucune partie des forces armées qui lui restent ni d'aucune manière.

Le gouvernement français empêchera également les membres des forces armées fran-çaises de quitter le territoire français et veillera à ce que ni des armes ni des équipe-ments quelconques, ni navires, ni avions, etc., ne soient transférés en Angleterre ou à l'étranger.

Le gouvernement francais interdira aux ressortissants français de combattre contre l'Allemagne au service d'États avec lesquels l'Allemagne se trouve encore en guerre. Les ressortissants francais qui ne se conformeraient pas à cette prescription seront trai-tés par les troupes allemandes comme francs-tireurs. […]

[…] Art. 18. — Les frais d'entretien des troupes d'occupation allemandes sur le terri-toire français seront à la charge du gouvernement français.

Art. 19. — Tous les prisonniers de guerre et prisonniers civils allemands, y compris les prévenus qui ont été arrêtés et condamnés pour des actes commis en faveur du Reich allemand, doivent être remis aux troupes allemandes.

Le gouvernement français est tenu de livrer sur demande tous les ressortissants allemands désignés par le gouvernement du Reich et qui se trouvent en France, de même que dans les possessions françaises, les colonies, les territoires sous protectorat et sous mandat. [...]

Art. 20. — Les membres des forces armées françaises qui sont prisonniers de guerre de l'armée allemande resteront prisonniers de guerre jusqu'à la conclusion de la paix. [...]

[...] Art. 22. — Une commission d'armistice allemande agissant sous le contrôle du Haut-Commandement allemand réglera et contrôlera l'exécution de la convention d'armistice.[...]

Art. 23. — Cette convention d'armistice entrera en vigueur dès que le gouvernement français sera également arrivé avec le gouvernement italien à un accord relatif à la cessation des hostilités. La cessation des hostilités aura lieu 6 heures après que le gouvernement italien aura annoncé au gouvernement du Reich la conclusion de cet accord. [...]

Art. 24. — La présente convention d'armistice est valable jusqu'à la conclusion du traité de paix. Elle peut être dénoncée à tout moment pour prendre fin immédiatement par le gouvernement allemand si le gouvernement français ne remplit pas les obligations par lui assumées dans la présente convention.

La présente convention d'armistice a été signée le 22 juin 1940 à 18 h 50, heure d'été allemande, dans la forêt de Compiègne.

> Signé: Général KEITEL
> Général HUNTZIGER

2. Pétain justifie la signature de l'armistice
(25 juin 1940)

Conformément aux clauses de la Convention d'armistice, celui-ci devait entrer en vigueur après la conclusion d'un document mettant fin aux hostilités entre la France et l'Italie. Celui-ci ayant été paraphé le 24 juin, il entra en application six heures après : le 25 à 0 h 35. Le même jour, s'adressant aux Français dans un discours radiodiffusé depuis Bordeaux, le président du Conseil s'appliqua à justifier son choix tout en énonçant pour la première fois au pays les quelques principes sur lesquels devait reposer l'« ordre nouveau ».

Source : Philippe Pétain, Discours radiodiffusé du 25 juin 940.
Bibliographie : H. Michel, *La Défaite de la France*, Paris, PUF, « Que sais-je ? » n° 1828 ; M. Ferro, *Pétain*, Paris, Fayard, 1987.

FRANÇAIS !
Je m'adresse aujourd'hui à vous, Français de la Métropole et Français d'Outre-Mer, pour vous expliquer les motifs des deux armistices conclus le premier avec l'Allemagne, il y a trois jours, le second avec l'Italie.

Ce qu'il faut d'abord souligner, c'est l'illusion profonde que la France et ses alliés se sont faite sur leur véritable force militaire et sur l'efficacité de l'arme économique :

liberté des mers, blocus, ressources dont elle pourrait disposer. Pas plus aujourd'hui qu'hier, on ne gagne une guerre uniquement avec de l'or et des matières premières. La victoire dépend des effectifs, matériel et des conditions de leur emploi.

Les événements ont prouvé que l'Allemagne possédait en mai 1940, dans ce domaine, une écrasante supériorité à laquelle nous ne pouvions plus opposer, quand la bataille s'est engagée que des mots d'encouragement et d'espoir. La bataille des Flandres s'est terminée par la capitulation de l'armée belge en rase campagne et l'encerclement des divisions anglaises et françaises. Ces dernières se sont battues bravement. Elles formaient l'élite de notre armée ; malgré leur valeur, elles n'ont pu sauver une partie de leurs effectifs qu'en abandonnant leur matériel[1].

Une deuxième bataille s'est livrée sur l'Aisne et sur la Somme. Pour tenir cette ligne, soixante divisions françaises, sans fortifications, presque sans chars ont lutté contre cent cinquante divisions d'infanterie et onze divisions cuirassées allemandes. L'ennemi, en quelques jours, a rompu notre dispositif, divisé nos troupes en quatre tronçons et envahi la majeure partie du sol français.

La guerre était déjà virtuellement gagnée par l'Allemagne lorsque l'Italie est entrée en campagne[2], créant contre la France un nouveau front en face duquel notre armée des Alpes a résisté.

L'exode des réfugiés a pris, dès lors, des proportions inouïes ; dix millions de Français, rejoignant un million et demi de Belges, se sont précipités vers l'arrière de notre front, dans des conditions de désordre et de misère indescriptibles.

À partir du 15 juin, l'ennemi franchissant la Loire, se répandait à son tour sur le reste de la France.

Devant une telle épreuve, la résistance armée devait cesser. Le gouvernement était acculé à l'une de ces deux décisions : soit demeurer sur place, soit prendre la mer. Il en a délibéré et s'est résolu à rester en France, pour maintenir l'unité de notre peuple et le représenter en face de l'adversaire. Il a estimé que, dans de telles circonstances, son devoir était d'obtenir un armistice acceptable, en faisant appel chez l'adversaire au sens de l'honneur et de la raison.

L'armistice est conclu.

Le combat a pris fin.

En ce jour de deuil national, ma pensée va à tous les morts, à tous ceux que la guerre a meurtris dans leur chair et dans leurs affections. Leur sacrifice a maintenu haut et pur le drapeau de la France. Ils demeurent dans nos mémoires et dans nos cœurs.

Les conditions auxquelles nous avons dû souscrire sont sévères. [...] Du moins l'honneur est-il sauf. Nul ne fera usage de nos avions et de notre flotte. Nous gardons les unités terrestres et navales nécessaires au maintien de l'ordre dans la métropole et dans nos colonies. Le gouvernement reste libre, la France ne sera administrée que par des Français.

Vous étiez prêts à continuer la lutte. Je le savais. La guerre était perdue dans la métropole.

Fallait-il la prolonger dans les colonies ?

Je ne serais pas digne de rester à votre tête si j'avais accepté de répandre le sang des Français pour prolonger le rêve de quelques Français mal instruits des conditions de la lutte.

---

1. À Dunkerque entre le 28 mai et le 3 juin.
2. Le 10 juin 1940.

Je n'ai placé hors du sol de France, ni ma personne, ni mon espoir. [...]

C'est vers l'avenir, que désormais nous devons tourner nos efforts. Un ordre nouveau commence.

Vous serez bientôt rendus à vos foyers. Certains auront à les reconstruire.

Vous avez souffert, vous souffrirez encore. Beaucoup d'entre vous ne retrouveront pas leur métier ou leur maison. Votre vie sera dure.

Ce n'est pas moi qui vous bernerai par des paroles trompeuses. Je hais les mensonges qui vous ont fait tant de mal.

La terre, elle, ne ment pas. Elle demeure votre recours. Elle est la patrie elle-même. Un champ qui tombe en friche, c'est une portion de France qui meurt. Une jachère à nouveau emblavée, c'est une portion de France qui renaît.

N'espérez pas trop de l'État. Il ne peut donner que ce qu'il reçoit. Comptez, pour le présent, sur vous-mêmes et, pour l'avenir, sur les enfants que vous aurez élevés dans le sentiment du devoir.

Nous avons à restaurer la France. Montrez-la au monde qui l'observe, à l'adversaire qui l'occupe, dans tout son calme, tout son labeur et toute sa dignité.

Notre défaite est venue de nos relâchements. L'esprit de jouissance détruit ce que l'esprit de sacrifice a édifié.

C'est à un redressement intellectuel et moral que, d'abord, je vous convie.

Français, vous l'accomplirez et vous verrez, je vous le jure, une France neuve surgir de votre ferveur.

3. « Pour une France intégrée à la nouvelle Europe »

Le 7 juillet 1940, trois jours avant le vote par l'Assemblée nationale (Chambre des députés et Sénat réunis) de la loi constitutionnelle donnant les pleins pouvoirs au maréchal Pétain, les projets de reconstruction de la France et de mise en place d'institutions nouvelles, rompant avec celles de la III *République, ont proliféré dans l'entourage des parlementaires rassemblés à Vichy. Contrairement à une légende tenace, pourtant battue en brèche par Robert O. Paxton dans sa* France de Vichy *— et ceci dès 1972 —, toutes les responsabilités de la mise à mort de la République ne reposent pas sur Laval. « La légende d'une conspiration de Laval, écrit l'historien américain, fourmille anormalement d'incohérences. En voulant avilir l'homme, elle en a fait un sorcier de la politique. On s'est servi de l'habileté qu'on lui prêtait dans des pièces transformées en tabagies, pour se disculper d'avoir dit ceci ou cela. »*

En réalité, ce sont des pans entiers de la classe politique qui, dès le lendemain de l'armistice, inclinent en faveur d'un changement de régime et se déclarent prêts, sans états d'âme excessifs, à mettre fin à un régime dans lequel ils voient — ou feignent de voir — le responsable de la défaite. Parmi les projets élaborés en coulisse, celui que nous présentons ici a été rédigé par Gaston Bergery, ex-radical de gauche passé au pacifisme militant à l'époque du Front populaire et devenu, en juin 1940, l'un des plus ardents opposants à la politique de résistance outre-mer préconisée par Reynaud et par De Gaulle. Signé par une centaine de députés — parmi lesquels on trouve les noms de Déat, Montigny, Scapini, Spinasse, Tixier-Vignancourt, Xavier Vallat —, ce texte fait de Bergery l'un des promoteurs de la « Révolution nationale » et de la collaboration avec l'Allemagne.

Source : Déclaration sur l'Assemblée nationale, 7 juillet 1940 ; Archives FNSP/CHEVS, Fonds Gaston Monnerville.
Bibliographie : J. Montigny, *Toute la vérité sur un mois dramatique de notre histoire*, Clermont-Ferrand, 1940 ; R.O. Paxton, *La France de Vichy*, Paris, Seuil, 1972 ; Ph. Burrin, *La Dérive fasciste. La gauche française dans le champ magnétique des fascismes*, Paris, Seuil, 1986.

L A FRANCE vient de connaître un des désastres militaires les plus complets de son histoire.

Il peut être opportun de reculer la recherche officielle des responsabilités jusqu'au jour où un pouvoir fort pourra ne plus s'effrayer du nombre et de la qualité des responsables. Ceux-ci, en effet, ne se trouvent pas seulement au Parlement, mais dans toutes les grandes administrations publiques, y compris l'armée elle-même.

Mais la recherche des responsables ne saurait être longtemps différée. Dès aujourd'hui, nous voulons, en attendant les hommes, dénoncer les méthodes dans le domaine qui nous est propre : le domaine politique.

Des coalitions de citoyens n'ont cessé, à l'intérieur, de tenir en échec la souveraineté de la Nation.

Nous avons connu des gouvernements dits « de droite », mettant l'État à la remorque de coalitions d'intérêts financiers et économiques.

Nous avons connu des gouvernements dits « de gauche », mettant l'État à la remorque d'une bureaucratie syndicale représentant, fallacieusement au reste, une seule classe de la Nation et noyautée par les agents à la solde d'une puissance étrangère.

Nous avons même connu des gouvernements réussissant la gageure d'être simultanément à la remorque de ceux-ci et de ceux-là.

Mais aucun des vieux partis et aucun gouvernement n'ont voulu comprendre que la défense de l'État, la défense de la Nation impliquaient la lutte sur les deux fronts : en même temps contre la ploutocratie et en même temps contre les valets conscients ou inconscients de la politique stalinienne. [...]

Au lendemain de la déroute militaire, deux politiques extérieures étaient à nouveau concevables.

La politique Reynaud de repli sur l'Angleterre, avec l'espoir que celle-ci, avec ou sans l'aide des États-Unis, parviendrait — non pas certes à reconquérir l'Europe continentale — mais à obtenir, sur le plan naval et aérien, une paix négociée. L'autre politique, celle du maréchal Pétain, impliquant — par un dosage de collaboration avec les puissances latines et l'Allemagne elle-même — l'établissement d'un nouvel ordre continental. [...]

Certains s'étonnent que l'on puisse espérer une collaboration qui n'équivaille pas à une servitude. Quant à nous, nous ne voulons pas fonder cet espoir sur la générosité ou la parole du vainqueur.

Nous le fondons sur la compréhension par ses chefs des intérêts durables de l'Allemagne elle-même.

Autour du Führer Chancelier, certains voudraient sans doute profiter de notre défaite pour nous écraser et prendre ainsi la revanche d'Iéna. Mais d'autres peuvent comprendre en vertu du précédent d'Iéna lui-même qu'il est impossible d'écraser durablement une nation authentique de 40 millions d'habitants [...]. Nous pensons donc que, dans l'esprit du vainqueur, telle ou telle tendance l'emportera selon qu'il trouvera devant lui, en France, des hommes qui veuillent et puissent tenter l'œuvre de réconciliation et de collaboration. [...]

La politique extérieure que nous venons d'esquisser entraîne et même commande une politique intérieure, pour des raisons qu'il est pénible et inutile de développer.

Mais ce serait une erreur et une erreur grave de conséquence que de considérer le changement de régime comme nécessité seulement par la pression extérieure.

En réalité, il n'est pas d'exemple historique qu'un régime ait survécu à un désastre militaire comme celui que nous venons de connaître.

Et ce n'est que justice : le désastre militaire, nous l'avons montré, n'est en effet que la traduction catastrophique de la corruption du régime.

Le changement s'impose aujourd'hui où la France est vaincue. Mais il était nécessaire depuis vingt ans. Et il ne tenait qu'à nous qu'il intervint à temps pour nous éviter la défaite.

Ce changement nécessaire, seul le chef actuel du gouvernement, entouré du respect et de l'affection de tout un peuple, peut l'effectuer dans l'ordre — sans ajouter les horreurs de la guerre civile aux horreurs de la défaite.

On nous demande de lui donner pleins pouvoirs pour promulguer la Constitution nouvelle, au lieu de nous soumettre un texte hâtivement rédigé.

Nous nous déclarons d'accord avec cette procédure. [...]

L'ordre nouveau, a-t-on dit, doit être un ordre autoritaire. Sans doute, mais encore faut-il s'entendre. L'histoire est faite d'alternances entre des périodes d'autorité dégénérant en tyrannie et des périodes de liberté dégénérant en désordre. [...] L'heure est venue pour la France de substituer à ces alternances douloureuses la synthèse de l'autorité et de la liberté. [...] Nous entendons bien que nous allons perdre quelques apparences de la liberté : nous demandons au chef du gouvernement d'en sauver la substance.

Deuxièmement, l'ordre nouveau doit être national. Il est urgent de restaurer la fierté nationale. Le peuple est aujourd'hui reconnaissant au gouvernement d'avoir mis un terme aux massacres désormais inutiles : mais la reconnaissance ne survit guère à la peur. Ce n'est pas la première fois qu'un sentiment d'humiliation succéderait à un « lâche soulagement ». Le gouvernement n'évitera de devenir, dans l'esprit du peuple et dans un avenir prochain, le « Gouvernement de la défaite » que s'il a le courage de devenir à plein le gouvernement de la renaissance nationale. [...]

Troisièmement enfin, l'ordre nouveau doit être social. Rien ne serait plus grave et plus précaire que d'échapper au stalinisme pour consolider la ploutocratie. [...] On ne peut recréer la France en supprimant la lutte des classes que si l'on supprime les causes qui ont fait se dresser les classes les unes contre les autres. Cela ne suppose aucun égalitarisme mais une hiérarchie valable. L'ordre nouveau doit être une hiérarchie du travail fondée sur l'efficience. [...]

Telle est, selon nous, la voie vers l'avenir français.

Il faut s'y engager sans réticence, sans arrière-pensée.

Nous ne vous proposons pas une France maussade, ruminant sa défaite ou son humiliation, parce que ce qui a été vaincu, ce n'est qu'un aspect de la France et qui méritait de l'être.

Nous vous proposons de reconstruire dans l'ardeur une France intégrée à la nouvelle Europe, y ayant sa grande et légitime influence, mais pour cela même changée dans ses mœurs. [...]

4. La « Révolution nationale » et l'« Ordre nouveau »

_Ce texte est extrait d'une brochure publiée en 1941 par les Éditions du Secrétariat
d'État à la Jeunesse et intitulée Au Seuil d'une vie nouvelle. Doté de moyens importants, le Secrétariat général à la Jeunesse avait pour mission de promouvoir parmi les
jeunes la philosophie de la « Révolution nationale » et de coordonner les efforts visant à
donner aux jeunes gens des deux sexes une formation physique, civique et morale
conforme aux idéaux et aux objectifs du régime. Pour Lamirand, un ingénieur disciple
de Lyautey et auquel avait été confié le Secrétariat général, il ne s'agissait pas de
créer, comme dans les États totalitaires, un mouvement de jeunesse dépendant étroitement du parti unique, mais de faire en sorte que les nouvelles générations soient élevées
dans le respect des valeurs affichées par l'« Ordre nouveau ». De là les incitations données à certaines initiatives individuelles, telles les « Compagnons de France » créés par
Henri Dhavernas, et surtout la mise en place en zone sud des « Chantiers de la Jeunesse
» réalisée par le général de La Porte du Theil, ancien dirigeant du scoutisme en Ile-de-
France. Rassemblés pour une sorte de service national de huit mois dans des zones
éloignées des villes, astreints à des travaux d'utilité publique (notamment dans les
forêts), les jeunes des Chantiers recevaient également une formation « civique » fortement imprégnée des principes du catholicisme social et des idées « maréchalistes ». Le
texte ci-dessous fait partie de l'outillage de propagande qui était utilisé à cet effet._

Source : _Au Seuil d'une vie nouvelle_, brochure publiée en 1941 par le Secrétariat
général à la Jeunesse ; Archives FNSP/CHEVS, Fonds Gaston Monnerville.
Bibliographie: R. Hervet, _Les Chantiers de la Jeunesse_, Paris, France-Empire,
1962 ; _Le Gouvernement de Vichy (1940-1944)_, sous la direction de R. Rémond, Paris,
Armand Colin, 1972 (voir la contribution d'A. Coutrot sur la politique de la jeunesse,
pp. 265-284).

UN MOT D'ABORD sur ces deux termes que l'on entend souvent employer, par le
temps qui court : Révolution nationale, Ordre nouveau. Le premier surtout pourrait
brouiller quelque peu tes idées. En effet, comme beaucoup d'autres termes, il a plusieurs significations. Le plus souvent, il est pris dans le sens de bouleversement social,
d'autant plus que le titre de révolutionnaires est celui qu'arborent les partisans du chambardement universel ; mais il peut de même arriver qu'un effort violent soit nécessaire
pour renverser un gouvernement corrompu. Un tel mouvement s'appelle aussi révolution. Il n'a cependant rien de commun avec la révolution en soi, la révolution à l'état
permanent dont certains illuminés font leur programme et leur idéal.

Il ne faudrait pas croire non plus que la Révolution nationale se réclame de la Révolution française, que l'on appelle la Grande Révolution ou la Révolution tout court,
comme étant la plus célèbre de toutes. Car cette révolution, si elle avait été conforme
aux besoins et d'ailleurs aux désirs du peuple exprimés par lui dans ses cahiers, n'aurait
consisté qu'en réformes justes, nécessaires et faciles à exécuter, dans l'accord de tous
les bons Français. Elle n'est devenue le régime sanglant de la Terreur que sous l'action
de sectes fanatiques, de pêcheurs en eau trouble et de l'argent étranger. Les meneurs
avaient en outre la tête farcie des erreurs dont notre régime d'avant-guerre était encore

imprégné : elles ont eu pour conséquences ces guerres entre peuples, inconnues auparavant, ces guerres d'enfer, comme on les a appelées, et nous ont valu les désastres de Waterloo, de Sedan et le dernier, le pire de tous.

La révolution, au sens courant du mot, est créatrice de désordre. La Révolution nationale d'aujourd'hui détruit au contraire un désordre dissimulé sous les apparences d'un gouvernement régulier, et rétablit l'Ordre véritable.

L'Ordre est une grande chose. Il faut se moquer de ceux qui croient intelligent de la railler. Rien ne peut exister hors de l'Ordre, qui n'est que le fonctionnement des lois naturelles régissant aussi bien les objets inanimés que les êtres vivants. Est-ce qu'une montre, est-ce qu'un moteur peut marcher, si tout n'y est pas rigoureusement en ordre ? Quand tu es malade, n'est-ce pas que le désordre s'est mis dans les rouages de ton corps ? Il en est de même pour les sociétés. Les vrais grands hommes de l'histoire sont ceux qui ont fondé ou rétabli l'ordre dans leur pays.

L'Ordre: «Mais pourquoi l'Ordre nouveau ?» te demandera-t-on peut-être. Étant donné que le maréchal Pétain veut renouer la chaîne des traditions nationales et faire revivre ce qu'il y eut de bon dans le glorieux passé de la France. Eh bien ! c'est que la vie de la nature, comme celle des sociétés, n'est qu'une perpétuelle transformation sur un fond immuable. [...]

La liberté sans frein n'est que le pouvoir donné aux forts d'écraser les faibles. Hors de l'autorité, c'est la loi de la jungle : les gros y mangent les petits.

Mais, dans l'Ordre nouveau, lorsque la juste et vraie autorité aura remplacé l'autorité née de suffrages sans compétence, elle brisera la fausse liberté mère des pires tyrannies. L'économie soi-disant libérale fera place à l'économie dirigée en vue du bien public. Celle-ci fera aller les fruits du travail aux travailleurs et non aux trafiquants, aux joueurs et aux spéculateurs. Sans poursuivre une égalité chimérique, sans enlever à l'énergie du labeur, à l'intelligence, au talent, au savoir, à la chance même dans la découverte et l'invention leurs profits légitimes et utiles à l'activité sociale, elle répandra la justice, l'aisance et la sécurité partout. Elle rendra plus heureuse la vie de tous et de chacun. [...]

Il n'y a que des sots pour prétendre qu'obéir à un Chef c'est s'amoindrir. Au contraire, c'est participer à sa grandeur. C'est s'honorer soi-même que de reconnaître dans un Chef les qualités, au plus haut degré, de la race à laquelle on appartient soi-même. La fidélité au Chef, l'enthousiasme pour le Chef, l'orgueil de le servir sont au nombre des sentiments innés dans le cœur de l'homme. Toutes les grandes choses ont été faites sous l'impulsion de ce sentiment-là : lui seul a fondé les empires et les religions. Jamais des idées abstraites n'ont entraîné longtemps personne. Seul le visage humain est suivi par l'amour et par l'enthousiasme. C'est ainsi, je te le rappelais tantôt, que la France a suivi un Charlemagne, un Philippe Auguste, un Saint-Louis, un François Iᵉʳ, un Henri IV, un Louis XIV, un Napoléon Iᵉʳ et d'autres moins grands, mais non moins héroïques. C'est ainsi qu'elle suivra, qu'elle suit déjà le maréchal Pétain.

5. Loi portant sur le statut des Juifs
(Octobre 1940)

C'est antérieurement à toute pression de la part des Allemands et sous l'influence per-sonnelle du maréchal Pétain, que le gouvernement de Vichy a engagé — et ceci dès les premières semaines de son existence — une politique inspirée par l'antisémitisme. Après avoir créé, le 22 juillet 1940, une commission de révision des naturalisations opérées depuis 1927 qui sera à l'origine de la dénaturalisation de 15 000 personnes (dont 40 % de Juifs), puis abrogé le 27 août le décret Marchandeau d'avril 1939 autori-sant des poursuites contre la propagande antisémite et l'incitation à la haine raciale, il va promulguer, le 3 octobre 1940, le premier « Statut des Juifs ».

L'objectif de ce texte est de mettre fin à l'influence supposée des Juifs sur les affaires du pays, thème récurrent du discours antisémite depuis la fin du XIXe siècle, désormais érigé en vérité d'État. On voit que, contrairement aux affirmations émanant de nom-breux dirigeants vichyssois, la définition qui est donnée du Juif ne repose pas sur l'appartenance religieuse mais bel et bien sur un critère héréditaire et racial. Ainsi définis, et quelle que soit par ailleurs leur nationalité, les Juifs sont exclus de la fonc-tion publique (à noter qu'une loi, adoptée dès le 17 juillet 1940, limitait déjà aux citoyens nés de père français l'accès aux postes de fonctionnaires), de l'armée, de la presse, de la radio, du théâtre et du cinéma, leur nombre étant par ailleurs restreint dans les professions libérales.

Un second « Statut des Juifs », complétant et aggravant le premier, sera adopté en juin 1941. Mais au lendemain même de l'adoption du premier, le 4 octobre 1940, une loi « sur les ressortissants étrangers de race juive » autorisait les préfets à interner ces derniers « dans des camps spéciaux » ou à les assigner à résidence, sous la stricte sur-veillance de la police, dans de petites villes ou des villages écartés.

Sources : _Journal officiel,_ 18 octobre 1940.
Bibliographie : M.R. Marrus et R.O. Paxton, _Vichy et les Juifs,_ Calmann-Lévy, 1981 ; F. et R. Bédarida, « La persécution des Juifs », _in_ J.-P. Azéma et F. Bédarida, _La France des années noires,_ 2. _De l'Occupation à la Libération,_ Paris, Seuil, 1991.

Nous, Maréchal de France, chef de l'État francais,
Le conseil des ministres entendu,
Décrétons :
Article Premier. — Est regardé comme Juif, pour l'application de la présente loi, toute personne issue de trois grands-parents de race juive ou de deux grands-parents de la même race, si son conjoint lui-même est juif.
Art. 2. — L'accès et l'exercice des fonctions publiques et mandats énumérés ci-après sont interdits aux Juifs :
1. Chef de l'État, membre du Gouvernement, conseil d'État, Conseil de l'ordre natio-nal de la Légion d'honneur, Cour de cassation, Cour des comptes, corps des Mines, corps des Ponts et Chaussées, inspection générale des Finances, cours d'appel, tribu-naux de première instance, justices de paix, toutes juridictions d'ordre professionnel et toutes assemblées issues de l'élection.

2. Agents relevant du département des Affaires étrangères, secrétaires généraux des départements ministériels, directeurs généraux, directeurs des administrations centrales des ministères, préfets, sous-préfets, secrétaires généraux des préfectures, inspecteurs généraux des services administratifs au ministère de l'Intérieur, fonctionnaires de tous grades attachés à tous les services de police.

3. Résidents généraux, gouverneurs généraux, gouverneurs et secrétaires généraux des colonies, inspecteurs des colonies.

4. Membres des corps enseignants.

5. Officiers des armées de terre, de mer et de l'air.

6. Administrateurs, directeurs, secrétaires généraux dans les entreprises bénéficiaires de concessions ou de subventions accordées par une collectivité publique, postes à la nomination du Gouvernement dans les entreprises d'intérêt général.

Art. 3. — L'accès et l'exercice de toutes les fonctions publiques autres que celles énumérées à l'article 2 ne sont ouverts aux Juifs que s'ils peuvent exciper de l'une des conditions suivantes :

a) Être titulaire de la carte de combattant 1914-1918 ou avoir été cité au cours de la campagne 1914-1918 ;

b) Avoir été cité à l'ordre du jour au cours de la campagne 1939-1940 ;

c) Être décoré de la Légion d'honneur à titre militaire ou de la médaille militaire.

Art. 4. — L'accès et l'exercice des professions libérales, des professions libres, des fonctions dévolues aux officiers ministériels et à tous auxiliaires de la justice sont permis aux Juifs, à moins que des règlements d'administration publique n'aient fixé pour eux une proportion déterminée. Dans ce cas, les mêmes règlements détermineront les conditions dans lesquelles aura lieu l'élimination des Juifs en surnombre.

Art. 5. — Les Juifs ne pourront, sans condition ni réserve, exercer l'une quelconque des professions suivantes :

Directeurs, gérants, rédacteurs de journaux, revues, agences ou périodiques, à l'exception de publications de caractère strictement scientifique.

Directeurs, administrateurs, gérants d'entreprises ayant pour objet la fabrication, l'impression, la distribution, la présentation de films cinématographiques ; metteurs en scène et directeurs de prises de vues, compositeurs de scénarios, directeurs, administrateurs, gérants de salles de théâtre ou de cinématographie, entrepreneurs de spectacles, directeurs, administrateurs, gérants de toutes entreprises se rapportant à la radio-diffusion.

Des règlements d'administration publique fixeront, pour chaque catégorie, les conditions dans lesquelles les autorités publiques pourront s'assurer du respect, par les intéressés, des interdictions prononcées au présent article, ainsi que les sanctions attachées à ces interdictions.

Art. 6. — En aucun cas, les Juifs ne peuvent faire partie des organismes chargés de représenter les professions visées aux articles 4 et 5 de la présente loi ou d'en assurer la discipline.

Art. 7. — Les fonctionnaires juifs visés aux articles 2 et 3 cesseront d'exercer leurs fonctions dans les deux mois qui suivront la promulgation de la présente loi. Ils seront admis à faire valoir leurs droits à la retraite s'ils remplissent les conditions de durée de service ; à une retraite proportionnelle s'ils ont au moins quinze ans de service ; ceux ne pouvant exciper d'aucune de ces conditions recevront leur traitement pendant une durée qui sera fixée, pour chaque catégorie, par un règlement d'administration publique.

Art. 8. — Par décret individuel pris en conseil d'État et dûment motivé, les Juifs qui, dans les domaines littéraire, scientifique, artistique, ont rendu des services exceptionnels à l'État français, pourront être relevés des interdictions prévues par la présente loi.

Ces décrets et les motifs qui les justifient seront publiés au _Journal officiel_.

Art. 9. — La présente loi est applicable à l'Algérie, aux colonies, pays de protectorat et territoires sous mandat.

Art. 10. — Le présent acte sera publié au _Journal officiel_ et exécuté comme loi de l'État.

Fait à Vichy, le 3 octobre 1940.

PH. PÉTAIN

Par le Maréchal de France, chef de l'État francais :

Le vice-président du Conseil, PIERRE LAVAL ; Le garde des Sceaux, ministre secrétaire d'État à la Justice, RAPHAËL ALIBERT ; Le ministre secrétaire d'État à l'Intérieur, MARCEL PEYROUTON ; Le ministre secrétaire d'État aux Affaires étrangères, PAUL BAUDOIN ; Le ministre secrétaire d'État à la Guerre, Gal HUNTZIGER ; Le ministre secrétaire d'État aux Finances, YVES BOUTHILLIER ; Le ministre secrétaire d'État à la Marine, A^{l} DARLAN ; Le ministre secrétaire d'État à la Production industrielle et au Travail, RENÉ BELIN ; Le ministre secrétaire d'État à l'Agriculture, PIERRE CAZIOT.

6. Pas de Noirs en 1re classe dans le métro

Encore une mesure de caractère raciste prise dans les toutes premières semaines du régime. Comme pour les Juifs, le critère discriminatoire n'est pas celui de la nationalité, pas plus que celui de la religion. Il tient en effet essentiellement à la couleur de la peau et à la « race ». À noter que le document, qui émane du service du Mouvement, ne fait référence à aucune disposition législative ou réglementaire et qu'il relève par conséquent d'une décision d'ordre purement administratif.

Source : Archives FNSP/CHEVS, Fonds Gaston Monnerville.
Bibliographie : Y. Durand, _La France dans la Deuxième Guerre mondiale, 1939-1945_, Paris, Armand Colin, 1989.

À AFFICHER
CHEMIN DE FER MÉTROPOLITAIN DE PARIS
Service du Mouvement
Note aux gares et stations
Réseaux urbains et ligne de Sceaux.

Dorénavant, les personnes de race noire ne seront plus admises à voyager en 1re classe.

En conséquence, les receveurs ne devront pas vendre de billets de 1re classe à ces voyageurs. Les surveillants de contrôle devront aviser ceux qui seraient porteurs de billets de 1re classe qu'ils ne pourront en faire usage.

Les gardiens ou contrôieurs qui en trouveraient en 1ʳᵉ classe devront les inviter poliment à monter dans une voiture de 2ᵉ classe à la prochaine station.
Nota : La présente note devra être émargée par tous les agents.

Paris, le 31 août 1940
L'ingénieur en chef du service du Mouvement
Signé : DESCLOQUEMANT

7. Un camp de la mort en Alsace libérée

Ce rapport sur le camp de Struthof (Bas-Rhin) a été rédigé et rendu public au début de 1945 sur requête du Service interallié des crimes de guerre. Il a été établi à partir d'une enquête sur le site, de divers rapports fournis par le ministère de l'Intérieur, par l'administration locale, par l'armée, et de témoignages oraux enregistrés auprès d'anciens déportés, de gardiens, de chauffeurs et autres personnes employées au camp de Struthof ou qui exerçaient leur activité dans son voisinage immédiat.

Les camps de concentration, d'internement et de transit n'ont hélas pas manqué dans la France des années noires. Mais celui de Struthof, situé en Alsace annexée, donc à cette date en territoire allemand, présente toutes les caractéristiques d'un « petit Auschwitz ». On y pratiquait les pires sévices corporels et psychologiques, la torture, les exécutions sommaires, les « expériences médicales » les plus démentes, les stérilisations à vocation « eugéniste » et même la liquidation des « ennemis de la race aryenne » par le gaz.

Source : *Restaurer, réformer, agir. La France en 1945*, textes rassemblés par Patrice Lequieze, Les études de la Documentation francaise, Paris, 1995, pp. 187-191.
Bibliographie : A Wieviorka, *Déportation et génocide*, Paris, Plon, 1992 ; S. Klarsfeld, *Vichy-Auschwitz*, Paris, Fayard, 2 vol., 1983-1985 ; A. Postel-Vinay et J. Prévotat, « La déportation », *in* J.-P. Azéma et F. Bédarida, *La France des années noire*s, 2. *De l'Occupation à la Libération*, Paris, Seuil, 1993.

*R*APPORT OFFICIEL *sur une inspection au camp de Struthof (Bas-Rhin), 1ᵉʳ janvier 1945.*
Le camp de Struthof est situé sur le territoire de la commune de Natzwiller, à 8 kilomètres du village, et desservi par la gare de Rothau.
Édifié par les Allemands en 1940 sur un plateau, à 800 mètres d'altitude, il a une capacité de 3 000 places.
À la libération de Strasbourg, les autorités allemandes du camp ont été surprises et tous les dossiers sont restés sur place ainsi que certains internés qui ont été libérés.
Il est établi à l'heure actuelle, aussi bien par les témoignages recueillis que par l'examen des dossiers, que des atrocités ont été commises à Struthof.
J'ai signalé par ailleurs que le camp comporte une salle d'autopsie, un four crématoire et une infirmerie très bien organisée. Il possède aussi une chambre à gaz avec éclairage intérieur et hublots vitrés, une salle de douches et des chambres nues servant pour les exécutions.

D'après le Commandant du service de renseignements, qui, assisté d'un groupe d'officiers, a été chargé d'identifier les internés français ayant séjourné à Struthof, il est établi que :

1° dans la salle d'autopsie, des opérations de vivisection sur des hommes ont été pratiquées (par le professeur Hirth, chef de l'Institut anatomique de Strasbourg[1], de 1941 à 1944) ;

2° dans la chambre à gaz, il a été fait un essai de gaz vésicant sur 19 femmes juives enfermées ensemble, préalablement déshabillées devant le personnel, et dont l'agonie a duré un quart d'heure sous les yeux des médecins qui suivaient les progrès de l'intoxication (les cris ont été entendus par des voisins du camp) ;

3° à l'infirmerie étaient faits des essais de traitements sur les malades, un médicament désigné étant uniformément employé pendant un mois, quelle que soit la maladie. Après cette période, quel que soit l'effet produit, le traitement était arrêté et les malades abandonnés à eux-mêmes. L'effet des médicaments dans chaque cas était séparément observé et noté ;

4° en outre, des maladies ont été volontairement données à des sujets sains pour faire des expériences — greffe de tissus cancéreux notamment — et il a été trouvé un rapport dans lequel le médecin du camp, qui avait demandé l'envoi d'une centaine de nomades[2] pour une expérience, protestait parce que seuls une dizaine d'entre eux étaient susceptibles de la supporter. Une cinquantaine de nomades de plus lui furent d'ailleurs, paraît-il, envoyés ;

5° des opérations de stérilisation volontaire ou forcée étaient pratiquées chaque semaine : les statistiques mensuelles en font foi ;

6° dans les salles spécialement aménagées (sol en ciment incliné, avec, au centre, grille d'écoulement pour les eaux), des internés étaient exécutés par coups de revolver dans la nuque ; le tueur du camp percevait pour chaque exécution deux décilitres d'eau-de-vie, un morceau de saucisse et deux cigarettes. Cet individu, devenu fou à sa 360e exécution, a été exécuté à son tour ;

7° les punitions corporelles suivantes étaient appliquées :

a) distribution de coups de nerf de bœuf ; l'interné était placé sur un chevalet après avoir été préalablement douché à l'eau chaude pour assouplir sa peau. Il recevait les coups en présence des autres internés nus, devant lui succéder, et obligés de chanter pendant l'opération. Après un certain nombre de coups, le patient évanoui était jeté dans une baignoire d'eau glacée, et, s'il ne revenait pas à lui, était porté à la morgue et au four crématoire ;

b) pendaison par les bras liés derrière le dos à des crochets placés dans une chambre étanche, dans laquelle une tuyauterie amenait de l'air chaud ; le patient, les épaules désarticulées, résistait rarement à un chauffage un peu prolongé.

Enfin, on fait remarquer que le four crématoire, qui brûlait les corps placés sur un chariot métallique, chauffait, en service, l'appareil à douches utilisé pour la préparation aux bastonnades.

Les cendres des corps n'étaient pas toujours déposées dans des urnes (on brûlait jusqu'à cinq et six corps à la fois) : elles ont, à un certain moment, été répandues dans le

---

1. Le 23 novembre 1944.
2. Il s'agit essentiellement de Tziganes.

jardin du camp ; des ossements calcinés en ont été retirés. Le Commandant les a fait recueillir et placer dans des urnes funéraires ;
8° enfin, lors des tentatives d'évasion, tout interné abattu par un gardien rapportait à celui-ci une permission exceptionnelle de 5 jours. Il est prouvé que, dans bien des cas, des internés ont été abattus pour avoir, *sur ordre du chef de baraque*, dépassé de quelques mètres le périmètre de sécurité du camp, ce qui permettait au gardien d'avoir une récompense. Il est aussi établi que, lorsqu'un interné déplaisait au chef de baraque nazi, il était invité, par son chef de chambrée, à se pendre, et de nombreux cas de suicide ont été enregistrés.

Le Commandant précise que le camp a contenu jusqu'à 7 000 internés à la fois, se décomposant en quatre groupes :
1° les condamnés de droit commun ;
2° les politiques ;
3° les objecteurs de conscience ;
4° les Juifs.

Les Français, qui ont été internés dans ce camp, étaient considérés comme internés politiques. Parmi eux a figuré M. le général Frère, mort au camp, à soixante-deux ans, à la suite (« officiellement ») d'une diphtérie, mais qui, d'après le Commandant, paraît avoir succombé au cours d'un essai de médicament.

8. Pétain fait l'annonce de la collaboration
(30 octobre 1940)

À l'initiative de Pierre Laval, alors vice-président du Conseil, des contacts ont été pris dès l'été 1940 dans le but d'organiser une rencontre entre le chef de l'État français et le chancelier du Reich. Otto Abetz, ambassadeur d'Allemagne à Paris, a prêté la main à ce projet qui se concrétise à l'automne par les deux entrevues de Montoire (on avait choisi cette petite ville du Vendômois parce qu'un tunnel proche pouvait abriter le train du Führer en cas d'alerte aérienne). Le 22 octobre, faisant halte sur la route de Hendaye où il doit rencontrer Franco, Hitler, assisté de Ribbentrop, ministre des Affaires étrangères du Reich, s'entretient durant deux heures avec Laval. « Je pourrais, déclare-t-il à celui-ci, faire une paix de vengeance. Je ne suis pas venu ici pour cela. Je vous offre la collaboration. Vous pouvez la refuser. Vous avez le droit d'attendre et de souhaiter la victoire de l'Angleterre. Mais dans ce cas je ferai une paix différente. »

De retour à Vichy, bien décidé à saisir l'opportunité qui lui est offerte par le dirigeant nazi, Laval emploie toute son énergie à vaincre les résistances de Pétain et l'opposition de l'entourage maréchaliste (notamment celle de Baudouin, de Huntziger, d'Alibert et de Bouthillier). Il finit par convaincre le chef de l'État de se rendre à Montoire où a lieu, le 24 octobre, la rencontre avec Hitler. Sans prendre d'engagement formel, Pétain exprime — selon l'interprète Paul Schmidt qui a rédigé un procès-verbal de l'entretien — son admiration pour le programme allemand et pour le Führer, et se déclare prêt « à prendre en considération le principe d'une coopération avec l'Allemagne ».

Symbolisée par la poignée de main de Montoire, la collaboration d'État devient officielle quelques jours plus tard avec l'allocution radiodiffusée du chef de l'État. Pour _nombre de Français qui avaient placé toute leur confiance dans le « vainqueur de Verdun », la déception est immense. Jusqu'au discours du 30 octobre, ils avaient pu penser en effet que le Maréchal avait été contraint par les Allemands ou par son entourage à accomplir ce geste. Après cette date, il est clair que, comme il l'a lui-même souligné, c'est « librement » qu'il est « entré dans la voie de la collaboration » avec l'Allemagne hitlérienne. Une première brèche s'ouvre ainsi dans le consensus maréchaliste._

Source : Message radiodiffusé adressé aux Français le 30 octobre 1940 ; Archives FNSP/CHEVS, Fonds Gaston Monnerville.
Bibliographie : J.-B. Duroselle, _L'Abîme, 1939-1945_, Paris, Imprimerie nationale, 1982, pp. 267-270 ; A. Hillgruber, _Les Entretiens secrets d'Hitler, septembre 1939-décembre 1941_, trad. de l'allemand, Paris, 1969 ; H. Michel, _Pétain, Laval, Darlan. Trois politiques ?_, Paris, Flammarion, 1972.

F RANÇAIS,
J'ai rencontré, jeudi dernier, le chancelier du Reich.
Cette rencontre a suscité des espérances et provoqué des inquiétudes.
Je vous dois à ce sujet quelques explications.
Une telle entrevue n'a été possible, quatre mois après la défaite de nos armes, que grâce à la dignité des Français devant l'épreuve, grâce à l'immense effort de régénération auquel ils se sont prêtés, grâce aussi à l'héroïsme de nos marins[1], à l'énergie de nos Chefs coloniaux[2], au loyalisme de nos populations indigènes.
La France s'est ressaisie. Cette première rencontre entre le vainqueur et le vaincu marque le premier redressement de notre pays.
C'est librement que je me suis rendu à l'invitation du Führer. Je n'ai subi, de sa part, aucun diktat, aucune pression.
Une collaboration a été envisagée entre nos deux Pays. J'en ai accepté le principe. Les modalités en seront discutées ultérieurement.
À tous ceux qui attendent aujourd'hui le salut de la France, je tiens à dire que ce salut est d'abord entre nos mains.
À tous ceux que de nobles scrupules tiendraient éloignés de notre pensée, je tiens à dire que le premier devoir de tout Francais est d'avoir confiance.
À ceux qui doutent, comme à ceux qui s'obstinent, je rappellerai qu'en se raidissant à l'excès, les plus belles attitudes de réserve et de fierté risquent de perdre de leur force.
Celui qui a pris en main les destinées de la France a le devoir de créer l'atmosphère la plus favorable à la sauvegarde des intérêts du pays.
C'est dans l'honneur et pour maintenir l'unité francaise — une unité de dix siècles — dans le cadre d'une activité constructive du nouvel ordre européen que j'entre, aujourd'hui, dans la voie de la collaboration.
Ainsi, dans un avenir prochain, pourrait être allégé le poids des souffrances de notre Pays, amélioré le sort de nos prisonniers, atténué la charge des frais d'occupation. Ainsi

---

1. Le 3 juillet 1940, la flotte anglaise a ouvert le feu sur les navires français basés à Mers-el-Kébir, en Algérie. L'amiral Gensoul avait refusé de gagner sous la contrainte un port britannique ou une base des Antilles. Plusieurs navires furent coulés et 1 300 marins français trouvèrent la mort dans cet engagement.
2. Si le général de Gaulle a réussi à rallier durant l'été 1940 plusieurs territoires de l'Empire (l'AEF, le Cameroun, les possessions françaises du Pacifique), il a échoué en septembre dans une tentative contre Dakar.

pourrait être assouplie la ligne de démarcation et facilités l'administration et le ravitaillement du territoire.

Cette collaboration doit être sincère. Elle doit être exclusive de toute pensée d'agression. Elle doit comporter un effort patient et confiant.

L'Armistice, au demeurant, n'est pas la paix. La France est tenue par des obligations nombreuses vis-à-vis du vainqueur. Du moins reste-t-elle souveraine. Cette souveraineté lui impose de défendre son sol, d'éteindre les divergences de l'opinion, de réduire les dissidences de ses colonies.

Cette politique est la mienne. Les Ministres ne sont responsables que devant moi. C'est moi seul que l'Histoire jugera.

Je vous ai tenu jusqu'ici le langage d'un père. Je vous tiens aujourd'hui le langage du Chef.

Suivez-moi. Gardez votre confiance en la France éternelle.

9. Été 1943 : combat des chefs chez les collaborationnistes

Dans cet extrait de ses Mémoires politiques — *publiés seulement en 1989 mais rédigés à partir de son Journal —, Marcel Déat, ancien dirigeant socialiste passé à la dissidence « néo » en 1933 et devenu, pendant la guerre, le chef du très fasciste et collaborationniste Rassemblement national populaire (RNP), expose ses différends avec les autres dirigeants des mouvements extrémistes de Paris.*

Maréchaliste ardent à l'époque du « premier Vichy », Déat n'a pas tardé à prendre ses distances à l'égard de la « Révolution nationale », professant un fascisme à forte composante sociale s'appuyant sur la collaboration avec l'Allemagne et plaidant auprès de Pétain pour la constitution d'un parti unique. Éconduit par ce dernier, déçu de le voir sous l'influence d'un entourage qu'il juge trop traditionaliste, il a rejoint Paris en 1941 pour prendre la direction du quotidien L'Œuvre, *dans lequel il critique vivement la politique du gouvernement tout en ménageant le chef de l'État. C'est avec l'appui d'Abetz qu'il fonde le RNP, rassemblant à côté d'anciens socialistes des héritiers de la Cagoule, dont son fondateur Eugène Deloncle, avec lequel il rompra à l'automne 1941, engageant dès lors son parti dans la voie du racisme et du totalitarisme et entrant en compétition avec Doriot pour la direction du fascisme français.*

Source : Marcel Déat, *Mémoires politiques*, Paris, Denoël, 1989, pp. 738-739.
Bibliographie : Ph. Burrin, *La Dérive fasciste*, Paris, Seuil, 1986 ; P. Milza, *Fascisme français. Passé et Présent*, Paris, Flammarion, 1987.

Nous ne tenons pas le moins du monde à voir s'installer à Paris un organisme officiel qui viendrait ajouter un élément de plus au pluralisme, déjà déplorable, des organisations[1]. C'est ce que j'ai fait comprendre aux divers partis, qui, au moins dans cette résistance commune, se sont trouvés d'accord. J'ai fait plus. J'ai essayé de réaliser un rassemblement plus dense et plus spectaculaire, en invitant les divers partis à créer des « milices » et à envisager un état-major commun. Ces milices sont naturellement sans armes. Le spectacle de leur force constituerait cependant une utile protection et empêcherait peut-être les attentats qui se multiplient contre les militants, dont plusieurs sont déjà tombés sous les coups des assassins.

Ma proposition rencontre naturellement les mêmes obstacles déjà repérés à propos du Rassemblement national révolutionnaire[2]. Doriot se tient à l'écart, combinant toujours avec divers services allemands, y compris celui de Sauckel[3], ce dont il aurait pu s'abstenir. Il y a vraiment assez des Allemands et des services officiels français pour s'occuper du recrutement des travailleurs pour l'Allemagne, et si cette « corvée » nationale est en effet un devoir, ce n'est pas à nous, ni à aucun parti, de faire appliquer lois et règlements. Cependant nous finissons par nous mettre d'accord avec les francistes[4] et le MSR nouveau modèle[5]. Nous avons réussi à mettre sur pied une manifestation au Vel'd'hiv. Elle serait en somme satisfaisante, si Bucard n'avait uniquement vu là une occasion de se faire valoir et d'exhiber, contre nous plutôt qu'avec nous, ses cohortes de chemises bleu ciel. Cette expérience sera la dernière ; décidément, il n'y a rien à espérer d'une coopération loyale avec aucun de ces chefs de bande. Nous décidons donc de conserver notre autonomie, mais nos miliciens n'en sont pas moins solidement groupés en unités, et nous démontrerons que nos méthodes démocratiques, nullement spectaculaires, dépourvues de toute singerie militariste, ne sont pas si mauvaises. Il nous arrivera de faire défiler dans les rues de Paris quelques milliers de bons militants, nullement militaires, mais qui au moins ont quelques idées dans la tête et nous clorerons par là le bec à nos concurrents acharnés.

© Denoël

10. Les adieux de Drieu la Rochelle à son frère

Déçu par l'évolution de Doriot, l'auteur de Gilles *a quitté le PPF à la veille de la guerre. En quête depuis des années d'un socialisme national qui réponde en même temps à son romantisme aristocratique et purificateur, et constatant qu'aucun dirigeant du fascisme français n'a su s'imposer pour régénérer la nation, c'est de l'étranger qu'il attend désormais le salut de la France et l'unité de l'Europe. De là son ralliement, dès le début de l'Occupation, au camp des ultra-collaborationnistes. Devenu directeur de la prestigieuse NRF, il s'engage sans réserve sur la voie de l'apologie de l'hitlérisme et*

1. Déat fait ici allusion au projet nourri par Darnand, et auquel Laval prête une oreille attentive, de transformer le Service d'ordre légionnaire en une Milice unique placée sous ses ordres.
2. Le parti unique souhaité par Déat.
3. Fritz Sauckel : dirigeant nazi de la première heure, désigné par Hitler comme Commissaire avec pleins pouvoirs pour la main-d'œuvre.
4. Le mouvement dirigé par Marcel Bucard.
5. Le Mouvement social révolutionnaire, d'Eugène Deloncle, qui a recouvré son autonomie après la rupture avec le RNP de Déat à l'automne 1941.

de l'exaltation de l'homme nouveau nordique, fier de ses propres origines normandes et de son apparence de grand Aryen blond aux yeux bleus. Professant un antisémitisme virulent, il va toutefois — dès les premières défaites de la Wehrmacht — manifester sa déception de voir que les Allemands n'ont pas réussi à imposer à l'Europe le socialisme fasciste et racial dont il s'était fait une religion, ni apporté à l'Europe cette purification qui constitue, chez cet individu hanté par la pensée de la mort et de la décomposition, une véritable obsession. Aussi va-t-il, lorsque se profile la défaite de l'Axe, transférer ses espoirs de destruction purificatrice sur la Russie stalinienne et sur l'Armée rouge, prologue à la naissance de ce monde nouveau qu'Hitler n'a pas réussi à faire vivre.

C'est de tout cela, de son admiration déçue pour l'Ordre nouveau hitlérien, de l'attente de la mise à sac de l'Europe que préfigure l'avance de l'Armée rouge dans les Balkans et en Pologne, de sa vision raciste et aristocratique du monde, que Drieu parle avec une émotion retenue dans cette lettre d'adieu adressée à son frère le 10 août 1944. À cette date, Paris n'est pas encore libéré, mais les armées alliées progressent rapidement vers la capitale et l'écrivain a déjà décidé de ne pas chercher refuge dans les fourgons de l'armée allemande et de mettre fin à ses jours. Il écrit une série de lettres d'adieu à Malraux, à Christiane Renault et à quelques autres personnes, parmi lesquelles son frère Jean. Puis, après une ultime promenade aux Tuileries, le 11 août au soir il absorbe une dose de poison qui aurait dû le tuer, si sa gouvernante Gabrielle, ayant oublié son sac, n'était revenue le 12 de très bonne heure pour le récupérer. Transporté d'urgence à Necker, Drieu survivra à cette première tentative.

Quelques mois plus tard, le 15 mars 1945, alors qu'un mandat d'amener a été lancé contre lui et qu'il se cache dans un appartement prêté par une amie, rue Saint-Ferdinand, il absorbera finalement la dose fatale.

Source : Pierre Drieu la Rochelle, *Journal, 1939-1945,* présenté et annoté par Julien Hervier, Paris, Gallimard, pp. 505-507, Annexe IV, dernière lettre à son frère.

Bibliographie : P. Andreu, *Drieu, témoin et visionnaire,* Paris, Grasset, 1952 ; D. Desanti, *Drieu la Rochelle ou le séducteur mystifié,* Paris, Flammarion, 1978 ; M. Balvet, *Itinéraire d'un intellectuel vers le fascisme : Drieu la Rochelle,* Paris, PUF, 1984.

8 avenue de Breteuil, VIIe

10 août 1944

MON CHER VIEUX JEAN,
Je t'aimais profondément, tu le savais, en frère et en ami et je regrette de te faire une grande peine. Mais je suis obligé de faire ce que je vais faire, et tu le comprendras.

J'ai toujours regretté que l'homme ne soit jamais complet, et que l'artiste ne puisse être homme d'action. Par moments, j'ai eu un regret douloureux de n'être que la moitié d'un homme ; si je n'avais pas eu trois ou quatre petites infirmités et la crainte de m'ennuyer dans des besognes subalternes, je me serais engagé dans les Waffen SS.

J'estime donc un bonheur de pouvoir mêler mon sang à mon encre et de rendre sérieuse à tous les points de vue la fonction d'écrire. Certes, cela l'est sans la sanction de la mort, mais tout le sérieux qui y est par ailleurs ressort dans l'occurrence mortelle.

Si j'avais été un plus grand écrivain, j'aurais plus souffert que je n'ai fait de mon métier et c'aurait été mieux que cette mort volontaire.

Il y a des choses qui vont mourir ces temps-ci en Europe et je ne veux pas leur survivre et je veux marquer mon attachement. Je n'étais nullement germanophile, mais il s'est trouvé que l'Allemagne a représenté tant bien que mal par l'hitlérisme une partie de ces choses auxquelles je tiens et que représentait autrefois une certaine France nordique, normande, gauloise ou franque, dont nous sommes, une certaine allure, un certain style, un certain mélange d'aristocratie et de peuple, l'essentiel du monarchique et de l'aristocratique et du populaire.

J'étais définitivement socialiste depuis 1929 et j'espérais que l'hitlérisme réaliserait le socialisme, qu'il le voulût ou non. Je croyais que la guerre l'y obligerait, et c'est la guerre au contraire qui l'en a écarté.

Je ne crois pas aux grands hommes sinon comme mythes : Hitler a été très insuffisant, mais les autres — Napo[léon] — aussi.

Maintenant quelque chose de ces valeurs sera représenté par la Russie, je ne crois plus qu'au communisme ne pouvant plus croire au national-socialisme. Mais j'ai trop combattu le communisme en Europe, pour souhaiter même m'y rallier à la dernière heure. Je salue le communisme, mais en m'en allant, et puis je ne goûte guère les communistes français.

Je suis content de m'en aller parce que j'ai trop méprisé les Français et que j'aurais encore à les mépriser plus. Pauvre De Gaulle ! D'ailleurs c'est injuste de mépriser les Français, il leur arrive ce qui arrive à tous les peuples.

J'étais au fond au-delà de ma nation, des nations — plus raciste que nationaliste.

J'aurais mieux aimé être anglais ou allemand ou russe : enfin du Nord. La France est trop mélangée de Midi, pour nous.

Mais au fond la politique ne m'intéressait qu'en second lieu et toute ma réflexion grave allait à la philosophie religieuse ; là j'ai trouvé de g. andes et définitives joies dans ces dernières années et c'est là que je trouve une merveilleuse facilité à m'en aller. Je suis à peu près mûr pour le départ.

Je suis heureux de finir, au comble de ma conscience, avant les atteintes de la maladie (qui venait) et de la vieillesse.

Je suis au-delà du christianisme ou je n'y touche plus que par cette pointe supérieure par où il rejoint les autres grandes religions. La pensée aryenne (indienne, grecque) m'a rempli : et l'islamisme, le christianisme ne sont que des compléments, des confirmations.

Je me tue : cela n'est défendu par aucune loi supérieure, bien au contraire. Ma mort est un sacrifice librement consenti qui m'évitera certaines salissures, certaines faiblesses. _Et surtout_, je ne m'intéresse pas assez à la politique pour en encombrer (prison, etc.) mes derniers jours.

Cela m'ennuierait et me distrairait des suprêmes pensées dont je veux m'occuper seulement aux derniers moments.

Je ne crois ni à l'âme ni à Dieu, je crois à l'éternité d'un principe suprême et parfait dont ce monde n'est que la vaine apparence. Apparence ravissante et dont je me suis réjoui autant qu'aucun. J'ai joui des hommes, des femmes, des animaux, des plantes, surtout des arbres, de tout — et des maisons, cher architecte —, mais depuis quelques années encore bien mieux de l'essence qui est derrière tout. Cela m'a enivré merveilleusement et je ne me tiens pas de joie d'aller enfin à cela.

Je n'ai aucune contrainte en moi ni autour de moi : je suis saturé des apparences et j'aspire à l'essence et au-delà de l'essence à l'indicible.

Je saute sur l'occasion qui m'est offerte. La menace de mort depuis cinq ans a décuplé ma vie et m'a fait goûter et comprendre tout comme je n'aurais jamais fait si je n'avais pas choisi la voie dangereuse, la voie de l'âpre audace.

J'espère que tu te portes bien, que tu reprendras bien ton métier, que tu n'auras pas d'ennuis à cause de moi, que tu développeras ta conscience et ta mesure comme tu faisais.

Je suis heureux de penser que tu auras ma bibliothèque, mes livres et que tu t'occuperas de mon œuvre. [...]

Cher vieux, j'aurais aimé vieillir près de toi, mais le sort en a décidé autrement.

Je t'embrasse du fond du cœur et du fond de l'être.

Ton frère Pierre

© Gallimard

X

LA FRANCE LIBRE ET LA RÉSISTANCE

Parti pour l'Angleterre dès l'arrivée au pouvoir de Pétain, le général de Gaulle lance le 18 juin 1940 à la radio de Londres un appel à tous les Français qui refusent l'armistice et entendent continuer le combat contre l'Axe (texte n° 1). Avec l'aide des Britanniques, il crée un Comité national français, obtient le ralliement de plusieurs territoires d'outre-mer et constitue avec la mince légion de ceux qui ont répondu à son appel le premier noyau des Forces françaises libres. Celles-ci s'illustrent dans la reconquête du Tchad par Leclerc et dans la bataille de Bir-Hakeim, en Libye, en 1942.

En France, où la totalité de la classe politique ne s'est pas ralliée à Vichy (textes nᵒˢ 2 et 3), se constituent dès l'automne 1940 des réseaux et des mouvements de résistance aussi bien en zone sud (Combat, Libération, Franc-Tireur) que dans la partie de l'Hexagone occupée par les Allemands (Organisation civile et militaire, Ceux de la Résistance, etc.). Ces organisations clandestines collectent des renseignements pour les alliés, aident les évadés et les aviateurs anglais et américains à rejoindre l'Angleterre ou l'Afrique du Nord, et mènent une action de propagande en distribuant des tracts, en publiant des journaux et des livres destinés à éveiller chez les Français l'esprit de résistance (texte n° 4). Peu nombreux à cette date, les résistants sont pourchassés par les Allemands et par la police de Vichy, dispersés et décimés par les arrestations.

Un certain nombre de militants communistes ont rejoint individuellement les rangs de la Résistance dès 1940. Mais, après l'attaque allemande contre l'URSS, c'est le PCF dans son entier qui, déjà familiarisé avec la clandestinité, entre massivement en lutte contre l'occupant. Il anime un puissant mouvement de résistance, le Front national. Il organise des groupes armés — Francs-Tireurs et Partisans (FTP) — qui pratiquent l'action directe contre l'ennemi (sabotages, opérations de commandos, attentats), suivie de terribles représailles (otages fusillés, déportations, etc.).

Au printemps 1942, la Résistance reconnaît le général de Gaulle comme son chef. Celui-ci envoie en France l'ancien préfet Jean Moulin qui organise et unifie les divers mouvements (texte n° 5) et rassemble les unités combattantes (à l'exception des FTP communistes qui entendent conserver leur autonomie) dans l'Armée secrète.

En revanche, De Gaulle ne parvient pas à faire reconnaître la France libre comme un pouvoir politique légitime par les Alliés ; notamment par les Américains qui, après le débarquement en Afrique du Nord, en novembre 1942, préfèrent s'entendre avec l'amiral Darlan, ancien vice-président du gouvernement de Vichy, puis, après l'assassinat de ce dernier par un jeune gaulliste, Bonnier de La Chapelle, avec le général Giraud, qui, évadé d'Allemagne et passé en Afrique du Nord, y maintient l'administra-

tion de Vichy et gouverne avec de zélés maréchalistes. Il faudra un an à De Gaulle, qui arrive de Londres en mai 1943, pour s'imposer, malgré les réticences des Alliés, comme le chef unique et incontestable de la France libre et pour écarter Giraud du Comité français de Libération nationale (CFLN).

Pour affirmer le caractère représentatif de la France libre face au gouvernement de Vichy — qui jouit toujours de la reconnaissance internationale —, De Gaulle a mis en place un contre-pouvoir issu de la Résistance. En mai 1943, Jean Moulin — qui sera arrêté peu après et mourra des suites des tortures que lui ont infligées les agents de la Gestapo (texte n° 7) —, crée le Conseil national de la Résistance (CNR), formé des délégués des mouvements de résistance, des principaux partis politiques et des grandes centrales syndicales. Le CNR annule les lois de Vichy et énonce dans son programme les principes qui devront présider à la mise en place d'une République régénérée par l'esprit de la Résistance (texte n° 8).

Au printemps 1944, tandis que les Forces françaises libres, qui ont joué un rôle non négligeable durant la campagne d'Italie, s'apprêtent à combattre sur le sol français (la division Leclerc en Normandie, la Ire armée du général de Lattre de Tassigny en Provence), De Gaulle transforme le CFLN en Gouvernement provisoire de la République française (GPRF). En France, où l'opinion se rallie peu à peu à la « dissidence », la Résistance prend un caractère plus militaire et plus massif, confortée dans cette voie par le refus du Service du travail obligatoire en Allemagne (STO) auquel de nombreux jeunes cherchent à échapper en gagnant les « maquis », notamment dans les régions montagneuses du Sud, de l'Est et du Centre (Vercors, Ain, Corrèze).

Dans la lutte pour la libération de la France, qui s'engage le 6 juin 1944, s'il est clair que le rôle majeur a été joué par les armées alliées, celui des Forces françaises libres et celui de la Résistance intérieure sont loin d'avoir été négligeables. Symbole de cette double action, la libération de Paris effectuée à la suite d'un soulèvement armé d'une semaine (19-25 août 1944) et de l'opération menée, avec l'accord au demeurant réticent des Américains, par la IIe DB du général Leclerc. Le 26, le général de Gaulle peut ainsi descendre les Champs-Élysées au milieu d'une foule en liesse et haranguer celle-ci depuis le parvis de l'Hôtel de Ville (texte n° 9), avant de procéder, par une série de gestes symboliques, à la restauration de l'État républicain.

Reste à achever la reconquête du territoire — elle est à peu près acquise à la fin de l'automne 1944 — et à faire prévaloir sur le terrain l'autorité de l'État. Finalement reconnu en septembre 1944 par les Américains comme le gouvernement légal de la France, le GPRF s'appuie, pour imposer sa volonté aux chefs de la Résistance, sur les Commissaires de la République dépêchés dans les provinces et sur les préfets nommés par lui. Après avoir dissous ou intégré dans l'armée régulière les unités combattantes de la Résistance intérieure et les Milices patriotiques créées par le PCF pour « maintenir l'ordre » à la Libération (avec le soutien de Thorez, rentré d'URSS), il met fin à l'épuration « sauvage ». Des cours spéciales de justice examinent les cas de collaboration, cependant qu'une Haute Cour de justice est chargée de juger les principaux dirigeants vichyssois (dont le maréchal Pétain) et que des Chambres civiques condamnent à la privation des droits civiques tous ceux qui sont censés avoir apporté sciemment une aide à l'Allemagne (texte n° 10). C'est donc dans une France libérée et « épurée » que nombre de « résistants de l'extérieur » ou d'« embusqués » vont faire retour après de longues années d'exil (texte n° 11).

1. L'appel du 18 Juin

Sous-secrétaire d'État à la Guerre dans le gouvernement présidé par Paul Reynaud depuis le remaniement du 6 juin 1940, nommé général de brigade à titre temporaire à la suite des succès locaux qu'il a obtenus à la tête de la 4ᵉ division cuirassée, l'ancien collaborateur de Pétain (il avait été membre de son cabinet de 1925 à 1927) a été chargé par le président du Conseil d'une mission auprès de Churchill, à Londres, dans le but d'examiner les moyens de poursuivre le combat aux côtés des Britanniques au lendemain d'une éventuelle capitulation de l'armée française. De retour à Bordeaux le 16 juin, porteur d'un projet d'union politique complète entre la France et l'Angleterre (conçu par Jean Monnet), le général de Gaulle apprend que le gouvernement a démissionné, qu'il n'est plus ministre et que Pétain (avec lequel il est brouillé depuis qu'il a fait paraître sous son propre nom, en 1938, Vers l'Armée de métier, qu'il devait en principe écrire pour le compte de son protecteur), a demandé l'armistice.

De Gaulle reprend aussitôt le chemin de Londres où il obtient de Churchill de pouvoir lancer à la BBC, le 18 juin, un appel destiné à rallier à ce qui va devenir la « France libre » les officiers, les soldats, les ingénieurs et les ouvriers spécialistes des industries d'armement réfugiés en Grande-Bretagne ou « qui viendraient à s'y trouver ». Churchill aurait souhaité, pour montrer que son pays n'était pas seul à poursuivre la lutte contre l'Axe, que cet appel emportât l'adhésion d'un certain nombre d'hommes politiques de premier plan (on a pensé à Georges Mandel, mais il sera arrêté au Maroc) et de gouverneurs des grandes colonies. Or, les ralliements escomptés n'auront pas lieu, sauf en AEF et au Cameroun, et la plupart des militaires français réfugiés en Grande-Bretagne après Dunkerque demanderont à être rapatriés.

S'il fit grand bruit en Angleterre, l'appel du 18 Juin ne fut entendu en France que d'un très petit nombre d'auditeurs. Pétain et Weygand se déclarèrent profondément blessés par un acte d'insubordination qui remettait en cause non seulement leur responsabilité dans le choix de l'armistice mais la légitimité même du gouvernement. Dix jours plus tard, le chargé d'affaires à Londres, Roger Cambon, recevait un télégramme de Baudouin l'informant que le juge d'instruction avait décidé de faire comparaître devant le tribunal militaire « le général de brigade temporaire De Gaulle (Charles, André, Joseph, Marie)... pour crime de refus d'obéissance en présence de l'ennemi et délit d'excitation de militaires à la désobéissance ».

Source : Charles de Gaulle, Appel du 18 Juin 1940, *Discours et messages*, t. 1, *1940-1946*, Paris, Plon, 1970, pp. 3.

Bibliographie : Ch. de Gaulle, *Mémoires de guerre*, t. 1, Paris, Plon, 1957 ; J. Lacouture, *De Gaulle*, t. 1, *Le Rebelle*, Paris, Seuil, 1984 ; H. Michel, *La France libre*, Paris, PUF, 1963.

LES CHEFS QUI, depuis de nombreuses années, sont à la tête des armées françaises, ont formé un gouvernement.

Ce gouvernement, alléguant la défaite de nos armées, s'est mis en rapport avec l'ennemi pour cesser le combat.

Certes, nous avons été, nous sommes submergés par la force mécanique, terrestre et aérienne de l'ennemi.

Infiniment plus que leur nombre, ce sont les chars, les avions, la tactique des Allemands qui nous font reculer. Ce sont les chars, les avions, la tactique des Allemands qui ont surpris nos chefs, au point de les amener là où ils en sont aujourd'hui.

Mais le dernier mot est-il dit ? L'espérance doit-elle disparaître ? La défaite est-elle définitive ? Non !

Croyez-moi, moi qui vous parle en connaissance de cause et vous dis que rien n'est perdu pour la France. Les mêmes moyens qui nous ont vaincus peuvent faire venir un jour la victoire.

Car la France n'est pas seule ! Elle n'est pas seule ! Elle a un vaste Empire derrière elle. Elle peut faire bloc avec l'Empire britannique qui tient la mer et continue la lutte. Elle peut, comme l'Angleterre, utiliser sans limites l'immense industrie des États-Unis.

Cette guerre n'est pas limitée au territoire malheureux de notre pays. Cette guerre n'est pas tranchée par la bataille de France. Cette guerre est une guerre mondiale. Toutes les fautes, tous les retards, toutes les souffrances n'empêchent pas qu'il y a, dans l'univers, tous les moyens nécessaires pour écraser un jour nos ennemis. Foudroyés aujourd'hui par la force mécanique, nous pourrons vaincre dans l'avenir par une force mécanique supérieure. Le destin du monde est là.

Moi, Général de Gaulle, actuellement à Londres, j'invite les officiers et les soldats français qui se trouvent en territoire britannique ou qui viendraient à s'y trouver, avec leurs armes ou sans leurs armes, j'invite les ingénieurs et les ouvriers spécialistes des industries d'armement qui se trouvent en territoire britannique ou qui viendraient à s'y trouver, à se mettre en rapport avec moi.

Quoi qu'il arrive, la flamme de la résistance française ne doit pas s'éteindre et ne s'éteindra pas.

Demain, comme aujourd'hui, je parlerai à la radio de Londres.

© Plon

2. Le 10 juillet 1940 vu par Léon Blum

Si l'appel du 18 Juin constitue le geste fondateur de la résistance française, en ce sens qu'il récuse l'armistice demandé par le maréchal Pétain, le refus de voter, le 10 juillet 1940, les pleins pouvoirs au président du Conseil, émanant de 80 parlementaires français (sur 666 votants) réunis à Vichy, s'inscrit dans une perspective identique. Parmi ces 80 protestataires, on compte une quarantaine de socialistes dont Vincent Auriol, Marx Dormoy, Félix Gouin, Marius Moutet, André Philip, Tanguy-Prigent, Paul Ramadier et Léon Blum, l'ancien chef de gouvernement de Front populaire, à qui l'on doit ce récit des dernières heures de la IIIe République.

Après l'avènement du régime de Vichy, Blum sera arrêté, traduit devant le tribunal de Riom où il prononcera un vibrant réquisitoire contre ses accusateurs, puis livré aux Allemands et déporté avec sa femme.

Source : Extrait des *Mémoires 1940* : Réunion du Parlement à Vichy ; texte dactylographié, Archives FNSP/CHEVS, Fonds Daniel Mayer, 3 MA 5, dr 2.
Bibliographie : J. Lacouture, *Léon Blum*, Paris, Seuil, 1977 ; D. Mayer, *Les Socialistes dans la Résistance*, Paris, PUF, 1968.

L A JOURNÉE DU LENDEMAIN mardi devait être occupée par les réunions séparées des deux Assemblées : Chambre le matin, Sénat l'après-midi. L'une et l'autre seraient d'ailleurs de pure forme, puisque, sur le principe même de la Révision, aucune contestation n'était plus à prévoir. Nous arrivâmes de bonne heure au Grand Casino, hâtivement aménagé en Palais législatif. La salle de théâtre servait de salle des pas perdus. À peine étions-nous arrivés au Casino, à travers des barrages de troupe de police encore plus fréquents et plus denses, à peine avions-nous mis le pied dans le hall, regardé autour de nous, coudoyé les premiers groupes, et j'avais déjà la perception, la commotion d'un changement. Des hommes que j'avais vus la veille, à qui j'avais parlé, serré la main, n'étaient plus les mêmes. Un changement s'était produit en effet, et il devait s'accentuer encore bien davantage jusqu'au lendemain.

Le spectacle qu'il me faut décrire maintenant est affreux. Des mois se sont écoulés, et aujourd'hui encore, tandis que je l'évoque, la honte me monte au visage et une amertume serre ma gorge. Quelle scène ! Comme je voudrais que le souvenir pût en être aboli ; comme je voudrais surtout l'avoir oublié moi-même ! Les hommes qu'on voyait tournoyer dans ce hall, se grouper, se séparer, se chercher à nouveau, semblaient plongés dans on ne sait quel affreux mélange, dans un bain corrupteur d'une telle puissance que ce qui le touchait un instant en sortait empoisonné. Le venin opérait à vue d'œil, on assistait à sa marche. J'ai expliqué dans quelle disposition courageuse, déterminée, j'avais quitté la veille la plupart de mes camarades. Ainsi qu'on me l'avait laissé prévoir, les nouveaux venus, sitôt débarqués, avaient manifesté une résolution encore plus énergique. Tous les élus de Bretagne, par exemple, sans nulle distinction de parti, jetaient feu et flamme ; ils avaient été révoltés, dès le début de l'occupation, par la mise en train de la machine autonomiste ; ils maudissaient les clauses de l'armistice ; ils enveloppaient tous les actes et desseins du Gouvernement Pétain-Laval dans la même réprobation indignée ! Mais ils étaient maintenant à Vichy. Depuis leur arrivée, ils trempaient, eux aussi, dans le bain vénéneux, et la contagion avait agi. En quelques heures, les pensées, les paroles, les visages mêmes étaient devenus presque méconnaissables. Il semblait, à la vérité, que quelque cinéaste de génie eût voulu peindre dans un « dessin animé » la propagation de la peur. Car le poison qu'on voyait ainsi agir sous nos yeux, c'était la peur, tout bonnement, la peur panique.

Comment le fléau avait-il cheminé jusqu'à ce brusque éclatement ? Je n'avais, pour ma part, nulle peine à l'imaginer ; j'avais déjà assisté à ce genre de travail, quoique sur une moindre échelle et dans des moments moins redoutables ; je voyais bien comment avaient dû opérer Laval et ses affidés intimes depuis que le parti de la Révision dictatoriale était arrêté ; Laval avait entrepris tour à tour, en tête-à-tête, à mesure que l'occasion les mettait sous sa coupe, tous les parlementaires, journalistes, agents quelconques du milieu politique, qu'il sentait accessibles et pénétrables. Il les avait, tour à tour, je ne dirai pas convaincus mais infectés. On doit reconnaître, en toute équité, qu'il est incomparable dans ce maniement, dans ce tripotage d'homme à homme ; c'est même ce don que, ramenant toutes choses à sa propre mesure, il confond avec le génie diplomatique ; pour chacun il avait su trouver le langage approprié à son caractère, à sa situation particulière, mais aussi à ses intérêts et à ses besoins. Il avait offert des postes, comme jadis il promettait des portefeuilles. Toute révolution politique excite une curée : elle impose ou permet des coupes sombres dans les fonctions publiques ; en même temps, elle crée nécessairement de nouveaux organes, répondant au nouveau régime, et qu'il faut pourvoir. Laval avait offert des ambassades, des préfectures, comme des postes de commissaires généraux et de gouverneurs de province. Sans doute, au départ, n'avait-il pu appâter qu'un nombre assez restreint de complices. Mais sitôt capté, chacun à son tour s'était fait captateur ; sitôt gagné par la contagion, chacun était devenu un foyer. Les thèmes corrupteurs s'étaient ainsi communiqués de proche en proche, et maintenant toutes ces « chaînes » convergeaient, toutes ces « boules de neige » faisaient masse sous nos yeux.

3. Daladier au procès de Riom

Considérés par le gouvernement de Vichy comme directement responsables de la « décadence » française, et par conséquent de la débâcle, un certain nombre de dirigeants politiques de la IIIe République ont été arrêtés et emprisonnés dès 1940. On leur reproche, tantôt comme à l'ex-généralissime Gamelin, à l'ancien ministre de l'Air Guy La Chambre, au contrôleur général des armées Jacomet, ou aux présidents du Conseil de l'immédiat avant-guerre, Daladier et Reynaud, de ne pas avoir su préparer la France au conflit, tantôt comme à Léon Blum d'avoir affaibli la France à la tête du gouvernement de Front populaire. Les Allemands, de leur côté, souhaitent que leur soit imputée la responsabilité directe des événements qui ont conduit à la guerre.

Finalement, on décidera de mêler les deux chefs d'inculpation pour traduire les « coupables » devant une Cour suprême de justice réunie à Riom le 10 février 1942. Les accusés ont à répondre d'avoir « trahi les devoirs de leur charge dans les actes qui ont concouru au passage de l'état de paix à l'état de guerre ».

En principe, l'issue du procès est jouée d'avance. Le 15 octobre 1941, Pétain lui-même a donné le la en prononçant un discours dans lequel était affirmée d'entrée de jeu la culpabilité des personnalités mises en cause, et les membres du « Conseil de Justice politique » qui ont entériné son propos ont tous été nommés par lui. Toutes les règles juridiques sont bafouées durant le procès : les droits de la défense sont réduits à rien et le chef d'accusation invoqué par le ministère public — la trahison des « devoirs de leur charge » — ne figure dans aucun code en vigueur et ne peut être allégué qu'à titre rétroactif, ce qui constitue une violation flagrante des principes du droit français.

Contrairement aux attentes du gouvernement, la Cour laissera toutefois une certaine liberté d'expression aux accusés : ce qui va permettre à Blum et à Daladier de s'ériger eux-mêmes en accusateurs et de mettre en cause le régime de Vichy et le maréchal Pétain. Aussi, irrité de voir dans quelle direction s'engagent les débats, Hitler décidera-t-il de suspendre le procès de Riom le 11 avril 1942.

Nous présentons ici un extrait de la déclaration faite par Édouard Daladier devant la Cour de Riom, le 19 février 1942. À sa manière, elle constitue elle aussi une manifestation de l'esprit de résistance qui anime à cette date un certain nombre de Français qui n'acceptent ni la collaboration avec l'occupant, ni la nature jugée par eux illégitime du régime instauré par le maréchal Pétain.

Source : Déclaration faite par le président Daladier le 19 février 1942, à l'ouverture des débats devant la Cour suprême de Riom ; texte in *Patrie et Liberté ! Le Parti radical-socialiste pendant la Résistance*, Paris, E. Delion impr., s.d.

Bibliographie : R. Aron, *Histoire de Vichy*, Paris, Fayard, 1954 ; S. et G. Berstein, article « Riom (procès de) », in *Dictionnaire historique de la France contemporaine*, t. 1, *1870-1945*, Bruxelles, Complexe, 1996, pp. 680-681.

DEPUIS DIX-SEPT MOIS, je suis emprisonné. Depuis dix-sept mois, sans que je puisse me défendre, je suis dénoncé au peuple français comme le fauteur de la guerre et le responsable de la défaite. Alors qu'il m'était interdit de répondre aux attaques, au lieu de laisser la presse française accomplir son œuvre dans la sérénité, loin du tumulte des haines et des passions, des journaux, avec l'autorisation du pouvoir, la Radio nationale, le chef de l'État lui-même payant de sa personne, me représentent, devant la France et devant le monde, comme l'homme qui, « un jour de septembre, a déclaré, sans oser consulter les Chambres, une guerre perdue d'avance et livré à l'ennemi sa patrie désarmée ».

Il y a plus encore. Ce n'est pas en accusé que je comparais devant vous. Je suis un condamné. J'ai été condamné le 16 octobre 1941, par le chef de l'État, sur l'avis d'un Conseil de justice politique, nommé par lui, sans avoir pu me défendre, sans avoir été entendu, sans connaître le réquisitoire dressé contre moi. J'ai été condamné quatre mois avant le procès qui s'ouvre aujourd'hui. Y a-t-il dans notre histoire un seul exemple d'un tel mépris du droit et de la justice ? [...]

Nous verrons, au cours de ce procès, où fut la trahison, quand, par qui, comment la France a été trahie, mais je m'élève contre cette condamnation arbitraire qui ne se fonde que sur la force. Elle marquera d'une flétrissure ineffaçable ce régime de dictature imposé à la France vaincue, grâce à la domination étrangère, et qui, d'ailleurs, sera emporté avec elle et enseveli dans le mépris. [...]

Après avoir annexé l'Autriche, détruit la Tchécoslovaquie, au mépris de la signature donnée aux accords de Munich, envahi la Pologne sans déclaration de guerre, rendu la guerre inévitable pour les puissances occidentales, soucieuses de leur honneur et de leur propre sécurité, l'Allemagne exige encore de ses victimes un aveu de culpabilité. Que lui importent les paroles d'honneur aussitôt violées que prodiguées, les traités déchirés, les nations asservies, la guerre accumulant ses ruines sur tous les continents ? La force victorieuse lui permettra de déshonorer ses vaincus. Sans doute, son ministre de la Propagande déclare, avec une brutale franchise, dans ses articles hebdomadaires, et notamment dans celui du 7 janvier 1942, que la guerre était fatale, parce que, même si la France et l'Angleterre eussent abandonné la Pologne et renié leurs engagements d'honneur, la guerre seule permettait à l'Allemagne de réaliser son plan de domination de l'Europe.

Cependant, c'est la France qui doit se déclarer coupable. Ce sont les hommes qui, pendant des jours et des nuits, ont consacré leurs forces à tenter de sauver la paix, qui n'ont demandé à leur pays de prendre les armes qu'après avoir mis tout en œuvre pour éviter la guerre, ce sont eux qu'il faut condamner. [...]

« Le désastre, disait le maréchal Pétain, le 11 octobre 1940, le désastre n'est que le reflet sur le plan militaire des faiblesses et des tares de l'ancien régime politique. » Il s'agit de déshonorer la République, après l'avoir abattue, au mépris de la loi votée par l'Assemblée nationale. Est-ce la République qui a réduit en 1934 les crédits d'armement ? Est-ce la République qui a empêché le ministre de la Guerre de 1934 d'opposer au plan allemand d'armement un plan français[1] ? Est-elle responsable des fautes professionnelles ou des défaillances morales que nous relèverons au cours de ces débats. Ni la République, ni les institutions de la liberté n'ont conduit la France à la défaite, mais

---

1. Daladier vise ici directement le maréchal Pétain. Ministre de la Guerre dans le cabinet Doumergue, constitué après le 6 février 1934, ce dernier avait en effet accepté une réduction drastique des crédits militaires dans le cadre de la politique de déflation.

bien ceux qui n'ont pas su, ou qui n'ont pas voulu mettre en œuvre les armes et les matériels de guerre qui leur étaient assurés. [...]

C'est la connaissance de la vérité qui, seule, rendra au peuple français, aujourd'hui abusé par la légende et les passions partisanes, la confiance dans l'avenir. Non, ses fils au combat ne furent pas des lâches. Non, la nation française n'est pas déchue de ses vertus héroïques et son attachement passionné à la liberté n'a jamais eu pour rançon cette prétendue décadence résignée. Dans ce grave et sévère débat, si dur et si pénible soit-il, elle trouvera aussi, j'en ai la conviction, des raisons d'espérer dans son proche destin.

4. Comment est venue à Vercors l'idée du « Silence de la mer »

Fils d'une institutrice et d'un éditeur d'origine juive hongroise, Jean Bruller a été élève de l'École alsacienne, puis diplômé de l'école d'ingénieur Bréguet, avant de faire, avant la guerre, une carrière de dessinateur, graveur, illustrateur et de collaborer à l'hebdomadaire Vendredi. *Pacifiste jusqu'en 1938, il fonde pendant l'Occupation, avec Pierre de Lescure, une maison d'édition clandestine : les Éditions de Minuit, où il publiera, en 1942, sous le pseudonyme de Vercors,* Le Silence de la mer, *un récit dans lequel il met en scène un officier allemand sincèrement acquis à l'idée de la collaboration, qu'un vieil homme et sa fille ont dû accepter de loger. Dans un ouvrage de souvenirs publié en 1967, Vercors raconte comment lui est venue l'idée de ce livre, devenu à la Libération le symbole de la résistance intellectuelle.*

Source : Vercors, *La Bataille du silence. Souvenirs de Minuit*, Paris, Presses de la Cité, 1967, pp. 181-183.
Bibliographie : A. Simonin, *Les Éditions de Minuit*, Paris, IMEC, 1994.

J'ÉTAIS ENCORE SOUS L'EFFET de cette lecture[1] quand, au mois de juillet, nous reçumes à Villiers, comme *paying guest*, mon ami Jacques Vallette, anglicisant, directeur de l'École alsacienne, gendre du recteur Charléty et beau-frère de Paul Hartmann, mon éditeur. [...]

Un jour que nous déjeunions sous les lilas, il raconta une anecdote. Il la tenait d'un ami, qui s'en était trouvé le héros, ou plutôt le témoin. Celui-ci soupait dans quelque restaurant de marché noir, quand étaient venus s'asseoir derrière une colonne, mais à portée d'oreille, un Allemand en civil, un autre en militaire. Parlant lui-même parfaitement la langue, il suivait aisément l'entretien. Le militaire était inquiet. Il revenait de la Pologne en ruine, écartelée, détruite, et retrouvait la France vaincue, calme et presque prospère ! On lui parlait partout de la poignée de main de Montoire, promesse de résurrection. Allait-on laisser se relever aux frontières du Reich l'ennemie implacable du peuple allemand ? Le civil l'avait laissé parler d'abord. Puis, d'une voix un peu moqueuse, il avait dit : «Laissez-donc les Français s'endormir sur leurs illusions. Pour

---

1. Vercors venait d'achever la lecture de *Jardins et routes*, dans lequel Jünger exprimait des sentiments d'affection à l'égard de la France vaincue.

les anéantir, il faut d'abord limer leurs griffes. Vous ne comprenez pas que nous les roulons ?» Et il avait conclu, en français, avec un lourd accent : «Ch'emprasse mon rival mais c'est pour l'étouffer !» Les deux hommes avaient bien ri.

Ce fut pour moi un trait de lumière. Je tenais mon sujet ! Voilà, pour les Français encore hésitants — encore illusionnés — et pour les écrivains en premier lieu, ce qu'il me fallait exprimer dans la nouvelle que Lescure m'avait suggéré d'écrire. Je mettrai en scène cet officier allemand, mais je n'en ferais pas un ennemi de la France, j'en ferais au contraire un amoureux, un homme séduit par elle comme l'avait été Ernst Jünger, croyant sincèrement au mariage des anciens adversaires dans une Europe heureuse, et que la révélation brutale des véritables desseins nazis plongerait dans la stupeur. Ainsi il aurait pu, pendant des mois, et de bonne foi, tenter de persuader ses amis français des nobles intentions allemandes, pour découvrir en fin de compte qu'il les avait mortellement trompés. L'Allemand serait donc sympathique. Le meilleur des Allemands possible. Les Français, d'abord glacés, se laisseraient émouvoir, peu à peu persuader. Cela se sentirait à travers les sentiments d'une jeune fille, qui de la haine froide évolueraient vers une sorte d'attirance retenue, inavouée. Et soudain je pensai, un jour que je tondais la pelouse en évitant d'abîmer les iris : «Elle ne dira pas un mot.» Car je compris qu'elle se trouverait dans la situation où je m'étais trouvé moi-même à l'égard de l'officier qui s'obstinait à me saluer et que je ne saluais pas. Que ferait mon Allemand à la fin, lorsqu'il devrait avouer son imposture involontaire ? Un moment je pensai qu'il passerait lui-même à la révolte contre une entreprise criminelle, et y entraînerait ses hôtes. L'amour des deux jeunes gens pourrait alors s'avouer, éclater enfin. Mais ce *happy end* m'apparut sans tarder comme un artifice littéraire, historiquement faux. Les derniers résistants à Hitler avaient disparu depuis six ans, engloutis dans le *Nacht und Nebel* des camps de concentration. Tout Allemand resté libre ne pouvait montrer à l'égard du nazisme qu'une attitude d'approbation, ou sinon de soumission, d'obéissance. L'immense obéissance allemande était le drame de ce pays, et celui de l'Europe. Ernst Jünger aimait la France mais il obéissait.

© Presses de la Cité

5. Lettre de Pierre Brossolette au général de Gaulle
(2 novembre 1942)

Tout n'a pas toujours été facile dans les rapports entre le chef de la France libre et les représentants des mouvements de la résistance intérieure, ou certains de ses collaborateurs à Londres, ces derniers fussent-ils étroitement attachés à sa personne et admiratifs de l'œuvre accomplie par l'homme du 18 Juin. Ainsi en a-t-il été pour Pierre Brossolette, dont on sait la fin tragique par suicide du cinquième étage de l'immeuble de l'avenue Foch où il était torturé par la Gestapo.

Membre du parti socialiste SFIO avant la guerre, Brossolette s'est engagé de bonne heure dans les rangs de la Résistance. La librairie qu'il a ouverte avec sa femme, rue de la Pompe, est vite devenue un centre actif de l'action clandestine. Il a participé à la fondation de Libération-Nord et de l'Organisation civile et militaire (OCM), avant de gagner Londres en avril 1942 et de se voir confier l'année suivante, en tant qu'adjoint du colonel Passy, chef du bureau central de Renseignements et d'Action, la tâche d'uni-

fier les mouvements de résistance en zone nord. Dans le cours de cette mission, il s'oppose vivement au projet de création d'un Conseil national de la Résistance que défend Jean Moulin et qui inclurait les partis politiques, mais il devra sur ce point se soumettre à la décision du général de Gaulle.

Ce n'est pas toutefois sur le fond que se situe — au moment où cette lettre est écrite — le différend entre le général et son chargé de mission. De Gaulle, on le sait, n'a que peu d'estime pour le système partisan et s'il donne son aval au projet de Jean Moulin, c'est essentiellement pour des raisons tactiques. L'hostilité manifestée à l'encontre des partis par Brossolette, qui ne souhaite rien moins que leur disparition et leur remplacement à la Libération par un grand parti de la Résistance, ne peut donc le heurter. Le contentieux se situe à un autre niveau : dans la nature des rapports que le général entretient avec ses subordonnés et qui ne souffrent guère le moindre indice d'insubordination, voire de contradiction. C'est sur un ton très libre que l'ancien secrétaire de la fédération socialiste de l'Aube lui fait part de son amertume.

Source : Lettre de Pierre Brossolette au général de Gaulle, 2 novembre 1942, citée *in* D. Mayer, *Les Socialistes dans la Résistance*, Paris, PUF, 1968, pp. 189-190.

Bibliographie : M. Sadoun, *Les Socialistes sous l'Occupation*, Paris, Presses de la FNSP, 1982 ; M. et J.-P. Cointet, *La France à Londres, 1940-1943*, Bruxelles, Complexe, 1990.

M ON GÉNÉRAL,
Je ne vous adresse pas cette lettre par la voie hiérarchique. C'est une lettre privée — ce qui ne veut pas dire que ce soit une lettre personnelle : je ne vous l'écris que dans la mesure où je me sens responsable envers la masse de ceux à qui j'ai garanti le chef de la France combattante, en mettant à votre disposition, ici comme en France, tout ce que je possède : mon nom, mon crédit sur une partie de l'opinion, mes relations avec des hommes de tous les partis français et de presque tous les pays étrangers.

Deux fois en quinze jours je me suis senti très loin de vous.

Il ne s'agit pas en ce moment de la conception, qui nous est commune, des vicissitudes de la libération et de la reconstruction françaises. Cette conception, je la défendrai toujours et partout à côté de vous, avec ferveur, avec violence, contre toutes les attaques et toutes les manœuvres. [...]

Mais il s'agit de la pratique quotidienne par laquelle vous vous efforcez de préparer cette libération et cette reconstruction. Il s'agit, davantage encore, de l'image que cette pratique nous permet de nous former à l'avance de votre pratique quand vous serez en France.

Peut-être serez-vous surpris qu'elle soit mise en cause. Il entre dans votre système de nier la critique, d'en nier la valeur, d'en nier la réalité même. Cette critique, il faut pourtant que vous sachiez qu'elle est à peu près générale, et que dans la mesure où vous en repoussez ce qu'elle peut avoir d'utile et de bien-fondé, vous diminuez la force avec laquelle nous combattons, chaque jour, âprement, ce qu'elle a d'absurde, de mensonger et de haineux.

Je vous parlerai franchement. Je l'ai toujours fait avec les hommes, si grands fussent-ils, que je respecte et que j'aime bien. Je le ferai avec vous, que je respecte et aime infiniment. Car il y a des moments où il faut que quelqu'un ait le courage de vous dire tout haut ce que les autres murmurent dans votre dos avec des mines éplorées. Ce quelqu'un, si vous le voulez bien, ce sera moi. J'ai l'habitude de ces besognes ingrates et généralement coûteuses.

Ce qu'il faut vous dire, dans votre propre intérêt, dans celui de la France combattante, c'est que votre manière de traiter les hommes et de ne pas leur permettre de traiter les problèmes éveille en nous une douloureuse préoccupation, je dirai volontiers une véritable anxiété.

Il y a des sujets sur lesquels vous ne tolérez aucune contradiction, aucun débat même. C'est d'ailleurs, d'une façon générale, ceux sur lesquels votre position est le plus exclusivement affective. [...] Dans ce cas votre ton fait comprendre à vos interlocuteurs qu'à vos yeux leur dissentiment ne peut provenir que d'une sorte d'infirmité de la pensée ou du patriotisme. Dans ce quelque chose d'impérieux qui distingue ainsi votre manière et qui amène trop de vos collaborateurs à n'entrer dans votre bureau qu'avec timidité, pour ne pas dire davantage, il y a probablement de la grandeur. Mais il s'y trouve, soyez-en sûr, plus de péril encore. [...]

Or, il s'agit de la France. Vous voulez en faire l'unanimité. La superbe et l'offense ne sont pas une recommandation auprès de ceux qui sont et demeurent résolus à vous y aider. Encore moins en seront-elles une auprès de la nation que vous voulez unir. Parlons net, nous qui connaissons bien ses réactions politiques : elle aura beau vous réserver l'accueil délirant que nous évoquons parfois ; vous ruinerez en un mois votre crédit auprès d'elle si vous persévérez dans votre comportement présent.

Vous savez que cette ruine serait du même coup celle de tous nos espoirs, qu'elle serait la ruine même des possibilités que la France a retrouvées grâce à vous. C'est pourquoi je me permets de vous supplier de faire sur vous-même l'effort nécessaire, pendant qu'il en est temps encore. [...] Vous m'objecterez vos difficultés, la nécessité de faire la guerre, de faire la révolution. Mais c'est justement dans l'adversité qu'il faut le plus se contrôler soi-même ; car elle est une terrible école d'amertume, et l'amertume est la pire des politiques. [...]

6. Le programme
du Conseil national de la Résistance
(Mars 1944)

Après l'arrestation de Jean Moulin, c'est un résistant de l'intérieur, le démocrate-chrétien Georges Bidault, qui devient président du CNR, assisté d'un bureau de cinq membres qui comprend, outre lui-même, Louis Saillant, Pascal Copeau, Maxime Blocq-Mascart de l'Organisation civile et militaire (OCM) et le communiste Pierre Villon, délégué du Front national. C'est sous l'impulsion de ce dernier qu'est adopté en assemblée plénière, le 15 mars 1944, le programme du CNR. Celui-ci comporte deux parties. La première est un plan d'action immédiate visant à assurer la collaboration étroite de la Résistance armée « aux opérations militaires que l'armée française et les armées alliées entreprendront sur le continent » et de « hâter cette libération... en intensifiant sans cesse et par tous les moyens la lutte contre l'envahisseur et ses agents, commencée dès 1940 » ; il s'agit donc de préparer l'insurrection contre les Allemands et la prise du pouvoir par les comités de libération. La seconde partie — la seule qui ait été reproduite ici — est un véritable programme de gouvernement marqué par de fortes préoccupations sociales et la volonté de promouvoir une « organisation rationnelle de l'économie », ce qui implique d'importantes nationalisations.

Source : Programme du CNR, 15 mars 1944.
Bibliographie : R. Hostache, *Le Conseil national de la Résistance*, Paris, PUF, 1963 ; C. Andrieu, *Le Programme commun de la Résistance*, Paris, Éditions de l'érudit, 1984.

NÉE DE LA VOLONTÉ ARDENTE des Français de refuser la défaite, la Résistance n'a pas d'autre raison d'être que la lutte quotidienne sans cesse intensifiée.

Cette mission de combat ne doit pas prendre fin à la Libération. Ce n'est, en effet, qu'en regroupant toutes ses forces autour des aspirations quasi unanimes de la Nation, que la France retrouvera son équilibre moral et social et redonnera au monde l'image de sa grandeur et la preuve de son unité.

Aussi les représentants des organisations de Résistance, des centrales syndicales et des partis ou tendances politiques groupés au sein du CNR, délibérant en assemblée plénière le 15 mars 1944, ont-ils décidé de s'unir sur le programme suivant, qui comporte à la fois un plan d'action immédiate contre l'oppresseur et les mesures destinées à instaurer, dès la libération du territoire, un ordre social plus juste. [...]

II. Mesures à appliquer dès la libération du territoire

Unis quant au but à atteindre, unis quant aux moyens à mettre en œuvre pour atteindre ce but qui est la libération rapide du territoire, les représentants des mouvements, groupements, partis ou tendances politiques, groupés au sein du CNR, proclament qu'ils sont décidés à rester unis après la Libération :

1° afin d'établir le gouvernement provisoire de la République formé par le général de Gaulle pour défendre l'indépendance politique et économique de la Nation, rétablir la France dans sa puissance, dans sa grandeur et dans sa mission universelle ;

2° afin de veiller au châtiment des traîtres et à l'éviction dans le domaine de l'administration et de la vie professionnelle de tous ceux qui auront pactisé avec l'ennemi ou qui se seront associés activement à la politique des gouvernements de la collaboration ;

3° afin d'exiger la confiscation des biens des traîtres et des trafiquants de marché noir, l'établissement d'un impôt progressif sur les bénéfices de guerre et plus généralement sur les gains réalisés au détriment du peuple et de la Nation pendant la période d'occupation, ainsi que la confiscation de tous les biens ennemis y compris les participations acquises depuis l'armistice par les gouvernements de l'Axe et par leurs ressortissants, dans les entreprises françaises et coloniales de tout ordre, avec constitution de ces participations en patrimoine national inaliénable ;

4° afin d'assurer :

— l'établissement de la démocratie la plus large en rendant la parole au peuple français par le rétablissement du suffrage universel ;

— la liberté de la presse, son honneur et son indépendance à l'égard de l'État, des puissances d'argent et des influences étrangères ;

— la liberté d'association, de réunion et de manifestation ;

— l'inviolabilité du domicile et le secret de la correspondance ;
— le respect de la personne humaine ;
— l'égalité absolue de tous les citoyens devant la loi ;
5° afin de promouvoir les réformes indispensables ;
a) sur le plan économique :
— l'instauration d'une véritable démocratie économique et sociale, impliquant l'éviction des grandes féodalités économiques et financières de la direction de l'économie ;
— une organisation rationnelle de l'économie assurant la subordination des intérêts particuliers à l'intérêt général et affranchie de la dictature professionnelle instaurée à l'image des États fascistes ;
— l'intensification de la production nationale selon les lignes d'un plan arrêté par l'État après consultation des représentants de tous les éléments de cette production ;
— le retour à la Nation des grands moyens de production monopolisés, fruit du travail commun, des sources d'énergie, des richesses du sous-sol, des compagnies d'assurances et des grandes banques ;
— le développement et le soutien des coopératives de production, d'achats et de ventes, agricoles et artisanales ;
— le droit d'accès, dans le cadre de l'entreprise, aux fonctions de direction et d'administration, pour les ouvriers possédant les qualifications nécessaires, et la participation des travailleurs à la direction de l'économie ;
b) sur le plan social :
— le droit au travail et le droit au repos, notamment par le rétablissement et l'amélioration du régime contractuel du travail ;
— un rajustement important des salaires et la garantie d'un niveau de salaire et de traitement qui assure à chaque travailleur et à sa famille la sécurité, la dignité et la possibilité d'une vie pleinement humaine ;
— la garantie du pouvoir d'achat national pour une politique tendant à la stabilité de la monnaie ;
— la reconstitution, dans ses libertés traditionnelles, d'un syndicalisme indépendant, doté de larges pouvoirs dans l'organisation de la vie économique et sociale ;
— un plan complet de sécurité sociale, visant à assurer à tous les citoyens des moyens d'existence, dans tous les cas où ils sont incapables de se les procurer par le travail, avec gestion appartenant aux représentants des intéressés et de l'État ;
— la sécurité de l'emploi, la réglementation des conditions d'embauchage et de licenciement, le rétablissement des délégués d'atelier ;
— l'élévation et la sécurité du niveau de vie des travailleurs de la terre par une politique des prix agricoles rémunérateurs, améliorant et généralisant l'expérience de l'Office du blé, par une législation sociale accordant aux salariés agricoles les mêmes droits qu'aux salariés de l'industrie, par un système d'assurance contre les calamités agricoles, par l'établissement d'un juste statut du fermage et du métayage, par des facilités d'accession à la propriété pour les jeunes familles paysannes et par la réalisation d'un plan d'équipement rural ;
— une retraite permettant aux vieux travailleurs de finir dignement leurs jours ;
— le dédommagement des sinistrés et des allocations et pensions pour les victimes de la terreur fasciste ;
c) une extension des droits politiques, sociaux et économiques des populations indigènes et coloniales ;

d) la possibilité effective pour tous les enfants français de bénéficier de l'instruction et d'accéder à la culture la plus développée, quelle que soit la situation de fortune de leurs parents, afin que les fonctions les plus hautes soient réellement accessibles à tous ceux qui auront les capacités requises pour les exercer et que soit ainsi promue une élite véritable, non de naissance, mais de mérite, et constamment renouvelée par les apports populaires.

Ainsi sera fondée une République nouvelle qui balaiera le régime de basse réaction instauré par Vichy et qui rendra aux institutions démocratiques et populaires l'efficacité que leur avaient fait perdre les entreprises de corruption et de trahison qui ont précédé la capitulation. Ainsi sera rendue possible une démocratie qui unisse au contrôle effectif exercé par les élus du peuple la continuité de l'action gouvernementale.

L'union des représentants de la Résistance pour l'action dans le présent et dans l'avenir, dans l'intérêt supérieur de la patrie, doit être pour tous les Français un gage de confiance et un stimulant. Elle doit les inciter à éliminer tout esprit de particularisme, tout ferment de division qui pourrait freiner leur action et ne servir que l'ennemi.

En avant donc, dans l'union de tous les Français rassemblés autour du CFLN et de son président, le général de Gaulle !

En avant pour le combat, en avant pour la victoire, afin que VIVE LA FRANCE !

7. Août 1944 :
De Gaulle à l'Hôtel de Ville

Ce n'est pas sans résistance de la part d'Eisenhower que le général de Gaulle a obtenu le 22 août de ce dernier que la 2ᵉ division blindée du général Leclerc soit lancée sur Paris afin de hâter la libération de la ville, depuis cinq jours insurgée contre l'occupant, et d'empêcher soit que la capitale soit détruite, comme le voulait Hitler, soit que les lauriers de la victoire soient recueillis par les seuls dirigeants du CNR, auxquels revenait la décision de l'insurrection, donc indirectement — compte tenu du rapport des forces sur le terrain —, par les FTP et par le Parti communiste.

C'est ainsi à une véritable course de vitesse entre le chef de la France libre et les hommes de la résistance intérieure à laquelle on assiste le 25 août 1944. Leclerc et ses chars sont entrés dans la capitale la veille dans la soirée. Le lendemain, le général von Choltitz signe la reddition de ses troupes à la gare Montparnasse devant le général Leclerc et le colonel FTP Rol-Tanguy. Bidault aurait souhaité que De Gaulle se rendît aussitôt à l'Hôtel de Ville, haut-lieu des révolutions parisiennes, où l'attendaient les chefs de la Résistance, pour y proclamer la République. Considérant que celle-ci n'avait jamais cessé d'exister, l'ancien sous-secrétaire d'État du gouvernement Reynaud refuse net, effectuant un crochet hautement symbolique par le ministère de la Guerre, d'où il était parti en juin 1940, et affirmant ainsi la continuité de la République. « L'État rentrait chez lui », commente-t-il dans ses Mémoires, *et il ajoute : « [...] pas un meuble, pas une tapisserie, pas un rideau n'ont été déplacés. [...] Rien n'y manque, excepté l'État. Il m'appartient de l'y remettre. »*

Après quoi, cédant enfin aux instances de Parodi et de Luizet, nouveau préfet de police, De Gaulle se rend à l'Hôtel de Ville où il prononce cet hommage à Paris, à l'armée de la France libre et aux combattants de la résistance intérieure.

Source : Charles de Gaulle, Discours prononcé à l'Hôtel de Ville de Paris le 25 août 1944, *Discours et messages*, t. 1, *1940-1946*, Paris, Plon, 1970, pp. 439-440.
Bibliographie : J. Lacouture, *De Gaulle*, t. 1, *Le rebelle*, Paris, Seuil, 1984 ; Ch. de Gaulle, *Mémoires de guerre*, t. 2, Paris, Plon, 1956 ; «La France libérée», *L'Histoire*, numéro spécial, n° 179, juillet-août 1994.

POURQUOI VOULEZ-VOUS que nous dissimulions l'émotion qui nous étreint tous, hommes et femmes, qui sommes ici, chez nous, dans Paris debout pour se libérer et qui a su le faire de ses mains. Non ! nous ne dissimulerons pas cette émotion profonde et sacrée. Il y a là des minutes qui dépassent chacune de nos pauvres vies.

Paris ! Paris outragé ! Paris brisé ! Paris martyrisé ! mais Paris libéré ! libéré par lui-même, libéré par son peuple avec le concours des armées de la France, avec l'appui et le concours de la France tout entière, de la France qui se bat, de la seule France, de la vraie France, de la France éternelle.

Eh bien ! puisque l'ennemi qui tenait Paris a capitulé dans nos mains, la France rentre à Paris, chez elle. Elle y rentre sanglante, mais bien résolue. Elle y rentre, éclairée par l'immense leçon, mais plus certaine que jamais, de ses devoirs et de ses droits.

Je dis d'abord de ses devoirs, et je les résumerai tous en disant que, pour le moment, il s'agit de devoirs de guerre. L'ennemi chancelle mais il n'est pas encore battu. Il reste sur notre sol. Il ne suffira même pas que nous l'ayons, avec le concours de nos chers et admirables alliés, chassé de chez nous pour que nous nous tenions pour satisfaits après ce qui s'est passé. Nous voulons entrer sur son territoire comme il se doit, en vainqueurs. C'est pour cela que l'avant-garde française est entrée à Paris à coups de canon. C'est pour cela que la grande armée française d'Italie a débarqué dans le Midi et remonte rapidement la vallée du Rhône. C'est pour cela que nos braves et chères forces de l'intérieur vont s'armer d'armes modernes. C'est pour cette revanche, cette vengeance et cette justice, que nous continuerons de nous battre jusqu'au dernier jour, jusqu'au jour de la victoire totale et complète. Ce devoir de guerre, tous les hommes qui sont ici et tous ceux qui nous entendent en France savent qu'il exige l'unité nationale. Nous autres, qui aurons vécu les plus grandes heures de notre Histoire, nous n'avons pas à vouloir autre chose que de nous montrer, jusqu'à la fin, dignes de la France.

Vive la France !

© Plon

8. D'une épuration à l'autre :
lettre d'Anatole de Monzie à Marcel Cachin
(10 septembre 1944)

Homme de gauche, proche du Parti radical, voire des socialistes, partisan déclaré du rétablissement des relations diplomatiques et commerciales avec l'URSS au lendemain du premier conflit mondial, Anatole de Monzie a fait partie de nombreux gouvernements durant les années 1920 et 1930. Ministre des Travaux publics dans le troisième cabinet Daladier en 1938, puis dans le gouvernement Reynaud, il figure parmi les personnalités qui souhaitent à tout prix le rétablissement de la paix. Aussi va-t-il accueillir très favorablement l'arrivée de Pétain au pouvoir, ainsi que la demande d'armistice. Le

10 juillet 1940, il vote les pleins pouvoirs au maréchal, sans obtenir pour autant le moindre poste officiel de la part d'un régime qui lui reproche son passé de vieux parlementaire républicain.

Prenant peu à peu ses distances à l'égard du chef de l'État français, il est de ceux qui plaident en 1943-1944 pour une réunion de l'Assemblée nationale qui remettrait sur pied le régime de la IIIe République, solution que Laval tentera vainement de mettre en œuvre en août 1944. Cela ne suffit pas à le mettre à l'abri du soupçon de collaboration indirecte qui pèse sur un certain nombre d'hommes politiques ayant eu, à un moment ou à un autre, des sympathies pour Vichy. Au lendemain de la Libération, dans le climat de chasse aux « collaborateurs » qui caractérise le temps de l'épuration « sauvage », il s'efforce de se mettre à l'abri de cette justice expéditive. Dans la lettre que nous publions ici, il lance un véritable appel au secours à Marcel Cachin, l'un des principaux dirigeants du Parti communiste, avec lequel il entretient depuis longtemps des liens d'amitié et à qui il rappelle la sollicitude qu'il avait lui-même manifestée à son égard à l'époque de la répression anticommuniste menée par le gouvernement Poincaré. Arrêté un peu plus tard, Monzie sera condamné à la perte de ses droits civiques et à l'interdiction d'exercer sa profession d'avocat pour atteinte à la sécurité extérieure de l'État.

Source : Lettre d'Anatole de Monzie à Marcel Cachin en date du 10 septembre 1944, Archives FNSP/CHEVS, Fonds Anatole de Monzie, dr 7.
Bibliographie : P. Novick, *L'Épuration en France*, Paris, Seuil, 1991 ; H. Lottman, *L'Épuration*, Paris, Fayard, 1986 ; A. de Monzie, *Ci-devant*, Paris, Flammarion, 1941.

MON CHER MARCEL,
En ces jours d'effervescence justicière, j'ai préféré me tenir hors de portée des passions cruelles. Je me suis « planqué » : le mot et la chose te sont familiers puisque tu as réussi pendant quelque deux ans une retraite modèle dont les diverses polices française et allemande n'ont jamais percé le calme secret. Je n'espère pas faire aussi bien. L'expérience me manque ainsi que la protection d'un grand parti façonné par son histoire à la technique de l'action illégale. L'état où m'a laissé, il y a sept ans, une opération chirurgicale manquée, ne me permet pas d'envisager une longue carrière de fuite. À titre personnel et à cause de nombreux amis que derechef je compte dans le camp de Drancy, je me préoccupe du régime qui va être réservé aux prisonniers politiques déjà entassés par la hâte des représailles.

Et je m'adresse à toi comme au meilleur spécialiste, au plus parfait connaisseur de ce qu'on appelle encore par habitude le régime politique. C'est d'ailleurs grâce à toi que j'ai apprécié le fonctionnement de ce régime. Excuse l'anecdote. Tu avais été une fois de plus emprisonné à la Santé par R. Poincaré qui te reprochait je ne sais quel complot. J'étais en ce temps-là sénateur — chacun son tour. Comme sénateur, j'étais appelé à te juger en Haute Cour. Mais, quoique juge, j'avais envie de te témoigner mon amitié en venant te saluer dans ta geôle. Je demandais donc et obtins un permis de communiquer avec toi.

On a flétri assez abusivement la République des camarades, depuis que Robert de Jouvenel a lancé cette plaisante formule[1], mais il existait entre les camarades de la

---

1. Monzie fait ici allusion au célèbre ouvrage de Robert de Jouvenel, *La République des camarades*.

République plus et mieux qu'une solidarité d'intérêts électoraux et parlementaires. Les hommes apprenaient à s'estimer dans leur rencontre quotidienne : tout ne se résumait pas en outrages ; il arrivait qu'on partageât les chagrins d'un adversaire, qu'on distinguât la noblesse de cœur à travers les banalités de son langage, que la camaraderie prît à la durée la douceur des compagnonnages. À la Chambre, comme plus tard au Sénat, tu apparaissais sous les espèces d'un monstre de bonne compagnie et les mêmes, qui scandaient d'interruptions tes harangues, te marquaient dans la récréation des couloirs une sympathie non feinte ; nul n'avait de plaisir à te voir en peine et en cellule. De toi à moi, jouaient les confus souvenirs du passé au Quartier latin. Je ne peux pas dire comment, un pacte de mutuelle indulgence s'était noué qui ne fut point dénoué. L'intérêt que je manifestai dès 1922 à la Révolution soviétique avait ajouté une complicité intellectuelle à notre ancienne affection. Peu importe au surplus le motif ou le mobile de ma démarche. Je souhaitai te rendre visite à la Santé.

Je n'avais pas encore fréquenté le quartier politique. Un gardien me renseigna mal et je frappai à une porte qui n'était pas la tienne. Un haut gaillard vêtu d'un pyjama de couleurs vives m'ouvrit : « Marcel Cachin, s'il vous plaît ? »

« Porte en face. » Je vins à toi sur ce dire en t'expliquant mon erreur. « Tu n'as pas reconnu Doriot ? » — « Non ! Je ne le connaissais pas[1]. » J'ai ainsi vu Doriot que j'ignorais parce qu'il était le locataire d'en face.

Mais, par la pensée, je te vois installé parmi l'amoncellement de tes livres et de tes journaux, travaillant placidement avec des airs de bénédictin révolutionnaire. Ta chambre était étroite et d'un confort sommaire, mais disposée de telle sorte qu'un minimum d'aises y était sauvegardé. [...]

J'évoque maintenant, cher Marcel, ta cellule de la Santé comme l'image d'un paradis perdu pour prisonniers politiques.

Une paillasse, une table accrochée au mur, une chaise ou un banc, dix mètres de préau, la possibilité de recevoir des visites hebdomadaires — tel était le cadre où M. Poincaré, juriste sévère, tenait enfermés ses plus dangereux contradicteurs. Certes, on était mieux à la Bastille, parce que le gouverneur invitait à dîner ses détenus privilégiés. Sainte-Pélagie, au témoignage de ses anciens pensionnaires, offrait de précieuses commodités aux conciliabules des oppositions. [...]

Cette tradition est morte avec plusieurs autres qui méritent regret. C'est le maréchal Pétain qui l'a tuée. Ayant décrété que les civils avaient causé la défaite militaire de 1940, il créa et développa une mystique de l'incarcération, une manière de folie correctionnelle. Nous ne possédions pas de locaux suffisants pour accueillir et abriter le produit de ces rafles vengeresses ; on élève ici et là des baraquements destinés à recevoir les différentes catégories de parias. Les préfets autant que les procureurs recrutaient la clientèle de ces camps de concentration disséminés en zone libre ; car la zone libre se distinguait des territoires occupés par l'existence de la Légion du Maréchal et la multiplicité des camps de concentration. Gestapo d'un côté, de l'autre des gardes-chiourmes bien français ! [...]

Mais voici le règlement de comptes qui nous avait été annoncé. Il s'opère avec la même monnaie d'injustices dont la colère du peuple est toujours prodigue. Je n'ai point

---

1. L'auteur évoque la période de l'occupation de la Ruhr durant laquelle Jacques Doriot, alors secrétaire général de la Fédération française des Jeunesses communistes, fut arrêté et emprisonné pour incitation de militaires à la désobéissance et à la désertion.

de surprise : les Français, excédés d'obéissance et d'adoration, se vengent de leur servitude en réclamant des hécatombes de lampistes puisque le Chef n'est plus à leur merci qu'ils acclamaient étourdiment quelques semaines auparavant. Cette férocité au détail se traduit par une pléthore pénitentiaire qui du premier coup dépasse les statistiques du Maréchal. Il y a sans doute maldonne pour beaucoup : j'en pourrais citer que la Gestapo venait à peine de relâcher quand ils ont été ressaisis sur ordre d'un comité de quartier. En attendant le résultat du tri, des milliers de citoyens dont la vie était sans taches moisissent dans l'opprobre et la vermine. [...]

Mais ces anciens ministres, ces hauts fonctionnaires, ces chefs de bureaux qu'entoure désormais un réseau de fils barbelés, ne sont que des suspects, vaguement prévenus, en tout cas de simples prévenus et la marge de droit n'a pas été abolie qui sépare la prévention de la condamnation, elle a même été rétablie au moment où le rétablissement de la République était proclamé dans la rue en armes. Le maréchal Pétain avait osé condamner sans juger : pareil attentat n'est plus possible ou ne doit plus être possible.

J'entends bien que notre affranchissement a été soudain et que nous avons besoin de nous dégourdir les idées après l'ankylose d'une dictature, je n'oublie pas que l'arbitraire a des effets de contagion et qu'on commence par imiter ce qu'on a maudit, comme fait dans le drame d'Ernest Renan ce Caliban qui a chassé le tyran. Mais nous sommes d'accord, n'est-il pas vrai ? pour ne pas rééditer la souriante méchanceté du Maréchal. [...]

Que la leçon nous serve et nous rende plus attentifs à la détresse des «emmurés» de la politique ! Je place cette supplique sous l'invocation de Blanqui et sous la protection de ta mémoire, cher Marcel. Souviens-toi de ta cellule de la Santé, des égards de M. Poincaré qui n'était point tendre et sois l'intercesseur de tes cadets auprès de tes amis qui succèdent à M. Poincaré dans la souveraineté des prisons. Notre Patrie n'aime pas les exactions, surtout les exactions de la justice.

9. Lettre de Saint-Exupéry à André Breton
(Février 1941)

Mobilisé à la déclaration de guerre comme moniteur de pilotage à Toulouse (il a trente-neuf ans), Antoine de Saint-Exupéry, qui a passé l'été précédent à New York pour apporter les dernières corrections à la version anglaise de son livre Terre des hommes, *a obtenu d'être muté dans le groupe de Grande Reconnaissance 2/33. Il y accomplit de nombreuses missions en mai-juin 1940 avant de rejoindre les États-Unis après l'armistice. Alors qu'il s'emploie à persuader les Américains d'entrer dans la lutte — son* Pilote de guerre, *publié en 1942, rencontre un immense succès —, il est nommé, sans en avoir été informé, membre du Conseil national par Vichy, ce qui lui vaut d'être très violemment attaqué par une partie de la colonie française de New York, au premier rang desquels figure André Breton, lui aussi exilé dans cette ville où il collabore à la «Voix de l'Amérique» et qu'il ne quittera qu'en 1946.*

Dans cette lettre, réponse à son accusateur destinée à la revue VVV *(à laquelle collaboraient également Marcel Duchamp et Max Ernst), et qui ne fut pas envoyée (elle a sans doute été écrite au début de février 1941), Saint-Exupéry explique au «pape» du surréalisme qu'il n'a de lui à recevoir de leçons ni de courage, ni d'amour de la liberté.*

Il en donnera une preuve supplémentaire, après avoir rejoint les Forces aériennes françaises libres, en disparaissant en mission dans le ciel de France le 31 juillet 1944.

Source : Cahiers Saint-Exupéry, n° 3, NRF Gallimard, pp. 9-21.
Bibliographie : E. Chadeau, _Saint-Exupéry_, Paris, Plon, 1994 ; E. Deschodt, _Saint-Exupéry, biographie_, Paris, Lattès, 1980 ; R. Tavernier, _Saint-Exupéry en procès_, Paris, Belfond, 1987 ; H. Béhar, _André Breton, le grand indésirable_, Paris, Calmann-Lévy, 1990.

MON CHER AMI :
Ma lettre sera un peu sèche. C'est que j'ai le goût de la clarté. L'effort me paraît inutile qui consiste à composer des phrases d'autant plus fleuries qu'on les escompte plus agressives. Le jeu des allusions souterraines m'ennuie, autant que m'ennuie d'ailleurs, à l'autre extrême, le bruit redondant des injures. Je n'éprouve l'envie ni de blesser, ni d'injurier, ni d'insinuer.

Mais votre position inattendue de juge m'oblige, bien malgré moi, de vous répondre sur le terrain choisi par vous. Et dans le ton choisi par vous. J'estime d'ailleurs dénué de tout intérêt, mais infiniment aisé, de confronter mes textes aux vôtres, mon action passée à la vôtre.

[...] Puisque des problèmes de protocole vous font soudainement vous inquiéter de ma position religieuse, sociale, politique et philosophique, j'accepte de vous informer.

Ma position vis-à-vis du nazisme a été telle que, au cours de la guerre, j'ai fait casser trois mutations successives[1] qui tendaient à sauver ma précieuse personne, dont une au cours même de l'offensive allemande, alors qu'il ne rentrait qu'une mission sur trois et que, dans mon idée, je ne pouvais pas espérer survivre deux jours. Je suis étranger à la chance qui me vaut le privilège d'être critiqué.

J'imagine bien que les signataires de manifestes vous paraissent d'une audace autrement vigoureuse. Mais, personnellement, je ne vois pas en quoi un chapelet d'injures adressées à des malheureux, qui crèvent de faim sous le plus abominable des chantages[2], changera rien du sort du monde. Je ne vois pas de quel courage un homme fait preuve en cédant au conformisme local le plus orthodoxe. Le courage est de mon côté. Je me fous totalement de ces exercices oratoires qui assurent une audience facile. Les bénéfices sont de votre côté.

Donc, d'abord je me suis battu. La résistance anti-nazie reposait essentiellement, selon moi, non sur les manifestes (ceux que nous déversions sur l'Allemagne, en mission de guerre, nous paraissaient ridicules et puérils) mais :

— sur l'armement des Français ;
— sur l'union des Français ;
— sur l'esprit de sacrifice des Français.

J'ai toujours été cohérent avec mes principes, de même que ces principes étaient cohérents avec les intérêts généraux qu'ils prétendaient servir. Ainsi j'ai fait la guerre moi-même. Ainsi j'ai toujours cherché moi-même, dans la mesure de mon simple pouvoir, à réaliser cette union. J'en apporte comme preuve l'exemple même des journa-

---

1. On lui avait offert : de travailler à l'Information ; de piloter des ministres ; de travailler à la Recherche scientifique, car il était titulaire de multiples brevets.
2. Les Français restés en France.

listes que vous citez et qui, bien que de partis divers, étaient reçus à ma table. Mon groupe aérien de même a uni à la même table des camarades de droite et des camarades de gauche, des camarades croyants et des camarades non croyants. Tous sont morts très proprement par esprit de résistance au nazisme. Vous auriez fait pendre les trois quarts d'entre eux. Cela est exact. Cela leur aurait, en tout cas, évité de griller vifs. Il est exact, croyez-le bien, que je recevrai toute ma vie, à ma table, les survivants du Groupe 2/33, de quelque parti qu'ils se réclament.[…]

Il est dommage que vous ne vous soyez jamais trouvé face au problème de la mort consentie. Vous auriez constaté que l'homme a besoin alors, non de haine, mais de ferveur. On ne meurt pas « contre », on meurt « pour ». Or vous avez usé votre vie à démanteler tout ce dont l'homme pouvait se réclamer pour accepter la mort. Non seulement vous avez lutté contre les armements, l'union, l'esprit de sacrifice, mais vous avez lutté encore contre la liberté de penser autrement que vous, la fraternité qui domine les opinions particulières, la morale usuelle, l'idée religieuse, l'idée de Patrie, l'idée de Famille, de maison, et plus généralement toute idée fondant un Être, quel qu'il soit, dont l'homme puisse se réclamer. Vous êtes partisan fanatique de la destruction absolue de tous ces ensembles. Vous êtes sans doute anti-naziste, mais au titre même où vous êtes anti-chrétien. Et vous êtes moins attaché à lutter contre le nazisme que vous êtes acharné à ruiner les faibles remparts qui s'opposaient à lui.[…]

Il est certain que la liberté qui m'est chère n'a aucun rapport avec la vôtre. Dans le domaine du sentiment elle est pudeur et droit au silence sur ce qui me touche. Elle est droit au respect d'autrui. Dans le domaine de la pensée elle est droit accordé à chacun de choisir pour vérité sa propre synthèse des matériaux communs, de choisir ses propres concepts directeurs, en un mot d'énoncer librement l'univers. Ainsi Einstein reprend les décimales connues de Newton et renverse le système newtonien, pour monter l'édifice, cohérent aussi, mais plus vaste de la relativité. Ma liberté m'oblige de respecter André Breton quand il fait d'un litige droite-gauche l'axe essentiel des problèmes du monde. Je ne « condamne » pas André Breton. Mais l'exercice de cette même liberté m'autorise à penser que le camarade « de droite » qui non seulement eût signé un Manifeste contre le nazisme — et, de plus, est mort — est plus proche de moi que tel homme de gauche qui s'est soigneusement mis à l'abri. J'ai le droit, au nom de ma liberté de penser, de choisir tel autre axe qui m'éclaire mieux la réalité que je prétends lire. […]

Vous n'avez pas connu de Français qui acceptassent la mort. Or j'ai connu beaucoup de Français qui ont revendiqué le risque de mort, et sont morts. Je crois aux actes, non aux grands mots. Mes actes me prouvent tout simplement que mes amis valaient mieux que les vôtres.

Antoine de Saint-Exupéry

XI

LES DÉBUTS DE LA IVᵉ RÉPUBLIQUE
(1945-1947)

L'année 1945 est celle de la victoire et, pour la majorité des Français, celle-ci est avant tout l'œuvre du général de Gaulle, lequel jouit à cette date d'une immense popularité (texte n° 1). Elle est aussi, à l'issue de quatre années d'occupation et passée l'euphorie de la Libération, l'année du bilan, et celui-ci est lourd. La France est sortie du conflit affaiblie, tant sur le plan démographique (600 000 morts et un très fort déficit de naissances) qu'économique. Les destructions ont été considérables (usines, immeubles, entreprises agricoles, matériel ferroviaire, ports, flotte de commerce) et la situation financière — du fait notamment du poids des prélèvements allemands — est catastrophique. La pénurie de produits et la thésaurisation forcée qui en découle provoquent une forte inflation, la flambée des prix se trouvant entretenue par le marché noir.

Les nécessités de l'heure rejoignant les exigences qui s'étaient manifestées dans les milieux de la Résistance lors de l'élaboration du programme du CNR, l'État s'engage dans une politique d'intervention qui se traduit notamment par une vague de nationalisations affectant surtout l'énergie, les transports et le crédit (texte n° 2), par l'adoption d'une planification souple et par la mise en œuvre de vastes réformes sociales. Ces mesures, conjuguant leurs effets avec ceux de l'aide financière consentie à la France par les États-Unis, vont permettre une reprise de la production qui, dans un premier temps, affecte surtout les biens d'équipement. Les produits de consommation demeurant rares, l'inflation continue de sévir, de même que le marché noir, ce qui incline le ministre de l'Économie, Pierre Mendès France, à préconiser des mesures rigoureuses que le général de Gaulle refuse d'appliquer (texte n° 3).

La remise en route de l'économie s'effectue dans un contexte politique mouvant. Jusqu'en octobre 1945, la France reste dirigée par un gouvernement provisoire (le GPRF), que préside le général de Gaulle. Or, celui-ci a promis de « rendre la parole au peuple ». Le 21 octobre 1945 (on a attendu non seulement la fin des hostilités mais aussi le retour des prisonniers et déportés), les Français sont donc appelés par référendum à se prononcer sur l'instauration d'une IVᵉ République — ce que choisissent 96 % des votants — dont le cadre institutionnel sera défini par l'Assemblée constituante élue le même jour (texte n° 4). Les trois quarts des voix et des sièges vont aux trois grands partis issus de la Résistance ou renouvelés par celle-ci : le Parti communiste, le Parti socialiste et le Mouvement républicain populaire, de tendance démocrate-chrétienne.

Communistes et socialistes disposent de la majorité absolue à la Constituante. Entre eux et le général de Gaulle, qui a pourtant été élu à l'unanimité président du Gouvernement provisoire, le conflit ne tarde pas à éclater. Conflit avec le PCF qui se voit refuser l'un des trois ministères clés (texte n° 5) ; difficultés avec le Parti socialiste qui s'oppose à De Gaulle sur de multiples sujets, en particulier sur la question institutionnelle. Alors que le président souhaite un exécutif fort, les deux formations majoritaires entendent au contraire donner l'essentiel du pouvoir à une Assemblée unique. Conscient qu'il ne peut fléchir leur détermination, il démissionne le 20 janvier 1946 (texte n° 6).

Les socialistes ayant refusé de constituer avec le Parti communiste un gouvernement de gauche, c'est une coalition des trois principales forces politiques qui se met en place en janvier 1946, avec la conclusion d'une «charte» du «tripartisme». Le socialiste Félix Gouin devient président du Conseil et répartit entre ses dirigeants les portefeuilles ministériels, mais cette alliance de façade ne peut cacher très longtemps les divergences de fond, portant notamment sur le problème constitutionnel. Défendu par les communistes et les socialistes, un premier projet, donnant le pouvoir à une Assemblée unique, est rejeté par le peuple lors du référendum de mai 1946. De nouvelles élections en juin voient le MRP progresser alors que reculent les deux principales formations de gauche. Une seconde Constitution est alors votée par accord entre les trois composantes du tripartisme. Malgré le désaveu du général de Gaulle (texte n° 7), qui a vainement attendu qu'on le rappelle, elle est adoptée en octobre 1946 par 53 % des votants (texte n° 8).

Après les élections de novembre, qui marquent un net recul des socialistes et une discrète remontée des modérés et des radicaux, suivies d'un bref intermède de cabinet homogène socialiste présidé par Blum, s'achève la mise en place des institutions nouvelles avec les élections au conseil de la République, puis celle du président de la République, remportée par le socialiste Vincent Auriol, lequel fait appel fin janvier 1947, pour diriger le gouvernement, à un autre socialiste : Paul Ramadier.

Commence alors pour la IVᵉ République l'année de tous les dangers. Dans le contexte de la première vague de décolonisation et du basculement de l'Europe et du monde dans la guerre froide, le gouvernement Ramadier doit faire face à la fois aux mouvements de libération outre-mer (Indochine, Madagascar), à la pression exercée par l'URSS sur la scène internationale et à une vague d'agitation sociale provoquée par la politique de blocage des salaires appliquée et que soutiennent le PCF et la CGT.

Amenée à choisir son camp, dans le conflit larvé qui oppose les deux superpuissances, la France opte pour celui des démocraties, ce qui ne peut que hâter l'éclatement du tripartisme. Le 4 mai 1947, lorsque les ministres communistes votent avec les députés de leur parti contre le gouvernement dont ils sont membres dans un scrutin de confiance demandé par Ramadier, celui-ci décide de les écarter du pouvoir (texte n° 9). Le tripartisme a bel et bien vécu.

Chassés du gouvernement, les communistes organisent à partir de l'automne 1947 grèves et manifestations violentes destinées à empêcher le «camp impérialiste» d'attaquer l'Union soviétique. Fondé en avril 1947 par le général de Gaulle, et inscrivant d'entrée de jeu son action dans l'opposition au régime, le Rassemblement du peuple français (RPF) profite de cette situation quasi insurrectionnelle pour effectuer une percée qui se transforme en triomphe lors des élections municipales de 1947. Face à cette double menace, les partis qui soutiennent la IVᵉ République s'unissent dans la Troisième Force (texte n° 10). Au début de 1948, le pays paraît au bord de la guerre civile.

1. « L'heure de la résurrection et de la justice »
(Mai 1945)

Ce discours a été prononcé le 15 mai 1945 par Félix Gouin devant l'Assemblée consultative dont il était le président depuis 1943, une semaine après l'annonce de la capitulation allemande. Il traduit la très grande euphorie qui règne à cette date dans l'opinion et dans la classe politique issue de la Résistance, ainsi que l'immense prestige dont jouit encore le général de Gaulle.

L'Assemblée consultative n'a pas été élue par le peuple. Elle a été instituée à Alger, le 17 septembre 1943, pour doter le CFLN (Comité français de libération natinale) d'un organe représentant (comme le CNR en France occupée) les mouvements de résistance et les partis de la IIIe République ralliés à la France libre. Ne pouvant ni investir ni renverser le gouvernement, elle est cependant le lieu de discussions où sont examinés les problèmes politiques et les ordonnances législatives. En octobre 1944, dans la France libérée, elle est grossie de 148 délégués de la résistance intérieure, dont les membres du CNR. Elle restera en fonction jusqu'à l'élection de la Constituante en octobre 1945.

Le président de l'Assemblée consultative, Félix Gouin, a été avocat et député socialiste d'Aix-en-Provence. Le 10 juillet 1940, il a été parmi les 80 parlementaires qui ont refusé de voter les pleins pouvoirs au maréchal Pétain. En 1942, lors du procès de Riom, c'est lui qui a assuré la défense de Léon Blum. Il a ensuite gagné l'Angleterre où il a représenté la SFIO auprès de De Gaulle. Il succédera à ce dernier, comme chef du Gouvernement provisoire, de janvier à juin 1946.

Source : Discours de Félix Gouin, président de l'Assemblée consultative, 15 mai 1945, ministère de l'Information, Office français de l'édition, 1945.

Bibliographie : J. Chapsal, *La Vie politique en France de 1940 à 1958*, Paris, PUF, 1984.

M ONSIEUR LE PRÉSIDENT du Gouvernement provisoire de la République française, Messieurs les Ministres,
Mesdames, Messieurs et Chers Collègues,

L'heure de la résurrection et aussi celle de la justice, récompense suprême des peuples qui ne s'abandonnent point, vient enfin de sonner pour la France, puisque voici huit jours que nous connaissons la bouleversante nouvelle de la capitulation inconditionnelle du Reich.

Berlin, capitale des *junkers* orgueilleux, cerveau et cœur de la monstrueuse machine de guerre allemande, Berlin, conquise de haute lutte par la valeureuse Armée rouge, n'est plus aujourd'hui qu'un tombeau dévasté, où gît désormais, dans la boue sanglante qu'il mérite, le rêve insensé du fanatisme hitlérien.

À cette évocation mémorable, nous sentons vibrer en nos cœurs toutes les joies et toutes les douleurs que nous refoulions silencieusement en nous depuis bientôt cinq ans.

Nos douleurs : ce sont celles que notre peuple partageait stoïquement avec les millions d'êtres humains promis à la mort par le dément furieux de Berchtesgaden.

Dans l'affreuse tourmente déchaînée par lui à travers le monde, nous avons vu pâlir et s'éteindre peu à peu les douces clartés que des siècles de civilisation avaient fait briller sur le front des hommes.

La passion de la vérité et de la justice, la tolérance mutuelle pour les idées et les croyances, la fraternité confiante des peuples et des races, le caractère sacré de la dignité individuelle, tout cela, qui était le sel et l'honneur de la vie, a été piétiné, nié, foulé sauvagement aux pieds, au nom d'une monstrueuse idéologie guerrière, puisant sa source à la fois dans les instincts de la brute et dans les lois de la jungle.

Le crime inexpiable du fascisme, de tous les fascismes, c'est d'avoir tenté, c'est d'avoir osé cela, tandis que la honte de notre époque aura été de voir de fausses élites pliant le genou devant l'imposture et la bestialité triomphante.

Notre joie, notre pure joie, notre divine joie, c'est d'assister aujourd'hui au reflux de l'ignominieuse marée qui semblait prête à engloutir l'univers tout entier !

Et c'est aussi de savoir désormais effondrée dans sa tanière la bête immonde du nazisme, dont chaque foulée laissait après elle comme une apocalypse de crimes et d'horreurs mêlés.

Notre orgueil à nous, Français de la Résistance, c'est d'avoir coopéré de toutes nos forces à cette magnifique revanche de la justice et du droit : c'est d'avoir entendu, du fond de l'abîme où nous avaient précipités l'intrigue et la trahison, la grande voix française qui, par-delà les ombres sinistres de la défaite, prophétisait déjà, le 18 juin 1940, le retour inéluctable et certain à la lumière vengeresse.

Cette voix, est-il besoin de le rappeler, c'était celle du général de Gaulle, c'était celle de l'homme dans lequel la France tout entière s'est reconnue et retrouvée, parce qu'il fut pour elle, en cet instant pathétique de son histoire, le symbole même de son invincible espérance et l'écho puissant de sa volonté farouche de vivre.

« La flamme de la résistance française ne doit pas s'éteindre et ne s'éteindra jamais », avait proclamé le général de Gaulle, et ce verbe inspiré a fait surgir, des sillons de France, toute une prodigieuse moisson de héros, unissant en eux l'élan patriotique des volontaires de l'an II à l'indomptable courage des vieux grognards de l'Empire. [...]

N'oublions pas surtout, après nous être inclinés pieusement devant ces fils glorieux de notre patrie, d'associer à notre admiration et à notre gratitude tous ceux à qui nous sommes redevables de l'indicible joie qui, à travers le monde, a fait bondir le cœur de tous les êtres qui surent rester dignes de la noblesse et de la grandeur de l'homme.

C'est donc tout naturellement que nous saluons, avec une ferveur recueillie, la ténacité légendaire de la Grande-Bretagne qui, au moment de la ruée des périls, fut l'ancre de salut où s'accrocha solidement le frêle esquif de la liberté. Sans elle, l'esprit du mal triomphait dans le monde. Grâce à l'abnégation de l'Angleterre, il est aujourd'hui à jamais terrassé.

Notre pensée reconnaissante va également à la glorieuse Armée rouge, splendide instrument de guerre qui, au prix d'un héroïsme surhumain, a tissé fil à fil le linceul du nazisme aux mains sanglantes.

Et notre infinie gratitude est acquise encore aux fils de la libre Amérique, qui ont déversé sur l'ennemi le flot continu d'un matériel immense, servi par une pléiade de guerriers valeureux.

Comment oublier, dans ce large tribut de reconnaissance, ce que nous devons aussi aux nations qui furent envahies, pressurées et sauvagement piétinées par leur provisoire vainqueur, et qui, sœurs d'infortune de la France, voient se lever sur elles l'aube resplendissante de la délivrance.

J'ai nommé, Mesdames, Messieurs, vous l'avez déjà compris : la Chine, la Tchéco-slovaquie, la Pologne, la Hollande, la Belgique, le Luxembourg, la Yougoslavie et la Grèce, dont la longue insomnie vient à peine de prendre fin.

Honneur donc, à tous les morts et à tous les martyrs de cette grande guerre, honneur à nos soldats, à nos marins et à nos aviateurs, entrés vivants dans l'immortalité, honneur enfin à notre nation et à tous les peuples alliés qui ont jalonné de leurs sacrifices sans nombre les sentiers de lumière où s'épanouit aujourd'hui la liberté renaissante. [...]

2. La démission de Mendès France
(6 juin 1945)

Avocat, député radical de l'Eure depuis 1932, maire et conseiller général de Louviers, Pierre Mendès France est devenu à trente et un ans sous-secrétaire d'État au Trésor dans le second cabinet Léon Blum. Ce passage dans un gouvernement de Front popu-laire et sa présence dans le petit groupe de parlementaires qui, en 1940, s'était embar-qué à bord du Massilia, avec l'intention de poursuivre la lutte en Afrique du Nord, lui ont valu d'être arrêté dès le début du régime de Vichy sous l'inculpation de désertion et d'être condamné par un tribunal militaire à six ans de prison, à la dégradation mili-taire et à la privation de ses droits civiques.

Évadé en juin 1941, Mendès France a rejoint à Londres le général de Gaulle et s'est engagé comme officier navigateur dans le groupe d'aviation Lorraine. En 1943, il devient commissaire aux Finances du Comité français de libération nationale (CFLN), puis ministre de l'Économie nationale dans le Gouvernement provisoire. Après avoir présidé la délégation française à la Conférence de Bretton Woods, il retrouve ce poste en septembre 1944. Cherchant un remède à la forte inflation qui paralyse les efforts de reconstruction économique du pays, il prône une politique financière rigoureuse impli-quant un échange des billets de banque et un blocage général des avoirs des particu-liers. Ceux-ci ne seraient débloqués que peu à peu, avec la reprise progressive de la production. Jugeant cette politique inapplicable à une population qui venait de subir les rigueurs de l'Occupation, De Gaulle refusa le remède proposé par son ministre de l'Économie, préférant à celui-ci les mesures plus classiques et plus souples que préco-nisait le ministre des Finances René Pleven : ce qui entraîna la démission de Pierre Mendès France. Dans une lettre adressée au chef du gouvernement, ce dernier explique les raisons de son départ.

Source : Lettre de démission de Pierre Mendès France, ministre de l'Économie natio-nale, le 6 juin 1945 ; citée *in* Jacques Fauvet, *La IVᵉ République*, Paris, Fayard, 1959, pp. 365-367.

Bibliographie : J. Lacouture, *Mendès France*, Paris, Seuil, 1981 ; J. Le Bourva, *L'Inflation française d'après-guerre, 1944-1949*, Paris, Armand Colin, 1952.

L E PAYS RECONNAÎTRA les errements, hélas trop longtemps pratiqués, qui ont caractérisé dans le passé la politique dite de la confiance. Après l'emprunt, on nous a proposé la réévaluation du stock d'or de la Banque de France ; on nous a saisis d'un budget dont les dépenses sont trois fois et demie plus élevées que les recettes, sans qu'aucun effort de compression, de classification des urgences ait été opéré ; on annonce l'amnistie pour ceux qui déclareront, avec quelque retard, leurs avoirs à l'étranger ; on nous fait prévoir l'emprunt à jet continu ; il ne manque même pas les douzièmes provisoires à cette série bien connue d'un pays qui réclame du «neuf». Tout cela a été fait et refait vingt fois dans les années d'avant-guerre avec les résultats que l'on connaît. Le manque de courage et d'imagination dans les finances publiques a été, tout autant que les erreurs dans les doctrines militaires, une cause essentielle de la défaite de 1940.

Politique de confiance, c'est-à-dire politique de facilité ; cette facilité porte un nom qui est l'inflation, l'inflation sans contrepartie ni contre-mesure.

Seule l'inflation permet à la fois de satisfaire les demandes d'augmentation de salaires, d'accorder des accroissements de tarifs ou de prix (au marché officiel ou au marché noir) et même des dégrèvements fiscaux (car il en figure de substantiels dans la dernière loi des finances), le tout sans inquiéter sérieusement ceux qui ont accumulé des avoirs considérables et cachés, et sur qui l'on compte au fond pour souscrire aux futurs emprunts ; en même temps, l'inflation gorge les spéculateurs d'une hausse constante et assurée, les enrichit automatiquement (je sais bien que l'on n'entend pas les favoriser ; je crois même que l'on veut sincèrement les traquer) ; mais ne voit-on pas qu'ils sont les seuls bénéficiaires et les principaux soutiens de la politique de faiblesse à laquelle on reste malheureusement attaché. [...]

Or, j'y reviens, distribuer de l'argent à tout le monde *sans en reprendre à personne*, c'est entretenir un mirage, un mirage qui autorise chacun à croire qu'il va vivre aussi bien, et faire autant et plus de bénéfices qu'avant la guerre ; alors que les dévastations, les spoliations, l'usure du matériel et des hommes ont fait de la France un pays pauvre, alors que la production nationale est tombée à la moitié du niveau d'avant-guerre. C'est la solution commode immédiatement. Il est plus facile de consentir des satisfactions *nominales* que d'accorder des satisfactions *réelles*, plus facile de profiter de l'illusion des gens qui réclament des billets, dans le vain espoir d'accéder, eux aussi, au marché noir, et de s'y procurer du beurre avec leur surcroît de papier-monnaie. Mais plus on accorde de satisfactions nominales, moins on peut donner de satisfactions réelles. Car plus on fait fleurir le marché noir par l'inflation, plus on y fait monter les prix et plus se dérobe le mirage d'un «marché noir pour tous», plus on augmente l'écart entre prix illicites et prix taxés et moins il vient de produits sur le marché régulier, plus se confirme le privilège des riches et se détériore la condition des pauvres. Combien de temps ce jeu peut-il durer et où mène-t-il? [...]

Ne croyez pas, mon Général, que je pousse le tableau au noir. Il n'est que d'ouvrir les yeux pour voir se développer le processus inflationniste auquel tant de pays ont succombé après l'autre guerre. Déjà la sensation d'insécurité monétaire provoque partout de nouvelles demandes de hausse de traitements et de salaires. [...]

Les fonctions que vous m'avez confiées me mettent en rapport quotidien avec les milieux de producteurs. Je connais la limite à partir de laquelle ils s'abandonneront à la démoralisation et aux tentations du marché noir et cette limite est atteinte, sinon dépassée. [...]

J'ai peur, mon Général, que par un souci très compréhensible d'arbitrage, vous n'inclinez à faciliter, ou tout au moins à admettre, les compromis. Mais il est des matières où la _demi-mesure est une contre-mesure_ ; qui ne le sait mieux que vous ? [...]

Nous sommes engagés dans la spirale ; la différence entre mes contradicteurs et moi, c'est que, consciemment ou non, ils escomptent l'équilibre réalisé en hausse plus ou moins automatiquement sans intervention, c'est-à-dire un miracle ; malheureusement, il n'existe dans le passé aucun précédent connu d'un miracle de ce genre. Il faut bien le dire tout net : le choix est entre le coup d'arrêt volontairement donné et l'acceptation de dévaluation indéfinie du franc.

© Fayard

3. Le référendum de 1945 : De Gaulle plébiscité ?

Dans cet article publié en décembre 1945 dans la revue Esprit, _François Goguel, alors secrétaire général de la toute jeune Fondation nationale des sciences politiques (il a fait carrière depuis 1931 dans l'administration du Sénat, mais il n'y a plus de Sénat à cette date et pas encore de conseil de la République), analyse les résultats du scrutin référendaire du 21 octobre 1945 et ceux des élections à l'Assemblée constituante._

Le référendum proposé aux Français comportait deux questions. La première soumettait à leur approbation le principe de la rédaction d'une nouvelle Constitution (donc l'abandon des institutions de la IIIe République). Le général de Gaulle préconisait le « oui », de même que tous les partis politiques à l'exception des radicaux. La seconde question portait sur les pouvoirs de l'Assemblée élue le même jour et qui serait appelée à élaborer le nouveau texte constitutionnel. De Gaulle avait souhaité qu'elle eût des pouvoirs limités et une durée de vie réduite à sept mois. Les socialistes, le MRP et les modérés se rallièrent à ses vues et préconisèrent le « oui », alors que les communistes se joignirent aux radicaux pour demander aux électeurs de voter « non ».

Le texte proposé par le gouvernement fut adopté, avec 96 % de « oui » à la première question et 66 % à la seconde. La différence entre les deux chiffres délimite, grosso modo, l'influence politique potentielle du PCF et elle n'est pas mince : les communistes obtiendront 26,2 % des voix dans le scrutin du 21 octobre et 28,2 % aux élections de novembre 1946. Mais — et c'est ce point qui retient l'attention de François Goguel — le score obtenu par le double « oui » marque en même temps à quel niveau se situe le crédit du général de Gaulle et fait du référendum du 21 octobre un véritable plébiscite en sa faveur.

Source : François Goguel, « Les débuts de la Constituante », _Esprit_ n° 13, 1er décembre 1945.

Bibliographie : F. Goguel, _Géographie des élections françaises sous la Troisième et la Quatrième Républiques_, Paris, Armand Colin, 1970 ; J. Chapsal et A. Lancelot, _La Vie politique en France depuis 1940_, Paris, PUF.

IL EST CLAIR en effet qu'il[1] possède sur une importante fraction de l'esprit public un crédit qui balance celui de l'Assemblée constituante. Ce crédit s'est manifestement accru depuis le référendum : aussi me semble-t-il que les communistes doivent comprendre aujourd'hui combien il a été dangereux de leur part de faire de ce dernier un plébiscite. Car s'il l'est devenu, c'est en grande partie parce qu'ils ont affirmé qu'il l'était, sous prétexte que la deuxième question contenait je ne sais quels pièges contre la souveraineté nationale. Et s'ils avaient préconisé, ou simplement admis le double « oui » (qui, on le voit bien aujourd'hui, laisse par lui-même l'Assemblée entièrement souveraine), le résultat du référendum n'aurait pas pu faire l'objet d'applications personnelles à De Gaulle, et la situation de l'Assemblée serait plus solide qu'elle ne l'est. Je n'énonce pas ces remarques par vain souci de polémiques rétrospectives, mais simplement parce qu'elles me paraissent nécessaires à la compréhension exacte de la conjoncture politique présente. [...]

L'échec des communistes sur la deuxième question du référendum ayant donné au général de Gaulle l'apparence d'être plébiscité, il tient désormais nécessairement, qu'il soit ou non président du gouvernement, une place de premier plan dans la vie publique de la nation. Et surtout ce qui, en toute hypothèse, aurait été en quelque mesure une situation de fait à cause de tout ce que le général a fait pour la France depuis cinq ans, paraît être une situation de droit, parce qu'un tiers seulement des électeurs a suivi ceux qui préconisaient le « non » comme le seul moyen de faire échec au plébiscite.

4. La situation politique vue par Maurice Thorez après les élections de 1945

Dans un ouvrage autobiographique dont la première édition date de 1937 et la dernière de 1970 — Fils du peuple — Maurice Thorez, secrétaire général du Parti communiste de 1931 à sa mort (1964), évoque rétrospectivement la situation politique de la France au lendemain des élections d'octobre 1945.

Vainqueurs du scrutin pour l'élection de l'Assemblée constituante, avec, pour les deux formations réunies, 49,6 % des voix et 302 sièges sur 586, socialistes et communistes auraient pu, ensemble, former un gouvernement de gauche disposant de la majorité absolue. C'est d'ailleurs ce que Thorez propose aux dirigeants de la SFIO. Mais ceux-ci refusent, par crainte de se voir pris en otages, puis laminés et finalement engloutis dans un processus « révolutionnaire » déjà en cours dans la partie de l'Europe occupée par l'Armée rouge. Au programme commun de gouvernement proposé par les communistes, ils opposent l'idée d'un front des trois grands partis : PCF, SFIO et MRP. C'est sur cette base, qui va devenir celle du « tripartisme », que le général de Gaulle est élu à l'unanimité président du Gouvernement provisoire, le 13 novembre 1945.

Source : Maurice Thorez, *Fils du peuple*, Paris, Éditions sociales, 1970, pp. 227-230.

Bibliographie : P. Robrieux, *Maurice Thorez, vie publique et vie privée*, Paris, Fayard, 1977 ; P. Buton, *Les Lendemains qui déchantent. Le Parti communiste à la Libération*, Paris, Presses de la FNSP, 1993.

---

1. Le général de Gaulle.

L ES ÉLECTIONS D'OCTOBRE 1945 confirmèrent les progrès de notre Parti. [...] Derrière nous venaient, avec plus de 4 millions de voix chacun[1], le Mouvement républicain populaire et le Parti socialiste. Ensemble, socialistes et communistes avaient la majorité absolue. Ensemble nous aurions pu aborder les tâches de la reconstruction. [...]

Les communistes et les ouvriers socialistes voulaient un gouvernement de gauche pour appliquer ce programme. Ils voulaient l'unité. Mais les chefs socialistes s'y refusaient. Ce qu'ils ont toujours redouté le plus, c'est l'unité.

Le 10 novembre, je prononçai à Ivry-sur-Seine un discours où je réclamai une fois de plus la formation d'un gouvernement démocratique à direction socialiste et communiste. Malheureusement, les chefs du Parti socialiste gardaient les yeux fixés sur le MRP. [...]

Nous n'avons jamais eu d'illusion sur le MRP. Nous connaissions l'histoire : nous savions qu'après chaque bouleversement social, chaque changement dans le rapport des forces — et la Résistance avait été l'un de ces changements —, la réaction se regroupe derrière des enseignes nouvelles, pour donner le change et préparer sa contre-offensive. Dans les sections du MRP, il y avait des résistants authentiques, d'anciens militants des Jeunesses ouvrières catholiques et des syndicats chrétiens, sincèrement désireux de servir la cause des travailleurs. Le MRP n'en était pas moins un paravent derrière lequel se groupaient des forces sociales qui avaient soutenu le pouvoir de Vichy. Des scrutins ultérieurs confirmèrent notre appréciation. [...]

Puisque la solution alors la plus favorable au peuple de France — un gouvernement de coalition communiste et socialiste — se révélait impossible, par suite du refus socialiste, nous étions amenés à nous rallier à la formule d'un gouvernement triparti. Un pareil gouvernement comportait de sérieux inconvénients. Cependant, notre présence, notre action, notre influence serviraient la cause de la classe ouvrière et du peuple ; elles permettraient certaines réformes et garantiraient, en même temps que la défense de la nouvelle Constitution, une politique de paix et de progrès.

Le 13 novembre, nous votâmes avec tous les partis pour l'élection du général de Gaulle. Mais la règle démocratique exigeait que le premier parti à l'Assemblée eût au gouvernement une représentation conforme à son importance dans le pays. [...] Le général de Gaulle refusant d'attribuer à un représentant de notre Parti l'un des trois grands ministères[2], offrit sa démission à l'Assemblée. Cette dernière le confirma dans son mandat sur proposition socialiste, par un scrutin dans lequel notre Parti s'abstint, considérant que le général de Gaulle avait effectivement donné sa démission. Les négociations pour la constitution du gouvernement reprirent aussitôt. Le général de Gaulle convoqua tous les groupes, comme le texte voté l'y obligeait. Notre controverse avec lui aboutit à un compromis[3].

© Éditions sociales

---

1. Le Parti socialiste recueillait 23,6 % des suffrages et 142 sièges, le MRP 23,9 % des voix et 152 sièges.
2. Les Affaires étrangères, l'Intérieur et la Défense nationale.
3. Les communistes n'obtenaient que 5 portefeuilles sur 21. Ils ne recevaient aucun des ministères clés, mais seulement celui de l'Armement, distinct de la Défense nationale et dépourvu de véritables responsabilités militaires. En revanche, ils se voyaient attribuer des charges importantes en matière économique et sociale, avec les ministères de l'Économie nationale et du Travail, avec l'espoir — dont ils étaient d'ailleurs conscients — qu'ils se heurteraient aux revendications ouvrières. Marcel Cachin, directeur de _L'Humanité_, parla à cette occasion de « traquenard ».

5. Le départ du général de Gaulle

(Janvier 1946)

Dans cette lettre adressée au président de l'Assemblée constituante, le 21 janvier 1946, le général de Gaulle donne les raisons officielles de son départ : la transition est achevée, la vie et la sécurité des Français n'est plus menacée, la France a retrouvé sa place dans la société internationale. En réalité, au-delà de ces mobiles de circonstance, c'est la question même des institutions qui est en jeu. Au régime d'assemblées, plus ou moins recrépi, qui avait, estime-t-il, conduit la France au désastre de 1940, il oppose son projet d'exécutif fort, non directement dépendant du système des partis. Le 1ᵉʳ janvier 1946, dans un discours célèbre, il a marqué clairement son refus d'un régime qui donnerait tous les pouvoirs à l'Assemblée, et il a solennellement mis en garde les députés : « Veut-on un gouvernement qui gouverne ou bien veut-on une Assemblée omnipotente déléguant un gouvernement pour accomplir ses volontés ? » La Commission chargée de rédiger la Constitution paraissant s'orienter dans cette voie et le tenant à l'écart de ses travaux, il donne sa démission, persuadé qu'il ne tardera pas à être rappelé au pouvoir. Or le MRP, le « parti de la fidélité », sur lequel il comptait pour faire pression sur la classe politique et pour imposer son retour, décide de ne pas le suivre dans sa retraite. Après quelques jours d'attente, il gagnera Colombey-les-Deux-Églises, prologue à une longue « traversée du désert ».

Source : Lettre de démission du général de Gaulle, président du Gouvernement provisoire, à Félix Gouin, président de l'Assemblée constituante, 21 janvier 1946, *L'Année politique, 1946*, Éd. du Grand siècle, 1947, pp. 529.

Bibliographie : J. Lacouture, *De Gaulle*, t. 2., *Le politique*, Paris, Seuil, 1985.

MONSIEUR LE PRÉSIDENT,
Je vous serais reconnaissant de bien vouloir faire connaître à l'Assemblée nationale constituante que je me démets de mes fonctions de président du Gouvernement provisoire de la République.

Depuis le jour même où j'ai assumé la charge de diriger le pays vers sa libération, sa victoire et sa souveraineté, j'ai considéré que ma tâche devait prendre fin lorsque serait réunie la représentation nationale et que les partis politiques se trouveraient ainsi en mesure d'assumer leurs responsabilités.

Si j'ai accepté de demeurer à la tête du Gouvernement après le 13 novembre 1945, c'était à la fois pour répondre à l'appel unanime que l'Assemblée nationale constituante m'avait adressé et pour ménager une transition nécessaire. Cette transition est aujourd'hui réalisée.

D'autre part, après d'immenses épreuves, la France n'est plus en état d'alarme. Certes, maintes souffrances pèsent encore sur le peuple français, et de graves problèmes demeurent, mais la vie même des Français est pour l'essentiel assurée. L'activité économique se relève. Nos territoires sont entre nos mains. Nous avons repris pied en Indochine. La paix publique n'est pas troublée.

À l'extérieur, en dépit des inquiétudes qui subsistent, l'indépendance est fermement établie. Nous tenons le Rhin. Nous participons au premier rang à l'organisation interna-

Otionale du monde, et c'est à Paris que doit se tenir au printemps la première conférence de la Paix. En me retirant, j'exprime le vœu profondément sincère que le gouvernement qui succédera à celui que j'ai eu l'honneur de diriger réussisse dans la tâche qui reste à accomplir pour assurer définitivement les destinées du pays.

Veuillez agréer, Monsieur le Président, l'assurance de ma haute considération.

© PUF

6. Le discours de Bayeux
(16 juin 1946)

Contrairement à ses attentes, le général de Gaulle n'a pas été rappelé de sa retraite de Colombey pour diriger une équipe gouvernementale qui aurait doté la France d'une Constitution conforme à ses vœux. Le premier projet constitutionnel, qui faisait de l'Assemblée unique élue pour cinq ans, élisant le président de la République et le président du Conseil, pouvant renverser le gouvernement par un vote de censure, le véritable centre du pouvoir, ayant été rejeté le 5 mai par 53 % des voix — le corps électoral se prononçant ainsi contre un texte qui contenait en germe la possibilité d'un régime dominé par les communistes —, il fallut procéder à des élections pour désigner les représentants d'une nouvelle Constituante.

Or, le scrutin du 2 juin 1946 devait marquer un glissement du balancier électoral vers la droite. PCF et SFIO réunis n'avaient plus la majorité absolue des sièges. Le MRP voyait sa représentation croître (28,2 % des suffrages et 169 sièges), de même que le RGR (centre gauche) et les modérés (12,8 % des voix et 67 sièges).

Dans ces conditions, le second projet constitutionnel ne pouvait résulter que d'un compromis entre les vues des socialo-communistes et celles du MRP, lequel interviendra pour faire adopter dans le projet retenu les deux contrepoids à la toute-puissance de l'Assemblée que sont le rôle du président de la République et celui du conseil de la République.

Au lendemain du vote du 2 juin, le général de Gaulle qui s'était jusqu'alors tenu dans une réserve silencieuse, laissant au MRP le soin de combattre le premier projet, fait une rentrée spectaculaire. Le 16 juin, commémorant à Bayeux l'anniversaire de la libération de la ville, il prononce un discours retentissant dans lequel il pourfend le texte rejeté en juin et propose son propre projet : une Assemblée étroitement cantonnée dans ses attributions législatives et budgétaires, une seconde Chambre composée des élus des Conseils généraux et municipaux, des représentants de l'outre-mer et des « organisations économiques, sociales et intellectuelles », un président désigné par un collège élargi englobant le Parlement, des notables et des représentants de l'outre-mer. Ce projet tendancieusement présidentiel ne fut pas adopté par le MRP qui préféra, sous l'influence de Bidault, négocier avec les socialistes un texte davantage conforme aux vœux de la majorité parlementaire.

Source : Discours prononcé à Bayeux par le général de Gaulle le 16 juin 1946 ; texte in *Mémoires de Guerre*, t. 3., *Le Salut*, Paris, Plon, 1959, pp. 647-652.

Bibliographie : J. Charlot, *Le Gaullisme*, Paris, Armand Colin, 1970.

LA NATION et l'Union française attendent encore une Constitution qui soit faite [...]pour elles et qu'elles aient pu joyeusement approuver. À vrai dire, si l'on peut regretter que l'édifice reste à construire, chacun convient certainement qu'une réussite quelque peu différée vaut mieux qu'un achèvement rapide mais fâcheux.

Au cours d'une période de temps qui ne dépasse pas deux fois la vie d'un homme, la France fut envahie sept fois et a pratiqué treize régimes, car tout se tient dans les malheurs d'un peuple. Tant de secousses ont accumulé dans notre vie publique des poisons dont s'intoxique notre vieille propension gauloise aux divisions et aux querelles. Les épreuves inouïes que nous venons de traverser n'ont fait naturellement qu'aggraver cet état de choses. La situation actuelle du monde où, derrière des idéologies opposées, se confrontent des puissances entre lesquelles nous sommes placés, ne laisse pas d'introduire dans nos luttes politiques un facteur de trouble passionné. Bref, la rivalité des partis revêt chez nous un caractère fondamental, qui met toujours tout en question et sous lequel s'estompent trop souvent les intérêts supérieurs du pays. Il y a là un fait patent qui tient au tempérament national, aux péripéties de l'Histoire et aux ébranlements du présent, mais dont il est indispensable à l'avenir du pays et de la démocratie que nos institutions tiennent compte et se gardent, afin de préserver le crédit des lois, la cohésion des gouvernements, l'efficience des administrations et l'autorité de l'État.

C'est qu'en effet, le trouble dans l'État a pour conséquence inéluctable la désaffection des citoyens à l'égard des institutions. Il suffit alors d'une occasion pour faire apparaître la menace de la dictature. D'autant plus que l'organisation en quelque sorte mécanique de la société moderne rend chaque jour plus nécessaire et plus désiré le bon ordre dans la direction et le fonctionnement régulier des rouages. [...]

Il suffit d'évoquer cela pour comprendre à quel point il est nécessaire que nos institutions démocratiques nouvelles compensent, par elles-mêmes, les effets de notre perpétuelle effervescence politique. Il y a là, au surplus, pour nous une question de vie ou de mort, dans le monde et au siècle où nous sommes, où la position, l'indépendance et jusqu'à l'existence de notre pays et de notre Union française se trouvent bel et bien en jeu. Certes, il est de l'essence même de la démocratie que les opinions s'expriment et qu'elles s'efforcent, par le suffrage, d'orienter suivant leurs conceptions l'action publique et la législation. Mais aussi, tous les principes et toutes les expériences exigent que les pouvoirs publics : législatif, exécutif, judiciaire, soient nettement séparés et fortement équilibrés et qu'au-dessus des contingences politiques soit établi un arbitrage national qui fasse valoir la continuité au milieu des combinaisons.

Il est clair et il est entendu que le vote définitif des lois et des budgets revient à une Assemblée élue au suffrage universel et direct. Mais le premier mouvement d'une telle Assemblée ne comporte pas nécessairement une clairvoyance et une sérénité entière. Il faut donc attribuer à une deuxième Assemblée, élue et composée d'une autre manière, la fonction d'examiner publiquement ce que la première a pris en considération, de formuler des amendements, de proposer des projets. Or, si les grands courants de politique générale sont naturellement reproduits dans la Chambre des députés, la vie locale, elle aussi, a ses tendances et ses droits. Elle les a dans la Métropole. Elle les a, au premier chef, dans les territoires d'outre-mer, qui se rattachent à l'Union française par des liens très divers. Elle les a dans cette Sarre à qui la nature des choses, découverte par notre victoire, désigne une fois de plus sa place auprès de nous, les fils des Francs. L'avenir des 110 millions d'hommes et de femmes qui vivent sous notre drapeau est dans une organisation fédérative que le temps précisera peu à peu, mais dont notre Constitution nouvelle doit marquer le début et ménager le développement. [...]

Du Parlement, composé de deux Chambres et exerçant le pouvoir législatif, il va de soi que le pouvoir exécutif ne saurait procéder, sous peine d'aboutir à cette confusion des pouvoirs dans laquelle le gouvernement ne serait bientôt plus rien qu'un assemblage de délégations. Sans doute aura-t-il fallu, pendant la période transitoire où nous sommes, faire élire par l'Assemblée nationale constituante le président du Gouvernement provisoire, puisque, sur la table rase, il n'y avait aucun autre procédé acceptable de désignation. Mais il ne peut y avoir là qu'une disposition du moment. En vérité, l'unité, la cohésion, la discipline intérieure du gouvernement de la France doivent être des choses sacrées, sous peine de voir rapidement la direction même de notre pays impuissante et disqualifiée. Or, comment cette unité, cette cohésion, cette discipline, seraient-elles maintenues à la longue, si le pouvoir exécutif émanait de l'autre pouvoir, auquel il doit faire équilibre, et si chacun des membres du gouvernement, lequel est collectivement responsable devant la représentation nationale entière, n'était, à son poste, que le mandataire d'un parti ?

C'est donc du chef de l'État, placé au-dessus des partis, élu par un collège qui englobe le Parlement mais beaucoup plus large et composé de manière à faire de lui le président de l'Union française en même temps que celui de la République, que doit procéder le pouvoir exécutif. Au chef de l'État la charge d'accorder l'intérêt général quant au choix des hommes avec l'orientation qui se dégage du Parlement. À lui la mission de nommer les ministres et, d'abord, bien entendu, le Premier, qui devra diriger la politique et le travail du gouvernement. Au chef de l'État la fonction de promulguer les lois et de prendre les décrets, car c'est envers l'État tout entier que ceux-ci et celles-là engagent les citoyens. À lui la tâche de présider les Conseils du gouvernement et d'y exercer cette influence de la continuité dont une nation ne se passe pas. À lui l'attribution de servir d'arbitre au-dessus des contingences politiques, soit normalement par le Conseil, soit, dans les moments de grave confusion, en invitant le pays à faire connaître par des élections sa décision souveraine. À lui, s'il devait arriver que la patrie fût en péril, le devoir d'être le garant de l'indépendance nationale et des traités conclus par la France. [...]

Prenons le siècle comme il est. Nous avons à mener à bien, malgré d'immenses difficultés, une rénovation profonde qui conduise chaque homme et chaque femme de chez nous à plus d'aisance, de sécurité, de joie, et qui nous fasse plus nombreux, plus puissants, plus fraternels. Nous avons à conserver la liberté sauvée avec tant et tant de peine. Nous avons à assurer le destin de la France au milieu de tous les obstacles qui se dressent sur sa route et sur celle de la paix. Nous avons à déployer, parmi nos frères les hommes, ce dont nous sommes capables, pour aider notre pauvre et vieille mère, la Terre. Soyons assez lucides et assez forts pour nous donner et pour observer des règles de vie nationale qui tendent à nous rassembler quand, sans relâche, nous sommes portés à nous diviser contre nous-mêmes ! Toute notre Histoire, c'est l'alternance des immenses douleurs d'un peuple dispersé et des fécondes grandeurs d'une nation libre groupée sous l'égide d'un État fort.

© Plon

7. Préambule de la Constitution de 1946

Vivement critiqué par le général de Gaulle (discours d'Épinal, 22 septembre 1946), le second projet constitutionnel n'en sera pas moins adopté à l'issue du référendum d'octobre 1946, il est vrai par une courte majorité (53 % de «oui» contre 47 % de «non»), un tiers des électeurs ayant par ailleurs choisi de s'abstenir.

La Constitution de la IVe République consacre la prépondérance de l'Assemblée nationale, élue pour cinq ans à la représentation proportionnelle. C'est elle qui investit le président du Conseil, désigné par le président de la République, contrôle son action et renverse le gouvernement, à la suite du vote d'une motion de censure ou du refus de voter la question de confiance posée par le président du Conseil. Le conseil de la République ne peut donner que des avis et le président de la République, élu pour sept ans par les deux Chambres, a pour prérogative essentielle de désigner le chef du gouvernement. C'est donc bien l'Assemblée, et à travers elle les grands partis politiques, qui détient la réalité du pouvoir.

Le préambule de la Constitution énonce les grandes règles sur lesquelles reposent les institutions de la République.

Source : Constitution du 27 octobre 1946, Préambule.

Bibliographie : O. Le Cour Grandmaison, *Les Constitutions françaises*, Paris, La Découverte, 1996 ; F. Goguel, *Le Régime politique de la France*, Paris, Seuil, 1955.

A U LENDEMAIN de la victoire remportée par les peuples libres sur les régimes qui ont tenté d'asservir et de dégrader la personne humaine, le peuple français proclame à nouveau que tout être humain, sans distinction de race, de religion ni de croyance, possède des droits inaliénables et sacrés. Il réaffirme solennellement les droits et les libertés de l'homme et du citoyen consacrés par la Déclaration des droits de 1789 et les principes fondamentaux reconnus par les lois de la République.

Il proclame, en outre, comme particulièrement nécessaires à notre temps, les principes politiques, économiques et sociaux ci-après :

La loi garantit à la femme, dans tous les domaines, des droits égaux à ceux de l'homme.

Tout homme persécuté en raison de son action en faveur de la liberté a droit d'asile sur les territoires de la République.

Chacun a le devoir de travailler et le droit d'obtenir un emploi. Nul ne peut être lésé, dans son travail ou son emploi, en raison de ses origines, de ses opinions ou de ses croyances.

Tout homme peut défendre ses droits et ses intérêts par l'action syndicale et adhérer au syndicat de son choix.

Le droit de grève s'exerce dans le cadre des lois qui le réglementent.

Tout travailleur participe, par l'intermédiaire de ses délégués, à la détermination collective des conditions de travail ainsi qu'à la gestion des entreprises.

Tout bien, toute entreprise, dont l'exploitation a ou acquiert les caractères d'un service public national ou d'un monopole de fait, doit devenir la propriété de la collectivité.

La Nation assure à l'individu et à la famille les conditions nécessaires à leur développement.

Elle garantit à tous, notamment à l'enfant, à la mère et aux vieux travailleurs, la protection de la santé, la sécurité matérielle, le repos et les loisirs. Tout être humain qui, en raison de son âge, de son état physique ou mental, de la situation économique, se trouve dans l'incapacité de travailler a le droit d'obtenir de la collectivité des moyens convenables d'existence.

La Nation proclame la solidarité et l'égalité de tous les Français devant les charges qui résultent des calamités nationales.

La Nation garantit l'égal accès de l'enfant et de l'adulte à l'instruction, à la formation professionnelle et à la culture. L'organisation de l'enseignement public, gratuit et laïque à tous les degrés est un devoir de l'État.

La République française, fidèle à ses traditions, se conforme aux règles du droit public international. Elle n'entreprendra aucune guerre dans des vues de conquête et n'emploiera jamais ses forces contre la liberté d'aucun peuple.

Sous réserve de réciprocité, la France consent aux limitations de souveraineté nécessaires à l'organisation et à la défense de la paix.

La France forme avec les peuples d'outre-mer une Union fondée sur l'égalité des droits et des devoirs, sans distinction de race ni de religion.

L'Union française est composée de nations et de peuples qui mettent en commun ou coordonnent leurs ressources et leurs efforts pour développer leurs civilisations respectives, accroître leur bien-être et assurer leur sécurité.

Fidèle à sa mission traditionnelle, la France entend conduire les peuples dont elle a pris la charge à la liberté de s'administrer eux-mêmes et de gérer démocratiquement leurs propres affaires ; écartant tout système de colonisation fondé sur l'arbitraire, elle garantit à tous l'égal accès aux fonctions publiques et l'exercice individuel ou collectif des droits et libertés proclamés ou confirmés ci-dessus.

8. Le renvoi des ministres communistes
(Mai 1947)

Le 5 mai 1947, le Journal officiel *publie un décret daté de la veille et portant la signature de Vincent Auriol, Paul Ramadier et André Marie, respectivement président de la République, président du Conseil et ministre de la Justice, garde des Sceaux (A). Il met fin aux fonctions des ministres communistes à la suite du vote qu'ils ont émis contre le gouvernement dans le scrutin de confiance sur la politique salariale du gouvernement aux usines Renault. C'est — comme l'explique le président Auriol dans son* Journal *(B) — la rupture par les communistes de la solidarité ministérielle, principe cher au républicain de tradition qu'est Paul Ramadier, qui est à l'origine de la décision du chef du gouvernement, les ministres communistes refusant de démissionner. Pour Jacques Duclos, numéro deux du Parti communiste, il s'agit en fait d'une décision nourrie par l'anticommunisme et voulue par Washington (C) : thèse reprise et formulée jusqu'à une date récente, sans le moindre fondement documentaire, par un certain nombre d'historiens communistes ou proches du PCF.*

Sources : A) Décret du 4 mai 1947 portant modification du gouvernement et désignation de ministres intérimaires, *Journal officiel*, 5 mai 1947 ; B) Vincent Auriol, *Journal* *septennat, 1947-1954*, Paris, Armand Colin, 1970 ; C) Jacques Duclos, *Mémoires*, II, *Sur la brèche (1945-1952)*, Paris, Fayard, 1971, pp. 203-204.

Bibliographie : J.-J. Becker, «Paul Ramadier et l'année 1947», in *Paul Ramadier, la République et le socialisme*, sous la direction de S. Berstein, Bruxelles, Complexe, 1990 ; sur la thèse selon laquelle le renvoi des communistes aurait été imposé par Washington, cf. A. Lacroix-Riz, *Le Choix de Marianne. Les relations franco-américaines de la Libération aux débuts du plan Marshall, 1944-1948*, Paris, Messidor, 1986.

A. Décret du 4 mai 1947

Vu les articles 45 et 46 de la Constitution de la République française,
  Vu le décret en date du 22 janvier 1947 portant nomination des membres du gouvernement,
  Vu la communication à lui faite le 4 mai 1947 par laquelle M. Paul Ramadier, président du Conseil des ministres, lui fait connaître les modifications qu'il propose d'apporter à la composition du gouvernement.
  Décrète :
Article premier. — Les fonctions de MM. Maurice Thorez, ministre d'État, vice-président du Conseil ; François Billoux, ministre de la Défense nationale ; Ambroise Croizat, ministre du Travail et de la Sécurité sociale ; Charles Tillon, ministre de la Reconstruction et de l'Urbanisme, sont considérées comme ayant pris fin à la suite du vote qu'ils ont émis à l'Assemblée nationale le 4 mai 1947.
Art. 2. — M. Yvon Delbos, ministre d'État, est chargé de l'intérim du ministère de la Défense nationale.
  M. Robert Lacoste, ministre de la Production industrielle, est chargé de l'intérim du ministère du Travail et de la Sécurité sociale.
  M. Jules Moch, ministre des Travaux publics et des Transports, est chargé de l'intérim du ministère de la Reconstruction et de l'Urbanisme.
Art. 3. — Les attributions déléguées à M. Maurice Thorez, ministre d'État, vice-président du Conseil, en matière de fonction publique et de réforme administrative par le décret numéro 47292 du 19 février 1947 sont, à titre provisoire, déléguées dans les mêmes conditions à M. Pierre-Henri Teitgen, ministre d'État, vice-président du Conseil.
Art. 4. — Le présent décret sera publié au Journal officiel de la République française.

Fait à Paris, le 4 mai 1947

B. La rupture avec les communistes vue par le président Vincent Auriol

1er mai — 21 heures.
Je fais au Conseil des ministres un compte rendu de mon voyage en AOF. Le président du Conseil me remercie au nom du gouvernement et, sans transition, expose la situation politique créée par les divergences de vues entre ministres sur la politique générale. [...]
  Le refus par les ministres communistes d'accepter de continuer la politique définie par la déclaration ministérielle pose la question de la solidarité gouvernementale et de la majorité parlementaire. Par les articles 45 et 46 de la Constitution, c'est le président du Conseil qui est responsable devant l'Assemblée de la politique du gouvernement. C'est lui seul qui a choisi librement ses ministres. Je n'accepte aujourd'hui aucune démission.

Il faut que vous soumettiez le désaccord à l'Assemblée, il faut que le président du Conseil aille devant elle, lui explique les divergences de vues et la rupture de la solidarité ministérielle et demande à l'Assemblée si elle maintient à lui, président du Conseil, la confiance qu'elle lui a accordée. C'est un précédent qui vaudra pour toute la législature.

4 mai.
À 15 heures, Léon Blum et Ramadier sont venus me voir à Marly. Le président du Conseil me dit avoir vu Thorez après la séance et reçu de lui cette déclaration : « Nous n'entrerons pas dans l'opposition, nous ne démissionnerons pas, nous soutiendrons le gouvernement, d'ailleurs nous aurons des rapports avec lui sur les questions essentielles. »

Ramadier lui a répondu : « J'espère bien que vous n'entrerez pas dans une opposition systématique et je suis d'ailleurs moi-même décidé à ne faire ni anticommunisme, ni bloc quelconque contre vous, mais à continuer la politique que vous aviez vous-même adoptée. [...] »

À 21 heures se tient un conseil de cabinet. Les ministres communistes décident de ne pas démissionner. Dans ces conditions, et d'accord avec le secrétaire général de la présidence et Ramadier, un décret est préparé d'après lequel, invoquant les articles 45, 46 et 47 de la Constitution d'après lesquels le président du Conseil choisit ses ministres et par voie de conséquence peut se séparer d'eux s'il est en désaccord, les fonctions des ministres communistes ont pris fin en raison de leur vote hostile au gouvernement dont il font partie.

© Armand Colin

C. Le point de vue de Jacques Duclos

Logiquement, le gouvernement aurait dû s'en aller en bloc puisque le Comité directeur du Parti socialiste s'était prononcé pour la démission collective du gouvernement.

En tout cas, les ministres communistes étaient résolus à ne pas démissionner individuellement, mais Ramadier les démissionna et confia à Jules Moch, ministre des Travaux publics, le soin de se charger du ministère de la Défense nationale à la place de François Billoux, tandis que Robert Lacoste devait s'occuper du ministère du Travail à la place d'Ambroise Croizat.

Quant à Georges Marrane[1] qui était conseiller de la République et n'avait donc pas été amené à voter contre l'ordre du jour de confiance comme les ministres-députés l'avaient fait, il démissionna en signe de solidarité avec les autres camarades ministres.

Le président du Conseil, Paul Ramadier, s'était, de toute évidence, livré à une opération anticommuniste qui était d'inspiration et de portée internationale, car au même moment, des mesures d'élimination des communistes des gouvernements dont ils étaient membres étaient prises dans d'autres pays voisins.

© Fayard

---

1. Marrane était en charge du ministère de la Santé publique et de la population.

9. Blum fait le choix de la « Troisième Force »
(Novembre 1947)

Les premières élections à l'Assemblée nationale, le 10 novembre 1946, ont confirmé la prédominance du Parti communiste (28,2 % des voix et 183 sièges) et du MRP (25,9 % et 167 sièges), le déclin de la SFIO (17,8 %, 105 sièges) et la remontée en sièges des vieilles formations de la IIIe République (radicaux et modérés).

La formation du gouvernement souligne d'entrée de jeu les divisions qui vont aboutir en 1947 à l'éclatement du tripartisme. Après l'échec de Thorez, puis de Bidault, leaders des deux formations les plus largement représentées, c'est à Blum qu'échoit la charge de constituer une équipe ministérielle. Mais le vieux dirigeant socialiste va à son tour échouer, en raison de l'opposition du PC, dans sa tentative de former un ministère d'union nationale. Finalement, c'est un gouvernement socialiste homogène qu'il soumet à l'approbation de l'Assemblée nationale le 16 janvier 1947. Il ne restera en place qu'un mois, jusqu'à l'élection de Vincent Auriol comme président de la République, le 17 janvier.

Ramadier succède à Blum une dizaine de jours plus tard. C'est lui, chef d'un gouvernement tripartite qui comporte cinq ministres communistes, qui va devoir affronter les graves difficultés de l'année 1947 : problèmes coloniaux (guerre d'Indochine, révolte malgache), agitation sociale, guerre froide, et c'est le désaccord fondamental entre la majorité des membres du gouvernement et les représentants du PCF qui l'amène, début mai, à « démissionner » les ministres communistes.

Jusqu'à l'automne 1947, le PCF conserve une ligne modérée. Ne considérant pas son éviction du gouvernement comme définitive, il s'applique à donner l'image d'une force politique responsable et considère même avec faveur le plan Marshall, proposé en juin par les Américains pour aider au relèvement de la France. Tout change cependant après la création du Kominform et l'adoption par celui-ci de la « doctrine Jdanov » qui incite les partis communistes à empêcher, par tous les moyens, le « camp impérialiste » d'attaquer l'URSS. De là, la vague de grèves qui déferle sur la France, accompagnées de violences et de sabotages, et qui paraît devoir déboucher sur une véritable guerre civile.

Pour résister à la double menace — communiste et gaulliste (le RPF a été fondé par De Gaulle en avril 1947 et a aussitôt connu un succès foudroyant) — qui pèse sur le régime, les partis qui soutiennent celui-ci s'unissent dans la « Troisième Force ». À la chute du cabinet Ramadier, en novembre, Blum tente de constituer un gouvernement qui ne recevra pas l'aval de l'Assemblée. Dans le discours d'investiture qu'il prononce à cette occasion devant les députés, il définit ce qu'il entend lui-même par « Troisième Force ».

Source : Discours d'investiture prononcé par Léon Blum à l'Assemblée nationale le 21 novembre 1947, *Journal officiel, Débats parlementaires*, Assemblée nationale, 22 novembre 1947.

Bibliographie : D. Ligou, *Histoire du socialisme en France (1871-1961)*, Paris, PUF, 1962 ; J. Lacouture, *Léon Blum*, Paris, Seuil, 1977 ; J.-J. Becker, *Le Parti communiste veut-il prendre le pouvoir ?*, Paris, Seuil, 1982.

J'AURAIS EU bien des raisons légitimes de me soustraire au choix de M. le président de la République sans les circonstances présentes, je ne m'en suis pas reconnu le droit. Je suis ici pour vous demander de rendre cette désignation définitive.

Je ne crois pas avoir le besoin de me présenter à vous et l'heure n'est pas au long discours. La situation est grave. La République est en danger. La République qui, pour nous s'identifie avec la Patrie. Les libertés civiques, la paix unique, la paix tout court sont menacées.

Le danger est double. D'une part le communisme international a ouvertement déclaré la guerre à la démocratie française. D'autre part il s'est constitué en France un parti dont l'objectif et peut-être l'objectif unique est de saisir la souveraineté nationale de ses droits fondamentaux.

Je suis ici pour sonner l'appel. Je suis ici pour tenter de rallier tous les républicains — tous ceux qui se refusent à subir la dictature impersonnelle, non pas du prolétariat mais d'un parti politique, à tous ceux qui se refusent à chercher un recours contre ce péril dans le pouvoir personnel d'un homme.

L'expérience l'a montré. La forme la plus sûre de la défense républicaine est
— de rendre manifeste l'autorité de l'État républicain,
— d'imposer une discipline et une coordination à toutes les administrations publiques,
— d'assurer le fonctionnement régulier et efficace des organismes constitutionnels,
— de garantir la continuité de la vie économique.

Défendre la République, c'est, avant tout, montrer que la République continue.

C'est dans cet esprit que j'envisage les conflits sociaux qui apparaissent et se multiplient sur toute l'étendue du territoire. Il faut y faire face — avec fermeté c'est-à-dire sans rien promettre qu'on ne puisse tenir et en sachant de ne rien interdire qu'on doive concéder — mais avec un sang-froid et confiance.

L'amour de la République reste vivant au cœur de notre peuple, tout comme l'amour de la Patrie, ainsi que la France en a fait deux fois l'épreuve. La République est, pour la plus large part, l'œuvre des masses ouvrières, et elle est leur bien. C'est à cet instant profond et puissant que nous devons faire appel.

Il faut dissocier, dans les mouvements ouvriers, ce qui est entreprise d'agression et de destruction contre les institutions et les doctrines de la République, et ce qui est traduction légitime, ou en tout cas naturelle, de l'inquiétude ou de la souffrance. Il faut rechercher une collaboration confiante avec les organisations corporatives de la classe ouvrière sans aliéner entre leurs mains la moindre part de souveraineté de l'État démocratique. Il faut, dans le jeu quotidien de la vie syndicale, rétablir l'esprit, les principes, les usages de la démocratie. Il faut améliorer la condition ouvrière, et par conséquent le pouvoir d'achat effectif des salaires et des traitements jusqu'à l'extrême limite des possibilités présentes de l'économie française. Il faut mener une lutte inflexible contre la hausse du coût de la vie et contre l'inflation monétaire. Il faut rechercher un équilibre et une stabilisation des prix industriels, des prix agricoles, des salaires et des traitements, de la monnaie — jusqu'au jour où l'aide offerte à l'Europe par le gouvernement des États-Unis dans un noble esprit de solidarité internationale aura permis de donner à notre économie une coexistence durable.

Ce qu'on appelle la 3e Force n'est pas autre chose que l'Union des Républicains pour la liberté, pour la justice sociale et pour la paix.

La 3e Force doit trouver son expression politique dans la majorité à laquelle je fais appel et dans un gouvernement constitué, avec le plus large esprit de concorde, à l'image de cette majorité.

Elle doit trouver son expression dans le pays en incitant les républicains et les démocrates de toute qualité, de toute origine, à se rallier et à s'organiser pour la défense des libertés publiques.

Elle doit trouver son expression dans l'Union française en s'opposant tout à la fois aux fanatismes nationaux et à l'exploitation colonialiste, en créant entre la France et les peuples qui doivent s'associer à elle dans l'Union et y vivre côte à côte avec elle, une atmosphère de confiance mutuelle, de solidarité et d'affection.

Elle doit enfin trouver son expression sur le plan international. Il existe en Europe et sur tous les continents des États, des groupes, des individus, qui comprennent qu'en l'état présent de l'évolution économique, aucun des grands problèmes ne peut plus trouver de solution satisfaisante dans le cadre des frontières, qu'aucun peuple ne peut plus prospérer, ni même subsister sans une solidarité vitale avec les autres et qu'il faut se grouper, se fédérer, s'unir, ou périr. Ils n'acceptent pas de s'enrôler d'avance dans un des camps qui semblent se partager le monde, parce qu'ils perçoivent la nécessité de cette solidarité universelle, parce qu'ils mesurent le danger que feraient courir à la Paix, en se prolongeant, la division et l'opposition, parce qu'ils comprennent aussi ce que signifie aujourd'hui le mot guerre. Le rôle, la mission de la France est d'aider à la constitution de la 3e Force internationale, celle qui s'emploiera à aplanir les mésintelligences et à apaiser les soupçons par un effort infatigable de conciliation et de persuasion réciproques, celle qui n'admet pas pour les Nations d'autres assujettissements qu'aux pactes conclus entre elles et à la Charte commune qu'elles se sont donnée, mais qui ne reculera devant rien, fût-ce devant l'abandon par les États d'une fraction de leur souveraineté particulière, pour fournir à la communauté internationale l'autorité suprême qu'exigent la conservation de la Paix et la préservation de la condition humaine.

Voilà les déclarations que j'ai jugées indispensables. Je les préciserai et les compléterai tout à l'heure si vous le souhaitez. Je vous ai parlé gravement, avec une sincérité entière, sans aucun souci de vous masquer par des précautions de pensée ou de langage ce que je crois être la vérité ; ce que je crois être le devoir. Je vous demanderai en retour un vote sans équivoque et sans réticence, un vote qui vous engage aujourd'hui comme je me suis engagé moi-même et comme le gouvernement s'engagerait demain.

L'heure exige une majorité qui ait pris fortement conscience d'elle-même, qui s'oblige à soutenir courageusement, avec le gouvernement, une lutte dont je ne me dissimule ni les difficultés, ni même les périls. Le mot qui me hante depuis quelques heures est le mot sublime de Vergniau : «Périsse notre mémoire et que la République soit sauvée.»

XII

LA VIE POLITIQUE EN FRANCE
SOUS LA IVᵉ RÉPUBLIQUE

Soumis durant toute législature aux assauts conjugués des communistes (texte n° 1) et des gaullistes — le général ne manquant lui-même aucune occasion de critiquer le régime (texte n° 2) — les partis de la Troisième Force sont en désaccord sur nombre de points. Ils s'opposent notamment sur la politique scolaire (à propos de la question des crédits à l'école libre) et sur la politique économique et sociale. Les socialistes sont en effet hostiles au financement de l'enseignement privé (comme les radicaux), et favorables à des mesures sociales qui exigent un alourdissement de la pression fiscale. Le MRP n'est pas très éloigné d'eux sur ce point, mais il soutient fermement le principe d'une aide de l'État à l'école libre, qui a le soutien des modérés, en revanche alliés des radicaux dès lors qu'il s'agit de limiter les dépenses et l'impôt.

N'ayant d'autre point commun que la défense du régime et l'anticommunisme — attisé par la guerre froide (cf. chap. 13) et par l'attitude du PCF en regard du problème de la décolonisation (cf. chap. 14 et 15) —, ces partis sont donc condamnés à la coexistence et à l'immobilisme, seul moyen de limiter l'instabilité ministérielle. Il en résulte une désaffection croissante des Français pour la classe politique et pour le régime qui s'accompagne d'un glissement à droite de la majorité et de l'abandon progressif des pratiques dirigistes adoptées à la Libération. Président du Conseil en 1948-1949, Henri Queuille incarne parfaitement ce comportement attentiste des dirigeants de la IVᵉ République.

Pour conserver la majorité face aux communistes et au Rassemblement du peuple français (texte n° 3) aux législatives de 1951, les partis de la Troisième Force votent une loi électorale qui permet les « apparentements » (ils se partagent la totalité des sièges là où l'addition de leurs voix atteint la majorité absolue). Le résultat est l'élection d'une Assemblée où la Troisième Force reste de peu majoritaire (51,2 % contre 67,6 % en 1946) et où les six grands partis ont, avec des pourcentages de voix très différents (près de 27 % pour les communistes, 21,6 % pour le RPF, 12,6 % pour le MRP, 10 % pour le RGR), chacun une centaine d'élus : on parlera d'une Chambre « hexagonale ».

En mars 1952, c'est autour de l'un des dirigeants de la droite, l'indépendant Antoine Pinay (texte n° 4), que se constitue une majorité de centre-droit incluant les modérés, le MRP (grand vaincu des élections), les radicaux et une partie du RPF, prélude à l'éclatement de ce mouvement et à sa dissolution, à l'initiative du général de Gaulle en mai 1953. C'est cette nouvelle majorité qui, rejetant les socialistes dans l'opposition, a pris le relais de la Troisième Force. Elle va gouverner la France pendant plus de deux ans, d'abord sous le ministère Pinay (mars-décembre 1952), puis sous ceux que dirigent

René Mayer (janvier-juin 1953) et Joseph Laniel (juin 1953-juin 1954). Elle pratique une politique d'orthodoxie financière et de rigueur sociale qui provoque, durant l'été 1953, une vague de grèves affectant quatre millions de salariés du secteur public, lutte contre l'agitation communiste et s'engage dans des épreuves de force outre-mer, aussi bien en Afrique du Nord (Tunisie et Maroc) qu'en Indochine où l'action du corps expéditionnaire français tourne à la catastrophe.

Très ébranlée par la querelle sur la Communauté européenne de défense (cf. chap. 13), la majorité de centre droit — qui a difficilement porté à la présidence de la République en décembre 1953 le modéré René Coty, successeur de Vincent Auriol — ne résistera pas au désastre de Diên Biên Phû en Indochine. Le régime paraît alors à bout de souffle, miné par ses problèmes intérieurs et apparemment incapable de faire face aux défis internationaux et à ceux de la décolonisation.

L'expérience Mendès France (juin 1954-1955) apporte un répit à la IVe République (texte n° 5). Élu avec une confortable majorité, dont il décomptera les voix communistes pour ne pas apparaître comme l'otage du PC, Pierre Mendès France tranche avec la grisaille de la vie politique ordinaire par son dynamisme, son autorité sur le Parlement, le peu de cas qu'il fait du jeu partisan et la recherche d'un contact direct avec le peuple. La popularité de son gouvernement tient à la fois à l'originalité de son style et aux succès enregistrés par sa politique en matière de décolonisation (il met fin à la guerre d'Indochine par les accords de Genève, signés dès juillet 1954, et engage en Tunisie des négociations devant aboutir à l'indépendance de ce pays) et de politique étrangère. En matière économique, il n'a guère le temps de faire prévaloir ses idées sur la modernisation, la recherche de la productivité et l'aménagement du territoire, et doit laisser à son ministre des Finances, Edgar Faure, le soin de gérer l'économie française dans une perspective strictement libérale.

Affaibli par le rejet au Parlement du traité de Communauté européenne de défense, le gouvernement Mendès France doit surtout subir les assauts de ceux qui, à droite notamment, lui font grief de vouloir «brader l'empire», tandis que communistes, gaullistes et certains socialistes lui reprochent d'avoir autorisé le réarmement allemand. À quoi s'ajoutent les rancunes des députés hostiles à la pratique gouvernementale d'un homme d'État qui ne souffre guère les empiétements du Parlement, et les oppositions corporatives (par exemple, celle des fabricants de vins et d'alcool). C'est une coalition hétéroclite d'adversaires du gouvernement qui renverse celui-ci le 6 février 1955.

Le gouvernement Edgar Faure qui lui succède doit faire face aux débuts de la guerre d'Algérie et à la montée de la contestation poujadiste (texte n° 6), tandis qu'une partie de l'opinion appelle de ses vœux un renouvellement politique qu'incarne le «mendésisme» (texte n° 7). La victoire du Front républicain aux élections de janvier 1956 (textes n°s 8 et 9) paraît devoir répondre à ses attentes, mais cet espoir est vite déçu. C'est le leader du Parti socialiste, Guy Mollet, qui devient président du Conseil, et non Mendès France, dans une conjoncture dominée par la guerre d'Algérie. Avec l'échec du Front républicain, commence l'agonie du régime.

1. La stratégie révolutionnaire du PCF
(1948)

Pendant les sept années de sa présence à l'Élysée, le président Vincent Auriol a tenu au jour le jour le journal de ses activités. Ce document, sans équivalent à ce jour à ce niveau de responsabilités, constitue une source essentielle de l'histoire de la IVe République. Dans l'extrait présenté ci-dessous, Vincent Auriol examine, à partir d'informations fournies par les Renseignements généraux et concernant les réunions du Comité central et du Bureau politique du Parti communiste, la stratégie de cette organisation politique. Alors que se développe dans le pays, depuis la fin de 1947, un mouvement de grèves dures et d'agitation violente qui va occuper la plus grande partie de l'année 1948, il ne semble pas que ce soit dans la voie insurrectionnelle que s'oriente la direction de l'appareil communiste. Conscient du rapport de force international, Thorez se garde bien d'encourager une action de cet ordre, jugeant celle-ci aventuriste et estimant que « le stade de la révolution populaire n'est plus celui des barricades ».

Tirant la leçon de ce qui s'est passé depuis 1944 dans les pays de l'Est, et plus particulièrement des événements de Tchécoslovaquie (le « coup de Prague » date de février 1948), Auriol explique qu'au-delà de la pression de la rue, nécessaire sans doute mais insuffisante pour faire basculer un pays dans le camp des démocraties populaires, ce qui compte pour les communistes c'est de placer quelques-uns des leurs à des postes clés dans un gouvernement de gauche fragilisé par l'éclatement du Parti socialiste et l'effondrement du MRP. C'est très largement pour faire échec à cette stratégie que le chef de l'État a usé de son influence pour hâter la mise en place de la Troisième Force en 1947, et c'est dans une perspective identique qu'il favorisera en 1952 l'éclosion d'une nouvelle majorité de centre droit autour d'Antoine Pinay.

Source : Vincent Auriol, *Journal du Septennat, 1947-1954*, établi par Pierre Nora, Paris, Armand Colin, 1947, pp. 184-185.
Bibliographie : A. Dansette, *Histoire des présidents de la République de Louis-Napoléon Bonaparte à Georges Pompidou*, Paris, Amiot-Dumont, 1981 ; J.-J. Becker, *Le Parti communiste français veut-il prendre le pouvoir ?*, Paris, Seuil, 1982.

L A SÛRETÉ (RG) me communique ces informations sur les séances secrètes du Comité central du PC. Duclos a souligné qu'il importait de regrouper les militants, de leur insuffler un foi nouvelle, de les assurer sans relâche d'un prochain triomphe de l'idée communiste. Il a ajouté que les nécessités internationales exigeaient que tous les vrais communistes soient tenus en état constant d'alerte, et qu'ils devaient s'habituer à considérer qu'ils pouvaient être appelés à combattre d'un jour à l'autre, plus énergiquement et plus douloureusement qu'ils ne l'avaient fait jusqu'ici.

Il a expliqué qu'en parlant ainsi il ne faisait pas allusion à une guerre internationale, mais bien à une lutte intérieure qui peut, sous la pression des événements et selon les circonstances, devenir brusquement aiguë. Il indique que le combat contre la société capitaliste ne fait que commencer et dénonce violemment la collusion du gouvernement et de De Gaulle. À la violence de De Gaulle et de ses troupes actives, dit-il, nous répondrons par la violence, et notre tâche sera ensuite de retourner à notre avantage les désordres que ne manqueront pas d'engendrer les excès auxquels se livreront fatalement les hommes de De Gaulle. La lutte sera longue et difficile avant de pouvoir créer en France un État communiste, mais il ne faut jamais perdre de vue que c'est le seul but final.

Mauvais dit qu'il faut bien reconnaître que le Parti ne dispose en ce moment d'argument décisif pour entraîner dans un large mouvement d'agitation les masses populaires, devenues amorphes et difficilement accessibles à la propagande du Parti. Il faut lutter sans répit et à tout prix accroître les difficultés économiques actuelles ; créer des incidents dans les usines et les chantiers, faire une politique de harcèlement incessant, saboter les travaux parlementaires, créer sur le plan politique une confusion accrue.

Thorez insiste pour que les masses communistes se préoccupent uniquement de mener à bien une guerre économique victorieuse contre le Capital. Il demande aux secrétaires fédéraux d'insister sur le fait que l'idée d'une guerre tout court est une invention de l'Amérique pour faire perdre face à l'URSS : « Il ne faut pas croire, dit-il, que des mouvements de rues ou des grèves, même puissantes, puissent suffire à instaurer un jour un État communiste en France. L'idée d'un élan insurrectionnel portant le PC au pouvoir est une idée dangereuse. Le stade de la révolution populaire n'est plus celui des barricades. Une action tenace et continue permettra au bloc communiste, s'il sait rester sans fissures, de s'assurer la maîtrise de l'économie française. Les usines, un jour, ne doivent tourner que si tel est le bon plaisir des militants communistes. »

La stratégie politique, appuyée par cette force d'ordre économique, permettra un jour au Parti de s'assurer des positions clés au sein d'un gouvernement rassemblant tous les hommes de gauche, après l'éclatement du Parti socialiste, qu'il considère comme inévitable, et l'effondrement total du MRP, qui n'est plus qu'un fragile château de cartes. De Gaulle n'est qu'un épouvantail, tout juste bon à entretenir la propagande communiste contre la réaction.

Les chefs communistes se refusèrent à donner des précisions aux secrétaires fédéraux sur diverses questions politiques. Le Comité central ne sera qu'un enregistreur de discours, de consignes et de notes d'ordre. Des directives venues de Moscou imposent au Bureau politique de ne laisser aucune initiative au Comité central. Celui-ci ne pourra rectifier que des projets arrêtés par le Bureau politique.

© Armand Colin

2. Déclaration du général de Gaulle à la presse
(17 août 1950)

Trois semaines après le déclenchement de la guerre de Corée, s'adressant à la presse dans une déclaration solennelle, le général de Gaulle expose aux Français ses idées concernant la Défense nationale et le redressement du pays, livré selon lui aux carences et aux errements du « système des partis ». À l'heure où il prononce ces paroles, le Rassemblement du Peuple français, qu'il a créé trois ans plus tôt, a déjà largement amorcé son déclin. Du million et demi d'adhérents en 1949 (selon les dirigeants du RPF, en réalité sans doute un peu moins de 500 000, ce qui est déjà considérable), il n'en restera plus que 350 000 à la veille des élections de 1951. Sa presse végète et le fossé qui se creuse entre le discours social de son leader et le comportement conservateur de la fraction du patronat qui soutient son action, tout comme la violence dont cer-

tains éléments de son « service d'ordre » usent sans grand discernement à l'encontre des « rouges » ont commencé à éroder son assise populaire.

Pourtant, l'ancien chef de la France libre ne baisse pas les bras. Parcourant la France en tout sens, il multiplie les discours, fustigeant le régime, accusant les communistes — les « séparatistes » — de conspirer contre la nation , appelant au « sursaut » et à l'unité, se posant, comme il le fait ici en évoquant indirectement les événements de 1940 et une éventuelle réédition du 18 Juin (« il faudrait donc qu'en temps voulu un autre pouvoir parût... Cela s'est déjà fait ! »), en recours suprême. Toute la thématique gaullienne est présente dans ce discours qui relie la défense et l'indépendance de la France et de son empire à la nécessité de promouvoir un régime à la fois autoritaire, respectueux cependant des libertés de chacun et soucieux d'associer les travailleurs aux fruits de leurs entreprises. Il y est également question, quelques mois après l'annonce du plan Schuman, de l'entente franco-allemande et — fait beaucoup plus surprenant venant du futur contempteur de la supranationalité — des institutions européennes « procédant du vote direct des citoyens de l'Europe et disposant, dans les domaines de l'économie et de la défense, de la part de souveraineté qui leur sera déléguée par les États participants ».

Source : *L'Année politique, 1950,* Éd. du Grand Siècle, 1951, pp. 295-296.

Bibliographie : J. Charlot, *Le Gaullisme*, Paris, Armand Colin, 1970 ; J. Charlot, *Le Phénomène gaulliste*, Paris, Fayard, 1970 ; C. Purtschet, *Le Rassemblement du Peuple français, 1947-1953*, Paris, Éd. Cujas, 1965.

L A TEMPÊTE APPROCHE. La guerre en Corée en est le signe avant-coureur. Tout le monde sait qu'un jour ou l'autre l'agression pourrait déferler sur l'Europe et sur la France.

Pourtant il y a dans l'univers tout ce qu'il faut pour surmonter le péril. Les Soviétiques n'ont l'avantage que grâce à la faiblesse, à la veulerie, à la dispersion des autres. Les nations libres seraient en mesure d'imposer la paix dès lors qu'elles se mettraient debout. Nous, la France, donnons l'exemple. C'est le devoir et le salut. Malgré toutes les pertes que nous avons subies, l'effort à accomplir ne dépasse pas la nation.

Or dans l'état actuel des choses, si nous étions attaqués nous n'opposerions à l'agression qu'une défense dérisoire. L'alerte mondiale, en dissipant dans une certaine mesure les nuées de l'information officielle et officieuse, a fait voir que le territoire est découvert, qu'il n'existe aucune organisation valable de la défense européenne, que nos alliés d'outre-mer n'acceptent pas de s'engager en force à nos côtés, le cas échéant, pour protéger nos frontières. Du jour au lendemain combien pourraient être lourdes les responsabilités du régime que nous subissons !

Devant cette situation rien ne compte, excepté de nous redresser. Nous devons le faire avant tout par nous-mêmes et pour nous-mêmes. Si nous étions attaqués, il nous faudrait nous battre à fond quand même nous serions seuls, car un grand peuple qui sans résistance accepte la servitude ne retrouve plus jamais son honneur ni son indépendance.

Aux démagogues de parler de sécurité collective sans rien faire de sérieux pour assurer d'abord celle de leur propre patrie ! D'ailleurs, le cas échéant, il n'y aurait d'appui extérieur puissant que pour une France solide et ferme. Il n'y aurait de concours massif des forces américaines en Europe que si la France, pour l'essentiel, tenait la tête du pont atlantique.

Enfin, après tant de leçons, il faut se rappeler que la guerre n'est pas un roman rose et qu'au milieu des passions brutales qu'elle soulève une France molle et subordonnée au milieu de la coalition serait, avec l'Union française, dépouillée et bafouée. Je le dis parce que je le sais. Bref, c'est sur la base de notre propre force et de notre propre résolution que nous pourrons régler avec les autres dans de bonnes et dignes conditions la coopération atlantique.

Il faut refaire nos armées sur terre, sur mer et dans les airs ; oui, des armées qui soient à nous.

Cela n'empêcherait pas, bien au contraire, et nous l'avons assez prouvé, qu'elles agissent en commun avec celles de nos alliés.

Quinze divisions au moins en permanence, quarante à la mobilisation, des éléments destinés dans chaque région à assurer en temps de guerre la défense immédiate et la sécurité, le tout couvert par cinq mille avions ; le tonnage maritime voulu et les forces aéronavales nécessaires pour protéger nos ports et nos convois essentiels ; enfin la mise sur pied des hommes et des ressources préparée à l'avance pour le service national, voilà ce que doivent être notre propre couverture et notre contribution à celle de l'Europe.

L'œuvre est à réaliser en l'espace des trois prochaines années, dans l'atmosphère d'honneur, d'entrain, de confiance qu'il faut aux armées et qu'elles méritent, à preuve les glorieux services de nos soldats en Indochine. Les crédits, la durée du service, les matériels, l'encadrement, les fabrications d'armement, doivent être fixés en fonction du but à atteindre et non pas, comme aujourd'hui, celui-ci d'après ceux-là.

Cette organisation comporte des charges pesantes, mais qui sont peu de chose au regard de la servitude. Elle exige cependant, au milieu des efforts et des sacrifices imposés au peuple français, que soit de nouveau tissée l'unité nationale rompue par le séparatisme.

Cette plaie affreuse a pour cause profonde le système en vertu duquel les travailleurs ne sont que des salariés. Il s'y ajoute la perpétuelle défaillance des pouvoirs à l'égard de ceux qui exploitent l'injustice sociale pour préparer l'invasion. Tandis que la patrie, en présence de la menace, recourt à tous ses enfants, il faut rendre solidaires pour la productivité tous les hommes qui concourent à la même production. Il faut réformer la condition ouvrière en associant les travailleurs à leurs propres entreprises. Ainsi seront-ils par là même directement associés à la mise en état de défense du pays. En même temps, il faut liquider le complot de démolition nationale. Il n'y a pas un jour à perdre.

Nous avons à rassembler l'Europe. L'actuel Conseil de Strasbourg ne le fera pas, lui qui n'a pas de mandat européen valable. Il y faut comme base une entente pratique franco-allemande, car sur notre vieux continent c'est là que sont, pour l'essentiel, les réelles possibilités stratégiques et économiques.

Il y faut aussi des institutions européennes procédant du vote direct des citoyens de l'Europe et disposant, dans les domaines de l'économie et de la défense, de la part de souveraineté qui leur sera déléguée par les États participants.

Il faut enfin un système de défense en commun, dont il appartient normalement à la France de tracer le plan et de désigner le chef, tout de même que cette prééminence revient aux États-Unis sur le théâtre du Pacifique, à l'Angleterre sur celui d'Orient, le tout sous une direction suprême assurée par le Conseil des puissances et son état-major combiné. Que l'Europe prenne ainsi sa force et sa consistance et l'on verra l'espérance renaître de l'Atlantique jusqu'à l'Oural.

Nous avons à changer le régime sous lequel se traîne la République. Ce régime est impuissant. Il n'y a pas un habitant de la terre qui ne le constate aujourd'hui. Ce n'est pas que les intelligences manquent à tous les étages du système. Mais celui-ci ne représente que les partis, c'est-à-dire nos divisions. Il leur livre tous les pouvoirs, ce qui revient à n'en avoir pas. Enfin, les équivoques étant maintenant dissipées, il est en désaccord complet avec la volonté et le sentiment du pays. il suffit d'évoquer ces vices pour définir les remèdes, ce qu'avec d'autres j'ai fait assez souvent. Mais la réforme est d'extrême urgence, car sous peine de mort la nation a besoin d'une âme et l'État d'une autorité.

En ce moment, devant la menace qui plane, c'est vers l'abandon que glisse naturellement le régime. Que serait-ce en cas de crise directe ? En pleine alarme mondiale le Parlement s'est mis en congé sans avoir voté ni même débattu aucune mesure concernant la défense. Il est vrai que s'il l'avait fait, il n'aurait sans doute abouti qu'à des cotes mal taillées et à des caricatures.

Deux mois après le début de la guerre de Corée le gouvernement n'a pas pris encore la moindre disposition. Sur la demande pressante des États-Unis il élabore, paraît-il, de vagues intentions. Mais il fait dépendre leur exécution des dons qui lui seraient accordés du dehors, alors que c'est seulement une France jouant son rôle à elle qui pourrait exiger d'être appuyée largement, parce que c'est de cette France-là que le monde libre a besoin.

Quant au commandement suprême de la défense du continent, c'est-à-dire essentiellement de la nôtre, il est laissé à des chefs anglais, alors que l'Angleterre ne consent actuellement à engager en Europe que des forces symboliques !

Bref, tout se passe comme si le régime, impuissant à porter ses responsabilités nationales, cherchait à les dissoudre dans celles des États étrangers, et comme si l'unité d'action qu'il invoque servait prétexte à son renoncement.

Si le régime, s'accrochant à sa propre existence, prolongeait la carence de l'État, la crise qui commence pour le monde continuant à s'aggraver, on pourrait craindre que les pouvoirs publics n'aillent, de chute en chute, jusqu'à une complète dégradation. La catastrophe, si elle survenait, provoquerait leur effondrement, soit qu'ils disparaissent dans le néant, soit qu'ils abdiquent entre les mains des agents de l'envahisseur, soit qu'ils se jettent dans la subordination vis-à-vis de l'étranger. Mais le salut de la patrie est la loi suprême. Il faudrait donc qu'en temps voulu un autre pouvoir parût, moralement capable de prendre en charge l'indépendance et les intérêts de la France. Cela s'est fait déjà ! Que le pays en soit sûr : cela se ferait encore.

Mais rien ne nous voue à de tels malheurs. Le redressement est parfaitement possible. Il implique un grand effort de la part de la nation. Pour qu'elle le fasse, il faut que ses guides l'y entraînent.

Devant les périls qui montent, je déclare quant à moi être prêt à porter une fois de plus la charge du pouvoir. Je le ferai pour réaliser les conditions du salut de la France et, s'il le faut, affronter les épreuves menaçantes. Je le ferai avec tous ceux qui voudront m'y aider, quels que soient leurs groupements, leurs tendances, leurs familles d'esprit ; qu'ils se soient déjà rassemblés pour la tâche du salut public ou qu'ils décident maintenant de se joindre à moi.

Aux élections générales, qu'il faut faire sans les truquer et dans les moindres détails sous peine de courir aux pires secousses, le suffrage du peuple, j'en suis sûr, consacrera massivement cette union et cette volonté.

Dès aujourd'hui les responsabilités sont ouvertes.

Nous n'avons pas surmonté deux mille ans d'histoire pour nous écrouler demain dans la veulerie devant la vague des robots. L'avenir est à prendre, comme toujours. Debout !

© Éd. du Grand Siècle

3. Modèle de profession de foi du RPF
pour les élections législatives de 1951

C'est pour empêcher que le maintien de la représentation proportionnelle intégrale ne renvoie à l'Assemblée une majorité hostile au régime, comprenant les communistes et le RPF, que les deux derniers présidents du Conseil de la législature ont mis au point le système des « apparentements ». Le principe de la proportionnelle n'est pas directement remis en cause, mais plusieurs listes peuvent, avant le scrutin, se déclarer apparentées. Si elles remportent — par l'addition de leurs voix — la majorité absolue des suffrages, elles obtiennent la totalité des sièges de la circonscription et se les partagent à la plus forte moyenne.

Le but est clairement d'isoler et de marginaliser les communistes et le RPF. S'agissant de cette dernière formation, on table sur une autre hypothèse : l'acceptation par un certain nombre de candidats gaullistes du jeu des apparentements, ce qui les conduirait par la suite à rejoindre la majorité de Troisième Force, autrement dit à se rallier au régime et à provoquer du même coup l'éclatement de leur propre parti. Or, si cette solution n'est pas sans tenter des députés et des responsables du RPF, elle se heurte à l'opposition formelle du général de Gaulle, qui y voit une compromission inacceptable avec le « système ». Seules 13 circonscriptions verront des candidats gaullistes participer aux apparentements. Partout ailleurs, le RPF ira seul au combat, opposant aux partis de la majorité sortante et au PCF son programme directement inspiré des thèmes chers au général de Gaulle : réforme de l'État dans le sens du renforcement de l'exécutif, accent mis sur la défense et l'indépendance nationales, intéressement des travailleurs au rendement et aux fruits de l'entreprise, etc. On notera cependant que — visant à « ratisser large » et à conquérir une partie de l'électorat conservateur — la thématique gaulliste, telle qu'elle est formulée dans cette profession de foi modèle destinée aux candidats du mouvement, reprend à son compte des articles du programme de la droite : anticommunisme, « affranchissement » des syndicats de la « tyrannie des partis » (on ne dit pas comment on y parviendra), stabilisation de la monnaie, aide à l'école libre, « large amnistie » (en faveur des personnes condamnées pour leur action à l'époque de Vichy).

Sur 200 députés, le RPF n'en renverra que 117 (avec 21,6 % des voix) à l'Assemblée élue en juin 1951. Mais cette forte érosion — qui n'empêche pas la formation gaulliste d'être la plus nombreuse — est due bien davantage au recul de son influence qu'au jeu des apparentements. On a calculé en effet que celui-ci ne lui avait fait perdre que 25 sièges contre 47 au Parti communiste.

Source : Document cité *in* J. Charlot, *Le Gaullisme*, Paris, Armand Colin, 1970, pp. 49-50.

Bibliographie : Ch. Purtschet, *Le Rassemblement du Peuple Français, 1947-1953*, Paris, Éd. Cujas, 1965 ; J. Charlot, *Le Gaullisme d'opposition, 1946-1958*, Paris, Fayard, 1983.

À UN MOMENT SOLENNEL de la vie du pays, nous venons, face à la nation, prendre les engagements qui guideront notre action demain.

La France est menacée. Des forces redoutables s'affrontent dans le monde d'aujourd'hui. Notre pays doit contribuer à maintenir la paix, refuser d'être submergé par le flot soviétique. Pour cela, il nous faut changer et il nous faut _construire_.

Que devons-nous changer ?

Le désordre et la gabegie de l'État ; — la faiblesse gouvernementale qui, dans l'impossibilité d'équilibrer le budget et d'obtenir la confiance des épargnants, entraîne par l'inflation qu'elle déclenche la montée constante des prix, c'est-à-dire la misère des salariés, des pensionnés et des économiquement faibles et écrase les producteurs sous l'impôt.

Nous devons mettre fin à l'antagonisme entre les classes ; — aux querelles également périmées de l'école libre, de l'amnistie — à la menace que font peser, sur la France et sur l'Union française, l'insuffisance de notre défense nationale et la dépendance qu'entraîne cette insuffisance vis-à-vis de nos alliés.

La réélection des partis, ce serait la continuation de cette impuissance et de cette division. Le péril communiste deviendrait alors insurmontable. Or, la victoire des séparatistes ferait de tous les Français des serfs. Ils devraient subir la tyrannie d'une bureaucratie économique et administrative. La _dictature policière_ régnerait de Brest à Moscou. La guerre deviendrait alors inévitable ; la guerre, c'est-à-dire la destruction par les bombes américaines ; l'installation soviétique sur les côtes de France appelant automatiquement la même parade que l'installation des Allemands sur ces mêmes côtes en 1943-1944. Notre civilisation s'enfoncerait dans la nuit.

Pour éviter cela, nous devons construire. Que devons-nous construire ?

D'abord un État solide. Pour cela, d'une Constitution remaniée sans délai doit sortir un Exécutif qui gouverne, contrôlé par un Parlement qui fasse les lois ; les pouvoirs étant séparés et non point comme à présent confondus dans les partis ; l'arbitrage national du Chef de l'État ayant à y veiller et au besoin à consulter le pays.

Ainsi et ainsi seulement pourront être assainies les _dépenses de l'État_. Par-là et par l'appel à l'épargne sera réalisé l'équilibre du budget, sans fiscalité excessive, condition indispensable de la stabilité des prix. _La stabilisation de la monnaie deviendra possible._

L'État ainsi renforcé devra mettre la nation en condition de se défendre contre tous les périls :

Contre le _péril extérieur_, par une défense nationale rénovée, adaptée aux besoins modernes, conjuguée avec les défenses voisines tout en conservant l'autonomie nationale nécessaire.

Contre le _péril intérieur_ qui vient de la lutte des classes, en réalisant l'apaisement social qu'apportera l'association entre actionnaires, cadres et travailleurs ; tous les producteurs devant être intéressés directement au rendement de l'entreprise.

Pour que cette grande réforme puisse se développer dans le climat nécessaire, les syndicats devront être _affranchis de la tyrannie des partis politiques_.

Cette productivité renforcée servira à réaliser nos besoins essentiels : l'édification de logements neufs et la modernisation de la France.

À l'apaisement social doit correspondre l'apaisement spirituel. L'allocation-éducation mettra fin à la querelle de l'école libre. Une large amnistie votée sans délai est aussi une condition nécessaire à l'apaisement national.

C'est en s'appuyant sur cette France rassemblée, rénovée, apaisée, et décidée que nous pourrons défendre l'_indépendance nationale et l'intégrité de l'Union française_.

C'est ainsi que nous pourrons unir l'Europe autour de la France pour la _consolidation de la paix_ par la mise en commun des ressources du continent. C'est ainsi que nous pourrons peser de tout notre poids dans l'alliance du monde libre. Alors la force montante des démocraties permettra d'assurer la paix, l'élévation du niveau de vie de tous, le maintien de la liberté.

Pour atteindre ces objectifs, nous appelons le pays tout entier à s'unir autour du Rassemblement du peuple français et du général de Gaulle auquel nous devons déjà la libération de la France dans la victoire et la restauration de la République.

L'œuvre commencée ensemble en 1940 et que l'obstruction des partis avait suspendue en 1946, tous ensemble, du même cœur, nous allons pouvoir la recommencer demain.

© Armand Colin

4. Déclaration d'investiture d'Antoine Pinay
(6 mars 1952)

Après la chute des cabinets Pleven (10 août 1951-7 janvier 1952) et Edgar Faure (20 janvier-22 février 1952), le président Auriol a décidé de faire appel à un homme de droite, Antoine Pinay, personnage peu connu à cette date mais influent au sein du Centre national des Indépendants et Paysans (CNIP) et plusieurs fois ministre en charge de postes techniques (notamment les Travaux publics) dans les équipes précédentes. Le chef de l'État tente ainsi de « lever l'hypothèque de la droite », et il a pour cela fait appel d'abord à Paul Reynaud qui a dû renoncer à obtenir la confiance de l'Assemblée.

Le 6 mars 1951, le député-maire de Saint-Chamond se présente devant ses collègues avec un programme qui vise essentiellement à restaurer la situation économique de la France en rétablissant la confiance. Pour y parvenir, il propose une politique libérale modérée et surtout bien expliquée. À l'issue d'un vote qui fait suite à l'une des plus brèves déclaration d'investiture de la IVᵉ République, et à la surprise générale, Antoine Pinay est investi par 324 voix contre 206. Ont voté pour lui, outre ses amis indépendants, les radicaux, l'UDSR, le MRP et 27 députés RPF qui, suivant Édouard Frédéric-Dupont et Edmond Barrachin, ont passé outre à l'interdit du général de Gaulle. Voici quelques extraits du discours d'investiture de l'homme politique dans lequel nombre de Français croiront bientôt reconnaître un nouveau Poincaré.

Source : Déclaration d'investiture prononcée par Antoine Pinay, président du Conseil désigné, devant l'Assemblée nationale (6 mars 1952), *Journal officiel, Débats parlementaires*, Assemblée nationale, 7 mars 1952.
Bibliographie : S. Guillaume, *Antoine Pinay ou la confiance en politique*, Paris, Presses de la FNSP, 1984 (ouvrage tiré de sa thèse de doctorat d'État : *Antoine Pinay, un destin national*, Bordeaux, 1982) ; A. Stibio, *Antoine Pinay*, Paris, Médicis, 1956.

MESDAMES, Messieurs, par devoir, j'ai accepté une mission périlleuse, mais c'est le pays qui est en péril, et tout Français doit accepter de le défendre.

Nous sommes à l'heure de la vérité.

Dans cette enceinte, elle n'est une surprise pour personne. Elle a été annoncée ici même depuis quatre ans. Cette vérité est dure. Je l'expose devant vous avec le tempérament d'un homme pour qui le respect des échéances est le premier des soucis.

Voici le constat.

Nous sommes en présence d'un triple déficit : les devises, le Trésor, le budget.[...]

Il faut régler toute une série d'échéances. Il faut prévenir la faillite de la monnaie, car la faillite de la monnaie ce serait le désespoir dans les foyers et le désordre dans la rue.

Nous ne voulons pas du spectacle des caisses publiques vidées de numéraire ou remplies d'assignats. Nous ne voulons pas d'usines arrêtées faute de matières premières, de commerces suspendus faute de rentrées de fonds.

Ce qui provoque en ce moment l'avilissement du franc, c'est la réaction de défense des individus qui, ainsi, précipitent eux-mêmes sa chute, c'est la défiance de la nation dans sa monnaie, dont l'effondrement marquerait la défiance du monde à l'égard de la France. [...]

Les lois économiques n'acceptent pas d'être violées et les lois arithmétiques sont inflexibles. Mais alors, comment le pays peut-il sortir de l'impasse ? Quels remèdes ?

Les remèdes ne sont ni de droite ni de gauche. (*Très bien ! très bien ! sur plusieurs bancs à droite, au centre et à gauche*) Ils n'ont pas d'étiquette parlementaire. Ce sont des mesures techniques à prendre dans un climat de trêve politique. (*Applaudissements à droite et sur plusieurs bancs au centre et à gauche.*)

Avant tout, l'État doit tenir ses engagements essentiels. Parce que l'État est le gardien de la monnaie au même titre que de l'ordre public, le gouvernement, face au prix, a un devoir impérieux de vigilance.

Il faut mettre un terme aux amertumes quotidiennes, aux inquiétudes familiales, aux déceptions incessantes. Les prix doivent être contenus par tous les moyens que l'expérience révèle comme les plus efficaces dans la conjoncture actuelle. L'exigence sociale rejoint ici l'intérêt économique.

À une époque où les cours mondiaux s'orientent à la baisse, ce serait une faute sans pardon que de laisser passer, par principe ou par paresse, l'occasion qui s'offre. [...]

C'est dans le cadre d'une politique de stabilité des prix que doit s'affirmer la politique sociale du gouvernement. Quand les prix sont instables, la course entre les salaires et les prix est toujours gagnée par les prix. Les salariés le savent bien, eux qui sont toujours les victimes de cette défaite.

L'échelle mobile[1], comme l'a dit à cette tribune l'un de nos collègues particulièrement compétent[2], n'est qu'une mesure tactique au terme d'une expérience décevante, pour obliger le gouvernement à avoir les yeux fixés en permanence sur les indices des prix.

Je dirai, dans le même esprit, qu'elle est, pour les travailleurs, comme une assurance destinée à garantir leur salaire minimum.

Je comprends que leur attachement à cette formule soit à la mesure des déceptions accumulées dans le passé. Mais on doit se demander si cette assurance n'est pas pleine de périls, si l'assuré, en fin de compte, ne risque pas de recevoir une compensation fictive et de subir une déception nouvelle.

La meilleure formule d'assurance n'est-elle pas, dans un climat de confiance monétaire, de garantir le pouvoir d'achat réel en stabilisant les prix ? N'est-ce pas là que doit se situer d'abord le véritable engagement de l'État ? [...]

Il faut doter le gouvernement de l'efficacité sans rien ôter à la République.

Une réforme de la Constitution est nécessaire. L'Assemblée est saisie de propositions. Le devoir du gouvernement sera de lui rappeler la nécessité d'aller vite.

---

1. C'est-à-dire l'indexation automatique du salaire minimum sur les prix.
2. Il s'agit de Paul Reynaud.

Le gouvernement doit avoir les moyens d'agir dans l'ordre. La Constitution a prévu la réglementation du droit de grève. Cette réglementation vous sera proposée.

J'ai appartenu depuis vingt mois aux Conseils des gouvernements de MM. Pleven, Queuille, Edgar Faure dont j'ai mesuré le patriotisme lucide et courageux. Je suis entièrement solidaire des décisions prises par eux sur les questions internationales et sur les questions d'Union française. J'en assurerai la continuité dans le respect des engagements pris avec les Alliés, qui est la condition même de l'intégrité du pays.

En Tunisie, mon gouvernement rechercherait, dans un esprit de sincérité et d'efficacité, la solution des difficultés présentes.

À travers toute l'Union française, conçue dans une communauté d'idéal et fortifiée par des intérêts communs, le gouvernement entend poursuivre l'action continue des gouvernements précédents, une politique active de compréhension et de concours.

Il y a l'Indochine et je m'incline avec une ferveur émue devant l'héroïsme des chefs et des soldats français et vietnamiens engagés dans des combats insidieux et cruels. (*Applaudissements à gauche, au centre, à droite et à l'extrême droite.*)

En Indochine, ce que la France défend, ce ne sont pas des intérêts matériels, ni un souci de prestige. Ce qu'elle défend, c'est la réalité d'une indépendance vraie qu'elle a créée au sein de l'Union française et qu'il est de son devoir de faire respecter.

Sans négliger aucune chance valable pour assurer ce respect dans la paix, la France n'hésite pas devant son devoir dont le sens et la portée ne peuvent échapper à personne.

Je conclus. La monnaie est à l'image du pays. Lorsque le franc aura repris sa place, la France aura bien vite retrouvé son rang. Avec ses forces vives, dont la force morale est la clé, elle doit reprendre la maîtrise de son destin.

J'ai pensé que si l'Union nationale ne pouvait être réalisée sur un plan élevé, le ralliement des hommes pourrait être obtenu sur des mesures urgentes.

J'ai rempli ma mission. Je vous dis : Jamais la marge n'a été si étroite entre l'abandon et le salut. Jamais l'abîme n'a côtoyé de plus près le chemin du redressement. Je vous ai dit en commençant que c'était pour tous l'heure des échéances. C'est maintenant pour vous l'heure du choix. (*Vifs applaudissements à droite, au centre, à gauche et sur quelques bancs à l'extrême-droite*).

5. Déclaration d'investiture de Pierre Mendès France
(17 juin 1954)

Après sa démission du gouvernement De Gaulle, en avril 1945, Pierre Mendès France s'est tenu pendant plusieurs années dans une discrète réserve au sein de la classe politique. Député-maire de Louviers, il consacre surtout son temps à sa gestion municipale, ainsi qu'aux missions qui lui ont été confiées auprès des Nations unies et du Fonds monétaire international. Ce n'est guère qu'à partir de 1950 que, face aux difficultés qui s'accumulent en Afrique du Nord, et surtout en Indochine, il se pose à l'Assemblée en procureur de la politique menée par les gouvernements de la IVᵉ République et en partisan résolu des solutions négociées.

C'est à la suite d'un implacable réquisitoire de Pierre Mendès France contre la politique à courte vue du gouvernement Laniel dans les questions coloniales que ce dernier est renversé le, 12 juin 1954, — cinq jours après la chute de Diên Biên Phû — par une _majorité parlementaire dans laquelle figurent les communistes, les socialistes et une grande partie des radicaux et des républicains-sociaux (appellation adoptée par les députés gaullistes après la dissolution du RPF). Aussi, c'est à lui que le nouveau président de la République, René Coty, élu en décembre 1953 après treize tours de scrutin, fait appel pour constituer le nouveau gouvernement._

Le 17 juin 1954, le président du Conseil désigné se présente devant les députés pour demander l'investiture de l'Assemblée. Avant le vote, il fait savoir à ses collègues qu'il décomptera les bulletins communistes du total des voix favorables à sa désignation, indiquant par ce geste qu'il se refuse à faire figure d'otage du PCF. Dans le programme gouvernemental qu'il soumet à ses collègues, la paix en Indochine constitue le point majeur. Le candidat à l'investiture promet en effet de régler le problème en un mois, faute de quoi il démissionnera. Par 419 voix contre 47 et 143 abstentions (principalement MRP), l'Assemblée investit son gouvernement.

Source : _Journal officiel, Débats parlementaires_, Assemblée nationale, 18 juin 1954.
Bibliographie : _Pierre Mendès France et le mendésisme. L'expérience gouvernementale (1954-1955) et sa postérité_, sous la direction de F. Bédarida, J.-P. Rioux, Paris, Fayard, 1985 ; _Pierre Mendès France. La morale en politique_, sous la direction de J. Chêne, E. Aberdam et H. Morsel, Grenoble, Presses universitaires de Grenoble, 1990 ; J.-L. Rizzo, _Mendès France ou la rénovation en politique_, Paris, Presses de la FNSP, 1993.

UNE NÉGOCIATION est engagée à Genève, en liaison avec nos alliés et les États associés. [...] Nous sommes aujourd'hui le 17 juin. Je me présenterai devant vous avant le 20 juillet et je vous rendrai compte des résultats obtenus. Si aucune solution satisfaisante n'a pu aboutir à cette date, vous serez libérés du contrat qui nous aura liés et mon gouvernement remettra sa démission à M. le président de la République. Mon objectif est donc la paix. Mesdames, Messieurs, c'est dans cette perspective, ce but une fois atteint dans le délai prévu, que je me place maintenant afin de vous indiquer succinctement les étapes suivantes que mon gouvernement fixera pour son action.

Action sur l'économie d'abord. Le 20 juillet au plus tard, je vous soumettrai un programme cohérent de redressement et d'expansion destiné à assurer progressivement le relèvement des conditions de vie et l'indépendance économique du pays, le développement de notre agriculture par une politique coordonnée de la production et des débouchés, un effort accru et dynamique dans l'ordre du logement et des habitations à loyer modéré.

La France devra se prononcer avec clarté sur la politique qu'elle entend suivre à l'égard d'un problème capital et longtemps différé : celui de l'Europe. Vis-à-vis de ses amis comme vis-à-vis d'elle-même, la France ne peut plus prolonger une équivoque qui porte atteinte à l'alliance occidentale.

[...] La Communauté européenne de défense nous met en présence d'un des plus graves cas de conscience qui ait jamais troublé le pays.

[...] L'une de ces données est la nécessité d'un réarmement occidental imposé par la situation internationale et qui a conduit à envisager — perspective cruelle pour les Français — les conditions de la participation de l'Allemagne à une organisation commune de défense...

[...] Je m'adresse aux adversaires comme aux partisans de la Communauté européenne de défense, pour qu'ils renoncent aux intransigeances. L'accomplissement des tâches qui viennent d'être énumérées doit aller de pair avec le rétablissement de la concorde et de la sécurité dans ces deux pays d'Afrique du Nord qu'endeuillent, en ce moment même, le fanatisme et le terrorisme. Le Maroc et la Tunisie auxquels la France a ouvert les voies du progrès économique, social et politique, ne doivent pas devenir les flancs de nos départements algériens, des foyers d'insécurité et d'agitation ; cela, je ne l'admettrai jamais. Mais j'ajoute avec la même netteté que je ne tolérerai pas non plus d'hésitation ou de réticences dans la réalisation des promesses que nous avons faites à des populations qui ont eu foi en nous.

6. « Peuple de France, redresse-toi ! »
(Février 1955)

Cet éditorial, signé de Pierre Poujade, est paru en février 1955 dans le premier numéro de Fraternité française, *l'organe de l'Union de défense des commerçants et artisans (UDCA) qui a été elle-même créée à l'automne 1953 par ce modeste papetier-libraire de Saint-Céré (Lot), devenu pour nombre de représentants de la « boutique » la figure emblématique de la résistance au fisc.*

À l'origine, le poujadisme est né du malaise des petits commerçants et artisans. Avec la disparition, autour des années 50, de la situation de pénurie qui avait caractérisé l'après-guerre, de nombreuses entreprises commerciales, artisanales et bientôt agricoles de gabarit modeste se révèlent mal adaptées aux conditions du marché. La disparition de la prospérité artificielle créée par la guerre et l'après-guerre au profit de tous ceux qui avaient quelque chose à vendre, est durement ressentie par les représentants des classes moyennes indépendantes qui subissent alors une crise profonde. Il n'y a pas encore de « supermarchés » dans la France de la IVe République finissante, mais déjà les magasins à succursales multiples pèsent lourd dans la bataille des prix de détail : suffisamment en tout cas pour que les boutiquiers de village applaudissent quand l'un des leurs leur parle, comme va le faire Poujade, d'« américanisation » et de « robotisation ». En attendant, leur amertume se cristallise contre les contrôles fiscaux exercés par les brigades spéciales de « polyvalents » qui épluchent les comptabilités des petites entreprises, procèdent à des redressements fiscaux, à des saisies, et peuvent même — innovation assez maladroite du gouvernement Mendès France — envoyer en prison les récalcitrants.

Née du refus de Pierre Poujade, à la tête d'une petite légion de commerçants, de se soumettre à un contrôle fiscal (juillet 1953), l'UDCA n'est d'abord qu'une organisation apolitique de contribuables mécontents. Mais sous l'influence de certains dirigeants — Poujade est lui-même un ancien des Jeunesses doriotistes, ce qui ne l'a pas empêché de s'engager dans les Forces aériennes françaises libres —, elle ne tarde pas à se reconvertir dans l'action politique et prend dès lors un caractère à la fois antiparlementaire et anticapitaliste, d'où la rupture à l'automne 1955 avec un Parti communiste qui avait d'abord soutenu l'action du papetier de Saint-Céré. Peu à peu, renouant avec la thématique du mouvement des « contribuables » des années 30, elle intègre dans son discours une critique de plus en plus sévère du régime, qui est jugé responsable des malheurs du petit commerce et suspect de favoriser les «gros», ainsi que les fonctionnaires «budgétivores». D'un patriotisme nourri des références de la communale, on glisse à un nationalisme de repli prenant pour cible «l'armée de métèques parasites qui campent sur notre sol», et de l'anticapitalisme à un antisémitisme qui ne tarde pas à s'avancer à visage découvert et dont Pierre Mendès France est le premier à faire les frais.

L'UDCA va bientôt rassembler nombre d'adhérents qui se préoccupent moins de ses objectifs initiaux que d'utiliser comme cheval de Troie contre les institutions de la IVᵉ République le mouvement de fond déclenché par Pierre Poujade. Celui-ci est alors rejoint par des nostalgiques de la Collaboration, par des nationalistes extrémistes comme Le Pen et Demarquet, et commence à entretenir des relations étroites avec les activistes d'Algérie et avec la chouannerie des temps modernes que tente de faire revivre Dorgères. Poujade fait bientôt figure de fédérateur des tendances néo-fascistes et, après son succès aux législatives de 1956 (2 600 000 voix, 51 élus), de duce en puissance («Poujadolf» pour la presse de gauche).

Au moment où il rédige cet éditorial, Pierre Poujade n'a pas encore accompli les pas qui marquent la rupture avec l'apolitisme d'un mouvement qui n'est encore, à cette date, qu'une organisation de défense de l'artisanat et du petit commerce à la recherche d'alliances avec d'autres catégories de travailleurs (paysans, ouvriers, intellectuels).

Source : Éditorial de Pierre Poujade : «Peuple de France, redresse-toi !», _Fraternité française_, février 1955.

Bibliographie : S. Hoffmann, _Le Mouvement Poujade_, Paris, Armand Colin, Cahiers de la FNSP ; D. Borne, _Petits-bourgeois en révolte. Le Mouvement Poujade_, Paris, Flammarion, 1977.

D IVISÉ, écœuré, las de toutes les vaines promesses, de toutes les trahisons sans responsable, tu courbais ton front résigné, ayant perdu tout espoir.

Abandonnant une tradition, un passé chargé d'honneur et de Gloire, n'osant plus penser à l'avenir de tes enfants, tu te lamentais le cœur serré, devant ce que tu appelais : le Destin.

Tu oubliais qu'il était possible de forcer ce Destin : plutôt tu ne pouvais plus y croire. Soudain, du cœur de la France, de ce vieux pays des Arvernes, un appel a été lancé. Il n'avait pas la classe d'un programme savamment programmé par des techniciens rompus à l'Art du dosage. Il n'était pas signé par d'éminentes personnalités. Il n'avait pas reçu l'approbation des Puissants du jour. Mais il avait pour lui l'honnêteté, la jeunesse, la ténacité et le courage.

C'était Verdun, c'était Wagram… Des poilus aux sans-culottes, d'Alésia au Vercors, c'était le cri d'un peuple qui ne veut pas mourir.

C'EST TON SOL À TOI, PAYSAN DE FRANCE, REDRESSE-TOI !

De toute la grande Famille française, tu es celui qui a été et qui est encore le plus ménagé. Les Fossoyeurs n'osent pas te prendre de front tout de suite parce que tu représentes la plus grande masse de la Nation.

Crois-moi, si tu ne réalises pas immédiatement combien cette situation est provisoire, tu connaîtras à ton tour l'inquisition et les exactions, en attendant ta mise en tutelle définitive.

On repère ton cheptel par le contrôle de la viande. Tes vaches sont dénombrées. Ta vigne devra être arrachée. Des indicateurs seront mis en place et recevront des indemnités. Les petites exploitations seront démembrées... Tu ne veux pas y croire. Tu dis : « On prendra les fourches ! » Souviens-toi de l'avertissement d'un petit comme toi qui a du sang paysan dans les veines et de la vraie terre de France à ses souliers. [...]

C'EST TON OUTIL À TOI, OUVRIER DE FRANCE, REDRESSE-TOI !

Ouvrier de France, tu es un autre membre de notre belle Famille. Grâce à ta situation citadine et au développement de pionniers, tu as réussi à t'unir dans une sérieuse proportion et à te faire respecter.

Cependant, pour beaucoup, après avoir acquis les qualités professionnelles indispensables, après avoir économisé de longues années, quel est ton idéal ? Avoir ta petite affaire à toi, bien à toi. L'artisanat, la petite industrie : c'est la promotion ouvrière.

Malgré ta force syndicale, tu sais bien que la machine t'écrase. Tu sais bien que chaque fois que tu arraches une revendication, il nous est fait une telle vie, que ton pouvoir d'achat a encore diminué. Ceux qui sont acharnés à notre perte sont ceux-là mêmes qui t'exploitent. Ils préfèrent te voir encadré que digne et libre chez le commerçant.

Ton travail te donne droit à un salaire de misère, mais si tu t'habitues à te mettre en rang, à perdre ta dignité d'homme libre, alors tu bénéficieras des prix avantageux des cantines ou des coopératives. La vraie solution, c'est que les puissants qui piratent des milliards légalement au Trésor, grâce à une fiscalité odieuse, paient l'impôt comme nous, et que de ce fait nous puissions te faire des prix qui te permettent à toi de venir au restaurant si tu veux, te faire servir à ton tour et garder ainsi avec la liberté, la fierté de ton travail.

Ouvrier de France ! au moment où s'engage cette lutte magnifique des petits contre les rapaces, n'oublie pas que notre intérêt est le tien.

C'EST TON ESPRIT À TOI, INTELLECTUEL DE FRANCE, REDRESSE-TOI !

Ce n'est pas à moi, qui à seize ans gagnais ma vie, de te dire à toi, Intellectuel, ce qui est l'esprit de la France. Cependant je peux et je dois me tourner vers toi, car sans nous, tu ne serais rien d'autre qu'une machine à penser, qu'un vulgaire tambour qui résonne, certes, mais qui sous la peau n'a que du vent. Pour que tu puisses faire rayonner notre pays, pour que ce que tu veux traduire soit une réalité, il te faut, comme les racines de l'arbre, aller chercher la substance au cœur même de la Nation.

Et toi, l'homme de science, pour qui travailles-tu ? Tes recherches, tes découvertes, ton idéal ?

Si tu n'es pas un fou ou un sadique, est-ce que cela te réjouit de voir ton œuvre écraser les hommes ? Ne préférerais-tu pas voir ton œuvre au service de tous ? [...]

PEUPLE DE FRANCE, CHEZ NOUS, IL Y A DE LA PLACE POUR CHACUN,
MAIS IL FAUT METTRE DE L'ORDRE DANS LA MAISON. NOTRE INTÉRÊT EST LE MÊME.
IL FAUT SE COMPRENDRE ET S'UNIR.

7. Le régime à la dérive
(Février 1955)

Journaliste issu de la Résistance, chef du service politique du quotidien Franc-Tireur *de 1944 à 1958, plus tard rédacteur en chef de* Paris-Jour *et à Radio Luxembourg, Bernard Lefort a publié en 1996 ses carnets de notes, rédigés au jour le jour et dans lesquels il consignait informations, confidences, anecdotes et réflexions sur le monde et la vie politiques à l'époque de la IVe République. Dans les extraits présentés ici, il évoque le désarroi qui règne parmi les candidats à la constitution d'un nouveau cabinet au lendemain de la chute du gouvernement Mendès France. Son témoignage reflète assez fidèlement l'atmosphère délétère du régime entre les deux brèves « embellies » que constituent l'expérience Mendès et les premières semaines du gouvernement de Front républicain.*

Source : Bernard Lefort, *Mes carnets secrets de la IVe. L'aller et retour du Général : 22 août 1944-1er juin 1958*, Paris, Seuil, 1996, pp. 291-293.

Bibliographie : J.-P. Rioux, *La France de la Quatrième République. 2/ L'expansion et l'impuissance, 1952-1958*, Paris, Seuil, Nouvelle Histoire de la France contemporaine, n° 16, 1983.

8 février 55

L E MAIRE DE SAINT-CHAMOND [1], malgré sa faveur pour une politique libérale, n'obtient ni la participation socialiste, ni le soutien du MRP : il renonce.

Très éprouvé par son échec, il se confie à ses proches collaborateurs : « Si j'étais religieux, j'entrerais au couvent. Ce que j'ai vu depuis trois jours m'a écœuré. Tous ceux qui sont venus me voir ne m'ont jamais parlé de mon programme, mais seulement de leurs petits intérêts personnels. » […]

14 février 55
Suite de la crise
Pierre Pflimlin, MRP, est « en piste » à son tour. Lui aussi renonce. À Henri Bouret [2], il confie : « Je viens de vivre la plus étonnante aventure de ma vie. Ma fierté est d'en sortir les mains pures. »

17 février 55
Même déception, même dégoût pour Christian Pineau, qui, comme ses prédécesseurs, a été témoin des mêmes marchandages, des mêmes manœuvres, des mêmes exclusions… des mêmes appétits !

Malgré de multiples concessions, et singulièrement sur la loi Barangé [3], au MRP, celui-ci a finalement refusé de le soutenir. Il est « recalé » par 312 voix contre 278 (bien que le MRP ait fini par voter pour lui).

---

1. Il s'agit d'Antoine Pinay.
2. Député MRP, longtemps proche des socialistes.
3. Loi favorable à l'enseignement libre, préparée par le MRP Barangé et le RPF Barrachin, et allouant à toutes les familles ayant un enfant dans l'enseignement primaire une indemnité de 3 000 F par enfant et par an.

Depuis quatre ans, les partis capables d'entrer dans une majorité se sont déchirés. Sur la laïcité, entre socialistes et MRP, malgré leur accord de fond sur la politique sociale. Sur le régime lui-même, Pinay et les indépendants ont sinon détruit, du moins affaibli le mouvement gaulliste, au point de déterminer la décision du général de Gaulle de dissoudre le RPF. Sur la CED, c'est à travers les groupes eux-mêmes que les élus se sont affrontés avec violence. Mendès France et la crise européenne ont achevé — sans en avoir l'intention — d'approfondir le désarroi de tous les membres de l'Assemblée nationale.

Confirmation de ce jugement par Edgar Faure, qui ajoute que la solution modérée et progressive n'a guère de chance d'être retenue.

Possibilité de revenir au Front populaire ?

L'alliance entre indépendants, MRP et poujadistes ne conduirait-elle pas les socialistes à renouer avec le PC ?

Pierre Commin[1] est indigné par cette hypothèse : «Qu'on nous cite, me dit-il, un seul pays qui, les bolcheviks ayant conquis le pouvoir, souvent avec l'aide des socialistes, n'a pas subi la liquidation idéologique du socialisme et la liquidation physique des socialistes ! Nous n'avons pas oublié le "coup de Prague" ! »

Et il me rappelle la célèbre formule de Guy Mollet : «Le PC n'est pas à gauche, il est à l'est... »

Réflexions

Soir. Tous les hommes qui disposent du pouvoir, à l'exception de quelques-uns, ont les mêmes réactions que leurs prédécesseurs à la fin du XIXᵉ siècle. Ils vivent dans le passé, malgré les prodigieux changements intervenus après la guerre de 14-18 et celle de 39-40. Vérité éclatante et qui explique le drame de l'Indochine, la peur de l'Europe et, aujourd'hui, les crises avec la Tunisie et le Maroc et naturellement la guerre d'Algérie. Rares sont ceux qui ne sont pas atteints de cécité totale ou partielle. Les autres, la grande majorité, se conduisent comme des irresponsables : ils sont de bonne foi, en commettant des erreurs et des fautes majeures qui se retournent contre leur pays. Ils se trompent d'époque.

© Seuil

8. Le Front républicain
(1956)

Renversé le 29 novembre 1955, Edgar Faure a utilisé une disposition constitutionnelle adoptée l'année précédente pour dissoudre l'Assemblée, de manière à prendre de vitesse les deux courants politiques alors en plein essor — poujadiste et mendésiste — et à reconduire la majorité sortante.

Pour tenter de trouver une parade à cette tactique, Jean-Jacques Servan-Schreiber, directeur de L'Express, *eut l'idée de constituer un « Front républicain » comprenant la SFIO, le Parti radical (où Pierre Mendès France et ses amis avaient fait exclure Edgar Faure), l'UDSR de François Mitterrand et les républicains-sociaux rassemblés autour de Jacques Chaban-Delmas.*

---

1. L'un des principaux collaborateurs de Guy Mollet.

La campagne électorale se déroula sous le signe de la paix négociée en Algérie, de la modernisation et du progrès social. Les élections du 2 janvier 1956 constituèrent assurément un succès pour la gauche, qui obtenait 56 % des suffrages, mais les communistes à eux seuls en totalisaient près de 26 % et gagnaient 47 sièges, tandis que les poujadistes effectuaient une percée spectaculaire, avec plus de 12 % des voix et une cinquantaine de sièges. Le Front républicain avait réalisé un score honorable (28 % des suffrages), insuffisant toutefois pour que le gouvernement issu de cette coalition de centre gauche pût se passer soit de l'appui du MRP et du RGR (radicaux fauristes), soit de celui du PC.

Le président Coty n'en désigna pas moins, pour former le premier gouvernement de la législature, le principal dirigeant de la gauche non communiste. Mais à qui revenait ce titre ? Au chef de la formation la plus nombreuse, le socialiste Guy Mollet, ou au véritable leader « moral » du Front, Mendès France ? Pour départager les deux hommes, une réunion se tint le 5 janvier, en présence de J.-J. Servan-Schreiber, chez Gaston Defferre. Il y fut décidé, dans l'attente de la désignation présidentielle, que celui des deux hommes qui ne serait pas président du Conseil se verrait attribuer le ministère des Affaires étrangères. Or, lorsque le 26 janvier, René Coty chargea Guy Mollet de constituer le gouvernement, ce dernier céda aux pressions du MRP et de certains modérés hostiles à Mendès France. Le Quai d'Orsay fut confié à Christian Pineau et Mendès France dut se contenter du titre purement décoratif de ministre d'État sans portefeuille.

Dans l'intervalle, socialistes et radicaux avaient tiré la leçon du scrutin du 2 janvier, les premiers en réunissant leur congrès à Puteaux (texte A), les seconds par une motion de politique générale adoptée le 16 janvier par le comité exécutif du parti (texte B).

Sources : *L'Année politique, 1956*, PUF, 1957, Annexes, pp. 451-452.
Bibliographie : M. Duverger, F. Goguel, J. Touchard dir., *Les Élections du 2 janvier 1956*, Paris, Armand Colin, 1957 ; J. Chapsal, A. Lancelot, *La Vie politique en France depuis 1940*, Paris, PUF, 1979 ; J.-P. Brunet, « Front républicain », in *Dictionnaire historique de la vie politique française au XXe siècle*, sous la direction de J.-F. Sirinelli, pp. 417-419.

A. Motion du congrès de Puteaux du Parti socialiste (15 janvier 1956)

L E CONGRÈS enregistre avec fierté le succès du Front républicain obtenu malgré les élections brusquées et un système électoral condamné par l'opinion.

Le congrès constate avec satisfaction l'échec du coup de force de la dissolution par lequel les groupes de la majorité cléricale et réactionnaire ont tenté de se sauver en commun au terme de plusieurs années d'immobilisme et d'impuissance.

Le congrès constate également que la politique des gouvernements de droite a entraîné non seulement la défaite de la majorité qui les a soutenus, mais a donné naissance à un nouveau courant hostile à la démocratie[1].

Dans cette situation dangereuse pour les libertés démocratiques, le Front républicain doit former seul le gouvernement de demain et se refuser à tout compromis, à toute négociation, à toute alliance avec les adversaires de la démocratie comme avec les partis de réaction qui en sont consciemment ou non les complices.

---

1. Il s'agit des poujadistes qui ont obtenu 12,8 % des voix et 52 sièges.

Le Parti socialiste revendique donc le pouvoir pour un gouvernement de Front républicain. Il est prêt à y prendre toutes ses responsabilités.

Le congrès approuve le discours de Guy Mollet. Il fait intégralement sien le programme qui s'y trouve contenu, tant en ce qui concerne la loi électorale, l'abrogation des lois anti-laïques, la réforme des institutions, que la politique internationale, la solution pacifique du problème algérien, et les mesures à prendre sur le plan économique et social.

Le congrès national extraordinaire renouvelle au secrétaire général du Parti l'expression de son affectueuse confiance pour poursuivre, en accord avec le Comité directeur et le Groupe parlementaire, les négociations nécessaires avec nos alliés du Front républicain afin de doter rapidement le pays d'un gouvernement d'action et de renouveau attendu avec espoir par l'opinion populaire et surtout par la jeunesse, gouvernement qui seul pourra redonner à la France sa place dans le monde.

Le congrès appelle tous les militants et tous les élus du Parti à mettre tout en œuvre pour atteindre ces objectifs immédiats dont la réalisation permettra d'aller vers plus de bien-être, de liberté et de justice pour tous.

B. Motion de politique générale
adoptée par le comité exécutif du Parti radical (16 janvier 1956)

L E COMITÉ EXÉCUTIF se félicite du succès obtenu par le Parti radical aux élections du 2 janvier, succès obtenu dans des conditions cependant rendues difficiles par la brièveté de la campagne et par la malhonnêteté du système électoral[1] imposé arbitrairement au pays, malgré sa volonté non équivoque. Grâce au dévouement des militants et des candidats, le Parti a gagné un demi-million de voix, région parisienne non comprise, et a consolidé partout ses positions. Il aborde la nouvelle législature dans des conditions qui lui permettront d'y jouer un rôle décisif.

Le comité exécutif félicite le bureau d'avoir défendu fermement et d'avoir fait respecter les décisions du dernier congrès, restaurant ainsi le crédit, l'autorité et l'indépendance du Parti radical.

Le comité exécutif remercie ses élus de maintenir fidèlement leur attachement au groupe parlementaire du Parti à l'Assemblée nationale, malgré toutes les tentatives de division.

Le comité exécutif constate qu'au lendemain des élections du 2 janvier, il est impossible de contester la volonté du pays de voir aboutir les réformes profondes, aussi bien pour assurer la paix civile et la permanence française en Afrique du Nord que pour obtenir de réelles améliorations dans le domaine économique et social dans la Métropole elle-même.

Seul un gouvernement décidé à appliquer sans défaillance la plate-forme soumise au pays répondra aux aspirations profondes de la Nation. Ce serait défier le sentiment du pays que de refuser aux partis du Front républicain l'exercice du gouvernement ou de prétendre réaliser des alliances politiques avec les partis séparés par des désaccords fondamentaux, préparant ainsi pour le pays des déceptions tragiques, ou encore de prétendre limiter la liberté d'action du Front républicain par de prétendues négociations préalables contraires à l'esprit et à la lettre de la Constitution et synonymes d'équivoque et d'immobilisme.

---

1. Le système des apparentements, adopté pour les élections de 1951, demeurait en vigueur.

Le comité exécutif recommande la constitution d'un gouvernement de Front républicain chargé d'appliquer, sans démagogie mais avec fermeté, les engagements pris envers le pays et de démontrer l'efficacité des institutions républicaines dont la révision doit d'ailleurs être entreprise sans retard.

Le Parti radical fait appel à la Nation tout entière, à ses forces vives, à sa jeunesse, pour qu'elle le soutienne dans l'effort dans lequel il s'engage résolument pour le redressement et le renouveau de la Patrie.

9. Le Parti communiste après le XXe congrès du PCUS

Au XXe congrès du Parti communiste de l'Union soviétique, qui s'est tenu en février 1956, Nikita Khrouchtchev a, à la fois condamné le culte de la personnalité, dénoncé les erreurs et les crimes de Staline dans un rapport secret, et formulé, en matière de politique internationale, la doctrine de la « coexistence pacifique ». Réuni le 21 mars, le Comité central du PCF tire à la fois, dans sa résolution finale, la leçon du XXe congrès (non sans difficulté) et celle des élections du 2 janvier.

Source : Résolutions du Comité central du Parti communiste français (21 mars 1956), _L'Année politique, 1956_, PUF, 1957, Annexes, pp. 465-469.

Bibliographie : A. Kriegel, _Les Communistes français, 1920-1970_, Paris, Seuil, 1985 ; Ph. Robrieux, _Histoire intérieure du Parti communiste français_, 3 vol., Paris, Fayard, 1980-1984 ; R. Martelli, _Communisme français ; histoire sincère du PCF_, Paris, Messidor-Éd. sociales, 1984.

L E COMITÉ CENTRAL du Parti communiste français souligne l'importance exceptionnelle des travaux et des décisions du XXe congrès du Parti communiste de l'Union soviétique pour les communistes de tous les pays, pour le mouvement ouvrier international, pour les peuples du monde entier. [...] Le XXe congrès du Parti communiste de l'Union soviétique apporte ainsi une aide inestimable à notre propre parti pour l'élaboration et la conduite de sa politique indépendante, pour l'amélioration de tout son travail. [...]

Le XXe congrès du Parti communiste de l'Union soviétique a réaffirmé avec force les idées directrices de la politique extérieure menée dès le premier jour par l'Union soviétique. Cette politique est fondée sur le principe de la coexistence pacifique des États aux régimes sociaux différents. [...]

La lutte du peuple de France pour la paix dans une période où la politique atlantique de guerre apparaît à l'évidence comme servant essentiellement l'impérialisme américain, a déjà abouti à des résultats substantiels. Le gouvernement à direction socialiste, constitué à la suite des élections du 2 janvier, tient un langage différent de celui des gouvernements précédents ; il a reconnu que la solution du problème allemand passe par le désarmement; il s'est prononcé pour l'entente des grandes puissances sur l'organisation simultanée du désarmement et de son contrôle ; il a affirmé son désir de développer les contacts avec l'Union soviétique.

C'est dans la mesure où la lutte pour la paix, pour le désarmement, pour la sécurité collective, pour renouer les liens d'amitié avec l'Union soviétique s'élargira considérablement que les déclarations gouvernementales sur la paix aboutiront à des actes vigoureux et susceptibles de consolider la détente internationale.

En même temps qu'ils mènent cette lutte, les communistes français portent toute leur attention sur la grave situation qui s'est créée en Algérie. Fidèles à l'internationalisme prolétarien, défenseurs de l'intérêt national et soucieux de l'existence de liens permanents entre l'Algérie et la France pour leur bien réciproque, ils luttent résolument pour le « cessez-le-feu », contre une guerre dont la poursuite creuserait le fossé et rendrait plus difficile une entente entre les deux peuples. Ils luttent pour la reconnaissance du fait national algérien qui aidera à ramener la paix et permettra à l'Algérie de décider librement de son avenir, y compris au sein d'une véritable Union française composée de peuples libres et égaux. [...]

Le XXe congrès a abordé la question d'utiliser la voie parlementaire pour passer au socialisme. Exclue à l'époque de la révolution d'Octobre, cette voie est devenue possible en raison des immenses changements intervenus dans la situation historique.

Dans plusieurs pays capitalistes, la classe ouvrière peut réellement, aujourd'hui, rallier autour d'elle la paysannerie laborieuse et l'ensemble des forces démocratiques et nationales, infliger une défaite décisive aux forces réactionnaires, conquérir une majorité parlementaire qui, s'appuyant sur le mouvement révolutionnaire de masse du prolétariat et des travailleurs, transformerait le Parlement en instrument de la volonté populaire, en organisme d'une démocratie véritable, d'une démocratie pour les travailleurs.

Le XXe congrès a mis en garde contre toute confusion entre le passage éventuel au socialisme par la voie parlementaire et la conception réformiste qui nie la lutte des classes. [...] Le passage au socialisme par la voie parlementaire ne saurait, d'autre part, être envisagé hors de l'action immédiate et constante pour la défense et l'élargissement des libertés démocratiques. Les communistes français ne sous-estiment pas les efforts de la bourgeoisie pour fermer cette voie : elle a empêché l'attribution de certains ministères aux communistes quant ils participaient au gouvernement ; elle est parvenue à les évincer en 1947 ; après les élections du 2 janvier, elle a réussi à empêcher une alliance cohérente entre le Parti communiste et les autres partis de gauche. [...]

Ainsi, le passage au socialisme par la voie parlementaire ne saurait être confondu avec un imaginaire socialisme sans lutte, sans direction de la classe ouvrière conduite par son avant-garde communiste. [...]

XIII

LA FRANCE EN GUERRE FROIDE
(1947-1956)

Au lendemain de la guerre, c'est l'Allemagne qui demeure pour la majorité des Fran-
çais l'ennemi virtuel le plus menaçant et le danger majeur pour la paix. Rares sont, à
cette date, les voix qui s'élèvent pour mettre en garde les milieux dirigeants et l'opinion
publique contre une politique visant à démembrer le Reich et à ramener l'Allemagne à
la situation antérieure à l'unification opérée sous l'égide de la Prusse (texte n° 1).
    Jusqu'au milieu de 1948, la position de la France à l'égard du problème allemand
n'évolue que lentement. L'image d'un Reich restauré et redevenu agressif ne cesse de
hanter l'esprit des dirigeants, qui continuent de prôner un « régime spécial » pour la
Ruhr et maintiennent leurs exigences en matière de réparations. Ceci alors que la
guerre froide bat son plein et que l'Allemagne est devenue l'enjeu majeur de l'affronte-
ment Est/Ouest. La signature, en mars 1947, du traité de Dunkerque, signé avec la
Grande-Bretagne, s'inscrit encore dans cette perspective. Il s'agit bel et bien d'une
alliance militaire dirigée contre l'ex-ennemie, et il n'est fait mention dans le texte
d'aucun autre adversaire potentiel. À la veille du discours dans lequel le président Tru-
man va lancer à la face du monde sa doctrine de l'endiguement du communisme, la
France continue de percevoir les relations internationales à travers une grille de lec-
ture qui est celle des années trente.
    Plus que la reconstitution d'une Internationale communiste directement reliée au
Kremlin — le Kominform —, à l'automne 1947, et la proclamation de la « doctrine Jda-
nov », c'est le « coup de Prague », en février 1948, qui incline l'opinion et les dirigeants
français à modifier brusquement leur perception du système international et l'ordre de
leurs priorités en matière de parade aux dangers extérieurs. Si la question allemande
demeure prégnante, les effets de la guerre froide et la partition de l'Europe en deux
blocs ne sont pas sans conséquence sur la politique étrangère de la France, de même
que ceux qui résultent de l'acceptation par son gouvernement de l'aide Marshall. Dès
mars 1948, un traité cette fois clairement destiné à faire barrage à la poussée commu-
niste est signé à Bruxelles entre la France, l'Angleterre, la Belgique, le Luxembourg et
les Pays-Bas et un an plus tard, le 4 avril 1949, la France lie son sort à neuf autres
pays européens et aux deux États d'Amérique du Nord par le pacte de l'Atlantique, qui
sera ratifié le 25 juillet par l'Assemblée nationale (texte n° 2).
    La guerre froide a également eu pour effet d'inciter les États de l'Ouest européen à
s'engager dans la voie de la coopération économique et politique. Le 5 mai 1949 est
créé à Londres le Conseil de l'Europe. Contrairement aux espérances qu'avaient nour-
ries les dirigeants des mouvements paneuropéens, il ne s'agit ni d'une union, ni d'une

fédération, mais plutôt d'une sorte de «club» des nations attachées au pluralisme et à la démocratie. L'année suivante, un pas décisif est accompli avec l'élaboration du projet de «pool charbon-acier» (texte n° 3) et la mise en œuvre de la CECA (texte n° 4), premier pas d'une démarche qui aboutira, sept ans plus tard, à la signature du traité de Rome et à la naissance du «Marché commun».

Ce double engagement de la France dans le camp atlantique se heurte, à l'intérieur, à de fortes oppositions. La plus virulente mobilise les militants du Parti communiste à la fois contre la guerre d'Indochine (cf. chap. 14) et contre la présence américaine en France dans le cadre de l'Organisation du traité de l'Atlantique nord. Elle culmine, le 28 mai 1952, avec la violente manifestation organisée à Paris et dans plusieurs villes de province contre la désignation du général Ridgway à la tête des forces de l'OTAN en Europe (texte n° 5). En même temps, mais à un échelon beaucoup plus modeste et beaucoup moins agressif, se développe un courant «neutraliste» qui se déclare hostile à la politique des blocs et qui rassemble principalement des représentants de la gauche «non conformiste» (texte n° 6).

Affrontés aux problèmes que suscite le conflit coréen et inquiets de la radicalisation d'un bloc de l'Est dont la pièce maîtresse se trouve, depuis 1949, détentrice de l'arme nucléaire, les Américains poussent au réarmement de l'ancien Reich. Pour éviter que celui-ci n'aboutisse à la renaissance du militarisme outre-Rhin, et tandis qu'au sein de l'OTAN la France ne peut que constater son isolement, le président du Conseil René Pleven propose à l'automne 1950 son «plan» prévoyant la constitution d'une armée européenne. Il faudra plus de dix-huit mois pour que soit mis au point, avec l'accord des États-Unis, le traité de Communauté européenne de défense (CED). Celui-ci est signé par les six États membres de la CECA en mai 1952, mais, se heurtant à l'opposition conjuguée des communistes, des gaullistes et de certains socialistes et radicaux, il ne sera pas ratifié par le Parlement français (texte n° 7).

Paradoxalement, la France qui venait de rejeter le traité élaboré à partir du «plan Pleven», traité dont elle pouvait en quelque sorte revendiquer la paternité et qui visait à éviter de faire purement et simplement entrer l'Allemagne dans l'Alliance atlantique, accepte quelques semaines plus tard une combinaison qui aboutit au même résultat. Le 23 octobre 1954, les Accords de Paris consacrent la souveraineté de la RFA, l'adhésion de l'Italie et de l'Allemagne à l'Union de l'Europe occidentale, et par là-même l'entrée de cette dernière puissance dans l'organisation atlantique (texte n° 8).

Après la mort de Staline (mars 1953), on constate un dégel des relations internationales. Celui-ci devient manifeste en 1956 avec le XXe congrès du PCUS et la proclamation par Khrouchtchev de la «coexistence pacifique». Pourtant, l'année s'achève sur une double crise. La première oppose au Proche-Orient les anciennes puissances coloniales, Grande-Bretagne et France, alliées à Israël, et l'Égypte du colonel Nasser (texte n° 9). La seconde a pour théâtre la Hongrie où les troupes soviétiques écrasent une insurrection populaire, provoquant une vive émotion en Occident, y compris parmi les militants et les compagnons de route du PC (texte n° 10). Pourtant, en dépit de ces épisodes sanglants, la détente amorcée par les nouveaux détenteurs du pouvoir en URSS va se poursuivre au cours des deux années suivantes, la France étant pour sa part entièrement absorbée par les retombées du conflit algérien.

1. Y a-t-il un « danger allemand » ?

Ce texte est tiré des Mémoires de Raymond Aron, parus en 1983, peu de temps avant sa mort. L'auteur évoque la période de l'immédiat après-guerre, marquée en France par le syndrome allemand. L'idée qui prédomine à cette date, et ceci jusque dans les secteurs les plus progressistes de l'intelligentsia, est que l'hitlérisme est le point d'aboutissement logique d'une évolution historique qui a fait que l'unité allemande s'est opérée autour de la Prusse autoritaire et militariste. Cette idée se trouve exprimée aussi bien par le grand germaniste Edmond Vermeil, auteur d'une Allemagne, _essai d'explication, publié en 1945, que sous la plume d'historiens appartenant à la mouvance de la gauche et pour lesquels il existe un lien évident sinon entre Luther et Hitler, comme certains l'affirment, du moins entre ce dernier et l'entreprise bismarckienne. De là l'idée répandue dans tous les secteurs de l'opinion et de la classe politique françaises, que l'Allemagne doit être démembrée, la Prusse détruite, les provinces orientales annexées par la Pologne et l'URSS, tandis que la Rhénanie serait divisée en États autonomes et que la Ruhr serait détachée du Reich et « internationalisée ». Ce sont les thèses du général de Gaulle — auxquelles Aron s'oppose bien que gaulliste fervent et membre du RPF —, mais aussi celles que défendent à cette date la majorité des dirigeants du MRP et de la SFIO._

Source : Raymond Aron, _Mémoires, cinquante ans de réflexion politique_, Paris, Julliard, 1983, pp. 250-251.

Bibliographie : N. Baverez, _Raymond Aron. Un moraliste au temps des idéologies_, Paris, Flammarion, 1993 ; R. Aron, _Le Spectateur engagé_, entretien avec J.-L. Missika et D. Wolton, Paris, Julliard, 1981 ; E. Vermeil, _L'Allemagne, essai d'explication_, Paris, Gallimard, 1945 ; A. Grosser, _La IVᵉ République et sa politique extérieure_, Paris, Armand Colin, 1967.

JE M'ÉTAIS FAIT, dès le lendemain de la capitulation du IIIᵉ Reich, une vue d'ensemble de la conjoncture européenne, sinon planétaire. Je surprenais souvent mes interlocuteurs, à _Point de Vue_, en affirmant que l'Allemagne demeurerait divisée pendant au moins une génération. Vingt ans plus tard je repris encore volontiers le même pari. Bien plus, le danger allemand, tel que les Français l'avaient connu entre 1870 et 1945, appartenait au passé. [...]

L'Allemagne d'après 1945, amputée à l'Est, un fragment de son peuple soumis à un régime soviétique, ne possédait plus de ressources supérieures à celles de son voisin slave : l'Union soviétique, maîtresse des pays qui la séparaient auparavant de l'Allemagne ; pas davantage elle ne surclassait désormais, comme elle l'avait fait en 1940, la France ou l'alliance franco-anglaise ; bien plus, l'alliance de l'Ouest incluait désormais les États-Unis. L'Allemagne croupion de l'Ouest ne faisait plus le poids face au géant du Nouveau Monde.

Pour le court terme, au moins une vingtaine d'années, l'Allemagne de l'Ouest appartiendrait, que les Français le voulussent ou non, au même camp que la France, camp occidental ou démocratique. Français et Allemands, inévitablement, subiraient ou assumeraient un destin commun. Les arguments de la raison se heurtaient aux émotions du cœur. Ai-je écrit pendant la guerre quelques textes que l'on peut baptiser anti-allemands, et non pas seulement anti-hitlériens ? Peu nombreux en tout cas. J'ai écrit peut-être aussi des articles qui, après coup, me semblent dérisoires, qui envisageaient des précautions contre le « danger allemand » du passé. Mais, dès la Libération, en tout cas dès la fin de la guerre, le partage de l'Europe, le rideau de fer, l'extension de la Pologne jusqu'à la ligne Oder-Neisse me débarrassèrent une fois pour toutes des images du passé. Le rêve de ma jeunesse — la réconciliation franco-allemande —, la ruse de la Raison nous en donnait une deuxième occasion : celle-là, il ne fallait pas la manquer. Quand je revins pour la première fois en Allemagne, en 1946, je détestai le régime d'occupation et j'eus honte des « bombardements de zone », contraires aux lois de la guerre, qui avaient réduit en ruines des villes entières sans une efficacité militaire à la mesure des pertes infligées à la population.

Je fis en 1946 une conférence à l'université de Francfort, entourée de gravats, à-demi épargnée au milieu d'une population mal nourrie. [...] Ce qui me frappa le plus, ce sont les regards de haine qui se concentrèrent sur moi, à une gare, alors que, pour prendre mon billet, je passai devant la queue des Allemands en usant du privilège de l'occupant. Quelques années plus tard, à Tunis, je détestai, avec la même spontanéité, le régime colonial, bien que celui-ci ne fût pas un des pires.

À partir de cette analyse, primitive mais fondamentale, je fus systématiquement favorable aux mesures dont les Américains et les Anglais prirent l'initiative, création de la bizone, puis de la trizone, fin des démantèlements, création de la République fédérale allemande, réarmement de la République de Bonn, égalité des droits. L'évolution s'est déroulée telle que je la prévoyais et la souhaitais (sans que la résistance française eût fait beaucoup de mal). Il n'en est pas moins légitime de se demander si j'avais raison de pousser à la roue, si les choses auraient pu se passer autrement.

Que l'on se souvienne des conceptions du général de Gaulle en 1945-1947 : les vetos qu'opposa le représentant de la France, à Berlin, à toutes les mesures qui tendaient à la création d'une administration unique pour les quatre zones, les déclarations publiques en 1947 pour condamner la décision prise par les Trois de créer la trizone, et, au-delà, la République fédérale allemande. Encore à cette date, le Général rejetait l'idée même d'un Reich : il souhaitait une fédération qui rassemblerait des Länder. Il s'accrochait à une thèse de Bainville et de Maurras, qui, dans la conjoncture des années d'après-guerre, me semblait anachronique, pour ne pas dire davantage. Le Général raisonnait, au moins en apparence, comme si l'Allemagne demeurait le perturbateur potentiel alors que, de toute évidence, le rôle était repris, pour une période indéterminée, par l'Union soviétique.

2. Discours de Robert Schuman à l'Assemblée nationale sur le pacte Atlantique

(25 juillet 1949)

Signé le 4 avril 1949 par les deux États nord-américains (États-Unis et Canada) et par dix pays européens — France, Royaume-Uni, Pays-Bas, Belgique, Luxembourg, Italie, Portugal, Norvège, Danemark, Islande — le traité de l'Atlantique du Nord devait, conformément aux dispositions constitutionnelles, être ratifié à la suite d'un vote du Parlement français. Lors du débat de ratification à l'Assemblée nationale, plusieurs voix s'élevèrent en dehors des communistes, qui avaient d'entrée de jeu proclamé leur hostilité au pacte : les unes pour s'inquiéter que la France puisse se trouver entraînée malgré elle dans un conflit en Europe, d'autres au contraire pour regretter que l'intervention des forces américaines ne soit pas automatique. Dans sa péroraison finale, Robert Schuman, ministre des Affaires étrangères dans le cabinet présidé par Henri Queuille, expose les raisons qui ont amené le gouvernement français à entrer dans l'Alliance atlantique. À la suite de quoi, par 395 voix contre 189 (le PC, les progressistes et quelques députés d'outre-mer), l'Assemblée votera la ratification du traité.

Source : _Journal officiel, Débats parlementaires_, Assemblée nationale, 25 juillet 1949.
Bibliographie : P. Mélandri, _L'Alliance atlantique_, Paris, Gallimard, 1979 ; G. Bossuat, _L'Europe occidentale à l'heure américaine, 1945-1952_, Bruxelles, Complexe, 1992 ; A. Grosser, _Les Occidentaux_, Paris, Fayard, 1978.

M. Robert Schuman, _ministre des Affaires étrangères._ — Mesdames, messieurs, vous avez lu tous le rapport si lumineux et complet que M. René Mayer a présenté au nom de la commission des Affaires étrangères, ce rapport qui, dans sa documentation, non seulement explique les textes signés, mais les situe dans l'ensemble de l'évolution politique de ces dernières années.

Au début de cet exposé, je me bornerai à souligner, à mon tour, les aspects essentiels des solutions admises. Rien ne devra rester et ne sera laissé dans l'ombre. Notre Parlement, comme les onze autres parlements intéressés, statuera en pleine connaissance de cause.

Le pacte a été rendu public plusieurs semaines avant sa signature. Il ne comporte aucune clause secrète. Les rédacteurs ont pris le maximum de précautions pour éviter les difficultés d'interprétation. Rarement, un texte diplomatique a fait l'objet d'une étude aussi ample et d'une critique aussi libre que celui-ci.

L'importance de cet accord n'échappe à personne. En y souscrivant, les pays signataires ont eu en vue, avant toute autre chose, leur propre bien-être et leur propre sécurité.

Mais en même temps, ils ont entendu apporter une contribution essentielle à la consolidation de la paix dans le monde.

La tâche essentielle d'un État est d'assurer son existence comme collectivité souveraine, de prévenir ou de détourner toute menace contre son indépendance.

Ce besoin et ce devoir de sécurité sont, pour l'État, sa raison d'être, non pas que l'État soit une fin en soi, mais parce que, à défaut de sécurité, il ne peut accomplir convenablement aucune de ses missions essentielles. Dans la mesure où un danger extérieur pèse sur un pays, sa vie politique et son activité économique s'en trouvent affectées.

Le sentiment de l'insécurité n'est pas toujours l'effet, d'ailleurs, d'une menace déjà précisée, d'une agression visiblement préparée. Le seul déséquilibre des forces entretenu par le plus fort, non compensé par des garanties internationales sérieuses au profit du plus faible, suffit à créer l'insécurité.

M. René Mayer, *rapporteur.* — Très bien !

M. Le ministre des Affaires étrangères. — Si la disproportion des forces s'accompagne, en outre, d'une tension politique croissante, le malaise est inévitable ; il va s'aggravant et il exige un remède.

Or, telle est la situation que nous avons connue pendant deux ans. Il me suffirait de la constater pour justifier l'initiative que nous avons prise. Nous pourrions nous dispenser de rechercher les responsabilités de cet état de choses. Mais, comme on renverse audacieusement les rôles et qu'on nous accuse d'avoir troublé la sérénité internationale, d'être les complices de projets incompatibles avec la paix, nous tenons à nous expliquer en toute franchise.

M. le rapporteur nous a rappelé l'évolution chronologique des événements. Je retiens le fait incontestable qu'avant toute idée émise en faveur d'un pacte occidental, le bloc oriental était en voie de constitution par la transformation interne des États satellites d'abord, par la conclusion de vingt-quatre pactes d'assistance ensuite et aussi par la constitution du Kominform.

Les partis non communistes ont été dissous en Roumanie dès le 29 juillet 1947, en Hongrie et en Pologne le 21 novembre, en Bulgarie le 11 décembre ; la Tchécoslovaquie a suivi fin février 1948.

Sur vingt-quatre traités d'assistance réciproques conclus entre les États de l'Europe orientale, trois l'ont été en 1945, trois en 1946, cinq en 1947, onze pendant les sept premiers mois de l'année 1948, deux seulement en 1949.

En face de ces dates, plaçons celles du pacte de Bruxelles, qui est du 17 mars 1948, et du pacte Atlantique, qui a été signé le 4 avril 1949. Les Occidentaux ne sont donc pas en avance sur l'horaire.

Il y a cependant une date qui domine toutes les autres, celle du 5 octobre 1947. C'est ce jour-là que les délégués de neuf partis communistes européens fondent à Varsovie le Kominform, bureau dit d'information, « chargé, selon la déclaration constitutive, de coordonner l'activité de ces partis », qui, à ce moment-là, je le souligne, ont déjà monopolisé ou sont sur le point de monopoliser le pouvoir dans sept pays.

Dans une déclaration qui annonce la création du Kominform et qui constitue en même temps le communiqué final officiel de cette conférence, il est dit entre autres : « Deux camps sont formés dans le monde : d'une part, le camp impérialiste et antidémocratique, qui a pour but l'établissement de la domination mondiale de l'impérialisme américain et l'écrasement de la démocratie, et d'autre part, le camp anti-impérialiste démocratique dont le but essentiel consiste à saper l'impérialisme, à renforcer la démocratie, à liquider les restes du fascisme. (*Très bien ! très bien ! à l'extrême gauche.*)

« Dans ces conditions, le camp anti-impérialiste et démocratique se trouve devant la nécessité de s'unir, de se mettre librement d'accord sur un plan d'action commune, d'élaborer sa tactique contre les forces principales du camp impérialiste, contre l'impérialisme américain, contre ses alliés anglais et français, contre les socialistes de droite, avant tout en Angleterre et en France. »

Ce document porte la date du 5 octobre 1947. (*Applaudissements au centre, à gauche, à droite, puis à l'extrême gauche.*)
Je me félicite de cette unanimité ! (*Sourires.*)
Voilà donc, mes chers collègues, une action internationale concertée, avec des visées qui débordent singulièrement les préoccupations de politique intérieure ou d'idéologie militante. Il s'agit de former un bloc cohérent — je cite — « établi dans tous les domaines, gouvernemental, politique, économique et idéologique », et j'ajoute : obéissant aux mêmes directives.

La constitution de ce bloc révèle une volonté d'isolement et d'antagonisme systématiques, que souligne par ailleurs le discours-programme d'un homme qui est décédé entre temps et dont nous connaissons l'influence et l'autorité en Russie soviétique, je veux parler de M. Jdanov. Selon lui, l'Amérique est en train — on est en septembre-octobre 1947 — de forger le bloc occidental, « protectorat exploité par l'impérialisme américain au point de vue stratégique, économique et idéologique ». Le bloc oriental n'est donc, pour l'orateur, qu'une réponse et une parade.

Et comment justifie-t-il cette surprenante affirmation ? C'est le plan Marshall qui, offert à l'Europe au mois de juin, quatre mois auparavant, aurait eu pour effet et pour objet de dresser un bloc des pays liés aux États-Unis et de reconstruire les régions industrielles de l'Allemagne occidentale contrôlées par les monopoleurs américains.

Lors d'une conférence tenue à Paris au début de juillet 1947, la Russie a déclaré refuser de « s'engager dans cette voie », affirmant qu'elle démasquait « le plan des impérialistes américains et de leurs commis anglo-français ».

C'est ainsi qu'on a expliqué le rejet brutal d'une tentative de restaurer en commun l'économie européenne dans son ensemble. L'offre de participation qui avait été faite à l'Union soviétique, comme aux autres pays de l'Europe orientale, devait, nous dit-on, « masquer l'hostilité à l'égard de l'URSS ». C'était « un piège destiné à séduire les pays de l'Est et à les lier ensuite par le secours du dollar ».

J'ai tenu à rappeler tout cela parce que nous pouvons ainsi situer l'origine de cette césure qui désormais s'accentue et dont le pacte Atlantique est une des conséquences.

Par un paradoxe sans précédent, une offre de coopération internationale qui, elle aussi, était sans précédent, que chacun était libre de repousser, a servi de prétexte à une division aggravée, à une hostilité qu'on nous déclare être sans remède.

Nous constatons et nous soulignons que, ni le pacte de Bruxelles de mars 1948, ni les accords de Londres sur l'Allemagne de juin 1948, ni l'Organisation économique européenne, ni le Conseil de l'Europe, ni, enfin, le pacte Atlantique ne peuvent être rendus responsables d'une rupture antérieurement décidée, proclamée, consacrée dans la suite par l'échec de la conférence de Londres de décembre 1947. (*Applaudissements au centre, à droite et sur divers bancs à gauche.*)
La constitution de deux blocs antagonistes n'est pas notre fait.

Qu'on ne vienne pas nous répliquer que le bloc oriental, né dès 1947, n'a visé que le péril allemand, que les traités d'assistance, notamment, conclus entre les pays orientaux, ont pour objet essentiel la lutte ou la défense contre l'Allemagne et contre ses alliés, puisque tous ces traités d'assistance envisagent un conflit possible, non seulement avec l'Allemagne, mais aussi — je cite — « avec tout autre État uni avec l'Allemagne sous quelque forme que ce soit, directement ou indirectement ».

Or, on le répète ici dans chacun des discours venant de ce côté de l'Assemblée (*l'extrême gauche*), nous savons que, dès 1947, le Kominform accusait précisément les

États-Unis et les alliés occidentaux d'une collusion avec l'Allemagne, en vue d'une agression future contre les démocraties populaires. Il serait ainsi facile d'affirmer que d'autres pays sont impliqués dans un conflit entre l'Allemagne et les pays soviétiques.

Au surplus, les traités conclus entre la Yougoslavie et l'Albanie, en juillet 1947, entre la Yougoslavie et la Bulgarie, le 27 novembre 1947, entre la Yougoslavie et la Hongrie, le 8 décembre 1947, entre la Yougoslavie et la Roumanie, le 19 décembre 1947, enfin, celui conclu entre la Bulgarie et l'Albanie du 16 décembre 1947 visent toute attaque venant de toute nation, quelle qu'elle soit et en dehors de toute complicité allemande.

Tous ces pactes peuvent donc, en dernière analyse, jouer contre les puissances occidentales en cas d'agression.

Telle était, mesdames, messieurs, la situation au début de 1948. Pouvions-nous nous résigner à cette insécurité, subir sans réagir une guerre froide de tous les jours, entretenue savamment et dirigée d'un centre unique, appuyée, non seulement sur des forces militaires bien supérieures au nôtres, mais aussi sur des concours à l'intérieur des pays menacés ? Nous aurions trahi notre devoir si nous avions accepté, passivement, un tel état de choses. (*Applaudissements au centre, à gauche et à droite.*)

Nous ne nous sommes pas bornés à une mesure de circonstance, destinée à parer à une nécessité immédiate et momentanée. Le traité qui a été signé est conclu pour vingt ans.

D'autres dangers, je le dis avec force, pourront naître et jeter le trouble, compromettre la paix. Le problème allemand n'est pas résolu. Nous espérons pouvoir le résoudre dans le cadre d'une coopération européenne pacifique. Un tel résultat sera d'autant plus facile à atteindre que nous ne serons pas continuellement obsédés par notre faiblesse due à notre isolement.

Nous nous souvenons de ce qu'a été, entre les deux guerres mondiales, notre infructueux effort dans la recherche d'un système de sécurité. L'absence des États-Unis et le manque de cohésion entre les États européens nous ont valu l'agression hitlérienne.

Aujourd'hui, pour la première fois dans l'Histoire, un barrage intercontinental est dressé contre la guerre, contre toute guerre, d'où qu'elle puisse surgir. Il n'est pas juste de dire que le pacte Atlantique ignore la possibilité d'une agression allemande, ainsi que l'affirme encore le mémorandum russe du 31 mars dernier. Le pacte n'est dirigé contre aucune nation, contre aucun groupe de nations, mais contre tout agresseur quel qu'il soit.

3. La déclaration du gouvernement français
sur le « pool charbon-acier »
(9 mai 1950)

Après la création du Conseil de l'Europe, en mai 1949, la mise en route de la CECA marque une étape majeure dans l'édification d'un ensemble communautaire rassemblant les États de l'Ouest européen.

L'idée de créer une Communauté européenne du charbon et de l'acier revient à l'homme qui préside, depuis 1946, à la planification française, Jean Monnet. « Européen » de la première heure, ancien concepteur, en pleine débâcle de 1940, d'un projet d'union perpétuelle franco-britannique présenté à Paul Reynaud pour tenter d'empêcher la défection française, et promoteur, au paroxysme de la guerre froide, d'une Europe du charbon et de l'acier gérée par un organisme supranational, Monnet a souvent été consi-

déré par ses détracteurs comme un pur « technocrate », inspirateur d'une Europe des industriels et des banques, fondée sur les seuls intérêts économiques. Rien n'est plus faux. Jean Monnet a eu, en concevant son projet, le souci de rapprocher les peuples du vieux continent et de jeter les bases des futurs « États-Unis d'Europe ». Mais en même temps, il était conscient des immenses difficultés de l'entreprise. « L'Europe — dira-t-il — ne se fera pas d'un coup, ni dans une construction d'ensemble : elle se fera par des réalisations concrètes, créant d'abord une solidarité de fait », formule qui sera reprise, mot pour mot, dans la déclaration présentée le 9 mai 1950 par le ministre des Affaires étrangères Robert Schuman, que Monnet a réussi à convaincre de la faisabilité du projet.

Que pouvait-il y avoir en effet de plus concret et de plus urgent, dans un contexte international marqué par l'aggravation de la guerre froide, que de rapprocher la France et l'Allemagne en les associant dans un projet commun offrant à leurs économies la possibilité de tirer profit de leur complémentarité ? L'Allemagne est riche en coke, la France a besoin de celui-ci pour assurer l'approvisionnement de ses hauts-fourneaux et elle peut en retour fournir à sa voisine des quantités importantes de minerai de fer. Pourquoi ne pas associer ces richesses et ces besoins dans une entreprise que l'on propose d'élargir aussitôt à ceux des pays européens qui le souhaitent, première étape d'une communauté plus vaste et moins étroitement spécialisée ?

Tel est donc le dessein que le commissaire général au Plan va présenter au chef de la diplomatie française, le MRP Robert Schuman, Européen convaincu lui aussi et « homme de frontière » né en Lorraine annexée et partagé entre deux cultures. Celui-ci fait rapidement sien le projet de CECA. Le 9 mai 1950, il en expose les grandes lignes dans une déclaration proposée à l'ensemble des pays européens.

L'objectif est clair et comporte trois volets : rapprocher la France et l'Allemagne, tout juste cinq ans après la fin d'une guerre dont les traces sont encore brûlantes ; faire du « pool charbon-acier » le pivot d'une communauté économique ouverte aux autres États européens ; enfin, et à plus long terme — mais l'idée est au cœur du « plan Schuman » —, jeter les bases d'une « Fédération européenne indispensable à la préservation de la paix ».

Source : _L'Année politique 1950_, Éd. du Grand Siècle, Paris, 1951, pp. 306-307.
Bibliographie : P. Gerbet, _La Construction de l'Europe_, Paris, Imprimerie nationale, 1983, rééd. Points-Seuil ; M.-T. Bitsch, _Histoire de la construction européenne_, Bruxelles, Complexe, 1996.

LA PAIX MONDIALE ne saurait être sauvegardée sans des efforts créateurs à la mesure des dangers qui la menacent.

La contribution qu'une Europe organisée et vivante peut apporter à la civilisation est indispensable au maintien des relations pacifiques. En se faisant depuis plus de vingt ans le champion d'une Europe unie, la France a toujours eu pour objet essentiel de servir la paix. L'Europe n'a pas été faite, nous avons eu la guerre.

L'Europe ne se fera pas d'un coup, ni dans une construction d'ensemble : elle se fera par des réalisations concrètes créant d'abord une solidarité de fait. Le rassemblement des nations européennes exige que l'opposition séculaire de la France et de l'Allemagne soit éliminée. L'action entreprise doit toucher au premier chef la France et l'Allemagne.

Une Haute Autorité commune

Dans ce but, le gouvernement français propose immédiatement l'action sur un point limité, mais décisif.

Le gouvernement français propose de placer l'ensemble de la production franco-allemande de charbon et d'acier sous une Haute Autorité commune, dans une organisation ouverte à la participation des autres pays d'Europe.

La mise en commun des productions de charbon et d'acier assurera immédiatement l'établissement de bases communes de développement économique, première étape de la Fédération européenne, et changera le destin de ces régions longtemps vouées à la fabrication des armes de guerre, dont elles ont été les plus constantes victimes.

La solidarité de production qui sera ainsi nouée manifestera que toute guerre entre la France et l'Allemagne devient non seulement impensable, mais matériellement impossible. L'établissement de cette unité puissante de production, ouverte à tous les pays qui voudront y participer, aboutissant à fournir à tous les pays qu'elle rassemblera les éléments fondamentaux de la production industrielle aux mêmes conditions, jettera les fondements réels de leur unification économique.

Mise en commun de la production de base

Cette production sera offerte à l'ensemble du monde, sans distinction ni exclusion, pour contribuer au relèvement du niveau de vie et au progrès des œuvres de paix. L'Europe pourra, avec des moyens accrus, poursuivre la réalisation de l'une de ses tâches essentielles, le développement du continent africain.

Ainsi sera réalisée simplement et rapidement la fusion d'intérêts indispensable à l'établissement d'une communauté économique et introduit le ferment d'une communauté plus large et plus profonde entre des pays longtemps opposés par des divisions sanglantes.

Par la mise en commun de la production de base et l'institution d'une Haute Autorité nouvelle, dont les décisions lieront la France, l'Allemagne et les pays qui y adhéreront, cette proposition réalisera les premières assises concrètes d'une Fédération européenne indispensable à la préservation de la paix.

Pour poursuivre la réalisation des objectifs ainsi définis, le gouvernement français est prêt à ouvrir des négociations sur les bases suivantes :

Mission et pouvoirs de la Haute Autorité

La mission impartie à la Haute Autorité commune sera d'assurer dans les délais les plus rapides : la modernisation de la production et l'amélioration de sa qualité, la fourniture à des conditions identiques du charbon et de l'acier sur le marché français et sur le marché allemand, ainsi que sur ceux des pays adhérents, le développement de l'exportation commune vers les autres pays, l'égalisation dans le progrès des conditions de vie de la main-d'œuvre de ces industries.

Pour atteindre ces objectifs à partir des conditions très disparates dans lesquelles sont placées actuellement les productions des pays adhérents, à titre transitoire, certaines dispositions devront êtres mises en œuvre, comportant l'application d'un plan de production et d'investissements, l'institution de mécanismes de péréquation des prix, la création d'un fonds de reconversion facilitant la rationalisation de la production. La circulation du charbon et de l'acier entre les pays adhérents sera immédiatement affranchie de tous droits de douane, et ne pourra être affectée par des tarifs de transport différentiels. Progressivement, se dégageront les conditions assurant spontanément la répartition la plus rationnelle de la production au niveau de productivité le plus élevé.

À l'opposé d'un cartel international tendant à la répartition et à l'exploitation des marchés nationaux par des pratiques restrictives et le maintien de profits élevés, l'organisation projetée assurera la fusion des marchés et l'extension de la production.

Les principes et les engagements essentiels ci-dessus définis feront l'objet d'un traité signé entre les États et soumis à la ratification des Parlements. Les négociations indispensables pour préciser les mesures d'application seront poursuivies avec l'assistance d'un arbitre désigné d'un commun accord, celui-ci aura charge de veiller à ce que les accords soient conformes aux principes et, en cas d'opposition irréductible, fixera la solution qui sera adoptée.

La Haute Autorité commune chargée du fonctionnement de tout le régime sera composée de personnalités indépendantes désignées sur une base paritaire par les gouvernements ; un président sera choisi d'un commun accord par les gouvernements, ses décisions seront exécutoires en France, en Allemagne et dans les autres pays adhérents. Des dispositions appropriées assureront les voies de recours nécessaires contre les décisions de la Haute Autorité. Un représentant des Nations unies auprès de cette autorité sera chargé de faire deux fois par an un rapport public à l'ONU, rendant compte du fonctionnement de l'organisme nouveau, notamment en ce qui concerne la sauvegarde de ses fins pacifiques.

L'institution de la Haute Autorité ne préjuge en rien du régime de propriété des entreprises. Dans l'exercice de sa mission, la Haute Autorité commune tiendra compte des pouvoirs conférés à l'Autorité internationale de la Ruhr et des obligations de toute nature imposées à l'Allemagne, tant que celles-ci subsisteront.

© éd. du Grand Siècle

4. « Nous voulons construire l'Europe »
(Discours de Robert Schuman à Strasbourg, 24 novembre 1950)

Bien accueilli en Allemagne, en Italie et dans les trois pays du Bénélux, le plan Schuman va aboutir en moins d'un an à la création de la Communauté du charbon et de l'acier. Dès le 18 avril 1951 en effet, ces six pays (auxquels il faut ajouter la Sarre) signent le traité de Paris instituant la CECA pour une durée de cinquante ans et fixant les attributions de ses organismes institutionnels : la Haute Autorité, dotée de pouvoirs autonomes et exécutoires, le Conseil des ministres qui exprime l'intérêt des États, l'Assemblée qui contrôle la Haute Autorité et la Cour de Justice qui juge les litiges.

Ces institutions communautaires seront mises en place dans le courant de 1952 et, dès l'année suivante, le « marché commun » du charbon et de l'acier commencera à fonctionner à la satisfaction générale. Mais, dans l'intervalle, la situation internationale continue de se tendre, notamment après le déclenchement de la guerre de Corée, en juin 1950. Aussi les Américains, inquiets de la radicalisation d'un bloc de l'Est dont la pièce maîtresse se trouve, depuis 1949, en possession de l'arme nucléaire, poussent-

ils au réarmement de l'ancien Reich. Pour éviter que celui-ci se fasse malgré elle et n'aboutisse à la renaissance du militarisme outre Rhin, la France — qui ne peut que constater sur ce point son isolement au sein de l'OTAN — va présenter à l'automne un projet d'armée européenne conçu par le président du Conseil René Pleven. C'est ce projet qui, avec de sensibles modifications, aboutira deux ans plus tard à la signature du traité de Communauté européenne de défense. Le 24 novembre 1950, Robert Schuman en expose le principe devant l'Assemblée européenne de Strasbourg.

Source : *L'Année politique 1950*, Éd. du Grand Siècle, Paris, 1951, pp. 381-382.

Bibliographie : G. Bossuat, *Les Fondateurs de l'Europe*, Paris, Belin, 1994 ; R. Poidevin, *Histoire des débuts de la construction européenne (mars 1948-mai 1950)*, Bruxelles, Bruylant, 1986 ; E. Roussel, *Jean Monnet, 1888-1979*, Paris, Fayard, 1991 ; R. Poidevin, *Robert Schuman, homme d'État, 1886-1963*, Paris, Imprimerie nationale, 1986.

VOUS SAVEZ COMBIEN mon gouvernement est attaché, de plus en plus attaché aux solutions européennes, parce qu'il est convaincu qu'aucune autre politique n'est capable de sauver les pays européens de leurs divisions, de leurs antagonismes et de l'impuissance.

Le démembrement de l'Europe est une cause permanente et croissante de faiblesse dans tous les domaines : politique, économique, militaire. La mise en commun organique de nos ressources serait, au contraire, une garantie de prospérité, de puissance et de paix. Mon gouvernement, en exprimant cette conviction, n'a actuellement en vue aucune structure politique générale, fédéraliste ou non. Ce sera notre souci ultérieur.

À présent, il ne nous appartient que de rechercher et de trouver, en accord avec les autres pays européens, des solutions aux problèmes concrets qui se posent dans l'immédiat. Nous les recherchons, non pas sous l'inspiration d'une conception doctrinale, mais pour répondre à des besoins pratiques.

Ce procédé n'implique pas la création d'un surper-État, mais se borne à prévoir certaines institutions particulières dans un domaine délimité. Nous l'avons appliqué dans notre Plan de mise en commun de la production du charbon et de l'acier. Ce procédé, vous le préconisez vous-mêmes par la voie des autorités spécialisées, qu'on peut concevoir dans les domaines les plus divers. Un tel procédé est libre de tout engagement idéologique, il est essentiellement pratique par son objet, empirique par sa méthode.

Nous voilà donc amenés à appliquer la même méthode au problème militaire. Celui-ci serait posé tôt ou tard. Il l'a été plus tôt que nous ne le pensions et que nous ne l'aurions désiré. Nous aurions désiré développer d'abord les soubassements économiques et politiques, avant d'aborder la construction de l'édifice militaire. Mais nos tâches ne se choisissent pas, elles s'imposent à nous et il faut bien les entreprendre au fur et à mesure qu'elles surgissent sur notre route.

Une telle méthode inductive peut heurter ceux qui sont particulièrement nombreux en France et qui préfèrent la méthode déductive qui part des hauteurs, des grands principes idéologiques, des systèmes préconçus pour descendre vers leur application de détail. La voie que nous avons choisie s'inspire des pratiques séculaires britanniques, si prudemment réalistes. Vous comprendrez l'importance que j'attache à cette constatation.

Nous préconisons l'organisation de la défense sur le plan européen parce que nous voulons construire l'Europe, une Europe entière et complète. Nous la voulons ainsi, et avec autant de force et de conviction, parce que nous ne voyons pas d'autre solution possible en ce qui concerne l'Allemagne, au moins dans les circonstances actuelles. Il est remarquable que la même conclusion s'impose dans les deux ordres d'idées. Ayons le courage et la franchise de regarder en face la situation telle qu'elle est. L'Allemagne est désarmée. Envisager le réarmement de l'Allemagne serait contrevenir aux engagements internationaux les plus clairs et les plus formels, jamais mis en doute dans le passé. Ce serait, d'autre part, provoquer dans les pays de l'Est une réaction dont nous ne pourrions pas mesurer la portée, alimenter la propagande adverse en lui fournissant des arguments qu'il y aurait le plus grand inconvénient à lui fournir. Notre politique doit, au contraire, tendre à l'accroissement de nos moyens de défense, mais en même temps et au moins autant à réduire la tension dans le monde.

Or, que signifie « réarmer l'Allemagne » ? Avant toute discussion, entendons-nous sur les termes, sur le vocabulaire. Armer un pays, c'est laisser à sa libre disposition, à la libre disposition de son gouvernement, une force armée nationale susceptible de devenir l'instrument de sa politique. Ce n'est pas armer un pays que de le comprendre dans une entreprise de défense commune, organisée et dirigée par l'ensemble des pays participants qui exercent leur autorité collective sur tous les éléments et à tous les stades de cette Organisation. Dans un tel système, il n'y a pas d'armée ni d'armement national. C'est l'Europe qui serait armée et non pas un pays européen pris isolément.

Si l'Allemagne est prête à autoriser ou à obliger ses citoyens à s'enrôler dans une armée européenne, elle ne s'arme pas elle-même. Elle prend sa part dans les charges et dans les responsabilités qui lui incombent comme membre militaire d'une association européenne.

Naturellement, l'Allemagne aura à dire elle-même si elle est disposée à entrer dans une telle voie. Il ne m'appartient pas d'interpréter sa pensée, de préjuger sa volonté. Quant à la France, elle pense déterminer sa propre attitude moins d'après ses préférences ou ses commodités, que dans le respect de ses engagements et avec la préoccupation de servir la paix et la liberté de tous les peuples qui y sont attachés.

On me demandera peut-être s'il est nécessaire de recourir à une organisation européenne, alors qu'on pourrait faire l'intégration de l'Allemagne dans l'armée atlantique, où entreraient en même temps les États-Unis et le Canada.

Je réponds que le sens actuellement attaché à l'intégration de l'armée atlantique signifie l'institution d'un commandement unique ; par contre, elle laisse subsister les unités et même les armées nationales. Il serait d'ailleurs difficile de créer une véritable armée atlantique, c'est-à-dire une armée recrutée et entraînée d'après des règles uniformes sous la direction d'un organisme atlantique. Élargir ainsi le problème ne serait pas le simplifier et la solution envisagée ne résoudrait pas le problème des pays non signataires du Pacte. Enfin, comme on l'a fait remarquer à juste titre, le Pacte a un objectif temporaire ; l'armée européenne, à notre sens, constitue une solution définitive et doit garantir la paix contre toutes les menaces, internes et externes à l'Europe, présentes et futures.

Il est essentiel de savoir et de comprendre que l'armée européenne ne doit pas être un simple aggloméré d'unités nationales, menacée de dislocation à la première secousse. Elle devra être une institution permanente qu'il ne sera pas loisible d'abandonner au gré des égoïsmes nationaux ou des mésententes passagères.

Sa base n'est pas un simple engagement contractuel qu'on résilie ou qu'on renie, a une alliance éphémère pareille à celles que l'histoire a connues en si grande variété.

C'est pourquoi il faut que les États se résignent à se dessaisir d'une parcelle de leur autonomie au profit d'une autorité collective à laquelle ils participent, mais à laquelle ils se soumettent d'avance. En l'espèce, il s'agit d'un ministre ou d'un haut-commissaire européen de la Défense, placé sous le contrôle d'un Comité des ministres comprenant les représentants de tous les pays participants. Cet organisme aura la responsabilité du recrutement, de l'entraînement et de l'entretien de l'armée européenne. Il gérera le budget commun de la défense et, au besoin, rendra compte de cette gestion à une Assemblée interparlementaire commune.

© Éd. du Grand Siècle

5. « Camp de concentration » au carreau du Temple
(Manifestation communiste du 28 mai 1952)

Dans la soirée du 28 mai 1952, de véritables combats de rue opposent, dans divers quartiers de Paris, plusieurs milliers de militants communistes aux forces de police du préfet Baylot. À l'origine de cette « manif dure », qui marque en France le point culminant de la guerre froide, il y a la nomination à la tête du SHAPE — le haut-commandement des forces de l'OTAN en Europe — du général américain Ridgway, accusé par la presse communiste d'avoir mené en Corée une guerre bactériologique, donc d'être un criminel de guerre.

Le combat idéologique et culturel que livrent « à leur créneau », les intellectuels du Parti, cela depuis le début de la guerre froide, n'a pas été sans acclimater chez les militants et les sympathisants communistes l'idée que les Américains pouvaient avoir pris, quelques années seulement après le naufrage du IIIe Reich, la place de ce dernier dans la lutte planétaire menée par le capital contre les forces du socialisme et de la révolution, et qu'il existait une continuité évidente entre l'Allemagne de Hitler et les États-Unis de Truman et de McCarthy. D'où l'équation US = SS, qui n'est pas seulement un slogan peint à la chaux sur les murs de Paris, mais un thème littéraire que l'on retrouve chez de nombreux écrivains communistes, d'Aragon à Courtade et d'André Stil — prix Staline 1951 pour son roman Le Premier Choc *— au Roger Vailland du* Colonel Foster *plaidera coupable, que le ministre de l'Intérieur de l'époque fera interdire à la deuxième représentation pour « atteinte à l'ordre public ».*

Qui se souvient alors que « l'émissaire armé du Pentagone » se trouvait à la tête de la 82e division aéroportée en juin 1944, lorsque cette unité a été larguée au-dessus de Sainte-Mère-Église pour libérer la France ? Le temps n'est plus où l'armée américaine combattait le nazisme sur les plages de Normandie, mais bien celui de la réconciliation et de l'alliance « offensive » avec le vaincu d'hier. Mai 1952, n'est-ce pas précisément le moment qu'ont choisi les alliés occidentaux pour signer les accords de Bonn, qui restituent à la République fédérale sa pleine souveraineté, ainsi que le traité de CED qui intègre la future armée allemande dans le dispositif de défense de l'OTAN ? On pressent que dans la campagne qui se développe contre « Ridgway la peste », les préoccupations européennes des communistes, et en particulier celles qui ont trait au « revanchisme » allemand, ne sont pas d'un poids négligeable.

Contrairement à leur pratique habituelle — un grand rassemblement de masse en un point précis de la capitale —, c'est à une série d'actions ponctuelles que vont se livrer les troupes du PC, dispersées en commandos armés de manches de pioche, de pancartes métalliques, de boulons, etc. Les heurts sont d'une extrême violence, faisant un mort (l'ouvrier algérien Bélaïd Hocine, tué par balle près du métro Stalingrad) et plusieurs centaines de blessés, la police procédant à 700 arrestations, dont celle de Jacques Duclos, secrétaire général par intérim du PCF (Thorez est alors en convalescence sur les bords de la mer Noire), aussitôt accusé de transporter dans sa voiture des « pigeons voyageurs » destinés à communiquer avec les divers groupes de manifestants, et incarcéré à la prison de la Santé.

Bientôt ramenée à ses proportions comiques, « l'affaire des pigeons » n'en témoigne pas moins du climat obsidional qui règne à cette date dans les sphères du pouvoir. Il en est de même du côté communiste où l'on n'hésite pas, comme le montre ce texte extrait du journal L'Humanité, _à comparer le « carreau du Temple » — un marché aux vêtements situé dans le IIIe arrondissement où avaient été conduits les manifestants interpellés par la police dans la soirée du 28 mai — à un « camp de concentration » gardé par des CRS plus ou moins tacitement assimilés aux gardiens des camps nazis._

Source : _L'Humanité_, 30 mai 1952.
Bibliographie : D. Desanti, _Les Staliniens, une expérience politique (1944-1956)_, Paris, Fayard, 1975 ; P. Daix, _J'ai cru au matin_, Paris, Laffont, 1976 ; Ch. Tillon, _On chantait rouge_, Paris, Laffont, 1977 ; J. Duclos, _Mémoires_, t. IV, _Sur la brèche, 1945-1952_, Paris, Fayard, 1971 ; M. Pigenet, _Au cœur de l'activisme communiste des années de guerre froide. Le Manifeste Ridgway_, Paris, L'Harmattan, 1993.

CE SPECTACLE, je ne l'avais pas revu depuis l'Occupation, et j'espérais ne jamais le revoir. [...]

C'est un camp de concentration ici, me dit la commerçante du carreau du Temple en tendant le bras vers le trottoir gardé par les CRS casqués et en armes. Le carreau du Temple, parcouru d'ordinaire de marchandages et de cris, ne retentit que du bruit des bottes et des brutales apostrophes des geôliers.

À l'intérieur, 400 à 500 « détenus » (comme disent les matraqueurs). Femmes aux cheveux blancs, mères de famille, professeurs arrêtés à la sortie du lycée, métallos, étudiants, deux enfants de quatorze ans saisis devant l'école, sont parqués depuis 24 heures dans le vent froid qui joue entre les barreaux[1], sur le ciment nu du carreau : ni bancs, ni chaises, ni latrines. Mais deux rangées de chevaux de frise et les coups de crosse, les coups de matraque des gardiens à qui s'en approche.

À midi, personne n'avait mangé depuis le déjeuner de la veille. Toute la nuit, les prisonniers ont chanté, malgré les interdictions et les brimades. Au matin, la police a envoyé du renfort [...] et les brutalités ont recommencé.

Pendant ce temps, la population entière du quartier se groupait autour de « ses » victimes. Unanimes, les marchands du carreau ont versé à la collecte (« Même ceux, dit le président de leur syndicat, qui gagnent à peine de quoi se nourrir eux-mêmes »). [...]

---

1. On notera que l'événement a lieu à la fin du mois de mai.

Les CRS refusent de distribuer le ravitaillement. Les détenus réclament ; les coups pleuvent. Pendant trois heures, la Croix-Rouge a prétendu « n'être pas compétente ». « Oui, les camps de concentration aussi, vous disiez qu'ils ne vous concernaient pas », ont répondu les commerçants du quartier[1]. Enfin, la Croix-Rouge a pu distribuer des vivres, malgré les CRS qui criaient : « Ça suffit, c'est un festin ici. [...] Leur donnez pas à boire, ils nous casseraient la g... »

6. L'Union progressiste
pour une politique neutraliste de la France
(Juin 1952)

C'est autour de l'affrontement entre les deux modèles dominants — américain et soviétique — que se structure pendant les années de la guerre froide le champ culturel et idéologique. D'un côté les communistes, engagés en première ligne de toutes les batailles, et les plus dociles des compagnons de route, de l'autre, les partisans de l'« atlantisme ». Entre ces deux pôles, qui reproduisent le partage bipolaire issu de la guerre froide, se mettent en place, entre 1947 et 1950, les lignes de clivage dont les rencontres conflictuelles font le débat idéologique au cours de ces années tournantes de l'après-guerre.

A gauche, communistes et socialistes ont nettement choisi leur camp : les premiers celui du bloc « anti-impérialiste », les seconds celui du « monde libre ». Entre les deux, les petits bataillons des « non-conformistes » se partagent entre ceux qui penchent plus ou moins explicitement du côté de l'URSS et les « neutralistes », en quête d'une « troisième voie » — Esprit, France-Observateur, l'éphémère Rassemblement démocratique révolutionnaire que fondent Sartre et Rousset en 1948 et qui ne survivra pas à la rupture de ses deux principaux dirigeants, ou encore Gilson dans Le Monde —, ou entre ceux qui choisissent bientôt de dénoncer la dérive totalitaire du marxisme (Camus, Rousset, Castoriadis) et la petite cohorte d'intellectuels qui, malgré ses démêlés avec le PC, se refuse à dénoncer le Goulag pour ne pas « désespérer Billancourt ».

Sous le couvert du « neutralisme », l'Union progressiste a opté pour la voie de l'alignement sur les positions du PC. Ses deux principaux dirigeants — l'ancien ministre de l'Air du Front populaire, Pierre Cot, et Emmanuel d'Astier de la Vigerie — auraient souhaité que leur mouvement servît de trait d'union entre le PCF et le reste de la gauche. Mais, faute de représentants en nombre suffisant pour se constituer en groupe parlementaire autonome, l'Union progressiste avait dû s'apparenter au groupe communiste, devenant ainsi peu à peu le satellite du PCF. Le texte présenté ici illustre bien ce phénomène de captation, l'UP s'alignant sans réserve sur les positions de l'organisation communiste aussi bien sur le problème allemand qu'en matière de politique coloniale ou dans l'interprétation qui est donnée des événements de Corée.

---

1. Il est vrai que le quartier des « Enfants rouges » et le quartier du Temple étaient habités par de nombreux commerçants et artisans juifs, généralement d'extraction modeste. Beaucoup de ceux qui ont survécu à la persécution nazie ont par la suite milité au PCF ou été proches de la formation communiste. Au-delà de l'usage qui en est fait par l'auteur de cet article, il est clair que le souvenir des rafles de l'Occupation a joué un rôle dans la réaction de la population du IIIe arrondissement.

Source : Supplément n° 14 du _Bulletin de l'Union progressiste_, Deuxième conférence nationale de l'UP, 14-15 juin 1952, Résolution de politique extérieure, pp. 11-12.
Bibliographie : J. Vaudiaux, _Le Progressisme en France sous la IVᵉ République_, Paris, Cujas, 1968.

SEPT ANS APRÈS la capitulation hitlérienne des périls tragiques menacent la France. Le gouvernement de ce pays, cédant aux intérêts américains, a négligé de négocier, aboutit à la résurrection de la Wehrmacht au moment même où de graves atteintes sont portées à notre souveraineté.

Lors de notre première conférence nationale, nous avions déclaré que dans la conjoncture une politique de « neutralisme actif » rendrait la liberté à notre diplomatie et sans nous isoler d'aucun peuple nous éviterait d'être entraînés malgré nous dans un troisième conflit mondial.

Les circonstances nous font un devoir de répéter nos avertissements. L'opinion publique française, comme celle de nos amis britanniques et italiens, commence à s'émouvoir. De plus en plus nombreux sont les hommes et les femmes de toutes opinions qui remettent en cause la coalition atlantique. Les faits révèlent, comme le reconnaît M. Jacques Bardoux, président de la Commission des Affaires étrangères, que l'Union soviétique ne veut pas se livrer à des agressions. Ils permettent également de fixer les responsabilités de la diplomatie américaine qui a repoussé à maintes reprises les propositions soviétiques relatives au contrôle de l'industrie lourde allemande, au paiement des réparations par prélèvement sur la production courante et au règlement pacifique du problème allemand sur les bases de démilitarisation totale.

À la division du monde en deux blocs rivaux, nous opposons notre volonté de reprendre l'autonomie et nos démarches diplomatiques afin de poursuivre obstinément par la voie des négociations la recherche des compromis permettant une paix durable fondée sur le respect des indépendances nationales, la coexistence pacifique des divers régimes, le développement des échanges culturels et économiques, le fonctionnement loyal d'une ONU, véritable expression de la communauté internationale.

Au nom de l'intérêt national et de celui de la paix, nous adjurons tous les républicains de refuser de ratifier les accords de Bonn et le traité instituant ce que l'on ose appeler une communauté de défense européenne, mais qui n'est en réalité qu'un moyen d'assurer la prépondérance en Europe des nationalistes allemands. Nous leur demandons également d'arrêter les préparatifs de reconstitution des forces allemandes.

Refaire une Wehrmacht à l'Ouest, c'est susciter à l'Est des répliques inévitables, c'est réveiller le chauvinisme, c'est renier les traités signés par la France, c'est rendre impossible le désarmement, c'est perpétuer la coupure stratégique de l'Allemagne en deux, c'est créer à côté de notre frontière une seconde Corée.

Nous n'avons pas le droit de faire de la France l'alliée de ceux qui, pour réaliser leurs revendications territoriales, sont prêts à déclencher de sinistres aventures.

Les inquiétudes qui reconstituent l'unité patriotique du peuple de France doivent être entendues, le Parlement doit dire « non » au réarmement allemand.

Il faut que notre politique extérieure s'inspire du seul souci des intérêts français inséparables de la cause universelle de la paix.

La guerre de Corée doit prendre fin. Les procédés de destruction abominables utilisés dans ce malheureux pays sous la bannière de l'ONU, le despotisme d'un Syngmann Rhee, dont les événements récents prouvent qu'il ne représente pas le peuple coréen ; les pressions et les meurtres sur les prisonniers de guerre pour leur faire renoncer à leur patrie contrairement à la Convention de Genève, ont suscité dans le monde entier, et notamment en Angleterre, la plus vive émotion. La France ne peut tolérer que de tels crimes continuent à être commis au nom de l'ONU. Elle doit prendre les initiatives nécessaires, en accord notamment avec les États arabes et asiatiques, pour arrêter immédiatement l'effusion de sang et rendre au peuple de Corée son indépendance.

Nous demandons également la cessation immédiate de la guerre d'Indochine, aventure sanglante, qui ruine notre pays et déshonore notre drapeau. À l'heure actuelle, les hostilités ne sont poursuivies qu'à la demande du gouvernement américain, au nom d'une conception stratégique peu respectueuse du droit des peuples à disposer d'eux-mêmes. Une négociation avec le Viêt-minh servirait mieux les intérêts français que la continuation d'opérations militaires imposées par l'étranger et susceptibles de conduire à une extension du conflit.

La paix exige que le droit des peuples à l'indépendance et à l'intégralité territoriale sans aucune immixion étrangère soit garantie.

Dans nos rapports avec la Tunisie, le Maroc, les populations africaines, il importe d'apporter une complète probité et un peu plus de clairvoyance. Rompant avec les pratiques d'un colonialisme déshonorant, nous aiderons l'évolution des peuples d'outre-mer. Nous reconnaissons à la Tunisie le droit de régler ses propres affaires sans pression ni intervention. Si nous voulons vivre réellement avec notre temps, nous devons aider activement le libre développement des nationalités, sinon celui-ci se réalisera malgré nous et à nos dépens.

Pour barrer la route à la guerre et permettre une amélioration générale des conditions d'existence, il importe d'arracher les peuples à la course aux armements.

Reprenons notre liberté de choisir à l'occasion de chaque problème les solutions conformes à nos intérêts nationaux et à la haute mission pacifique de la France. C'est dans cet esprit que nous demandons à tous les républicains de redresser notre politique extérieure. Il faut détendre les relations entre les grandes puissances, afin de rendre possible le désarmement simultané, progressif et efficacement contrôlé. Il faut prendre les initiatives diplomatiques nécessaires pour revivifier l'ONU et assurer l'affermissement de la paix par la conciliation et la compréhension mutuelles.

7. Le point de vue de « Sirius » sur l'échec de la CED

Entré dans la Résistance armée après la fermeture par Vichy de l'École des cadres d'Uriage, dans laquelle il avait joué un rôle important, Hubert Beuve-Méry a été appelé à la Libération à constituer avec René Coutin et Christian Funck-Brentano, le triumvirat en charge de la direction du journal Le Monde. *Vite considéré comme le directeur de fait de ce quotidien dont De Gaulle avait souhaité la création pour combler le vide créé par la disparition du* Temps, *Beuve-Méry va lui donner, sous le pseudonyme de « Sirius », de nombreux éditoriaux portant sur toutes les questions importantes, et en premier lieu sur la politique internationale.*

De 1949 à 1951, il participe directement — avec Étienne Gilson — au grand débat sur le «neutralisme», critiquant la politique des blocs, l'alignement pur et simple sur les États-Unis et le réarmement éventuel de l'Allemagne. Attitude qui a pour effet d'attirer sur lui et sur son journal les foudres de la Troisième Force et tout particulièrement celles du MRP. En 1951, les critiques deviennent si vives qu'elles conduisent «Sirius» à donner sa démission, bientôt reprise à la suite de la mobilisation de l'équipe rédactionnelle et des lecteurs.

En 1954, Beuve-Méry fait partie des plus fermes soutiens du gouvernement Mendès France. Ayant conservé de fortes rancœurs à l'égard du MRP, il souligne dans l'éditorial présenté ici le rôle joué par ce parti à la fois dans le réarmement de l'Allemagne, par le biais de la CED — dont l'échec lui paraît être une bonne chose pour la France —, et dans les entraves mises à l'expérience de renouveau politique incarnée par Mendès.

Source : _Le Monde_, 1ᵉʳ septembre 1954.
Bibliographie : J.-N. Jeanneney et J. Julliard, «Le Monde» _de Beuve-Méry ou le métier d'Alceste_, Paris, Seuil, 1979 ; B. Rémond, _Sirius face à l'histoire : morale et politique chez Hubert Beuve-Méry_, Paris, Presses de la FNSP, 1990 ; L. Greilsammer, _Hubert Beuve-Méry (1902-1988)_, Paris, Fayard, 1990.

Né DANS L'ÉQUIVOQUE, mûri dans l'intrigue, le mensonge et la corruption, le projet de Communauté européenne de défense a succombé hier aux coups que ses plus fanatiques partisans, en voulant trop bien faire, ne cessaient de lui porter.

Ce n'est pas de gaieté de cœur que nous avions approuvé ici même l'attitude adoptée par le président du Conseil en nous bornant à formuler une fois encore les plus expresses réserves sur le principe du réarmement de l'Allemagne comme sur les modalités envisagées depuis quatre ans. Mais il nous semblait que M. Mendès France en s'efforçant, fût-ce contre tout espoir, d'empêcher la cassure et de concilier l'inconciliable, en refusant obstinément de se mettre à la tête d'un camp contre l'autre, s'appliquait vraiment à dégager la solution qui entraînerait le moindre mal. Cela paraissait justifier que chacun fît taire certaines préférences, voire, jusqu'à plus ample informé, certaines convictions.

Mais les ultras de la petite Europe ne l'entendaient pas ainsi. Non contents de s'opposer sur le plan intérieur à la tentative du président du Conseil, ils n'ont pas hésité à tromper une fois de plus nos partenaires étrangers sur les dispositions du Parlement français pour mieux assurer l'échec de cette tentative. La CED apparaissait ainsi sous son jour le plus cru : une sorte de coalition solidement nouée pour imposer bon gré mal gré à la France non seulement le réarmement de l'Allemagne, mais sa suprématie en Europe. Et cela, avec le concours passionné de ceux-là mêmes qui, naguère encore, proclamaient avec M. Robert Schuman : «L'Allemagne n'a pas encore de traité de paix. Elle n'a pas d'armée et ne doit pas en avoir. Elle n'a pas d'armement et _elle n'en aura pas._»

Il devenait dès lors évident que la ratification du traité de CED était tout à fait impossible. Affolés, les conjurés tentèrent bien de faire machine arrière, d'accepter les propositions qu'ils avaient si imprudemment combattues à Bruxelles, de rendre plus malléables les partenaires étrangers qu'ils avaient incités à l'intransigeance et surtout de gagner encore quelque temps en imposant de nouveaux délais. C'est sous l'effet même de ces dernières démarches que le vote allait devenir inéluctable.

Le mal est fait que le chef du gouvernement voulait éviter, et peut-être est-ce finalement un bien. Si mal il y a, il ne doit pas être irréparable, bien au contraire. Les Français et leurs alliés, comme leurs adversaires, savent maintenant à quoi s'en tenir, et l'heure de la vérité a enfin sonné pour tous. Pour les Russes, qui doivent comprendre qu'il est impossible de prêcher indéfiniment le désarmement aux autres sans s'y prêter soi-même. Pour les Américains, qui doivent comprendre qu'il ne suffit pas de renverser les alliances pour fonder l'Europe et assurer la paix. Pour les Anglais, qui doivent comprendre que leur sort est beaucoup trop étroitement lié à celui du continent pour qu'une politique puisse être bonne ici et mauvaise là, ou inversement. Pour les Français enfin qui, débarrassés d'un complexe d'illusions, de servilité et d'hypocrisie, peuvent reconquérir le droit à la confiance et au respect.

L'heure de la vérité est grave parce qu'elle précède de peu celle de graves décisions. Il n'est peut-être pas trop tard pour bloquer le fatal engrenage de la course aux armements, redresser les déviations du pacte Atlantique, rechercher sur des bases plus saines et plus solides la réconciliation franco-allemande et l'organisation progressive de l'Europe. Plus encore que de Washington et de Paris, c'est de Londres et de Moscou que pourraient venir des initiatives capables de modifier le cours des événements. M. Mendès France a dû le dire la semaine dernière aux ministres britanniques. Hier, de la Chambre, M. Herriot lançait au Kremlin un suprême appel. MM. Churchill et Eden, M. Malenkov, laisseront-ils passer l'occasion que leur offre la décision du Parlement français ?

8. L'amorce du rapprochement franco-allemand
(Octobre 1954)

Le rejet de la CED par les députés français a suscité une vive réaction en Europe de l'Ouest où nombreux étaient ceux qui avaient misé sur le projet de communauté de défense, pas seulement parce qu'il leur paraissait de nature à assurer à moyen terme la sécurité du continent, mais parce qu'en donnant naissance à un organisme supranational à direction collégiale, il offrait à la communauté des Six l'embryon institutionnel d'une future fédération européenne.

La déception n'est pas moins grande outre-Atlantique. Le secrétaire d'État, John Foster Dulles, évite même de passer par la France lors du voyage qu'il entreprend en Europe en septembre 1954. À cette date, la situation a cependant évolué grâce à l'initiative qu'a prise peu de temps auparavant le Britannique Anthony Eden. Au cours d'une tournée effectuée dans les capitale de la « petite Europe », celui-ci a en effet proposé de relancer l'Union occidentale, mise sur pied en 1948 par le pacte de Bruxelles, en y faisant entrer l'Italie et l'Allemagne. Accueilli avec enthousiasme en Belgique, au Luxembourg et aux Pays-Bas, avec plus de réserve par Adenauer que l'échec de la CED a fortement déçu, Eden achève sa tournée par Paris où il rencontre Mendès France le 15 septembre et finit par obtenir de lui l'acceptation de l'entrée de la République fédérale dans l'OTAN.

Paradoxalement, la France qui venait de rejeter le traité élaboré à partir du plan Pleven — traité dont elle pouvait en quelque sorte revendiquer la paternité et qui visait à éviter de faire entrer l'Allemagne dans l'Alliance atlantique —, accepte-t-elle quelques semaines plus tard une combinaison aboutissant au résultat inverse. Dès le

23 octobre, après un premier accord paraphé à Londres entre les signataires du traité de Bruxelles, les États-Unis et le Canada, les Accords de Paris consacrent la souveraineté de la RFA, l'adhésion de l'Italie et de l'Allemagne à l'UEO, et par là-même l'entrée de cette dernière puissance dans l'organisation atlantique. En même temps, les entretiens qui ont eu lieu en marge de la Conférence entre Mendès France et Adenauer donnent lieu à un communiqué commun qui marque le début d'une véritable coopération franco-allemande.

Source : Communiqué relatif aux entretiens franco-allemands publiés à l'issue de la Conférence de Paris (23 octobre 1954).

Bibliographie : A. Grosser, _Affaires extérieures. La politique extérieure de la France, 1944-1984_, Paris, Flammarion, 1984 ; A. Grosser, _Les Occidentaux. Les pays d'Europe et les États-Unis depuis la guerre_, Paris, Fayard, 1978 ; M. Tacel, _La France et le monde au XXᵉ siècle_, Paris, Masson, 1980 ; J. Bariéty et R. Poidevin, _Les Relations franco-allemandes, 1815-1975_, Paris, Armand Colin, 1977.

L ES ENTRETIENS commencés à La Celle-Saint-Cloud le 19 octobre et poursuivis en marge de la Conférence de Paris entre le président Mendès France et le chancelier Adenauer ont porté sur l'ensemble des questions intéressant les relations franco-allemandes.

Les deux gouvernements, convaincus qu'une étroite coopération entre les deux pays apportera une contribution essentielle à l'édification de l'Europe et à la paix, se sont mis d'accord, non seulement sur le problème de la Sarre, mais sur les problèmes suivants :

I.— Les deux gouvernements sont d'accord sur le principe d'une large coopération de la France et de la République fédérale allemande dans le domaine économique. Ayant constaté avec satisfaction que les échanges commerciaux franco-allemands ont progressé au cours des dernières années et ont atteint un chiffre record, ils ont examiné ensemble les méthodes propres non seulement à stabiliser ces échanges mais aussi à les développer. À ces fins, la négociation d'accords commerciaux de longue durée a été reconnue de part et d'autre souhaitable. Des contrats à long terme portant notamment sur certains produits agricoles, en particulier sur le blé et ultérieurement sur le sucre, devraient résulter de ces accords. En ce qui concerne plus particulièrement le blé, il sera tenu compte des possibilités accrues résultant de la situation actuelle au cours des négociations commerciales prévues pour le mois de novembre.

Les deux gouvernements, dans le même esprit de coopération, ont envisagé les modalités de la constitution d'un « Comité économique franco-allemand » et la fondation d'une Chambre de commerce paritaire franco-allemande. D'autre part, il a été reconnu qu'une solution apportée en commun aux problèmes d'établissement favoriserait le développement des échanges.

Les questions afférentes aux anciennes marques de fabrication allemandes seront réglées d'un commun accord à la suite de la réunion d'experts qui doit se tenir dans les jours prochains.

Les problèmes concernant les transports et communications et notamment ceux qui sont posés par la canalisation de la Moselle ont été évoqués ; ils feront l'objet de nouvelles conversations ainsi que d'un examen ultérieur avec les autres pays intéressés.

Il a été reconnu souhaitable d'encourager les associations d'entreprises et de capitaux français et allemands en Europe et outre-mer en vue de contribuer à la mise en valeur des ressources ainsi qu'à l'accroissement de la rationalisation des productions. De telles associations demeureraient largement ouvertes aux autres pays et en particulier aux pays membres de l'Union de l'Europe occidentale.

Envisagée dans la perspective de l'expansion économique qui est leur objectif commun, une telle coopération qui s'étendrait notamment aux nouvelles tâches auxquelles ces industries auront à faire face servira l'intérêt général en contribuant à l'élargissement des marchés intérieur et extérieur, à l'accroissement de la consommation et au relèvement du niveau de vie.

II.— Estimant qu'une coopération aussi étroite que possible entre les deux peuples français et allemand en matière culturelle doit favoriser leur compréhension mutuelle, les deux gouvernements ont conclu un accord culturel franco-allemand sur les bases suivantes :

1° Échanges de professeurs, savants, lecteurs, assistants, étudiants, écoliers, techniciens, apprentis. Pour favoriser ces échanges, les deux gouvernements feront bénéficier les ressortissants de l'autre pays de bourses et de subventions, de cours de vacances pour le personnel enseignant, les étudiants et les écoliers ; ils favoriseront la collaboration des organisations de jeunesse ;

2° Accroissement des cours réguliers de la langue et de la civilisation de l'autre pays dans les universités et les écoles permettant, dans la mesure du possible, le choix de cette langue par tous les élèves.

3° Avantages à accorder mutuellement aux institutions existantes ou à créer, instituts, centres d'études et écoles ;

4° Facilités pour la reconnaissance mutuelle d'examens et de diplômes ;

5° Appui à l'organisation de conférences, concerts, expositions, représentations théâtrales et de films, émissions de radio et de télévision, distributions de livres, revues et autres publications culturelles ;

6° Action en faveur de la présentation objective de toutes les questions concernant l'autre pays dans tous les ordres d'enseignement, notamment dans les manuels d'histoire ;

7° Consultations mutuelles en vue de la préservation de leurs intérêts culturels communs à l'étranger.

Il a été décidé de constituer une Commission mixte permanente composée en nombre égal de délégués des deux gouvernements, pris parmi les hauts fonctionnaires et des personnalités représentatives de la vie intellectuelle. La Commission aura pour tâche de résoudre les problèmes que soulève l'application de l'accord, de rechercher les meilleurs moyens pour atteindre les objectifs proposés, et de soumettre aux deux gouvernements des vœux tendant au développement des relations culturelles entre les deux pays.

III.— Les deux gouvernements ont conclu une convention sur le règlement de certains problèmes nés de la déportation, portant notamment sur le rapatriement des corps, sur les pèlerinages et le maintien en état des hauts lieux de la déportation.

Le chef du gouvernement français et le chancelier Adenauer ont également signé une convention relative à l'entretien des tombes militaires allemandes en France.

9. Bilan de l'intervention franco-britannique à Suez

(Novembre 1956)

À la suite de la décision par le colonel Nasser de nationaliser la compagnie du canal de Suez (juillet 1956), Français et Britanniques ont mené parallèlement des négociations avec l'Égypte et des préparatifs d'intervention armée. Les premiers parce qu'ils voient dans la chute du Raïs (qui apporte son soutien aux rebelles) l'une des conditions de leur victoire en Algérie, les seconds pour tenter de sauver ce qu'il leur reste de prestige et d'influence dans le monde arabe. Nasser ayant obtenu préalablement à la nationalisation du canal une aide militaire importante des Soviétiques, ainsi que la promesse de financer les travaux du barrage d'Assouan, sur le Nil, Israël, qui redoute que soit modifié à ses dépens l'équilibre des forces au Moyen-Orient, décide de se joindre à la coalition franco-britannique et, conformément au scénario qui a été mis au point entre les trois puissances lors d'une conférence secrète tenue dans la proche banlieue parisienne, attaque l'Égypte le 29 octobre 1956 et occupe le Sinaï. Une semaine plus tard (le 5 novembre), Français et Britanniques, qui ont concentré 60 000 hommes à Chypre, débarquent dans la zone du canal.

Les trois alliés paraissent devoir l'emporter sans difficulté, mais Moscou et Washington réagissent avec une extrême vigueur à une initiative qui peut les empêcher de substituer leur propre influence à celle des anciennes puissances coloniales. Tandis que le Soviétique Boulganine menace d'envoyer des fusées sur Londres et sur Paris, les Américains (Eisenhower a été réélu le 6 novembre) exercent des pressions politiques et financières sur le cabinet Eden. Celui-ci cède, obligeant par sa défection le gouvernement français, présidé par le socialiste Guy Mollet, à accepter le cessez-le-feu ordonné par l'ONU. L'opération « mousquetaire » se termine donc par un échec. Dans une note adressée le 10 novembre au secrétaire général du ministère des Affaires étrangères, la Direction générale politique du Quai d'Orsay dresse un bilan sévère de l'intervention.

Source : Note de la Direction générale politique en date du 10 novembre 1956, _Documents diplomatiques français_, 1956, t. III (24 octobre-31 décembre), Paris, Imprimerie nationale, 1990, pp. 271-277.

Bibliographie : M. Ferro, _1956. Suez, naissance d'un Tiers monde_, Bruxelles, Complexe ; A. Beaufre, _L'Expédition de Suez_, Paris, Grasset, 1967 ; Ch. Pineau, _1956, Suez_, Paris, Laffont, 1976 ; J. Massu et H. Le Mire, _Vérité sur Suez 1956_, Paris, Plon, 1978.

TRÈS SECRET.
1° Le bilan de l'opération Égypte est pénible à faire.

Certes, le problème israélien se trouve désormais posé sous un jour plus réaliste. Sans doute aussi notre action a-t-elle permis de démasquer l'ampleur de l'emprise soviétique dans le Proche-Orient et la préméditation des desseins que les Russes y poursuivaient. Enfin, la présence d'une force internationale sur le canal de Suez, si elle s'établit sans encombre, aura pour résultat d'enlever, dans une large mesure, le canal à Nasser.

En sens inverse, il faut constater que :

— Nasser n'a pas été renversé : il a regagné sur nous le prestige qu'Israël lui avait fait perdre.

— Les Russes ont fait ou consolidé des progrès considérables en Égypte, pris pied en Syrie et gagné du prestige dans tout le monde arabe, voire dans le Sud-Est asiatique.

— Nous avons compromis durablement nos relations avec tous les États arabes, et nous y avons abandonné des positions économiques et culturelles que nous ne retrouverons sans doute pas intégralement.

— L'unité de vues entre les trois capitales occidentales, si essentielle pour notre sécurité, est compromise tandis que la cohésion arabe sort renforcée de l'épreuve dont les Russes ont tiré avantage. Nous avons également ébranlé notre position aux Nations unies sans affaiblir pour autant cette organisation, qui nous est hostile et où dominent, désormais, les États-Unis d'une part, les Arabo-Asiatiques, clientèle russe, d'autre part.

— Nous n'avons pas facilité la solution des problèmes d'Afrique du Nord en général, et d'Algérie en particulier.

— Nous laissons Israël dans une position dangereuse.

— Le canal de Suez est fermé pour trois mois et les pipe-lines pour six mois au moins.

On peut certes présenter la situation sous des apparences meilleures. Le but de la présente note est toutefois d'être réaliste. Mieux vaut reconnaître franchement les faits, établir un bilan sincère pour pouvoir en tirer les conséquences réelles et chercher les moyens de redresser la situation.

2° Nos alliés portent à vrai dire, dans cette affaire, une part considérable de responsabilités.

La Grande-Bretagne a longtemps joué contre nous dans le monde arabe. Elle s'est montrée hésitante dans l'action, maladroite dans l'exécution et de propos peu fermes à l'heure de l'épreuve.

Les États-Unis, au long de ces dernières années, nous ont acculé à une position très ingrate et ne nous ont pas soutenus dans les journées difficiles. Par leur attitude en Indochine après le cessez-le-feu, par l'ambiguïté de leur position à l'égard de l'Afrique du Nord, par leur course avec les Russes à la faveur du monde arabe, course qu'ils ne pouvaient gagner, ils ont laissé leurs deux principaux partenaires douter de leur solidarité et de leur amitié. Au cours de cette crise, ils ont choisi de nous faire échouer.

Nous avons commis de lourdes fautes : on ne se diminue jamais en le reconnaissant à temps. Les autres ont fait, de leur côté, de graves erreurs. Il faut les amener à en convenir.

Toutefois, la situation est sérieuse. « Les meubles doivent être sauvés. » Nous ne le pouvons qu'ensemble, nos deux principaux partenaires et nous. Il est urgent de réaliser à bref délai l'accord de vues indispensable sur les objectifs à atteindre et les moyens d'y parvenir.

3° Il est apparu ces jours-ci avec une implacable clarté que la sécurité de la France dépend intégralement de l'alliance américaine. Quelles que soient nos réactions devant le récent comportement des États-Unis, il faut tirer les conclusions de cette constatation : ou bien nous devrons amener les États-Unis à partager nos vues, des vues révisées et mises au point, sur la politique à suivre. Si nous n'y parvenons pas, nous devrons alors nous adapter aux leurs. Il n'y a pas d'autre alternative. Nous avons cru en la magie d'une formule franco-anglaise. L'échec a démontré que nos deux pays étaient seuls, n'avaient plus le poids suffisant pour influencer sérieusement la balance. D'autre part, si la nécessité de faire l'Europe apparaît comme plus urgente que jamais, c'est là une solution d'avenir et qui n'est pas susceptible d'offrir un recours immédiat. Or, le danger est immédiat. [...]

10. Sartre condamne l'intervention soviétique en Hongrie

(Novembre 1956)

D'abord violemment attaqué par les communistes en tant qu'intellectuel « bourgeois » et « décadent », Jean-Paul Sartre s'est rapproché du PCF à partir de 1952, au point de devenir pour quelques années l'un de ses plus proches compagnons de route. C'est d'ailleurs son alignement sur les positions idéologiques du PC qui l'a conduit à rompre avec Aron, Camus, Rousset et Merleau-Ponty. Or, les événements de l'automne 1956 en Hongrie inclinent le philosophe à s'éloigner du Parti communiste, et bientôt à entrer en confrontation aiguë avec le marxisme. Dans un entretien accordé à L'Express, _il dénonce sans ambages « la faillite complète du socialisme en tant que marchandise importée d'URSS »._

Source : _L'Express_, supplément au n° 281, 9 novembre 1956.
Bibliographie : A. Cohen-Solal, _Sartre_, Paris, Gallimard, 1985 ; J.-F. Sirinelli, _Intellectuels et passions françaises_, Paris, Fayard, 1990 ; J.-F. Sirinelli, _Sartre et Aron dans le siècle_, Paris, Fayard, 1996.

_C_OMMENT AVEZ-VOUS APPRIS _les événements de Hongrie et quelles ont été vos premières réactions ?_

Ma première réaction, l'angoisse, il y avait eu cette faute incroyable : demander l'intervention des troupes russes et l'on ne savait pas encore si c'était le dernier rakosiste[1] ou le nouveau gouvernement hongrois qui s'en était rendu coupable. Au bout de quelques jours, l'angoisse a cédé la place à l'espoir et même à la joie : si le commandement russe — dont on venait d'apprendre qu'il avait été appelé par Geroë[2] — avait commis la criminelle maladresse d'accéder à cette demande, il avait ensuite retiré ses troupes de Budapest. [...]

L'angoisse est revenue tout de suite après, plus intense chaque jour ; elle ne m'a pas quitté quand on a vu sortir de prison et soudain surgir au premier plan le cardinal Mindszenty, j'ai pensé : l'URSS va être prise dans une tenaille : on leur a rendu leur cardinal ; à quand Horthy et l'intégration au bloc occidental ? Les Russes devront abandonner la Hongrie ou recommencer les massacres. [...]

En général, les révolutions populaires se font à gauche. Pour la première fois — mais tout est neuf dans ces tragiques événements — nous avons assisté à une révolution politique qui évoluait à droite. Pourquoi ? Parce qu'on n'avait rien donné au peuple, ni satisfactions matérielles, ni foi socialiste, pas même une vue claire de la situation. Ils se trompaient, c'est sûr : mais, d'abord, même dans ses erreurs, le peuple a le droit à la liberté : les travailleurs s'émancipent par eux-mêmes, à travers des fautes, des expé-

---

1. En juillet 1956, les Soviétiques avaient favorisé l'élimination de Rakosi, stalinien de stricte obédience, de son poste de secrétaire général du PC.
2. Le remplacement de Rakosi à la tête du Parti.

riences ; on ne corrige pas les erreurs à coups de canon. Ensuite, de ces erreurs mêmes, le stalinisme est entièrement responsable.

Ce que le peuple hongrois nous apprend avec son sang, c'est la faillite complète du socialisme en tant que marchandise importée d'URSS. En Union soviétique on sait ce que le socialisme a coûté : que de sueur, que de sang, que de crimes, que de courage aussi, que de persévérance. Mais le pays a pu s'élever aussi au premier rang des puissances industrielles. C'est que les conditions historiques le permettaient : les communistes en 1917 prenaient la relève d'une bourgeoisie encore peu développée, mais qui avait jeté les bases d'une puissante concentration industrielle.

Il était parfaitement absurde d'imposer une imitation servile de la construction stalinienne a chaque pays « satellisé » pour en faire une URSS-joujou, un modèle réduit, sans tenir compte de la différence des situations. La Hongrie, en particulier, étouffée par son surplus de population, faite en majorité de paysans, conduite avant la guerre par une classe de grands propriétaires féodaux et par une bourgeoisie lâche et démissionnaire, qui préférait une semi-colonisation à son propre développement, était aussi éloignée que possible d'une révolution socialiste. [...]

Quelle peut être maintenant à l'égard de l'URSS l'attitude d'hommes qui, comme vous, ont été jusqu'ici ses amis ?

Je vous dirai d'abord qu'un crime n'engage pas un peuple. Je ne pense pas que le peuple russe ait jamais eu beaucoup de sympathie pour les Hongrois, pas plus que les Hongrois d'ailleurs n'en avaient pour les Russes. Rares sont, au surplus, dans l'opinion russe, ceux qui sont parfaitement éclairés sur les événements. Il faut pour cela lire la presse hongroise et polonaise, si elle continue à être diffusée à Moscou. Ce qui s'est passé en Hongrie est donc assez peu, à mon avis, de nature à émouvoir le peuple russe, à atteindre des couches profondes. D'autant plus qu'on lui ment sciemment. [...]

Non, le peuple russe est innocent, comme le sont d'ailleurs tous les peuples, à moins qu'ils ne se rendent complices par leur silence d'un système concentrationnaire établi à l'intérieur du pays. En URSS, la stupeur de la population depuis le retour des détenus montre assez qu'elle n'était pas au courant. Personnellement, ma sympathie pour ce grand peuple travailleur et courageux n'est pas altérée par les crimes de son gouvernement. [...]

Je condamne entièrement et sans aucune réserve l'agression soviétique. Sans en faire porter la responsabilité au peuple russe, je répète que son gouvernement actuel a commis un crime et qu'une lutte de fractions au sein des milieux dirigeants a donné le pouvoir à un groupe (militaires « durs », anciens staliniens ?) qui dépasse aujourd'hui le stalinisme après l'avoir dénoncé.

Tous les crimes de l'Histoire s'oublient, nous avons oublié les nôtres et les autres nations les oublieront peu à peu. Il peut venir un temps où l'on oubliera celui de l'URSS si son gouvernement change et si de nouveaux venus tentent d'appliquer vraiment le principe de l'égalité dans les relations entre les nations socialistes ou non. Pour l'instant, il n'y a rien d'autre à faire qu'à condamner. Je brise à regret, mais entièrement, mes rapports avec mes amis les écrivains soviétiques, qui ne dénoncent pas (ou ne peuvent dénoncer) le massacre en Hongrie. On ne peut plus avoir d'amitié pour la fraction dirigeante de la bureaucratie soviétique : c'est l'horreur qui domine.[...]

Quelles vont être les réactions du PC français devant votre prise de position ?

Quelque déplaisant qu'il me soit de rompre avec le Parti communiste, c'est parce que j'ai dénoncé à temps la guerre d'Algérie que je peux le faire : je ne suis pas en contradiction avec tous les hommes sincères et honnêtes de la gauche, même ceux qui restent dans les rangs du PC. Je demeure solidaire d'eux, même s'ils me repoussent demain.

Les dirigeants diront qu'ils avaient eu raison depuis longtemps de m'appeler « hyène » et « chacal » au temps où Fadeiev — qui s'est suicidé — parlait comme *L'Humanité* aujourd'hui[1] ; mais il m'est totalement indifférent de savoir ce qu'ils diront de moi, étant donné ce qu'ils disent des événements de Budapest.

---

1. Sartre fait ici allusion aux propos du romancier soviétique Fadeiev, lors du « Congrès des intellectuels pour la paix » qui s'était tenu à Wroclaw, en Pologne, en août 1948. Fadeiev avait attaqué avec une extrême violence Sartre, Malraux et divers écrivains « bourgeois », qualifiés de « fauves » au service des « potentats » et des « monopoles américains », de « chacals tapant à la machine » et de « hyènes maniant le stylo ».

XIV

LA DÉCOLONISATION EN ASIE ET EN AFRIQUE SOUS LA IVe RÉPUBLIQUE

La France, longtemps indifférente à ses colonies, a découvert durant la guerre leur importance. C'est à Londres que le général de Gaulle a trouvé refuge en 1940, mais c'est à partir de quelques territoires ralliés de bonne heure à son autorité que s'est concrétisée l'idée de la « France libre ». Aussi, tout en admettant que l'on ne peut revenir purement et simplement à la situation antérieure à la guerre, refuse-t-on d'envisager l'indépendance des territoires d'outre-mer. Pour de larges fractions de l'opinion publique, comme pour la classe politique, la solution aux problèmes qui se posent réside dans l'intégration progressive des territoires coloniaux à la métropole, de façon que leurs habitants, conformément à une sorte de conception romaine de l'empire, deviennent des citoyens égaux et non des sujets. On accepte en principe l'idée d'une large autonomie administrative, de même que la participation des indigènes à la gestion de leurs propres affaires. On envisage le développement économique des territoires d'outre-mer ainsi qu'un vaste programme de scolarisation. Mais, comme le précise l'acte final de la conférence de Brazzaville, au début de 1944 (texte n° 1), tous ces changements devront s'accomplir dans le cadre de la « communauté française ».

Il n'est pas question pour la métropole de renoncer à sa domination politique, et ceci pour deux raisons majeures. D'abord parce que la colonisation a toujours été conçue en France de manière centralisatrice et paternaliste. Ensuite et surtout, parce que le maintien du statut de grande ou de moyenne puissance paraît lié à celui de la présence coloniale. Dans un pays où le traumatisme de la défaite de 1940 a été particulièrement vif, on a réinvesti sur l'empire un patriotisme qui avait été blessé par la défaite militaire et qui allait bientôt se transformer en un nationalisme colonial d'autant plus affirmé qu'il se heurtait à l'action menée en faveur de la décolonisation par les deux superpuissances du moment : les États-Unis et l'URSS.

La politique coloniale des premiers gouvernements de la IVe République devait se heurter à la fois à la résistance de peuples dont la guerre, puis la création de l'ONU, avaient renforcé la volonté d'émancipation, et à l'opposition des colons à toute mesure pouvant mettre en cause leur domination et leurs intérêts. Même lorsque les communautés blanches étaient peu nombreuses, ce qui était le cas notamment en Indochine, elles formaient par leur cohésion, leur assise économique et sociale, leur poids administratif et politique, des groupes de pression très efficaces qui ont retardé, autant qu'ils le pouvaient, la transformation des colonies et des protectorats en États associés ou en territoires de statut métropolitain.

Cela était plus évident encore dans les colonies de peuplement comme la Tunisie, le Maroc et surtout l'Algérie où vivaient en 1954 un million d'Européens, souvent installés dans ce pays depuis plusieurs générations. Soucieux de maintenir leurs prérogatives, les colons ont en majorité refusé ou saboté les rares réformes proposées par le gouvernement de la République.

De 1945 à 1954, c'est l'Indochine qui occupe le devant de la scène. Au lendemain de la guerre, la France paraît prête à faire des concessions dans le sens de l'autonomie politique, d'une amélioration des conditions économiques et sociales (texte n° 2), mais elle n'envisage pas de remise en cause de sa souveraineté. Tel est le sens des accords signés le 6 mars 1946 entre Hô Chi Minh — qui a en septembre 1945 proclamé l'indépendance du Viêt-nam — et le commissaire pour le Tonkin, Jean Sainteny (texte n° 3). À cette date, le corps expéditionnaire français, commandé par le général Leclerc, n'a pu reprendre possession encore que d'une partie du pays (texte n° 4), si bien que la situation demeure très fluide au moment où Paris désigne comme haut-commissaire en Indochine l'amiral Thierry d'Argenlieu.

Ce dernier adopte aussitôt une attitude intransigeante. Il proclame unilatéralement une République de Cochinchine sous protectorat français, fait bombarder Haïphong par le croiseur Suffren (19 novembre 1946) et s'empare de Hanoï, tandis que le Viêt-minh réplique par des massacres d'Européens. C'est le début d'une longue guerre qui va durer jusqu'en 1954, la France devant, après le désastre de Diên Biên Phû, reconnaître par les accords de Genève l'indépendance du Viêt-nam. Dans l'intervalle nombreux seront ceux qui, civils ou militaires, plaideront pour un changement de politique en Indochine, soit en adoptant une attitude plus respectueuse des droits des indigènes (texte n° 5), soit en recherchant une solution négociée à ce sanglant et coûteux conflit colonial (texte n° 6).

Les autres points chauds de la première vague de décolonisation se situent à Madagascar — où une insurrection indigène éclate en mars 1947, donnant lieu à une sanglante répression — et en Afrique du Nord. En Algérie, face au courant traditionaliste des Oulémas et au Parti du peuple algérien de Messali Hadj, qui attend l'indépendance d'une insurrection populaire, il existe encore un courant réformiste, conduit par des représentants de l'élite occidentalisée. Ses membres n'ont longtemps souhaité qu'une intégration effective à la France, mais l'absence de réforme les ont conduits à se radicaliser (texte n° 7). Au Maroc, les jeunes nationalistes regroupés autour du sultan Mohammed Ben Youssef ont fondé en 1944 l'Istiqlâl et ont publié un manifeste explosif (texte n° 8) réclamant l'indépendance et les libertés démocratiques. En Tunisie, le Néo-Destour, animé par Habib Bourguiba, réclame lui aussi l'indépendance par étapes et le suffrage universel. Il faudra cependant attendre le milieu des années 1950 pour que, à la suite d'une vive agitation dans les deux protectorats, la France — complètement absorbée à cette date par le problème algérien — donne finalement satisfaction aux indépendantistes (texte n° 9).

1. Discours du général de Gaulle à Brazzaville

(30 janvier 1944)

Le 30 janvier 1944, alors que le processus de libération du territoire français n'est pas engagé, se réunit à Brazzaville une conférence destinée à définir les grandes lignes de ce que devra être la politique coloniale de la France au lendemain d'une victoire désormais considérée comme certaine. Elle rassemble autour du général de Gaulle, de René Pleven, commissaire aux colonies et du gouverneur général Félix Éboué, 21 gouverneurs de colonies d'Afrique et de Madagascar, 6 observateurs des territoires d'Afrique du Nord et 9 membres de l'Assemblée consultative d'Alger.

C'est à Henri Laurentie, directeur politique du commissariat aux colonies qu'avait été confiée la charge d'élaborer un programme de réforme qui comportait des développements audacieux : répudiation du « pacte colonial », développement de l'éducation et de la santé, planification, élection dans chaque colonie de représentants participant à l'administration et au gouvernement des territoires, octroi de la citoyenneté française à une partie des élites indigènes, transformation de l'empire en une fédération de peuples associés, etc.

Certaines de ces mesures, jugées hasardeuses par les gouverneurs, furent écartées par la conférence. On répudia notamment le principe du self-government préconisé par les Britanniques. On passa sous silence les projets relatifs à la planification et au financement public du développement par la métropole. On réduisit l'ampleur du plan de scolarisation et l'on fixa un délai de cinq ans après la fin de la guerre pour l'abolition progressive du travail forcé. Malgré ces amputations au projet présenté par Henri Laurentie, les travaux de la conférence de Brazzaville marquèrent un tournant dans la politique affichée par la métropole, les mesures annoncées en matière sociale (suppression des peines de l'indigénat, modernisation de la justice, formation de médecins africains, scolarisation des filles, etc.) n'étant pas seulement symboliques.

À l'ouverture de la conférence, le 30 janvier, le général de Gaulle prononça un discours dans lequel il inclinait davantage du côté du programme élaboré par Laurentie que de celui des gouverneurs. Assez froidement reçue par les colons, sa péroraison suscita au contraire une grande espérance dans les rangs des élites africaines. À bien des égards, elle annonce le déroulement du processus de décolonisation en Afrique noire, tel qu'il se développera au lendemain du retour au pouvoir du général en 1958.

Source : Charles de Gaulle, _Discours et messages_, Plon, 1947, pp.401-404.
Bibliographie : Brazzaville, janvier-février 1944. _Aux sources de la décolonisation_, colloque de l'Institut Charles de Gaulle et de l'IHTP, Paris, Plon, 1988.

D[...]EPUIS UN DEMI-SIÈCLE, à l'appel d'une vocation civilisatrice vieille de beaucoup de centaines d'années, sous l'impulsion des gouvernements de la République et sous la conduite d'hommes tels que : Gallieni, Brazza, Dodds, Joffre, Binger, Marchand, Gentil, Foureau, Lamy, Borgnis-Desbordes, Archinard, Lyautey, Gouraud, Mangin, Largeau, les Français ont pénétré, pacifié, ouvert au monde, une grande partie de cette Afrique noire, que son étendue, les rigueurs du climat, la puissance des obstacle naturels, la misère et la diversité de ses populations avaient maintenue, depuis l'aurore de l'Histoire, douloureuse et imperméable.

Ce qui a été fait par nous pour le développement des richesses et pour le bien des hommes, à mesure de cette marche en avant, il n'est, pour le discerner, que de parcourir nos territoires et, pour le reconnaître, que d'avoir du cœur. Mais, de même qu'un rocher lancé sur la pente roule plus vite à chaque instant, ainsi l'œuvre que nous avons entreprise ici nous impose sans cesse de plus larges tâches. Au moment où commençait la présente guerre mondiale, apparaissait déjà la nécessité d'établir sur des bases nouvelles les conditions de la mise en valeur de notre Afrique, du progrès humain de ses habitants et de l'exerce de la souveraineté française.

Comme toujours, la guerre elle-même précipite l'évolution. D'abord, par le fait qu'elle fut, jusqu'à ce jour, pour une bonne part, une guerre africaine et que, du même coup, l'importance absolue et relative des ressources, des communications, des contingents d'Afrique, est apparue dans la lumière crue des théâtres d'opérations. Mais ensuite et surtout parce que cette guerre a pour enjeu ni plus ni moins que la condition de l'homme et que, sous l'action des forces psychiques qu'elle a partout déclenchées, chaque individu lève la tête, regarde au-delà du jour et s'interroge sur son destin.

S'il est une puissance impériale que les événements conduisent à s'inspirer de leurs leçons et à choisir noblement, libéralement, la route des temps nouveaux où elle entend diriger les soixante millions d'hommes qui se trouvent associés au sort de ses quarante-deux millions d'enfants, cette puissance c'est la France.

En premier lieu et tout simplement parce qu'elle est la France, c'est-à-dire la nation dont l'immortel génie est désigné pour les initiatives qui, par degrés, élèvent les hommes vers les sommets de dignité et de fraternité où, quelque jour, tous pourront s'unir. Ensuite parce que, dans l'extrémité où une défaite provisoire l'avait refoulée, c'est dans ses terres d'outre-mer, dont toutes les populations, dans toutes les parties du monde, n'ont pas, une seule minute, altéré leur fidélité, qu'elle a trouvé son recours et la base de départ pour sa libération et qu'il y a désormais, de ce fait, entre la Métropole et l'Empire, un lien définitif. Enfin, pour cette raison que, tirant à mesure du drame les conclusions qu'il comporte, la France est aujourd'hui animée, pour ce qui la concerne elle-même et pour ce qui concerne tous ceux qui dépendent d'elle, d'une volonté ardente et pratique de renouveau. [...]

Tel est le but vers lequel nous avons à nous diriger. Nous ne nous dissimulons pas la longueur des étapes. Vous avez, Messieurs les Gouverneurs généraux et Gouverneurs, les pieds assez bien enfoncés dans la terre d'Afrique pour ne jamais perdre le sens de ce qui y est réalisable et, par conséquent, pratique. Au demeurant, il appartient à la Nation française et il n'appartient qu'à elle, de procéder, le moment venu, aux réformes impériales de structure qu'elle décidera dans sa souveraineté. Mais en attendant, il faut vivre, et vivre c'est chaque jour entamer l'avenir.

Vous étudierez ici, pour les soumettre au gouvernement, quelles conditions morales, sociales, politiques, économiques et autres vous paraissent pouvoir être progressivement appliquées dans chacun de nos territoires, afin que, par leur développement même et le progrès de leur population, ils s'intègrent dans la communauté française avec leur personnalité, leurs intérêts, leurs aspirations, leur avenir.

Messieurs, la conférence africaine française de Brazzaville est ouverte.

© Plon

2. Adresse de Jean Sainteny
aux Français d'Indochine
(10 mars 1946)

Bien que le gouvernement du général de Gaulle eut, dans sa déclaration du 24 mars 1945, annoncé que la « Fédération indochinoise » formerait désormais « avec la France et les autres parties de la Communauté une Union française dont les intérêts à l'extérieur seront représentés par la France », ce qui revenait à rejeter la solution indépendantiste, Hô Chi Minh proclama le 2 septembre 1945 l'indépendance du Viêt-nam.

Au moment où s'opère cette proclamation unilatérale de souveraineté, la situation sur le terrain est des plus complexes, l'autorité du nouveau pouvoir ne s'exerçant que dans quelques zones « libérées ». Conformément aux dispositions adoptées lors de la conférence de Potsdam, les Chinois occupent le nord du pays et exercent un protectorat de fait sur le jeune État constitué autour du Viêt-minh, tandis que les Britanniques, qui ont pris pied au sud, réarment les troupes françaises de Cochinchine où débarque, peu de temps après la capitulation japonaise, un corps expéditionnaire commandé par le général Leclerc.

En octobre 1945, au moment où l'amiral Thierry d'Argenlieu prend ses fonctions de haut-commissaire en Indochine, les Français ont récupéré toute la partie du territoire indochinois située au sud du 16e parallèle. Mais le Tonkin demeure placé sous la domination de fait des Chinois, qui ont envoyé 9 divisions (soit environ 200 000 hommes) dans ce pays et s'y livrent à un pillage en règle. Les 25 000 Français que les Japonais ont concentrés à Hanoï constituent de véritables otages pour Pékin et pour ses protégés Viêt-minh. C'est à bien des égards pour assurer leur protection que le gouvernement français a dépêché sur place une mission dirigée par Jean Sainteny, haut-commissaire pour le Tonkin et le Nord-Annam.

Ancien cadre de banque entré de bonne heure dans la Résistance (il fut l'un des chefs du réseau Alliance), Sainteny est un homme de conciliation. Arrivé à Hanoï en septembre 1945, il s'applique à la fois à préserver ses compatriotes d'une sanglante chasse aux Européens et à préparer le rétablissement de l'autorité française dans le pays. Pour cela, il pousse à la négociation avec la Chine — avec laquelle un accord est paraphé en février 1946 — et avec Hô Chi Minh. Quatre jours après la conclusion du traité signé avec ce dernier (cf. texte n° 4), il lance cette solennelle adresse aux Français d'Indochine.

Source : Archives FNSP/CHEVS, Fonds Jean Sainteny, 1 SA4, dr 2.
Bibliographie : J. Dalloz, *La Guerre d'Indochine, 1945-1954*, Paris, Seuil, 1987 ; P. Devillers, *Histoire du Viêt-nam de 1940 à 1952*, Paris, Seuil, 1952 ; J. Sainteny, *Histoire d'une paix manquée*, Paris, Fayard, 2e éd., 1967.

IL Y AURA SEPT MOIS bientôt, je venais avec quelques compagnons vous rejoindre à Hanoï. Depuis ce jour, ensemble, nous avons connu des moments difficiles. Un chemin pénible, semé de difficultés plus grandes encore que vous ne pouvez le supposer, a été parcouru. Ces jours-ci, enfin, nous avons touché au but. L'amicale collaboration franco-annamite non seulement n'est pas rompue mais encore voit s'ouvrir devant elle un avenir nouveau, riche de promesses et de possibilités.

L'Union française n'est pas un vain mot. Dans une atmosphère de confiance les couleurs françaises flottent sur Hanoï. Les Forces françaises de relève y sont attendues sans crainte.

Ce résultat, nous avons pu l'obtenir sans répandre le sang. Votre calme, votre patience, votre dignité ont su faire mieux que les armes. C'est d'avoir été les principaux artisans de cette réussite que je viens vous remercier aujourd'hui. Au nom de l'amiral Thierry d'Argenlieu, haut-commissaire de France pour l'Indochine, soyez-en félicités.

Il nous reste maintenant à aider les peuples indochinois à reconstruire, à réparer les ruines accumulées par de longs mois de guerre, d'intrigues, de bouleversements politiques. C'est cette tâche que je vous demande d'aborder dès aujourd'hui, loyalement, sans arrière-pensée. Ce n'est pas dans l'inutile regret d'un passé révolu que l'avenir peut se reconstruire souriant et fécond. Comme la France confiante dans sa force rajeunie sait se montrer une fois encore humaine et libérale, nous devons affronter cet avenir avec la foi, la bonne humeur et la hardiesse qui resteront toujours parmi les qualités les plus précieuses de notre race.

3. L'accord Sainteny-Hô Chi Minh
(6 mars 1946)

Jean Sainteny s'est appliqué depuis son arrivée à Hanoï à éviter une épreuve de force avec les Chinois et avec le Viêt-minh. Une fois signé, en février 1946, l'accord avec les représentants de Pékin, il reste à obtenir l'adhésion de Hô Chi Minh au principe du retour des troupes françaises et à faire en sorte que l'armée chinoise ne fasse pas, au dernier moment, entrave à leur débarquement, la première condition entraînant plus ou moins directement la seconde.

Or la négociation avec le Viêt-minh, engagée bien avant la conclusion de l'arrangement franco-chinois, ne devait pas se faire sans difficulté. « Il serait fastidieux — écrit le haut commissaire à Hanoï — de retracer le détail des innombrables et interminables conférences au cours desquelles Hô Chi Minh et ses conseillers discutaient, phrase après phrase, mot après mot, les termes proposés d'un éventuel accord franco-vietnamien. Que de fois nous eûmes l'impression qu'il serait impossible d'aboutir, la sensation décourageante que nous ne parviendrions jamais à parler le même langage » (Histoire d'une paix manquée, p. 190).

Finalement, Leclerc donna l'ordre à la flotte d'appareiller et de débarquer à Haïphong un corps expéditionnaire. Au matin du 6 mars, lorsque commencèrent les opérations de débarquement, tirant argument de la protection de la communauté chinoise au Nord-Viêt-nam, le général chinois fit ouvrir le feu sur les navires français. Ceux-ci ripostèrent, détruisant le matériel entassé sur les quais du port, jusqu'au moment où un cessez-le-feu fut conclu, tandis qu'à Hanoï était enfin paraphé l'accord entre Sainteny et Hô Chi Minh. Celui-ci ne constitue en fait qu'une convention préliminaire, esquissant les grandes lignes du traité à venir. Il laisse dans le flou la question centrale de l'indépendance, et se contente sur ce point d'affirmer que la République du Viêt-nam _est un État « libre », partie prenante dans la « Fédération indochinoise » et dans « l'Union française », sans que soit pour l'instant précisée la nature de ces deux entités encore en gestation à cette date._

Source : Convention préliminaire entre la France et le gouvernement de la République du Viêt-nam, texte dactylographié _in_ Archives FNSP/CHEVS, Fonds Jean Sainteny, 1 SA4, dr 2.

Bibliographie : J. Sainteny, _Histoire d'une paix manquée, Indochine, 1945-1947_, Paris, Fayard, 1967 ; J.-M. Hretrich, _Doc Lap_, Paris, Vigneau, 1946.

ENTRE LES HAUTES PARTIES ci-après désignées, le gouvernement de la République française représenté par M. Sainteny, délégué du haut-commissaire de France, régulièrement mandaté par le vice-amiral d'escadre Georges Thierry d'Argenlieu, haut-commissaire de France, dépositaire des pouvoirs de la République française d'une part, et le gouvernement de la République du Viêt-nam représenté par son président, M. Hô Chi Minh, et le délégué spécial du Conseil des ministres, M. Vu Hong Khnanh, d'autre part, il est convenu ce qui suit :

1) Le gouvernement français reconnaît la République du Viêt-nam comme un État libre ayant son gouvernement, son parlement, son armée et ses finances, faisant partie de la Fédération indochinoise et de l'Union française. En ce qui concerne la réunion des trois « KY[1] », le gouvernement français s'engage à entériner les décisions prises par les populations consultées par référendum.

2) Le gouvernement du Viêt-nam se déclare prêt à accueillir amicalement l'armée française lorsque, conformément aux accords internationaux, elle relèvera les troupes chinoises. Un accord annexe joint à la présente convention préliminaire fixera les modalités selon lesquelles s'effectueront les opérations de relève.

3) Les stipulations ci-dessus formulées entreront immédiatement en vigueur. Aussitôt après l'échange des signatures, chacune des Hautes Parties contractantes prendra toutes mesures nécessaires, pour faire cesser, sur-le-champ, les hostilités, maintenir les troupes sur leurs positions respectives et créer le climat favorable à l'ouverture immédiate de négociations amicales et franches. Ces négociations porteront notamment sur :

    a) les relations diplomatiques du Viêt-nam avec les États étrangers ;

    b) le statut futur de l'Indochine ;

    c) les intérêts économiques et culturels français au Viêt-nam.

Hanoï, Saïgon ou Paris pourront être choisis comme siège de la Conférence.

Fait à Hanoï, le 6 mars 1946

Signé : Hô Chi Minh et Vu Hong Khanh

Signé : Sainteny

---

1. C'est-à-dire l'unification des trois territoires constituant le Viêt-nam : Tonkin, Cochinchine et Annam.

4. Rapport du général Leclerc
sur la situation en Indochine
(Mars 1946)

Dans ce rapport daté du 27 mars 1946 et adressé au chef du gouvernement, le général Leclerc, commandant des troupes françaises en Extrême-Orient, expose la situation du corps expéditionnaire au lendemain de son arrivée à Hanoï. C'est le 18 mars, soit une douzaine de jours après la signature de l'accord Sainteny-Hô Chi Minh, que le général Leclerc a fait son entrée dans la capitale du Tonkin, au grand soulagement de Sainteny et de la colonie européenne qui vivait, depuis des mois, dans la crainte d'une Saint-Barthélemy. Leclerc souligne la difficulté de l'entreprise de reconquête des territoires indochinois, son coût humain déjà relativement élevé (plus de 600 morts, 1 600 blessés), ainsi que la nécessité absolue devant laquelle se sont trouvés les responsables français d'obtenir des Chinois, puis du gouvernement viêt-namien, un accord préalable au débarquement à Haïphong. Certes, commente l'ancien chef de la 2e DB, l'accord conclu avec Hô Chi Minh est loin d'être entièrement satisfaisant, mais il n'y avait pas d'autre moyen pour la France, compte tenu du rapport des forces sur le terrain, de reprendre pied au Tonkin.

Source : Rapport du général Leclerc en date du 27 mars 1946, texte dactylographié *in* Archives FNSP/CHEVS, Fonds Jean Sainteny, 1 SA 4, dr2.
Bibliographie : Général Salan, *Mémoires*, t. 2, Paris, Presses de la Cité, 1971.

JE CROIS NÉCESSAIRE d'exposer, en un rapport aussi bref que possible, le problème d'ensemble de notre rétablissement en Indochine depuis le 20 octobre 1945 jusqu'au 25 mars 1946.

Il m'a semblé, en effet, à la lueur des derniers événements que les autorités et le gouvernement étaient insuffisamment informés. La cause principale de ce manque d'information réside dans l'absence de « publicité », de « réclame », donnée à dessein à l'ensemble de nos opérations depuis cinq mois. L'heure n'était pas d'entonner des chants de victoire ou de conquête, en raison, notamment, de l'opinion de nos alliés. Par contre, le haut-commissariat, mon supérieur direct, a toujours été complètement informé.

Pour faire saisir l'importance de l'effort, je cite des chiffres :
— nos tués en 5 mois : 620 (sans coup dur — pertes normales, si je puis m'exprimer ainsi) ;
— nos blessés (hospitalisés, sans compter les blessés légers) : 1600 ;
— moyenne des combats : 3 par jour ;
— distance moyenne sur laquelle opèrent nos bataillons : 80 kilomètres.

À l'heure actuelle, pas une unité disponible, en réserve, tout est engagé, à l'exception de quelques éléments encore insuffisamment pourvus en matériel. Les pertes infligées aux rebelles sont très difficiles à dénombrer. L'efficacité et la durée de la résistance sont dues, en particulier, au terrain et à l'abondance de l'armement et à la présence fréquente de Japonais.

Notre rétablissement, rapide et solide quoique encore imparfait, dans le Sud et la moitié du Laos, constituait il y a deux mois, une sorte de tour de prestidigitation, dû à l'activité incessante de nos éléments et à leur qualité (9e DIC et Groupement de Marche de la 2e DB). C'est alors que je pris la décision d'agir au Tonkin dès que la situation des bateaux le permettrait, car le nœud de la question était là. Mais — et c'est ici le point capital de mon exposé — pour pouvoir rentrer au Tonkin, il était indispensable de trouver un gouvernement annamite, si imparfait soit-il, en place à Hanoï et n'ayant pas pris la brousse.

En effet, malgré les accords de Tchoung King[1], nous avions la certitude qu'en cas de combat sérieux avec les Annamites, les Chinois auraient immédiatement exploité ces difficultés pour nous empêcher de récupérer le Tonkin.

Ce qu'on appelle « l'incident d'Haïphong » est lumineux à cet égard[2]. En réalité, il ne s'agit nullement d'un incident, mais bien d'un combat contre un général chinois prévenu en excellente liaison avec nous et ayant parfaitement préparé son attaque. La seule cause du succès fut dans sa perte de sang-froid devant le tir de nos batteries.

Encore, à l'heure actuelle, une fraction importante de militaires chinois ou du Kuomintang s'efforce, mais en vain, de ne pas exécuter les ordres reçus de son gouvernement.

Dès lors, si nous avions trouvé, outre les Chinois, un pays soulevé contre nous ou simplement en désordre, nous pouvions évidemment débarquer à Haïphong, mais — je l'affirme catégoriquement — la reconquête du Tonkin, même en partie, était impossible. Ce n'est pas avec une petite division — et en 1946 — qu'on conquiert un pays surexcité, armé et grand comme les deux tiers de la France. En outre, le problème n'aurait pas tardé à prendre une ampleur internationale.

C'est pourquoi on ne soulignera pas assez l'importance des accords qui ont été conclus. Je l'affirme d'autant plus volontiers que c'est moi qui ai exposé à M. Sainteny et au général Salan la nécessité impérative de me présenter un gouvernement annamite le jour où nous débarquerions. Je suis, par contre, étranger à la rédaction de ces accords.

Mais je n'hésite pas à affirmer que, quelles que soient leurs imperfections, leur signature, dans les conditions où elle s'est produite, constitue un véritable tour de force. Seule, la personnalité de M. Sainteny — que je connais peu et avec qui je n'ai aucune attache spéciale —, aidé du général Salan, a permis de surprendre nos adversaires et de traiter avec avantage. Ceux-ci s'en rendent parfaitement compte aujourd'hui. Grâce à ces accords, malgré la violente opposition chinoise, nous avons pu rentrer à Hanoï, sans un coup de fusil.

Si j'insiste sur ces faits, c'est uniquement parce que je me suis aperçu soudain — et mes collaborateurs comme moi — combien le gouvernement avait été imparfaitement et faussement informé de la situation.

Au moment où les Chinois ne cachent pas leur dépit et où le président Hô Chi Minh se défend auprès de ses subordonnés d'avoir été joué, il importe que le gouvernement français mesure la difficulté du travail accompli.

Maintenant que nous occupons solidement, bien qu'imparfaitement, la Cochinchine, le Cambodge, le Sud-Annam, une grande partie du Laos et quelques bases solides au Tonkin, il est permis d'affirmer que nous avons gagné la première manche.

Reste la deuxième, avant tout à base de politique et de négociations.

Je ne saurais trop attirer l'attention des autorités françaises sur la partie qui s'engage,

---

1. Il s'agit de l'accord signé avec la Chine en février 1945.
2. Voir texte n° 3.

car le gouvernement annamite et, indirectement, certaines personnalités chinoises, ayant perdu la première manche, sont décidés à jouer serré la deuxième.

Mais, encore une fois et c'est toujours sur ce point que j'insiste, si la France désirait libérer réellement le Tonkin de l'empreinte chinoise et y rentrer elle-même et si les accords du 6 mars n'avaient pas été signés, cette tâche ne pouvait être accomplie. Nous débarquions, mais nous avions toutes les chances d'entrer en conflit avec la Chine — d'où difficultés internationales — et nous avions en face de nous un pays révolté encore plus dur que la Cochinchine.

C'est d'ailleurs la raison pour laquelle j'avais, le 14 février, télégraphié à Paris qu'il fallait aller jusqu'au mot même d'«indépendance» pour éviter le risque d'aller à un échec trop grave.

Dès que les Chinois auront effectivement évacué le pays, le problème sera infiniment plus facile et la parole sera à nos négociations.

Saïgon, le 27 mars 1946
Le général de corps d'armée Leclerc,
commandant supérieur des troupes françaises en Extrême-Orient

5. La situation en Indochine jugée par un officier supérieur français
(1950)

Futur chef d'état-major de l'armée de terre (1960-1965), le colonel Le Puloch — en poste au Sénégal au moment où il adresse cette lettre au général Juin, lui-même à cette date résident général au Maroc — a été, de 1945 à 1949, chef d'état-major du haut-commissaire de France en Indochine, puis commandant du Sud-Annam et des Hauts-Plateaux. C'est donc un officier de terrain, qui a une bonne connaissance du pays et qui a pu mesurer sur pièces les ravages de la politique française en Indochine après 1946, s'agissant notamment du soutien apporté par la France à Bao Dai et à son entourage de grands propriétaires terriens, alors qu'il aurait fallu selon lui jouer sur l'adhésion, ou du moins sur la neutralité, de la petite et de la moyenne paysannerie.

Après le déclenchement de la guerre, à l'automne 1946, refusant toute discussion avec le Viêt-minh, le gouvernement français a en effet cherché un «interlocuteur valable». En août 1947, il croit l'avoir trouvé en la personne de l'ancien empereur d'Annam, Bao Dai, autour duquel se sont rassemblés des nationalistes modérés, éventuels promoteurs d'une «solution de troisième force». En juin 1948, par les accords de la baie d'Along, la France accorde à Bao Dai ce qu'elle a refusé deux ans plus tôt à Hô Chi Minh : à savoir l'indépendance d'un Viêt-nam réunissant les trois «Ky» au sein de l'Union française. En 1949, des accords analogues sont signés avec le Laos et le Cambodge, faisant des trois pays des États indépendants «associés» à la France, membres de l'Union française et détenteurs de leur propre force militaire.

Sans doute est-il déjà trop tard — le colonel Le Puloch le dit explicitement dans sa lettre — pour renverser la vapeur et pour sauver sinon l'Indochine française dans son entier, du moins le nord de la péninsule, désormais largement contrôlé par un Viêt-minh qui a su se concilier, par le partage des terres, la fraction la plus pauvre de la

paysannerie. Au moment où il adresse sa lettre au général Juin, auquel le gouverne-
ment avait confié une mission d'inspection en Indochine, la guerre a en effet pris une
tout autre dimension, suite à l'arrivée au pouvoir des communistes en Chine et au
déclenchement de la guerre de Corée. La victoire maoïste permet en effet au Viêt-minh
de recevoir une aide importante et de trouver des refuges pour ses troupes. Aussi, sans
renoncer à la guérilla, va-t-il passer progressivement à un type de guerre plus clas-
sique, engageant des unités importantes dotées d'armement modernes et disposant
d'artillerie et de blindés.

Source : Lettre du colonel Le Puloch au général Juin, 10 novembre 1950. Archives
privées de la famille Le Puloch.

Bibliographie : J. Ferrandi, *Les Officiers français face au Viêt-minh*, Paris, Fayard,
1966 ; Général Gras, *Histoire d'une guerre d'Indochine*, Paris, Plon, 1979 ; P. Isoart, *Le*
Viêt-nam, Paris, Armand Colin, 1969 ; P. Gourou, *La Terre et l'homme d'Extrême-*
Orient, Paris, Armand Colin, 1947.

Saint Louis, le 10 novembre 1950

MON GÉNÉRAL,
Permettez à l'ancien chef de votre section coloniale de vous dire ce qu'il pense de
la situation en Indochine. Votre inspection est terminée ; votre rapport est remis au gouvernement. Cette lettre est donc gratuite puisqu'elle n'aura aucune influence sur la suite
des événements. Peut-être sera-t-elle aussi superflue pour votre information personnelle.
C'est pourtant dans ce seul but que je l'écris.

Sans doute l'armée n'a-t-elle jamais eu en Indochine de moyens suffisants.

À l'origine, il s'agissait de la rébellion d'un peuple xénophobe, tout entier certes,
mais mal organisé et encore craintif. Puis la flambée xénophobe a baissé peu à peu, à
mesure que se prolongeait la guerre et malgré les atrocités locales que celle-ci engen-
drait. Mais, dans le même temps, l'organisation communiste, elle, s'améliorait et donnait à ce peuple paysan un encadrement ferme et efficace qui suppléait largement à
l'enthousiasme défaillant.

Au cours de cette période, qui s'étend jusque vers la fin de 1948, il eût été, je crois,
possible, de trouver une solution dont le caractère militaire fût la dominante. Mais les
moyens militaires de toutes sortes sont toujours restés inférieurs aux besoins. Quant à la
politique, jusqu'en hiver 1947, nous n'en avons eu aucune, sinon une politique de personne centrée sur Hô Chi Minh et qui était une politique de suicide.

En 1948, volte-face. On sort Bao Dai.

Bao Dai, en tant qu'empereur, n'était rien. Inconnu au Tonkin, inconnu en Cochinchine et dans le Sud-Annam, détesté dans le Nord-Annam, connu seulement dans le
Centre-Annam.

En tant qu'homme, c'est un jouisseur, âpre au gain, avec un certain charme métèque
d'homme de bar.

Le sentiment dynastique ne l'émeut guère, puisqu'il est le « fils » d'une vague concu-
bine et d'un empereur impuissant, et qu'il le sait.

Mais enfin, tel qu'il était, et puisque le Français a besoin de symboles pour agir, on
pouvait essayer Bao Dai, à condition d'imposer à ce fantoche cupide une politique qui
pût rallier la majorité encore hésitante d'un peuple paysan las de la guerre.

Or on se borna à pratiquer la politique du chien crevé, avec engagements à sens unique en ce qui concerne l'abandon par la France de droits essentiels et de promesses solennelles, sans nous assurer le moins du monde que Bao Dai prenait de son côté les mesures nécessaires pour ne pas attirer l'hostilité définitive du peuple annamite.

C'était en effet une illusion bien parisienne de croire qu'il suffirait de faire flotter un drapeau nationaliste de nuance Bao Dai pour créer de profonds remous dans la masse paysanne annamite qui est, en définitive, le réservoir inépuisable de la rébellion.

Car le Viêt-minh, depuis 1945, avait, socialement, bien travaillé dans les campagnes. Les grands propriétaires terriens — quelques centaines en Cochinchine, qui possèdent tout, quelques centaines au Tonkin et en Nord-Annam, qui possèdent plus de 75 % des terres, par titres fonciers ou prêts usuraires — avaient fui les provinces, le Viêt-minh avait réparti les terres et donné ainsi au nhaqué, toujours au bord de la famine, l'illusion d'une certaine sécurité.

Et voilà que ce nhaqué voyait revenir Bao Dai, gendre du plus gros propriétaire terrien de Cochinchine, avec une clique gouvernementale de propriétaires terriens. Quand, au nom de Sa Majesté Bao Dai, nos troupes « libéraient » le pays du Viêt-minh, elles faisaient en réalité peser sur les campagnes la menace du retour d'un régime que le nhaqué espérait aboli. Les villages ainsi « favorisés » par l'établissement d'un poste faisaient évidemment bonne figure. Mais la cellule Viêt-minh locale s'enkystait dans la conspiration générale du silence. Le riz du « delta utile » continuait à couler vers le Viet : milles petites barques remplaçaient un gros sampan. C'était toute la différence.

Pendant ce temps, le moral du Viet se rehaussait des succès du communisme chinois. Puis lui arrivèrent les armes, les munitions et les appareils radios de campagne américains, héritage des ex-armées du Kuomintang. Le long répit qu'on lui laissa dans la haute région tandis qu'on conquérait pour toujours le « delta utile », il sut l'employer pour instruire des troupes au reste déjà aguerries.

Quant à nos troupes et à notre commandement, murées dans le silence de la nhaqué, sans renseignements tactiquement utilisables, réduits le plus souvent à de vaines actions a priori ou à défensive coûteuse, ils ont attendu, dans un dispositif de château de cartes, que se déclenchât cette « offensive générale du Viet » dont il était de bon ton de se gausser.

Il est difficile d'évaluer les forces militaires qui nous eussent été nécessaires depuis 1948 pour submerger le Viet, aussi bien dans les comités de village couverts par la population que dans les zones militaires telles que la plaine de joncs ou la haute région tonkinoise. Mais je crois que nous aurions pu faire face à notre mission si la politique sociale de Bao Dai, imposée et contrôlée par nous, puisque lui-même en est bien incapable, nous avait permis de nous appuyer sur une partie au moins de la population des campagnes, d'y trouver le renseignement et l'aide policière des milices campagnardes d'auto-défense. Ça et là, par suite de circonstances particulièrement heureuses — prédominance de petits propriétaires par exemple, comme dans le territoire que je commandais en Sud-Annam, persistance de communautés chrétiennes de type féodal — ces solutions ont pu être esquissées. Mais ces initiatives individuelles ne soulageaient que peu l'ensemble de notre dispositif militaire.

Actuellement, je crains que la partie soit perdue dans le Nord. [...]

Bonne chance tout de même au général de Latour.

Je ne sais pas s'il est encore temps de se concilier, politiquement, au moins la neutralité du paysan cochinchinois qui nous permettrait peut-être de nous rétablir sur le parallèle Dong Ha-Savannaket. Mais il semble qu'on n'en prenne pas le chemin.

J'ai aussi la conviction qu'une armée nationale viêt-namienne, que n'émeut aucun idéal, sinon une frénésie anti-française, qu'aucune morale, aucune éthique, aucun intérêt profond ne peut opposer au communisme, faute d'une politique sociale nouvelle, ne s'associera pas à nous et, pour le moins, ne facilitera pas notre décrochage.

C'est volontairement que je n'ai rien dit de l'action américaine. Les USA se préparent en Corée même un beau cancer de guérilla auprès duquel l'égratignure du Yalu paraîtra bénigne. On ne peut pas leur demander d'être plus malins en Indochine. [...]

Ici nous faisons tous des vœux, mon Général, pour la France au Maroc, c'est-à-dire pour vous.

Je vous prie de bien vouloir agréer, mon Général, l'expression de mes sentiments respectueusement dévoués.

Colonel Le Puloch
Cdt la 1ʳᵉ Brigade d'AOF
Saint Louis

6. Appel pour le cessez-le-feu et la paix en Indochine
(1954)

Cet appel pour la conclusion en Indochine d'une paix négociée avec le Viêt-minh, signé par une centaine de personnalités appartenant pour la plupart aux divers courants de la gauche, a été lancé dans la seconde quinzaine de juin 1954. À cette date, le gouvernement Laniel a dû se retirer, suite au désastre de Diên Biên Phû, cédant la place à l'équipe dirigée par Pierre Mendès France. Investi le 19 juin par l'Assemblée nationale, ce dernier a fait connaître d'entrée de jeu son intention de faire aboutir les pourparlers engagés à Genève avec le Viêt-minh, et ceci avant le 20 juillet, promettant en cas d'échec de donner aussitôt sa démission. En même temps, pour faire pression sur ses interlocuteurs de Genève, il menace d'envoyer le contingent en Indochine. Un mois plus tard, seront effectivement signés les accords qui mettent fin à l'engagement français en Extrême-Orient et consacrent la partition de fait du Viêt-nam en deux : République démocratique du Viêt-nam au nord du 17ᵉ parallèle, régime pro-occidental de Bao Daï au sud.

La pétition que nous reproduisons vise donc à appuyer l'initiative de Mendès France. Parmi les signataires, on trouve d'anciens ministres comme André Philip, Justin Godart ou René Capitant, des députés ou anciens députés, comme Louis Vallon, Maurice Kriegel-Valrimont, Paul Rivet, des conseillers de l'Union française, comme Georges Thévenin et l'amiral Jacques Mitterrand, ainsi que des personnalités engagées dans le débat politique mais n'exerçant pas de fonctions électives (Émile Kahn, président de la Ligue des droits de l'homme, Marc Beigbeder, secrétaire du Comité national des écrivains, Jacques Chatagner, directeur du périodique catholique La Quinzaine) et de nombreuses personnalités appartenant au monde des lettres, des arts, des sciences, de l'université, du barreau et de la haute administration : Claude Aveline, Michel Leiris, Jacques Madaule, André Spire, Charles Vildrac, Louis Martin-Chauffier, Fernand Léger, René Dumont, le doyen Louis Gernet, les pasteurs André Boegner, Voige et Hoibian, les professeurs Bernard Lavergne, André Bloch et Raynaud de Lage, etc.

Source : Exemplaire dactylographié et liste des signataires, *in* Archives FNSP/ CHEVS, Fonds Hubert Beuve-Méry, BM 135, dossier Indochine (1952-1957).
Bibliographie : P. Devillers et J. Lacouture, *Viêt-nam, de la guerre française à la guerre américaine*, Paris, Seuil, 1969 ; J.-F. Sirinelli, *Intellectuels et passions françaises. Manifestes et pétitions au XXe siècle*, Paris, Fayard, 1990.

NOUS ENREGISTRONS avec une profonde satisfaction le développement favorable des négociations qui se poursuivent à Genève en vue de donner une solution pacifique au conflit d'Indochine.

Nous nous félicitons que le gouvernement et le parlement français aient manifesté leur volonté de rechercher un accord de cessez-le-feu avant le 20 juillet prochain.

Nous attirons l'attention de l'opinion française et des opinions étrangères sur l'exceptionnelle gravité de la crise qui résulterait d'un échec ou même d'un non-aboutissement des négociations dans le délai prévu. Cette crise entraînerait presque fatalement l'intensification et l'internationalisation de la guerre, en dépit des efforts d'apaisement qui pourraient être encore tentés.

Nous exprimons notre profonde conviction que, pour pouvoir être vite obtenu et pour être fructueux dans ses conséquences, le cessez-le-feu doit être conçu, non pas comme un armistice imposé par l'épuisement ou la défaite, mais comme la réconciliation de deux peuples, résolus à mettre fin à une guerre fratricide, et à s'associer sur la base de l'amitié retrouvée et de l'indépendance réciproque.

Pour cette raison, nous demandons au gouvernement français de négocier directement avec le gouvernement Hô Chi Minh[1], conformément à l'offre qui en a été faite par celui-ci et qui vient d'être renouvelée, un accord susceptible de réaliser, dans la liberté, l'union de la nation viêt-namienne et sa participation à une Union française rénovée, après une libre consultation du peuple viêt-namien et l'engagement de chacune des parties belligérantes de s'interdire toutes représailles à l'égard des personnes qui ont collaboré avec l'autre partie.

Nous faisons appel à l'opinion française pour qu'elle ne s'abandonne pas à un optimisme qui laisserait le champ libre aux pressions qui s'exercent dans le sens de la guerre.

7. « Vous nous avez donné le goût de la liberté »
(Séance du 22 août 1946 à la Constituante)

En juin 1944, sur 13 députés élus par le collège des électeurs français musulmans noncitoyens, 11 appartiennent à l'Union démocratique du manifeste algérien (UDMA). Ce parti, composé de nationalistes modérés, comme Ahmed Saadane et Ferhat Abbas, dépose devant l'Assemblée le texte d'une « Constitution de la République algérienne », fondée sur la double citoyenneté des Algériens et des Français et associée à la France.

1. La conférence réunie depuis la fin avril à Genève avait pour objectif de départ de mettre fin au conflit en Corée. Elle réunissait donc les représentants des principales puissances intéressées — États-Unis, URSS, Chine, France, Royaume-Uni —, ainsi que ceux d'autres États de la région. C'est à la demande de Georges Bidault que l'on décida d'inclure la question indochinoise dans l'ordre du jour, et celle-ci vint effectivement en discussion à partir du 8 mai, c'est-à-dire au lendemain de la chute de Diên Biên Phû. Mais, jusqu'à l'investiture de Mendès, aucune négociation directe avec le gouvernement Hô Chi Minh ne fut engagée.

Discuté lors d'un âpre débat, les 22 et 23 août 1946, ce texte sera rejeté par la commission de la Constitution. L'urgence de faire adopter par les députés le texte constitutionnel a fait ajourner l'examen du statut de l'Algérie à la prochaine législature, la Constituante se contentant de voter le 5 octobre une loi électorale qui maintenait la parité entre les deux collèges (celui des citoyens français et celui des non-citoyens).

À l'occasion de ce débat, plusieurs députés musulmans expriment leur amertume à l'égard d'une métropole qui leur a à la fois transmis ses valeurs et continûment refusé le statut de citoyens français.

Source : *Journal officiel*, Débats parlementaires, Assemblée constituante, séance du 22 août 1946.

Bibliographie : J. Lacouture, *Cinq hommes et la France*, Paris, Seuil, 1961 ; C.-A. Julien, *L'Afrique du Nord en marche*, Paris, Julliard, 1952 ; B. Stora, *Histoire de l'Algérie coloniale (1830-1954)*, Paris, La Découverte, 1991.

M. SAADANE :
Mesdames, Messieurs, je suis respectueux des hommes, des institutions. [...]
Je suis un peu gêné parce que, m'adressant à un aréopage composé en majorité de Français... (*Vives interruptions à droite et au centre*) je crains de ne pouvoir me faire entendre.
Sur plusieurs bancs. Il n'y a ici que des Français !
M. ÉDOUARD DEPREUX[1] ministre de l'Intérieur : C'est un lapsus qu'a commis M. Saadane.
M. ANDRÉ LE TROQUER[2] : Cela en dit très long.
M. SAADANE : Je suis vraiment confus de ces interruptions car, jusqu'à maintenant, je ne sais pas ce que je suis. (*Interruptions au centre et à droite.*) Suis-je un sujet français ? Suis-je un citoyen français ? (*Nouvelles interruptions sur les mêmes bancs.*)
Sur quelques bancs à l'extrême gauche. Très bien !
M. LE PRÉSIDENT : Monsieur Saadane, vous êtes à la tribune française. (*Applaudissements au centre et à droite.*)
M. MAROSELLI[3] : Il ne peut y avoir à cette tribune que des députés français, donc vous êtes Français.
M. ANDRÉ LE TROQUER : Nous sommes dans une Assemblée française.
À droite : Si vous ne le savez pas, allez-vous-en ! (*Protestations à l'extrême gauche.*)
M. SAADANE : Si la France ne nous donne pas les droits qu'elle est tenue de nous donner parce que ce serait conforme à sa tradition philosophique et à son histoire, nous nous en irons ! (*Très bien ! Très bien ! sur divers bancs à l'extrême gauche.*) [...]
Je dis que, parlant du haut d'une tribune française, dans une Assemblée où il y a des Bretons, des Alsaciens... (*Vives exclamations à gauche, au centre et à droite.*)
Sur de nombreux bancs au centre et à droite. Des Français !
M. BOUGRAIN : Il n'y a que des Français dans cette Assemblée !
M. LE TROQUER : Les Bretons sont des Français !
M. LE PRÉSIDENT : Veuillez laisser parler l'orateur. [...]

---

1. Député socialiste.
2. Député socialiste.
3. Député radical.

M. Saadane : Parlant du haut de cette tribune, où j'essaie d'apporter des paroles non pas de haine...

M. Roclore[1] : D'apaisement ?

M. Saadane : ...mais de vérité, sachant que, malgré la diversité des départements, un Breton est un Français, qu'un Alsacien est un Français, j'ai peur que moi, musulman de langue arabe, parlant à des Français qui sont venus de leur Bretagne, qui sont catholiques... (*Interruptions à droite et au centre — Protestations à l'extrême gauche.*) C'est désespérant !

Parlant, dis-je, à des Français de la métropole qui n'ont peut-être pas étudié de très près le problème algérien et qui ne le connaissent pas, soit par ignorance, soit par manque d'information, je crains que les accents que j'apporte à cette tribune ne soient pas nettement compris.

Le malheur c'est que, quand on parle de l'œuvre française en Algérie, quand on essaie d'exposer le problème algérien, on se sent assailli par un trouble. Nous, auteurs du *Manifeste*, nous l'avons éprouvé et nous avons essayé, en éludant bien des difficultés, de faire ressortir que le sort lamentable du peuple algérien n'a pas été prémédité par la France.

C'est qu'en effet on se trouve devant un cas de conscience délicat de par sa nature même. L'exposé prend la forme d'un réquisitoire contre le peuple français. La colonisation de l'Algérie n'est-elle pas une page de l'histoire française ? Le colonialisme est entré dans la vie française depuis un siècle et je dois dire que le colonialisme, la colonisation sont d'origine impure parce qu'à l'origine il y a la force et la contrainte. [...]

Il y a donc lieu de faire une discrimination nécessaire avant de mettre en cause la conscience française. Mais ce problème se pose devant notre conscience: nous sommes des musulmans, nous parlons l'arabe. Nous nous trouvons devant le fait de la colonisation et, lorsque nous faisons le bilan de la situation actuelle, nous constatons un appauvrissement de la population. [...]

Mesdames, messieurs, dans une collectivité comme la nôtre, le stade national est un stade fatal, il est normal et je ne comprendrais pas qu'il y eût parmi vous, soit de ce côté de l'Assemblée (*la droite*), soit de ce côté (*la gauche*), quelqu'un qui puisse condamner le sens national. Vous nous avez apporté votre culture — c'est surtout cela que je considère parmi l'œuvre française —, le ferment qui doit permettre l'affranchissement des hommes. Vous nous avez acheminés, vous nous avez donné le goût de la liberté et maintenant que nous disons que nous ne voulons pas de l'esprit colonial et de la colonisation...

M. Quilici : Maintenant, vous vous retournez contre nous !

M. Saadane : ....mais que nous voulons être libres, être des hommes, rien que des hommes, ni plus ni moins, vous nous déniez le droit d'accepter, de prendre certaines formules et vous êtes étonnés, vous Français, que quelques esprits, chez nous, cherchent l'indépendance.

C'est pourtant une attitude tout à fait naturelle. (*Exclamations.*)

M. André Le Troquer : Ce langage est inouï ! [...]

M. Ferhat Abbas[2] : Il y a cent seize ans que nous attendons cette heure, c'est-à-dire l'occasion d'être ici et de nous faire entendre, parmi vous. Il y a cent seize ans que l'Algérie est française ! Alors, ayez patience, je vous le demande et vous en supplie.

---

1. Député MRP.
2. Député de Sétif. Ferhat Abbas prend la parole au moment où, au milieu du tumulte général, plusieurs députés se sont levés, faisant mine de marcher, menaçants, sur l'orateur.

[...] Nous sommes une toute petite minorité. Soyez généreux ! il est possible que nous n'ayons pas la manière. Si vous nous aviez fait l'honneur de nous admettre depuis cent seize ans au milieu de vous, nous l'aurions acquise (*Vifs applaudissements à l'extrême gauche et sur certains bancs à gauche*).

8. Manifeste de l'Istiqlâl
(1944)

Lors de la conférence d'Anfa, en janvier 1943, Roosevelt a rencontré le sultan du Maroc, Mohammed Ben Youssef, et lui a fait espérer que son pays pourrait accéder à l'indépendance au lendemain de la guerre. En décembre de la même année, la plupart des dirigeants nationalistes se sont rassemblés dans le Parti de l'Indépendance (Istiqlâl), et en janvier 1944 celui-ci a publié un Manifeste *réclamant l'indépendance du Maroc sous l'autorité du sultan et invitant ce dernier à établir « un régime politique consultatif semblable à celui des pays arabo-musulmans d'Orient ». Le Comité français de Libération nationale (CFLN) réagit à cette initiative d'abord en faisant pression sur Mohammed Ben Youssef pour qu'il désavoue l'emploi du mot « indépendance » dans le* Manifeste de l'Istiqlâl, *puis en faisant arrêter plusieurs des auteurs de ce document sous prétexte d'intelligence avec l'ennemi. Il s'ensuivit de violentes émeutes dans diverses villes marocaines — notamment à Rabat, Casablanca et Fez —, où manifestations et répression causèrent des dizaines de morts.*

Source : Texte *in* G. Delanoë, *Lyautey, Juin, Mohammed V : fin d'un protectorat*, Paris, L'Harmattan, 1988.
Bibliographie : S. Bernard, *Le Conflit franco-marocain (1945-1956)*, Université libre de Bruxelles, 1963 ; G. Spilmann, *Du protectorat à l'indépendance, 1912-1955*, Paris, Plon, 1967.

L E PARTI de l'Istiqlâl qui englobe les membres de l'ex-Parti national et des personnalités indépendantes :
Attendu que l'État marocain a toujours joui de sa liberté, de sa souveraineté nationale, et a conservé son indépendance pendant treize siècles, jusqu'à ce que le régime du protectorat lui fût imposé dans des circonstances particulières ;
Attendu que la finalité et la raison d'être de ce régime est l'introduction des réformes dont le Maroc a besoin dans les domaines de l'administration, de la justice, de l'enseignement, de l'économie, des finances et de la défense, sans qu'elles portent atteinte à la souveraineté historique du peuple marocain et à l'autorité de Sa Majesté le Roi ;
Considérant que les autorités du protectorat ont substitué à ce régime celui d'une administration directe et d'un autoritarisme au profit de la colonie française dont un corps de fonctionnaires dépassant les besoins du Maroc, et qu'elles n'ont point essayé de concilier les divers éléments du pays ;
Considérant que la colonie française est parvenue, par le biais de ce régime, à s'emparer des leviers du gouvernement et à monopoliser les richesses du pays à l'exclusion de leurs titulaires ;

Considérant que ce régime a essayé, par divers moyens, de détruire l'unité marocaine et d'interdire aux Marocains la participation à la gestion des affaires de leur pays et l'exercice de toute liberté individuelle ou publique ;
Considérant que les circonstances traversées par le monde ne sont pas celles où a été institué le protectorat ;
Considérant que le Maroc a fourni une participation efficace aux guerres mondiales, aux côtés des Alliés, et que ses hommes ont rempli récemment des tâches qui ont suscité l'admiration de tout le monde, en France, en Tunisie, en Sicile, en Corse et en Italie, qu'on en attend encore une contribution plus étendue sur d'autres champs, particulièrement celui de la libération de la France ;
Attendu que les Alliés qui versent leur sang en vue de la liberté ont reconnu, dans le pacte de l'Atlantique, le droit des peuples à se gouverner eux-mêmes, et déclaré récemment, à la conférence de Téhéran, leur condamnation du point de vue qui permet au plus puissant de soumettre le plus faible ;
Attendu que les Alliés ont manifesté, à diverses occasions, leur compréhension pour les peuples musulmans et qu'ils ont octroyé l'indépendance à d'autres peuples dont certains n'ont ni passé, ni présent comparables à ceux de notre peuple ;
Attendu que la nation marocaine constitue une unité harmonieuse, consciente de ses prérogatives et de ses obligations intérieures et extérieures, sous l'autorité de son roi bien-aimé et qu'elle apprécie à leur juste valeur les libertés démocratiques dont l'esprit concorde avec les principes de notre religion et qui ont été les fondements des régimes de gouvernement dans les pays musulmans frères ;

En ce qui concerne la politique générale, décide de :
1. Revendiquer l'indépendance du Maroc et son intégrité territoriale, sous l'autorité de Sa Majesté le Roi, Sidi Mohammed Ben Youssef, que Dieu le glorifie ;
2. De solliciter de Sa Majesté d'intervenir auprès des États intéressés en vue de la reconnaissance de cette indépendance, et sa garantie, ainsi que la signature de conventions déterminant les intérêts légitimes des étrangers dans le cadre de la souveraineté marocaine ;
3. Demander l'adhésion du Maroc au pacte de l'Atlantique et sa participation à la conférence de la Paix.
   En ce qui concerne la politique intérieure, décide de :
4. Solliciter Sa Majesté d'étendre sa bienveillante attention au mouvement de réformes dont le Maroc a besoin dans son intérieur, et confie à sa haute appréciation l'institution d'un régime politique consultatif semblable à celui des pays arabo-musulmans d'Orient, et où les droits de tous les éléments du peuple et de toutes les classes seront protégés, les obligations de tous précisées.

9. « Appel de Bourguiba aux Tunisiens, ses frères, et aux Français, ses amis »

(Mai 1955)

Issu d'une famille de la petite bourgeoisie rurale ruinée par la concurrence des colons, Habib Bourguiba a pu, grâce à l'aide de son frère aîné, poursuivre des études à la faculté de droit de Paris, ainsi qu'à l'École libre des sciences politiques. Rentré en Tunisie et devenu militant du Destour (Parti libéral constitutionnel), il ne tarde pas à s'opposer à cette formation dont il critique l'inspiration religieuse et le traditionalisme. En 1934, il la quitte pour fonder le Néo-Destour, favorable à une Tunisie indépendante, laïque et modernisée.

Arrêté à plusieurs reprises, Bourguiba s'exile en Italie pendant la guerre, sans adhérer toutefois à la politique de l'Axe. Rentré clandestinement dans son pays, il est condamné par les autorités gaullistes et mis en résidence surveillée jusqu'en 1946. Il devient alors secrétaire général, puis président du Néo-Destour, ce qui lui vaut d'être à nouveau arrêté en 1952 et exilé à La Galite, d'où il écrit en juillet à son ami Mohammed Masmoudi : « Ce qui est certain, c'est que le climat de La Galite ne me convient pas du tout, et qu'à la longue il finira par me démolir. Ces messieurs de la Résidence le savent fort bien, mais ils estiment qu'ils sont couverts. Tant que je suis debout, ils me maintiendront dans cette île. Quand je serai presque complètement démoli, ils me transféreront ailleurs où ils me mettront en liberté (ce n'est même pas sûr), à ce moment je n'en aurai plus pour longtemps à vivre. [...] Ce serait un assassinat, mais un assassinat régulier, un assassinat dans les formes légales[1]. »

Libéré par le gouvernement Mendès France, Habib Bourguiba participe aux conversations qui aboutissent en 1956 à l'indépendance de la Tunisie. Dans cet article publié dans Le Petit Matin *en mai 1955, il lance à ses compatriotes un appel à la concorde et à la collaboration avec la France.*

Source : *Le Petit Matin*, 31 mai 1955.
Bibliographie : H. Bourguiba, *Ma vie, mon œuvre*, Paris, Plon, 1987 ; P. Garas, *Bourguiba et la naissance d'une nation*, Paris, 1956.

A U MOMENT où je rentre dans mon pays, après tant d'années de lutte pour notre idéal national, après tous les tragiques et douloureux événements qui ont troublé profondément notre vie sociale, je veux, m'adressant à vous Tunisiens, mes frères, à vous, Français et Européens, mes amis, appelés à cohabiter avec nous sur cette terre traditionnellement hospitalière, que mes premiers mots soient un appel à la concorde, à l'apaisement des esprits, à l'oubli des conflits et des querelles d'hier.

Tournés résolument vers l'avenir que nous voudrions heureux et prospère pour notre chère patrie, nous savons bien que rien ne peut se construire dans la division et la haine, mais qu'au contraire toutes les valeurs peuvent être sauvées, toutes les possibilités humaines restent à la portée de la main lorsque, dans une large et sereine discussion, les parties en présence recherchent loyalement un terrain d'entente.

---

1. H. Bourguiba, *Ma vie, mon œuvre*, t. V, *op. cit.*, p. 162.

Les récentes négociations l'ont bien montré. C'est par les mêmes méthodes, c'est dans le même esprit que nous devons aborder la tâche immense qu'il nous reste encore à accomplir.

Nul Tunisien ne méconnaît l'importance des réalisations françaises sur le plan matériel comme dans le domaine culturel. Nul Tunisien ne peut imaginer que les intérêts légitimes de la France et des Français de Tunisie puissent être méconnus. L'ordre nouveau que pierre à pierre nous édifierons, leur apportera les garanties nécessaires à la continuité de leur établissement dans ce pays où beaucoup d'entre eux ont des racines familiales profondes.

Passionnément attachés à toutes nos revendications nationales, nous savons bien que l'indépendance, qui reste notre objectif suprême, doit s'accommoder des impératifs qui conditionnent le progrès des sociétés modernes. Nous savons que l'indépendance doit se concilier avec l'interdépendance entre pays liés par des intérêts permanents et supérieurs.

Dans l'application scrupuleuse des conventions, dans le respect de la souveraineté de chaque État et de la dignité de chaque peuple, nous saurons trouver des formules qui consacreront par une libre association l'amitié et la solidarité de nos deux pays.

Je souhaite de tout mon cœur que cette méthode de contacts humains — animée par l'esprit de compromis et de synthèse — qui a ramené la paix en Tunisie, prenne une valeur exemplaire, et que l'on puisse s'en inspirer pour dessiner les structures harmonieuses de l'avenir et pour asseoir les solidarités franco-nord-africaines sur des bases solides.

XV

LA GUERRE D'ALGÉRIE (1954-1962)

L'insurrection algérienne commence à la Toussaint 1954 par une série d'actions terroristes menées par des militants nationalistes, en rupture avec les mouvements traditionnels (MPLA de Messali Hadj, UDMA de Ferhat Abbas) et qui se regroupent bientôt dans le Front de Libération nationale (FLN). À Paris, Pierre Mendès France et son successeur Edgar Faure réagissent en envoyant des renforts sur le terrain, tout en s'efforçant de promouvoir une politique de réformes : application du statut de 1947, modernisation économique et mise en œuvre d'un vaste programme de scolarisation.

En août 1955, un soulèvement dans le Constantinois fait une centaine de morts parmi les Européens qui répliquent par une répression sanglante. La logique terrorisme-représailles-élargissement du mouvement insurrectionnel est désormais à l'œuvre.

De 1956 à 1958, la France s'enfonce dans la guerre. Le 6 février 1956, Guy Mollet se rend à Alger pour y installer un nouveau gouverneur général réputé libéral, le général Catroux. Conspué par les Européens, il doit le remplacer en toute hâte par le socialiste Robert Lacoste qui met l'accent sur l'action militaire (texte n° 1). Celle-ci est massivement approuvée par le Parlement qui, en mars 1956, vote les pouvoirs spéciaux au gouvernement. Le rappel des réservistes et le maintien de plusieurs classes sous les drapeaux permettent de porter les effectifs engagés en Algérie à 400 000 hommes qui organisent le « quadrillage » militaire du pays. L'armée pratique en même temps assistance sociale et « action psychologique » afin de gagner les populations à une solution française du conflit et d'isoler le FLN. Celui-ci s'efforce de son côté d'entraîner les masses algériennes dans son action révolutionnaire (texte n° 2).

À Alger, où sévit la guérilla urbaine, la responsabilité de la sécurité est confiée au général Massu, chef de la 10ᵉ division parachutiste. Durant les neuf premiers mois de 1957 se déroule ainsi la « bataille d'Alger ». Fouilles, rafles, arrestations et même emploi de la torture (texte n° 3) répondent aux attentats aveugles du FLN. Malgré le succès partiel de cette entreprise, l'armée ne peut ni arrêter complètement le terrorisme, ni mettre fin au harcèlement des bandes rebelles. De plus, la violence de la répression suscite en France des réactions d'hostilité à la politique gouvernementale (textes nᵒˢ 4 et 5).

La guerre d'Algérie a sur l'évolution intérieure de la France des conséquences graves. Elle compromet la position internationale de la IVᵉ République, fortement ébranlée par l'échec de l'opération de Suez (cf. chap. XII). Elle détériore la situation financière du pays, creuse le déficit budgétaire et relance l'inflation. Elle provoque en métropole une douloureuse crise morale, et surtout elle aboutit à l'éclatement de la majorité et à la paralysie de la vie politique. En Algérie, elle favorise les tendances activistes, tant au sein de la population européenne qu'auprès de militaires favorables à l'établissement d'un pouvoir fort. Il en résulte un climat d'agitation qui aboutit, le 13 mai 1958 à Alger, à un véritable coup de force (texte n° 6) qui précipite la chute du régime.

Après son retour au pouvoir (cf. chap. XVII), le général de Gaulle s'achemine par étapes vers l'indépendance de l'Algérie. Au moment du 13 mai, il ne semble pas qu'il ait eu un avis très arrêté sur la solution à apporter au conflit. La détermination du FLN, qui constitue en septembre 1958 un gouvernement provisoire présidé par Ferhat Abbas, le désaveu de l'opinion internationale, l'opposition croissante à la guerre en métropole (textes n°s 8 et 9) l'inclinent progressivement à l'idée d'une « autodétermination » dont le contenu reste longtemps assez flou.

En juin 1958, dans l'euphorie de la naissance du nouveau régime, porté par l'enthousiasme qui accompagne sa venue en Algérie, le général déclare qu'il n'y a plus « qu'une seule catégorie d'habitants », mais ne prononce qu'une seule fois, le 7 juin à Mostaganem, l'expression « Algérie française ». En septembre de la même année, il est clair que son opinion a déjà évolué lorsqu'il offre au FLN la « paix des braves ». Pour lui, l'essentiel est désormais pour la France qu'elle puisse pratiquer une politique internationale conforme à son « rang », donc qu'elle ait les mains libres et que son prestige dans le monde ne soit pas affecté par la poursuite d'un conflit colonial anachronique. Encore faut-il que cette évidence soit admise par les Français d'Algérie, par l'armée, voire par une partie de l'opinion métropolitaine (y compris au sein du mouvement gaulliste). De Gaulle va donc devoir procéder avec prudence, ce qui n'empêchera ni les émeutes de janvier 1960 (la « semaine des barricades »), ni le putsch des généraux en avril 1961, ni l'entreprise désespérée de l'OAS (texte n° 10), culminant en août 1962 avec l'attentat du Petit-Clamart.

En septembre 1959, le chef de l'État reconnaît le droit des Algériens à l'autodétermination, avec trois solutions au choix : la sécession, l'intégration ou l'autonomie, s'accompagnant de l'association de l'Algérie à la France : formule qui retient sa préférence.

En juin 1960, le général évoque « l'Algérie algérienne », et en 1961 il parle d'un « État algérien souverain ». Des pourparlers avec le FLN, engagés en 1961, aboutiront finalement en 1962 à la signature des accords d'Évian, ratifiés avec plus de 90% de « oui » au référendum d'avril. En Algérie, où des centaines de milliers de « pieds-noirs » ont pris, dans des conditions souvent dramatiques, le chemin de l'exil (texte n° 11) et où l'OAS a pratiqué jusqu'à l'ultime moment la politique de la terre brûlée, c'est une immense majorité qui se déclare en faveur de l'indépendance.

1. Directive du ministre résident en Algérie
Robert Lacoste
(Mai 1956)

Le Front républicain, vainqueur des élections de janvier 1956, avait mené campagne sur la nécessité de mettre fin rapidement à la guerre d'Algérie. Pour atteindre cet objectif, Guy Mollet souhaite à la fois engager une politique de réformes destinées à rallier la masse de la population musulmane et entamer des négociations secrètes avec le FLN. Dans cette perspective, il décide de remplacer le gouverneur général Jacques Soustelle, désormais acquis à une solution militaire du conflit, par un ministre résident en Algérie, et il choisit une personnalité réputée libérale, le général Catroux, pour occuper cette charge.

Le 6 février, le chef du gouvernement se rend à Alger pour y installer le ministre résident. Il est accueilli par les jets de pierres et de tomates d'une foule déchaînée, composée de Français d'Algérie dont il peut constater la très vive hostilité à l'égard de sa politique. Aussi ne tarde-t-il pas à faire machine arrière. Et pour commencer, il remplace le général Catroux par Robert Lacoste, jusqu'alors en charge des Affaires économiques dans le gouvernement investi en janvier.

Robert Lacoste n'est pas un nouveau venu dans la vie politique de la IVᵉ République. Résistant de la première heure dans les mouvements Libération-Nord, puis Libération-Sud, assurant la liaison entre le Conseil national de la Résistance (CNR) et la délégation générale du Comité français de libération nationale (CFLN) en France, il a dès 1944 occupé la charge de ministre de la Production industrielle dans le Gouvernement provisoire de la République française (GPRF) et a conservé ce poste dans les gouvernements Blum et Ramadier en 1946-1947, avant d'être chargé dans plusieurs cabinets de la Troisième Force du portefeuille de l'Industrie et du Commerce.

Syndicaliste et socialiste ardent, Robert Lacoste n'a rien, en principe, qui puisse le prédestiner à mener en Algérie une politique axée sur l'usage prioritaire de l'outil militaire. Tout en utilisant les pouvoirs spéciaux votés par le Parlement pour promouvoir des réformes économiques, sociales et administratives en faveur de la population musulmane, il va pourtant s'engager résolument dans cette voie, réclamant du gouvernement l'envoi du contingent en Algérie, l'allongement du service militaire, poussant à l'expédition de Suez et couvrant l'interception par les militaires de l'avion marocain transportant plusieurs dirigeants du FLN à Tunis. Dans cette directive générale adressée en mai 1956 aux cadres des trois armes, il expose les grandes lignes de la politique qu'il a choisi de mener dans les trois départements d'outre-mer.

Source : Directive générale destinée aux officiers et sous-officiers des armées de terre, de mer et de l'air stationnés en Algérie, 19 mai 1956 ; texte _in_ Archives FNSP/CHEVS, Fonds Cletta et Daniel Mayer, 1 MA 17.1, Algérie (1955-1956).

Bibliographie : Article « Robert Lacoste », in _Dictionnaire historique de la vie politique française au xxᵉ siècle_, sous la direction de J.-F. Sirinelli, Paris, PUF, 1995, pp. 555-556 ; B. Droz et E. Lever, _Histoire de la guerre d'Algérie (1954-1962)_, Paris, Seuil, 1982.

D E MANIÈRE à vous permettre d'agir à tous les échelons avec le maximum d'effica-cité, je juge nécessaire de vous définir personnellement, avec autant de précision que possible, l'action politique que j'entends mener en Algérie au nom du gouverne-ment de la République. Cette directive n'est que le premier élément d'un contact constant que je désire établir avec tous les officiers et sous-officiers d'active ou de réserve en service.

Les droits imprescriptibles de la France en Algérie

Je tiens pour commencer à exprimer avec une netteté absolue que *les droits inprescrip-tibles de la France en Algérie ne comportent dans mon esprit aucune équivoque.*

Le souvenir des vains sacrifices consentis en Extrême-Orient, certaines campagnes de presse, des intrigues regrettables, des menaces même venant de l'étranger ont pu donner à penser à l'armée que, lancée dans une aventure sans issue en Afrique du Nord, elle ne béné-ficiait ni du soutien de l'opinion publique française, ni de l'appui total des pouvoirs publics.

Je tiens donc à affirmer de façon péremptoire ici que les troupes d'Algérie peuvent à tout moment compter sur mon appui inconditionnel dans leur action pour le rétablissement de l'ordre et de la pacification de ce pays. En contrepartie je leur demande de me faire toute confiance pour le guider progressivement dans le sens que j'expose ci-dessous. J'ai enfin le plus grand espoir que l'opinion nationale alertée sur l'importance du problème d'Algérie, appuiera de plus en plus nos efforts en vue de rétablir ici la paix dans la justice.

Il ne faut cependant pas s'illusionner sur la facilité avec laquelle nous résoudrons le problème algérien ; ce problème est immense et de nature complexe, à la fois politique et militaire. Il ne faut s'attendre à aucun miracle. Mais je suis absolument persuadé qu'il est soluble et qu'il est à la mesure de notre pays. Cela demandera, sans doute, du temps et de grands efforts dans tous les domaines, ainsi que beaucoup de foi et d'abnégation. Tout cela je sais que l'armée peut le donner ; je lui demande plus : elle doit servir d'exemple à tous les éléments de la population algérienne.

Les nouvelles formes de l'association métropole-Algérie

Il est nécessaire que vous sachiez sur quelles idées générales repose l'action politique et psychologique à laquelle l'armée doit participer.

En premier lieu, se pose le problème des modalités d'association entre la métropole et le territoire algérien. Le Parlement a reconnu explicitement une certaine «personnalité algé-rienne». Tous les Français sont d'ailleurs unanimes aujourd'hui pour estimer que le départe-ment d'Oran, par exemple, ne peut avoir le même statut que l'Ardèche ou le Lot-et-Garonne.

La cohabitation de deux communautés (française de souche et musulmane) impose d'ailleurs à l'Algérie un statut particulier.

Ce dernier existait depuis 1947 mais il faut avoir le courage de reconnaître qu'il n'a jamais été complètement appliqué. Cependant il est aujourd'hui dépassé. *Il faut donc en établir un nouveau.* Le gouvernement s'est engagé à ne pas en décider *sans le concours de représentants élus de l'Algérie* — de manière à amener la population locale à discu-ter non pas de sa présence dans la communauté française (posée en postulat formel), mais des formes de l'association «métropole-Algérie».

Il faut pouvoir arriver à une période de détente en Algérie pour réaliser cette réforme de base.

Les éléments d'une politique nouvelle

Faut-il attendre ce moment qui tardera sans doute pour promouvoir une politique nouvelle ? _Je ne le crois pas,_ parce que c'est très largement dans la mesure où nous appliquerons cette politique que l'Algérie pourra retrouver une stabilité qui, je le précise, ne peut en aucune manière amener un retour à la situation précédente.

Je suis sûr que vous aurez à cœur de rester constamment humains ainsi que l'exige l'honneur de la France. D'autre part, il convient absolument de se garder des provocations des rebelles qui, en développant le terrorisme, visent à déclencher des actes incontrôlés de représailles qu'ils montent en épingle afin de créer les apparences d'une guerre d'extermination et dresser contre nous l'opinion internationale et les grandes puissances dont ils recherchent le concours sur le plan diplomatique. [...]

Je désire que chaque officier et sous-officier soit _dans sa sphère le défenseur des idées_ que j'expose ici (et que je complèterai), même s'il n'y apporte lui-même qu'une adhésion morale limitée. Je vais même plus loin : je désire, _d'accord avec vos chefs, que vous surveilliez l'exécution de certaines de ces mesures en vous assurant qu'elles sont diffusées et même appliquées._ [...]

On a dit et répété que tout conflit est, à la base, un conflit d'idéologies. Mais contrairement à ce qui pourrait se passer en d'autres lieux et même si derrière eux se dessinent l'inquiétante propagande communiste et la passion conquérante de l'Islam, nos adversaires d'aujourd'hui, les terroristes, _les rebelles n'ont d'autre idéologie que celle d'évincer la France d'Algérie._ Ils n'ont dans ce conflit « intérieur » qu'ils veulent transformer en conflit « extérieur » ni théorie, ni armature valables. Ils tentent de remplacer par un véritable racisme (que l'action inconsciente de certains Français a hélas parfois favorisé) l'absence de toute doctrine politique. Ils cherchent à justifier par une parenté religieuse l'ingérence inadmissible de l'étranger.

À cette absence d'idéologie, nous pouvons opposer non pas une idéologie politique particulière mais celle que l'épreuve actuelle peut revigorer, l'idéologie « nationale », l'amour de la France. L'immense capital de culture et de générosité de notre pays est en effet à peine mis à contribution pour l'Algérie. Il vous appartient de m'aider à l'attirer ici. Car nous ne bâtirons une Algérie nouvelle qu'en donnant à cette population franco-musulmane, encore souvent fruste, l'égalité intégrale des droits et des devoirs avec la France métropolitaine pour satisfaire sa dignité et son légitime amour-propre. [...]

Je sais enfin tout l'écart qui sépare Alger de l'Algérie et mon bureau des vicissitudes quotidiennes de tous les habitants de ce pays. Je tente _dès cette semaine_ de le combler par le déplacement d'envoyés spéciaux au courant de mes intentions et munis de pouvoirs étendus.

En ce qui vous concerne je crois savoir vos difficultés, vos inquiétudes, vos doutes et même vos colères. Quand on ne me les apprend pas, je crois que je les devine, et, ancien combattant de 14-18, j'évoque en pensant à vous la fameuse légende de Forain « _Pourvu qu'ILS tiennent !_ »

Pour vous donner la confiance je tiens à vous dire que la mienne est immense. Certes nous aurons demain encore de très grandes épreuves à surmonter dans ce pays où le calme ne renaîtra pas soudainement. Mais ces épreuves ne doivent pas nous effrayer puisque, comme moi, vous croyez dans notre patrie et que cette foi est votre raison suprême de porter l'uniforme.

Je vois dans l'épreuve algérienne une raison de croire à un renouveau de la France.

Il est toujours sorti quelque chose de grand des tempêtes de notre Histoire.

2. Un manifeste du FLN
(1957)

Dans ce texte, publié en décembre 1957 dans El Moudjahid, *organe clandestin du FLN, les dirigeants de la rébellion algérienne dressent le bilan du colonialisme français et soulignent les liens qui, à leurs yeux, rendent celui-ci solidaire des structures «féodales» de la société traditionnelle. À cette alliance des exploiteurs s'oppose, estiment-ils, le mouvement irréversible des masses : une expression qui revient comme un leitmotiv dans ce document et qui est empruntée au vocabulaire marxiste. Ce mouvement constitue une vague de fond dont le déferlement ne peut avoir pour aboutissement que l'indépendance complète. Toute autre issue du conflit est à proscrire, y compris celle d'une indépendance accordée par degrés. Position radicale, on le voit, et qui répudie d'avance toute complicité avec la puissance coloniale, y compris avec «la fraction la plus démocratique» de l'opinion française, jugée «paternaliste» par les rédacteurs de ce manifeste.*

Au moment où celui-ci est rédigé, à l'extrême fin de 1957, le FLN se trouve plutôt en position défensive. Le général Massu, investi par le ministre résident de pouvoirs de police considérables, a gagné la «bataille d'Alger». Dans les campagnes, l'action des Sections administratives spécialisées (SAS) perturbe le recrutement et les liaisons de l'Armée de libération nationale (ALN), tandis que l'enrôlement de supplétifs musulmans (les harkis) facilite l'action des unités françaises employées au «quadrillage» et au «ratissage» des territoires rebelles. Enfin, aux frontières du Maroc et de la Tunisie, la construction de barrages de barbelés et de mines rend difficile les infiltrations de combattants et les livraisons d'armes et de matériels divers en provenance des pays amis. Si bien qu'au début de 1958 Robert Lacoste pourra parler du «dernier quart d'heure» de la rébellion.

Source : El Moudjahid, *n° 14, 15 décembre 1957, cité in* La Révolution algérienne par les textes, documents du FLN *présentés par André Mandouze, François Maspero, Paris, mai 1962, pp. 46-49.*

Bibliographie : M. Harbi, *Le FLN, mirage et réalité (1945-1962)*, Paris, éd. Jeune Afrique, 1980 ; M. Teguia, *L'Algérie en guerre*, Alger, OPU, 1981 ; S. Chikh, *L'Algérie en armes*, Paris, Économica, 1981.

TOUT EN DÉNATIONALISANT L'ALGÉRIE, le colonialisme s'est attaché à renforcer les structures périmées en en créant d'autres. Structures féodales et structures coloniales se sont superposées pour constituer un tout solidaire dont les masses opprimées devaient subir le poids écrasant.

L'assaut général que le peuple algérien livre au colonialisme lui ouvre la voie d'une véritable libération. La fin du colonialisme signifie la fin des vieilles structures sociales sur lesquelles il s'est appuyé. Amorphes, tenues en marge du bouleversement de l'histoire, les masses, dans un effort héroïque qui se renouvelle chaque jour, s'apprêtent à jouer le rôle qui leur revient, à construire de leurs mains leur destin, à devenir un facteur historique conscient qui donnera à la nation algérienne sa physionomie originale.

L'indépendance nationale ne profitera pas à une fraction du peuple ; de même que la lutte de libération est l'œuvre de tous, l'indépendance sera la participation de tous au progrès et à la prospérité.

L'engagement conscient des masses dans la lutte nationale rend, en Algérie, tout compromis avec le colonialisme impossible.

Aucune parcelle de l'indépendance ne saurait lui être cédée.

Cela signifie aussi que toute méthode évolutive, tout aménagement de l'indépendance par étapes se trouvent exclus. L'indépendance est un objectif immédiat.

Le mouvement des masses constitue un moment historique privilégié qui ne se répète pas. Il n'est pas le résultat d'un mécanisme artificiel qu'on déclencherait quand on veut et autant de fois qu'on veut. Il est l'aboutissement d'un processus continu et irréversible dont on ne commande pas la croissance.

Un tel mouvement a l'unité de la vie. On ne peut le fragmenter en moments discontinus sans en briser l'élan et aboutir à un chaos tragique.

Mobilisées pour atteindre un objectif précis, les masses ne sauraient abandonner la lutte au milieu du chemin et se contenter d'un ersatz d'indépendance.

Une indépendance que l'impérialisme accorderait par degrés n'est qu'une supercherie grossière par laquelle il ne vise en réalité qu'à briser le ressort des masses, qu'à émousser leur conscience révolutionnaire.

L'indépendance incomplète et l'indépendance par étapes sont synonymes. Vouloir une indépendance réelle, c'est la poser comme un objectif immédiat.

Les masses algériennes qui se sont mises en branle pour abattre le colonialisme et poursuivre leur ascension vers le progrès, ne conçoivent pas autrement l'indépendance nationale : — Elle doit être totale.

— Elle doit être immédiate.

Nous voulons en finir une fois pour toutes avec le colonialisme français, après tant de sang versé, nous ne pouvons accepter autre chose que l'indépendance, tel est le sentiment qui prévaut au niveau de toutes les couches du peuple. Par là, les masses algériennes ne font qu'exprimer la situation révolutionnaire dans laquelle elles sont engagées.

La portée sociale de la Révolution algérienne, concrétisée par le mouvement historique des masses, échappe à l'opinion française. La fraction la plus démocratique de celle-ci continue d'afficher une attitude paternaliste qui tend à faire croire que le peuple algérien ne saurait se passer de la France. Elle fait grief au FLN de revendiquer avec autant de netteté l'indépendance nationale et ne cache pas ses « _inquiétudes_ » quant à l'avenir d'une « _Algérie livrée à elle-même_ » qui ne tarderait pas à sombrer dans la régression économique et sociale, la misère et l'obscurantisme. Nous pourrions faire à ceux que préoccupe à ce point le sort futur de l'Algérie, la même réponse que cet Africain qui s'adressait en ces termes à des libéraux refusant l'indépendance à son peuple au nom du progrès : _Nous revendiquons le droit de nous mal gouverner !_

Mais ce qu'ils doivent savoir, c'est qu'il existe actuellement une conscience révolutionnaire algérienne.

Celle-ci, qui ne fait que progresser dans la lutte, est par définition essentiellement dynamique et opposée à toute forme d'oppression.

Ce qui signifie que son action, loin de se ralentir, ne pourra que s'intensifier après la victoire historique sur le colonialisme.

La conscience révolutionnaire algérienne est l'expression la plus haute de la conscience politique des masses.

Elle constitue le facteur le plus puissant de renouvellement de la société algérienne, tant il est vrai que seule l'intervention des couches les plus profondes du peuple dans le devenir historique, crée les conditions objectives d'une renaissance véritable.

3. La « question »

(François Mauriac)

Dès la fin de 1954, la presse de gauche métropolitaine a commencé à dénoncer les tortures infligées en Algérie à des miltants du FLN capturés par les forces de l'ordre et soumis à la « question » pour obtenir des informations sur les réseaux et les actes terroristes. En janvier-février 1955, Pierre-Henri Simon dans Le Monde, *Claude Bourdet dans* France-Observateur *(« Votre Gestapo algérienne ») et François Mauriac dans* L'Express *engagent sur ce thème une « bataille de l'écrit » (Maurice Crouzet) qui ne mobilise encore que des voix isolées, sans véritablement mordre sur le consensus métropolitain. C'est en 1957, lors de la « bataille d'Alger », que le mouvement commencera à prendre de l'ampleur et à semer le trouble au sein d'une opinion publique jusqu'alors plutôt réceptive au thème de l'« Algérie française ».*

Au moment où il publie cet article, François Mauriac est devenu un familier des lecteurs de L'Express, *l'hebdomadaire « mendésiste » qui a été fondé en mai 1953 et que dirigent Jean-Jacques Servan-Schreiber et Françoise Giroud. Il a en effet transporté dans ce journal le « Bloc-Notes » qu'il avait jusqu'alors fait paraître dans la revue littéraire* La Table ronde, *avec laquelle l'écrivain catholique se trouvait en désaccord formel sur le problème de la décolonisation. Mauriac préside en effet à cette date le comité France-Maghreb, favorable à la recherche d'une solution négociée en Algérie, position peu compatible avec celle de l'équipe qui, depuis sa reprise par Plon en 1950, a accentué son virage à droite.*

Venant d'un grand intellectuel catholique, auquel le jury de Stockholm a attribué deux ans plus tôt le prix Nobel de littérature, l'article que nous présentons ici a eu un très fort retentissement.

Source : *L'Express*, 15 janvier 1955.

Bibliographie : J.-P. Rioux et J.-F. Sirinelli, dir., *La Guerre d'Algérie et les intellectuels français*, Bruxelles, Complexe, 1991 ; C. Liauzu, « Les intellectuels français au miroir algérien », *Cahiers de la Méditerranée*, n° 3, 1984 ; P. Vidal-Naquet, *La Torture dans la République*, Paris, éd. de Minuit, 1972, rééd. La Découverte, 1985 ; J. Lacouture, *François Mauriac*, t. 2, *Le citoyen du siècle (1933-1970)*, Paris, Seuil, 1970.

V OUS SEUL pouvez parler... Vous seul.
— Je détourne la tête. Que de fois l'aurai-je entendu ce « vous seul » ! Mes ennemis croient que je cède à la passion d'occuper la scène. Je soupire :
— Il faudrait des preuves. On n'a jamais de preuves.
— Moi, j'ai vu, dit l'homme.
Je l'observe à la dérobée : je connais bien ce regard : celui de mon ami R., celui de ce prêtre de la Mission de France qui travaille dans la région de Constantine, le regard de ceux qui ont vu de leurs yeux, qui ne peuvent plus penser à rien d'autre ; toutes les fleurs du monde sont flétries pour eux. Des obsédés, bien sûr. Moi-même, je commence à la subir, cette obsession, mais un écrivain est habile à s'évader. J'insiste, presque suppliant :

— À quoi bon, puisque « ça » ne laisse pas de traces !

— Ils n'ont pas renoncé aux coups de nerf de bœuf, vous savez ! Mais la baignoire, ou plutôt le baquet d'eau sale où la tête est maintenue jusqu'à l'étouffement, mais le courant électrique sous les aisselles et entre les jambes, mais l'eau souillée introduite par un tuyau dans la bouche jusqu'à ce que le patient s'évanouisse...

— Ce n'est pas possible, dis-je.

— Mais oui : comme pour la Brinvilliers, comme pour Damiens... Cela ne laisse guère de traces en effet, non plus que les goulots de bouteille enfoncés...

Je l'interromps :

— Je sais... d'autres m'ont raconté. Mais pourquoi ? pourquoi ?

— Il s'agit d'obtenir des suspects (et je ne prétends certes pas qu'ils soient tous innocents) l'aveu de leur participation directe ou indirecte au terrorisme. Mais surtout, on attend d'eux qu'ils dénoncent leurs camarades. Je me rappelle celui qui avait fini par céder : il était fou de désespoir et de honte : «Je suis déshonoré, gémissait-il, je les ai livrés... » Songez que ces tortures sont coupées d'interrogatoires qui se prolongent durant des heures et on les laisse presque toujours sans nourriture. Alors ils signent n'importe quoi.

— Mais... les juges ?

— Oh ! avant de les conduire au Palais de Justice, on rend les victimes présentables... Un rien de toilette, quoi ! Il n'empêche qu'au début de novembre, les comparutions avaient lieu très tôt ou très tard pour qu'il n'y eût pas de témoins. Le 12 novembre à 7 heures du matin, ma femme, qui faisait le guet, a tout de même vu des garçons encore tout sanglants, à leur entrée chez le juge.

— Sans avocat ? Je croyais que la présence de l'avocat était exigée par la loi.

— Nous ne sommes prévenus ni de l'heure ni du jour de comparution. Pour avoir quelque chance d'assister un client, j'ai dû faire le guet, moi aussi, à la porte du juge : oui, huit heures d'affilée...

— La police a donc le droit de détenir un individu plus de vingt-quatre heures sans le déférer au magistrat ? On m'avait pourtant dit...

— L'article 114 du Code pénal réprime en effet la séquestration arbitraire.

— Mais là encore, comment faire la preuve ?

— Oh ! très aisément ; il suffit de rapprocher deux dates : celle de l'arrestation et celle du mandat de dépôt ou de l'ordonnance de mise en liberté.

— Alors pourquoi ne pas déposer plainte ?

— Croyez-vous que les victimes s'en privent ? Des plaintes ! Aucune n'a jamais été instruite. Vous entendez bien : aucune, à ma connaissance, du moins, pauvres «citoyens français» ! Ils n'ont pas plus de recours que nos «protégés».

— Écoutez, je me rappelle qu'une fois au moins vous vous êtes trompé. France-Maghreb était intervenu en faveur de Moulaï Merbah, secrétaire général d'une fraction du MTLD. Le ministre de l'Intérieur a eu la preuve qu'il s'agissait d'une erreur, que ce suspect n'avait pas été torturé.

— Oui, et Mitterrand était de bonne foi. C'est lui qui a été dupe. Je connais bien toute l'histoire : Moulaï Merbah ne fut conduit devant le doyen des juges d'instruction que le 5 novembre et ce fut le 9 que son avocat, depuis cinq jours à Alger, put enfin communiquer avec lui et apprit de sa bouche les tortures qu'il avait endurées. Son dos était couvert de plaies ouvertes ou à peine fermées. Un gardien de prison affirma que l'accusé était dans cet état-là lorsqu'il avait été écroué. Mais le médecin légiste, invité à l'examiner, fut d'avis que Moulaï Merbah se portait le mieux du monde : c'est ce certificat qu'a eu entre les mains le ministre de l'Intérieur.

— Vous voyez ! La preuve irrécusable fera toujours défaut.

— Non ! Pour beaucoup de cas, nous avons des témoins. Ma femme a vu la poitrine blessée d'Abd el Haziz. Le juge a consenti à appeler un médecin légiste, mais non à ce que l'examen ait lieu en présence d'un professeur de la Faculté d'Alger. Je pourrais vous raconter l'histoire d'Adad Ali, conseiller municipal d'Alger, dont journalistes, avocats, magistrats qui se trouvaient dans le couloir quand on l'amena, constatèrent l'état d'hébétude. À la face, aux jambes, les traces de coups étaient visibles. Le juge convoqua sur l'heure un médecin. Et Laichaoui, l'ami de Mme Mounier, de Domenach, du professeur Mandouze, comment douterions-nous de sa parole quand il raconte ce qu'il a subi ?

Nous nous taisons. L'homme rêve un instant, puis il dit :

— La détention en elle-même, quelle torture ! On parle d'Oudjda. Si vous connaissiez la prison de Tizi-Ouzou ! Les détenus y sont parqués à soixante et onze dans des pièces de 105 m². Il leur est interdit d'ouvrir la bouche, fût-ce pour prier. Des « droit commun » les surveillent : l'école de Himmler, quoi ! Quel héritage !

Encore un silence et j'entends de nouveau l'éternelle parole : « Vous seul... Si les gens savaient ... vous, ils vous croiront. »

Je secoue la tête :

— Mais non ! ils s'irritent au contraire de ce qu'on les oblige à voir ce qu'ils sont résolus à ignorer. Ils admettent que toute civilisation repose sur une horreur cachée : prostitution, traite des femmes, police des mœurs, maisons de correction, geôles pour les fous et les idiots, toutes les tortures : c'est le mal nécessaire. Malheur à qui ose en parler ouvertement ! Les Aztèques scellaient des débris humains dans les pierres du temple élevé à la gloire du dieu Soleil.

— Mais nous ne sommes pas des Aztèques.

— Non, bien sûr ! Nous sommes les Français de cette France dont les meilleurs fils, de génération en génération, ont mieux compris qu'aucun autre peuple et mis en pratique le *Sermon sur la Montagne*. Nous sommes cette France qui a proclamé les Droits de l'Homme à la face d'une Europe enivrée.

— ...Oui, et dire que pour la plupart de ceux que nous faisons souffrir, la France reste cette France-là !

— Les bourreaux n'auront donc même pas l'excuse des conquérants, car ce n'est pas par la force, c'est par son message humain que la France reste conquérante : en la déshonorant, ils la désarment.

Il soupire : « Les bourreaux perdront tout ! » Il se lève, me tend la main, hésite et d'une voix timide :

— Avez-vous lu mon livre sur les Malgaches ?

Je baisse la tête. Il insiste :

— Les parlementaires malgaches... Ils sont innocents, vous savez ! Ils souffrent depuis des années. L'un deux s'affaiblit, va peut-être mourir. Ce sont des chrétiens, vos frères. Vous devriez...

Je réponds : « Oui... oui... » Je l'accompagne jusqu'à la porte. Me voici seul. J'ouvre distraitement l'album des disques de Mozart, les *Sonates* pour piano interprétées par Gieseking, que J... m'a rapporté de New York. J'en choisis un... Mais non : l'horreur de ce que j'ai entendu emplit encore la pièce. Cette musique du ciel n'est pas pour moi. Je suis comme un homme qui a pris part, sans le vouloir, à un crime et qui hésite à aller se livrer.

4. « France, ma patrie »

(Henri-Irénée Marrou, avril 1956)

Professeur à la Sorbonne, où il a été élu en 1946 à la chaire d'histoire des origines du christianisme, Henri-Irénée Marrou fait partie depuis les années de l'avant-guerre de l'équipe rédactionnelle de la revue Esprit. *Engagé dans la Résistance, il sera parmi les premiers intellectuels français à militer contre la guerre d'Algérie, publiant notamment, dans* Le Monde *du 5 avril 1956, cet article intitulé « France, ma patrie... », dans lequel il évoque — comme l'avaient fait Claude Bourdet et Mauriac — les méthodes de la Gestapo. Cette « libre opinion » retentissante vaudra à l'historien catholique une perquisition policière à son domicile parisien.*

Source : *Le Monde*, 5 avril 1956.
Bibliographie : M. Winock, *La République se meurt (1956-1958)*, Paris, Seuil, 1988, rééd. Gallimard, 1985.

E[...]N DEUX OU TROIS SEMAINES une étrange torpeur s'est emparée de l'opinion — ou ce qui la manifeste. À la menace, brandie dès avant les pouvoirs spéciaux, de voir exercé «un certain contrôle» sur la presse et la radio, celles-ci ont réagi en s'imposant, semble-t-il, une sévère autodiscipline. Le résultat, c'est qu'à nouveau nous prenons l'écoute de la radio suisse et nous comptons pour être informés sur la presse étrangère : n'est-ce pas par de tels chenaux détournés que les nouvelles les plus graves — comme celle du sac de Tebessa — se sont fait jour jusqu'à nous sans rencontrer d'autre écho officiel qu'un silence gêné ?

Parlant, encore une fois, en tant que simple citoyen, je dis que cela n'est pas très bon pour le moral du pays. Aussi bien commence-t-on à entendre ici ou là d'étranges voix chuchoter. Il y a les prétendus réalistes : l'Indochine perdue. Il faut tenir l'Afrique du Nord : la Tunisie et le Maroc abandonnés à la légère, l'Algérie est notre dernière tranchée, ou c'en est fait de la puissance française. Même les milieux religieux sont atteints : je m'entends partout rappeler au devoir chrétien du dévouement à la patrie ; d'autres, s'avisant que l'Islam implique la notion de guerre sainte, s'en vont dénicher dans les greniers théologiques le thème poussiéreux de la croisade.

Eh bien ! Je dis que tout cela est grave, que la santé, l'honneur, la réalité même de ce qui fait l'essence de la France risquent d'être atteints et de se mettre à pourrir. Et cela il faut le crier bien haut avant qu'il soit trop tard.

Certes je me sais et me sens profondément solidaire de ceux qu'on appelle assez étrangement les «Français d'Algérie», — de la population algérienne d'origine et de mœurs européennes, sans distinguer ceux dont les pères sont venus de France même, d'Espagne, de Malte ou d'ailleurs. Ils sont mes frères français, et que leur caractère m'inspire sympathie ou réserve, c'est là un fait (quand mon frère ou mon fils seraient pour moi un objet de honte, ils n'en resteraient pas moins mon fils ou mon frère). Je suis fier de leurs hauts faits, de leurs belles réussites : la terre défrichée, la forêt renaissante, le trachome, la variole ou la peste maîtrisés ou en recul. Mais je suis pareillement solidaire de leurs échecs, de leurs insuffisances, de leurs erreurs. Aussi bien devrons-nous nécessairement en acquitter tous ensemble le passif : sur le plan de l'histoire humaine nos actes nous suivent, et il faut payer les conséquences de toute faute : à Dieu seul appartient le pardon.

Cela dit, comment ne me sentirais-je pas également solidaire de ceux que l'ordonnance du 7 mars 1944 a appelés les « Français musulmans » ? Les ayant conquis autrefois, nous les avons pris en charge ; aussi bien n'avons-nous jamais hésité à les intégrer à notre nation, aussi longtemps qu'il s'agissait de mourir : hier encore, traversant la Beauce, je me suis arrêté devant un cimetière militaire à dénombrer les tombes marquées du croissant de l'Islam — soldats tombés pour la France, sacrifiés pour retarder la retraite de l'été 40. […]

On me demande de contribuer à maintenir la « présence française » en Afrique du Nord : j'ai le droit, j'ai l'impérieux devoir de me demander si cette présence a été, est aujourd'hui, une présence authentiquement *française*. Je redis que pour nous, Français, la France n'est pas la France si elle se montre infidèle à l'image idéale qu'elle s'est proposé d'incarner. […]

En m'invitant à un si sévère examen de conscience, je ne cède pas à ce goût masochiste « d'étaler les plaies et comme d'aller chercher la honte », que l'opinion de droite attribue volontiers à l'intellectuel de gauche (Michelet, que je viens de citer, en faisait, lui, un attribut du tempérament national). Historien, je me refuse toute classification manichéenne, comme s'il y avait jamais eu un parti ou un peuple de Purs, affrontant les Puissances des Ténèbres. Théologien, j'ai appris de mon maître saint Augustin, ce Berbère, que toutes les nations qui se manifestent dans l'histoire sont nécessairement un mélange, pour nous inextricable, de Cité du Bien et de Cité du Mal. Mais ce que la théologie, l'histoire et le bon sens m'ont aussi appris, c'est que les civilisations qui laissent le fossé s'élargir entre l'idéal dont elles se réclament et les réalisations qu'elles en proposent, ces civilisations-là meurent de leur hypocrisie.

Il n'est pas nécessaire d'aller chercher bien loin des raisons de s'indigner ; laissons le passé et ses occasions perdues ; le présent suffit bien à notre angoisse. Je ne prononcerai que trois mots, assez chargés de sens : camps de concentration, torture et répression collective. Je ne veux scandaliser personne et ne prononcerai pas à la légère les noms sacrés de Dachau et Buchenwald ; il me suffira, hélas ! d'en prononcer un autre, déjà bien lourd à porter : nous, Français, avions déjà sur la conscience le camp de Gurs, et nous savons, n'ayant pas d'excuse, de quelles abominations, de quelles souffrances, au surplus politiquement toujours inutiles, s'accompagnent le recrutement des « suspects » et leur abandon aux démences concentrationnaires. Passant à la torture, je ne puis éviter de parler de « Gestapo » : partout en Algérie, la chose n'est niée de personne, ont été installés de véritables laboratoires de torture, avec baignoire électrique et tout ce qu'il faut, et cela est une honte pour le pays de la Révolution française et de l'affaire Dreyfus. […]

Oui, la grandeur française est en péril. Je m'adresse à tous ceux qui, comme moi professeur, sont des éducateurs, qui, comme moi, ont des enfants et des petits-enfants : il faut que nous puissions leur parler sans être couverts d'humiliation d'Oradour et des procès de Nuremberg ; il faut que nous puissions relire devant eux les belles pages de nos classiques sur l'amour de la patrie, sur notre France, « patronne et témoin (et souvent martyre) de la liberté dans le monde ». Oui, avant qu'on soit engagé plus avant dans le cycle infernal du terrorisme et des représailles, il faut que chacun de nous entende au plus profond, au plus sincère de son cœur, le cri de nos pères : « La patrie est en danger ! »

5. Lettre de Daniel Mayer à Robert Lacoste
(11 mai 1956)

La guerre d'Algérie n'a pas seulement provoqué de graves divisions dans l'opinion française. Elle a en même temps suscité de fortes divergences au sein de la gauche et à l'intérieur même d'une formation aussi idéologiquement hétérogène que le Parti socialiste. À la majorité rassemblée autour du secrétaire général Guy Mollet, détenteur depuis janvier 1956 de la charge de président du Conseil, s'oppose ainsi au lendemain des événements de février 1956 à Alger, et des premières mesures répressives adoptées par le ministre résident en Algérie, une minorité active de cadres et de militants pour lesquels il s'avère de plus en plus difficile de concilier leur culture socialiste avec la politique pratiquée sur le terrain par Robert Lacoste. À leur tête on trouve quelques leaders de premier plan comme Édouard Depreux, Gaston Defferre, Alain Savary, André Philip et Daniel Mayer. Ce dernier, militant de la SFIO depuis les années vingt, résistant de la première heure ayant combattu les armes à la main lors de la libération de Paris en août 1944 et de nombreuses fois ministre dans les cabinets de la Troisième Force, a déjà fait preuve d'insubordination vis-à-vis de la ligne du Parti lors de la querelle de la CED. L'attitude qu'il a adoptée à cette occasion lui a d'ailleurs valu d'être exclu momentanément du Parti. Deux ans plus tard, il s'engage à nouveau dans une fronde ouverte contre Guy Mollet et ses amis, se refusant à cautionner une politique qu'il juge contraire à ses convictions profondes. Il le dit clairement à son ami Robert Lacoste dans la lettre que nous publions ci-dessous.

Source : Archives FNSP/CHEVS, Fonds Cletta et Daniel Mayer, 1MA 17.1, Alger 1955-1956.
Bibliographie : Article «Daniel Mayer», in *Dictionnaire historique de la vie politique française au XXᵉ siècle*, sous la direction de J.-F. Sirinelli, Paris, PUF, 1995, pp. 647-648.

M ON CHER AMI,
J'ai bien reçu la lettre que tu m'as adressée ainsi qu'à quelques camarades.

Il ne s'agit nullement d'un manque de confiance en toi, et tu sais l'amitié qui nous lie depuis l'époque où je faisais les comptes rendus pour *Le Populaire* des congrès de la Fédération générale des fonctionnaires jusqu'à la CED en passant par la Résistance.

Ta personne est bien au-delà des difficultés actuelles. Mais il ne s'agit pas d'amitié. Il s'agit de politique, et je considère que le gouvernement est en train, notamment depuis le 6 février et à cause des événements de ce jour-là, de nous entraîner dans une guerre dont je ne vois ni la fin, ni la solution. Sans doute faudra-t-il dans quelques années, et dans une France déchirée dont la République fera les frais, accorder aux noyaux les plus durs des Algériens beaucoup plus qu'on n'accorderait aujourd'hui, si l'on voulait enfin entrer dans la voie d'une solution pacifique, notamment par la tenue d'une sorte de table ronde où l'on convoquerait toutes les tendances de l'opinion algérienne, depuis les partisans de la sécession jusqu'à ceux de l'intégration.

Ce qui me peine le plus dans la politique menée en ce moment, c'est qu'on n'y retrouve ni originalité, ni socialisme. Ce n'est pas original de faire la politique que la droite elle-même n'ose entreprendre à son compte, ce n'est pas être socialiste que de minimiser le sens de classe de nos adversaires jusqu'à croire qu'ils nous laisseront encore au pouvoir pour réaliser les réformes hardies que tu préconises et qui abolissent une grande partie de leurs privilèges.

Ils nous laisseront en réalité faire la besogne la plus désagréable, celle du retour à l'ordre et nous renverseront sur un prétexte futile lorsqu'il s'agira d'appliquer les expropriations. Il suffit de voir les manifestations des étudiants au simple énoncé qu'un plus grand nombre de musulmans risquent d'accéder à la fonction publique pour se rendre compte des difficultés qui surgiront lorsqu'il s'agira de mesures plus importantes. En vérité, c'est toute la politique menée depuis le 6 février qu'il faudrait réviser. Le désaccord n'empêche pas l'amitié, mais l'amitié exige que l'on dise franchement son désaccord.

Je te prie de croire, cher ami, à mes meilleurs sentiments.

Daniel Mayer

6. Le 13 mai 1958 vu par Salan

Le 13 mai 1958, le jour même où, désigné par le président René Coty pour former le nouveau gouvernement, le MRP Pierre Pflimlin se présente devant l'Assemblée nationale pour obtenir l'investiture, un Comité de vigilance regroupant les associations d'anciens combattants et divers groupements patriotiques appelle, à Alger, à une grande manifestation de protestation contre l'assassinat de trois militaires français capturés par le FLN. Pflimlin étant soupçonné de vouloir pratiquer en Algérie une politique d'abandon (ne s'est-il pas prononcé devant le Conseil général de son département, le Bas-Rhin, pour une solution négociée ?), la manifestation va servir de vecteur aux partisans de l'Algérie française, et à tous ceux qui, en Algérie comme en métropole, songent depuis longtemps à liquider la IVe République pour mettre en place un exécutif fort. Très vite, le rassemblement se transforme donc en émeute, sans que les colonels en charge du service d'ordre fassent quoi que ce soit pour empêcher la foule de prendre d'assaut le siège du Gouvernement général. Robert Lacoste, qui représente le pouvoir, mais qui fait partie d'un gouvernement démissionnaire, ayant cédé la place sans attendre la désignation de son successeur, c'est le général Salan, commandant en chef en Algérie, qui détient l'autorité suprême et c'est à ce titre qu'il est amené à rédiger le rapport secret au gouvernement que nous reproduisons ici.

Dans le désordre qui suit l'occupation du Gouvernement général, les émeutiers désignent un Comité de salut public où figurent des militaires, des civils activistes, des musulmans, ainsi que le gaulliste Delbecque, représentant à Alger du ministre de la Défense nationale, Chaban-Delmas. À sa tête est placé le général Massu, le vainqueur de la « bataille d'Alger », que cet honneur inattendu plonge dans l'embarras et qui, respectueux de la hiérarchie, tente de s'effacer derrière son supérieur, le général Salan, lui-même promu par le gouvernement Pflimlin délégué général en Algérie avec les pleins pouvoirs civils et militaires. Si bien que l'on ne sait pas trop au lendemain du 13 mai si Salan qui, poussé par Delbecque, lance le 15 mai un appel au général de Gaulle, le fait en tant que représentant du pouvoir légal, ou comme chef nominal des comités de salut public.

Source : Rapport du 14 mai 1958 du général Raoul Salan, commandant en chef en Algérie, à M. de Chevigné, ministre de la Défense nationale, publié par R. Tournoux, *Secrets d'État*, Paris, Plon, 1966, pp. 479-481.

Bibliographie : R. Rémond, _Le Retour de De Gaulle_, Bruxelles, Complexe, 1983 ; O. Rudelle, _Le 13 mai, De Gaulle et la République_, Paris, Plon, 1988 ; S. et M. Bromberger, _Les Treize Complots du 13 mai_, Paris, Fayard, 1959.

SECRET
Alger, le 14 mai 1958

A U MOMENT où la population d'Alger vient de quitter les abords du ministère de l'Algérie, j'ai l'honneur de vous adresser le compte rendu des événements qui ont marqué les heures difficiles que nous venons de vivre.

La grève décidée par les organisations d'anciens combattants était absolument générale dès 13 heures comme il avait été prévu. À partir de 14 heures, des dizaines de milliers d'hommes et de femmes se dirigeaient à pied vers le square Laferrière. Vers 17 heures, 100 000 personnes environ étaient massées dans les jardins montant au monument aux Morts, sur le square Laferrière et dans les rues avoisinantes. La foule, qui comptait plusieurs milliers de Français de souche nord-africaine, était calme. Elle obéissait ponctuellement aux instructions qui lui étaient données par les véhicules « haut-parleurs » des organisateurs.

À 18 heures, accompagné de M. Baret, IGAME[1] de la région d'Alger, du général Jouhaud, de l'amiral Auboyneau, du général Allard, du général Massu, je me rendais au monument aux Morts. J'y étais accueilli par une vibrante _Marseillaise_ chantée en chœur par toute la foule. La cérémonie prévue pour commémorer le souvenir des trois prisonniers assassinés se déroula dans le plus grand ordre et dans une discipline absolue. Vers 18 h 30, la foule se disloquait sans incident.

Cependant, à l'instigation d'éléments extérieurs aux organisations officielles d'anciens combattants, quelques milliers de manifestants s'étaient dirigés vers le ministère de l'Algérie, à partir de 17 heures. Ils s'efforçaient bientôt de pénétrer à l'intérieur du bâtiment. Avant même que les unités de parachutistes mises en place pour assurer la protection du ministère aient pu intervenir, les CRS rassemblés à l'intérieur dégageaient les abords immédiats des bâtiments en utilisant des grenades lacrymogènes. La foule ripostait en bombardant, à coups de pavés et de pierres, les CRS et les parachutistes qui accouraient.

Profitant de ces incidents, les nouveaux dirigeants de la manifestation appelaient des renforts et les faisaient pénétrer de vive force dans le ministère. Un très grand nombre de bureaux étaient mis à sac tandis que les véhicules de ce service étaient en partie détruits.

Il ne pouvait être question de faire tirer la troupe. La foule, composée en partie de femmes et d'enfants, était extrêmement dense et grossissait de minute en minute. Je m'efforçais, en la haranguant moi-même, de la calmer. Tous mes efforts restèrent vains. À ce moment, de 15 à 20 000 personnes étaient rassemblées autour du ministère. L'agitation allait sans cesse en s'amplifiant.

Les dirigeants de la manifestation constituaient alors un Comité de salut public et nous faisaient savoir que le calme ne reviendrait que si les autorités consentaient à accueillir ce Comité et à reconnaître l'existence d'un organisme mixte de vigilance qui serait placé sous la présidence du général Massu.

---

1. Inspecteur général de l'administration en mission extraordinaire, ayant rang de préfet.

Les conséquences inéluctables de tout recours à la force nous contraignaient à accepter ces conditions. Au même moment [...] j'acceptai d'assumer temporairement, jusqu'à décision à intervenir du gouvernement, les responsabilités en Algérie, après avoir reçu l'accord du président Gaillard.

Dans le même temps, je faisais progressivement refouler les manifestants à l'extérieur du ministère. Mais la foule décidait de rester sur place jusqu'à ce que fussent portés à sa connaissance les résultats du vote d'investiture.

Vers 3 heures, le 14, ces résultats nous parvenaient. Le général Massu soumettait alors à mon approbation un communiqué destiné, tout en annonçant ces résultats, à inciter la foule à se disperser. Vers 3 h 45, les derniers manifestants quittaient les abords du ministère.

En terminant ce récit, je crois devoir insister sur les faits suivants qui vous permettront de mesurer exactement l'importance à attacher à ces événements. D'une part, la grève prévue a été absolument totale. D'autre part, plus de 100 000 habitants d'Alger ont participé aux manifestations. Il n'est pas exagéré de dire que ce chiffre représente la plus grande partie de la population active d'Alger.

Mon attitude a été essentiellement commandée par le souci d'éviter toute effusion de sang et par celui de ne pas engager l'avenir. Ces deux objectifs ont été atteints. Nous n'avons aucune victime à déplorer. Le Comité de salut public n'a, en fait, aucune attribution autre que celle d'un organe de liaison.

J'ai pris évidemment toutes mesures utiles pour assurer dans les journées qui viennent l'ordre dans Alger. Mais il est certain que les premières décisions du gouvernement auront une importance capitale. La population d'Alger tout entière a eu pendant ces heures — personne ne peut le discuter — le sentiment profond qu'elle défendait la cause de l'Algérie, partie intégrante de la France. Elle attend des paroles et des décisions fermes. Une déception créerait ici une situation tragique.

Salan

7. De Gaulle à Alger : « Je vous ai compris »
(4 juin 1958)

Le 1er juin 1958, l'Assemblée nationale a investi le général de Gaulle par 329 voix contre 250 (celles des communistes, des mendésistes et d'une partie des socialistes). Le 2, elle a voté les pleins pouvoirs pour six mois au gouvernement et, le lendemain, elle lui a donné, par 351 voix contre 161 (les communistes et les mendésistes) et 70 abstentions, le pouvoir de réviser la Constitution.

Fort de cette confortable majorité et du soutien de larges secteurs de l'opinion publique, De Gaulle se rend aussitôt à Alger où, le 4 juin, il prononce devant une foule enthousiaste, le discours présenté ci-dessous. Au cours du même voyage, il lancera — une seule fois à Mostaganem — la formule « Vive l'Algérie française », marquant par ces deux interventions en terre algérienne le souci qui semble alors le sien de répondre à l'attente des colons.

Source : *Le Monde,* 4 juin 1958.
Bibliographie : M. Cointet, *De Gaulle et l'Algérie française : 1958-1962,* Paris, Perrin, 1995.

JE VOUS AI COMPRIS. Je sais ce qui s'est passé ici. Je vois ce que vous avez voulu faire. Je vois que la route que vous avez ouverte en Algérie, c'est celle de la rénovation et de la fraternité.

Je dis la rénovation à tous égards. Mais, très justement, vous avez voulu que celle-ci commence par le commencement, c'est-à-dire par nos institutions, et c'est pourquoi me voilà. Et je dis la fraternité parce que vous offrez ce spectacle magnifique d'hommes qui, d'un bout à l'autre, quelles que soient leurs communautés, communient dans la même ardeur et se tiennent par la main.

Eh bien ! de tout cela je prends acte au nom de la France, et je déclare qu'à partir d'aujourd'hui la France considère que dans toute l'Algérie, il n'y a qu'une seule catégorie d'habitants : il n'y a que des Français et les mêmes devoirs.

Cela signifie qu'il faut ouvrir des voies qui, jusqu'à présent, étaient fermées devant beaucoup.

Cela signifie qu'il faut donner les moyens de vivre à ceux qui ne les avaient pas.

Cela signifie qu'il faut reconnaître la dignité de ceux à qui on la contestait.

Cela veut dire qu'il faut assurer une patrie à ceux qui pouvaient douter d'en avoir une.

L'armée, l'armée française, cohérente, ardente, disciplinée, sous les ordres de ses chefs, l'armée éprouvée en tant de circonstances et qui n'en a pas moins accompli une œuvre magnifique de compréhension et de pacification, l'armée française a été sur cette terre le ferment, le témoin, et elle est le garant du mouvement qui s'y est développé. Elle a su endiguer le torrent pour en capturer l'énergie. Je lui rends hommage. Je lui exprime ma confiance. Je compte sur elle pour aujourd'hui et pour demain.

Français à part entière, dans un seul et même collège, nous allons le montrer, pas plus tard que dans trois mois, dans l'occasion solennelle où tous les Français, y compris les dix millions de Français d'Algérie, auront à décider de leur propre destin. Pour ces dix millions de Français, leurs suffrages compteront autant que les suffrages de tous les autres.

Ils auront à désigner, à élire, je le répète, en un seul collège, leurs représentants pour les pouvoirs publics, comme le feront tous les autres Français.

Avec ces représentants élus, nous verrons comment faire le reste.

Ah ! puissent-ils participer en masse à cette immense démonstration, tous ceux de nos villes, de vos douars, de vos plaines, de vos djebels !

Puissent-ils même y participer ceux qui, par désespoir, ont cru devoir mener sur ce sol un combat dont je reconnais, moi, qu'il est courageux — car le courage ne manque pas sur la terre d'Algérie — qu'il est courageux, mais qu'il n'en est pas moins cruel et fratricide !

Moi, De Gaulle, à ceux-là j'ouvre les portes de la réconciliation.

Jamais plus qu'ici et jamais plus que ce soir, je n'ai compris combien c'est beau, combien c'est grand, combien c'est généreux la France.

Vive la République, vive la France !

8. « La jeune fille et la grandeur »
(Françoise Sagan)

Romancière à succès, figure emblématique d'un parisianisme littéraire gauchisant, Françoise Sagan apparaît peu (ou pas) dans les ouvrages consacrés aux « intellectuels » engagés. Pourtant, l'article qu'elle a publié dans L'Express *en juin 1960 pour dénoncer les tortures subies au « centre de tri » d'El Biar, à Alger, par une jeune femme de vingt-deux ans, Djamilia Boupacha, accusée d'actions terroristes, a suscité en France une vive émotion, comme celui que Simone de Beauvoir a publié dans* Le Monde. *L'auteur de* Bonjour tristesse *ne se contente pas en effet d'accuser les gardes mobiles et les officiers parachutistes qui se sont livrés, en toute impunité, aux pires sévices sur la personne de Djamilia Boupacha. Au-delà des exécutants, des autorités algéroises qui les couvrent et qui font expulser d'Algérie son avocate, Gisèle Halimi, pour substituer à celle-ci un défenseur requis d'office et de sentiments « ultras », c'est le gouvernement français et davantage encore le général de Gaulle qui sont interpellés, Françoise Sagan mettant en parallèle les « fanfares de la grandeur », symbolisées par la dérisoire inauguration du pont de Tancarville, et l'identité même de la patrie des droits de l'homme, foulée aux pieds par les tortionnaires d'El Biar.*

Source : *L'Express*, 16 juin 1960.
Bibliographie : *La Guerre d'Algérie et les Français*, sous la direction de J.-P. Rioux et C.R. Ageron, Paris, Fayard, 1990 ; P. Vidal-Naquet, *La Torture dans la République, essai d'histoire et de politique contemporaines (1954-1962)*, Paris, éd. de Minuit, 1972 ; P.-H. Simon, *Contre la torture*, Paris, Seuil, 1957.

JE NE PENSAIS PAS qu'il puisse y avoir de limites à l'indifférence générale sur certains sujets — et surtout à la mienne. Je ne pensais pas qu'un simple récit pourrait m'arracher à ce confort douteux que donne le sentiment de l'impuissance, ni à cette lassitude horrifiée que l'on éprouve à signer une millième pétition. Seulement on est venu me voir et on m'a raconté, avec preuves, l'histoire de Djamilia Boupacha. Histoire trop insupportable pour supporter qu'elle se termine, demain 17 juin, à Alger, par la condamnation à mort d'une jeune fille de vingt-deux ans. Ou de ce que fut une jeune fille de vingt-deux ans.

Car le 10 février, cette année, Djamilia Boupacha fut arrêtée par des gardes mobiles, dans un faubourg d'Alger. Elle fut incarcérée légalement le 15 mars. Entre ces deux dates, il se passa plus d'un mois. Mois écoulé à El Biar, centre de « tri » où passèrent aussi Alleg et Maurice Audin.

Après avoir été torturée et empalée sur une bouteille, elle « avoua » avoir déposé une bombe dans un café (bombe qui fut désamorcée à temps, d'ailleurs), ce qui justifie son procès de vendredi. Malheureusement, ayant l'imagination stimulée par certaines électrodes et certaine baignoire, elle « avoua » en même temps dix autres attentats imaginaires. Durant ce séjour, elle eut le réconfort d'être confrontée, nue et sanglante, avec son père, âgé de soixante-dix ans, et dans le même état.

Il y a des témoins à cette histoire, des témoins qui se présenteront pour séquestration et torture qu'a intenté l'avocate de Djamilia Boupacha. Il y a des médecins du cru qui ont reconnu les effets physiques des tortures sans oser en nommer les causes. Il y aura, si on les laisse venir de France et l'examiner, des gynécologues impartiaux qui diront ce que peut donner l'empalement d'une jeune fille vierge sur une bouteille. Le seul risque est qu'ils viennent trop tard. Grâce à un Droit compliqué et savant, Djamilia Boupacha peut être exécutée pour ses aveux — aveux que, dans trois mois, on reconnaîtra comme nuls puisque arrachés par la torture.

Voilà l'histoire. J'y crois. Malgré tous mes efforts, j'ai été obligée d'y croire. J'en parle parce que j'en ai honte. Et que je ne comprends pas qu'un homme intelligent, qui a le sens de la grandeur et le pouvoir, n'ait encore rien fait.

Qu'on ne me dise pas qu'il a d'autres chats à fouetter. Le petit capitaine qui piétina Djamilia répondit à la protestation du père : « De Gaulle a interdit la torture », par : « De Gaulle n'a rien à faire ici » (je suis polie). Allons, du moins, on ne torture pas en son nom.

Pour le souci de notre grandeur, il nous reste le pont de Tancarville. Il fait l'orgueil de cette Normandie herbeuse où j'habite, riche province de notre tendre France. Seulement c'est insuffisant. Nous pouvons poser des questions si nous ne pouvons exiger des réponses. En 1944, on demandait à André Malraux : « Comment définissez-vous notre époque ? » Il répondit : « Le temps du mensonge. » Il n'est pas possible que ce soit vrai. Je n'imagine pas que les fanfares de la grandeur puissent couvrir les hurlements d'une jeune fille.

Françoise Sagan

9. Le « Manifeste des 121 »
(Septembre 1960)

Cette « déclaration sur le droit à l'insoumission dans la guerre d'Algérie », signée au départ par 121 personnalités appartenant à divers secteurs de l'intelligentsia, constitue l'un des textes d'intellectuels les plus célèbres de la seconde moitié du XXᵉ siècle. Ses promoteurs n'appartiennent pas tous au comité de rédaction de Vérité-Liberté *— seul organe à publier cette pétition et qui sera d'ailleurs immédiatement saisi par la police —, voire à la petite nébuleuse des « porteurs de valises » (c'est-à-dire des comités de soutien au FLN) rassemblée autour de Francis Jeanson (lequel sera condamné par contumace à dix ans de prison le 1ᵉʳ octobre 1960), mais tous expriment leur devoir de « refus » à l'égard d'un conflit qu'ils jugent catastrophique pour la France.*

Les « 121 », bientôt rejoints par d'autres signataires, vont subir, au cours des semaines qui suivent l'apparition du manifeste (celui-ci, avant d'être publié à l'étranger, dans Tempo Presente *et* Neue Rundschau, *et en France dans* Vérité-Liberté, *circule dans divers milieux : il est donc connu de la police), de multiples tracasseries. Le 22 septembre, une ordonnance prise en Conseil des ministres aggrave les sanctions frappant la provocation à l'insoumission. Des universitaires sont suspendus de leurs fonctions, comme Pierre Vidal-Naquet, ou révoqués (Laurent Schwartz à l'École polytechnique). Nombre d'artistes, de personnalités du spectacle, de la radio, de la télévision, du cinéma (de Danièle Delorme à Catherine Sauvage, en passant par Roger Blin, Laurent Terzieff et Simone Signoret) sont inscrits sur les listes noires, privés de contrat, interdits d'antenne ou de plateau. Le 1ᵉʳ octobre, une descente de police a lieu dans les locaux de la revue* Esprit, *rue Jacob, suivie d'une nuit d'interrogatoire des personnalités membres du comité de rédaction de* Vérité-Liberté *(J.-M. Domenach, P. Vidal-*

Naquet, P. Thibaud, R. Barrat, M. Péju, etc.) Le gouvernement n'est d'ailleurs pas seul à prendre l'offensive contre les 121. Ripostant aux « professeurs de trahison » et aux agents de la « cinquième colonne », paraît en effet en octobre (notamment dans Le Monde, Le Figaro *et* Carrefour*) un « Manifeste des intellectuels français », rédigé à l'initiative d'universitaires proches du Mouvement national universitaire et parmi lesquels on trouve de nombreux historiens (R. Mousnier, G. et C. Picard, P. Chaunu, F. Bluche, G. Fourquin, R. Girardet, etc.)*

*Enfin, publiée dans le numéro d'octobre d'*Enseignement public*, organe de la FEN, une troisième pétition rassemblera, dans le camp des partisans de la paix en Algérie, ceux qui, sans aller jusqu'à l'appel à l'insoumission, préconisent l'octroi de l'indépendance aux départements d'outre-mer. Elle réunit les signatures de D. Mayer pour la Ligue des droits de l'homme, de P. Gaudez pour l'UNEF, de dirigeants de la FEN et celles de nombreux universitaires de gauche : R. Barthes, J. Cassou, J. Dresch, R. Étiemble, P. George, V. Jankélévitch, J. Le Goff, M. Merleau-Ponty, E. Morin, P. Ricœur, etc.*

Source : « Déclaration sur le droit à l'insoumission dans la guerre d'Algérie », *Vérité-Liberté*, n° 4, septembre-octobre 1960.

Bibliographie : J.-F. Sirinelli, *Intellectuels et passions françaises. Manifestes et pétitions au XXe siècle*, Paris, Fayard, 1990 ; H. Hamon et P. Rotman, *Les Porteurs de valises. La résistance française à la guerre d'Algérie*, Paris, Albin Michel, 1979, éd. augmentée, Seuil, 1982.

U N MOUVEMENT très important se développe en France, et il est nécessaire que l'opinion française et internationale en soit mieux informée, au moment où le nouveau tournant de la guerre d'Algérie doit nous conduire à voir, non à oublier, la profondeur de la crise qui s'est ouverte il y a six ans.

De plus en plus nombreux, des Français sont poursuivis, emprisonnés, condamnés, pour s'être refusés à participer à cette guerre ou pour être venus en aide aux combattants algériens. Dénaturées par leurs adversaires, mais aussi édulcorées par ceux-là mêmes qui auraient le devoir de les défendre, leurs raisons restent généralement incomprises. Il est pourtant insuffisant de dire que cette résistance aux pouvoirs publics est respectable. Protestation d'hommes atteints dans leur honneur et dans la juste idée qu'ils se font de la vérité, elle a une signification qui dépasse les circonstances dans lesquelles elle s'est affirmée et qu'il importe de ressaisir, quelle que soit l'issue des événements.

Pour les Algériens, la lutte poursuivie, soit par des moyens militaires, soit par des moyens diplomatiques, ne comporte aucune équivoque. C'est une guerre d'indépendance nationale. Mais pour les Français, quelle en est la nature ? Ce n'est pas une guerre étrangère. Jamais le territoire de la France n'a été menacé. Il y a plus : elle est menée contre des hommes que l'État affecte de considérer comme français, mais qui eux, luttent précisément pour cesser de l'être. Il ne suffirait même pas de dire qu'il s'agit d'une guerre de conquête, guerre impérialiste accompagnée par surcroît de racisme. Il y a de cela dans toute guerre et l'équivoque persiste.

En fait, par une décision qui constituait un abus fondamental, l'État a d'abord mobilisé des classes entières de citoyens à seule fin d'accomplir ce qu'il désignait lui-même comme une besogne de police contre une population opprimée, laquelle ne s'est révoltée que par un souci de dignité élémentaire, puisqu'elle exige d'être enfin reconnue comme communauté indépendante.

Ni guerre de conquête, ni guerre de «défense nationale», ni guerre civile, la guerre d'Algérie est peu à peu devenue une action propre à l'armée et à une caste qui refusent de céder devant un soulèvement dont même le pouvoir civil, se rendant compte de l'effondrement général des empires coloniaux, semble prêt à reconnaître le sens.

C'est aujourd'hui, principalement, la volonté de l'armée qui entretient ce combat criminel et absurde, et cette armée, par le rôle politique que plusieurs de ses hauts représentants lui font jouer, agissant parfois ouvertement et violemment en dehors de toute légalité, trahissant les fins que l'ensemble du pays lui confie, compromet et risque de pervertir la nation même, en forçant les citoyens sous ses ordres à se faire les complices d'une action factieuse et avilissante. Faut-il rappeler que, quinze ans après la destruction de l'ordre hitlérien, le militarisme français, par suite des exigences d'une telle guerre, est parvenu à restaurer la torture et à en faire à nouveau comme une institution en Europe ?

C'est dans ces conditions que beaucoup de Français en sont venus à remettre en cause le sens de valeurs et d'obligations traditionnelles. Qu'est-ce que le civisme, lorsque, dans certaines circonstances, il devient soumission honteuse ? N'y a-t-il pas des cas où le refus est un devoir sacré, où la «trahison» signifie le respect courageux du vrai ? Et lorsque, par la volonté de ceux qui l'utilisent comme instrument de domination raciste ou idéologique, l'armée s'affirme en état de révolte ouverte ou latente contre les institutions démocratiques, la révolte contre l'armée ne prend-elle pas un sens nouveau ?

Le cas de conscience s'est trouvé posé dès le début de la guerre. Celle-ci se prolongeant, il est normal que ce cas de conscience se soit résolu concrètement par des actes toujours plus nombreux d'insoumission, de désertion, aussi bien que de protection et d'aide aux combattants algériens. Mouvements libres qui se sont développés en marge de tous les partis officiels, sans leur aide et, à la fin, malgré leur désaveu. Encore une fois, en dehors des cadres et des mots d'ordre préétablis, une résistance est née, par une prise de conscience spontanée, cherchant et inventant des formes d'action et des moyens de lutte en rapport avec une situation nouvelle dont les groupements politiques et les journaux d'opinion se sont entendus, soit par inertie ou timidité doctrinale, soit par préjugés nationalistes ou moraux, à ne pas reconnaître le sens et les exigences véritables.

Les soussignés, considérant que chacun doit se prononcer sur des actes qu'il est désormais impossible de présenter comme des faits divers de l'aventure individuelle, considérant qu'eux-mêmes, à leur place et selon leurs moyens, ont le devoir d'intervenir, non pas pour donner des conseils aux hommes qui ont à se décider personnellement face à des problèmes aussi graves, mais pour demander à ceux qui les jugent de ne pas se laisser prendre à l'équivoque des mots et des valeurs, déclarent :

— Nous respectons et jugeons justifié le refus de prendre les armes contre le peuple algérien.

— Nous respectons et jugeons justifiée la conduite des Français qui estiment de leur devoir d'apporter aide et protection aux Algériens opprimés au nom du peuple français.

— La cause du peuple algérien, qui contribue de façon décisive à ruiner le système colonial, est la cause de tous les hommes libres.

Arthur Adamov, Robert Antelme, Georges Auclair, Jean Baby, Hélène Balfert, Marc Barbut, Robert Barrat, Simone de Beauvoir, Jean-Louis Bedouin, Marc Beigbeder, Robert Benayoun, Maurice Blanchot, Roger Blin, Arsène Bonnafous-Murat, Geneviève

Bonnefoi, Raymond Borde, Jean-Louis Bory, Jacques-Laurent Bost, Pierre Boulez, Vincent Bounoure, André Breton, Guy Cabanel, Georges Condominas, Alain Cuny, Dr Jean Dalsace, Jean Czarnecki, Adrien Dax, Hubert Damisch, Bernard Dort, Jean Douassot, Simone Dreyfus, Marguerite Duras, Yves Elleouet, Dominique Éluard, Charles Estienne, Louis-René des Forêts, Dr Théodore Fraenkel, André Frénaud, Jacques Gernet, Louis Gernet, Édouard Glissant, Anne Guérin, Daniel Guérin, Jacques Howlett, Édouard Jaguer, Pierre Jaouen, Gérard Jarlot, Robert Jaulin, Alain Joubert, Henri Krea, Robert Lagarde, Monique Lange, Claude Lanzmann, Robert Lapoujade, Henri Lefebvre, Gérard Legrand, Michel Leiris, Paul Lévy, Jérôme Lindon, Eric Losfeld, Robert Louzon, Olivier de Magny, Florence Malraux, André Mandouze, Maud Mannoni, Jean Martin, Renée Marcel-Martinet, Jean-Daniel Martinet, Andrée Marty-Capgras, Dionys Mascolo, François Maspero, André Masson, Pierre de Massot, Jean-Jacques Mayoux, Jehan Mayoux, Théodore Monod, Marie Moscovici, Georges Mounin, Maurice Nadaud, Georges Navel, Claude Ollier, Hélène Parmelin, José Pierre, Marcel Péju, André Pieyre de Mandiargues, Édouard Pignon, Bernard Pingaud, Maurice Pons, Jean-Baptiste Pontalis, Jean Pouillon, Denise René, Alain Resnais, Jean-François Revel, Paul Revel, Alain Robbe-Grillet, Christiane Rochefort, Jacques-Francis Rolland, Alfred Rosmer, Gilbert Rouget, Claude Roy, Marc Saint-Saïns, Nathalie Sarraute, Jean-Paul Sartre, Renée Saurel, Claude Sautet, Jean Schuster, Robert Scipion, Louis Seguin, Geneviève Serreau, Simone Signoret, Jean-Claude Silbermann, Claude Simon, René de Solier, D. de la Souchère, Jean Thiercelin, Dr René Tzanck, Vercors, Jean-Pierre Vernant, Pierre Vidal-Naquet, J.-P. Vielfaure, Claude Viseux, Ylipe, René Zazzo[1].

10. CNR/OAS :
de la Résistance au refus de la décolonisation

Ce texte est issu d'une brochure clandestine de l'Organisation armée secrète (OAS) : France Presse-Action, *émanant du comité exécutif du Conseil national de la Résistance (CNR) que préside Georges Bidault. Au moment où il est rédigé (novembre 1962), la guerre d'Algérie a pris fin depuis plusieurs mois, mais quelques éléments irréductibles de l'OAS poursuivent leur action, soit en territoire métropolitain (le 22 août, le colonel Jean-Marie Bastien-Thiry a tenté d'assassiner le général de Gaulle au Petit-Clamart), soit dans les divers foyers de la diaspora activiste (notamment à Madrid). Combat désespéré mené par de petits groupes de militants, civils venus des organisations fascistes de l'Algérie française et militaires putschistes ayant pris le chemin de l'exil après l'échec du coup de force d'avril 1961, bien décidés, les uns et les autres à poursuivre la lutte contre le régime honni du général de Gaulle et à instituer en France un pouvoir fort.*

Il est clair en effet que si l'OAS a pu compter dans ses rangs d'anciens Français libres et d'ex-résistants, ainsi que des militants de base venus des quartiers populaires d'Alger et d'Oran et ayant transité par les formations politiques et syndicales de la

---

1. N'ont été retenus ici que les noms figurant dans la liste proprement dite des 121. Parmi les signatures recueillies par la suite, on trouve celles de Danièle Delorme, François Chatelet, René Dumont, Dominique Fernandez, Roger Pigault, Madeleine Rébérioux, Françoise Sagan, Catherine Sauvage, Laurent Terzieff, Tim, Tristan Tzara, François Truffaut et François Wahl.

gauche, et de l'extrême gauche, le gros de ses troupes et les cadres viennent de l'extrême droite : maurrassienne pour une part, national-catholique dans une propor- tion importante (Sauge, Château-Jobert, Martel, Bastien-Thiry et beaucoup d'autres) et surtout néo-fasciste. Car, entre les croisés de la contre-révolution, les « petits blancs » enrégimentés par le Front de l'Algérie française ou par le Front national français de Joseph Ortiz, et ceux qui, plus ou moins liés à la nébuleuse Jeune Nation, rêvent d'un État national populaire inspiré par le fascisme ou le nazisme, ce sont ces derniers qui, dans le climat crépusculaire et exterminateur des derniers jours de l'Algérie française, vont donner à l'OAS l'image d'une organisation fascisante assumant jusqu'au bout son destin suicidaire.

Cela n'empêche pas les dirigeants de l'organisation secrète de jouer — pour les uns sincèrement, pour les autres par souci tactique de se rattacher à un grand mythe national — sur le souvenir de la Résistance. Le ralliement de Georges Bidault à leur cause, puis, après son passage en Suisse et en Italie, sa désignation comme chef de l'OAS/Métropole, permettent de donner à cette référence un minimum de contenu. De là le nom de Conseil national de la Résistance (Bidault avait présidé le CNR pendant la guerre après l'arresta- tion et la mort de Jean Moulin) donné à l'organisme chargé de coordonner l'action de l'OAS. En fait de résistance, on peut constater à la lecture de ce texte que le programme politique de l'OAS, en 1962, est plus proche de celui du fascisme que des idées énoncées dans le programme du CNR, à un moment où toutes les énergies des combattants de l'ombre étaient mobilisées dans la lutte contre le totalitarisme hitlérien.

Source : _France Presse-Action_, n° 39/18.11.1962, Archives FNSP/CHEVS, Fonds Hubert Beuve-Méry, BM 136.

Bibliographie : A.-M. Duranton-Crabol, _Le Temps de l'OAS_, Bruxelles, Complexe, 1995 ; « _OAS parle_ », Paris, Julliard, 1964.

L'OAS et le CNR se sont fixé comme objectifs :

1) La chute du régime gaulliste ;

2) L'arrivée au pouvoir d'un gouvernement de Salut public ayant pour tâches primordiales :

— la liquidation des séquelles du régime, la mise en jugement de ses chefs coupables de trahison, d'atteinte à l'intégrité du territoire, de violation des libertés publiques et individuelles et de forfaiture ;

— l'instauration d'un régime réellement populaire, opposé aussi bien au grand capitalisme qu'au communisme international, qui saura sauvegarder nos tradi- tions, restaurer nos liens avec l'Afrique, bâtir l'Europe et rendre à la France sa vocation au sein d'un Occident fier de lui-même.

UN COMMUNIQUÉ diffusé par plusieurs agences de presse étrangères et repris par quelques journaux français — ceux qui n'ignorent pas systématiquement l'OAS et le CNR — vient de confirmer que le général Gardy et la plupart des colonels, anciens combattants de l'OAS en Algérie, se trouvaient réunis au sein du Conseil national de la Résistance présidé par Georges Bidault.

L'importance de cette information n'échappera à personne. Elle permet d'estimer à leur juste mesure les fielleuses insinuations de la presse gaulliste concernant les «divisions» de l'Organisation Armée Secrète.

Avec le général Gardy, c'est toute l'OAS/Algérie qui se trouve désormais placée à la disposition du CNR, c'est-à-dire des milliers de combattants entraînés, résolus à renverser le régime de trahison et de déshonneur national qu'incarne De Gaulle. Certes, dans de nombreux cas, l'osmose avec les combattants métropolitains s'était déjà faite sur le terrain. Mais désormais, la fusion est officielle : tout est net et précis. Chacun a sa place dans le combat engagé, et nul alibi n'est valable, qui permettrait de ne pas y participer.

Chacun se souvient que le général Gardy, à la tête des combattants d'Oranie, fut l'un de ceux qui menèrent jusqu'au bout le juste combat pour l'Algérie française. Seule la contrainte des événements et l'assaut de forces supérieures aux siennes l'obligèrent à quitter une terre pour laquelle il s'était tant battu et qu'il avait tant aimée. Du moins put-il le faire après avoir sauvé l'honneur et garanti le repli de ses soldats et de leurs armes, disponibles désormais pour la seconde phase du combat.

Cette lutte en effet que nous avons menée pendant plusieurs années en Algérie contre la bolchévisation du monde — d'abord sous une forme légale, puis par la violence lorsque la répression du pouvoir nous y eut contraints —, nous la poursuivons désormais sur le sol métropolitain, en ayant conscience que de son issue dépend le sort de l'Europe, du monde libre et sans doute du monde tout court. De Gaulle n'est qu'un épiphénomène, un accident de l'Histoire. Celle-ci le rejettera bientôt, et sans doute les hommes oublieront-ils à leur tour ce nom symbole de duplicité, de mensonge, de honte nationale parée des atours de la grandeur. Nous ferons, en ce qui nous concerne, tout pour que cette disparition et cet oubli interviennent. Mais après ?

Après, il faudra reconstruire, et ce ne sera pas le plus facile, car il est bien évident que le seul génie de M. de Gaulle a été celui de la destruction. Encore la tâche serait-elle moins ardue si, sacrifiant aux attraits de la facilité, nous laissions les choses redevenir ce qu'elles furent dans un passé récent, c'est-à-dire cette chose informe, invertébrée et peu ragoûtante qui portait le nom de IVᵉ République. Mais — et n'en déplaise à ceux qui lorgnent aujourd'hui en direction du CNR avec en arrière-pensée de telles illusions — ce n'est point là notre intention.

Nous voulons, comme il est écrit en tête de cette feuille, un gouvernement de Salut public. Ce gouvernement ne sera pas là pour sauver le régime, mais pour l'abattre. La France a besoin d'être soignée en profondeur. Son diagnostic est précis : dictature des puissances financières et de la technocratie, mainmise de leurs servants sur tous les rouages de ce qui fait un État moderne (et notamment l'Information), subordination des hommes aux impératifs économiques, acheminement sournois de notre société vers le collectivisme et le nivellement par le bas au profit de quelques privilégiés représentés par les grands trusts internationaux (les Rothschild, par exemple), telles sont quelques-unes des causes profondes du mal.

Ne nous leurrons pas : les remèdes seront d'autant plus durs à appliquer que les résistances seront grandes. Nous nous heurterons à des coalitions redoutables. Mais appuyés sur des fractions chaque jour plus étendues du peuple français, conscients d'être dans le vrai et résolus à employer tous les moyens pour tirer enfin notre pays de sa nuit, nous savons que la victoire est au bout de notre effort — quand bien même devrions-nous jalonner notre route des larmes des faibles et des cris d'indignation des hypocrites.

11. Le grand exode de 1962

Après la signature des accords d'Évian, qui accordent l'indépendance à l'Algérie, l'OAS s'est lancée dans une série d'actions aveugles et désespérées visant à rendre impossible l'application de l'accord. Puis, lorsqu'il apparaît que cette tactique n'a aucune chance d'aboutir, elle engage les Français d'Algérie à rendre au FLN le pays dans l'État où l'ont trouvé les premiers colons cent trente ans plus tôt, autrement dit de se livrer à des destructions systématiques. Elle va pousser d'autre part les Européens à de dramatiques affrontements avec les forces de l'ordre, comme l'insurrection de Bab-el-Oued, le 23 mars 1962, suivie trois jours plus tard de la fusillade de la rue d'Isly à Alger, qui fait plusieurs dizaines de morts et 200 blessés.

La coexistence entre les deux communautés s'avérant dès lors à peu près impossible, la crainte d'une Saint-Barthélemy des Européens précipite l'exode des colons au cours des semaines qui précèdent la signature des accords d'Évian. Ce sont ainsi 700 000 « pieds-noirs » qui prennent le chemin de la métropole, abandonnant l'essentiel de leurs biens sur une terre où la plupart d'entre eux sont nés pour affronter un accueil distant, parfois hostile, de la part des métropolitains et un difficile reclassement en divers points de l'Hexagone. Dernier acte d'un drame qui a provoqué des traumatismes profonds sur les deux rives de la Méditerranée, fait disparaître des centaines de milliers de victimes (environ 300 000 morts parmi les musulmans algériens, une trentaine de mille du côté des Européens) et jeté bas au passage le régime politique instauré en France au lendemain de la Libération.

Source : J. Loiseau, *Pied-Noir mon frère. Témoignage d'un Francaoui*, Paris, France-Empire, 1963.

Bibliographie : D. Leconte, *Les Pieds-Noirs, histoire et portrait d'une communauté*, Paris, Seuil, 1980 ; D. Michel-Chich, *Les Déracinés, les pieds-noirs aujourd'hui*, Paris, Calmann-Lévy, 1990 ; J. Hureau, *La Mémoire des pieds-noirs de 1830 à nos jours*, Paris, Orban, 1987 ; J.-J. Jordi, *De l'exode à l'exil, rapatriés et pieds-noirs en France, l'exemple marseillais*, Paris, L'Harmattan, 1993.

S UIVANT LE MOT de Robert Buron, négociateur d'Évian, cet exode fut vraiment « Dunkerque... en pire ». [...]

Pendant des jours et surtout des nuits (il y avait ainsi moins de témoins), les pieds-noirs sont arrivés sur l'Hexagone, traumatisés, incapables pour la plupart de réaliser ce qui venait de se déclencher. Leur longue attente sur les aéroports de La Sénia, de Maison-Blanche, de Blida, de Bône, les avaient mis dans un état physique et moral facile à justifier. La rapidité du départ, la confection de bagages improvisés pour sauver ce que l'on croit être le plus précieux et qui n'a pas forcément le plus de valeur, avaient mis plus d'une femme au bord de la crise de nerfs.

Les hommes qui les accompagnaient feignaient l'impassibilité, mais ils avaient les poings serrés.

J'entends encore le leitmotiv de ce rapatrié qui n'avait pas remis les pieds sur le sol métropolitain depuis 1945 et qui nous répétait jusqu'au centre d'accueil : « Et ma récolte ? Et ma récolte ? » C'est à un moment comme celui-là que le mot « attachement à la terre » a vraiment une signification. [...]

Au début de 1962, le secrétaire d'État aux rapatriés avait déclaré : « La France n'est pas en mesure de réclamer plus de 30 000 familles de rapatriés par an, soit 120 000 personnes. Si le règlement de la question algérienne entraînait un rapatriement massif et précipité de nos compatriotes d'outre-Méditerranée, nous aurions à faire face à un problème de réfugiés. »

En fait, ce sont bien des réfugiés qui sont arrivés à Marseille, à Port-Vendres, à Toulouse, à Lyon, à Orly. Et quels réfugiés ! Toutes les classes sociales y étaient représentées. J'ai interrogé, sur un aéroport, le caissier d'une banque pour connaître l'ordre de grandeur des demandes de change : à côté de la vieille dame qui avait quelques centaines de milliers d'anciens francs, thésaurisés depuis le début de la guerre, la majorité des demandes était très faible. Il y avait certaines familles qui avaient pour tout viatique un billet de cinq mille... anciens francs. [...]

Celui qui a assisté à ce déferlement de pieds-noirs de tout âge, de toute condition, n'oubliera jamais ce triste spectacle.

© France-Empire

XVI

LES «TRENTE GLORIEUSES» DE L'ÉCONOMIE FRANÇAISE

La France de la Libération est un pays économiquement ruiné, où le redémarrage de la production est entravé par d'innombrables obstacles (texte n° 1). Au cours des années qui suivent immédiatement le conflit, la reconstruction du pays s'opère grâce à l'aide américaine (cf. chap. XIII) et à l'intervention de l'État. Dès 1944, les gouvernements s'engagent ainsi dans une voie dirigiste qui se traduit par une politique de nationalisation (texte n° 2), visant à placer entre les mains de l'État les secteurs clés de la vie économique, par le recours à une planification souple, mise en place à l'initiative de Jean Monnet (texte n° 3) et par de grandes réformes comme celle qui introduit en France un régime de Sécurité sociale (texte n° 4) conçu comme une forme de redistribution du revenu national.

Grâce à ces choix de politique économique, à l'aide Marshall et à l'effort fourni par les Français (en termes de quantité de travail, de prélèvements fiscaux et d'emprunt), ainsi qu'à l'inflation qui a permis d'alléger le poids des dettes, la France a retrouvé en 1950 une production normale, mais son économie ne s'est guère modernisée. Elle demeure majoritairement constituée de petites entreprises peu performantes, cherchant davantage à vivoter qu'à conquérir des marchés. Dans le contexte de pénurie qui perdure jusqu'à la fin de la décennie 1940, l'urgence consistant à fournir le nécessaire, elle privilégie la quantité sur la qualité et accorde peu d'importance aux coûts de production et aux prix de revient.

Très tôt cependant, les dirigeants politiques, les hauts fonctionnaires et les chefs d'entreprise ont pris conscience de ce vieillissement de l'économie française et ont manifesté leur volonté de modernisation. L'accent est mis sur l'investissement — l'État donnant l'exemple en lui consacrant une part croissante des dépenses publiques — et sur la productivité. Celle-ci devient une préoccupation majeure, alors qu'elle était jusqu'alors négligée, et pour répondre à ce souci nouveau, des «missions de productivité», réunissant patrons, cadres, experts, ingénieurs et ouvriers, sont envoyées outre-Atlantique pour examiner in situ le modèle américain (texte n° 5).

Favorisée par d'autres facteurs, à la fois externes (la conjoncture mondiale, l'ouverture de la France au marché international, la mise en place d'un Marché commun ouest-européen) et internes (la croissance démographique, la hausse du niveau de vie des ménages, le développement d'une mentalité privilégiant la consommation, la stimulation de la demande en matière d'équipements lourds, le retour au libéralisme à partir de 1947 en matière de salaires et de prix, etc.), l'économie française entre dans une phase de croissance forte et prolongée que Jean Fourastié désignera plus tard comme celle des «Trente Glorieuses» et qui va durer jusqu'au milieu de la décennie 1970.

Cette croissance, de l'ordre de 5 % par an, s'opère sans à-coups majeurs. Tout au plus se trouve-t-elle freinée épisodiquement par les politiques de lutte contre l'inflation qui diminuent les investissements ou augmentent le loyer de l'argent. Il en est ainsi par exemple en 1952-1953, avec la politique de stabilisation pratiquée par Antoine Pinay, lors de la seconde expérience Pinay en 1958-1959, avec l'effort d'assainissement qui fait suite au retour au pouvoir du général de Gaulle (texte n° 6), ou encore en 1965-1966 lorsque le « plan de stabilisation » de Valéry Giscard d'Estaing entraîne un ralentissement temporaire de la croissance.

Si l'expansion constitue, sous la IVᵉ comme sous la Vᵉ République, un élément majeur de la vie nationale — au point d'être tantôt considérée comme une panacée universelle, tantôt au contraire comme la cause du mal qui est censé affecter la société industrielle (texte n° 7) —, il est clair qu'elle ne profite pas de la même manière à tous les secteurs de l'économie française. Tandis que la place de l'agriculture tend à décroître, en dépit de l'accroissement de la production et des gains de productivité dans ce secteur, ce sont essentiellement l'industrie et le tertiaire qui bénéficient de la révolution économique des Trente Glorieuses. Quant aux « fruits de la croissance », ils se répartissent de manière inégale entre les régions françaises et entre les groupes sociaux. L'écart tend ainsi à se creuser entre une France économiquement dynamique à l'est d'une ligne Le Havre-Marseille, et une France de l'ouest et du sud-ouest qui souffre d'un certain retard économique, tandis que s'accusent certaines disparités sociales. À quoi s'ajoutent les difficultés quasi structurelles qui résultent de la permanence du phénomène inflationniste et de la relative fragilité du commerce extérieur (texte n° 8).

Si les événements de 1968 (cf. chap. XIX), qui sont à la fois le résultat d'un malaise social lié à l'inégale répartition des fruits de la croissance et le point d'aboutissement d'une critique de la société de consommation par diverses catégories d'acteurs (intellectuels, jeunes, militants de groupes extrémistes), ont eu pour conséquences immédiates un recul sensible de la production industrielle, le retour au déficit commercial et la fuite des capitaux —, ils n'ont pas durablement affecté la croissance de l'économie française. Dès le début de la décennie 1970, celle-ci a retrouvé son rythme de croisière et connaît même une nouvelle accélération, nourrissant, y compris parmi les conjoncturalistes les plus prudents, un optimisme sans faille quant à la poursuite du phénomène (texte n° 9).

1. L'état de la France en 1945

Avec ces deux textes, l'un tiré des Mémoires de guerre *du général de Gaulle, l'autre des* Mémoires *de Jean Monnet, le père de la planification française et l'un des fondateurs de l'Europe communautaire, nous sommes ici en présence de deux regards tournés vers la situation de la France au lendemain de la Libération : celui du chef de la France libre, du militaire devenu chef de gouvernement, surtout sensible aux destructions provoquées par la guerre, celui d'autre part du grand technocrate pour lequel comptent, plus peut-être que la catastrophe matérielle, les causes profondes — et anciennes — du retard économique français.*

Quoi qu'il en soit, il ressort d'un bilan du conflit et de l'occupation que la France se trouve en 1945 dans une situation économique catastrophique. La guerre a fait 600 000 morts, auxquels s'ajoutent des pertes démographiques que l'on évalue à 2 millions _d'âmes et qui résultent de la surmortalité due aux mauvaises conditions de vie et au déficit des naissances. Des dizaines de milliers d'exploitations agricoles, d'usines, d'immeubles ont été détruits et le réseau de communications a été fortement endommagé. La France a perdu une bonne partie de son équipement et de son matériel ferroviaire, de sa flotte marchande, de son infrastructure portuaire et routière. Les pertes financières sont de l'ordre de 1 500 milliards de francs et le manque de numéraire et de devises fortes est d'autant plus paralysant que la France n'a à peu près rien à exporter pour se procurer les liquidités nécessaires au solde de ses achats à l'étranger._

Conséquence du déséquilibre entre une production longtemps insuffisante et un pouvoir d'achat renforcé par l'épargne du temps de guerre et les hausses de salaires de la Libération, l'inflation et le marché noir sévissent au cours des années qui suivent la fin du conflit. Pierre Mendès France, on l'a vu (cf. chap. X), aurait souhaité y mettre fin par un blocage des fortunes et une politique monétaire rigoureuse, mais le général de Gaulle s'y est refusé, préférant à ces mesures drastiques la solution libérale et le recours à l'emprunt prôné par le ministre des Finances René Pleven.

Sources : A) Charles de Gaulle, _Mémoires de guerre_, t. III, _Le Salut_, Paris, Plon, 1959 ; B) Jean Monnet, _Mémoires_, t. I, Paris, Fayard, 1976.

Bibliographie : H. Bonin, _Histoire économique de la IVᵉ République_, Paris, Économica, 1987 ; J.-M. Jeanneney, _Forces et faiblesses de l'économie française_, Paris, Armand Colin, 1961 ; J.-F. Eck, _Histoire de l'économie française depuis 1945_, Paris, Armand Colin, 1988.

A. La France de la Libération vue par le général de Gaulle

[...] LES LIGNES TÉLÉPHONIQUES et télégraphiques ont subi des coupures sans nombre. Les postes-radio sont détruits. Il n'y a pas d'avions de liaison français sur les terrains criblés d'entonnoirs. Les chemins de fer sont quasi bloqués. De nos 12 000 locomotives, il nous en reste 2 800. Aucun train, partant de Paris, ne peut atteindre Lyon, Marseille, Toulouse, Bordeaux, Nantes, Lille, Nancy. Aucun ne traverse la Loire entre Nevers et l'Atlantique, ni la Seine entre Mantes et la Manche, ni le Rhône entre Lyon et la Méditerranée. Quant aux routes, 3 000 ponts ont sauté ; 300 000 véhicules à peine sont en état de rouler sur 3 millions que nous avions eus ; enfin le manque d'essence fait qu'un voyage en auto est une véritable aventure. [...]

En même temps, l'arrêt des transports désorganise le ravitaillement. D'autant plus que les stocks avoués de vivres, de matières premières, de combustibles, d'objets fabriqués ont entièrement disparu. Sans doute un « plan de six mois », prévoyant une première série d'importations américaines, avait-il été dressé par accord entre Alger et Washington. Mais comment le faire jouer alors que nos ports sont inutilisables ?

© Plon

B. Le regard de Jean Monnet

QUE LA FRANCE fût sortie gravement affaiblie de la guerre, c'était une évidence pour chacun. Mais ce qu'on savait moins bien ou qu'on se dissimulait, c'était l'état de faiblesse dans lequel, déjà, elle se trouvait à la veille de la guerre et qui, autant que les causes morales et l'impréparation militaire, expliquait son brusque effondrement. [...]

Mais le niveau de production et la richesse nationale n'étaient qu'un symptôme de notre affaiblissement et les guerres ne pouvaient qu'en être un accélérateur. La cause profonde était assurément un manque d'esprit d'entreprise qui entraînait de graves négligences dans le domaine de l'investissement productif et de la modernisation. Ces retards à leur tour réagissaient sur le niveau d'activité qui suffisait à peine à la consommation. Les Français achetaient plus qu'ils ne vendaient à l'étranger. Avant la guerre, déjà, ils payaient le tiers de leurs importations avec le revenu de placements extérieurs très anciens. Dans ce petit équilibre précaire, il n'y avait pas de place pour l'extension de leurs équipements. Les investissements couvraient à peine les besoins de remplacement, si bien que l'âge moyen des machines-outils françaises était de vingt-cinq ans contre cinq ou six aux États-Unis, et de huit à neuf en Angleterre qui en possédait le double. Les conséquences de cette situation médiocre pouvaient être acceptables dans un monde en stagnation. Mais les destructions de la guerre les avaient rendues pour nous d'autant plus intolérables que le même défi avait au contraire stimulé les puissances demeurées dans le conflit après l'occupation de notre territoire. La compétition allait devenir impossible pour un pays qui, déjà, en temps normal, semblait être résigné à disposer de deux ou trois fois moins d'énergie par tête d'habitant que ses concurrents directs.

© Fayard

2. Le choix des nationalisations

Ouvrant un train de nationalisations qui va durer jusqu'en 1948, celle des Houillères du Nord et du Pas-de-Calais s'est faite par ordonnance (complétée par une loi de mai 1946) en décembre 1944. Le principe de la prise en charge par l'État de certains secteurs clés de la vie économique avait été adopté en mars de la même année et inscrit au programme du CNR. Une quasi-unanimité s'était manifestée en ce sens dans les rangs de la Résistance, et s'était maintenue après la Libération, toutes les grandes formations partisanes (PCF, SFIO, MRP) étant à cette date acquises aux idées keynésiennes et au principe de l'État-providence.

À la suite de la nationalisation des houillères — devenues Charbonnages de France — le Gouvernement provisoire, puis les premières équipes ministérielles de la IVᵉ République procédèrent à celles des compagnies d'électricité (avril 1946), de Renault (ordonnance de janvier 1945), de Gnome et Rhône (ordonnance de mai 1945 créant la SNECMA), des transports parisiens (loi de mars 1948 créant la RATP), de la branche accidents du travail des compagnies d'assurances (octobre 1945 sur la Sécurité sociale), de neuf grandes compagnies d'assurances (avril 1946), de la Banque de France et des quatre grandes banques de dépôt (1945). À quoi il convient d'ajouter la semi-étatisation de l'École libre des sciences politiques (octobre 1945) et le renforcement du régime d'économie mixte pour la Compagnie générale transatlantique et pour Air-France (février et juin 1948).

Dans l'extrait reproduit ici de l'ordonnance de décembre 1944 portant nationalisation des Houillères du Nord et du Pas-de-Calais, l'accent a été mis dans l'exposé des motifs sur les nécessités de planifier la production et de procéder à la normalisation du matériel, ainsi que sur la volonté du gouvernement de prendre en considération l'intérêt des travailleurs, ne serait-ce que pour éviter ou apaiser les conflits entre salariés et employeurs et pour hâter ainsi le relèvement de l'industrie française.

Source : _Journal officiel, Lois et décrets_, Ordonnance du 13 décembre 1944 portant nationalisation des Houillères du Nord et du Pas-de-Calais.
Bibliographie : F. Kupferman, _Les Premiers Beaux Jours, 1944-1946_, Paris, Calmann-Lévy, 1985 ; C. Andrieu, L. Levan, A. Prost (dir.), _Les Nationalisations de la Libération. De l'utopie au compromis_, Paris, Presses de la FNSP, 1987.

L A PUISSANCE de relèvement d'un pays, au lendemain d'une crise grave, peut se mesurer à la volonté dont il fait preuve, en se plaçant au point de vue de l'intérêt général, d'une part, d'adapter les moyens économiques dont il dispose encore à la situation à laquelle il a été amené afin de restaurer le plus vite possible [...] les instruments de sa prospérité et, d'autre part, de créer le climat le plus favorable à la reprise du travail. [...]

L'État seul possède actuellement l'autorité suffisante pour assurer une telle tâche [...] ; lui seul peut, en effet, suivant un plan d'ensemble, faire concourir, dans les conditions les plus favorables et les plus rapides, les exploitations houillères au relèvement de l'industrie française. Lui seul peut, à la fois sur le plan technique, imposer aux mines un programme de production, effectuer le regroupement d'exploitation nécessaire, normaliser le matériel, en offrant, s'il y a lieu, le concours de ses ressources financières, et, sur le plan social, assurer au mieux la sauvegarde des intérêts et de la santé des travailleurs, apaiser les conflits qui opposent trop souvent les patrons et les ouvriers, faire droit aux justes revendications, faire participer les travailleurs à la gestion des entreprises, imprimer enfin la même impulsion aux divers personnels de direction et d'exécution, placés sous son autorité et sous son contrôle. [...]

C'est pour ces motifs impérieux que le gouvernement a décidé la nationalisation des Houillères du Nord et du Pas-de-Calais.

3. Les débuts de la planification

C'est Pierre Mendès France, ministre de l'Économie nationale dans le Gouvernement provisoire présidé par le général de Gaulle, qui a lancé en 1944 l'idée d'une reconstruction planifiée de l'économie et créé une direction du Plan. Après la démission de Mendès, celle-ci est supprimée par René Pleven, mais l'idée est reprise par Jean Monnet à son retour des États-Unis où il a négocié et signé les accords de prêt-bail et des accords de crédit représentant plus d'un milliard de dollars pour l'année 1945. En septembre 1945, ce dernier adresse un mémorandum en ce sens au général de Gaulle, et le 25 décembre est décidée la création d'un Conseil du plan de modernisation et d'équipement et d'un Commissariat général que le général de Gaulle confie à Jean Monnet : décision rendue officielle par le décret du 3 janvier 1946 que nous reproduisons ici.

Entouré d'une petite équipe de jeunes technocrates — Étienne Hirsch, Robert Marjolin, Pierre Uri, Paul Delouvrier —, Monnet se met aussitôt au travail et achève, en novembre 1946, la mise au point du « Plan de modernisation et d'équipement » qui sera promulgué, en janvier de l'année suivante, par le gouvernement Blum. Ce premier plan se donne comme objectif de retrouver en 1948 le niveau de production qui était celui de la France en 1929, puis de le dépasser de 25% en 1950, et il privilégie l'impératif de la modernisation à ceux de la reconstruction.

Au départ, l'idée lancée par Jean Monnet avait un caractère parfaitement empirique. Il s'agissait de préparer dans les meilleures conditions possibles les négociations financières et commerciales avec les États-Unis (qui aboutiront en mai 1946 aux accords Blum-Byrnes). Par la suite, la planification française conservera de ses origines très conjoncturelles son caractère souple et strictement indicatif. Le Plan ne sera pas imposé aux entreprises privées, mais simplement suggéré par des incitations financières. Rien de commun par conséquent avec la planification rigide en vigueur en URSS. La CGT, dont l'audience est alors considérable, sera associée à l'élaboration du plan, mais, pour éviter que ne s'installe un monopole du PCF et de sa courroie de transmission cégétiste sur les décisions économiques, le plan relèvera de la présidence du Conseil.

Source : *Journal officiel, Lois et décrets*, 1946. Décret n° 46-2 du 3 janvier 1946 portant création à la présidence du gouvernement d'un Conseil du plan de modernisation et d'équipement et fixant les attributions générales du Plan.

Bibliographie : B. Gazes, P. Mioche, *Modernisation ou décadence, Contribution à l'histoire du plan Monnet et de la planification en France*, Aix-en-Provence, Presses universitaires de Provence, 1990 ; R.-F. Kuisel, *Le Capitalisme et l'État en France. Modernisation et dirigisme en France au XXᵉ siècle*, Paris, Gallimard, 1984 ; P. Mioche, article « Planification », in *Dictionnaire historique de la vie politique française au XXᵉ siècle*, sous la direction de J.-F. Sirinelli, Paris, PUF, 1995, pp. 797-801.

L E PRÉSIDENT du Gouvernement provisoire de la République,
Vu la loi n° 45-1 du 24 novembre 1945 relative aux attributions des ministres du Gouvernement provisoire de la République et à l'organisation des ministères ;
Vu l'ordonnance du 23 novembre 1944 réorganisant le comité économique et fixant les attributions du ministre de l'Économie nationale et l'organisation de ses services ;
Vu le décret du 7 janvier 1945 portant sur la création du comité interministériel des affaires allemandes et autrichiennes ;
Vu la loi du 13 août 1936, article 5, alinéas 2 et 3, déterminant le statut des chargés de mission attachés à la présidence du gouvernement ;
Le Conseil d'État entendu,
Décrète :

ARTICLE PREMIER. — Dans un délai de six mois à dater de la publication du présent décret, il sera établi un premier plan d'ensemble pour la modernisation et l'équipement économique de la métropole et des territoires d'outre-mer.
Ce plan aura notamment pour objet :
1° D'accroître la production de la métropole et des territoires d'outre-mer et leurs échanges avec le monde, en particulier dans les domaines où leur position est la plus favorable ;
2° De porter le rendement du travail au niveau de celui des pays où il est le plus élevé ;
3° D'assurer le plein emploi de la main-d'œuvre ;
4° D'élever le niveau de vie de la population et d'améliorer les conditions de l'habitat et de la vie collective.
Le plan s'entend à la reconstitution des outillages et équipements publics et privés endommagés ou détruits du fait des événements de guerre.

Art. 2. — Il est créé à la présidence du Gouvernement un Conseil du Plan qui propose au Gouvernement le plan et les moyens d'en assurer l'exécution.

Ce conseil est composé comme suit :

Le président du Gouvernement provisoire de la République, président.

Le ministre de l'Économie nationale, vice-président.

Le ministre des Affaires étrangères.

Le ministre de l'Armement.

Le ministre des Finances.

Le ministre de l'Agriculture et du Ravitaillement.

Le ministre des Travaux publics et des Transports.

Le ministre du Travail.

Le ministre des Colonies.

Le ministre de la Reconstruction et de l'Urbanisme.

Le commissaire général aux Affaires allemandes et autrichiennes.

Le commissaire général du Plan.

Douze personnalités au moins et quatorze au plus, choisies en raison de leur compétence et nommées par arrêté du président du Gouvernement après avis du ministre de l'Économie nationale.

Le règlement intérieur du Conseil du Plan est fixé par arrêté du président du Gouvernement.

Art. 3. — Les services du commissariat général institué à la présidence du Gouvernement relèvent d'un commissaire général nommé par décret.

Le commissaire général est chargé d'élaborer les propositions qui seront soumises à l'examen du Conseil du Plan. Il est le délégué permanent du président du Gouvernement du plan. Le commissaire général du Plan est membre du Comité économique, du Comité interministériel aux Affaires allemandes et autrichiennes, du Conseil de l'économie nationale et du Conseil national du crédit.

Art. 4. — Le commissaire général procède à toutes enquêtes jugées par lui utiles auprès des administrations publiques et avec leur collaboration auprès des organismes professionnels ouvriers et patronaux, des industriels et des exploitants et de tous autres organismes ou personnalités qu'il estime opportun de consulter.

Les administrations publiques et les organismes participant à la gestion d'un service public lui fournissent tous renseignements statistiques et autres éléments d'information demandés.

Les ministres compétents lui donnent leurs concours pour l'accomplissement de sa mission, en particulier en vue de l'établissement d'un bilan d'ensemble et lui fournissent les programmes de production déjà établis pour les différentes activités de l'économie nationale.

À compter de la publication du présent décret, tous les programmes affectant l'activité économique du pays, relatifs notamment à la production, à la reconstruction, à l'armement, à l'équipement, au commerce extérieur et aux prélèvements de biens ennemis au titre des réparations, préparés par les départements ministériels compétents seront communiqués au commissaire général. Le commissaire général sera tenu au courant des projets en cours d'élaboration.

Art. 5. — Le commissaire général du Plan soumettra au président du Gouvernement des arrêtés instituant des comités de travail et de coordination composés de hauts fonctionnaires appartenant aux ministères représentés au Conseil du Plan, ainsi que des commissions de modernisation comprenant des représentants de l'administration, des experts et des représentants des organismes syndicaux et professionnels.

Art. 6. — Pendant la période d'élaboration du plan, le ministère de l'Économie nationale met à la disposition du commissaire général l'institut de conjoncture, le service de l'équipement et le service des monographies du Centre national de l'information économique. Ces organismes sont tenus d'appliquer toutes les directives et de réaliser les travaux qui leur seront fixés par le commissaire du Plan. Toutefois, ils continuent à dépendre au point de vue administratif et financier du ministère de l'Économie nationale.

Art. 7. — Le commissariat général comprend, sous l'autorité du commissaire général, des chargés de mission dont le statut est régi par les alinéas 2 et 3 de l'article 5 de la loi du 13 août 1936.

Art. 8. — Sont abrogées toutes dispositions contraires à celles du présent décret.

Art 9. — Le ministre de l'Économie nationale, le ministre de l'Armement, le ministre des Finances, le ministre des Affaires étrangères, le ministre de l'Agriculture et du Ravitaillement, le ministre de la Production industrielle, le ministre des Travaux publics et des Transports, le ministre du Travail, le ministre des Colonies et le ministre de la Reconstruction et de l'Urbanisme sont chargés, chacun en ce qui le concerne, de l'exécution du présent décret, qui sera publié au *Journal officiel* de la République française.

Fait à Paris, le 3 janvier 1946
Ch. de Gaulle

4. Plaidoyer pour la Sécurité sociale
(Juin 1948)

Si Jean Monnet est le père de la planification à la française, Pierre Laroque peut être considéré comme celui de la Sécurité sociale. Ce maître des requêtes au Conseil d'État fut en effet nommé par le gouvernement du général de Gaulle à la tête de cette administration en 1944 et c'est lui qui en a assuré la mise en place jusqu'à sa création en octobre 1945, puis le fonctionnement au cours des années suivantes. Inspirée de modèles anglo-saxons — le Social Security Act *de 1935 dans les États-Unis du New Deal et la loi Beveridge de 1942 en Grande-Bretagne —, l'idée d'un système de sécurité sociale se substituant à celui des « assurances sociales », instauré par Poincaré en 1928, s'était imposée (comme celle des nationalisations) dans les milieux de la Résistance et avait pris corps dans le programme adopté par le CNR en mars 1944. Le 9 septembre, le général de Gaulle lui donnait une forme concrète en nommant Alexandre Parodi ministre du Travail et de la Sécurité sociale.*

La Sécurité sociale marque une véritable révolution dans la condition du salarié. Celui-ci en effet se trouve désormais couvert contre la plupart des risques de l'existence par une promesse de solidarité nationale qui se substitue à la garantie individuelle de l'assurance classique. Sous l'autorité de son directeur général, sont mis en place en 1945-1946 les principes et les modalités de cette action de « l'État-providence » dont Pierre Laroque définit les mobiles et la portée dans cet article paru en juin 1948 dans la Revue internationale du travail.

Source : Pierre Laroque, « De l'assurance sociale à la sécurité sociale. L'expérience française », *Revue internationale du travail*, vol. LVII, n° 6, juin 1948, pp. 621-649.

Bibliographie : H.-C. Galant, _Histoire politique de la Sécurité sociale, 1945-1952_, Cahiers de la FNSP, n° 76, Paris, Armand Colin, 1955.

L A PLUPART des pays du monde s'efforcent, aujourd'hui, de concevoir et de réaliser des plans de sécurité sociale ; le mot comme l'idée sont cependant récents. Il semble que ce soit le « Social Security Act », la loi fédérale votée par le Congrès des États-Unis en 1935, qui, pour la première fois, consacre l'emploi de cette expression. Mais c'est surtout le rapport auquel Sir William Beveridge, aujourd'hui Lord Beveridge, a attaché son nom, puis la Conférence internationale du Travail de Philadelphie qui ont marqué le point de départ de l'extension remarquable prise par l'idée de sécurité sociale à travers tous les pays.

Cette unanimité, cette communauté d'orientation de l'effort social résultent de la conjonction de deux courants d'idées d'origine très différente : c'est, d'une part, la tendance à combattre la misère au nom de la morale et de la justice, la volonté d'abolir le besoin ; c'est, d'autre part, l'effort constant de la classe ouvrière pour s'affranchir de sa situation de dépendance, pour réagir contre un complexe d'infériorité dont l'une des causes profondes tient à l'insécurité dans laquelle se trouvent les salariés, à l'incertitude du lendemain pesant sur tous ceux qui vivent de leur travail.

La guerre de 1939-1945 a largement contribué à développer chez tous les peuples qui y ont participé un désir profond de sécurité, de sécurité contre la guerre d'abord, sans doute, mais de sécurité aussi contre tous les facteurs économiques ou sociaux qui peuvent menacer le travailleur dans son existence individuelle ou familiale. De plus, dans les pays les plus éprouvés par la guerre, l'effort considérable indispensable pour la reconstruction de l'économie nécessitait un large appel aux travailleurs à qui il fallait demander des sacrifices et un travail accru pendant de longues années peut-être, en vue de reconstituer un équipement détruit et de rendre à l'économie de ces pays sa prospérité antérieure. Il n'était pas moralement possible de réclamer des travailleurs cet effort sans leur donner certaines garanties. Il n'était pas possible d'obtenir d'eux l'enthousiasme et la joie au travail, qui étaient la condition indispensable de l'efficacité de l'effort entrepris, sans leur enlever en même temps la préoccupation de la misère possible pour le lendemain, sans leur donner une sécurité sociale véritable.

Quel que soit le motif plus ou moins conscient qui commande aujourd'hui les réactions de chaque peuple et de chaque gouvernement, tous sont d'accord sur le but à atteindre. Il s'agit de garantir à chaque homme qu'en toute circonstance il sera mis à même d'assurer dans des conditions convenables sa subsistance et celle des personnes à sa charge.

La sécurité sociale ainsi définie a donc une très large portée. Elle est d'abord, première-ment, _la sécurité de l'emploi._ Elle doit fournir à tous les hommes et à toutes les femmes en état de travailler, à tous ceux qui vivent de leur travail et ne peuvent vivre que de leur travail, une activité rémunératrice. Elle commande l'élimination du chômage.

Elle suppose ainsi une organisation économique permettant d'éviter les crises et assurant en toutes circonstances le plein emploi. Elle implique une organisation de la main-d'œuvre permettant l'adaptation constante et aussi parfaite que possible des offres aux demandes de travail, et cela par une politique coordonnée du placement, de l'orientation professionnelle et de la formation professionnelle.[…]

En second lieu, la sécurité sociale est la _sécurité du gain._ Il faut que l'activité fournie à chaque travailleur lui procure des ressources suffisantes. Ainsi s'inscrit dans la sécurité sociale toute la politique des salaires dans la mesure même où cette politique tend à déterminer les taux des salaires non pas seulement par la productivité, par le rendement du travail fourni, mais aussi en fonction des besoins des individus. [...]

En troisième lieu, la sécurité sociale est la *sécurité de la capacité de travail*. Pour que le travailleur soit assuré de conserver cette activité professionnelle dont il tire la totalité des ressources nécessaires à son existence, il faut le garantir contre les facteurs qui peuvent lui faire perdre, en tout ou en partie, sa capacité physique de travail. C'est ainsi que s'inclut, dans le cadre de la sécurité sociale, tout le problème de l'organisation médicale, le problème des soins d'abord eux-mêmes, le problème aussi de la prévention de la maladie et de l'invalidité. [...]

Si la sécurité sociale est ainsi entendue, l'on voit qu'elle apparaît comme l'élément d'unité, de coordination, de politiques multiples aux incidences nombreuses. La politique de la sécurité sociale résulte en réalité de la conjonction de trois politiques différentes :

C'est d'abord une politique économique commandée par le souci du plein emploi.

C'est en second lieu une politique d'équipement sanitaire et d'organisation médicale permettant de lutter contre la maladie en la prévenant d'abord, en la soignant ensuite dans les meilleures conditions possibles, politique qui trouve son complément naturel dans une politique d'équipement technique permettant de prévenir les accidents du travail et les maladies professionnelles.

En troisième lieu, c'est une politique de répartition des revenus tendant à modifier la répartition qui résulte du jeu aveugle des mécanismes économiques pour adapter les ressources de chaque individu et de chaque famille aux besoins de cet individu et de cette famille, compte tenu de toutes les circonstances qui peuvent affecter l'évolution de ces ressources.

5. Les « missions de productivité »

La notion de productivité du travail, jusqu'alors passablement négligée par les industriels français, est devenue au contraire au lendemain de la guerre l'un des maîtres mots des responsables de l'économie. Pour lui donner un contenu, des missions ont été envoyées outre-Atlantique dans le but d'observer sur place les méthodes utilisées par les entreprises américaines pour accroître leur productivité, et en mars 1950 a été créée sous l'égide du Comité national de la productivité — organisme groupant des experts en organisation du travail, des représentants des ministères concernés, des délégués des organisations patronales et syndicales, à l'exception de la CGT qui avait refusé de se joindre à ce qu'elle considérait comme une manifestation de l'alignement sur les États-Unis —, l'Association française pour l'accroissement de la productivité (AFAP).

L'AFAP avait pour mission de multiplier et de coordonner les missions d'études aux États-Unis et d'exploiter en France les résultats et les enseignements de ces enquêtes. L'article dont nous publions ci-dessous des extraits a pour auteur André Blanchet qui a suivi pour Le Monde *l'une de ces missions en octobre 1950.*

Source : André Blanchet, « Les leçons de la productivité américaine », *Le Monde*, 11, 12, 14 octobre 1950.

Bibliographie : J.-M. Jeanneney, *Forces et faiblesses de l'économie française, 1945-1959*, Paris, Armand Colin, 1961.

AGIR sur la productivité française par le moyen de brochures à gros tirage et de campagnes de presse, le propos peut sembler utopique. Est-il pour le grand public notion qui dans son mystère relève plus de la technique pure que la productivité ? Si ses champions, tel M. Fourastié, professeur au Conservatoire des arts et métiers, s'accordent à voir précisément en elle « une mesure du progrès technique », et s'il faut pour l'exprimer des courbes et des quotients savants, ni l'opinion des masses ni l'attitude des individus ne devraient apparemment réussir à l'influencer. Or elles le peuvent, telle est la découverte des spécialistes eux-mêmes, qu'on vit naguère émerger de leurs calculs pour brandir cette conclusion : « La productivité est avant tout une mentalité » — nous dirons, en puriste, « un état d'esprit ».

Depuis que fut prononcé — par un groupe éminent d'ingénieurs, de statisticiens et d'organisateurs — cet oracle troublant, l'expérience personnelle de quelque quatre cents autres techniciens français n'a fait qu'en corroborer le bien-fondé. Une trentaine de missions d'études ayant été envoyées aux États-Unis dans le cadre du programme national d'accroissement de la productivité, c'est en toute connaissance de cause que leurs membres peuvent juger les raisons de la haute productivité américaine. Or, qu'ils soient spécialistes de la construction électrique ou de la chaussure, de la distribution commerciale ou de l'agriculture, qu'ils appartiennent aux milieux ouvriers, aux cadres ou au patronat, tous semblent bien attribuer au « climat psychologique » une influence décisive dans l'essor économique du pays.

Plus qu'aucune autre, la mission dite « interprofessionnelle » — la première mise en route sous les auspices propres de l'Association française pour l'accroissement de la productivité (AFAP) — devait de par sa composition même et son programme, appréhender pleinement ce facteur. Alors que les missions spécialisées se concentraient dans l'analyse d'une industrie, voire d'une technique, celle-là entra en contact avec toutes sortes d'activités et d'organisations.

Quand on a l'occasion de visiter dans la même semaine plusieurs usines de Detroit et un grand magasin de la ville, on dispose de tous les éléments pour calculer soi-même ces fameuses comparaisons dont on se méfie instinctivement lorsqu'elles émanent de statisticiens ou des pouvoirs publics. Que d'autres vous affirment : « Il faut pour acheter une livre de sucre quatre minutes de travail aux États-Unis, vingt-sept en France et cent quarante et une en URSS », cela frappe infiniment moins que la confrontation personnelle avec l'ouvrier d'une part, la vitrine de l'autre. [...]

D'avoir vu de ses propres yeux miroiter au soleil tout autour des usines Ford, tels des lacs immenses, les parcs de stationnement réservés aux voitures des ouvriers, on reste forcément songeur. Dans une certaine mission, un amateur de précision s'amusa même à dénombrer soixante-quinze automobiles devant une fonderie employant cent trente personnes. On pourrait aussi recenser dans les quartiers ouvriers les maisons balisées d'une antenne de télévision — à moins qu'il ne soit plus expéditif de compter celles qui n'en ont pas.

En quoi la productivité américaine doit-elle être tenue pour responsable de cette situation incontestablement privilégiée ? Sans doute croit-on à la bonne foi de Jean Fourastié lorsque, à l'appui de son affirmation : « Un gain de productivité entraîne toujours un gain du pouvoir d'achat », il invoque l'exemple américain en ces termes : « La productivité par tête aux États-Unis s'est accrue de cinquante à cent quatre-vingt-quinze entre 1914 et 1945. » Rapprochement troublant, nul n'en disconviendra. Mais combien plus convaincante pour le sceptique — et tout syndicaliste l'est par devoir — une démonstration énoncée par les intéressés eux-mêmes !

6. L'inflation, un mal français ?

Comme d'autres pays européens dont l'économie a été profondément affectée par la guerre et par l'occupation allemande, la France a connu au lendemain du conflit une « inflation par la pénurie » due au déséquilibre existant entre les liquidités des ménages (gonflées par l'épargne forcée du temps de guerre et les hausses de salaires de la Libération) et la rareté des produits en circulation sur le marché. Après 1947, le retour aux pratiques libérales et la politique d'orthodoxie financière menée par René Mayer (résorption du déficit budgétaire, libéralisation des prix et des salaires, échanges extérieurs facilités, remise en ordre de la monnaie), ainsi que la hausse de la production ont permis de fortement réduire l'inflation qui, après avoir atteint des taux record en 1946-1948, est redescendue à un niveau acceptable en 1949.

Or, la guerre de Corée, qui éclate en juin 1950, a pour résultat de relancer l'inflation en provoquant une forte hausse du prix des matières premières et des transports maritimes, ainsi qu'une augmentation des dépenses militaires dans les États membres de l'Alliance atlantique. En France, la brutale accélération de la demande qui résulte de cette situation conjugue ses effets avec ceux de la guerre d'Indochine (30 % du budget de la Défense). À quoi s'ajoutent la volonté des chefs d'entreprise de profiter de la conjoncture favorable pour accroître leurs profits et le souci qu'ont les salariés de recueillir une part des fruits de la croissance, ou du moins de maintenir leur pouvoir d'achat. De là, une course de vitesse entre les prix et les salaires qui constitue l'essence même de la « spirale inflationniste ».

À la fin de 1951, le problème se trouve posé une première fois aux dirigeants politiques. Faut-il poursuivre l'expansion en acceptant l'inflation, ou au contraire mener à tout prix une politique de stabilisation au risque de bloquer la croissance ? La désignation d'Antoine Pinay comme président du Conseil, en mars 1952, montre que c'est la seconde solution qui est choisie. La nouvelle majorité s'accorde pour mener une politique de stabilisation des prix, de rétablissement de l'équilibre budgétaire et de restauration de la confiance (amnistie fiscale pour les fraudeurs ayant transféré leurs avoirs à l'étranger et lancement de l'« emprunt Pinay » indexé sur l'or et exonéré de droits de succession).

La guerre d'Algérie ayant eu les mêmes effets que le conflit coréen (en provoquant par surcroît, avec la mobilisation prolongée du contingent, une pénurie de main-d'œuvre), la même alternative — surchauffe génératrice d'inflation ou stabilisation freinant la croissance — se pose au premier gouvernement de la Vᵉ République. En faisant appel à Antoine Pinay pour occuper le poste de ministre des Finances, de préférence à Albin Chalandon qui, avec un certain nombre de dirigeants de l'UNR, préconisait une politique de relance, le général de Gaulle a choisi la voie de la stabilité et de la priorité à la lutte contre l'inflation.

Dans le rapport « sur l'ensemble du problème financier français », adressé en décembre 1958 au ministre par un comité ad hoc *présidé par Jacques Rueff, l'accent a en effet été mis par les experts sur les dangers de l'inflation, considérée comme « le mal des finances françaises ». C'est un extrait de ce rapport que nous publions ci-dessous.*

Source : *Rapport sur la situation financière présenté à M. le ministre des Finances et des Affaires économiques en exécution de sa décision du 30 septembre 1958*, Paris, Imprimerie nationale, 1958.

Bibliographie : S. Guillaume, *Antoine Pinay ou la confiance en politique*, Paris, Presses de la FNSP, 1984 ; C. Rimbaud, *Pinay*, Paris, Perrin, 1989.

L E 30 SEPTEMBRE 1958, M. Antoine Pinay, ministre des Finances et des Affaires économiques, a réuni dans son cabinet :

MM. J. Alexandre, président d'honneur du Conseil de l'ordre des experts comptables et des comptables agréés.

C. Brasart, président de la section des finances du Conseil d'État.

C. Gignoux, membre de l'Institut.

J. Guyot, associé gérant de la banque Lazard.

J.-M. Jeanneney, professeur à la faculté de droit et des sciences économiques de l'Université de Paris.

M. Lorain, président de la Société générale.

J. Rueff, inspecteur général des finances, membre de l'Institut.

J. Saltes, sous-gouverneur de la Banque de France.

R. de Vitry, président de la compagnie Péchiney.

Il leur a demandé de lui faire un rapport sur l'ensemble du problème financier français et de lui présenter toutes suggestions utiles pour l'utilisation des pouvoirs spéciaux que le référendum du 28 septembre 1958 a attribués au gouvernement.

Il a prié M. Jacques Rueff de coordonner les travaux du comité.

Le comité s'est réuni chaque jour presque sans exception entre le 30 septembre et le dépôt de son rapport. Les membres du comité ont demandé à M. Rueff de présider leurs débats. [...]

Le mal des finances françaises : l'inflation

Depuis la Libération, la France a entendu les voix de son destin. Cependant qu'elle pansait les plaies infligées par la Deuxième Guerre mondiale et mettait en œuvre une politique généreuse tendant à l'augmentation de sa population, elle accomplissait une œuvre d'équipement, générateur du rythme sans précédent de son expansion d'après-guerre. Elle a voulu, et dans une large mesure réalisé, les investissements que les circonstances imposaient.

Mais sauf rares et courts intervalles, elle n'a pas réussi à trouver par prélèvement direct sur les revenus, les ressources que cet effort exigeait. L'excès de la dépense sur la recette s'est traduit par de nombreux foyers de déficit, publics ou privés, dont le Trésor a presque toujours été l'aboutissement.

La crise quasi permanente des finances publiques françaises depuis la Libération n'est que la manifestation de ce déséquilibre. Mais son aspect financier recouvre et souvent dissimule un déséquilibre économique plus profond et plus grave. Dire que les dépenses du Trésor l'emportent sur le total des ressources qu'il prélève par l'impôt ou par l'emprunt, c'est dire que les revenus qu'il engendre par le paiement des dépenses publiques mettent leurs bénéficiaires en mesure de prélever une part de la production nationale supérieure à celle que les versements d'impôts ou les souscriptions d'emprunts les empêchent de demander.

Le déficit, en majorant de son montant la demande globale, permet de demander des biens qui n'existent pas.

L'excès de la demande globale sur la valeur globale, calculée aux prix du marché, de la production nationale, peut s'employer à l'intérieur ou à l'étranger.

Employé à l'intérieur il provoque expansion si l'on est en état de sous-emploi, hausse des prix dans le cas contraire, mais en général l'un et l'autre, au moins tant que les facultés de production ne sont pas utilisées jusqu'à la limite du possible.

Employé à l'étranger, l'excédent de pouvoir d'achat provoque déficit de la balance des paiements, donc épuisement des réserves de devises.

En fait, la hausse des prix et l'épuisement des réserves de devises sont indissolublement associés. [...]

La France a éprouvé la rigueur inéluctable de ce processus. Elle a vérifié que toutes les initiatives administratives tendant à stimuler l'exportation ne pouvaient, si ingénieuses fussent-elles, rétablir l'équilibre d'une balance des paiements viciée par l'inflation. Elle a constaté que, si désirable que fût l'expansion, celle-ci, lorsqu'elle est issue de l'inflation trouve nécessairement un terme dans le manque de moyens de paiements extérieurs et ne laisse alors le choix qu'entre l'arrêt des importations, générateur de chômage et la recherche humiliante de nouveaux concours étrangers. [...]

Sur le plan social l'inflation entraîne, nonobstant toutes précautions prises pour en compenser les effets, d'intolérables iniquités. C'est l'essence même du processus inflationniste que d'être un mécanisme de prélèvement sur les revenus qui ne suivent pas —tels ceux des rentiers — ou ne suivent qu'avec retard — tels ceux des salariés — le niveau général des prix. Tout le pouvoir d'achat issu de l'inflation est pris sur ces catégories sociales. Mais alors que les impôts sont assortis de franchises à la base ou de taux progressifs, qui tendent à en nuancer l'incidence en fonction des facultés, le prélèvement inflationniste est aveugle et frappe surtout ceux qu'il faudrait protéger. [...]

Cependant l'expérience nous a appris qu'un excédent de facultés d'achat pouvait être neutralisé par le rationnement généralisé, le contrôle des prix et le contingentement des importations, pratiques caractéristiques de la politique du Dr Schacht et du système économique hitlérien. En retenant d'importantes masses de pouvoir d'achat hors du marché, elles aboutissent nécessairement soit à des opérations chirurgicales du type de la réforme monétaire allemande, opérations qui annulent brutalement, au grand dommage des particuliers, les réserves de pouvoir d'achat antérieurement stérilisées, soit à une hausse des prix, telle celle qui s'est produite en France après la guerre, par laquelle le pouvoir d'achat temporairement « réprimé » impose ses effets.

Ainsi l'alternative offerte au choix du gouvernement est simple : ou rétablissement de l'équilibre entre dépenses et recettes de la Nation, ou nécessité de faire appel à des méthodes de rationnement et de contrôle autoritaires, qui conduiraient inévitablement à de profonds changements politiques.

7. Faut-il craindre l'expansion ?

Quelques mois avant le déclenchement du grand chambardement du printemps 1968, et alors que se multiplient dans certains cercles intellectuels et dans toute une fraction de la jeunesse étudiante — à l'instar de ce qui se passe aux États-Unis ou en Allemagne — de virulentes critiques de la société de consommation, paraît en France le premier numéro de L'Expansion. *Le titre choisi par les promoteurs de l'entreprise, issus du groupe de presse de* L'Express, *est emblématique de l'état d'esprit des milieux écono-*

miques au moment où la croissance connaît en France son apogée et où le thème de la « croissance zéro » ne rencontre encore que de faibles échos dans l'opinion. Le numéro un de L'Expansion _s'ouvre sur cet éditorial de Jean-Jacques Servan-Schreiber._

Source : Jean-Jacques Servan-Schreiber, « L'expansion, pour quoi faire ? », _L'Expansion_, n° 1, octobre 1967, p. 5.
Bibliographie : J. Fourastié, _Les Trente Glorieuses_, Paris, Fayard, 1979.

L A FRANCE, depuis seulement quelques années, subit une « révolution économique ». Phénomène encore plus profond que la « révolution industrielle » du XIXᵉ siècle, c'est d'abord l'expansion accélérée du revenu moyen par habitant qui a doublé depuis vingt ans et, selon les prévisions, doit de nouveau tripler d'ici à l'an 2000. Cette croissance crée un bouleversement du mode de vie qui est désormais, en temps de paix, l'élément dominant de la vie de chacun. Mais tous ne l'accueillent pas de la même manière.

Une minorité la critique, ou même la condamne, en mettant l'accent sur ses aspects négatifs. Ces aspects existent, et ils sont nombreux. La poussée sans précédent qui permet de doubler les richesses d'un pays tous les vingt ans, crée des tensions, parfois des drames, et paraît souvent faire peu de cas de préoccupations humaines, sociales ou culturelles essentielles.

Mais, dans l'esprit de la majorité des citoyens, les avantages de l'expansion l'emportent évidemment de loin sur les inconvénients. Cette dernière tend même à devenir une providence dont on attend tout. Cet excès de confiance n'est pas mérité, car la croissance n'est ni automatique ni uniformément bénéfique dans ses effets.

Entre un refus suranné et une adulation exagérée, une attitude réaliste consiste à prendre en main cette « révolution économique », à en corriger les orientations, bref, à la faire. C'est le rôle, en France, des hommes que leur formation, leur dynamisme, leur expérience, placent, ou placeront, aux postes de décision. Cadres des secteurs public ou privé, universitaires, syndicalistes, l'information est pour eux essentielle dans un monde en changement accéléré.

Ce nouveau magazine, _L'Expansion_, a pour but de contribuer à satisfaire ce besoin. Mais il existe déjà en France nombre de publications destinées aux responsables, alors pourquoi _L'Expansion_ ?

Parce que ce magazine souhaite jouer un rôle spécifique sur trois plans : indépendance, réflexion, accessibilité.

L'indépendance ne va pas de soi. L'information économique est encore souvent vulnérable aux « influences ». Pour les ignorer, ce qui sera la politique de _L'Expansion_, il faut en avoir les moyens. Cela est rendu possible grâce à l'appartenance au groupe de _L'Express_.

La réflexion, indispensable pour ceux qui prennent des décisions, est moins disponible encore que l'information. Le rythme mensuel de _L'Expansion_ permet des enquêtes approfondies et des analyses qui donneront à l'information sa perspective.

L'accessibilité est un besoin général à une époque où le temps de chacun est mesuré. _L'Expansion_ la recherchera systématiquement dans le style de ses articles et dans sa présentation.

Mais _L'Expansion_ ne se bornera pas à informer de son mieux ses lecteurs sur le déroulement de la « révolution économique ». Celle-ci pose, en effet, des problèmes nouveaux, mal connus, mais dont l'importance ne cessera de grandir.

Si, comme le craint l'économiste américain J.K. Galbraith, le progrès se limitait à «éviter l'effort musculaire, accroître le plaisir physique et augmenter l'absorption de calories très au-delà des besoins nutritifs», les alarmes des détracteurs de l'expansion seraient justifiées.

En effet, tous ces efforts considérables, ces changements constants ne prennent de valeur que si, en plus de la simple multiplication des biens disponibles, ils permettent une modification qualitative du genre de vie.

Cette nécessité d'améliorer l'éducation, les relations humaines, le cadre dans lequel nous vivons et les occasions de culture et de loisirs, deviennent un objectif prioritaire. D'autant plus que la production de l'ensemble des biens nécessaires sera, dans les sociétés développées, réalisée par moins de 20 % de la population, et que l'accession au bien-être des deux tiers sous-développés de la planète, représentera, pour les sociétés avancées, une responsabilité accrue.

Cette mutation n'est pas assurée. Elle ne se produira que si elle devient une préoccupation permanente des responsables, au même titre que la solution quotidienne de leurs problèmes professionnels et personnels.

L'Expansion, chaque mois, se propose d'aider ses lecteurs à résoudre ces derniers et aussi d'explorer avec eux cette nouvelle dimension du progrès où l'objectif principal des sociétés avancées ne sera plus, pour la première fois, la production des biens, mais la manière de vivre.

8. Le commerce extérieur de la France à la fin des Trente Glorieuses

Traditionnellement protectionniste et tournée vers son marché intérieur, la France a opéré entre 1945 et 1972 une ouverture au marché international qui représente pour elle un gros effort d'adaptation. Après avoir, à l'abri de solides barrières douanières, amélioré la productivité de branches telles que les biens d'équipement, les machines ou le matériel de transport, elle a, à partir du début des années 1960, intensifié ses échanges commerciaux, notamment du fait de son entrée dans la CEE.

Au début de la décennie 1970, elle reste cependant surtout exportatrice de produits agricoles et alimentaires. Certes, elle occupe désormais une place importante dans la vente de biens d'équipement et de produits industriels lourds, mais sa balance commerciale tend à se dégrader (avant même la forte hausse du prix du pétrole en 1973-1974), sous l'effet de sa forte dépendance à l'égard des importations d'énergie.

Cette relative faiblesse structurelle est évoquée par Jacques Attali, alors animateur d'un certain nombre de comités de réflexion au sein du Parti socialiste, dans un ouvrage publié en 1978.

Source : Jacques Attali, *La Nouvelle économie française*, Paris, Flammarion, 1978, pp. 91-93.

Bibliographie : J.-C. Asselain, *Histoire économique de la France*, t. II, Paris, Seuil, 1989.

LA STRUCTURE de la balance commerciale française renvoie aux faiblesses de l'industrie. [...] La part de l'étranger dans les machines utilisées par l'industrie française passe de 15 % en 1949 à 20 % en 1963 et remonte jusqu'à 48 % en 1976, c'est-à-dire retrouve les niveaux d'avant la guerre de 1914. Certains secteurs de biens de consommation sont aussi touchés : l'importation de postes de télévision en provenance de la RFA double de 1962 à 1976, elle quintuple en provenance des USA. Certes, la modernisation de l'agriculture permet à un excédent agricole considérable de se substituer au déficit de l'avant-guerre. [...] malgré cet excédent, notre dépendance agricole est déjà considérable à l'égard de l'Europe et des USA pour les secteurs clés que sont les porcs, les oléagineux, les agrumes et les nourritures animales.

D'autres éléments des échanges extérieurs complètent cet échec. [...] Près de la moitié du déficit de la balance des invisibles est due à notre participation insuffisante aux activités liées à la grande exportation, les assurances, le courtage, le transit et surtout les transports maritimes, où l'absence de maîtrise des coûts de transport par mer explique le déficit.

© Flammarion

9. Pas de limites pour la croissance ?

Dans un livre paru en 1972, moins de deux ans avant le premier choc pétrolier, trois spécialistes de l'économie — Jean-Jacques Carré, Paul Dubois et Edmond Malinvaud — s'interrogent sur les perspectives de la croissance française au cours des dernières décennies du siècle. Les questions qu'ils se posent en conclusion de l'ouvrage sont, à bien des égards, celles qui sont dans « l'air du temps » depuis 1968 : à quoi sert la croissance ? Permet-elle aux pays riches d'aider les plus pauvres ? L'augmentation quantitative de biens produits concourt-elle à l'amélioration de la qualité de la vie ? Favorise-t-elle de meilleurs rapports entre les hommes ? etc. Ils n'apportent pas de réponses à ces interrogations, mais il y a au moins une évidence qui leur paraît s'imposer : c'est que la croissance de l'économie française, comme celle des autres pays industrialisés, n'est pas près de se ralentir, l'élévation de la production et des niveaux de vie constituant vraisemblablement « le phénomène économique majeur de la seconde moitié du XIXe siècle ». Bel exemple d'optimisme à la veille d'un renversement de la conjoncture dont les signes annonciateurs (augmentation du prix du pétrole et des matières premières, ébranlement du système monétaire international), avaient pourtant commencé à se manifester dès 1971.

Source : Jean-Jacques Carré, Paul Dubois, Edmond Malinvaud, _La Croissance française. Un essai d'analyse économique causale de l'après-guerre_, Paris, Seuil, 1972, pp. 622-624.
Bibliographie : J. Fourastié, _Les Trente Glorieuses_, Paris, Fayard, 1979.

AINSI LES FACTEURS EXPLICATIFS sur lesquels nous débouchons au terme de notre étude mettent-ils en jeu les sujets économiques ; travailleurs, chefs et dirigeants d'entreprises, responsables de la politique économique. Notre analyse économique devrait donc être complétée par une analyse historique et sociologique qui remonterait plus en amont pour certaines explications. Il faudrait identifier les acteurs sociaux pertinents, étudier leur rôle dans le changement économique, saisir la nature des relations qui les unissent.

Invitant l'historien et le sociologue à nous relayer dans notre effort, nous ne voudrions pas cependant terminer ce livre sans évoquer deux ordres de questions qui sortent de notre sujet : comment la croissance va-t-elle se poursuivre ? Quels avantages tirons-nous de la croissance ?

À mesure que passent les années, l'importance des facteurs positifs résultant d'actions antérieures diminue au profit de celle des facteurs nouveaux propres à l'après-guerre. Certaines mesures qui n'ont pas encore pu faire sentir leurs effets vont se révéler de plus en plus favorables ; mais l'expansion peut aussi être ralentie par des facteurs retardateurs.

Le développement de l'instruction est la source la plus sûre des progrès futurs. Non seulement la population active se rajeunit, mais encore elle a un niveau d'instruction de plus en plus élevé. La hausse de la scolarisation secondaire et supérieure durant les vingt dernières années a pour effet que les générations successives sont de mieux en mieux formées.

De même, les investissements réalisés durant les années 1960 dans le domaine de la recherche et du développement commencent tout juste à porter des fruits. Ils devraient faire sentir leurs effets pendant longtemps encore.

Les transformations les plus profondes que doit susciter la concurrence internationale et le Marché commun sont sans doute encore à venir. La réforme des méthodes de gestion et la restructuration des entreprises devraient constituer des stimulants énergiques pour la productivité.

Les effets des trois facteurs qui précèdent jouent dans le sens d'une accélération. En revanche, l'épuisement des réserves que constitue la main-d'œuvre peu ou mal employée dans l'agriculture, les limitations que rencontrent les gains accompagnant une substitution accrue du capital au travail, enfin la diminution de l'écart entre la productivité française et celle des pays les plus avancés rendront de plus en plus difficiles les nouveaux progrès.

Tout bien pesé, l'extraordinaire développement que la France, et bien d'autres pays, ont connu depuis la dernière guerre ne semble cependant pas devoir se ralentir sensiblement avant pas mal d'années. L'élévation de la production et des niveaux de vie constituera sans doute le phénomène économique majeur de la seconde moitié du XXᵉ siècle.

La croissance, pour quoi faire ?

Dans l'immédiat après-guerre, ayant encore en mémoire les misères provoquées par la dépression et la guerre, l'économiste français s'intéressait naturellement aux progrès de la productivité. Constatant aujourd'hui la vigueur et la longévité de la croissance, il doit s'interroger de plus en plus sur les bénéfices que les hommes en retirent.

L'expansion permet-elle de réaliser une meilleure justice entre les citoyens de notre pays ? Conduit-elle à une plus grande solidarité internationale entre riches et pauvres ? La production et la consommation de biens matériels ne progressent-elles pas au détriment de la qualité de l'existence et des rapports entre les hommes ? Le développement du système de pouvoir économique qui va de pair avec la croissance rend-il les hommes davantage responsables au sein de la société et plus maîtres de leur destin ?

Questions urgentes et brûlantes mais qui seraient la matière d'un autre livre.

© Seuil

XVII

LA FIN DE LA IVᵉ RÉPUBLIQUE
ET LES DÉBUTS DE LA Vᵉ (1956-1959)

Depuis la fin de 1956, les retombées de la guerre d'Algérie provoquent une paralysie croissante du régime. Le coût de la guerre a sur la situation économique de la France des conséquences catastrophiques. Il relance l'inflation, creuse le déficit budgétaire, détériore la balance commerciale et épuise les ressources en devises. En 1957, il faut freiner l'expansion et renoncer aux dépenses sociales engagées par les socialistes. D'autre part, le conflit algérien provoque dans le pays une véritable crise morale (cf. chap. XV): il divise l'opinion, radicalise les extrêmes, crée des lignes de clivage au sein même des formations partisanes, nourrit un courant extrémiste de droite qui rassemble à cotés des poujadistes (cf. chap. XIV), les adversaires de toujours du régime (nationalistes ultras comme Jean-Marie Le Pen, néo-fascistes, traditionalistes) et des dissidents des grands partis de gouvernement. Rassemblés dans l'Union pour le salut et le renouveau de l'Algérie francaise, nombre de représentants de ce courant — dont l'audience est forte en Algérie, dans les rangs de l'armée et de la population européenne —, rêvent d'installer à Paris un pouvoir fort qui laisserait les coudées franches aux militaires et ferait taire les opposants à la guerre.

La guerre d'Algérie a fait d'autre part éclater la majorité de gauche, victorieuse des élections de 1956. Pris entre une opposition de gauche, qui lui reproche sa politique algérienne, et une opposition de droite, qui lui fait grief de ses «largesses» en matière sociale (3ᵉ semaine de congés payés, Fonds de solidarité pour les personnes âgées, etc.), Guy Mollet doit quitter le pouvoir en mai 1957. Les ministères qui se succèdent après son départ ne peuvent ni apporter une solution politique à la crise algérienne, ni redresser les finances, ni s'imposer face à la fronde grandissante des militaires et des colons. La guerre débouche ainsi sur une véritable crise du régime (texte n° 1).

De leur côté, les partisans du général de Gaulle attendent leur heure. Depuis 1953, l'ancien chef de la France libre a mis en sommeil le RPF et s'est retiré de la vie publique. Mais la crise du régime le confirme dans ses analyses et l'on commence à prononcer son nom comme celui d'un recours possible. Les gaullistes suivent avec attention l'agitation activiste et les nombreux complots qui visent à déstabiliser la classe politique, bien décidés, le moment venu, à en canaliser les effets pour obtenir le retour au pouvoir du général.

Or, le 13 mai 1958, un pouvoir insurrectionnel se met en place à Alger, suite à l'émeute déclenchée par l'annonce de la désignation comme président du Conseil du MRP Pierre Pflimlin, partisan d'une solution négociée en Algérie. Bien que ce dernier ait été massivement investi par l'Assemblée nationale (texte n° 2), le gouvernement qu'il dirige paraît totalement dépourvu d'autorité et de moyens d'action. Le 20 mai, lorsque la Corse bascule dans le camp d'Alger, c'est un véritable scénario de guerre civile qui semble devoir s'imposer.

Des complots fomentés par les activistes, avec ou sans le concours de certains gaullistes, et de l'action menée par ces derniers pour tirer profit de la situation (texte n° 3), De Gaulle a sans aucun doute été tenu au courant, bien qu'il feigne de les ignorer. Mais s'il ne les décourage pas, il ne fait rien pour les encourager (texte n° 4) et se contente de faire évoluer la crise vers son propre retour au pouvoir, par une série de discours qui lui assurent le ralliement des principaux chefs de parti, celui du chef de l'État, René Coty, et bientôt le soutien d'une large partie de l'opinion.

Devenu chef du gouvernement le 1er juin et disposant des pleins pouvoirs, De Gaulle donne la priorité à l'élaboration d'une nouvelle Constitution qui est présentée aux Français en septembre 1958 (texte n° 5) et est adoptée par 80 % d'entre eux. Les élections de novembre consacrent l'écrasement des adversaires du gaullisme, et le 21 décembre, un collège de 80 000 notables porte le général de Gaulle à la présidence de la République. Tandis que Guy Mollet donne sa démission du gouvernement (texte n° 6), ce dernier fait appel à Michel Debré, principal concepteur de la Constitution, pour former le premier ministère de la Ve République (texte n° 7). Le 8 janvier 1959, transmettant ses pouvoirs au général, le dernier président de la IVe peut affirmer : « Le premier des Français est désormais le premier en France » (texte n° 8).

L'année 1959 est celle de l'installation du nouveau régime. Appuyé par une forte majorité parlementaire, le chef de l'État engage la France dans la voie de la modernisation économique, prépare le processus de décolonisation de l'Afrique noire et affirme la vocation de la nation à retrouver « son rang » dans la constellation des acteurs internationaux. Mais la persistance des difficultés en Algérie autant que ses penchants personnels inclinent le chef de l'État à développer une pratique autoritaire du pouvoir qui réduit le Parlement au rôle de simple chambre d'enregistrement et suscite une opposition au sein même de la droite et du centre droit. La première est hostile à la façon dont il gère le problème algérien, tandis que le MRP lui reproche de rejeter toute idée d'Europe supranationale.

S'appuyant sur un large consensus populaire, bénéficiant de la paralysie de l'opposition partisane, le général va ainsi profiter d'une conjoncture qui lui est favorable, pour donner des institutions une interprétation très éloignée de ce qu'avaient imaginé certain rédacteurs du texte de 1958, comme Guy Mollet et Pierre Pflimlin. Aussi un certain nombre de personnalités qui s'étaient ralliées après le 13 mai à la solution gaulliste vont-elles retrouver la voie de l'opposition. D'autres, comme François Mitterrand, ont manifesté d'entrée de jeu leur hostilité au régime, sans réussir toutefois à mobiliser l'opinion contre ce qu'ils considèrent comme la dérive autoritaire de la Ve République (texte n° 9). À l'aube de la décennie 1960, celle-ci paraît solidement installée.

1. Un régime moribond

Ce diagnostic post mortem _des faiblesses de la IVᵉ République est tiré de la préface à_ L'Année politique _1958. Il a pour auteur André Siegfried, le père de la sociologie politique française, alors à l'extrême fin de sa vie (il mourra l'année suivante) et il constitue un jugement porté à chaud sur un régime dont, il est vrai, l'ancien professeur au Collège de France, n'a pas cessé depuis 1946 de stigmatiser les carences institutionnelles, que ce soit dans les préfaces rédigées chaque année pour_ L'Année politique _ou dans les chroniques qu'il signe pour_ Le Figaro. _Siegfried, qui n'a jamais été directement engagé dans le combat politique (sauf pour des tentatives électorales sans lendemain en 1902-1903, 1906 et 1910), apparaît plutôt dans ces écrits destinés à un large public, de même que dans ses derniers livres, comme un éditorialiste éclairé que comme un spécialiste des sciences sociales. Son témoignage — à la condition de considérer comme tel cette préface écrite au début de 1959 — n'en est pas moins révélateur de l'opinion d'une fraction importante de l'intelligentsia modérée au regard du naufrage de la IVᵉ République._

Source : André Siegfried, Préface à _L'Année politique_, 1955.
Bibliographie : G. Elgey, _Histoire de la IVᵉ République_, 3 vol., Paris, Fayard, dernière édition 1992 ; J. Julliard, _La Quatrième République_, Paris, Calmann-Lévy, 1968.

Avec 1958, la IVᵉ République entrait dans la treizième année de son existence, mais ce serait une grave erreur de penser que le temps contribuait à la consolider. Elle durait, tout au plus, mais en s'enlisant dans l'impuissance gouvernementale qui, de plus en plus, semblait devenir sa caractéristique. Dans cette incapacité de se donner un exécutif stable et efficace, dans son incapacité surtout de constituer une majorité parlementaire, soutien d'une politique cohérente et suivie, le régime marquait la faiblesse gouvernementale inhérente à la conception d'assemblée toute puissante que les constituants de 1946 avaient voulue pour elle avec une intransigeance comportant même une sorte d'agressivité.

Ce système, dans lequel seul compte l'élu parlementaire dont l'exécutif n'est que le délégué sans cesse révocable, pourrait sans doute, avec le parti unique, donner un pouvoir fort dans la suppression de toute discussion ; avec la multiplicité des partis, il n'est générateur que d'anarchie. La IVᵉ, en exagérant une tradition démocratique tendant à humilier le gouvernement devant le Parlement, se condamnait à l'impuissance. Nous vivions donc dans un cadre politique où l'Assemblée prétendait gouverner par l'entremise d'un cabinet qui n'était, en fait, qu'une commission issue de son sein. D'où ces séries de combinaisons ministérielles, savantes comme des expériences de laboratoire, dont le succès finissait par n'avoir plus rien de commun avec le destin supérieur du pays. Car il s'agissait moins du pays que de l'intérêt des partis. Ceux-ci, avec la représentation proportionnelle, devenaient en réalité les véritables meneurs du jeu. Dès l'instant qu'en raison de la multiplicité des problèmes en cause, tous également fondamentaux et décisifs, il devenait difficile, pour ne pas dire impossible, de mettre sur pied une majorité parlementaire collectivement capable de soutenir, d'imposer et de maintenir une politique nationale cohérente, on en était réduit à des coalitions nécessitant une continuelle remise au point des ministères selon les sautes de vent qui se faisaient sentir dans l'Assemblée. Je ne vois pas de gouvernement qui, dans n'importe quel pays, eût été capable d'agir dans semblable climat.

Mais cette anarchie ne déplaisait pas à tout le monde. Les députés y trouvaient leur compte, les syndicats, leurs intérêts également, et même l'administration à laquelle aucun ministre ne pouvait s'imposer plus que l'espace d'un matin : l'élu ne supportait à son pouvoir ni frein, ni limite.

À vrai dire, un instinct élémentaire de survie portait le régime à se constituer malgré tout des organes adaptés aux nécessités de sa simple existence. L'Élysée, avec deux présidents de haute classe, reprenait, de fait, le rôle qu'il avait joué sous la IIIe. La haute administration, d'autre part, se chargeait, en fait, de décisions que le gouvernement officiel ne prenait pas et dans une certaine mesure, on peut en dire autant de l'armée qui, sur le théâtre lointain des opérations, échappait de plus en plus à l'autorité centrale. Sous la IVe, la France n'a pas été gouvernée mais elle a été administrée. [...]

Une grande nation, cependant, ne peut vivre sans direction strictement politique ; dès 1951, le jeu des partis avait rendu les combinaisons ministérielles de plus en plus précaires, mais à partir des élections de 1956, cette précarité s'était encore accrue. [...] Après l'intermède tout exceptionnel du ministère Guy Mollet, Félix Gaillard et Bourgès-Maunoury[1] ne réussissaient à mettre sur pied que des combinaisons ministérielles susceptibles de se dissoudre à tout instant.

Comme nous le disions plus haut, le régime durait, mais c'était une durée en quelque sorte passive et il était évident qu'il devait s'effondrer au moindre choc extérieur de quelque importance.

© PUF

2. Discours d'investiture de Pierre Pflimlin devant l'Assemblée nationale

(13 mai 1958)

Mis en minorité par une coalition hétéroclite lors du débat qui a suivi le bombardement de Sakhiet Sidi Youssef par l'aviation française (70 tués, dont beaucoup de femmes et d'enfants dans ce village tunisien où était établi un camp de l'Armée de libération nationale), le gouvernement de Félix Gaillard a démissionné le 15 avril 1958 sans avoir posé la question de confiance, ouvrant une longue crise ministérielle (la troisième en onze mois). Le 8 mai, n'ayant pu obtenir ni le concours des socialistes (qui veulent se débarrasser du ministre résident Robert Lacoste) ni davantage celui des radicaux, René Pleven, pressenti après Georges Bidault, renonce à constituer le gouvernement, si bien qu'au 23e jour de la crise — fait sans précédent — aucun candidat ne s'est encore présenté devant l'Assemblée nationale.

Le président René Coty fait finalement appel à un homme neuf, du moins à ce niveau de responsabilités. Pierre Pflimlin est à cette date président du MRP. Il a été une quinzaine de fois ministre et s'est acquis une solide réputation d'intégrité et de compétence, mais il n'a jamais été candidat aux fonctions de chef du gouvernement. Souhaitant aboutir rapidement à la solution de la crise, il demande au président de l'Assemblée de convoquer celle-ci pour le 13 mai.

⎯⎯⎯⎯⎯⎯⎯⎯⎯⎯⎯⎯

1. Maurice Bourgès-Maunoury a été président du Conseil du 12 juin au 30 septembre 1957, Félix Gaillard du 5 novembre 1957 au 15 avril 1958.

L'annonce de la désignation de Pflimlin — considéré comme un libéral acquis à l'idée de négocier avec le FLN — suscite à Alger la colère des partisans de l'Algérie française et transforme la manifestation prévue pour rendre le 13 mai un hommage solennel aux trois soldats français exécutés par le FLN en une insurrection dirigée par les activistes les plus déterminés. Aussitôt connu à Paris, l'événement va pousser les députés à voter massivement (274 voix pour, 120 contre et 137 abstentions) en faveur du député du Bas-Rhin, lequel avait, dans son discours d'investiture, mis l'accent sur la nécessité de réformer les institutions de la République. Voici un extrait de son allocution.

Source : Discours d'investiture prononcé devant l'Assemblée nationale par Pierre Pflimlin, président du Conseil désigné, 13 mai 1958, _Journal officiel, Assemblée nationale_, 14 mai 1958.
Bibliographie : P. Pflimlin, _Mémoires d'un Européen de la IVe à la Ve République_, Paris, Fayard, 1991 ; R. Rémond, _Le Retour de De Gaulle_, Bruxelles, Complexe, 1983.

MESDAMES, Messieurs, la vacance du pouvoir, une fois de plus, paralyse l'État alors que notre armée se bat, alors que la crise aiguë des devises fait peser sur notre économie une menace d'asphyxie, alors que dans le monde des forces hostiles se coalisent contre nous sans que nous soyons assurés du soutien de nos amis.

Trois fois en moins d'un an, l'effort de la nation a été contrarié par trois crises ministérielles. Sur douze mois, la République est restée trois mois sans direction, sans politique, en un temps où le rythme de l'histoire s'accélère, dans un monde qui a cessé d'attendre nos décisions pour se déterminer.

Le spectacle de cette instabilité est indigne d'un peuple dont les énergies sont intactes, qui demeure capable de consentir des sacrifices pour la grandeur du pays. Il affaiblit, jusqu'à un degré de désaffection devenu redoutable, l'attachement des Français pour le régime. La dégradation de nos institutions menace la République dans son existence. Il devient clair que les libertés ne seront sauvegardées que si l'autorité, la force et le prestige redeviennent, avec la durée, les attributs du pouvoir.

Cette exigence est en même temps la condition du succès de toute politique. L'action privée de la durée, si juste qu'en puisse être l'inspiration, reste une impulsion sans lendemain, une velléité sans effet. Les gouvernements, à l'instant où ils naissent, commencent à mourir, et trop souvent leur énergie s'épuise à retarder la chute quand elle devrait s'employer uniquement à la montée de la nation vers son destin.

Je n'ai pas l'illusion que le gouvernement qui se présente aujourd'hui devant vous puisse échapper à la précarité de ceux qui l'ont précédé. Dans le cadre des institutions telles qu'elles sont, il est vain pour le gouvernement naissant de revendiquer la durée. Ce gouvernement ne demande donc pas la durée pour lui-même, mais sa volonté est de créer pour l'avenir les conditions de la durée en réformant les institutions.

Un premier pas a été fait dans cette direction. L'Assemblée nationale a voté un texte portant révision de plusieurs articles de la Constitution. Cette réforme, pour importante qu'elle soit, n'est pas suffisante. Le gouvernement demandera que la révision soit étendue à d'autres articles de la Constitution, afin d'aboutir à un ensemble cohérent de dispositions visant à renforcer le pouvoir exécutif. Il déposera à cet effet une proposition de résolution dont il demandera l'adoption dans les plus brefs délais.

J'envisage notamment la révision de l'article 13 de la Constitution. À de nombreuses reprises déjà, le Parlement a accordé au gouvernement des délégations de pouvoirs plus ou moins étendus. L'usage s'est établi de voter des lois-cadres qui se bornent à définir les principes en laissant au gouvernement, pour leur mise en œuvre, une certaine marge d'appréciation.

Je propose de mettre en accord le droit avec le fait, en permettant au Parlement d'accorder au gouvernement des pouvoirs étendus pour une longue durée et pour l'exécution d'un programme déterminé. Ainsi pourrait être conclu un véritable contrat de majorité, qui pourrait même devenir un contrat de législature.

Une des causes essentielles de l'instabilité ministérielle tient au fait qu'un gouvernement peut être renversé par une addition momentanée de minorités opposées l'une à l'autre, incapables de s'unir pour constituer une majorité positive. Pour y porter remède, le gouvernement demandera que soit introduit dans la Constitution le système de la motion de censure constructive qui obligera les auteurs de la motion à présenter un programme de gouvernement et à désigner nominativement le président du Conseil qu'ils souhaitent voir investi. Cette réforme permettra un fonctionnement correct du régime parlementaire en restituant à la notion de majorité, fondement de la démocratie, sa signification véritable . […]

3. Le complot du 13 mai dénoncé par François Mitterrand

Le 1er juin 1958 s'ouvre à 15 heures au Palais-Bourbon le débat d'investiture du gouvernement présidé par le général de Gaulle. Au cours des jours précédents, ce dernier a négocié avec les présidents des deux assemblées les conditions de son investiture et, le 29 mai, le président Coty a fait savoir dans un message au Parlement qu'il démissionnerait si De Gaulle n'obtenait pas la majorité requise pour devenir chef du gouvernement. Dans la nuit du 27 mai, l'Assemblée avait pourtant renouvelé sa confiance au cabinet Pflimlin par 408 voix contre 165, et le 28, au moins 200 000 manifestants appartenant à toutes les tendances de la gauche ont défilé dans Paris pour affirmer leur soutien au régime. Mais De Gaulle a dans l'intervalle fait paraître un communiqué par lequel il faisait savoir qu'il avait entamé « le processus régulier nécessaire à l'établissement d'un gouvernement républicain » : assertion qui ne reposait sur aucune réalité mais qui allait avoir pour effet de rendre inéluctables le processus annoncé et la démission du gouvernement Pflimlin.

De Gaulle, le 1er juin, est seul au banc du gouvernement, face à une Assemblée au grand complet. Dans la courte allocution qu'il prononce, il réclame les pouvoirs spéciaux en Algérie, exige une révision de la Constitution et annonce la mise en congé du Parlement pour plusieurs mois. Puis il quitte la salle des séances, laissant au vice-président du Conseil Guy Mollet le soin de répondre aux interpellations. Parmi les opposants figurent Jacques Duclos, Tanguy Prigent, Pierre Cot, Pierre Mendès France et François Mitterrand. Ce dernier, représentant l'Union démocratique socialiste républicaine, prend la parole pour dénoncer le « complot du 13 mai ».

Source : Discours de François Mitterrand devant l'Assemblée nationale lors du débat d'investiture du 1er juin 1958, *Journal officiel, Débats parlementaires*, Assemblée nationale, 2 juin 1958.
Bibliographie : J. Chapsal, *La Vie politique en France depuis 1945*, Paris, PUF, 1972 ; C. Nay, *Le Noir et le Rouge*, Paris, Grasset, 1984 ; R. Rémond, *Notre siècle*, Paris, Fayard, 1988.

L A PAROLE est à M. Mitterrand (UDSR).
« Lorsque, le 10 septembre 1944, le général de Gaulle s'est présenté devant l'Assemblée consultative issue des combats extérieurs ou de la Résistance, il avait à ses côtés deux compagnons : l'honneur et la patrie. Ses compagnons d'aujourd'hui, qu'il n'a sans doute pas choisis, s'appellent le coup de force et la sédition. [...]

« Comment pourrait-on nier qu'il existe un lien entre le 13 mai à Alger et la séance d'aujourd'hui, qu'il y a un complot organisé à Alger et dont les ramifications se sont étendues jusqu'à certains palais officiels de Paris ?

« C'est l'état-major qui procède aux mutations nécessaires, je dirai lesquelles si cela est nécessaire... C'est un officier supérieur, placé à la tête d'un régiment de parachutistes d'élite, qui quitte la frontière tunisienne pour Alger, deux jours avant l'insurrection. C'est un officier général, dont plusieurs de nos collègues se rappellent l'attitude lors d'une manifestation de l'Étoile qui, après avoir trouvé normal de frapper son ministre de la Défense nationale, se fait muter au Sahara pour devenir, au sein du Comité de salut public d'Alger, un de nos nouveaux "interlocuteurs valables".

« C'est l'indulgence surprenante des juges militaires d'Alger à l'égard d'un groupe de contre-terroristes responsables de dix-huit assassinats, dont le dernier était celui du chef d'état-major du général Salan : deux d'entre eux sont aujourd'hui membres du Comité de salut public [...]

« L'Assemblée est placée devant un ultimatum : ou bien elle acceptera le président du Conseil qui se présente, ou bien elle sera chassée. Nous n'acceptons pas cela.

« Alors que le plus illustre des Français se présente à nos suffrages, je ne puis oublier qu'il est présenté et appuyé d'abord par une armée indisciplinée. [...] En droit, il tiendra son pouvoir de la représentation nationale ; en fait, il le détient déjà du coup de force. [...]

« Dans quelque temps vous vous rallierez, m'a-t-on dit. Si le général de Gaulle est le fondateur d'une nouvelle forme de démocratie, le libérateur des peuples africains, le mainteneur de la présence française partout au-delà des mers, le restaurateur de l'unité nationale, s'il prête à la France ce qu'il faut de continuité et d'autorité, je me rallierai à lui. [...]

« Au moment où la seule chose claire que l'on nous annonce est notre mise en congé, où l'on ne nous réserve qu'une séance de pure forme, exigée par la Constitution, le premier mardi d'octobre, où nous sommes invités à nous taire et à laisser faire, même ceux qui sont pleins d'angoisse ne doivent pas se laisser aller au désespoir : la France continue. Il y a l'espoir, la volonté et, au bout, la liberté victorieuse dans la patrie réconciliée. Cette espérance me suffit et m'encourage au moment de me prononcer contre la candidature du général de Gaulle. »

4. « L'entreprise d'usurpation venue d'Alger »

À l'occasion de la conférence de presse tenue le 8 juin 1962, le général de Gaulle a évoqué, quatre ans après les événements qui ont enclenché le processus de son retour au pouvoir, « l'entreprise d'usurpation du 13 mai », marquant ainsi rétrospectivement sa distance à l'égard des activistes de l'Algérie française. À cette date, Alain Peyrefitte était depuis quelques semaines secrétaire d'État, chargé de l'Information auprès du Premier ministre. Mis au courant par le chef du service de presse de l'Élysée de la teneur des propos du général — qui devait en outre faire indirectement l'annonce de la révision constitutionnelle instaurant l'élection du président de la République au suffrage universel —, il s'inquiète des réactions éventuelles de l'opinion et fait part de son embarras au chef de l'État. Voici comment Alain Peyrefitte relate l'événement dans un livre de souvenirs paru en 1994.

Source : Alain Peyrefitte, *C'était de Gaulle*, Paris, éd. de Fallois/Fayard, 1994, pp. 183-187.
Bibliographie : É. Burin des Roziers, *Retour aux sources : 1962, l'année décisive*, Paris, Plon, 1986 ; J. Lacouture, *De Gaulle*, t. III, *Le Souverain*, Paris, Seuil, 1986.

IL S'ASSIED DERRIÈRE SON BUREAU en vrai Louis XV. Je m'approche de lui, le texte à la main, avec la gêne qu'on ressent dans un magasin quand on passe derrière le comptoir pour montrer un objet : il arrive que le vendeur vous rabroue et vous prie de repasser de l'autre côté. Le Général ne me rabroue pas : il est de bonne humeur. Mais il me désigne impérativement un des fauteuils.

GDG. — Qu'est-ce qui vous tracasse ?

AP. — Je me demande comment répondre aux questions qu'on ne va pas manquer de me poser sur deux points qui me sont obscurs. D'abord vous parlez de l'initiative que vous allez prendre pour « assurer que la République puisse demeurer forte, ordonnée et continue ». On va évidemment me demander ce que signifie cette formule énigmatique. Ne faut-il pas laisser entendre que ce que vous envisagez c'est un référendum pour l'élection populaire d'un président ?

GDG. — Gardez-vous en bien ! Que voulez-vous commenter ? Il n'y a rien à ajouter à ce que je viens de déclarer. Je vous l'ai déjà dit, il faut que mon successeur dispose de la même autorité que moi, et pour ça, il faut qu'il soit élu au suffrage universel. Mais ne faites pas d'exégèse ! Ce texte se suffit à lui-même. Les gens comprendront ce qu'il faut comprendre. » […]

GDG. — Et quel est votre deuxième point ?

AP. — Eh bien ! l'entreprise d'usurpation venue d'Alger. Cette phrase, appliquée au 13 mai 1958, n'est-elle pas un peu abrupte ? Ne vous reprochera-t-on pas de désavouer vos compagnons qui vous ont ramené au pouvoir ?

GDG. *(sur le ton dont il m'aurait dit : « Mêlez-vous de ce qui vous regarde »).* — Cette phrase est volontaire, figurez-vous ! Je n'ai été pour rien dans l'insurrection d'Alger. Je n'ai rien su de ce qui s'y préparait avant le 13 mai : j'ai été informé de ce qui s'y passait comme tout le monde, par la radio. J'ai fait savoir le 15 mai, par un communiqué, que je me tenais à la disposition de la République. Mais je n'ai pas levé le petit doigt pour encourager le mouvement. Je l'ai même bloqué quand il a pris la tournure d'une opération militaire contre la métropole.

« J'ai fait en mai 58 ce que j'ai refait en avril 1961 : j'ai sauvé la métropole d'une rébellion militaire, et donc de la guerre civile. Seulement, en avril 61, j'avais le pouvoir de commander à l'armée, et donc de me faire obéir. En mai 58, je n'avais aucun pouvoir ; ceux qui l'avaient, Gaillard d'abord, Pflimlin ensuite, ont délégué tous leurs pouvoirs à Salan, qui venait de s'insurger contre eux ; et Coty, chef des armées, n'arrivait à se faire entendre de personne. » [...]

Ainsi le Général accuse les militaires d'Alger d'avoir voulu usurper le pouvoir; alors que l'opposition lui reproche précisément d'avoir usurpé le pouvoir avec l'aide des militaires d'Alger. On est au cœur du malentendu.

Sitôt revenu à Matignon, j'annonce à Olivier Guichard[1] ce qu'il entendra le soir même. Il me regarde, imperturbable comme d'habitude, avec son sourire débonnaire : « Il ne manque pas d'air ! »

J'étais décidé à en savoir plus. « Olivier, ce que dit le Général à tous les Français vous contraint à en dire un peu plus à celui qui est censé les informer et qui est si mal informé. Vous animiez l'antenne gaulliste de Paris en vous appuyant sur Debré, Foccart, Ribière, Bénouville. Pendant ce temps, Soustelle et Frey, qui avaient rejoint Delbecque et Neuwirth, animaient l'antenne gaulliste d'Alger. Vous avez fait ensemble de l'_agit prop_. Sachant que toutes les communications téléphoniques étaient écoutées, vous avez envoyé deux messagers qui ont fait plusieurs fois le trajet : Arlette de La Loyère et Christian de La Malène[2].

« Vous avez fait croire aux militaires que le Général voulait qu'on envoie les paras, alors qu'il n'était même pas au courant de ce que vous annonciez en son nom. Vous avez fait une formidable "intox" qui a réussi. Ça aurait pu tourner mal. »

GUICHARD. — Chacun son boulot. Le destin m'avait mis à cette place. Ce n'était pas son affaire, c'était la mienne. Et il n'avait pas à le savoir.[...]

AP. — Le Général ne devait pas le savoir, ou ne voulait pas le savoir ?

GUICHARD. — C'était la frange d'incertitude dont il entourait tous ses actes aux moments décisifs. Il nous a laissés faire, tout en ignorant ce que nous faisions. [...] Il a joué superbement de l'exaltation à Alger, de la panique à Paris et de la volonté des Français d'en finir avec la IVe. C'était du grand art ; et, aujourd'hui, il s'offre en prime, le luxe de nous dénoncer.

© Fallois/Fayard

---

1. Olivier Guichard était à cette date chargé de mission auprès du Premier ministre, Georges Pompidou.
2. Arlette de La Loyère était en 1958 officier de l'armée de l'air. Elle profitait des rotations d'avions sanitaires entre la métropole et l'Algérie pour transmettre oralement des informations entre l'antenne gaulliste de Paris et celle d'Alger. Christian de La Malène était l'un des plus proches collaborateurs de Michel Debré.

5. Quatre septembre 1958 :
De Gaulle présente les institutions de la Vᵉ République

Il n'a pas fallu plus de trois mois, après le vote par l'Assemblée nationale d'une loi donnant au gouvernement le pouvoir de réviser la Constitution, pour que soit mis au point le nouveau texte constitutionnel devant être soumis à l'approbation des Français. Le 4 septembre 1958, le général présente celui-ci devant une foule triée sur le volet, et tandis que la police tient à distance les manifestants mobilisés par le Parti communiste. Le choix du lieu — la place de la République — et du jour, anniversaire de la proclamation de la Troisième République, dit clairement la volonté de rattacher le nouveau régime à la tradition républicaine.

Source : Discours prononcé par le général de Gaulle, chef du gouvernement, le 4 septembre 1958, place de la République à Paris *(extraits)*.
Bibliographie : R. Rémond, *Notre siècle*, Paris, Fayard, 1988, dernière édition 1996 ; H. Portelli, *La Politique en France sous la Vᵉ République*, Paris, Grasset, 1987.

QUAND, LE 18 JUIN 1940, commença le combat pour la libération de la France, il fut aussitôt proclamé que la République à refaire serait une République nouvelle [...]. On sait, on ne sait que trop, qu'une fois le péril passé tout fut livré et confondu à la discrétion des partis... À force d'inconsistance et d'instabilité et quelles que pussent être les intentions, souvent la valeur des hommes, le régime se trouva privé de l'autorité intérieure et de l'assurance extérieure sans lesquelles il ne pourrait agir. Il était inévitable que la paralysie de l'État amenât une crise nationale et qu'aussitôt la République fut menacée d'effondrement [...].

L'irrémédiable [...] était sur le point de se produire. Le déchirement de la nation fut de justesse empêché. On a pu sauvegarder la chance ultime de la République. C'est dans la légalité que moi-même et mon gouvernement avons assumé le mandat exceptionnel d'établir un projet de nouvelle Constitution et de le soumettre à la décision du peuple.

Nous l'avons fait sur la base des principes posés lors de notre investiture. Nous l'avons fait avec la collaboration du Conseil consultatif institué par la loi. Nous l'avons fait compte tenu de l'avis solennel du Conseil d'État. Nous l'avons fait après délibérations très libres et très approfondies de nos propres conseils de ministres, ceux-ci formés d'hommes aussi divers que possible d'origines et de tendances, mais résolument solidaires. Nous l'avons fait sans avoir entre-temps attenté à aucun droit du peuple ni à aucune liberté publique. La nation, qui seule est juge, approuvera ou repoussera notre œuvre. Mais c'est en toute conscience que nous la lui proposerons.

Ce qui pour les pouvoirs publics est désormais primordial, c'est leur efficacité et leur continuité.

6. Lettre de démission de Guy Mollet

(Décembre 1958)

Au moment du 13 mai 1958, le conseil national de la SFIO venait de décider de ne plus participer à aucun gouvernement, le but étant d'obliger Robert Lacoste, ministre résident en Algérie, dont la politique divisait le Parti socialiste, à démissionner. Le 30 mai, désavouant en quelque sorte les 200 000 personnes (parmi lesquelles de nombreux militants, élus et dirigeants de son propre parti, à commencer par lui-même), qui avaient manifesté à Paris en faveur du gouvernement Pflimlin, et contre l'avis du groupe parlementaire socialiste, Guy Mollet se rendit à Colombey en compagnie de Maurice Deixonne. Le secrétaire général de la SFIO — qui estimait qu'on ne pouvait pas faire de « guerre d'Espagne sans armée républicaine » et redoutait un coup de force des militaires activistes — estima qu'il avait reçu de l'ancien chef de la France libre l'assurance que seraient respectées les institutions démocratiques. Le lendemain, il réussit à obtenir du groupe socialiste (à une faible majorité) le ralliement à la solution De Gaulle, mais dut concéder à son opposition que la liberté de vote fût reconnue aux élus, tandis que lui-même acceptait d'entrer « à titre personnel » dans le gouvernement du général de Gaulle, avec le titre de vice-président.

Au congrès d'Issy-les-Moulineaux, qui eut lieu peu après, Guy Mollet ne put empêcher la scission et la création du Parti socialiste autonome, mais il en limita la portée et conserva son poste de secrétaire général. Il dut toutefois constater, lors du scrutin législatif qui suivit le référendum du 28 septembre, que son parti, qui avait à peu près maintenu son score en voix mais avait perdu de nombreux sièges du fait de l'application du scrutin majoritaire, figurait parmi les grands perdants du changement de régime. Aussi va-t-il quelques semaines plus tard donner sa démission du gouvernement, arguant auprès du général d'un désaccord sur le budget, en fait parce qu'il considérait l'expérience De Gaulle comme une simple parenthèse et qu'il entendait placer la SFIO en position d'en recueillir l'héritage, une fois réglé le problème algérien.

Source : *L'Année politique 1958*, PUF, 1959, pp. 566 sq.

Bibliographie : D. Lefebvre, *Guy Mollet*, Paris, Plon, 1992 ; F. Lafon, *Guy Mollet, secrétaire général de la SFIO. Recherches sur les principes du mollétisme*, thèse de doctorat, EHESS, 1993, ex. dactyl.

M<small>ON</small> G<small>ÉNÉRAL</small>,
J'ai eu l'occasion de développer au Conseil de cabinet les raisons pour lesquelles il m'est impossible de partager la responsabilité de la politique économique et financière décidée hier. La méthode de travail retenue en est déjà une raison. Aucun ministre n'a pu — faute de documents et de temps — étudier avec tout le sérieux désirable les projets proposés.

Mais ce sont surtout les décisions prises qui ne peuvent recevoir mon agrément. Je parle des décisions sur les méthodes et moyens, non sur les objectifs. Je vous confirme une nouvelle fois mon accord complet sur les buts proposés : permettre à la France de tenir les engagements pris : Marché commun, Communauté, Algérie, Sahara, etc., équilibrer la balance des comptes, ramener l'impasse budgétaire à un montant raisonnable.

Donc, accord complet et responsabilité partagée dans la décision de demander à l'ensemble de la nation de très importants sacrifices. Mais je pense qu'il était d'autres méthodes pour y parvenir que celles retenues. D'abord, et même malgré le contexte international, je crois la décision de dévaluation une mauvaise décision. Elle n'est pas rendue inévitable que parce que l'on renonce à toute direction de l'économie, alors que la politique inverse, qui eût consisté à s'accrocher au franc, aux prix — voire par des baisses autoritaires — eût permis de redresser la situation dans un bien meilleur climat psychologique et avec davantage de justice. Mais je reconnais volontiers que les tenants du «libéralisme économique» s'en fassent les champions. À plusieurs reprises, M. le ministre des Finances nous a dit, hier, qu'il ne saurait jamais accepter de faire une autre politique et — sachant sa sincérité — je ne peux que l'approuver. Vous devez admettre, mon Général, qu'avec la même sincérité nous condamnions un choix que nous croyons dangereux.

Cependant, nous avons participé à l'étude des projets dans l'esprit suivant. S'il est vrai que la décision de dévaluer est irrévocable, nous devons faire en sorte qu'elle serve le but poursuivi, et pour cela il eût été nécessaire qu'elle n'apparût pas comme établissant l'équilibre aux dépens des salaires réels et qu'elle comportât des éléments de réexpansion dans cet équilibre. Or, le projet proposé entraîne un véritable transfert de revenus de plusieurs centaines de milliards des faibles vers les puissants, et les éléments de hausse des prix risquent de rendre vain — en tout cas peu durable — l'effort de stabilisation. […] Il m'est donc impossible, mon Général, de partager la responsabilité de ces décisions. […]

© PUF

7. Debré Premier ministre

Devenu président de la République, le général de Gaulle doit pourvoir à sa propre succession à la tête du gouvernement. La Constitution stipule en effet qu'il appartient au chef de l'État, et à lui seul, de désigner le Premier ministre.

Parmi les nombreux candidats possibles, De Gaulle choisit l'un des plus compétents et des plus fidèles. Ancien résistant — il a été membre du réseau « Ceux de la Résistance » avant d'exercer des responsabilités importantes au sein du Comité général d'études fondé par Jean Moulin —, Michel Debré a été commissaire de la République à Angers à la Libération, puis chargé de mission pour la réforme administrative auprès du chef de la France libre. C'est à ce poste qu'il créera en 1945 l'École nationale d'administration.

Écarté du pouvoir en même temps que De Gaulle en 1946, Michel Debré est élu en 1948 sénateur d'Indre-et-Loire. Président depuis 1955 du groupe sénatorial des républicains sociaux, il mène à la tribune du palais du Luxembourg, comme dans les colonnes du Courrier de la colère (à partir de 1957) un combat acharné contre les adversaires du gaullisme, stigmatisant les faiblesses du régime, les abandons de souveraineté (notamment lors du débat sur la CED) et surtout la politique algérienne de la IVᵉ République. Il est de ceux qui, depuis Paris, vont préparer le terrain avant le 13 mai pour le retour au pouvoir du général de Gaulle.

Si le choix de Debré comme Premier ministre n'a pas surpris, les conditions de sa désignation ont provoqué quelques remous dans la classe politique et dans l'opinion publique. Celle-ci en effet — conformément à l'esprit et à la lettre de la nouvelle Constitution — n'était pas soumise à l'assentiment de l'Assemblée nationale. D'autre _part, la prérogative du chef de l'État s'étendait à la nomination des ministres dont Michel Debré — comme il le relate ici — lui avait proposé les noms. On ne pouvait plus désormais douter que le centre du pouvoir se trouvait à l'Élysée._

Source : Michel Debré, _Gouverner. Mémoires_, t. III, _1958-1962_, Paris, Albin Michel, 1988.

Bibliographie : Article « Debré (Michel) », par Michèle Cointet, in _Dictionnaire historique de la vie politique française_, sous la direction de J.-F. Sirinelli, Paris, PUF, 1995, pp. 258-260 ; J.-L. Quermonne, _Le Gouvernement de la France sous la Ve République_, Paris, Dalloz, 3e éd., 1987.

J E N'AI PAS LE TEMPS de rêver longtemps à mon destin. Je suis bientôt appelé à l'Élysée. En attendant que son bureau au premier étage soit aménagé, le Général s'est installé pour quelques heures dans une petite pièce. L'Élysée visiblement ne lui plaît pas. Il n'y retrouve pas l'Histoire de France. Il me lit le communiqué qu'il a rédigé de sa main et où, en vertu de la Constitution, il me nomme Premier ministre. Son visage est d'une particulière gravité. Il ajoute : « Je tiens à Couve : je vous demande de le garder. Je vous fais la même demande pour Guillaumat. Il vous sera utile de garder Malraux. Taillez pour lui un ministère, par exemple, un regroupement de services que vous pourrez appeler "Affaires culturelles". Malraux donnera du relief à votre gouvernement. Enfin il me semble — mais c'est à vous d'en juger — que vous avez intérêt à garder Pinay. C'est un homme. On lui fait confiance. » Puis il ajoute ; « Et vous ? avez-vous des noms ? » Je lui parle de Jeanneney, de Frey, de Chatenet, de Boulloche, celui-ci pour l'Éducation nationale, de Triboulet, de Maurice Bokanowski. Il acquiesce. Toutefois, j'ai droit à cette réflexion : « Ne prenez pas trop d'amis personnels. Moi-même... » Il me cite quelques noms qu'il a écartés en 1945 et en 1958. Je le rassure mais lui arrache l'ombre d'un sourire en ajoutant que je ne veux pas pénaliser outre mesure les gaullistes chevronnés.

Nous parlons de Soustelle : « Ne le prenez pas, me dit le Général, il est devenu un adversaire et il ne nous fera que des ennuis. » Je plaide sa cause. « Soustelle a été un de vos fidèles ; il peut le redevenir, ne l'écartons pas. » Le Général n'est pas convaincu. [...]

J'évoque devant le Général ma volonté d'inclure au moins une femme dans le gouvernement. Le Général ne dit ni oui ni non et me demande : « Laquelle ? » J'ai réfléchi et je propose Nefissa Sid Cara. Elle est la sœur d'un député de l'Algérie dont la IVe République a fait un ministre. Elle vient elle-même d'être élue député d'Alger-banlieue. Elle sera le symbole d'une transformation et d'une promotion que nous souhaitons pour la société algérienne. Le Général estime curieuse mon initiative mais n'insiste pas. « Si vous me la proposez, j'accepterai. »

La journée n'est pas achevée que le Général s'impatiente. « Je n'ai pas encore vos propositions. » J'avais réfléchi au cours des dernières semaines, mais gardé une discrétion nécessaire. Je demande donc un répit de quelques heures.

Je me devais d'avoir deux conversations préalables avec Guy Mollet et Pierre Pflimlin qui ont décidé l'un et l'autre de se retirer du gouvernement. Guy Mollet s'est installé dans le petit hôtel qui se trouve face à Matignon, de l'autre côté de la rue de Varenne et au fond de la cour. Il estime que son parti, après l'échec subi aux élections, ne peut se maintenir au gouvernement. « Ne demandez ni à Lejeune, ni à Thomas, je sais que vous les estimez mais il ne faut pas les tenter, surtout Lejeune. » Comme je lui parle de Boulloche, il me répond : « Son maintien au gouvernement ne posera pas de problème. » Puis il me présente ses vœux, en se félicitant des rapports qui ont été les nôtres : « J'ai appris à vous connaître. — Et moi de même », dis-je. Nous parlons un long moment de l'Algérie. « Un jour ou l'autre il faudra négocier. — En position de force » est ma réponse. Avant de partir, il ajoute : « Croyez-en mon expérience. N'acceptez aucun dîner en ville. Si l'on vous voit dans une ambasse, il vous faudra aller dans toutes. » Nous nous quittons sur une bonne poignée de main.

© Albin Michel

8. « Le premier des Français est désormais le premier en France »

Le général de Gaulle a été élu président de la République le 21 décembre 1958 par un collège de 80 000 électeurs comprenant, outre les députés et les sénateurs, les élus locaux : conseillers généraux et maires de toutes les communes de France. Sa candidature a recueilli 62 000 voix (soit 77 % des votants), les autres allant au candidat communiste, Georges Marrane, et à l'universitaire Albert Châtelet. Le 8 janvier 1959, le nouveau chef de l'État est reçu à l'Élysée par son prédécesseur pour la cérémonie de passation des pouvoirs. À cette occasion René Coty a prononcé le discours présenté ici.

Source : Discours prononcé par le président René Coty à l'Élysée, le 8 janvier 1959. *L'Année politique 1959*, PUF, 1960, pp. 601-602
Bibliographie : F. de Baecque, *René Coty tel qu'en lui-même*, Paris, STH, 1991.

MONSIEUR LE PRÉSIDENT DE LA RÉPUBLIQUE,
Le premier des Français est désormais le premier en France. En lui remettant la charge de cette maison capitale, je suis fier de lui renouveler l'hommage qu'en y entrant j'avais tenu à lui rendre au nom de la patrie à jamais reconnaissante.

La patrie, c'est quand elle était au plus profond de l'abîme que le général s'est acquis devant l'histoire la gloire impérissable de l'appeler au combat pour l'honneur et la liberté.

La patrie, c'est quand elle était au bord de l'abîme qu'à son tour elle a fait appel au général de Gaulle.

Le péril mortel que j'avais en vain dénoncé dès longtemps, vous l'avez aussitôt conjuré. Le peuple de France, si divisé autrefois, a retrouvé autour de vous son unité profonde.

Pour la première fois dans notre pays une révolution — révolution nécessaire, révolution constructive — a pu s'accomplir dans le calme des esprits et dans le respect des lois mêmes qu'il s'agissait de réformer.

C'est le Parlement de la IVᵉ République qui régulièrement a confié au gouvernement le mandat de proposer une Constitution nouvelle au peuple souverain, qui, à une majorité massive, en a fait la Constitution de la France.

Ce large rassemblement de citoyens de la vieille France et de la Communauté, quelle qu'ait été et quelle que soit encore la diversité de leurs tendances, il trouve sa conclusion dans cette élection présidentielle où les électeurs étaient pour la majeure partie des élus communaux et départementaux de la IVe République.

Ainsi la liberté a su se sommer de l'autorité qui seule peut efficacement la défendre et la garantir.

Ainsi que je vous le disais en vous accueillant pour la première fois dans ce palais, ainsi s'est dûment opérée la conjonction de ce que Pascal appelait «la grandeur d'établissement» avec ce que, comme lui, nous appelons «la grandeur personnelle».

Il me reste le privilège, Monsieur le Président de la République, de vous remercier encore au nom de la République d'avoir assumé jusque dans ses tâches les plus ingrates la lourde et grande mission de redressement de l'État.

J'ai la conviction que cette fois, derrière vous, Monsieur le Président de la République, la France remportera sur elle-même cette suprême victoire dont je parlais naguère au carrefour de Rethondes.

Sous votre haute impulsion la République, rénovée, désormais à l'unisson avec une nation en plein rajeunissement, ainsi qu'avec les peuples libres de la jeune Communauté, saura poursuivre avec énergie et avec ténacité sa marche en avant vers le grand destin que notre France a tant mérité.

Vive la France ! Vive la République ! Vive la Communauté !

9. L'attentat de l'Observatoire
(1959)

Président de l'UDSR depuis 1953 et personnalité emblématique de la IVe République, François Mitterrand s'est opposé d'entrée de jeu au régime instauré par la Constitution de la Ve République. Dès le débat d'investiture du 1er juin 1958, il s'est rangé dans le camp des adversaires irréductibles du gaullisme de gouvernement et il ne s'en écartera pas. Ministre de l'Intérieur dans le gouvernement Mendès France en 1954, en charge de la Justice dans le cabinet Mollet de 1956-1957, il s'est attiré à ce double titre de solides inimitiés dans les rangs de l'ultra-droite activiste, et les positions libérales qu'il a par la suite adoptées en regard du problème algérien n'ont fait qu'attiser la détestation dont il est l'objet dans ce secteur de l'opinion.

Lors des élections législatives de novembre 1958, Mitterrand est battu dans la troisième circonscription de la Nièvre à la suite du maintien du candidat socialiste et malgré le désistement communiste. Échec durement ressenti, moins grave pourtant que l'épisode de l'«Attentat de l'Observatoire» qui va, en octobre 1959, défrayer la chronique des faits divers politiques et durablement affecter l'image de l'homme qui, en 1965, sera candidat à la présidence de la République contre De Gaulle et parviendra à mettre celui-ci en ballottage. Bien que l'affaire n'ait jamais été complètement élucidée, il semble acquis que François Mitterrand est tombé à cette date dans une machination ourdie par l'extrême droite : une tentative simulée d'assassinat dans les jardins de l'Observatoire que le pouvoir a exploitée contre lui et que Gilles Martinet évoque dans cet article de France-Observateur.

Source : Gilles Martinet, «Le secret de l'Affaire Mitterrand», _France-Observateur_, 29 octobre 1959.

Bibliographie : S. Berstein, *La France de l'expansion*. I. *La République gaullienne, 1958-1959*, Paris, Seuil, 1989.

Nous avons salué mercredi dernier, dans un numéro qui devait être diffusé jeudi — mais qui, pour cause de saisie, ne le fut que vendredi — nous avions salué l'attitude courageuse dont, à nos yeux, François Mitterrand venait de faire preuve à l'occasion de l'attentat dirigé contre lui dans la nuit du 15 au 16 octobre.

Cependant, la nouvelle se répondait peu après que cet attentat n'avait été qu'un faux attentat, que François Mitterrand n'y avait point couru de véritables risques et que l'émotion soulevée par l'événement était donc pour le moins injustifiée.

Ce qui donnait force et crédit à la nouvelle, ce n'était assurément pas les affirmations de l'ancien député Pesquet. Aucune personne sensée ne pouvait, en effet, imaginer un seul instant qu'un leader de l'opposition, ancien ministre de l'Intérieur et garde des Sceaux, ait pu demander à un adversaire politique aussi suspect et aussi taré que Pesquet d'organiser contre lui d'abord, contre Pierre Mendès France ensuite, des simulacres d'assassinats !

Ce qui donnait force et crédit à la nouvelle, c'étaient les déclarations que François Mitterrand avait été lui-même conduit à faire en réponse aux accusations de Pesquet. Il ressortait, en effet, de ces déclarations : 1° que François Mitterrand avait vu Pesquet à trois reprises avant l'attentat ; 2° que celui-ci s'était déroulé dans un endroit « prévu » par Pesquet ; 3° qu'une nouvelle rencontre entre François Mitterrand et Pesquet avait eu lieu quatre jours après l'attentat ; 4° enfin, que tous ces faits avaient été dissimulés non seulement à la justice, mais encore aux hommes politiques qui étaient les amis ou les alliés de François Mitterrand.

Devant une telle situation, nous avons estimé que notre premier devoir était de chercher la vérité et de la dire à nos lecteurs, quelles que puissent en être les conséquences. Nous avons trop souvent dénoncé la « raison d'État » dont se réclament nos adversaires pour ne point vouloir lui substituer une « raison politique », dont bénéficieraient tous ceux qui constituent avec nous l'opposition au régime.

François Mitterrand avait un secret. Il nous fallait tenter de le connaître, afin d'expliquer ce qui avait pu se passer avant, pendant et après l'attentat — ou le faux attentat — du 16 octobre.

Nous nous sommes donc livrés à une enquête. Nous avons étudié les différentes versions qui nous ont été proposées. Nous avons voulu savoir qui était Pesquet et qui le « téléguidait » et nous avons aussi, bien entendu, longuement questionné François Mitterrand.

La conclusion à laquelle nous sommes parvenus est la suivante : il y a eu une provocation, un « chef-d'œuvre de provocation », en vérité, et dont le véritable inspirateur semble être l'ex-commissaire Dides ; si l'opération a, dans une large mesure, réussi, c'est non seulement parce qu'elle était très soigneusement montée, mais aussi parce que l'homme qui était visé par elle, c'est-à-dire François Mitterrand, a commis plusieurs erreurs ; la principale de ces erreurs a été de ne pas réunir, dès le 16 octobre, quelques personnes sûres pour leur confier tous les détails de l'affaire à laquelle il venait d'être mêlé.

Dire qu'un homme a commis une erreur n'est point l'accabler et encore moins l'abandonner. Dans la Résistance, il venait toujours des moments où les plus solides commettaient des fautes. Et ces fautes n'avaient pas seulement de tragiques conséquences pour eux, elles atteignaient aussi l'ensemble de l'organisation à laquelle ils appartenaient.

François Mitterrand paie aujourd'hui durement une certaine imprudence et une certaine erreur de jugement. Mais il faut bien voir que toute l'opposition la paie avec lui. Dans le moment où se trouve confirmé tout ce que nous avons écrit sur les opérations qui tendent à faire échec à une éventuelle solution pacifique du conflit algérien, la machination déclenchée par Dides et Pesquet vient jeter le trouble dans l'opinion et accrédite l'idée selon laquelle la gauche invente les complots qu'elle dénonce.

N'exagérons point cependant l'importance de l'incident. Et ne nous laissons surtout pas impressionner par les coups donnés par l'adversaire. Il faut, dans ce genre d'affaires, ne pas laisser les détails prendre le pas sur l'essentiel. Or, l'essentiel, c'est le climat de pression, de crainte et de violence que l'on veut instituer dans ce pays.

Il paraît que de nombreux policiers sont venus féliciter spontanément l'ex-commissaire Dides : « C'était, lui auraient-ils dit, un excellente plaisanterie. » Il faudrait ajouter : « Une plaisanterie qui n'a cours que dans un monde où fourmillent les assassins. » Car enfin, si un homme politique peut aujourd'hui écouter un provocateur qui lui annonce qu'on cherche à le tuer, c'est parce qu'il y a eu pas mal de coups de feu tirés au cours de ces dernières années et que ces coups de feu ont fait un certain nombre de victimes : près de cent personnalités dans Paris — dont la plupart appartiennent à la coalition gouvernementale — sont actuellement protégées par la police, non point contre les attentats du FLN mais contre les éventuelles agressions des « contre-terroristes ». La moitié des effectifs des « Renseignements généraux » sont ainsi immobilisés.

Aussi entendons-nous plus que jamais combattre ce groupe d'aventuriers qui, depuis des années — sous la IVe République puis sous la monarchie gaulliste — tente d'imposer dans le pays les mœurs du fascisme. Un tel combat doit nécessairement renforcer la solidarité entre tous ceux qui le livrent. François Mitterrand vient d'en faire la cruelle expérience. Nous n'en ressentons que davantage le besoin de le défendre contre des ennemis qui, comme l'a souligné Daniel Mayer, ne sont ses ennemis que parce qu'ils sont aussi ceux de la Démocratie.

XVIII

LA RÉPUBLIQUE GAULLIENNE (1959-1969)

La Constitution de 1958 instaure en France un régime semi-présidentiel qui va permettre à la Vᵉ République de connaître une grande stabilité politique (texte n° 1). Au cours de ses deux mandats présidentiels, le général de Gaulle n'a que trois Premiers ministres : Michel Debré (1959-1962), Georges Pompidou (1962-1968) et Maurice Couve de Murville (1968-1969).

La période durant laquelle Michel Debré occupe les fonctions de chef du gouvernement coïncide avec la mise en œuvre de grandes réformes devant permettre à la France d'assurer son indépendance et sa sécurité, de donner à son économie des bases solides et de «retrouver son rang» sur la scène internationale. Cela implique également qu'il soit mis fin aux séquelles de la décolonisation, tant en Afrique noire où l'évolution s'opère pacifiquement qu'en Algérie où elle prend au contraire un tour dramatique et paraît même gravement menacer le régime au printemps 1961 (texte n° 2).

La guerre d'Algérie a permis au chef de l'État de renforcer son autorité. Dans sa majorité, l'opinion lui a fait confiance pour résoudre le problème et parer au risque d'un coup d'État militaire, approuvant massivement sa politique lors des consultations référendaires. S'appuyant sur ce large consensus et bénéficiant de la paralysie des formations partisanes, le général de Gaulle a mis à profit cette conjoncture favorable pour donner des institutions une interprétation très différente de celle qu'avaient conçue certains des rédacteurs du texte de 1958, notamment Pierre Pflimlin et Guy Mollet. Il a ainsi été amené à prendre une série de décisions qui allaient dans le sens d'un renforcement des prérogatives présidentielles au dépens du gouvernement, simple organe d'exécution dans lequel les «techniciens» étaient de plus en plus nombreux, et du Parlement, réduit au rôle de chambre d'enregistrement.

Le rôle subordonné du gouvernement est souligné par les conditions de sa formation. Le Premier ministre est l'homme du président. La Constitution lui reconnaît la prérogative de le choisir, mais il est entendu qu'il doit bénéficier de la confiance de l'Assemblée, ce qui, en théorie, limite l'initiative présidentielle. En fait, le général de Gaulle considérera toujours cette limite comme relative. Le choix de Michel Debré à la fin de 1958 est allé à un fidèle parmi les fidèles, auquel le général a imposé de mener en Algérie une politique contraire à ses propres convictions. Il est donc clair que la politique du gouvernement est moins celle de l'équipe réunie par le Premier ministre que celle décidée à l'Élysée, où d'ailleurs on ne se prive pas, le cas échéant, de pourvoir — sans trop de ménagement — au remplacement de tel ou tel ministre (texte n° 3).

L'évolution du régime dans le sens du renforcement des prérogatives présidentielles se confirme au printemps 1962 lorsque, l'hypothèque algérienne se trouvant levée, le général de Gaulle change de Premier ministre sans que l'Assemblée nationale ait à en connaître. Le remplacement de Michel Debré par Georges Pompidou (texte n° 4), qui n'est pas un parlementaire et est peu connu du monde politique, marque la volonté du chef de l'État de gouverner par Premier ministre interposé, ce qui a pour effet de provoquer la mauvaise humeur des parlementaires : la confiance ne lui est accordée que par 259 voix contre 128 et 119 abstentions.

En septembre 1962, De Gaulle annonce son intention de soumettre à référendum une révision de la Constitution portant sur l'élection du chef de l'État au suffrage universel (texte n° 5). La réaction du Parlement est vive (texte n° 6) et, en octobre, l'Assemblée nationale réplique en adoptant une motion de censure qui renverse le gouvernement Pompidou. Le général ayant dissous l'Assemblée et annoncé de nouvelles élections, c'est une véritable épreuve de force qui s'engage entre le pouvoir et le parti gaulliste (l'Union pour la Nouvelle République) d'une part, le «cartel des non» d'autre part. Elle est remportée par le chef de l'État, 62 % des votants approuvant le 28 octobre la réforme de la Constitution et l'UNR frôlant la majorité absolue lors des législatives de novembre.

Bien qu'il bénéficie d'une conjoncture économique très favorable et tire profit des succès de sa politique extérieure et du prestige qu'elle vaut à la France sur la scène internationale, le régime connaît sur le plan intérieur un certain nombre de déconvenues. Celles-ci résultent du décalage existant entre les orientations fixées par le pouvoir et les attentes des Français, s'agissant notamment du partage des fruits de l'expansion. En décembre 1965, le général de Gaulle lui-même se trouve ainsi mis en ballottage lors du scrutin présidentiel par le candidat unique de la gauche, François Mitterrand (textes n°s 7 et 8), lequel obtient au second tour 45,5 % des suffrages. En mai 1967, c'est d'extrême justesse que la formation gaulliste — l'Union des démocrates pour la Ve République — et ses alliés l'emportent sur la gauche (texte n° 9). On constate ainsi, tandis que le général de Gaulle raidit ses positions, maintenant au gouvernement des ministres battus aux élections et usant largement de la procédure des ordonnances, une usure du pouvoir qui va déboucher l'année suivante sur une véritable crise du régime.

Celui-ci va certes résister aux événements de mai-juin 1968 (cf. chap. XIX), les «élections de la peur», qui mettent fin à la crise, donnant aux candidats gaullistes de l'Union pour la défense de la République (UDR) la majorité absolue des sièges. Mais cette victoire est davantage celle de la droite conservatrice qu'à proprement parler celle du chef de l'État. Bien décidé à soumettre sa propre légitimité au verdict du peuple, De Gaulle charge Jean-Marcel Jeanneney de préparer une réforme régionale fondée sur la décentralisation et la participation des forces économiques, sociales et culturelles à la gestion des régions : ce qui implique une réforme du Sénat, donc une révision de la Constitution soumise à référendum (texte n° 10). Or, le chef de l'État rencontre à cette occasion l'opposition d'une partie de ses appuis traditionnels (milieux d'affaires, notables, centristes). Leur défection entraîne le rejet du projet gouvernemental lors du référendum d'avril 1969, immédiatement suivi de la démission du général.

1. Le rôle du président de la République dans la Constitution de 1958

Les institutions de la Ve République résultent d'un compromis entre le principe de la stricte séparation des pouvoirs, exigée par le général de Gaulle, et le maintien du régime parlementaire, voulu par les formations politiques traditionnelles. L'autorité du chef de l'État est toutefois fortement renforcée. Son rôle est certes, en principe, conforme à la tradition : il assure par son arbitrage le fonctionnement régulier des pouvoirs publics. Il est garant de la continuité de l'État, de l'indépendance nationale, de l'intégrité du territoire, des traités. Il nomme le Premier ministre. Mais, en même temps, il dispose pour remplir ce rôle de réels pouvoirs. Il peut dissoudre l'Assemblée nationale sans autre condition que de consulter le Premier ministre et les présidents des deux assemblées, consulter le pays par référendum, assumer des pouvoirs exceptionnels en cas de menace sur les institutions, l'indépendance nationale ou l'intégrité du territoire (article 16). La Constitution ne définit cependant pas un « domaine réservé » au président qui comprendrait toutes les « grandes questions nationales », à commencer par celles touchant à la défense et à la politique étrangère de la France. C'est avec le temps, et à la faveur des événements d'Algérie, que le général de Gaulle va peu à peu monopoliser les décisions conditionnant le destin de la nation. Il existe donc une différence sensible entre la lettre de la Constitution et la pratique exercée par le chef de l'État dans le sens du renforcement de ses propres prérogatives.

Le texte présenté ici est celui de la Constitution actuelle, mention étant faite dans la source des diverses révisions auxquelles elle a donné lieu depuis 1958. La plus importante a été celle de 1962, portant élection du chef de l'État au suffrage universel. Jusqu'à cette date, le président de la République était désigné par un collège de 80 000 membres comprenant, outre les députés et les sénateurs, les conseillers généraux et des représentants des conseillers municipaux.

Source : La Constitution de la Ve République a été publiée au _Journal officiel_ du 5 octobre 1958. Elle a été modifiée par : la loi constitutionnelle n° 60-525 du 4 juin 1960 (_JO_ du 8 juin 1960) ; la loi n° 62-1292 du 6 novembre 1962 (_JO_ du 7 novembre 1962) ; la loi n° 63-1327 du 30 décembre 1963 (_JO_ du 31 décembre 1963) ; la loi constitutionnelle n° 74-904 du 29 octobre 1974 (_JO_ du 30 octobre 1974) ; la loi constitutionnelle n° 76-527 du 18 juin 1976 (_JO_ du 19 juin 1976) ; la loi constitutionnelle n° 92-554 du 25 juin 1992 (_JO_ du 26 juin 1992) ; la loi constitutionnelle n° 93-952 du 27 juillet 1993 (_JO_ du 28 juillet 1993) ; la loi constitutionnelle n° 93-1256 du 25 novembre 1993 (_JO_ du 26 novembre 1993) ; la loi constitutionnelle n° 95-880 du 4 août 1995 (_JO_ du 5 août 1995).

Bibliographie : O. Le Cour Grandmaison, _Les Constitutions françaises_, Paris, La Découverte, 1996 ; _La Constitution_, introduite et commentée par Guy Carcassonne, préface de G. Vedel, Paris, Points-Seuil, 1996.

Titre II — Le président de la République

A RTICLE 5. — Le président de la République veille au respect de la Constitution. Il assure, par son arbitrage, le fonctionnement régulier des pouvoirs publics ainsi que la continuité de l'État.

Il est le garant de l'indépendance nationale, de l'intégrité du territoire et du respect des traités.

Art. 6. — Le président de la République est élu pour sept ans au suffrage universel direct.

Les modalités d'application du présent article sont fixées par une loi organique.

Art. 7. — Le président de la République est élu à la majorité absolue des suffrages exprimés. Si celle-ci n'est pas obtenue au premier tour du scrutin, il est procédé, le deuxième dimanche suivant, à un second tour. Seuls peuvent s'y présenter les deux candidats qui, le cas échéant après retrait de candidats plus favorisés, se trouvent avoir recueilli le plus grand nombre de suffrages au premier tour.

Le scrutin est ouvert sur convocation du gouvernement.

L'élection du nouveau président a lieu vingt jours au moins et trente-cinq jours au plus avant l'expiration des pouvoirs du président en exercice.

En cas de vacance de la présidence de la République pour quelque cause que ce soit, ou d'empêchement constaté par le Conseil constitutionnel saisi par le gouvernement et statuant à la majorité absolue de ses membres, les fonctions du président de la République, à l'exception de celles prévues aux articles 11 et 12 ci-dessous, sont provisoirement exercées par le président du Sénat et, si celui-ci est à son tour empêché d'exercer ces fonctions, par le gouvernement.

En cas de vacance ou lorsque l'empêchement est déclaré définitif par le Conseil constitutionnel, le scrutin pour l'élection du nouveau président a lieu, sauf cas de force majeure constaté par le Conseil constitutionnel, vingt jours au moins et trente-cinq jours au plus après l'ouverture de la vacance ou de la déclaration du caractère définitif de l'empêchement.

Si, dans les sept jours précédant la date limite du dépôt des présentations de candidatures, une des personnes ayant, moins de trente jours avant cette date, annoncé publiquement sa décision d'être candidate décède ou se trouve empêchée, le Conseil constitutionnel peut décider de reporter l'élection. [...]

Art. 8. — Le président de la République nomme le Premier ministre. Il met fin à ses fonctions sur la présentation par celui-ci de la démission du gouvernement.

Sur la proposition du Premier ministre, il nomme les autres membres du gouvernement et met fin à leurs fonctions.

Art. 9. — Le président de la République préside le Conseil des ministres.

Art. 10. — Le président de la République promulgue les lois dans les quinze jours qui suivent la transmission au gouvernement de la loi définitivement adoptée.

Il peut, avant l'expiration de ce délai, demander au Parlement une nouvelle délibération de la loi ou de certains de ses articles. Cette nouvelle délibération ne peut être refusée.

Art. 11. — Le président de la République, sur proposition du gouvernement pendant la durée des sessions ou sur proposition conjointe des deux assemblées, publiées au *Journal officiel*, peut soumettre au référendum tout projet de loi portant sur l'organisation des pouvoirs publics, sur des réformes relatives à la politique économique ou sociale de la nation et aux services publics qui y concourent, ou tendant à autoriser la ratification d'un traité qui sans être contraire à la Constitution, aurait des incidences sur le fonctionnement des institutions.

Lorsque le référendum est organisé sur proposition du gouvernement, celui-ci fait, devant chaque assemblée, une déclaration qui est suivie d'un débat.

Lorsque le référendum a conclu à l'adoption du projet de loi, le président de la République promulgue la loi dans les quinze jours qui suivent la proclamation des résultats de la consultation.

Art. 12. — Le président de la République peut, après consultation du Premier ministre et des présidents des Assemblées, prononcer la dissolution de l'Assemblée nationale.

Les élections ont lieu vingt jours au moins et quarante jours au plus après la dissolution.

L'Assemblée nationale se réunit de plein droit le deuxième jeudi qui suit son élection. Si cette réunion a lieu en dehors de la période prévue pour la session ordinaire, une session est ouverte de droit pour une durée de quinze jours.

Il ne peut être procédé à une nouvelle dissolution dans l'année qui suit ces élections.

Art. 13. — Le président de la République signe les ordonnances et les décrets délibérés en Conseil des ministres.

Il nomme aux emplois civils et militaires de l'État.

Les conseillers d'État, le grand chancelier de la Légion d'honneur, les ambassadeurs et envoyés extraordinaires, les conseillers maîtres à la Cour des comptes, les préfets, les représentants du gouvernement dans les territoires d'outre-mer, les officiers généraux, les recteurs des académies, les directeurs des administrations centrales sont nommés en Conseil des ministres.

Une loi organique détermine les autres emplois auxquels il est pourvu en Conseil des ministres ainsi que les conditions dans lesquelles le pouvoir de nomination du président de la République peut être par lui délégué pour être exercé en son nom.

Art. 14. — Le président de la République accrédite les ambassadeurs et les envoyés extraordinaires auprès des puissances étrangères ; les ambassadeurs et les envoyés extraordinaires étrangers sont accrédités auprès de lui.

Art. 15. — Le président de la République est le chef des armées. Il préside les conseils et comités supérieurs de la défense nationale.

Art. 16. — Lorsque les institutions de la République, l'indépendance de la nation, l'intégrité de son territoire ou l'exécution de ses engagements internationaux sont menacées d'une manière grave et immédiate et que le fonctionnement régulier des pouvoirs publics constitutionnels est interrompu, le président de la République prend les mesures exigées par ces circonstances, après consultation officielle du Premier ministre, des présidents des Assemblées ainsi que du Conseil constitutionnel.

Il en informe la nation par un message.

Ces mesures doivent être inspirées par la volonté d'assurer aux pouvoirs publics constitutionnels, dans les moindres délais, les moyens d'accomplir leur mission. Le Conseil constitutionnel est consulté à leur sujet.

Le Parlement se réunit de plein droit.

L'Assemblée nationale ne peut être dissoute pendant l'exercice des pouvoirs exceptionnels.

Art. 17. — Le président de la République a le droit de faire grâce.

Art. 18. — Le président de la République communique avec les deux assemblées du Parlement par des messages qu'il fait lire et qui ne donnent lieu à aucun débat.
Hors session, le Parlement est réuni spécialement à cet effet.
Art. 19. — Les actes du président de la République autres que ceux prévus aux articles 8 (1ᵉʳ alinéa), 11, 12, 16, 18, 54, 56 et 61 sont contresignés par le Premier ministre et, le cas échéant, par les ministres responsables.

2. «Françaises, Français, aidez-moi !»
(Avril 1961)

Le référendum du 8 janvier 1961, qui visait très clairement à ratifier les orientations de la politique algérienne du général de Gaulle et à lui donner l'autorité nécessaire pour négocier directement avec le FLN, a donné lieu en métropole à un véritable raz-de-marée de «oui» : 75% des suffrages exprimés contre 25 % à un cartel des «non» regroupant les communistes, les radicaux, l'extrême droite et diverses personnalités irréductiblement attachées à la défense de l'Algérie française. En Algérie, où les deux communautés étaient invitées à exprimer leur avis, il n'y a eu au total que 30% de votes négatifs, mais à Alger-Ville la proportion de «non» a atteint 72%. Les partisans de l'Algérie française se trouvent donc le dos au mur lorsque s'amorce la négociation avec le GPRA. Aussi vont-ils tenter de rééditer le scénario du 13 mai.

C'est dans la nuit du 21 au 22 avril que les hommes du 1ᵉʳ régiment étranger de parachutistes s'emparent des points stratégiques d'Alger, sans rencontrer de résistance sérieuse, et arrêtent le général Gambiez, commandant en chef, le préfet de police de la ville et quelques autres personnalités qui ont tenté de s'interposer. Les généraux Jouhaux, Challe et Zeller, rejoints par le général Salan, venu d'Espagne, prennent la tête de la rébellion contre Paris et envisagent une action aéroportée en métropole. Or, à la différence de ce qui s'est passé trois ans plus tôt, le putsch échoue rapidement face à la défection des appelés, aux arrestations opérées dans les milieux activistes métropolitains et à la détermination du général de Gaulle. Le 23 avril au soir, ce dernier annonce dans un discours radiotélévisé reproduit ici sa décision d'appliquer l'article 16 de la Constitution, autrement dit d'assumer les pleins pouvoirs pour mettre fin à la tentative d'usurpation perpétrée par «un quarteron de généraux en retraite». Deux jours plus tard, les généraux Challe et Zeller choisissent de se rendre, tandis que Salan, Jouhaud et les colonels organisateurs du putsch prennent le chemin de l'exil.

Source : Message radiotélévisé du chef de l'État à la nation, 23 avril 1961.
Bibliographie : M. Vaïsse, *1961 : Alger. Le putsch*, Bruxelles, Complexe, 1983 ; J. Rouvière, *Le Putsch d'Alger*, Paris, Éd. France-Empire, 1978.

U N POUVOIR INSURRECTIONNEL s'est établi en Algérie par un *pronunciamiento* militaire. Les coupables de l'usurpation ont exploité la passion de certaines unités spécialisées, l'adhésion enflammée d'une partie de la population de souche européenne qu'égarent les craintes et les mythes, l'impuissance des responsables submergés par la conjuration militaire.

Ce pouvoir a une apparence : un quarteron de généraux en retraite. Il a une réalité : un groupe d'officiers, partisans, ambitieux et fanatiques. Ce groupe et ce quarteron possèdent un savoir-faire expéditif et limité. Mais ils ne voient et ne comprennent la nation et le monde que déformés à travers leur frénésie. Leur entreprise conduit tout droit à un désastre national.

Car l'immense effort de redressement de la France, entamé depuis le fond de l'abîme, le 18 juin 1940 ; mené ensuite jusqu'à ce qu'en dépit de tout la victoire fût remportée, l'indépendance assurée, la République restaurée ; repris depuis trois ans, afin de refaire l'État, de maintenir l'unité nationale, de reconstituer notre puissance, de rétablir notre rang au-dehors, de poursuivre notre œuvre outre-mer à travers une nécessaire décolonisation, tout cela risque d'être rendu vain, à la veille même de la réussite, par l'aventure odieuse et stupide des insurgés en Algérie. Voici l'État bafoué, la nation défiée, notre puissance ébranlée, notre prestige international abaissé, notre place et notre rôle en Afrique compromis. Et par qui ? Hélas ! hélas ! hélas ! par des hommes dont c'était le devoir, l'honneur, la raison d'être de servir et d'obéir.

Au nom de la France, j'ordonne que tous les moyens, je dis tous les moyens, soient employés pour barrer partout la route à ces hommes-là, en attendant de les réduire. J'interdis à tout Français, et, d'abord, à tout soldat, d'exécuter aucun de leurs ordres. L'argument suivant lequel il pourrait être localement nécessaire d'accepter leur commandement sous prétexte d'obligations opérationnelles ou administratives, ne saurait tromper personne. Les seuls chefs, civils et militaires, qui aient le droit d'assumer les responsabilités sont ceux qui ont été régulièrement nommés pour cela, et que précisément les insurgés empêchent de le faire. L'avenir des usurpateurs ne doit être que celui que leur destine la rigueur des lois.

Devant le malheur qui plane sur la patrie et la menace qui pèse sur la République, ayant pris l'avis officiel du Conseil constitutionnel, du Premier ministre, du président du Sénat, du président de l'Assemblée nationale, j'ai décidé de mettre en cause l'article 16 de notre Constitution. À partir d'aujourd'hui, je prendrai, au besoin directement, les mesures qui me paraîtront exigées par les circonstances. Par là même je m'affirme, pour aujourd'hui et pour demain, en la légitimité française et républicaine que la nation m'a conférée, que je maintiendrai, quoi qu'il arrive, jusqu'au terme de mon mandat ou jusqu'à ce que me manquent soit les forces, soit la vie, et dont je prendrai les moyens qu'elle demeure après moi.

Françaises, Français ! Voyez où risque d'aller la France par rapport à ce qu'elle était en train de redevenir.

Françaises, Français ! Aidez-moi !

3. Lettre de Michel Debré à Wilfrid Baumgartner lui enjoignant d'accepter la charge de ministre des Finances
(1960)

Ministre des Finances et des Affaires économiques depuis 1958, Antoine Pinay supporte de plus en plus mal l'évolution présidentialiste du régime, tout comme son interventionnisme économique, peu conforme aux inclinations libérales du député-maire de Saint-Chamond. Mais c'est moins en raison de son désaccord avec le ministre du Com-

merce et de l'Industrie, Jean-Marcel Jeanneney, que parce qu'il a fait connaître ses réserves sur les orientations de politique étrangère du chef de l'État qu'il se trouve débarqué sans ménagement de l'équipe ministérielle présidée par Michel Debré en janvier 1960. Le général manifeste ainsi sa volonté de cantonner chaque détenteur d'un poste ministériel dans les limites strictes de sa compétence, en même temps qu'il affirme son pouvoir de modifier à tout moment la composition du gouvernement. Le Premier ministre n'a d'autre choix que d'accepter la décision présidentielle ou de se démettre de ses fonctions.

C'est également De Gaulle qui choisit le successeur d'Antoine Pinay en la personne de Wilfrid Baumgartner, alors gouverneur de la Banque de France et peu enclin, semble-t-il, à assumer cette charge. Il faudra, pour que celui-ci l'accepte, toute l'insistance de Michel Debré, parlant en son nom propre et ne faisant, dans la lettre qu'il lui adresse le 13 janvier 1960, aucune allusion aux raisons profondes de la démission forcée d'Antoine Pinay.

Source : Archives FNSP/CHEVS, fonds Wilfrid Baumgartner, 3 BA1, dr1.

Bibliographie : M. Debré, *Gouverner. Mémoires*, t. 3, *1958-1962*, Paris, Albin Michel, 1988 ; J. Chapsal, *La Vie politique sous la Ve République*, I, *1958-1974*, Paris, PUF, 1987 ; O. Feiertag, *Wilfrid Baumgartner, les finances et l'économie de la nation, 1902-1978, un grand commis à la croisée des pouvoirs*, thèse dir. Alain Plessis, Paris X Nanterre, 1994, 2 vol.

Mercredi 13 [janvier 1960]

Mon cher Gouverneur,

Nous n'avons, en aucune façon, suivi des carrières parallèles et je suis entré, très jeune, dans l'arène politique pour les jeux de laquelle cependant je suis très peu armé. Vous avez parcouru une carrière en tous points admirable qui vous a, loin du bruit inutile des querelles partisanes, apporté toutes les satisfactions de travail et de commandement que vous pouviez souhaiter. Les épreuves ne vous ont pas manqué — et notamment au cours des dernières années où vous avez dû faire front à bien des difficultés, nées de la politique.

Depuis dix-huit mois quelque chose a changé en France, mais comme ce changement n'est pas une révolution, simplement un effort de conservation et de rénovation, la marche est lente, prudente comme elle doit être, également comme il ne peut en être autrement quand il n'y a pas cassure totale, handicapée par l'héritage naturel du passé. Je me consacre à cette tâche, avec le moins de bruit possible, mais avec le plus d'entêtement possible — n'ayant d'autre ambition que d'aider au fonctionnement, en même temps qu'à la rénovation des mécanismes qui font notre État et l'avenir de notre nation. Le général de Gaulle est une chance pour la France : il faut tout faire pour le succès total de cette chance et je n'ai pas d'autre devoir que de m'y consacrer entièrement, sans arrière-pensée de quelque nature qu'elle soit.

J'ai eu beaucoup de patience pendant des mois, car la collaboration de Monsieur Pinay n'était pas de tout repos — croyez-le bien — et je ne veux en aucune façon évoquer à ce sujet, une rigueur financière et une discipline économique dont je me suis montré plus que quiconque un partisan décidé. J'ai également fait tout ce qu'il était possible de faire pour maintenir M. Pinay au gouvernement. Je ne pense pas y avoir réussi.

Vous voilà devant une grave décision — pour vous — mais surtout une grave décision pour les affaires publiques. Ainsi en a voulu le destin. Un refus de votre part serait très grave pour le Général et pour le régime. Il ne me semble pas possible que vous opposiez un refus — étant bien entendu par ailleurs que votre place au gouvernement serait celle d'un homme dont la pensée économique ferait la loi — comme il est naturel, et comme je le crois nécessaire — et comme je suis d'accord. Nos conversations depuis un an ont dû vous montrer que sur ce point mes conceptions concordent avec les vôtres.

Voilà, mon cher Gouverneur, ce que je tenais très simplement à vous dire, en ce triste jour de crise qu'il faut transformer en point de départ pour un nouvel effort.

Croyez, je vous prie, à mes sentiments cordialement dévoués et les meilleurs.

M. Debré

4. Pompidou à Matignon

(Avril 1962)

Si la Constitution de 1958 stipule dans son article 8 que le président de la République nomme le Premier ministre, elle ne dit pas qu'il peut à sa guise le révoquer. « Il met fin — précise-t-elle — à ses fonctions sur la présentation par celui-ci de la démission du gouvernement.» Or, pour le général de Gaulle, il est clair qu'en lui reconnaissant le droit de nommer le chef du gouvernement, les rédacteurs du texte constitutionnel lui ont conféré symétriquement celui de mettre fin à ses fonctions, et c'est bien dans cette voie qu'il s'engage en 1962, inaugurant une coutume que tous ses successeurs observeront.

Après le succès éclatant du référendum du 8 avril, le chef de l'État estime que le moment est venu de tourner la page. La mission qui avait été confiée à Michel Debré ayant été remplie, il importe de procéder à un changement d'homme pour la grande tâche de rénovation de la France que le général envisage désormais de mener à bien. Aussi, demande-t-il à Michel Debré de se retirer, ou plutôt, comme l'affirme ce dernier dans ses Mémoires, _les deux hommes se mettent-ils d'accord pour programmer la relève à Matignon (« En vous demandant d'accepter votre retrait du poste de Premier ministre, écrit le général le 14 avril 1962, et de nommer un nouveau gouvernement, vous vous conformez entièrement et de la manière la plus désintéressée à ce dont nous étions, depuis longtemps, convenus[1] »)._

Il reste à lui donner un successeur. Le choix du chef de l'État se porte sur Georges Pompidou. Celui-ci est absolument inconnu du grand public et n'a jamais exercé de fonction élective. Il n'a aucune expérience de la vie parlementaire, mais il a été le collaborateur direct du général, en tant que chef de son cabinet à Matignon en 1958, et il a joué un rôle important en coulisse dans les premiers contacts avec le GPRA. En le désignant comme chef du gouvernement, De Gaulle souligne la dépendance marquée du Premier ministre à l'égard de l'Élysée. Il franchit également un pas, au moment où la France va s'engager dans la voie de la modernisation économique, en direction des

---

1. Michel Debré, _Gouverner. Mémoires_, t. 3, _1958-1962_, Paris, Albin Michel, 1988, Annexes.

milieux d'affaires, Pompidou ayant exercé de hautes fonctions à la direction de la Banque Rothschild. C'est ce personnage aux multiples facettes (normalien, agrégé de lettres classiques, conseiller du prince, banquier) dont Pierre Viansson-Ponté brosse le portrait dans l'article ci-dessous.

Source : Pierre Viansson-Ponté, « Un banquier baudelairien », *Le Monde*, 14 avril 1962.

Bibliographie : R. Rémond, *Notre siècle, 1918-1995*, Paris, Fayard, 1996 ; P. Muron, *Pompidou*, Paris, Flammarion, 1994 ; É. Roussel, *Georges Pompidou, 1911-1974*, Paris, J.-C. Lattès, nouvelle édition, 1994.

A U DICTIONNAIRE DES IDÉES REÇUES, un professeur n'est pas un juge, un banquier ne fréquente pas les poètes, et ce n'est pas en cultivant les roses qu'on devient Premier ministre. M. Georges Pompidou, selon ses biographes, aurait été professeur. Puis il aurait dit le droit au Conseil constitutionnel. En même temps, il aurait dirigé une banque d'affaires. Il serait encore l'auteur d'un récent ouvrage qui étale une passion pour Baudelaire, de l'inclination pour Apollinaire et du goût pour Éluard. D'aucuns assurent l'avoir vu repiquer des rosiers dans le jardin d'une blanche maison d'Orvilliers, près de Houdan. Et c'est le même homme qui va être nommé Premier ministre.

La clé de cette confusion est évidente : ils sont trois. Il existe bel et bien trois Georges Pompidou, inséparables et identiques, mais aux destins divergents.

Le premier est professeur. Il est né d'ailleurs dans l'enseignement, d'un père qui, dit-on, ne tenait pas moins solidement en main ses élèves que le professeur Henri de Gaulle, père du général. Brillant sujet du lycée d'Albi, il monte faire khâgne à Louis-le-Grand, et, muni de l'agrégation, redescend aussitôt au lycée de Marseille, où il entame une carrière toute tracée. Elle le reconduira à Paris, où débute et s'achève, selon l'immuable logique exposée lumineusement par Giraudoux, toute ascension administrative, qui ramène inexorablement l'heureux promu à son point de départ et à la capitale. À la faveur des longues vacances universitaires, le professeur a consacré tout d'abord une étude à *Britannicus*. Puis il a sélectionné pour deux petits «classiques illustrés» à l'usage de l'enseignement secondaire des «pages choisies» de Taine et de Malraux, avec introduction, bibliographie, documents, questions de cours et sujets de composition française. Il vient de produire l'hiver dernier une *Anthologie de la poésie française*. Entre la correction de dissertations et quelques leçons particulières, il consacre ses loisirs au jardinage.

Son frère jumeau, le second, est un tout autre personnage. Chaque matin, il quitte l'appartement du quai de Béthune qui trahit l'amour des vieilles pierres et des beaux meubles pour un grand bureau aux boiseries sombres, au premier étage de l'hôtel de MM. Rothschild Frères, rue Laffitte. Là, il est M. le Directeur général, bien que l'huissier en jaquette qui règne sur les fauteuils augustes et râpés de l'antichambre oublie parfois ce titre créé exprès pour lui et revienne par inadvertance à la tradition de la maison en l'appelant M. le Fondé de pouvoir. Pour parvenir à ce haut poste, qu'ont occupé déjà avant lui de futurs présidents du Conseil, M. René Mayer notamment, il est sorti, comme il est d'usage, d'une grande école, en ce qui le concerne de Normale supérieure. Il collectionne maintenant les présidences et les sièges d'administrateur, de Penarroya à Francarep et de l'Ouest africain à la société Rateau. Il suit particulièrement l'économie du Nord en présidant à la Société d'investissements de cette région et s'est révélé aussi compétent au conseil de la Société de gérance et d'armement que dans les affaires de transport ferroviaire des chemins de fer du Nord et de Paris à Orléans, qu'il administre également.

Quant au troisième Georges Pompidou, il a choisi la politique. Pour cela, il a pris son diplôme de Sciences po, est entré au cabinet du chef du Gouvernement provisoire comme chargé de mission au sortir de la guerre. Douze ans après, en 1958, son « patron » ayant été rappelé au pouvoir, il a accédé à la direction du cabinet présidentiel dans un gouvernement également provisoire. Entre-temps, il avait fait son entrée au Conseil d'État, avait tâté de l'administration, au tourisme, avait quitté le Conseil avec l'honorariat et sans esprit de retour. Bien que ses talents soient d'une autre nature, il devait retrouver en 1958 les problèmes juridiques au sein du Conseil constitutionnel, où il était nommé pour neuf ans. S'il accomplissait de discrètes missions pour ouvrir les voies de la paix algérienne, c'était plus comme émissaire et conseiller officieux que comme « sage » du régime. Entre autres avantages, son mandat public n'était nullement incompatible avec l'exercice d'une profession. C'est ainsi, peut-on dire, qu'est née la confusion entre le banquier, le haut fonctionnaire et l'écrivain, et que certains ont pu croire qu'il s'agissait du même personnage.

Lequel, dans ces conditions, est aujourd'hui Premier ministre ? S'il fallait être juriste pour siéger dans les hautes juridictions de l'État, homme d'affaires pour devenir directeur de banque, diplomate pour négocier, parlementaire pour diriger le ministère, il serait resté professeur et jardinier. Mais, cette fois, à la liste prestigieuse des qualités successives ou simultanées qui ornent déjà sa carte de visite, M. Georges Pompidou pourra ajouter, dans un an tout au plus, le titre peu galvaudé d'ancien chef du gouvernement de la Vᵉ République.

5. L'annonce du référendum sur l'élection du président de la République au suffrage universel

Depuis le printemps 1962 courent et s'amplifient les bruits de réforme constitutionnelle. Dans son allocution télévisée du 8 juin (cf. chap. XVII, texte n° 4), le général de Gaulle a abordé de manière sibylline le problème de sa succession (« Par le suffrage universel [...], nous aurons, au moment voulu, à assurer que dans l'avenir, et par-delà les hommes qui passent, la République puisse demeurer forte, ordonnée et continue »). Propos qui — comme le prévoyait Alain Peyrefitte — a donné lieu à de nombreuses exégèses, mais qui, jusqu'à la fin de l'été, n'a été suivi d'aucune précision. On a évoqué divers scénarios, par exemple la mise en place d'une vice-présidence, mais aucune confirmation n'a été donnée par le général ou par l'un de ses collaborateurs proches.

C'est l'attentat du Petit-Clamart, le 22 août, qui a déterminé le chef de l'État à précipiter les choses et à « en découdre » (comme il l'écrira dans ses Mémoires d'espoir). _En « découdre », c'est-à-dire imposer aux partis sa propre lecture des institutions de la Vᵉ République, laquelle implique la prééminence absolue du président sur le Parlement. Le 12 septembre, le Conseil des ministres décide, en vertu de l'article 11 de la Constitution, de proposer au peuple un référendum sur l'élection du chef de l'État au suffrage universel, et le 20 septembre le général explique cette décision aux Français dans une allocution radiotélévisée dont nous reproduisons ici des extraits._

Source : Charles de Gaulle, extraits de l'allocution radiotélévisée du 20 septembre 1962.
Bibliographie : É. Burin des Roziers, *Retour aux sources : 1962, l'année décisive*, Paris, Plon, 1986 ; J. Gicquel, *Essai sur la pratique de la Vᵉ République*, Paris, LGDJ, 1968 ; P. Avril, *Le Régime politique de la Vᵉ République*, Paris, LGDJ, 1967.

DEPUIS QUE LE PEUPLE FRANÇAIS m'a appelé à reprendre officiellement place, à sa tête, je me sentais naturellement obligé de lui poser, un jour, une question qui se rapporte à ma succession, je veux dire celle du mode d'élection du chef de l'État. Des raisons que chacun connaît m'ont récemment donné à penser qu'il pouvait être temps de le faire.

Qui donc aurait oublié quand, pourquoi, comment fut établie notre Constitution ? Qui ne se souvient de la mortelle échéance devant laquelle se trouvaient, en mai 1958, le pays et la République, en raison de l'infirmité, organique, du régime d'alors ? Dans l'impuissance des pouvoirs, apparaissaient, tout à coup, l'imminence des coups d'État, l'anarchie généralisée, la menace de la guerre civile, l'ombre de l'intervention étrangère.[...]

C'est alors, qu'assumant de nouveau le destin de la patrie, j'ai, avec mon gouvernement, proposé au pays l'actuelle Constitution. Celle-ci, qui fut adoptée par 80 % des votants, a maintenant quatre ans d'existence. On peut donc dire qu'elle a fait ses preuves. La continuité dans l'action de l'État, la stabilité, l'efficacité et l'équilibre des pouvoirs, ont remplacé, comme par enchantement, la confusion chronique et les crises perpétuelles qui paralysaient le système d'hier, quelle que pût être la valeur des hommes. Par-là même, portent maintenant leurs fruits le grand effort et le grand essor du peuple français. [...]

Or, la clé de voûte de notre régime, c'est l'institution nouvelle d'un président de la République désigné par la raison et le sentiment des Français pour être le chef de l'État et le guide de la France. Bien loin que le président doive, comme naguère, demeurer confiné dans un rôle de conseil et de représentation, la Constitution lui confère, à présent, la charge insigne du destin de la France et celui de la République.

Suivant la Constitution, le président est, en effet, garant — vous entendez bien ? garant — de l'indépendance et de l'intégrité du pays, ainsi que des traités qui l'engagent. Bref, il répond de la France. D'autre part, il lui appartient d'assurer la continuité de l'État et le fonctionnement des pouvoirs. Bref, il répond de la République. [...]

Cependant, pour que le président de la République puisse porter et exercer effectivement une charge pareille, il lui faut la confiance explicite de la nation. Permettez-moi de dire qu'en reprenant la tête de l'État, en 1958, je pensais que, pour moi-même et à cet égard, les événements de l'Histoire avaient déjà fait le nécessaire. En raison de ce que nous avons voulu et réalisé ensemble, à travers tant de peines, de larmes et de sang, mais aussi avec tant d'espérances, d'enthousiasmes et de réussites, il y a entre vous, Françaises, Français, et moi-même un lien exceptionnel qui m'investit et qui m'oblige. Je n'ai donc pas, alors, attaché une importance particulière aux modalités qui allaient entourer ma désignation, puisque celle-ci était d'avance prononcée par la force des choses. D'autre part, tenant compte de susceptibilités politiques dont certaines étaient respectables, j'ai préféré, à ce moment-là, qu'il n'y eût pas à mon sujet une sorte de plébiscite formel. Bref, j'ai alors consenti que le texte initial de notre Constitution soumît l'élection du président à un collège relativement restreint d'environ 80 000 élus.

Mais, si ce mode de scrutin ne pouvait, non plus qu'aucun autre, fixer mes responsabilités à l'égard de la France, ni exprimer à lui seul la confiance que veulent bien me faire les Français, la question serait très différente pour ceux qui, n'ayant pas nécessairement reçu des événements la même marque nationale, viendront après moi, tour à tour, prendre le poste que j'occupe à présent. Ceux-là, pour qu'ils soient entièrement en mesure et complètement obligés de porter la charge suprême, quel que puisse être son poids, et qu'ainsi notre République continue d'avoir une bonne chance de demeurer solide, efficace et populaire en dépit des démons de nos divisions, il faudra qu'ils en reçoivent directement mission de l'ensemble des citoyens. Sans que doivent être modifiés les droits respectifs, ni les rapports réciproques des pouvoirs, exécutif, législatif, judiciaire, tels que les fixe la Constitution, mais en vue de maintenir et d'affermir dans l'avenir nos institutions vis-à-vis des entreprises factieuses, de quelque côté qu'elles viennent, ou bien des manœuvres de ceux qui de bonne ou de mauvaise foi, voudraient nous ramener au funeste système d'antan, je crois donc devoir faire au pays la proposition que voici : quand sera achevé mon propre septennat, ou si la mort ou la maladie l'interrompaient avant le terme, le président de la République sera dorénavant élu au suffrage universel.

6. Gaston Monnerville dit non à la « forfaiture »
(Septembre 1962)

La décision du général de Gaulle de recourir à la procédure référendaire pour réviser la Constitution et introduire le principe de l'élection du président de la République au suffrage universel a soulevé un tollé général dans les rangs de la classe politique. À l'exception de l'UNR, les partis font grief au général de fouler au pied la « tradition républicaine », laquelle postule la prééminence du Parlement, véritable organe de la souveraineté populaire, et évoquent le souvenir du 2 décembre, prolongement naturel, estime-t-on, de l'élection de Louis-Napoléon Bonaparte au suffrage universel en décembre 1848. Pour ce qui est d'autre part de la procédure choisie, la bataille s'engage aussitôt sur la constitutionnalité même du projet référendaire. Soutenus par la plupart des grands juristes (universitaires comme Maurice Duverger et Georges Vedel, gaullistes affirmés comme Léon Noël, président du Conseil constitutionnel, René Cassin, vice-président du Conseil d'État, Alexandre Parodi, la quasi-unanimité du Conseil d'État), qui estiment que la procédure choisie est contraire à la Constitution, nombre de parlementaires font valoir que la révision impliquait de faire jouer non les dispositions de l'article 11, mais celles de l'article 89 : « Le projet ou la proposition de révision doit être voté par les deux Assemblées en termes identiques. La révision est définitive après avoir été approuvée par référendum. »

En fait, ce sont deux conceptions du « modèle républicain » qui s'affrontent : celle qui privilégie la référence au peuple souverain et associe celui-ci à un pouvoir fort, celle d'autre part qui, depuis les débuts de la IIIᵉ République, identifie la démocratie à la prééminence du Parlement.

C'est à cette seconde tradition que se rattache le président du Sénat en exercice, Gaston Monnerville, un homme façonné par la culture politique des pères fondateurs de la République parlementaire et que heurte profondément le projet plébiscitaire du chef *de l'État. Déjà, en 1961, Monnerville avait émis des réserves au sujet de l'utilisation de l'article 16 après l'échec définitif du putsch algérois. Le 29 septembre 1962, devant le congrès du Rassemblement démocratique (radical), réuni à Vichy, il prononce un discours dans lequel il préconise la censure du gouvernement et qualifie de «forfaiture» l'usage qui est fait de l'article 11 par le président de la République, prenant ainsi la tête du «cartel des non». De Gaulle ne le lui pardonnera jamais. Quant aux sénateurs, ils manifesteront leur opposition en le réélisant triomphalement à la présidence de la Haute Assemblée quelques jours plus tard et en écoutant, debout (les gaullistes ayant quitté la salle des séances), le discours dans lequel il réitère ses attaques contre le chef de l'État. C'est le premier discours, celui de Vichy, dont nous publions ici des extraits.*

Source : Extraits du discours prononcé par Gaston Monnerville, président du Sénat, au congrès du Rassemblement démocratique de Vichy (29 septembre 1962), textes in *L'Écho des communes*, édition spéciale, septembre 1962.

Bibliographie : G. Monnerville, *Vingt-deux ans de Présidence*, Paris, Plon, 1980 ; É. Duhamel, « Gaston Monnerville », in *Dictionnaire de la vie politique française au XXe siècle*, sous la direction de J.-F. Sirinelli, Paris, PUF, 1995, pp. 688-690 ; S. Berstein et O. Rudelle, *Le Modèle républicain*, Paris, PUF, 1992.

V OUS N'ATTENDEZ PAS sans doute de moi un discours, mais une prise de position. *(Vifs applaudissements.)* C'est cela que je viens faire à cette tribune.

Vous avez entendu ce matin votre rapporteur. Vous l'avez suivi avec une sorte de religion dans le silence. Nous avons senti qu'aujourd'hui les Républicains et les Républicaines que vous êtes, prenaient conscience d'un danger pour la République et se montraient décidés à y faire face. *(Applaudissements.)*

À la tentative de plébiscite qui est en train de se développer, je réponds personnellement : non. *(Très vifs applaudissements.)*

Je ne vous ferai pas de longs développements, car, ce matin et cet après-midi, au cours de cette longue et édifiante, et parfois émouvante, séance de ce Congrès, toutes les raisons de répondre ainsi vous ont été présentées.

Permettez-moi cependant de me souvenir qu'au delà du radical, les circonstances font de moi l'un des hommes qui ont des responsabilités dans notre République. Je les ai, pour l'instant, pour quarante-huit heures encore; si mardi prochain la confiance de mes collègues au Sénat me replace au fauteuil présidentiel, mes responsabilités actuelles s'en trouveront accrues car je pense que le Sénat donnera à ses suffrages la signification que je mets dans mes propos d'aujourd'hui.

Je réponds non, pourquoi ? Parce qu'il y a violation délibérée, réfléchie, de la Constitution de la République. *(Vifs applaudissements.)*

Permettez-moi d'ajouter que le gardien de notre Constitution est le chef de l'État, qu'il en est le premier gardien. Ce qui lui donne encore plus de responsabilités qu'à certains autres.

Mais il y a d'autres gardiens de la Constitution ; celle-ci le dit elle-même. Il y a le Premier ministre. Nous en parlerons tout à l'heure Il y a le président du Sénat et le président de l'Assemblée nationale. La Constitution dit que ces quatre personnalités ont le pouvoir et la responsabilité de saisir le Conseil constitutionnel de toute loi adoptée qui leur apparaîtrait contraire à la Constitution.

Vous comprendrez par conséquent quelle gravité je veux mettre dans mes propos.

J'ai conscience qu'ayant parlé bien souvent, depuis que j'ai l'âge d'homme, de la République et de ses devoirs que nous avons vis-à-vis d'elle, je manquerais aux miens si, aujourd'hui, je ne prenais pas cette position. *(Vifs applaudissements.)*

On vous dit : tout cela, c'est querelle de juriste, c'est du juridisme sans intérêt. On réduit un peu au rang de Bridoisin tous ceux qui veulent défendre la Constitution française. C'est un procédé, mais ce n'est pas une procédure. Dire que ce n'est que du juridisme, quand il s'agit de défendre la loi des lois, la loi suprême, celle qui contient les garanties des droits des citoyens, celle qui contient les garanties des libertés républicaines, c'est vraiment faire bon marché du texte qui régit notre pays.

J'ai remarqué que pas un juriste — je dis : un — n'approuve le procédé employé. Et j'ajoute que tous, au contraire, le condamnent. Est-ce du juridisme, quand tous les juristes d'un pays de droit écrit comme la France, pays légaliste comme la France, se lèvent pour dire : vous violez la loi des lois ; ce que vous faites est impie ?

J'observe aussi que c'est délibérément que cette violation a eu lieu.

Oh ! Je ne vous cache pas que je suis infiniment navré d'être obligé, à chaque moment, de mettre en cause le chef de l'État. Il ne s'agit pas de ses fonctions. Et je répète que je serai indigne.

J'ai noté, et vous l'avez observé, qu'à la télévision, le président de la République française a dit qu'il avait décidé, et seul, de procéder à la modification de la Constitution. Ce qui constitue déjà une violation de celle-ci.

Au Conseil des ministres, vous l'avez lu et entendu comme moi, il a dit à ses ministres : « C'est à prendre ou à laisser » — « *sic volo et sic jubeo...* ». Si vous ne voulez pas, retirez-vous, donnez votre démission.

Et cela, Mesdames et Messieurs, avant même que le gouvernement ait pensé à demander cette révision.

Je dis cela pourquoi ? Parce que, précisément la Constitution dit que la révision de la Constitution française ne peut avoir lieu qu'à l'initiative du président de la République sur proposition du Premier ministre. Vous entendez bien : sur proposition du Premier ministre, à l'initiative des Assemblées du Parlement.

Or, avant la décision du président de la République, il n'y a eu ni proposition du Premier ministre ni initiative des Assemblées.

Ce n'est pas seulement un texte qu'on viole dans ce cas-là, c'est tout un système politique. On instaure ainsi vraiment, lentement peut-être, par touches successives, un système qui tend au pouvoir personnel. […]

Il n'y a qu'un moyen que le Parlement peut utiliser. Je suis sûr que nos collègues du Parti radical en seront d'accord. Je crois savoir que tous les républicains de l'Assemblée nationale en sont d'accord, ce moyen c'est la motion de censure. La motion de censure c'est la réplique constitutionnelle à une violation de la Constitution. *(Applaudissements.)*

Je disais que nous sommes quatre en France à être désignés par la Constitution pour la faire respecter. Si le chef de l'État a décidé en connaissance de cause, je me permets de l'affirmer, de la violer, le Premier ministre n'avait qu'à ne pas signer, il n'avait qu'à ne pas dire OUI... au référendum *(applaudissements)*... et le référendum donc n'aurait pas été possible puisque je vous ai expliqué que c'est à la demande du Premier ministre, ou à l'initiative parlementaire, c'est-à-dire à la demande des Chambres que la révision est possible. […]

Laissez-moi vous dire que la motion de censure m'apparaît comme la réplique directe, légale, constitutionnelle, à ce que j'appelle une forfaiture. *(Applaudissements.)* [...]

Je fais donc un appel aux républicains de ce pays, non pas seulement à ceux du Parti radical auquel j'appartiens depuis que j'ai l'âge de raison, je fais un appel au peuple de France.

Il n'est pas possible, lui qui s'est tant battu récemment encore derrière l'actuel chef de l'État contre un ennemi qui occupait son sol, pour conquérir ses libertés et pour rester fidèle à l'action de ses ancêtres, à leur idéal, il n'est pas possible que le peuple de France, non seulement se laisse ainsi berner mais accepte volontairement la violation de ses droits et demain de ses libertés. Ou alors, c'est que je le connais bien mal, ou bien que je ne le connais plus.

À tous ceux qui ont foi en la République, à tous ceux qui croient en la démocratie comme le seul régime garantissant la personne humaine, sa dignité, ses droits et, encore une fois, ses libertés, je dis : dressez-vous pour sa défense et pour sa sauvegarde. *(Très vifs applaudissements.)*

7. Le PSU contre la candidature de François Mitterrand aux présidentielles de 1965

Après l'échec de la candidature Defferre, devenue patente au printemps 1965 du fait de l'impossibilité de faire coexister dans la même coalition anti-gaulliste, la gauche non communiste et les centristes, on s'achemine, en vue des élections de décembre, vers l'idée d'une triple candidature de l'opposition : communiste, socialisante et centriste.

À gauche, devant l'hésitation des dirigeants des grandes formations politiques à entrer en lice ès qualités après avoir combattu le principe même de l'élection du président de la République au suffrage universel, on cherche un candidat libre d'attaches à l'égard de ces formations. Brusquant les choses, François Mitterrand décide le 9 septembre de présenter sa candidature. Il reçoit bientôt l'appui de la SFIO, de la Convention des institutions républicaines, des radicaux et de la Ligue des droits de l'homme, en attendant celui du Parti communiste, qui, par crainte de rester isolé, se ralliera fin septembre à sa candidature. En revanche, le PSU (Parti socialiste unifié), qui n'a pas réussi à convaincre Mendès France — membre de cette organisation depuis sa création en 1960 — de s'engager dans la bataille, manifeste de grandes réticences à l'égard de François Mitterrand. Certains de ses dirigeants n'ont d'ailleurs pas attendu que la candidature de celui-ci soit officiellement annoncée pour faire connaître leur position, comme en témoigne cette lettre datée du 5 août 1965 et adressée par Marc Heurgon, membre du secrétariat national (et futur directeur de cabinet de Michel Rocard à Matignon), à Pierre Mendès France. Il faudra attendre le mois d'octobre pour que les instances dirigeantes du PSU se décident finalement à rallier le « candidat unique de la gauche ».

Source : Lettre de Marc Heurgon, membre du Secrétariat national du PSU à Pierre Mendès France, 5 août 1965. Archives FNSP/CHEVS. Fonds Gilles Martinet, MR 6, Dr 2, PSU (1958-1972).

Bibliographie : G. Nania, _Le PSU d'avant Rocard_, Paris, Roblot, 1973 ; O. Duhamel, _La Gauche et la Ve République_, Paris, PUF, 1980 ; F.-O. Giesbert, _François Mitterrand ou la tentation de l'Histoire_, Paris, Seuil, 1977 ; F. Mitterrand, _Ma part de vérité_, Paris, Fayard, 1969.

CHER CAMARADE,
Après notre conversation téléphonique de ce matin, je fais partir à votre adresse ce mot rapide qui résume les délibérations de notre bureau national d'hier. Je dois avant tout excuser Édouard Depreux qui, revenu à Paris pour deux jours seulement, afin de participer à nos délibérations, repartait ce matin de très bonne heure pour le Pas-de-Calais ; il aurait souhaité pouvoir vous présenter lui-même ces quelques réflexions.

Le bureau national a été unanime à regretter votre décision de ne pas faire acte de candidature aux élections présidentielles. Nous nous interdirons cependant de faire de nouvelles démarches auprès de vous à ce sujet, mais il reste bien entendu que si, d'ici décembre, un fait nouveau vous amenait à modifier votre point de vue, tout ce qui suit devrait être immédiatement considéré.

C'est donc dans l'hypothèse où vous ne seriez pas candidat que nous avons donc été obligés de nous placer et que nous avons accepté unanimement les positions suivantes :
a) L'éventualité d'une candidature de François Mitterrand ne nous paraît pas pouvoir être retenue ni soutenue par le PSU. La réputation de l'homme, les questions que chacun se pose sur son passé, le dédain qu'il affiche pour tout programme, constituent à nos yeux des objections graves. À l'opposé, nous savons bien pour quelles raisons sa candidature serait sans doute bien vue aussi bien du côté de la SFIO que de celui du Parti communiste. Une bataille contre le régime conduite par un tel candidat n'aurait évidemment qu'un caractère purement négatif et cela est en totale contradiction avec ce que nous avons souhaité depuis des mois. Les sondages que nous avons effectués dans la journée d'hier auprès de certains cadres du PSU, justement rassemblés à l'occasion d'un stage, nous ont prouvé que nous ne serions pas suivis si nous envisagions de nous rallier à une telle candidature. Peut-être arriverions-nous finalement à décider nos camarades à émettre un vote de résignation ; certainement pas à mener une campagne. En tout cas l'effet de démobilisation serait grave pour nos militants.

b) Ceci dit, il n'y a pas à l'heure actuelle de candidature Mitterrand ; nous n'avons donc pas à combattre et à faire échouer ce qui n'existe pas ; nous avons à prendre les devants et à empêcher qu'en septembre, devant le vide persistant, on en vienne à une solution que nous ne pourrions pas cautionner. C'est dans cette optique que le bureau national — et chacun de ses membres a tenu à donner tour à tour son accord pour cette solution — a décidé de tout faire pour proposer, dès le début de septembre, aux différentes forces de gauche, la candidature de notre camarade Daniel Mayer.

c) Il est bien évident à nos yeux que cette candidature ne doit en aucun cas se limiter au seul PSU. Nous n'avons pu discuter en détail hier soir des procédures (Comités pour la candidature unique — municipalités de gauche, etc.) qui permettront, avant les délibérations du PC et de la SFIO, de créer le fait accompli de la candidature du président de la Ligue des droits de l'homme. Tout cela dépendra en premier lieu de la décision que prendra Daniel Mayer lui-même et nous ne devons le voir que dans l'après-midi. Nous ne sommes d'autre part mandatés que pour accomplir les démarches préparatoires qui permettront à notre bureau national, le 23 août, de décider si nous sommes oui ou non en mesure d'imposer cette solution et de la maintenir jusqu'au bout, quelles que soient les décisions des autres organisations. C'est ce jour-là que la décision définitive sera prise, que le « top » sera éventuellement donné à une initiative qui, dès lors, se précipiterait.

d) Notre bureau a été unanime également à souhaiter que vous-même soyez en premier lieu informé de nos projets, afin que vous puissiez nous faire connaître votre opinion, soit de vive voix, si vous avez l'occasion de passer par Paris, soit par lettre. Il va sans dire que nous nous sommes astreints à la discrétion la plus absolue, dans la mesure où nous savons bien que toute information répandue à l'extérieur sur ces projets susciterait immédiatement des contre-mesures. C'est pourquoi nous vous demandons de bien vouloir considérer ce que nous vous en disons comme strictement confidentiel.

e) Notre bureau a attaché une grande partie de ses délibérations à la question du programme. Nous avons l'ambition de proposer à la gauche au tout début de septembre, non seulement un homme mais un programme qui puisse constituer une alternative sérieuse au régime. Nous comprenons parfaitement qu'il ne vous soit pas possible de faire connaître votre position, par la signature par exemple du document résultant des séances de travail que nous avons eues ensemble. Il faudra donc que le PSU — dans la ligne adoptée par son Conseil de Lyon — prenne lui-même ses responsabilités et surtout que le candidat fasse connaître sur quelle plate-forme, il entend se battre. D'un autre côté, nous ne voulons pas nous priver de vos avis ; c'est pourquoi nous vous adresserons ces documents programmatiques, au fur et à mesure de leur mise au point, dans le courant du mois d'août.

Il me reste à vous redire, au nom du bureau national du PSU, combien nous souhaitons qu'à un moment ou à un autre, sous des formes que vous déterminerez, cette bataille que nous sommes prêts à engager, puisse recevoir votre concours, seul capable de lui donner sa pleine dimension.

Je vous prie de croire à mes sentiments très cordiaux.

8. « Non ! ce n'est pas vrai »
(Discours de François Mitterrand, 3 décembre 1965)

Deux jours avant le premier tour des présidentielles qui va permettre à François Mitterrand (32,2 % des suffrages exprimés) et à Jean Lecanuet (candidat centriste : 15,8 %) de mettre le général de Gaulle en ballottage, le candidat unique de la gauche s'adresse aux électeurs dans un discours radio-télévisé que nous reproduisons ici.

La campagne électorale a fait intervenir dans le débat politique deux éléments nouveaux : les sondages d'opinion, qui ont révélé au fil des semaines l'effritement de l'électorat gaulliste, et l'usage généralisé du petit écran qui a permis aux candidats de l'opposition de se faire connaître du public et de jouer sur leur relative jeunesse et sur la nouveauté de leur propos. De Gaulle n'en réussira pas moins à l'emporter au second tour sur François Mitterrand, avec 54,5 % des voix.

Source : Discours radiodiffusé de François Mitterrand le 3 décembre 1965.
Bibliographie : A. Lancelot, *Les Élections sous la Ve République*, Paris, PUF, 1983 ; *L'Élection présidentielle de décembre 1965*, Paris, Armand Colin, Cahiers de la FNSP, n° 169.

FRANÇAISES, FRANÇAIS : non ! ce n'est pas vrai, vous n'aurez pas à choisir dimanche entre la IVe et la Ve République. Pas plus que vous n'aurez à choisir entre le ministre de la IVe que je fus à trente ans et le ministre de la IIIe République que fut le général de Gaulle dans le gouvernement de la débâcle.

Non ! ce n'est pas vrai, vous n'aurez pas à choisir dimanche entre le soldat qui incarna l'honneur de la patrie le 18 juin 1940 et une génération qui aurait manqué à ses devoirs. Dans les camps de prisonniers de guerre, dans les rangs de la résistance intérieure, tout un peuple de Français s'est levé comme De Gaulle et avec lui pour conquérir le droit d'être libres.

Non ! ce n'est pas vrai, vous n'aurez pas à choisir dimanche entre le désordre et la stabilité. Le désordre, vous l'avez condamné et personne n'osera y revenir. Quant à la stabilité, qui donc la remet en question sinon celui qui proclame qu'il n'y a plus en France que lui qui serait tout et les autres qui ne seraient rien.

Non ! ce n'est pas vrai, vous n'aurez pas à choisir dimanche entre le régime actuel et celui des partis. Le régime actuel, c'est celui d'un homme seul, et quand viendra pour lui l'heure de partir, il vous livrera au successeur inconnu que vous désignera un clan, une faction pire qu'un parti, cet entourage, syndicat anonyme d'intérêts et d'intrigues.

Je ne suis pas l'homme d'un parti. Je ne suis pas l'homme d'une coalition de partis. Je suis le candidat de toute la gauche, de la gauche généreuse, de la gauche fraternelle qui, avant moi, qui, après moi, a été et sera la valeur permanente de notre peuple. Dans la circonstance solennelle où nous sommes, il faut que tout soit clair entre nous. Il est des arguments que je n'emploierai pas et vous me permettrez d'exprimer ma surprise lorsque j'entends ces ministres du gouvernement qui vont se répandant partout depuis quelques jours, avec les sarcasmes et l'injure à la bouche.

Au niveau où nous sommes, sous le regard du peuple français, il convient que le débat conserve sa noblesse et que le choix soit clair. J'ai engagé toute la gauche française sur des options fondamentales et sur tous les domaines. Je lui ai demandé de combattre afin de proposer une politique nouvelle. Le choix que vous ferez pour le candidat de la gauche signifiera en politique intérieure et en politique extérieure, en politique économique et en politique sociale, un renversement de tendance, un changement d'habitudes, une volonté de créer et non pas de demeurer le regard tourné vers le passé des rêves morts.

Je vous dirai peut-être de vieux mots, mais pour moi, nous tous, hommes et femmes de la gauche, femmes et hommes du progrès, ils ont gardé toute leur valeur. Ils s'appellent Justice, Progrès, Liberté, Paix. Quand j'avais vingt-cinq ans, je me suis évadé d'Allemagne. J'aime la liberté. J'ai rejoint le général de Gaulle à Londres et à Alger. J'aime la liberté. Je suis revenu dans la France occupée pour reprendre ma place au combat. J'aime la liberté.

Mais qu'est-ce que la gauche, sinon le parti de la liberté ? Encore et toujours, rappelez-vous. Ce sont les mots de *La Marseillaise* : «Liberté, liberté chérie, combats avec tes défenseurs.»

Eh bien ! Je vous demande de choisir : l'indépendance de la justice contre l'arbitraire ; la liberté de l'information contre l'abus de la propagande ; la liberté syndicale contre la revanche des privilèges ; les libertés communales, ces vieilles libertés héritées du Moyen Âge, contre les empiétements de l'État.

Et puis, qu'est-ce que nous allons faire de la France ? Une petite nation étouffée entre les deux grandes puissances avec des amis de rencontre et qu'on change selon l'humeur du jour alors qu'il y a tant et tant à faire avec le génie de notre peuple dans les communautés nouvelles ? Je vous demande de choisir l'Europe unie, structurée, rassemblée, contre le repli sur soi, contre l'isolement. Je vous demande de choisir l'arbitrage international et le désarmement contre la course folle à la bombe atomique qui détruira le monde. Et puis qu'allons-nous faire de la jeunesse de notre peuple ? Pariera-t-on sur l'avenir, c'est-à-dire sur une économie d'expansion, sur le plein emploi, sur notre capacité de production, sur la création de richesses nouvelles ? Pariera-t-on sur la promotion de ceux qui souffrent, de ceux qui travaillent et de ceux qui espèrent ? Pariera-t-on sur les chances de notre école qui formera les filles et les garçons à posséder et à connaître et donc à maîtriser les données de la science et donc de posséder les secrets de la terre et les itinéraires de l'espace ?

Depuis le premier jour, j'ai demandé aux femmes et aux hommes de notre pays de prendre en main eux-mêmes notre destin, et de se reconnaître en toute circonstance et à jamais comme des citoyens responsables.

Nous avons entendu mardi soir les paroles du chef de l'État. Elles appelaient au drame et invoquaient la catastrophe. Mais cela non plus ce n'est pas vrai ! Il y a dans notre décision de dimanche toutes les promesses de l'espérance.

Croire en la justice et croire au bonheur, c'est cela le message de la gauche.

9. Les élections de mars 1967 :
« Ce n'est pas brillant »

Les élections législatives des 5 et 12 mars 1967 ont porté un nouveau coup à la majorité gaulliste. Elles ont été préparées avec soin par les deux camps. Devenu Union des démocrates Vᵉ République, le parti gaulliste, dirigé par Georges Pompidou, a imposé à ses partenaires républicains-indépendants une candidature unique. De leur côté, François Mitterrand et Jean Lecanuet ont organisé en vue des élections les forces qui les ont soutenus quinze mois plus tôt et qui leur ont permis de mettre De Gaulle en ballottage au premier tour des présidentielles. Le premier a rassemblé radicaux, socialistes et membres des clubs de gauche dans la Fédération de la gauche démocrate et socialiste (FGDS), tandis que le second réunissait dans le Centre démocrate MRP, indépendants du CNI et libéraux.

Si, au premier tour, la majorité a remporté un net succès en rassemblant 37,7 % des voix, le jeu des désistements entre opposants au second n'a permis aux gaullistes et à leurs alliés que de l'emporter d'extrême justesse et d'obtenir 244 sièges sur 487. C'est ce résultat médiocre que commentent, dans un entretien rapporté par Michel Debré, le chef de l'État et son ancien Premier ministre, le 15 mars 1967.

Source : Michel Debré, *Entretiens avec le général de Gaulle, 1961-1969*, Paris, Albin Michel, 1993, pp. 93-95.
Bibliographie : *Les Élections législatives de mars 1967*, Paris, Cahiers de la FNSP, Armand Colin, 1971.

L E GÉNÉRAL commence à exprimer certains regrets sur le résultat des élections. Thème général : ce n'est pas brillant.

Dans ma réponse, j'approuve ces réflexions tout en faisant remarquer qui si, au début de l'année 1966, on lui avait dit que la future Assemblée comporterait une majorité absolue de députés partisans de la Ve République, lui-même et le gouvernement tout entier en auraient été très satisfaits. Il y a en réalité progrès depuis la fin de 1965, compte tenu que les élections législatives ne font pas passer le courant gaulliste comme une élection présidentielle.

Que faut-il faire maintenant ? À cette question, je réponds par la remise de la note préparée et j'y apporte quelques commentaires[1]. Le Général m'écoute puis me demande vingt-quatre heures de réflexion, le temps de lire la note et d'y penser.

La conversation prend un tour personnel. Le Général me dit que la veille, il s'était demandé s'il ne fallait pas abandonner. Je lui réponds que, dès dimanche soir, j'avais bien imaginé que tel serait son sentiment. Il m'interrompt pour le dire : « Non, ce n'est pas le dimanche soir, ni même lundi, c'est dans la journée d'hier que je me suis dit qu'il valait mieux ne pas me compromettre avec tous les grenouillages qui vont avoir lieu. Mieux vaut que je laisse une figure intacte plutôt que de m'abaisser à des contestations sans relief. Tout le monde ne peut pas mourir à Sainte-Hélène, mais je peux au moins disparaître à Colombey en laissant à la postérité le souvenir d'un homme qui ne s'est pas compromis dans les combinaisons. » Il ajoute aussitôt que, la nuit lui ayant permis de réfléchir, il estime qu'il est en fin de compte préférable de continuer le combat. Il me demande mon avis, et je lui donne.

Il faut naturellement rester, tel est mon thème, étant bien entendu qu'il faut combattre.

© Albin Michel

10. La réforme du Sénat
(1969)

À la différence de la réforme universitaire préparée et mise en œuvre par Edgar Faure, que la leçon des événements de 1968 imposait, rien n'obligeait le général de Gaulle à engager en 1969 une réforme régionale impliquant une révision constitutionnelle, et débouchant de ce fait sur le référendum. C'est consciemment et volontairement que le chef de l'État a choisi ce terrain dans le but explicite de renouveler sa légitimité devant le pays.

Préparés par Jean-Marcel Jeanneney, deux textes doivent être soumis à l'approbation des Français lors du référendum du 27 avril.

Le premier porte sur la création de Régions, administrées par des conseils comprenant pour les 3/5e des conseillers désignés par les Conseils généraux ou municipaux parmi leurs membres et les députés de la Région, pour le reste des représentants des «forces vives» économiques, sociales, culturelles désignés par les organisations professionnelles, les chambres de commerce, les syndicats et associations diverses.

Le second prévoit de remplacer le Conseil économique et social et le Sénat par un Sénat consultatif qui comprendrait 173 représentants des collectivités territoriales élus

---

1. Dans cette note, Michel Debré passait en revue les difficultés de tous ordres (économiques, sociales, politiques) qui expliquaient à ses yeux le résultat médiocre de la consultation électorale. Il proposait divers remèdes pour les surmonter.

pour six ans dans le cadre de la Région et 146 représentants des activités économiques, sociales et culturelles désignés par les organisations nationales représentatives. Ce qui reviendrait à priver le Sénat de son rôle traditionnel.

Cette double réforme — qui va focaliser les divers opposants au général (y compris dans les rangs de sa majorité) et aboutir au rejet du texte, immédiatement suivi de la démission du chef de l'État — fait l'objet de l'entretien télévisé que ce dernier va avoir avec le journaliste Michel Droit le 10 avril 1969.

Source : Entretien radiotélévisé du général de Gaulle avec Michel Droit, 10 avril 1969.
Bibliographie : P. Viansson-Ponté, *Histoire de la République gaullienne*, t. 2, *Le temps des orphelines, août 1962-1969*, Paris, Fayard, 1971 ; J. Lacouture, *De Gaulle*, 3. *Le Souverain*, Paris, Seuil, 1986 ; L. Noël, *Comprendre De Gaulle*, Paris, Plon, 1972.

QUESTION. — Mon Général, abordons maintenant cette réforme du Sénat, cette refonte du Sénat dont certains, dont beaucoup pensent qu'elle équivaudra à une disparition pure et simple du Sénat en tant qu'assemblée législative, en tant qu'assemblée politique. Évolution qui aurait pour effet d'accentuer la prépondérance de l'Assemblée nationale et d'accentuer le déséquilibre du pouvoir législatif en France. De votre côté, vous parlez de refonte, de rénovation du Sénat. Vos adversaires déclarent que si le projet est adopté ce sera la «mort» du Sénat. Certains vont jusqu'à prétendre que vous avez, si l'on peut dire, un «compte à régler avec le Sénat».

RÉPONSE. — Le Sénat a, comme on le sait, revêtu, suivant les temps, des formes très diverses. Il fut une assemblée de dignitaires nommés par le souverain sous le Premier et sous le Second Empire. La Restauration et la monarchie de Juillet avaient une Chambre des Pairs, c'est-à-dire une réunion de chefs des grandes familles aristocratiques. Après quoi, pour le Sénat, la belle époque ce fut la IIIᵉ République. Cette Haute Assemblée, alors formée de notables politiques locaux, au minimum quadragénaires, élus au deuxième degré par les délégués des conseils municipaux, avait, par rapport à la Chambre issue du suffrage universel, non seulement des pouvoirs identiques, mais aussi de grands privilèges. Le Sénat ne pouvait, en aucun cas, être dissous. La Chambre pouvait l'être si le Sénat en était d'accord. Le mandat des députés durait quatre ans, celui des sénateurs neuf. Le président du Sénat occupait le deuxième rang dans les préséances de l'État. Sur douze présidents de la IIIᵉ République qui venaient au Parlement, six étaient des sénateurs. C'est le bureau du Sénat qui devenait celui du Congrès quand les deux chambres étaient réunies. C'est le Sénat qui, à lui seul, constituait la Haute-Cour. Dans un régime où le président de la République n'avait pas les moyens d'agir et où les députés renversaient constamment le gouvernement — 106 ministères entre 1875 et 1940 ! — le Luxembourg assumait la sagesse, notamment en matière budgétaire, par comparaison avec l'agitation tumultueuse du Palais-Bourbon. C'est pourquoi, d'ailleurs, les partis socialiste et communiste voulaient abolir le Sénat.

La disparition de la IIIᵉ République fut fatale à l'ancien Sénat. Quand se posa, après la Libération, le problème de nos institutions, bien rares étaient ceux qui proposaient de le rétablir. Comment aurais-je oublié les clameurs des trois partis : communiste, socialiste, Mouvement républicain populaire, qui exprimaient la quasi-totalité de l'opinion politique du moment et qui exigeaient à cor et à cri : «Une assemblée unique et souveraine» ? Un peu plus tard, la Constitution de 1946, qui sortit finalement de leurs œuvres et que, de ma retraite, j'avais formellement désapprouvée, ne rétablissait pas le Sénat et instituait seulement un Conseil de la République, confiné dans un rôle de «Chambre de réflexion» et dépourvu de tout pouvoir. Aussi est-il proprement comique de voir les porte-parole des mêmes partis se dresser aujourd'hui comme champions d'un Sénat, qui serait, à les en croire, indispensable à l'équilibre de la République. En fait, c'est moi qui, en faisant adopter la Constitution de 1958, ai rendu au Sénat, d'abord son nom, ensuite la possibilité d'intervenir réellement, non point dans l'adoption finale, mais dans la délibération des lois. Mon intention est que soit maintenant achevé son redressement en lui donnant la composition et les attributions nouvelles qui lui rendront le poids et le relief.

Il est bien clair, en effet, qu'actuellement le rôle du Sénat est tout à fait accessoire. Car quoi qu'il puisse vouloir, c'est l'Assemblée nationale qui décide en fin de compte ; en outre, il n'a pas le pouvoir de censurer le gouvernement ; enfin, et surtout, il n'est pratiquement saisi des projets qu'après que les députés se sont déjà prononcés, de telle sorte qu'il arrive sans armes après la bataille. D'autre part, nous avons un Conseil économique et social, où siègent les représentants des organismes professionnels, mais qui n'est consulté que sur ce que l'on veut bien lui soumettre, et encore confidentiellement. Il y a donc, pour ce qui est du Sénat et du Conseil économique et social actuellement séparés, un véritable gaspillage de valeurs et de compétences. Au contraire, en les réunissant dans un Sénat rénové, qui sera saisi par priorité de tous les projets de loi, qui, en présence des ministres, en délibérera publiquement, qui présentera ses avis et propositions d'amendements avant que les députés aient pris position en la matière, on donnera à l'Assemblée nouvelle l'audience et l'importance voulues. Mais aussi, on ouvrira aux catégories économiques et sociales françaises la participation directe à la préparation des lois.

Dans cette affaire, il a fallu du temps pour que mûrisse la bonne solution. Le moment est venu de la prendre comme il convient à ce grand sujet, je veux dire posément, sans secousse, par une décision du pays.

QUESTION. — Là, mon Général, il y a quelque chose qu'on ne comprend pas très bien. En effet, si vos intentions vis-à-vis du Sénat sont telles que vous venez de les exposer, comment se fait-il qu'elles n'aient pas été jusqu'ici mieux connues, mieux comprises et surtout mieux interprétées par les principaux intéressés, c'est-à-dire par les sénateurs. Comment expliquez-vous cela ?

RÉPONSE. — D'abord, il y a, vous le savez bien, tous les partis pris politiques. Et puis il en est toujours ainsi pour chaque changement que l'on imprime à quelque chose de constitué. Les gens qui lui sont intégrés ne s'accommodent pas facilement de le voir se modifier, même quand on le rehausse en le déformant. C'est naturellement le cas pour beaucoup de sénateurs. C'est le cas pour certains syndicats, hostiles à des perspectives qui leur offriront le moyen de participer aux mesures constructives nationales au lieu qu'ils se tiennent toujours enfermés dans des revendications fragmentaires. Toute révérence gardée, et pour citer un épisode récent, c'est un peu l'histoire des Halles. Elles étouffaient dans leurs pavillons. Et, cependant, pour certains, le projet de leur transfert apparaissait comme une catastrophe. Encore un nœud qu'il a fallu trancher en dépit des récriminations. Or, voici les Halles à Rungis, installées dans des conditions modernes. N'est-ce pas beaucoup mieux comme cela ?

XIX

1968 EN FRANCE

La France n'a pas donné le branle, au printemps 1968, d'une contestation qui — sous des formes diverses — va bientôt affecter toute une partie de la planète, et pas seulement les pays industrialisés et les démocraties libérales. Certes, l'opposition d'une partie de la jeunesse américaine à la guerre du Viêt-nam et la critique du capitalisme technocratique qui lui est associée, n'ont pas été sans écho dans l'Hexagone, de même que les turbulences qui agitent le milieu universitaire en Allemagne. Mais le mouvement reste marginal et rien ne laisse supposer qu'il porte en germe une révolution (texte n° 1). Or, à la différence de ce qui se passe dans les autres pays de l'Europe de l'Ouest, l'agitation qui se développe au début du printemps 1968 prend en quelques semaines l'allure d'un séisme social et débouche sur une véritable crise de régime.

Parti de la toute récente université de Nanterre, où il a débuté le 22 mars (texte n° 2), le mouvement gagne la Sorbonne début mai, puis la plus grande partie des universités de province, ainsi que les établissements secondaires où se constituent des Comités d'action lycéens (texte n° 3). Il n'est pas né de rien. Comme en Allemagne et en Italie, les «comités Viêt-nam» ont servi de support, dès la fin de 1966, à une contestation globale de la société capitaliste, distincte de celle que font les tenants d'une orthodoxie communiste tout aussi violemment attaquée. Comme en Allemagne également, il est dirigé contre un État et contre des institutions qui paraissent jouir d'un fort consensus et empêcher par conséquent toute modification structurelle importante. Mais à la différence des autres pays, il intervient en fait à un moment où les effets pervers de la croissance (disparités entre les rythmes d'accroissement des revenus) et l'aspiration des salariés à une modification des rapports humains dans l'entreprise se conjuguent avec une certaine érosion du régime établi dix ans plus tôt par le général de Gaulle.

De là l'explosion sociale qui suit la nuit du 10 au 11 mai, la «nuit des barricades», au cours de laquelle de véritables combats de rues se déroulent au Quartier latin entre étudiants contestataires et forces de l'ordre. Lorsque, le 11 mai, Georges Pompidou rentre à Paris à la suite d'un voyage en Afghanistan, la situation s'est envenimée au point de devenir incontrôlable et les mesures libérales qu'il adopte (réouverture de la Sorbonne occupée par la police, libération des étudiants emprisonnés) sont impuissantes à arrêter le mouvement (texte n° 4).

Le 13 mai, tandis que se déroule à Paris une immense manifestation contre la répression policière, se déclenche le mouvement de grève le plus suivi de toute l'histoire sociale française. Il commence à l'usine Sud-Aviation de Nantes, gagne le lendemain les différentes usines de la Régie Renault (texte n° 5), puis s'étend, de proche en proche, à la plupart des branches industrielles et des services, très souvent avec occupation des locaux. Au point culminant du mouvement, la grève touche près de dix millions de salariés. Les grévistes émettent des revendications multiples, traduisant les aspirations, souvent confuses, des participants que les syndicats s'efforcent tant bien que mal de ramener à une formulation concrète, salariale pour la CGT, « qualitative » pour la CFDT. Le 27 mai, patronat et centrales syndicales concluent, sous l'arbitrage du Premier ministre Georges Pompidou, les accords de Grenelle. Ceux-ci prévoient une forte augmentation des salaires, la diminution du temps de travail et une extension des droits syndicaux dans l'entreprise. Mais ils sont rejetés par la majorité des grévistes.

Commence alors la troisième phase de la crise qui est politique. L'impuissance du gouvernement à résoudre la crise sociale, le silence du général de Gaulle après sa proposition de référendum sur la participation, la panique des milieux dirigeants, paraissent créer une vacance du pouvoir dont l'opposition s'efforce de profiter. François Mitterrand, président de la Fédération de la gauche démocrate et socialiste (FGDS) préconise la formation d'un gouvernement provisoire placé sous la direction de Pierre Mendès France, lui même se portant candidat à la présidence de la République. La veille, étudiants et militants de la FEN, de la CFDT et du PSU ont tenu un meeting à Charléty pour réclamer, en présence de Mendès France, de profondes réformes de structures (texte n° 6). De son côté, le Parti communiste lance un appel à un « gouvernement populaire » dont nul ne sait exactement en quoi il consiste.

Mais la « disparition » mystérieuse du général de Gaulle — qui s'est en fait rendu à Baden-Baden auprès du général Massu — marque le début de la contre-offensive du pouvoir. Le 30 mai, le chef de l'État reprend la situation en main : il annonce la dissolution de l'Assemblée et fait appel à l'action civique des Français (texte n° 7) pour faire obstacle au « communisme totalitaire » (texte n° 8). Le soir même, plusieurs centaines de milliers de personnes manifestent en sa faveur aux Champs-Élysées. Tandis que le travail reprend peu à peu dans les entreprises, les partis préparent fébrilement des élections qui auront lieu les 23 et 30 juin et donneront la majorité absolue des sièges au parti gouvernemental, l'UDR. « Mai 68 » s'achève ainsi en triomphe électoral pour la droite. À l'heure où les étudiants partent en vacances, où certains militants « gauchistes » s'apprêtent à basculer dans l'action illégale, fleurissent les premières analyses « à chaud » d'une crise qui a révélé aux Français l'usure du régime et les blocages d'une société en pleine mutation (texte n° 9).

1. « Quand la France s'ennuie »

Pierre Viansson-Ponté a été rédacteur en chef de L'Express _de 1953 à 1958, avant d'entrer au journal_ Le Monde _pour y exercer les fonctions de chef du service politique, poste qu'il occupe au moment où, le 15 mars 1968, il fait paraître dans ce quotidien un article appelé à devenir célèbre :_ « Quand la France s'ennuie ». _Journaliste de talent et analyste averti de la vie politique française, Viansson-Ponté n'est pas seul à ne pas avoir vu venir les événements du printemps 1968. À cette date en effet, seule l'université paraît agitée de troubles mineurs, provoqués par quelques groupuscules «gauchistes», ou portant sur des revendications apparemment anodines, telles que le droit pour les filles d'accéder librement aux chambres des garçons dans les résidences universitaires d'Antony ou de Nanterre. Du moins est-ce ainsi que l'éditorialiste du_ Monde _juge, en osmose avec l'opinion majoritaire, une demande en fait emblématique du décalage existant entre les générations, et plus largement entre l'état des mœurs dans une société façonnée par la croissance et la rigidité relative des normes morales ou administratives. Or, ce qui va donner au «mouvement de mai» sa forme explosive, c'est précisément son caractère de révolte contre l'autorité, sous toutes ses formes. Parmi les jeunes, et principalement parmi les jeunes citadins engagés dans un cursus secondaire ou supérieur, la tendance est au refus de l'autorité et au rejet des contraintes opposées à la liberté et à l'épanouissement de l'être par les institutions en place (État, patronat, armée, parents, professeurs, églises, etc.) et par les morales traditionnelles. Il y a là un détonateur qui, mis en relation avec le champ politique par le truchement des groupes contestataires, va précipiter l'explosion du mois de mai._

Source : Pierre Viansson-Ponté, «Quand la France s'ennuie», _Le Monde_, 15 mars 1968.
Bibliographie : J. Capdevielle, R. Mouriaux, _Mai 68, l'entre-deux de la modernité_, Paris, Presses de la FNSP, 1988 ; L. Joffrin, _Mai 1968, Histoire des événements_, Paris, Seuil, 1988.

CE QUI CARACTÉRISE actuellement notre vie publique, c'est l'ennui. Les Français s'ennuient. Ils ne participent ni de près ni de loin aux grandes convulsions qui secouent le monde. La guerre du Viêt-nam les émeut, certes, mais elle ne les touche pas vraiment. [...] Le conflit du Moyen-Orient a provoqué une petite fièvre au début de l'été dernier : la chevauchée héroïque remuait des réactions viscérales, des sentiments et des opinions ; en six jours, l'accès était terminé. Les guérillas d'Amérique latine et l'effervescence cubaine ont été, un temps, à la mode ; elles ne sont plus guère qu'un sujet de travaux pratiques pour sociologues de gauche et l'objet de motions pour les intellectuels. Cinq cent mille morts peut-être en Indonésie, cinquante mille tués au Biafra, un coup d'État en Grèce, les expulsions du Kenya, l'apartheid sud-africain, les tensions en Inde : ce n'est guère que la monnaie quotidienne de l'information. La crise des partis communistes et la révolution culturelle chinoise semblent équilibrer le malaise noir aux États-Unis et les difficultés anglaises.

De toute façon, ce sont leurs affaires, pas les nôtres. Rien de tout cela ne nous atteint directement : d'ailleurs la télévision nous répète au moins trois fois chaque soir que la

France est en paix pour la première fois depuis bientôt trente ans et qu'elle n'est ni impliquée ni concernée où que ce soit dans le monde.

La jeunesse s'ennuie. Les étudiants manifestent, bougent, se battent en Espagne, en Italie, en Belgique, en Algérie, au Japon, en Amérique, en Égypte, en Allemagne, en Pologne même. Ils ont l'impression qu'ils ont des conquêtes à entreprendre, une protestation à faire entendre, au moins un sentiment de l'absurde à opposer à l'absurdité. Les étudiants français se préoccupent de savoir si les filles de Nanterre et d'Antony pourront accéder librement aux chambres des garçons, conception malgré tout limitée des droits de l'homme. Quant aux jeunes ouvriers, ils cherchent du travail et n'en trouvent pas. Les empoignades, les homélies et les apostrophes des hommes politiques de tout bord paraissent à tous ces jeunes, au mieux plutôt comiques, au pis tout à fait inutiles, presque toujours incompréhensibles. [...]

Le général de Gaulle s'ennuie. Il s'était bien juré de ne plus inaugurer les chrysanthèmes, et il continue d'aller, officiel et bonhomme, du Salon de l'agriculture à la Foire de Lyon. Que faire d'autre ? [...]

Seuls quelques centaines de milliers de Français ne s'ennuient pas : chômeurs, jeunes sans emploi, petits paysans écrasés par le progrès, victimes de la nécessaire concentration et de la concurrence de plus en plus rude, vieillards plus ou moins abandonnés de tous. Ceux-là sont si absorbés par leurs soucis qu'ils n'ont pas le temps de s'ennuyer, ni d'ailleurs le cœur à manifester et à s'agiter. Et ils ennuient tout le monde. La télévision, qui est faite pour distraire, ne parle pas assez d'eux. Aussi le calme règne-t-il. [...]

Cet état de mélancolie devrait normalement servir l'opposition. Les Français ont souvent montré qu'ils aiment le changement pour le changement, quoi qu'il puisse leur en coûter. Un pouvoir de gauche serait-il plus gai que l'actuel régime ? La tentation sera sans doute de plus en plus grande, au fil des années, d'essayer, simplement pour voir, comme au poker. L'agitation passée, on risque de retrouver la même atmosphère pesante, stérilisante aussi. [...]

Dans une petite France presque réduite à l'Hexagone, qui n'est pas vraiment malheureuse ni vraiment prospère, en paix avec tout le monde, sans grande prise sur les événements mondiaux, l'ardeur et l'imagination sont aussi nécessaires que le bien-être et l'expansion. Ce n'est certes pas facile. L'impératif vaut d'ailleurs pour l'opposition autant que pour le pouvoir. S'il n'est pas satisfait, l'anesthésie risque de provoquer la consomption. Et à la limite, cela s'est vu, un pays peut aussi périr d'ennui.

2. Le Mouvement du 22 mars

Le « Mouvement du 22 mars » est né à l'université de Nanterre parmi les étudiants qui ont occupé ce jour-là la salle du Conseil de la faculté des Lettres. Constitué d'étudiants relevant de différentes mouvances de l'extrême gauche (trotskistes, maoïstes, anarchistes, inorganisés), il est principalement animé par Daniel Cohn-Bendit, étudiant de sociologie qui a suivi avec attention le mouvement de contestation des universités allemandes.

L'université de Nanterre a été inaugurée en 1963 pour déconcentrer une Sorbonne hypertrophiée et asphyxiée par l'accroissement des effectifs étudiants. Symbole de l'expansion universitaire française, elle a été édifiée au milieu d'un immense bidonville où s'entassent les immigrés maghrébins et portugais, et incarne donc pour beaucoup _les contrastes jugés insupportables d'une société qui ne se soucie que de profits et ignore l'homme et ses besoins._

Rassemblant une centaine de personnes, la manifestation du 22 mars et le mouvement auquel elle a donné naissance peuvent paraître dérisoires. Pour nombre d'étudiants ils vont prendre toutefois un sens et une portée considérables en tant que défis à l'université et à ses maîtres, et à travers eux à la société et au pouvoir. Dans le tract présenté ci-dessous, sont déjà présents certains des thèmes de la contestation gauchiste, ainsi que les principes d'une stratégie visant, par le jeu de la provocation et de la répression, à contraindre la société «bourgeoise» à montrer son «vrai visage».

Source : Tract ronéographié du «Mouvement du 22 mars» (BDIC, Nanterre).
Bibliographie : C. Prévost, _Les Étudiants et le gauchisme_, Paris, Éd. sociales, 1969 ; A. Touraine, _Lutte étudiante_, Paris, Seuil, 1978 ; E. Morin, C. Lefort, C. Castoriadis, _Mai 68 : la brèche_, suivi de _Vingt ans après_, Bruxelles, Complexe, 1988.

L E MOUVEMENT DE NANTERRE est nettement politisé. [...] Il a mis en avant des thèmes non syndicaux tels que «Non à la répression policière, université critique, droit à l'expression politique dans la faculté». Du coup, il s'est révélé minoritaire et, conscients de ce fait, plusieurs orateurs ont dénoncé les illusions du mot d'ordre «Défense des intérêts communs de tous les étudiants». À Nanterre, il est clair que beaucoup acceptent les études supérieures comme initiation à la direction des affaires. [...]

Les actions menées ont accéléré la prise de conscience de certains : plutôt que de «provocations», il s'agissait d'obliger l'autoritarisme à se manifester (cf. les cars de CRS prêts à intervenir) en montrant le vrai visage des «dialogues» proposés. Dès que certains problèmes apparaissent, le dialogue cède la place à la matraque.

Il faut insister sur la nouveauté du mouvement déclenché. [...] Nous sommes résolus à éviter les récupérations par un groupe politique particulier, comme par l'administration et les étudiants libéraux, adeptes du «dialogue» et de la contestation en salle close. [...] De nouveaux problèmes ont été soulevés, en particulier celui d'un refus plus direct et efficace de l'université de classe, d'une dénonciation d'un savoir neutre et objectif [...], d'une interrogation sur la place objective que nous sommes destinés à occuper dans la division du travail actuelle, d'une jonction avec les travailleurs en lutte, etc. [...]

Nous espérons, en distribuant ce bulletin, contribuer tant soit peu à l'extension à d'autres facultés de l'agitation étudiante, afin que, comme en Allemagne, la critique de l'université puisse déboucher sur une action politique radicale et permanente dans le cadre de l'université critique.

3. La révolte des lycéens vue par Daniel Cohn-Bendit

Avec Alain Geismar (secrétaire général du SNE-sup) et Jacques Sauvageot (dirigeant de l'UNEF), Daniel Cohn-Bendit, étudiant de sociologie à l'université de Nanterre, fait figure de leader charismatique du Mouvement de mai. Parfaitement à l'aise à l'antenne et sur le petit écran, il sera durant deux mois et plus la providence des journalistes en quête de propos provocateurs faisant la «une» de l'actualité. Il est aussi la bête noire *de tous ceux qui dénoncent dans la contestation gauchiste la « chienlit » et le péril révolutionnaire, plus ou moins orchestré de l'étranger. La qualification de « Juif allemand » lui sera appliquée par certains de ses adversaires (à droite mais aussi parfois à gauche), reprise et retournée contre ses auteurs dans les manifestations de soutien au mouvement étudiant (« Nous sommes tous des Juifs allemands ! »).*

Dans un livre publié au lendemain des « Événements » et intitulé, par référence à un ouvrage célèbre de Lénine[1]*,* Le Gauchisme, remède à la maladie sénile du communisme*, Cohn-Bendit évoque ce qui, au-delà de ses formes proprement politiques, caractérise le mouvement de contestation de la jeunesse au printemps 1968, à savoir le refus de l'autorité, tant au sein de l'institution scolaire — ici le lycée — que dans la famille.*

Source : Daniel Cohn-Bendit, *Le Gauchisme, remède à la maladie sénile du communisme*, Paris, Seuil, 1968, pp. 126-127.

Bibliographie : H. Hamon et P. Rotman, *Génération*, t. I, *Les Années de rêve*, t. II, *Les Années de poudre*, Paris, Seuil, 1987-1988 ; A. Touraine, *Le Mouvement de mai ou le communisme utopique*, Paris, Seuil, 1968.

L A VIOLENCE, la soudaineté, la franchise et l'euphorie du mouvement ont ouvert une brèche dans toutes les institutions, organisations et corps professionnels de la société française. La structure pyramidale de la hiérarchie a permis à la contestation de l'ordre établi de toucher les cadres, les fonctionnaires ou les journalistes les plus compromis et les plus impliqués dans le système.

Dans l'enseignement primaire et secondaire, on retrouve une partie de l'effervescence estudiantine. Les instituteurs et professeurs de l'enseignement secondaire se déplacent, même sans essence, comme par exemple à Saint-Nazaire, pour assister aux travaux des commissions animées par les militants les plus gauchistes de la fédération de l'éducation nationale. Alors que, deux mois auparavant, il était impossible de susciter des discussions pédagogiques, des enseignants se retrouvent à 500 dans les assemblées générales pour discuter des problèmes fondamentaux de l'enseignement scolaire ; les méthodes d'enseignement actif, le refus de l'instituteur répressif, la recherche du développement de l'enfant, de l'exploitation des facultés d'imagination et d'auto-organisation des élèves sont abordés. Ce déblocage dans les lycées a été rendu possible par l'intervention des comités d'action lycéens. Ceux-ci se sont heurtés pendant une longue période au corps enseignant, et pas seulement à l'administration. Ce n'est que durant les événements qu'ils trouvèrent suffisamment de forces « militantes » pour s'imposer.

Il est difficile de ne pas parler de l'action des lycéens sans employer un ton paternaliste. Le refus de l'autoritarisme scolaire ne pouvait se faire que sous une forme juvénile et souvent touchante. Occuper les lycées, imposer le dialogue aux enseignants, participer à un combat, même s'ils ne furent pas toujours maîtres de son ampleur, leur donnaient l'impression d'être dans l'action plus que des enfants. Ils contestaient alors non seulement leur statut d'élèves, mais l'éducation que leur réservait la société de consommation. Les lycéens et lycéennes aspiraient à une liberté correspondant à leurs besoins et à leur maturité physique et intellectuelle. Il semble dérisoire de disserter sur Rousseau et l'*Émile* et d'être soumis à un système d'enseignement antisocial et frustrant.

---

1. Lénine, *Le Gauchisme, maladie infantile du communisme.*

Le drame, les lycéens le vivaient dans leur famille face à l'incompréhension des parents. Cette période, exaltante pour toute une partie de la jeunesse, remettait directement en cause les structures familiales. «L'enfant», actif toute la journée, occupant, discutant, se battant, méprisait foncièrement ses parents qui non seulement ne comprenaient rien, ne voulaient pas comprendre, mais le réprimaient et tentaient de l'enfermer.

L'action des lycéens contrastait totalement avec leur vie familiale et scolaire antécédente. Ils changeaient totalement « la vie », la rendaient intéressante et pleine d'impondérables. Parents au rancart, méfiez-vous des tentatives de récupération pour entraver cette liberté conquise dans la rue. Vos aspirations autoritaires et répressives, légitimées par votre propre passivité, ne pourront être un moyen de canaliser les forces libérées de vos enfants. Vous qui acceptez qu'ils défendent la patrie à partir de l'âge de dix-huit ans, sans transition ni accoutumance, ne vous étonnez pas s'ils vous récusent le droit de les juger ou même de les conseiller. La liberté que vous n'avez pas su leur donner, ils l'ont prise pour la garder. Ne souriez pas trop tôt ; ne renforcez pas trop vite les rangs des CRS ou des curés.

© Seuil

4. Georges Pompidou devant l'Assemblée nationale
(14 mai 1968)

Au premier stade de la crise, qui n'a encore mobilisé que les étudiants et la jeunesse des lycées, mais qui a donné lieu, dans la nuit du 10 au 11 mai à Paris, à une véritable émeute, le pouvoir refuse toujours de considérer l'événement comme véritablement sérieux. Le 14 mai, marquant avec éclat que l'agitation universitaire ne saurait détourner l'État des tâches essentielles, le général de Gaulle s'envole pour une visite officielle en Roumanie. Trois jours plus tôt, Georges Pompidou est rentré d'Afghanistan et s'est aussitôt appliqué à calmer les esprits, et pour cela il a pris ou annoncé une série de mesures d'apaisement : réouverture de la Sorbonne (fermée le 5 mai) et promesse de libération des étudiants interpellés et condamnés le 5 mai en flagrant délit. Mais ces mesures, venues trop tard, ont été impuissantes à arrêter un mouvement qui a commencé à trouver des relais dans le monde politique et syndical.

Au cours des journées qui suivent la « nuit des barricades », les militants des organisations étudiantes cessent de tenir la rue pour se replier dans les facultés. L'une après l'autre, celles-ci sont occupées — y compris la Sorbonne, réouverte le 13 mai — et les cours sont suspendus, remplacés par des « assemblées générales » qui sont le lieu de discussions fiévreuses portant tantôt sur la réforme de l'université, tantôt sur les changements profonds à apporter à la société. Dans une Sorbonne ornée des drapeaux de la révolution castriste et du Nord-Viêt-nam, on refait le monde en conjuguant révolution politique et révolution des mœurs.

Telle est la situation au moment où, à la tribune de l'Assemblée nationale, Georges Pompidou prend la parole pour demander aux députés — et à travers eux à la nation tout entière — leur collaboration face à des événements dont il a commencé à prendre la véritable mesure.

Source : _Journal officiel, Débats parlementaires_, Assemblée nationale, 15 septembre 1968.

Bibliographie : É. Balladur, *L'Arbre de mai, chronique alternée*, Paris, Atelier Marcel Jullian, 1979 ; P. Alexandre, R. Tubiana, *L'Élysée en péril, 2-30 mai 1968*, Paris, Fayard, 1969.

M. LE PREMIER MINISTRE,

Mesdames et messieurs, rien ne serait plus illusoire que de croire que les événements que nous venons de vivre constituent une flambée sans lendemain. Rien ne serait plus illusoire également que de croire qu'une solution valable et durable puisse naître du désordre et de la précipitation. La route est longue et difficile. Il ne sera pas trop de collaboration de tous les intéressés pour atteindre le but. Le gouvernement, pour sa part, est prêt à recueillir les avis, à étudier les suggestions, à en tirer les conséquences pour ses décisions. Mais il demande qu'on veuille bien mesurer les difficultés de la tâche.

C'est qu'il ne s'agit pas, simplement, de réformer l'université. À travers les étudiants, c'est le problème même de la jeunesse qui est posé, de sa place dans la société, de son équilibre moral même. [...]

Traditionnellement, la jeunesse était vouée à la discipline et à l'effort, au nom d'un idéal ou d'une conception morale en tout cas.

La discipline a en grande partie disparu. L'intrusion de la radio et de la télévision a mis les jeunes dès l'enfance au contact de la vie extérieure. L'évolution des mœurs a transformé les rapports entre parents et enfants, entre maîtres et étudiants. Les progrès de la technique et du niveau de vie ont beaucoup supprimé le sens de l'effort. Quoi d'étonnant enfin si le besoin de l'homme de croire en quelque chose, d'avoir solidement ancrés en soi quelques principes fondamentaux se trouve contrarié par la remise en cause constante de tout ce sur quoi l'humanité s'est appuyée pendant des siècles : la famille est souvent dissoute, en tout cas relâchée, la patrie discutée, souvent niée, Dieu est mort pour beaucoup et l'Église elle-même s'interroge sur les voies à suivre et bouleverse ses traditions.

Dans ces conditions, la jeunesse, non pas tant peut-être la jeunesse ouvrière ou paysanne qui connaît le prix du pain et la rude nécessité de l'effort, mais qui est plus inquiète que d'autres aussi pour son avenir professionnel, la jeunesse universitaire en tout cas, se trouve désemparée. Les meilleurs s'interrogent, cherchent, s'angoissent, réclament un but et des responsabilités. D'autres, et qui ne sont pas toujours les pires, se tournent vers la négation, le refus total et le goût de détruire.

Détruire quoi ? Ce qu'ils ont sous la main d'abord et, pour les étudiants, c'est l'université. Et puis la société, non pas la société capitaliste comme le croit M. Juquin — qu'il demande donc l'avis des étudiants de Varsovie, de Prague et même de Moscou *(Applaudissements sur les bancs de l'Union des démocrates pour la Ve République et du groupe des Républicains indépendants)* —, mais la société tout court, la société moderne, matérialiste et sans âme à leurs yeux.

Je ne vois de précédent dans notre histoire qu'en cette période désespérée que fut le XVe siècle, où s'effondraient les structures du Moyen Âge et où, déjà, les étudiants se révoltaient en Sorbonne.

À ce stade, ce n'est plus, croyez-moi, le gouvernement qui est en cause, ni les institutions, ni même la France. C'est notre civilisation elle-même. Tous les adultes et tous les responsables, tous ceux qui prétendent guider les hommes, se doivent d'y songer ; parents, maîtres, dirigeants professionnels ou syndicaux, écrivains et journalistes, prêtres ou laïcs.

Il s'agit de recréer un cadre de vie accepté de tous, de co
critique et conviction, civilisation urbaine et personnalité,
l'effort, libre concurrence et justice, individualisme et solid

Je ne cherche pas, mesdames, messieurs, à éviter le d
l'occasion d'ici peu de le vider complètement. Mais en év
problèmes qui sont en fin de compte d'ordre philosophi
du moins relèvent de la politique au sens le plus élevé   ..e, j
gner de la question immédiate, qui est celle de notre jeunesse.

Il y a trois jours, au lendemain d'une nuit d'émeute, j'ai délibérém
l'accord du président de la République, l'apaisement et j'ai fait les gestes
Aujourd'hui, je fais appel à la coopération de tous, et d'abord des étudiants,
les gestes nécessaires.

Notre pays veut la paix. Notre pays veut être heureux. Ce n'est que dans le calm
dans la collaboration qu'il en trouvera la voie.

Puisse, cette fois aussi, mon appel être entendu ! *(Applaudissements prolongés sur les bancs de l'Union des démocrates pour la Ve République, du groupe des Républicains indépendants et sur quelques bancs du groupe Progrès et démocratie moderne.)*

5. Le déclenchement de la grève aux usines Renault de Flins

Le jour même où le Premier ministre déclare à la tribune de l'Assemblée nationale que « c'est notre civilisation elle-même qui est en cause », la crise entre dans une phase nouvelle avec le déclenchement de la grève à l'usine Sud-Aviation de Nantes. Le lendemain, le mouvement gagne les usines Renault de Flins, Cléon, Sandouville, et deux jours plus tard la citadelle ouvrière de Billancourt. En dépit des efforts prodigués par les étudiants et par les organisations gauchistes pour lier leur mouvement à celui des ouvriers, ceux-ci — principalement ceux qu'encadrent la CGT et le Parti communiste — restent généralement méfiants et s'en tiennent à leurs propres revendications. Pour certains d'entre eux cependant, comme le militant de la CFDT auteur du texte ci-dessous, l'action du mouvement étudiant est loin d'avoir été négligeable dans le déclenchement de la grève, jouant en quelque sorte un rôle de détonateur.

Source : Yves Ducos, « Histoire et leçons d'une grève », *Esprit*, août-septembre 1968, pp. 97-99.
Bibliographie : P. Silvestre et P. Wagret, *Le Syndicalisme contemporain*, Paris, Armand Colin, 1970 ; J. Capdevielle et R. Mouriaux, *Les Syndicats ouvriers en France*, Paris, Armand Colin, 1970.

DEPUIS CINQ ANS, nous avions tenté plusieurs opérations pour faire prendre conscience, parce que rien n'avançait, que ce soit la réduction du temps de travail, les salaires, les conditions de travail, les cadences. Nous avions à plusieurs reprises essayé, à la CFDT, de lancer des grèves d'une demi-journée, mais la CGT n'a jamais accepté ce type d'action, voulant se limiter à des grèves très courtes, qui d'ailleurs ne ent à rien parce que l'heure de grève, les ouvriers savent très bien qu'elle rée dans la journée ou dans les deux jours qui suivent. Nous avions par à- urtout quand il y avait du travail le samedi, lancé des ordres de grève qui étaient eu suivis, mais qui avaient le mérite de créer le trouble dans la tête des gens. Je me iens de grèves, le samedi, où nous avions encadré toute l'entrée avec des panneaux rtant toutes sortes de slogans, et les gens entrant la tête basse au boulot et nous disant a semaine suivante : « Au fond, vous avez raison, mais on n'a pas le courage de le faire. » Pendant plusieurs années, ce travail a favorisé une prise de conscience.

Là-dessus, le mouvement étudiant est venu servir de détonateur, surtout la répression policière, car les travailleurs y sont sensibles. Le mercredi 15 mai, coup de fil de Cléon : grève illimitée. Les copains de la CFDT se sont réunis aussitôt ; ils ont convoqué la CGT à une réunion en disant : « Cléon est en grève. Nous proposons un débrayage de 10 heures pour demander aux travailleurs s'ils sont d'accord pour se lancer dans une grève illimitée sur les revendications qui n'ont pas abouti depuis dix ans. » Les ouvriers se sont réunis. Ils ont décidé, après les prises de parole, de se mettre en grève illimitée avec occupation d'usine, constitution de piquets de grève, etc. Ça a démarré comme ça.

6. Le meeting de Charléty

L'épisode Charléty s'inscrit dans la troisième phase de la crise, celle qui voit entrer en lice les représentants de la classe politique, à commencer par les leaders de la gauche qui, face au vide apparent du pouvoir, tentent d'opérer une transition en douceur.

Le 27 mai, tandis que les salariés rejettent les accords de Grenelle, l'UNEF appelle à un meeting au stade Charléty, proche de la Cité universitaire. Le PSU est présent, derrière son secrétaire général Michel Rocard, de même que la plupart des groupes gauchistes et nombre de militants de la CFDT (qui a donné son appui à la manifestation). Pierre Mendès France est là également. Silencieux, il écoute les discours gauchisants prononcés devant une foule de 30 000 personnes. On lui reprochera par la suite d'avoir ainsi cautionné une entreprise subversive et d'être en quelque sorte apparu comme son leader potentiel. Mendès s'en défendra en affirmant qu'il s'était rendu à Charléty pour faire pièce aux provocations (anarchistes ? policières ?) et pour empêcher que le sang coule. Dans Le Monde *du 29 mai, Jean Lacouture rend compte de l'événement.*

Source : Jean Lacouture, *Le Monde*, 29 mai 1968.
Bibliographie : M. Winock, *La Fièvre hexagonale. Les grandes crises politiques, 1871-1968*, Paris, Calmann-Lévy, 1986, réédit. Points-Seuil, 1987 ; J.-F. Kessler, *De la gauche dissidente au nouveau parti socialiste. Les minorités qui ont rénové le PS*, Toulouse, Privat, 1990 ; R. Cayrol, *Le PSU et l'avenir de la France*, Paris, Seuil, 1969.

Dès 18 HEURES, les tribunes s'emplissent. Le premier slogan qui est scandé surprend non par le thème mais par le rythme rudement syncopé que lui imprime la foule étudiante : « Ce n'est qu'un début, continuons le combat. » [...]

L'UNEF, avec l'aide de la CFDT, de la FEN et du PSU, a gagné son pari, empli le stade, rassemblé ouvriers et étudiants. Salué avec amitié par ceux qui le reconnaissent, discrètement mêlé à la foule, Pierre Mendès France est là. À 19 heures, le meeting peut commencer.

C'est naturellement Jacques Sauvageot qui l'ouvre au nom de l'UNEF, appelant au calme, conjurant les incidents : « Je vois que la pègre est venue nombreuse... La violence peut se justifier. Aujourd'hui nous ne la croyons pas efficace. Le gouvernement, qui a trouvé ses alliés, il faut le dire, cherche à diviser ouvriers et étudiants. »

Un porte-parole de la CFDT lui succède, très applaudi, quand il rappelle la communauté des luttes étudiantes et ouvrières, acclamé quand il assure que les ouvriers ne sauraient se contenter des concessions matérielles du pouvoir et poursuivent l'occupation des usines.

Après un militant du Mouvement du 22 mars, qui appelle à la création de « comités révolutionnaires de quartier » dans la ligne d'une stratégie constamment fondée sur l'élan spontané de la base, c'est André Barjonet, auréolé de sa récente démission de la CGT, qui se saisit du micro. Il parle dans une houle d'enthousiasme qui le porte à dresser un tableau très confiant de la situation : oui, on peut faire la révolution. Son allocution est très chaleureuse, très vigoureuse. « Si j'ai quitté la CGT, c'est surtout parce que les dirigeants n'avaient pas su ou peut-être pas voulu voir que la situation où nous sommes est vraiment révolutionnaire. Aujourd'hui, tout est possible. »

Alain Geismar, très applaudi lui aussi, explique que s'il vient de donner sa démission du secrétariat du Syndicat national de l'enseignement supérieur, c'est pour mieux se consacrer à ses tâches politiques et d'organisation. Rappelant son expérience universitaire, il suggère qu'en guide de transition vers la prise de pouvoir par les travailleurs de l'entreprise soit expérimenté un système de « double pouvoir », et salue la remise en marche de la production dans certaines industries au bénéfice des grévistes. Et il plaide avec vigueur pour qu'ouvriers et étudiants sortent de leurs « ghettos » respectifs pour préparer ensemble l'avènement du socialisme. Et de citer Guevara : « Le premier devoir d'un révolutionnaire est de faire la révolution. »

Répondant en quelque sorte à André Barjonet, un syndicaliste CGT, qui se présente comme un responsable d'organisation parisienne, déclare qu'il a choisi, lui, de mener le combat à l'intérieur de la centrale. Les huées qui accueillent ce propos se changent très vite en applaudissements, « car c'est de l'intérieur, dit-il, que nous pourrons chasser les bureaucrates et faire que la CGT soit à la pointe du combat et non plus de la capitulation ».

Après l'intervention d'un porte-parole du Syndicat national de l'enseignement supérieur, il reviendra à Jacques Sauvageot, organisateur du meeting de conclure, non sans que Pierre Mendès France, convié à prendre la parole par une partie du public, en décline l'invite, dès lors, dit-il, qu'il s'agit d'une manifestation syndicale.

Revenant donc au micro, le président en exercice de l'UNEF, apparemment épuisé, assure que les négociations de la fin de la semaine sont sans valeur, le gouvernement n'étant pas « un interlocuteur valable ».

Déjà, le stade s'est à demi vidé lentement dans la nuit qui tombe. Ce qui facilite la dispersion, précédée par le chant de *L'Internationale*. Aux portes du stade, où l'on n'aperçoit aucune force de police, les membres du service d'ordre de l'UNEF invitent le public à se disperser très vite.

7. Allocution du général de Gaulle
du 30 mai 1968

Le mercredi 29 mai, jour du Conseil des ministres, le général de Gaulle annule la séance prévue pour le matin et convoque Georges Pompidou pour lui annoncer qu'il a décidé de s'éloigner un peu de l'épicentre de la crise. Parti en principe pour Colombey, il va en fait « disparaître » pendant plusieurs heures, sans que le Premier ministre lui-même puisse dire où il se trouve. Il faudra attendre la fin de l'après-midi pour que, enfin arrivé à La Boisserie, le général fasse savoir à Pompidou qu'il convoque le Conseil des ministres pour le lendemain.

On apprendra plus tard que durant sa « disparition », De Gaulle s'était rendu à Baden-Baden pour y rencontrer le général Massu. Dans quel but ? Aujourd'hui encore le doute subsiste. A-t-il « craqué », comme l'affirmeront Massu et Pompidou, et n'a-t-il repris confiance que grâce aux encouragements de l'ancien vainqueur de la bataille d'Alger ? Est-il de sang froid allé requérir l'appui éventuel de ce dernier dans la perspective d'un coup de force ? Ou bien, comme le pensent certains de ses collaborateurs, n'a-t-il pas simplement cherché à dramatiser la situation ?

Quoi qu'il en soit, il a dès le lendemain repris l'initiative. Avant le Conseil des ministres, il s'entretient avec Georges Pompidou qui le convainc de renoncer au référendum initialement prévu et de lui substituer des élections consécutives à la dissolution de l'Assemblée. Après quoi, l'ORTF étant en grève, il enregistre à 16 heures 30 à la radio la courte allocution reproduite ici. L'effet est immédiat. Par dizaines de milliers, les sympathisants descendent dans la rue et se rendent à la Concorde où se forme une immense manifestation qui remonte bientôt les Champs-Élysées derrière les fidèles du général (Malraux, Debré, Mauriac) et les caciques du régime. Pour la première fois depuis plusieurs semaines, la gauche a dû céder le monopole de la rue à la « majorité silencieuse ».

Source : Discours radiodiffusé, 30 mai 1968.
Bibliographie : P. Alexandre, *Le Duel De Gaulle-Pompidou*, Paris, Plon, 1971 ; Général J. Massu, *Baden 68*, Paris, Plon, 1983.

FᴿᴀɴÇᴀɪꜱᴇꜱ, FᴿᴀɴÇᴀɪꜱ,
Étant le détenteur de la légitimité nationale et républicaine, j'ai envisagé depuis vingt-quatre heures toutes les éventualités sans exception qui me permettraient de la maintenir. J'ai pris mes résolutions. Dans les circonstances présentes, je ne me retirerai pas. J'ai un mandat du peuple. Je le remplirai. Je ne changerai pas le Premier ministre, dont la valeur, la solidité, la capacité, méritent l'hommage de tous. Je dissous aujourd'hui l'Assemblée nationale. J'ai proposé au pays un référendum qui donnait aux citoyens l'occasion de prescrire une réforme profonde de notre économie et de notre université, et en même temps de dire s'ils me gardaient leur confiance ou non par la seule voie acceptable, celle de la démocratie.

Je constate que la situation actuelle empêche matériellement qu'il y soit procédé. C'est pourquoi j'en diffère la date. Quant aux élections législatives elles auront lieu dans les délais prévus par la Constitution, à moins qu'on n'entende bâillonner le peuple français tout entier en l'empêchant de s'exprimer en même temps qu'on l'empêche de vivre, par les mêmes moyens qu'on empêche les étudiants d'étudier, les enseignants d'enseigner, les travailleurs de travailler. Ces moyens ce sont l'intimidation, l'intoxication et la tyrannie exercées par des groupes organisés de longue main en conséquence et par un parti qui est une entreprise totalitaire même s'il a déjà des rivaux à cet égard.

Si donc cette situation de force se maintient, je devrai, pour maintenir la République, prendre, conformément à la Constitution, d'autres voies que le scrutin immédiat du pays. En tout cas partout et tout de suite il faut que s'organise l'action civique. Cela doit se faire pour aider le gouvernement d'abord, puis localement les préfets devenus ou redevenus commissaires de la République dans leur tâche qui consiste à assurer autant que possible l'existence de la population et à empêcher la subversion à tout moment et en tout lieu.

La France, en effet, est menacée de dictature. On veut la contraindre à se résigner à un pouvoir qui s'imposerait dans le désespoir national, lequel pouvoir serait alors évidemment essentiellement celui du vainqueur, c'est-à-dire celui du communisme totalitaire.

Naturellement, on le colorerait pour commencer d'une apparence trompeuse en utilisant l'ambition et la haine de politiciens au rancart. Après quoi, ces personnages ne pèseraient pas plus que leur poids qui ne serait pas lourd. Eh bien ! non, la République n'abdiquera pas, le peuple se ressaisira. Le progrès, l'indépendance et la paix l'emporteront avec la liberté. Vive la République ! Vive la France !

8. Déclaration du Bureau politique du Parti communiste français

(30 mai 1968)

Quelques heures seulement après que le général de Gaulle eut, dans son discours radiodiffusé, annoncé la dissolution de l'Assemblée nationale et la tenue de nouvelles élections, le Bureau politique du Parti communiste français s'est réuni pour élaborer une déclaration qui sera publiée, dès le lendemain, dans L'Humanité. _Pour l'état-major du PC, alors dirigé par Waldeck-Rochet, il s'agit tout d'abord d'opposer une riposte à la « véritable déclaration de guerre » lancée par le général de Gaulle dans son allocution. Ce dernier en effet, s'appliquant à dramatiser la situation, n'a pas hésité à faire planer la menace, à l'évidence illusoire, d'un coup de force préparé par les communistes. Après quoi l'instance dirigeante du PCF énonce que celui-ci est prêt à affronter le verdict des urnes. Elle sera suivie, au cours des jours suivants, par les états-majors des autres partis et des syndicats, plutôt soulagés dans l'ensemble par le dénouement d'une crise que personne ne paraissait en mesure de maîtriser. Cette évolution est d'ailleurs celle de l'opinion dont une bonne partie a approuvé l'esprit du mouvement de mai, mais souhaite désormais sortir d'une situation sans issue, retrouver une vie normale, reprendre le travail, oublier les difficultés d'une vie quotidienne troublée par la prolongation des grèves._

Source : L'Humanité, 31 mai 1968.
Bibliographie : P. Robrieux, _Histoire intérieure du Parti communiste_, t. II, _1945-1972. De la Libération à l'avènement de Georges Marchais_, Paris, Fayard, 1981.

Aux travailleurs en grève pour leurs revendications, aux étudiants et aux enseignants en lutte pour une université démocratique, à ces millions de Français qui veulent un changement de politique, De Gaulle répond par une véritable déclaration de guerre.

Pour s'opposer aux travailleurs, De Gaulle s'en prend d'abord au Parti communiste qui a toujours défendu les intérêts de la classe ouvrière indissociables de ceux de la nation.

Cette attaque contre le Parti communiste est destinée à masquer la volonté du général de Gaulle d'imposer sa propre dictature. La vérité, c'est que la classe ouvrière et ses organisations ont manifesté un remarquable sang-froid ; elles ont développé leur lutte revendicative et la lutte politique de masse en prenant soin d'écarter toute espèce de provocation. C'est vrai aussi bien dans les usines occupées par des millions de grévistes que dans les impressionnantes manifestations de rue organisées par la CGT, les autres syndicats et soutenues par le Parti communiste.

Méprisant l'ensemble des travailleurs manuels ou intellectuels, le chef de l'État n'a pas jugé bon de dire le moindre mot de leurs revendications.

Or, la première condition pour régler l'immense conflit provoqué par la néfaste politique d'un pouvoir au service des trusts, c'est de faire droit aux légitimes revendications des travailleurs.

C'est l'exigence des organisations syndicales unanimes.

C'est aussi celle du Parti communiste français.

De Gaulle annonce son intention de procéder à de nouvelles élections. Le Parti communiste français n'avait pas attendu ce discours pour demander que la parole soit donnée au peuple dans les plus brefs délais.

Il ira à cette consultation en exposant son programme de progrès social et de paix et sa politique d'union de toutes les forces démocratiques. Il appelle dès maintenant les millions de Français et de Françaises à lui faire confiance, à mettre en échec le pouvoir gaulliste, et à instaurer une démocratie véritable qui soit au service des intérêts des travailleurs.

Il appelle les travailleurs, l'ensemble des forces démocratiques à resserrer, à développer leur union, dans l'intérêt du peuple et de la France.

9. Après la bataille

*Tandis que les Français retournent à leurs occupations habituelles et s'apprêtent à partir en vacances, après avoir donné une majorité écrasante à la droite lors des scrutins des 23 et 30 juin, commentateurs et analystes de tous bords cherchent à comprendre les événements qui viennent de se dérouler sous leurs yeux. Voici, extraits d'un immense florilège de réflexions à chaud, deux textes émanant de deux horizons politiques différents : l'éditorial du numéro d'*Esprit *paru fin juillet et l'article que Raymond Aron a signé dans* Le Figaro *du 4 juin sous le titre «Après la tempête». D'un côté la persistance de l'illusion lyrique, de l'autre le sévère diagnostic d'un philosophe engagé du côté du pouvoir, mais conscient des erreurs commises par celui-ci et prompt à tirer la leçon d'une «révolution introuvable».*

Sources : A) *Esprit*, juin-juillet 1968. Éditorial signé «Esprit», pp. 961-969.
B) R. Aron, «Après la tempête», *Le Figaro*, 4 juin 1968.

Bibliographie : M. Winock, _La Fièvre hexagonale. Les grandes crises politiques, 1871-1968_, Paris, Calmann-Lévy, 1986, rééd. Points-Seuil, 1987 ; R. Aron, _La Révolution introuvable_, Paris, Fayard, 1968.

A. « La révolte a débordé... »

L A RÉVOLTE qui fermentait depuis quelques mois à Nanterre a soudain débordé, « réveillant la masse des étudiants, qui, depuis la fin de la guerre d'Algérie, semblait assoupie. En huit jours, la vague a déferlé de Paris à la province, et des facultés aux lycées. La contagion de conscience a gagné jusqu'à de grandes écoles plus ou moins technocratiques, jusqu'à de petites écoles où des collégiens de treize ans manifestaient leur « solidarité » avec les grands. Dans tous les secteurs intellectuels de la nation, au-delà de l'université, la parole libérée entamait la contestation et la révision. Dans une France qu'on disait endormie, absorbée par l'organisation du travail et la préparation des vacances, quelque chose a surgi qu'on n'osait plus imaginer, qu'on n'avait pas vu depuis mai : un mouvement fraternel portant une multitude au plus haut d'elle-même, une fête de la République, des jeunes devenant d'un coup des hommes, se sentant solidaires, communiquant, communiant.

Une démocratie spontanée irriguait notre société tranquille à travers mille canaux. De proche en proche, les générations et les classes se sentaient concernées (concerné, ce mot abstrait était descendu dans la rue, où les manifestants le criaient aux badauds). On entreprenait de refaire par le bas tout ce qui avait été fait par le haut. Le système autoritaire et paternaliste s'était effondré là où il affrontait la poussée des jeunes : dans l'université. Et voilà que la brutalité de la répression policière accroissait le dynamisme et le prestige du mouvement : un formidable contrecoup mettait en deux jours la France en grève. Tout cela en dehors des partis, des syndicats, des programmes et des stratégies.

Ce sont de rares moments que ceux où l'événement déchire le tissu des habitudes et des préjugés, où une vie nouvelle, une vertu nouvelle, relient des individus en communauté, refont un peuple. Pendant quelques jours, la démocratie ne fut plus une forme, un régime, mais une pratique. Il fallait discuter, il fallait participer, il fallait changer. Et tandis que philosophes et politiques nous parlent de système clos, de contraintes, de limites, il y a eu, sous nos yeux, cette transgression, cette éruption. Jeunesse redoublée : celle de l'événement, celle des participants. [...]

Politiquement, le mouvement a échoué, et il ne pouvait en être autrement puisqu'il se déclarait à la fois contre la société et contre les partis, et n'avait ni la volonté ni le temps de constituer une organisation. Mais l'échec de l'illusion politique qui enivra quelques jours les révoltés ne doit pas faire oublier la signification profonde du mouvement : il visait d'abord une civilisation, et en second lieu seulement un régime qui en incarne et en aggrave les défauts. Si cette révolte contre la gestion autoritaire est apparue d'abord en France, c'est que la tradition centralisatrice et le système de pouvoir gaulliste la rendaient plus étouffante. Par contrecoup, se sont affirmées révolutionnairement des procédures de changement par le bas, amorces d'une nouvelle politique fondée non plus sur l'enrégimentement mais sur l'initiative des militants. Cette première rupture des liens bureaucratiques, cette libération soudaine des esprits peuvent désormais nous aider à passer d'une politique abstraite et récriminante à l'articulation des besoins réels — qui sont aussi et d'abord des besoins spirituels — en un projet révolutionnaire. Il s'agit que dans les entreprises, les quartiers, les universités, le plus grand nombre de gens possible prennent leur sort en main. L'imagination est à l'ordre du jour. Le langage social appauvri, mécanisé et mystifié, peut céder maintenant : « révolution culturelle » qui réussira si elle ne se ferme pas dans les slogans et l'intimidation. [...]

L'insurrection de la jeunesse vient de signifier à la société traditionnelle française son arrêt de mort. C'en est fini du terrorisme des examens et des prétentions féodales du patronat et de l'administration ; les lycées l'ont crié comme les usines : on ne pourra plus, entre Français, se traiter comme avant. Mais le pouvoir ne reste pas longtemps dans la rue ; à la longue, le spontanéisme, l'irrationalisme profitent toujours à la réaction. Puisqu'il n'existe pas de force politique capable de reprendre le mouvement et de le porter au pouvoir, il faut bien que les insurgés consentent aux disciplines et aux responsabilités de sa jeunesse si elle retournait aux fanatismes où se sont abîmées les espérances des pères, si elle se distribuait selon les diverses écoles qui se partagent l'héritage marxiste.

Mesurons donc le phénomène : la révolution n'a pas débouché, mais la prise de conscience révolutionnaire a eu lieu : une situation passivement acceptée est devenue d'un coup intolérable pour des centaines de milliers d'hommes, et d'abord pour les plus jeunes. Cette prise de conscience ne doit pas sombrer dans l'amertume de l'échec, ni dans les astuces de la campagne électorale. Notre tâche est de l'aider à durer, à grandir, en esquissant un horizon à partir de ce qu'elle nous a révélé.

B. Après la tempête

CENT CINQUANTE ÉTUDIANTS de Nanterre, sous la direction d'un « anarchiste allemand[1] » ont donné le coup de pioche qui a précipité en quelques jours l'effondrement d'un édifice vermoulu, la vieille université. En deux semaines, l'exaltation des jeunes gagnait les masses ouvrières ; dix millions de grévistes paralysaient la vie nationale. Les rats quittaient le vaisseau du régime en perdition et les « vaincus » de mai 1958 s'apprêtaient à rendre la pareille aux « vainqueurs » d'il y a dix ans, aujourd'hui pouvoir légal. Puis, soudain, le jeudi 30 mai, une voix s'élevait et, en quelques minutes, restaurait l'État et mobilisait des centaines de milliers de Parisiens, des millions de Français. La fièvre avait monté en quinze jours, elle tombait en quelques heures. Les Français sortaient d'un rêvé éveillé et, pour citer Alexis de Tocqueville, « demeuraient aussi surpris que les étrangers à la vue de ce qu'ils venaient de faire ».

Personne, il y a un mois, n'avait rien prévu, ni le président de la République, ni le gouvernement, ni les parlementaires, ni le Parti communiste, ni les syndicats (ni, bien entendu, le signataire de cet article). Les historiens de l'avenir nous apprendront, à coup sûr, que des causes profondes, « d'ordre économique », rendaient inévitable l'explosion. Pour les contemporains, il n'y a que deux éléments logiques dans cette histoire folle : le détonateur et l'action du Parti communiste.

De toutes les institutions françaises, l'université souffrait du mal le plus grave et une fraction de la jeunesse étudiante dans le monde entier vibre d'une ardeur révolutionnaire, qui manque, et aux ouvriers des États-Unis, satisfaits par la société d'abondance, et aux ouvriers français encore encadrés par le Parti communiste. Quant à ce dernier, il n'a pas cessé, au cours de ces semaines où le tumulte risquait, à chaque instant, de tour-

---

1. Les guillemets visent l'utilisation de ce qualificatif à l'égard de Daniel Cohn-Bendit par *L'Humanité*.

ner à la tragédie, de montrer le « sens de l'État », pour reprendre l'expression de Sirius commentée par M. Andrieu dans _L'Humanité_.

À aucun moment, le Parti communiste et la CGT n'ont poussé à l'émeute, à aucun moment ils n'ont voulu abattre le pouvoir gaulliste, dont la politique étrangère comble leurs vœux et qui permet leur investissement progressif de la société française. Ils auraient évidemment pris en charge l'État si celui-ci leur avait été livré. Mais ils ont eu pour objectif constant non de « faire la révolution », mais de ne pas se laisser déborder sur leur gauche par les étudiants, par les maoïstes, par les jeunes ouvriers. Les erreurs commises par le gouvernement tiennent, pour une part, à une confiance excessive dans le soutien du Parti communiste. En dernière analyse, celui-ci n'a pas trahi cette confiance. Dans l'heure qui a suivi l'allocution du président de la République, il a désamorcé la bombe et consenti à des élections, qu'il n'a guère l'espoir de gagner. [...]

Beaucoup de révolutionnaires accuseront le Parti communiste d'avoir « trahi la révolution ». Le Parti communiste n'a pas besoin de moi pour se défendre, mais je voudrais plaider qu'en résistant au vertige, il agissait dans son propre intérêt comme dans celui de tous les Français.

Libre aux irresponsables de préférer le régime castriste au régime français et d'agir de leur mieux pour ramener celui-ci au niveau de celui-là. [...] Les communistes, eux, savent qu'une fois maîtres de l'État, ils auraient la responsabilité d'un système extrêmement complexe et fragile. Les masses ne toléreraient pas l'appauvrissement qu'entraîneraient le désordre dans la rue et l'anarchie dans les usines. Les ouvriers souhaitent, en même temps qu'une « participation » accrue, une amélioration de leur niveau de vie. Avant de mépriser la société de consommation, il faut en recueillir les avantages, si dérisoires que ceux-ci apparaissent aux idéalistes (qui ne sont pas tous prêts à s'en passer). Les communistes français n'ont pas renoncé à l'instauration, en France, en un avenir plus ou moins lointain, de leur règne.

Mais, à l'heure présente, contre la volonté de la majorité des Français, avec le risque de guerre civile en cas d'insurrection, ils auraient commis la faute « d'aventurisme » s'ils avaient écouté les appels de la CFDT et des intellectuels. [...]

Tous les pays ont connu des révoltes d'étudiants. Or, en France, et en France seulement, cette révolte s'est amplifiée en une crise nationale. Un mauvais discours du général de Gaulle, une proposition inopportune d'un référendum-plébiscite et, pendant deux jours, le régime a vacillé. Un discours de combat par un homme de soixante-dix-sept ans et les Français ont retrouvé le sens du réel, les pompes à essence et le chemin des vacances.

Il reste à comprendre cet épisode de l'histoire de France, le plus étrange d'une histoire riche en épisodes étranges.

XX

LA SOCIÉTÉ FRANÇAISE
DE 1945 AUX ANNÉES 1970

De 1945 au milieu des années 1970, la croissance a profondément modifié la nature du travail et la répartition des actifs. Au sein d'une population active dont l'effectif est passé de 19 à 21,7 millions entre 1946 et 1975 (notamment grâce à l'apport des travailleurs étrangers), les ouvriers constituent encore en fin de période le groupe le plus nombreux (37,7 %), même si son accroissement a commencé à se ralentir dans le courant des années 1960. Dans le même temps, la composition de la «classe ouvrière» — à laquelle nombre de sociologues tendent à assimiler la majorité des employés et des non-qualifiés du tertiaire — s'est fortement modifiée. Le nombre des contremaîtres et des ouvriers qualifiés a augmenté au rythme des grandes mutations technologiques, de même que leur niveau de vie et leur intégration à la société de consommation. L'effectif des manœuvres a diminué et celui des ouvriers spécialisés est resté à peu près constant. Toutefois, dans ce dernier groupe, le pourcentage des femmes et des étrangers a connu une hausse très sensible.

La classe ouvrière a perdu beaucoup de son homogénéité. Les techniciens et les ouvriers en blouse blanche se sont multipliés (texte n° 1), tandis que reculait le monde des «métallos», des «hommes du fer» et des «gueules noires». Globalement, et bien que les conditions de travail demeurent pénibles pour nombre de travailleurs manuels (texte n° 2), il en est résulté, en termes d'attitudes politiques et syndicales, une progression des choix réformistes au dépens des traditions et du discours révolutionnaires. Les accords de Grenelle, signés en mai 1968, marquent une étape importante dans l'intégration des syndicats à la vie de l'entreprise et à celle de la nation (texte n° 3).

Deux groupes ont vu leurs effectifs décroître très rapidement depuis 1945. La part du patronat industriel est passé de 12 % de la population en 1954 à moins de 8 % en 1975, conséquence à la fois de la disparition d'entreprises moyennes et petites, mal adaptées au marché, et de la forte concentration qui accompagne la modernisation de l'économie française. La prise de contrôle de nombreuses entreprises par les groupes financiers a porté au pouvoir, à l'intérieur des grandes firmes, une nouvelle catégorie de dirigeants salariés, les «managers», véritables techniciens de la gestion formés dans les grandes écoles (polytechnique, HEC, ENA). Réduite en nombre et ainsi transformée, la grande bourgeoisie d'affaires apparaît plus puissante que jamais (texte n° 4), tandis que diminue l'importance de la classe moyenne indépendante, assise sociale de la IIIᵉ République.

La paysannerie de son côté ne représente plus que 9 % de la population active en 1975, contre plus de 30 % en 1946. Sur les deux millions d'actifs qui vivent d'une activité agricole, on compte environ 400 000 salariés dont le sort reste très précaire. Les autres sont des exploitants dont le statut diffère beaucoup selon qu'ils relèvent du monde des grands domaines de plus de 50 ha — celui de l'agriculture capitaliste — ou du secteur des exploitations familiales (texte n° 5) souvent affrontées à de graves difficultés de survie.

Le développement de la classe moyenne salariée a été au contraire considérable. Formée de catégories socioprofessionnelles aux activités et au niveau de vie très divers — ingénieurs, employés, cadres moyens ou supérieurs des secteurs privé ou public, etc. —, celle-ci rassemble en fin de période plus de la moitié des actifs. Son originalité et son homogénéité tiennent moins à la position de ses membres par rapport à la propriété des moyens de production et d'échange (critère retenu par les marxistes pour définir une classe sociale) qu'à la conscience qu'ils ont d'appartenir à des catégories moyennes, à un mode de vie qui les fait participer fortement à la société de consommation (textes n⁰ˢ 6 et 7) et aspirer à une promotion rapide, aux craintes enfin de voir leur emploi et leur niveau de vie menacés par les difficultés économiques ou par une politique sociale visant à réduire les écarts entre les salaires.

Au cours des Trente Glorieuses, la France est entrée, comme les autres États industrialisés d'économie de marché, dans l'ère de la «société de consommation». Conjuguant ses effets avec ceux des grandes percées technologiques qui ont permis de produire en série, et à des prix relativement bas, les objets industriels qui faisaient jusqu'alors le confort des plus aisés, la très forte augmentation du pouvoir d'achat des Français (il a plus que doublé entre 1954 et 1975) a complètement bouleversé les structures de la consommation des ménages. La part de l'alimentation, qui s'est pourtant améliorée en quantité et en qualité, et celle de l'habillement ont diminué au profit du logement, des transports, des dépenses de loisirs (texte n° 8) et de santé. Entre 1965 et 1968, plus de la moitié des ménages se trouvent ainsi en possession des quatre produits symboles de l'ère nouvelle : le réfrigérateur, la télévision, la machine à laver le linge et l'automobile, cette dernière constituant à la fois la locomotive de la croissance et un objet de reconnaissance érigé en mythe social (texte n° 9).

1. Une « nouvelle classe ouvrière » ?

Les bouleversements économiques et la forte concentration qui caractérisent l'ère gaullienne n'ont pas apporté de modification quantitative sensible de la place que le monde ouvrier occupait depuis la guerre dans la société française. De 7 millions en 1958, celui-ci est passé à un peu plus de 8 millions en 1975. En pourcentage, l'effectif plafonne à cette date à 37,7 % contre 33,8 % en 1954.

On constate en revanche d'importants changements dans la composition de cette catégorie sociale. Des années 30 aux années 50, ce qu'il était convenu d'appeler la « classe ouvrière » offrait un visage relativement structuré et homogène. Avec la décennie 1960 s'amorce une désagrégation dont la crise va amplifier les effets.

Les mutations technologiques qui ont affecté les diverses branches de l'industrie ont accru tout d'abord la demande de main-d'œuvre qualifiée. C'est de cette fraction du monde ouvrier dont il est question dans le livre publié en 1963 par Serge Mallet, l'un des dirigeants du PSU et des principaux collaborateurs de France-Observateur (puis du Nouvel Observateur). La «nouvelle classe ouvrière», qu'il décrit dans cet ouvrage appelé à un certain retentissement, englobe de nouvelles couches de profes-

sionnels dont la formation exige un solide bagage scolaire, un apprentissage sophistiqué et de réelles aptitudes intellectuelles. Techniciens, ingénieurs de fabrication, dessinateurs industriels, employés des bureaux d'études se situent ainsi à mi-chemin des classiques ouvriers qualifiés et du personnel technique d'encadrement. Ce sont les « ouvriers en blouse blanche » dont le nombre augmente durant cette période tandis que diminue au contraire, du moins dans les grandes unités de production, celui des travailleurs manuels à haute qualification : tourneurs, ajusteurs, fraiseurs, outilleurs, metteurs au point, etc.

Serge Mallet voit dans ce groupe social l'émergence d'une nouvelle élite ouvrière, porteuse d'une idéologie moderne, de revendications qualitatives plus que quantitatives, et qui est appelée, estime-t-il, à supplanter peu à peu les autres composantes du monde ouvrier, l'« automation » libérant les travailleurs des tâches les plus ingrates et la sophistication du travail faisant que l'on devrait de plus en plus recourir à des individus associant qualification technique et capacité d'initiative.

Source : Serge Mallet, _La Nouvelle Classe ouvrière_, Paris, Seuil, 1963.
Bibliographie : G. Friedman et P. Naville, _Traité de sociologie du travail_, Paris, Armand Colin, 1961 ; P. Naville, _Essai sur la qualification du travail_, Paris, M. Rivière, 1956 ; A. Touraine, _La Conscience ouvrière_, Paris, Le Seuil, 1968 ; P. Belleville, _Une nouvelle classe ouvrière_, Paris, Julliard, 1963.

ON A DONNÉ aux ouvriers travaillant dans l'industrie automatisée (ou en passe de l'être) le nom de « nouvelle classe ouvrière ». En fait cette terminologie recouvre deux types différents de salariés, l'un et l'autre créés par les nouveaux développements techniques, l'un et l'autre participant à ce processus « d'intégration aux entreprises » :
a) Encore classés dans la catégorie des ouvriers proprement dits, l'usine nouvelle utilise deux sortes de travailleurs : les surveillants, chargeurs, opérateurs, préparateurs, affectés aux unités de production automatisés et les ouvriers d'entretien, chargés de la réparation et de la surveillance des mécanismes de l'outillage. Le type de qualification demandée aux uns et aux autres est assez différent : les premiers, qui ne touchent pratiquement pas aux produits, sont choisis en fonction de leurs facultés d'attention, d'expérience visuelle et d'initiative. Ils sont les correcteurs humains des possibles défaillances de la machine. Leur poste exige une connaissance assez complète du processus de production synthétique dans lequel ils s'insèrent. La qualification est d'un type plus traditionnel ; mécaniciens, électriciens, horlogers, etc., eux aussi cependant, et avec plus de responsabilités que les opérateurs, sont en liaison avec tous les postes de la production, ont de l'ensemble du processus de production une vue globale. Par les postes qu'elle crée, l'automation — si elle élimine totalement le rapport de l'homme à l'objet — détruit les parcellisations du travail et reconstitue, au niveau de l'équipe, voire de l'ensemble du travail collectif, la vision synthétique du travail polyvalent. Les unités de production diminuent de volume et les rapports humains entre les groupes d'ouvriers sont plus fréquents, moins anonymes que ceux que l'on observait dans l'usine taylorisée.

Ces ouvriers intégrés à l'entreprise — c'est-à-dire à une unité stable de production — sont intégrés entre eux. De même le changement des fonctions du travail a pour corollaire un certain rapprochement entre ouvriers et cadres; entre l'ingénieur du pétrole, parfois sorti du rang, qui assure le contrôle d'une unité de distillation, et les quelques ouvriers techniciens en blouse blanche qui sont sous ses ordres n'existe qu'un rapport de hiérarchie à l'intérieur du même groupe social. Rien de commun avec la position de l'ancien ingénieur d'exploitation (directeur de fosse dans les charbonnages par exemple) commandant à une armée d'OS anonymes et séparé d'eux par une barrière de classe. L'industrie moderne facilite d'ailleurs les gradations et la séparation entre l'ouvrier, le technicien et le cadre tend à s'amenuiser.

b) L'autre couche, plus importante numériquement, créée sinon par l'automation exclusivement, du moins par la tendance de l'industrie moderne à consacrer le maximum d'efforts aux opérations se situant en amont du procès de production classique (études et recherches) et en aval (commercialisation, études du marché, etc.), est celle des techniciens des bureaux d'études. Séparés du lieu même de la production, souvent géographiquement lointain, ils n'ont plus guère de contacts avec les ouvriers et le sentiment de supériorité qui animait les *white collars* de l'administration des entreprises à l'égard des ouvriers en bleus disparaît avec la contiguïté des lieux de travail. L'énorme développement des bureaux d'études a par contre créé de véritables unités intellectuelles de production, dans lesquelles les conditions de travail ressemblent de plus en plus, avec les rythmes planifiés et la mécanisation des opérations de bureau, à celles de l'atelier moderne d'où ont disparu aujourd'hui la fatigue physique, la crasse et les mauvaises odeurs.

L'analogie des maladies professionnelles observées aujourd'hui dans l'une et l'autre couche (essentiellement nerveuses et psychiques) confirme cette homogénéisation des conditions de travail entre bureaux et ateliers.

© Seuil

2. Les maillons de la chaîne

Le diagnostic optimiste formulé en 1963 par Serge Mallet ne s'appliquait qu'à une catégorie relativement privilégiée de travailleurs de la grande industrie. En effet, si au cours des années 1960 et 1970 le nombre des techniciens et des ouvriers en blouse blanche a bien augmenté de manière significative, et si celui des « métallos » et autres ouvriers qualifiés de type traditionnel a connu une décroissance symétrique, les travaux durs, salissants et dangereux sont loin d'avoir disparu de l'univers industriel. À la fin de la décennie 1960, les ouvriers spécialisés (OS) représentent encore en effet 57 % de l'ensemble des effectifs ouvriers. Simplement, les postes de travail qu'ils occupent tendent de plus en plus à être monopolisés par les femmes (80 % d'OS parmi celles qui travaillent dans les industries de consommation) et par un sous-prolétariat immigré. D'autre part, l'image futuriste et passablement irénique d'une classe ouvrière libérée du « bagne » industriel ne résiste guère à l'examen de la réalité. Certes, le recul progressif des travaux manuels exigeant plus de force physique et de résistance que de qualification ne peut être nié, mais il n'a pas fait disparaître de l'atelier ou de la chaîne de montage l'aliénation produite par le travail parcellaire.

C'est précisément une chaîne de montage au début des années 1970 qui est décrite ici. L'auteur, Robert Linhart est un normalien de la rue d'Ulm de la « génération 68 » que son engagement politique — dans les rangs de l'Union des étudiants communistes, puis de la Jeunesse communiste révolutionnaire (marxiste-léniniste), qu'il a fondée en 1966 — a conduit, comme d'autres, à prendre le chemin de l'usine, à la fois pour partager la vie des travailleurs les plus défavorisés et pour tenter de rallier une partie d'entre eux aux objectifs révolutionnaires du « gauchisme ». Il a ainsi passé une année comme OS 2 dans l'usine Citroën de la porte de Choisy, expérience qu'il relate dans un ouvrage publié quelques années plus tard : L'Établi.

Source : Robert Linhart, *L'Établi*, Paris, Éditions de Minuit, 1978, pp 9-13.
Bibliographie : H. Hamon et P. Rotman, *Génération*, 1. *Les Années de rêve*, 2. *Les Années de poudre*, Paris, Le Seuil, 1987-1988.

L A CHAÎNE ne correspond pas à l'image que je m'en étais faite. Je me figurais une alternance nette de déplacements et d'arrêts devant chaque poste de travail : une voiture fait quelques mètres, s'arrête, l'ouvrier opère, la voiture repart, une autre s'arrête, nouvelle opération, etc. Je me représentais la chose à un rythme rapide — celui des « cadences infernales » dont parlent les tracts. « La chaîne » : ces mots évoquaient un enchaînement, saccadé et vif.

La première impression est, au contraire, celle d'un mouvement lent mais continu de toutes les voitures. Quant aux opérations, elles me paraissent faites avec une sorte de monotonie résignée, mais sans la précipitation à laquelle je m'attendais. C'est comme un long glissement glauque, et il s'en dégage, au bout d'un certain temps, une sorte de somnolence scandée de sons, de chocs, d'éclairs cycliquement répétés mais réguliers. L'informe musique de la chaîne, le glissement des carcasses grises de tôle crue, la routine des gestes : je me sens progressivement enveloppé, anesthésié. Le temps s'arrête.

Trois sensations délimitent cet univers nouveau. L'odeur : une âpre odeur de fer brûlé, de poussière de ferraille. Le bruit : les vrilles, les rugissements des chalumeaux, le martèlement des tôles. Et la grisaille : tout est gris, les murs de l'atelier, les carcasses métalliques des 2 CV, les combinaisons et les vêtements de travail des ouvriers. Leur visage même paraît gris, comme si s'était inscrit sur leurs traits le reflet blafard des carrosseries qui défilent devant eux. [...]

Une fois accrochée à la chaîne, la carrosserie commence son arc de cercle, passant successivement devant chaque poste de soudure ou d'opération complémentaire : limage, ponçage, martelage. Comme je l'ai dit, c'est un mouvement continu, et qui paraît lent : la chaîne donne presque une impression d'immobilité au premier coup d'œil, et il faut fixer du regard une voiture précise pour la voir se déplacer, glisser progressivement d'un poste à l'autre. Comme il n'y a pas d'arrêt, c'est aux ouvriers de se mouvoir pour accompagner la voiture le temps de l'opération. Chacun a ainsi, pour les gestes qui lui sont impartis, une aire bien définie quoique aux frontières invisibles : dès qu'une voiture y entre, il décroche son chalumeau, empoigne son fer à souder, prend son marteau ou sa lime et se met au travail. Quelques chocs, quelques éclairs, les points de soudure sont faits, et déjà la voiture est en train de sortir des trois ou quatre mètres du poste. Et déjà la voiture suivante entre dans l'aire d'opération. Et l'ouvrier recommence. Parfois, s'il a travaillé vite, il lui reste quelques secondes de répit avant qu'une nouvelle voiture se présente : ou bien il en profite pour souffler un instant, ou bien, au contraire, intensifiant son effort, il « remonte la chaîne » de façon à accumuler un peu d'avance, c'est-à-dire qu'il travaille en amont de son aire normale, en même temps que l'ouvrier du poste précédent. Et quand il aura amassé, au bout d'une heure ou deux, le fabuleux trésor de deux ou trois minutes d'avance, il le consommera le temps d'une cigarette — voluptueux rentier qui regarde passer sa carrosserie déjà soudée, les mains dans les poches, pendant que les autres travaillent. Bonheur éphémère : la voiture suivante se présente déjà ; il va falloir la travailler à son poste normal cette fois, et la course recommence pour gagner un mètre, deux mètres, et «remonter» dans l'espoir d'une cigarette paisible. Si, au contraire, l'ouvrier travaille trop lentement, il «coule», c'est-à-dire qu'il se trouve progressivement déporté en aval de son poste, continuant son opération alors que l'ouvrier suivant a déjà commencé la sienne. Il lui faut alors forcer le rythme pour essayer de remonter. Et le lent glissement des voitures, qui me paraissait si proche de l'immobilité, apparaît aussi implacable que le déferlement d'un torrent qu'on ne parviendrait pas à endiguer.

© Éditions de Minuit

3. L'exercice du droit syndical dans l'entreprise

La crise du printemps 1968 a mis en évidence les divergences entre les deux principales centrales syndicales françaises : CGT et CFDT. L'une et l'autre sont engagées à cette date dans une contestation radicale du capitalisme et prônent par conséquent, chacune à sa manière, une stratégie révolutionnaire devant aboutir, pour la première, à la mise en place d'un régime socialiste s'inspirant (avec des nuances) du modèle en vigueur dans les pays de l'Est européen, pour la seconde à l'établissement d'une démocratie syndicale autogestionnaire. En attendant, la CGT, proche du Parti communiste et forte d'un effectif militant qui recrute une partie importante de ses troupes dans le monde ouvrier traditionnel, oriente l'essentiel de ses actions vers des revendications quantitatives, notamment la hausse des salaires, tandis que celles de la CFDT (bien implantée parmi les «ouvriers en blouse blanche») portent plutôt sur des modifications qualitatives de la condition ouvrière.

Lors des événements de mai, au moment où le gouvernement de Georges Pompidou se trouve confronté au plus vaste mouvement de grèves que la France ait jamais connu, le Premier ministre va très clairement jouer la CGT, qu'inquiète autant que lui les risques de débordement du mouvement, contre une CFDT jugée noyautée par les éléments «gauchistes».

De là, la décision qui est prise par le pouvoir de réunir au ministère du Travail, rue de Grenelle, le 25 mai, les représentants du patronat et ceux des principaux syndicats de salariés. Les «accords de Grenelle» (en fait un simple protocole que personne ne signera et que la base refusera), auxquels aboutiront les discussions deux jours plus tard, mettront l'accent sur les propositions quantitatives (hausse des salaires de 10 % en deux étapes, augmentation du SMIG de 35 %, diminution du ticket modérateur de la Sécurité sociale), aux dépens des projets de réforme des structures prônés par la CFDT. Il est toutefois précisé qu'«un document annexé, relatif au droit syndical dans les entreprises, sera examiné au cours de réunions avec les organisations professionnelles et syndicales» et que «sur la base dudit document, éventuellement amendé, le gouvernement élaborera un projet de loi relatif à l'exercice du droit syndical dans l'entreprise».

Or si les acquis quantitatifs finalement engrangés par les travailleurs vont bientôt être grignotés par l'inflation, la loi relative à l'exercice du droit syndical sera adoptée en décembre 1968 par le Parlement. Elle constitue donc, de manière un peu paradoxale, l'une des rares conquêtes tangibles du mouvement protestataire et marque une étape importante dans l'intégration du monde ouvrier (et plus largement des salariés) à l'entreprise.

Source : _Journal officiel, Lois et décrets_, 27 décembre 1968 relative à l'exercice du droit syndical dans les entreprises, 31 décembre 1968.
Bibliographie : J. Capdevielle et R. Mouriaux, _Les Syndicats ouvriers en France_, Paris, Armand Colin, 1970 ; J.-D. Reynaud, _Les Syndicats en France_, Paris, Armand Colin, 1967.

Exposé des motifs

NOTRE LÉGISLATION SOCIALE a été marquée par un progrès constant de la représentation syndicale dans nos institutions sociales. Telles, par exemple, l'ordonnance du 22 février 1945 instituant les comités d'entreprise et la loi du 16 avril 1946 fixant le statut des délégués du personnel, qui ont défini les attributions des organisations syndicales en ce qui concerne l'organisation des élections. Ou encore, plus récemment, la loi du 18 juin 1966 dans laquelle une protection contre le licenciement a été assurée aux représentants syndicaux dans les comités d'entreprise.

Ces diverses dispositions peuvent néanmoins être jugées insuffisantes. Aussi, en pratique, les dirigeants de bon nombre d'entreprises avaient été conduits à reconnaître les responsables syndicaux comme des interlocuteurs autorisés et à engager avec eux des discussions et échanges de vues. En outre, des conventions collectives et, en particulier, des accords d'établissement, avaient cherché à aménager l'exercice du droit syndical dans l'entreprise. Une évolution était donc amorcée dans les faits. Au cours des réunions qui se déroulèrent au ministère des Affaires sociales à la fin du mois de mai dernier, le gouvernement s'est engagé à préparer des textes qui complètent notre législation en définissant concrètement les modalités d'exercice du droit syndical dans l'entreprise. Le présent projet de loi, qui a été arrêté à la suite de consultations approfondies et renouvelées des confédérations d'employeurs et de salariés, marque la volonté du gouvernement de créer des conditions favorables au dialogue dans les entreprises sans pour autant remettre en question la nécessaire autorité du chef d'entreprise, ni la mission dévolue aux institutions représentatives du personnel.

Ce projet n'apporte aucune modification au statut des syndicats professionnels, tel qu'il résulte du Titre Ier du Livre III du Code du travail et laisse entière la liberté qui leur est reconnue de déterminer leur organisation interne. La décision de créer une section syndicale d'entreprise prévue par le Titre Ier de la loi ne relève que des seuls syndicats, qui sont également seuls juges pour apprécier s'ils entendent donner à cette action le statut d'un syndicat d'entreprise.

4. Milieux d'affaires et grandes dynasties bourgeoises

Dans ses Souvenirs d'une longue carrière (1920-1971), _publiés en 1993, Jacques Georges-Picot fait le récit de son cheminement professionnel de l'Inspection des Finances, à laquelle il a accédé en 1925 au sortir de Sciences-Po, à la présidence de la Compagnie financière de Suez, poste qu'il occupera jusqu'en 1971. À travers les_ Mémoires _de ce technocrate de haut vol, c'est tout un monde qui apparaît et qui est celui de la haute bourgeoisie, détentrice des postes de commande dans les diverses branches de l'industrie et de la finance._

Qu'ils soient de simples héritiers des grandes dynasties bourgeoises, ou qu'ils aient accédé aux fonctions de direction et de gestion par la voie des «grandes écoles», les «décideurs» appartiennent pour la plupart à une même classe dirigeante qui se renouvelle peu dans le courant des années 1950-1970. Sans doute, la fortune a-t-elle cessé d'être la clé quasi exclusive de l'appartenance à l'élite, même si survit à la marge un establishment *de riches rentiers et de patrons de droit divin. Mais le mérite et la compétence qui caractérisent majoritairement cette élite s'acquièrent plus aisément en son sein que dans les autres fractions du corps social . De toutes les catégories qui forment la société française, la classe dirigeante est celle qui a, semble-t-il, le mieux résisté aux bouleversements de la croissance.*

Source : Jacques Georges-Picot, *Souvenirs d'une longue carrière. De la rue de Rivoli à la Compagnie de Suez, (1920-1971)*, Paris, Comité pour l'histoire économique et financière de la France, 1993, pp. 324-326.

Bibliographie : M. Parodi, *L'Économie et la société française depuis 1945*, Paris, Armand Colin, 1981 ; P. Bourdieu et J.-C. Passeron, *Les Héritiers, les étudiants et la culture*, Paris, Éditions de Minuit, 1964.

M ES RELATIONS PERSONNELLES avec Saint-Gobain étaient anciennes et j'avais toujours pensé que le passé de cette société comme ses caractères traditionnels ne pouvaient que la rapprocher de la Compagnie de Suez. Son président, Hély d'Oissel, était un ami que j'avais connu pendant l'Occupation, rencontré ensuite au CIC[1], et qui m'avait fait entrer au Conseil de la Société métallurgique d'Imphy et à celui de l'Urbaine. J'avais discuté plusieurs fois avec lui la possibilité d'une participation de Suez dans certaines affaires industrielles de Saint-Gobain.

Arnaud de Vogüé, son successeur, m'était moins connu, mais Hély d'Oissel m'avait fait de lui un grand éloge et son nom seul était pour le Suez une introduction suffisante. Lorsque son cousin, Melchior de Vogüé, entra au monastère de la Pierre-qui-Vire, je pensais, en demandant à Arnaud de Vogüé de le remplacer, introduire au Conseil du Suez à la fois un représentant de la grande industrie et un élément respectant la tradition. Son refus, par crainte de déplaire à ses cousins en trahissant le pacte quasi féodal qui réservait Saint-Gobain aux Vogüé de la branche cadette et le Suez à la branche aînée, ne fut pas sans m'étonner: mais nous demeurions en excellents termes et c'est lui qui, peu après, en juin 1964, me demandait d'entrer au Conseil de Saint-Gobain, ce que je ne pouvais qu'accepter.

Les quelques années que je passai à ce Conseil avant la crise de 1968[2] ne furent pas sans m'étonner et parfois m'inquiéter. La situation financière était assez claire, mais les exposés au conseil du directeur financier, mon ami et ancien élève Paul Francin[3], ne cachaient pas toujours que les frais généraux étaient trop élevés, que les dettes s'alourdissaient et que les concurrents anglais et même français limitaient les profits d'une

---

1. Le Crédit industriel et commercial.
2. J. Georges-Picot fait allusion ici non aux «événements» de 1968 mais à l'OPA lancée fin 1968 par Antoine Riboud et le groupe Boussois sur Saint-Gobain.
3. Fils d'un industriel nancéien, inspecteur des Finances en 1929, Paul Francin a fait carrière de 1938 à 1970 dans la société Saint-Gobain dont il est à partir de 1959 le directeur financier.

société qui avait longtemps joui dans plusieurs pays d'un quasi-monopole, mais qui avait tendance à perdre du terrain.

C'était surtout l'organisation de la direction qui m'inquiétait. Plusieurs directeurs généraux successifs avaient échoué, et le dernier, Grandgeorge, venait de se retirer sans être remplacé. Arnaud de Vogüé était à la fois président du Conseil et seul directeur général, avec l'assistance de trois directeurs dont aucun n'avait d'autorité sur l'ensemble. Quant au conseil d'administration, il n'entendait que les monologues du président, sauf les rapports assez rares du directeur financier, et n'était qu'exceptionnellement mis en présence d'un problème sérieux. À plusieurs reprises, j'avais demandé au président pourquoi il n'existait pas de comité de direction ayant un rôle effectif et il m'avait dit qu'il envisageait sur ce point des réformes. En réalité, son tempérament ne permettait que cette formule dictatoriale.

5. L'univers des « cadres »

La classe moyenne salariée a connu au cours des Trente Glorieuses un essor sans précédent. Au milieu des années 1970, elle représente près de 45 % de la population active, alors que le pourcentage des individus appartenant à la classe moyenne indépendante (petits propriétaires-exploitants, artisans, petits commerçants) est tombé à 15 %.

Les cadres occupent au sein de cette nébuleuse peu homogène une place privilégiée, tant en matière de revenus que de prestige et de possibilité d'ascension sociale, que ce soit pour eux-mêmes ou pour leurs enfants. Sans doute existe-t-il également entre les divers représentants de cette catégorie sociale de fortes disparités, mais nombreux sont les éléments qui les rapprochent et qui donnent une certaine cohésion à l'ensemble de la classe moyenne salariée. Le sentiment, en tout premier lieu, partagé avec les membres de la classe moyenne indépendante, d'appartenir à des couches intermédiaires entre le monde ouvrier ou paysan, dont beaucoup sont issus, et la bourgeoisie que l'on aspire plus ou moins confusément à rejoindre. Le mode de vie et les pratiques sociales d'autre part, mesurés en termes de consommation et d'acquisition d'objets symboliques de l'ascension sociale — l'appartement confortable situé dans un « bon » quartier, l'automobile, la télévision, les instruments du confort ménager, voire la résidence secondaire —, de loisirs (vacances d'été et d'hiver, séjours en « clubs », pratique de sports autrefois réservés à l'élite comme le tennis ou l'équitation, etc.), ou encore demande d'éducation pour les enfants. C'est cet univers mental des cadres qu'évoque le texte présenté ici. L'auteur, Pierre Bleton, y dénonce déjà le supposé « parisianisme » de cette nouvelle élite.

Source : Pierre Bleton, *Les Hommes des temps qui viennent*, Paris, Éditions ouvrières, 1956, pp. 200-203.

Bibliographie : P. Bourdieu, *La Distinction*, Paris, Éditions de Minuit, 1979 ; J. Antoine, « Les nouvelles classes moyennes », in *L'Univers économique et social*, tome IX de *L'Encyclopédie française*, Paris, 1960 ; L. Boltanski, *Les Cadres*, Paris, Éditions de Minuit, 1982.

PRODUIT DE L'ÉDUCATION technique moderne, lancé dans la course à l'avancement, la psychologie du «cadre» est mystérieusement apparentée à celle de Paris. Paris, centre des grandes écoles et des concours, siège des conseils d'administration et de tous les pouvoirs, petit univers où les familles et les traditions se dissolvent et où chacun se bat seul. La province imposait son horizon limité, son rythme de vie, ses tabous. Tout y allait son pas et n'arrivait qu'en son temps. Paris a changé tout cela, et il n'est pas besoin d'y résider pour que le cinéma, la radio, la littérature qui en débordent ne le rendent présent dans toute la France.

Au grand scandale du bourgeois *survivant*, le cadre veut profiter de la vie, tout de suite, et il comprend que les autres aient la même envie. Cela ne l'empêche pas, par ambition, d'écraser avec sans-gêne quelques concurrents dans la course à l'avancement. Fort égoïste sur ce plan, il saura être généreux sur d'autres. L'attachement aux biens matériels qui s'exprimait chez le bourgeois par le désir de la conservation, se manifeste chez lui par le plaisir de la consommation. À ne plus se soucier d'économiser et à ne guère songer calculer le cadre gagne un air de liberté.

Il n'a pas peur, lui, des signes extérieurs de richesse. Même tirant le diable par la queue, il fait quelquefois nouveau riche, sans le vouloir. Il a, ou il espère avoir une voiture; il ne songe guère à payer une «bonne» à sa femme, mais il lui offrira un confort ménager que leurs parents n'ont jamais connu et auquel, en tout état de cause, ils n'auraient songé qu'après l'achat de la chambre à coucher, de la salle à manger et du salon. Car le cadre a accepté tous les signes de son époque ; il a adopté le confort technique et, pour le reste, il se moque des apparences. Les circonstances veulent qu'il lui faille quelquefois acheter sa maison ou son appartement ; pour cela, il voit large et se saigne aux quatre veines. Cependant, il a la bougeotte ; comment fera-t-il pour rester toujours au même endroit ?

Ce désir d'évasion, il le satisfait du moins dans les voyages. Aujourd'hui tous les Français partent en vacances, mais lui plus particulièrement aime à se déplacer, grâce à la voiture, quelquefois sous la tente. Il franchit aisément les frontières, curieux des pays étrangers, plus peut-être encore de leurs habitants que de leurs vieilles pierres. Ce goût du contact humain, on le retrouve dans sa vie quotidienne. Les manifestations mondaines d'autrefois, les après-midi ou Madame reçoit, n'existent plus guère. Les relations sont sans doute moins nombreuses, mais plus profondes ; ce ne sont plus des réunions d'hommes ou de femmes, séparés artificiellement, ce sont des ménages qui se connaissent et se fréquentent sans cérémonie. Car la femme du «cadre» est désormais une «présence» qu'on ne prêtait guère à nos grand-mères bourgeoises. Jeunes gens et jeunes filles se fréquentent librement sur les bancs des facultés, sur les stades et durant les vacances. Ils se marient jeunes et d'âge égal. La famille et la dot n'entrent plus guère en ligne de compte ; la communauté de goûts a désormais plus d'importance que celle des origines ou des intérêts. [...]

Égoïste et généreux, bon époux et bon père de famille, mais fort peu casanier, insouciant et positif, sans préjugé, sauf celui de la réussite, curieux souvent et paresseux quelquefois, l'état d'esprit du cadre ne se présente pas comme un système tout fait et bien ordonné. Sa position dans la société contemporaine n'est pas suffisamment assise, luimême ne voit pas encore avec assez de précision quel est son rôle et quelles sont ses responabilités, pour qu'on puisse trancher dans ces contradictions. Une nouvelle conception du monde est en train de se forger ; par mille indices, on devine que le cadre sera le premier à y adhérer. À travers notre littérature, notre organisation politique, nos idéologies et nos idéaux, se précisent quelles seront les grandes lignes d'une psychologie des cadres.

6. Des gens pour « L'Express »

(Georges Perec)

Coincés entre deux modèles et deux cultures, les représentants des classes moyennes salariées, et plus particulièrement les cadres adoptent fréquemment des comportements individualistes et conformistes qui constituent de puissants moteurs de la croissance. La conquête des « marqueurs » sociaux qui témoignent aux yeux des autres de la plus ou moins grande réussite de chacun est en effet un enjeu inépuisable — et continûment renouvelé par la publicité — qui nourrit la propension à consommer des représentants de cette catégorie sociale. Joue en ce sens la reconnaissance d'un archétype de la réussite qu'incarne durant cette période le « jeune cadre dynamique », gros consommateur d'objets à forte charge symbolique (la « voiture de sport », la « chaîne hi-fi ») et figure emblématique d'un bonheur défini par l'avoir et le paraître.

C'est ce bonheur illusoire, lié aux « choses » que l'on acquiert, qui est l'objet du roman de Georges Perec, prix Renaudot 1965, véritable « histoire des années 60 » (c'est le sous-titre du livre), ou si l'on veut autobiographie collective d'une génération dont l'enfance a coïncidé avec la guerre, l'adolescence avec les grandes espérances de la Libération, et que les commodités de la société de consommation inclinent à se conformer au modèle dominant. Le jeune couple que Perec met en scène dans son roman appartient à cette génération d'étudiants modestes et vaguement idéalistes que les pesanteurs de la vie ont peu à peu amenés à « entrer dans le jeu », à s'intégrer à une société dont l'hebdomadaire L'Express *incarne aux yeux de l'écrivain, les valeurs frelatées et le nouveau conformisme.*

Source : Georges Perec, *Les Choses*, Paris, Julliard, 1965.
Bibliographie : C. Burgelin, *Georges Perec*, Paris, Le Seuil, 1988 ; « Georges Perec », *L'Arc*, n° 76, 1976.

L'*EXPRESS* était sans doute l'hebdomadaire dont ils faisaient le plus grand cas. Ils ne l'aimaient guère, à vrai dire, mais ils l'achetaient, ou, en tout cas, l'empruntant chez l'un ou chez l'autre, le lisaient régulièrement, et même, ils l'avouaient, ils en conservaient fréquemment de vieux numéros. Il leur arrivait plus que souvent de n'être pas d'accord avec sa ligne politique (un jour de saine colère, ils avaient écrit un court pamphlet sur le « style du Lieutenant ») et ils préféraient de loin les analyses du *Monde*, auquel ils étaient unanimement fidèles, ou même les prises de position de *Libération*, qu'ils avaient tendance à trouver sympathique. Mais *L'Express*, et lui seul, correspondait à leur art de vivre; ils retrouvaient en lui, chaque semaine, même s'ils pouvaient à bon droit les juger travesties et dénaturées, les préoccupations les plus courantes de leur vie de tous les jours. Il n'était pas rare qu'ils s'en scandalisent. Car vraiment, en face de ce style où régnaient la fausse distance, les sous-entendus, les mépris cachés, les envies mal digérées, les faux enthousiasmes, les appels du pied, les clins d'œil, en face de cette foire publicitaire qui était tout *L'Express* — sa fin et non son moyen, son aspect le plus nécessaire — en face de ces petits détails qui changent tout, de ces petits quelque chose de pas cher et de vraiment amusant, en face de ces hommes d'affaires qui comprenaient les vrais problèmes, de ces techniciens qui savaient de quoi ils parlaient et qui le faisaient bien sentir, de ces penseurs audacieux qui, la pipe à la bouche, mettaient enfin au monde le XXe siècle, en face en un mot de cette assemblée de responsables, réunis chaque semaine en forum ou en table ronde, dont le sourire béat donnait à penser qu'ils tenaient encore dans leur main droite les clés d'or des lavabos directoriaux, ils songeaient, immanquablement, répétant le pas très bon jeu de mots qui ouvrait leur pamphlet, qu'il n'était pas certain que *l'Express* fût un journal de gauche, mais qu'il était sans aucun doute possible un journal sinistre. C'était d'ailleurs faux, il le savait très bien, mais cela les réconfortait.

Ils ne s'en cachaient pas : ils étaient des gens pour *L'Express*. Ils avaient besoin, sans doute, que leur liberté, leur intelligence, leur gaieté, leur jeunesse soient, en tout temps, en tout lieu, convenablement signifiées. Ils le laissaient les prendre en charge, parce que c'était plus facile, parce que le mépris même qu'ils éprouvaient pour lui les justifiait. Et la violence de leurs réactions n'avait d'égale que leur sujétion : ils feuilletaient le journal en maugréant, ils le froissaient, ils le rejetaient loin d'eux. Ils n'en finissaient plus de s'extasier sur son ignominie. Mais ils le lisaient, c'était un fait, ils s'en imprégnaient. [...]

Ils rêvaient, à mi-voix, de divans Chesterfield. *L'Express* y rêvait avec eux. Ils passaient une grande partie de leurs vacances à courir les ventes de campagne ; ils acquéraient à bon compte des étains, des chaises paillées, des verres qui invitaient à boire, des couteaux à manche de corne, des écuelles patinées dont ils faisaient des cendriers précieux. De toutes ces choses, ils en étaient sûrs, *L'Express* avait parlé, où allait parler.

© Julliard

7. Une nouvelle répartition des rôles dans la famille paysanne

En 1970, le sociologue Henri Mendras publiait un ouvrage qui allait bientôt devenir un « classique » : La Fin des paysans. *Il expliquait comment, dans un contexte de bouleversements techniques et économiques sans précédent, les producteurs agricoles se trouvaient peu à peu transformés en simples représentants d'un groupe professionnel parmi d'autres, ayant certes sa spécificité et ses intérêts propres mais ne constituant plus une « classe » au sens traditionnel du terme. Analysant les modifications subies depuis la guerre par le monde des campagnes, il en vient à examiner les transformations qu'a subies l'entreprise agricole et les conséquences qui en résultent quant à la répartition des rôles dans la famille paysanne.*

Source : Henri Mendras, *La Fin des paysans*, Paris, Armand Colin, 1970, pp. 111-113.
Bibliographie : H. Mendras, *Les Paysans et la modernisation de l'agriculture*, Paris, Éditions du CNRS, 1958 ; M. Gervais, M. Jollivet, Y. Tavernier, *La fin de la France paysanne*, t. IV de l'*Histoire de la France rurale*, sous la direction de G. Duby et A. Wallon, Paris, Le Seuil, 1977.

ENTRE PÈRE ET FILS, il n'existe plus de claire répartition des tâches, et la définition coutumière précise des positions réciproques s'estompe. Tous les deux travaillent la plupart du temps ensemble et leurs personnalités s'affrontent dans un jeu permanent où il est impossible de distinguer l'influence d'un fils dans les décisions de son père.

Certes, de plus en plus, les jeunes tendent à conquérir une certaine forme d'indépendance, grâce notamment aux divers mouvements dans lesquels ils militent. La JAC et le « Centre des jeunes agriculteurs » leur dispensent des idées neuves, des compétences techniques et des vues sur l'économie agricole qui alimentent leur dialogue avec leur père. Celui-ci demeure seul chef d'entreprise et la décision lui appartient en dernier ressort, ainsi que la responsabilité. Toutefois s'il « suit » son fils, c'est finalement ce dernier qui est le véritable chef d'entreprise ; au contraire, s'il se raidit contre ce renversement des rôles, il risque de créer des tensions familiales pénibles.

Tout le problème de la transmission du domaine de père en fils se trouve posé en termes nouveaux par l'accélération du changement. [...] Dans la plupart des régions, le père demeure jusqu'à sa mort le seul chef de la famille et de l'exploitation. Il arrive qu'il se sente dépassé par l'évolution technique et économique. [...] Alors les plus lucides passent la main aux jeunes : « Nous avons fait en notre temps ce que nous avons cru bon ; maintenant, c'est à eux de prendre leurs responsabilités. »

Cette retraite volontaire demeure encore exceptionnelle. La plupart du temps, les nouveautés techniques et les difficultés économiques ont pour résultat une redistribution des rôles dans la famille et un amoindrissement inavoué de celui du père au profit de la mère. Pour le chef d'exploitation qui a été formé dans le système autarcique traditionnel, il est très difficile de pénétrer dans les arcanes du calcul économique et des mécanismes du marché : il a appris à bien produire et à se défendre de son mieux sur le champ de foire, mais non à orienter son système de cultures en fonction des débouchés. Désemparé devant ces tâches nouvelles, il a tendance à se restreindre à celles qui lui sont habituelles : le travail et notamment le travail manuel.

Il devient de plus en plus un travailleur et abandonne ses prérogatives de chef d'entreprise à sa femme, ou à son fils, ce qui ne va pas sans bouleverser l'équilibre des rôles familiaux. Puisque son autorité paternelle était étayée par son autorité de chef d'exploitation, la diminution de l'une entraîne la diminution de l'autre. [...] Bornant de plus en plus son horizon au champ qu'il travaille, il laisse à la femme le soin des contacts avec le monde extérieur. [...]

Plus proche des enfants et de leurs problèmes d'avenir, la mère ressent le besoin de comprendre ce monde neuf, qui s'insinue de plus en plus dans la vie économique et sociale du village. Elle joue ainsi son rôle traditionnel d'éducatrice qui doit expliquer le monde aux enfants pour les « socialiser ». Autrefois elle leur transmettait principalement les croyances religieuses, le code de valeurs morales et les règles de politesse. Aujourd'hui elle cherche à leur fournir une vision de la société globale et de son fonctionnement social et économique, de manière qu'ils puissent s'y mouvoir et y faire leur chemin, soit qu'ils demeurent à la ferme, soit qu'ils la quittent. L'incompétence économique et technique de l'agriculteur doit être compensée par un plus grand savoir-faire « social » de la mère de famille et, le père cessant d'être le personnage central, la famille passe sous l'autorité de la mère.

© Armand Colin

8. Tourisme et loisir de masse
à l'aube des années 1960

Sociologue de formation, mais aussi philosophe et écrivain de talent, Edgar Morin a été parmi les premiers à examiner les divers aspects de la culture de masse produite par la société de consommation. Moins incisive que celle de Guy Debord — le fondateur de l'Internationale situationniste dont La Société du spectacle *paraîtra cinq ans plus tard —, la critique qu'il fait lui-même de l'écosystème culturel occidental des années 1960 n'en constitue pas moins un jalon essentiel dans le discours sur les effets pervers de la croissance qui va bientôt investir un large secteur du champ intellectuel.*

Source : Edgar Morin, *L'Esprit du temps*, 1, Paris, Grasset, 1962.
Bibliographie : G. Debord, *La Société du spectacle*, Buchet-Chastel, 1967, rééd. Gallimard, 1992 ; E. Gilson, *La Société de masse et sa culture*, Paris, Vrin, 1967 ; J. Dumazedier et C. Guinchat, *La Sociologie du loisir. Tendances actuelles et bibliographie (1945-1965)*, La Haye, Mouton, 1969 ; J. Dumazedier, *Vers une civilisation du loisir ?*, Paris, Le Seuil, 1962, rééd. 1972.

L E TOURISTE n'est pas seulement un spectateur en mouvement. Il ne bénéficie pas seulement (surtout lorsqu'il circule en auto) d'une volupté particulière qui vient de la consommation de l'espace (*dévorer* les kilomètres). Il communique personnellement avec la contrée visitée, par quelques mots élémentaires et salutations cérémonielles échangés avec les indigènes, par des coïts psychiquement envisagés par le regard ou effectivement réalisés avec l'espèce du sexe opposé. Par quelques achats d'objets symboliques dits « souvenirs », tours de Pise miniatures, cendriers figuratifs et autres babioles à cet usage, il s'approprie magiquement l'Espagne ou l'Italie. Enfin, il consomme l'être physique du pays visité, dans le repas gastronomique, rite cosmophage de plus en plus répandu. (Après les vacances on opère des rites de ressouvenance, exhibition de photos, récits pittoresques, parfois autour d'un repas au *chianti* où l'on retrouve un peu d'Italie, à la *paella* où l'on retrouve un peu de soleil.)

Le touriste peut dire « moi, je », « moi, j'ai vu », « moi, j'ai mangé », « moi, j'étais là », « moi, j'ai fait 5000 kilomètres » : et c'est cette évidence physique indiscutable, ce sentiment *d'être là*, en mouvement, en jeu, qui valorise le tourisme par rapport au spectacle.

Par rapport au spectateur, le touriste *est, fait* (« j'ai fait l'Espagne ») et *acquiert* (des souvenirs). Il y a introduction simultanément d'un supplément d'être et d'un quantum d'avoir dans le voir touristique. L'auto-implication physique est en même temps une appropriation, certes semi-magique ressentie comme une exaltation, un enrichissement de soi.

Le sens complexe du loisir moderne apparaît clairement dans les villages de vacances, comme Palinuro (Club Méditerranée) étudié par Henry Raymond. L'organisation des vacances y est rationalisée, planifiée, quasi minutée. On arrive à ce miracle : la production bureaucratique de l'état de nature, par billets collectifs, guides, villages de toile. Tout est prévu : commodités, fêtes, distractions, étapes, rites, émotions, joies. La technique moderne recrée un univers tahitien, et lui adjoint le confort des butagaz, douches, transistors. Cette organisation crée une étonnante société temporaire, fondée entièrement sur le Jeu-Spectacle : promenades, excursions, sports nautiques, fêtes, bals. Cette vie de Jeu-Spectacle est en même temps l'accentuation d'une vie privée où se nouent, sur un mode plus intense que dans la vie quotidienne, relations, amitiés, flirts, amours. Elle est à l'image de la vie cinématographique des vacances que mènent les « olympiens » à Miami, Tahiti. [...]

Palinuro est un microcosme vécu de la culture de masse. Deux groupes s'y distinguent : d'une part, les « olympiens » actifs, qui boivent les apéritifs au bar, dansent avec aisance, pratiquent les sports nautiques, flirtent, séduisent, et, d'autre part, ceux qui sont plutôt spectateurs, moins actifs, et qui contemplent les « olympiens ». Mais, à Palinuro, le fossé qui sépare les deux classes est bien moins profond, bien plus étroit que celui qui sépare les célébrités et vedettes du commun des mortels ; à Palinuro, les contacts sont aisés, le passage à l'Olympe est possible... Ainsi, fragmentairement, temporairement, l'Olympe de la culture de masse prend forme et figure dans ce que Raymond appelle très justement une utopie concrète.

Cela signifie également que l'idéal de la culture du loisir, sa finalité obscure, est la vie des olympiens modernes, héros du spectacle, du jeu et du sport. [...]

La presse, la radio, la télévision, nous entretiennent sans cesse de leur vie privée, véridique ou fictive. Ils vivent d'amours, de festivals, de voyages. Leur existence est délivrée du besoin. Elle s'accomplit dans le plaisir et dans le jeu. Leur personnalité s'épanouit sur le double clavier du rêve et de l'imaginaire. Leur travail même est une sorte de grand divertissement, voué à la glorification de leur propre image, au culte de leur propre double.

Ces olympiens proposent le modèle idéal de la vie de loisir, son aspiration suprême. Ils vivent selon l'éthique du bonheur et du plaisir, du jeu et du spectacle. Cette exaltation simultanée de la vie privée, du spectacle, du jeu, est celle-là même de la culture de masse.

© Grasset

9. Un mythe des années 1950 : la « nouvelle Citroën »

Véritable propagateur en France d'une sémiologie générale dont la fondation remonte à Saussure, Roland Barthes s'est appliqué, dès le début des années 1950, à opérer un travail de démystification du système idéologique présent dans les objets et les stéréotypes quotidiens. Ce texte sur la DS 19 — la voiture haut de gamme sortie des usines Citroën en 1955 — vise à démonter le mythe, ou le complexe de mythes, qui entoure ce véhicule futuriste, appelé à remplacer dans la tête des contemporains, et plus précisément dans celle des représentants de la upper middle class, _alors en pleine expansion, celui, devenu classique (et bientôt « rétro »), de la « traction avant »._

Source : Roland Barthes, _Mythologies, 1954-1956_, Paris, Le Seuil, 1957, coll. Points, pp. 150-152.
Bibliographie : P. Yonnet, _Jeux, modes et masses, 1945-1985_, Paris, Gallimard, 1985 ; J. Gritti, _Culture et techniques de masse_, Paris, Casterman, 1967.

J<small>E CROIS QUE L'AUTOMOBILE</small> est aujourd'hui l'équivalent assez exact des grandes cathédrales gothiques : je veux dire une grande création d'époque, conçue passionnément par des artistes inconnus, consommée dans son image, sinon dans son usage, par un peuple entier qui s'approprie en elle un objet magique.

La nouvelle Citroën tombe manifestement du ciel dans la mesure où elle se présente d'abord comme un *objet* superlatif. Il ne faut pas oublier que l'objet est le meilleur messager de la surnature : il y a facilement dans l'objet, à la fois une perfection et une absence d'origine, une clôture et une brillance, une transformation de la vie en matière (la matière est bien plus magique que la vie), et pour tout dire un *silence* qui appartient à l'ordre du merveilleux. La « Déesse » a tous les caractères (du moins le public commence-t-il par les lui prêter unanimement) d'un de ces objets descendus d'un autre univers, qui ont alimenté la néomanie du XVIIIe siècle et celle de notre science-fiction : la Déesse est *d'abord* un nouveau Nautilus.

C'est pourquoi on s'intéresse moins en elle à la substance qu'à ses joints. On sait que le lisse est toujours un attribut de la perfection parce que son contraire trahit une opération technique et tout humaine d'ajustement : la tunique du Christ était sans couture, comme les aéronefs de la science-fiction sont d'un métal sans relais. La DS 19 ne prétend pas au pur nappé, quoique sa forme générale soit très enveloppée ; pourtant ce sont les emboîtements de ses plans qui intéressent tout le public : on tâte furieusement la jonction des vitres, on passe la main dans les larges rigoles de caoutchouc qui relient la fenêtre arrière à ses entours de nickel. Il y a dans la DS l'amorce d'une nouvelle phénoménologie de l'ajustement, comme si l'on passait d'un monde d'éléments soudés à un monde d'éléments juxtaposés et qui tiennent par la seule vertu de leur forme merveilleuse, ce qui, bien entendu, est chargé d'introduire à l'idée d'une nature plus facile.

Quant à la matière elle-même, il est sûr qu'elle soutient un goût de la légèreté, au sens magique. Il y a retour à un certain aérodynamisme, nouveau pourtant dans la mesure où il est moins massif, moins tranchant, plus étale que celui des premiers temps de cette mode. La vitesse s'exprime ici dans des signes moins agressifs, moins sportifs, comme si elle passait d'une forme héroïque à une forme classique. Cette spiritualisation se lit dans l'importance, le soin et la matière des surfaces vitrées. La Déesse est visiblement exaltation de la vitre, et la tôle n'y est qu'une base. Ici, les vitres ne sont pas fenêtres, ouvertures percées dans la coque obscure, elles sont grands pans d'air et de vide, ayant le bombage étalé et la brillance des bulles de savon, la minceur dure d'une substance plus entomologique que minérale (l'insigne Citroën, l'insigne fléché, est devenu d'ailleurs insigne ailé, comme si l'on passait maintenant d'un ordre de propulsion à un ordre de mouvement, d'un ordre du moteur à un ordre de l'organisme).

Il s'agit donc d'un art humanisé, et il se peut que la Déesse marque un changement dans la mythologie automobile. Jusqu'à présent, la voiture superlative tenait plutôt du bestiaire de la puissance ; elle devient ici à la fois plus virtuelle et plus objective, et malgré certaines complaisances néomaniaques (comme le volant vide), la voici plus *ménagère*, mieux accordée à cette sublimation de l'ustensilité que l'on retrouve dans nos arts ménagers contemporains : le tableau de bord ressemble davantage à l'établi d'une cuisine moderne qu'à la centrale d'une usine : les minces volets de tôle mate, ondulée, les petits leviers à boule blanche, les voyants très simples, la discrétion même de la nickelerie, tout cela signifie une sorte de contrôle exercé sur le mouvement, conçu désormais comme confort plus que comme performance. On passe visiblement d'une alchimie de la vitesse à une gourmandise de la conduite.

Il semble que le public ait admirablement deviné la nouveauté des thèmes qu'on lui propose : d'abord sensible au néologisme (toute une campagne de presse le tenait en alerte depuis des années), il s'efforce très vite de réintégrer une conduite d'adaptation et d'ustensilité («Faut s'y habituer»). Dans les halls d'exposition, la voiture témoin est visitée avec une application intense, amoureuse : c'est la grande phase tactile de la découverte, le moment où le merveilleux visuel va subir l'assaut raisonnant du toucher (car le toucher est le plus démystificateur de tous les sens, au contraire de la vue, qui est le plus magique) : les tôles, les joints sont touchés, les rembourrages palpés, les sièges essayés, les portes caressées, les coussins pelotés ; devant le volant, on mime la conduite avec tout le corps. L'objet est ici totalement prostitué, approprié : partie du ciel de Metropolis, la Déesse est en un quart d'heure maîtrisée, accomplissant dans cet exorcisme, le mouvement même de la promotion petite-bourgeoise.

XXI

LA Ve RÉPUBLIQUE SOUS LES PRÉSIDENCES DE GEORGES POMPIDOU ET VALÉRY GISCARD D'ESTAING (1969-1981)

Élu président de la République en juin 1969, Georges Pompidou avait placé sa campagne sous le signe de l'« ouverture dans la continuité ». L'ouverture consiste tout d'abord à associer au pouvoir gaulliste républicains indépendants et centristes. Dans le gouvernement dirigé par Jacques Chaban-Delmas, entrent Valéry Giscard d'Estaing (aux Finances) et plusieurs centristes qui avaient appuyé le président pour le second tour des élections (contre le président du Sénat, Alain Poher) et qui forment le Centre Démocratie et Progrès (CDP). À ces alliés, Georges Pompidou donne des satisfactions qui tranchent avec la pratique du général de Gaulle, dont il entend bien assumer l'héritage tout en se montrant plus proche des Français (texte n° 1) : respect manifesté au Parlement, appui à la politique économique orthodoxe de V. Giscard d'Estaing, effort pour renouer des relations amicales avec les États-Unis, acceptation de l'ouverture de négociations pour l'entrée de la Grande-Bretagne dans la Communauté économique européenne et relance du Marché commun agricole.

L'ouverture est également volonté de répondre aux problèmes posés par la crise de mai 1968. La désignation de Jacques Chaban-Delmas, un gaulliste de sensibilité sociale, va dans ce sens. Entouré d'une équipe d'hommes de gauche (dont Jacques Delors), le Premier ministre annonce la naissance d'une « nouvelle société », plus moderne et plus juste (texte n° 2), dont le volet social vise à éviter tensions et crises en favorisant le dialogue entre les partenaires sociaux et en répartissant de manière plus équitable les fruits de l'expansion. La politique contractuelle instaure des contacts réguliers entre l'État, le patronat et les organisations syndicales et l'institution du Salaire minimum interprofessionnel de croissance (SMIC) indexe sur cette dernière le plancher des rémunérations.

Si sondages et élections révèlent la popularité de cette politique, certaines difficultés se font jour dans les rangs de la majorité. Une série de scandales financiers survenus à partir de l'été 1971, puis le demi-échec du référendum sur l'élargissement de la CEE, conduisent le chef de l'État à se séparer du Premier ministre en juillet 1972, et à lui substituer un gaulliste rigoureux, discipliné et peu soucieux de sa popularité, Pierre Messmer, qui rompt avec la politique d'ouverture de son prédécesseur.

Face à cette reprise en main, l'opposition s'organise pour préparer les élections législatives de 1973. Au congrès d'Épinay, en juin 1971, le Parti socialiste, qui a fusionné avec les clubs de gauche, porte à sa tête François Mitterrand (texte n° 3), premier acte d'une évolution qui va bientôt attirer à lui des personnalités et des militants venus d'autres formations politiques (texte n° 4) et faire du « nouveau PS » le premier parti de la gauche unie autour du « programme commun » (texte n° 5). La coalition majoritaire réussit néanmoins à remporter les élections de mars 1973.

Le septennat inachevé de Georges Pompidou — mort en avril 1974 — est suivi d'une nouvelle élection présidentielle qui donne lieu, au second tour, à un duel serré entre Valéry Giscard d'Estaing et François Mitterrand, à nouveau candidat unique de la gauche (texte n° 6). Élu à une très courte majorité, Giscard d'Estaing doit faire appel à Jacques Chirac, nouveau leader du mouvement gaulliste, pour constituer le gouvernement, ce qui réduit fortement sa marge d'action. Partisan d'un « libéralisme avancé », il s'applique à donner à son septennat une coloration moderne, contrastant avec la rigueur un peu compassée des présidences antérieures, et il fait adopter des réformes qui modifient le visage de la société française : majorité électorale et civile abaissée à l'âge de dix-huit ans, création d'un Secrétariat à la condition féminine, adoption de la loi sur l'interruption volontaire de grossesse, etc. Mais cette politique, qui s'accompagne de préoccupations sociales, mécontente l'aile conservatrice de la majorité sans satisfaire l'opposition.

En août 1976, Jacques Chirac, en conflit avec le président, cède la place à Raymond Barre : un professeur d'économie qui se présente comme un « technicien » méprisant la « politique politicienne » (texte n° 7) et qui, pour tenter de limiter les effets de la crise, adopte des mesures libérales visant à affranchir les entreprises des contrôles qui limitent leur liberté et à réduire leurs charges sociales. Mais l'effet social à court terme de cette politique est une poussée de chômage qui inquiète l'opinion et nourrit les diverses oppositions à la voie choisie par le chef de l'État et par le Premier ministre.

Les élections de 1978 révèlent l'existence d'une France coupée en quatre. D'un côté la droite, divisée entre les partisans du président — républicains indépendants, radicaux et centristes, qui vont se regrouper dans l'Union pour la démocratie française, et les gaullistes rassemblés autour du RPR et de Jacques Chirac, lequel ne cesse d'attaquer la politique du gouvernement. De l'autre, une gauche qui paraissait devoir l'emporter après son succès aux cantonales de 1976 et aux municipales de 1977, mais qui voit l'alliance de ses deux principales composantes remise en cause par le Parti communiste (texte n° 8) et qui devra finalement s'incliner lors de la consultation de mars 1978 (texte n° 9).

Aucun problème ne se trouve néanmoins résolu au lendemain de ce scrutin, qui confirme la prééminence du RPR au sein de la coalition majoritaire et la montée en force du PS dans l'opposition. La persistance des difficultés économiques et le poids croissant du chômage vont peser lourd lors des présidentielles de 1981.

1. « L'époque n'est plus à Louis XIV »
(Georges Pompidou)

Redevenu simple député après son départ de Matignon en juin 1968, Georges Pompidou a pris ses distances à l'égard du général de Gaulle, faisant savoir en privé qu'il serait candidat à l'Élysée en cas d'élection présidentielle, puis annonçant clairement ses intentions en janvier 1969 à Rome. La démission du général à la suite du scrutin référendaire d'avril, ayant donné un contenu à ce scénario hasardeux, il s'engage aussitôt dans la bataille, distançant de très loin ses divers concurrents au premier tour et l'emportant au second (avec 57,8 % des suffrages) sur le candidat centriste, le président du Sénat Alain Poher.

La rupture affective avec De Gaulle n'a pas incliné le nouveau chef de l'État à adopter une voie radicalement différente de celle suivie par son prédécesseur. Pompidou président conserve à ce dernier toute son admiration et place son septennat sous le double signe de la continuité et de l'ouverture. Dans le livre qu'il publiera à l'extrême fin de son mandat, Le Nœud gordien, *il expose ses vues politiques et définit un modèle de gouvernement fondé à la fois sur des institutions solides et sur le souci de rester proche des citoyens. De là la référence à Saint Louis (« tel qu'on se l'imagine, sous un chêne au milieu de son peuple »), plus conforme estime-t-il aux exigences du temps, qu'un Louis XIV « dans son palais de Versailles, au milieu des grands ».*

Source : Georges Pompidou, *Le Nœud gordien*, Paris, Plon, 1974, pp. 202-204.

Bibliographie : P. Muron, *Pompidou*, Paris, Flammarion, 1974 ; S. Rials, *Les Idées politiques du président Georges Pompidou*, Paris, PUF, 1977 ; E. Roussel, *Georges Pompidou, 1911-1974*, Paris, Nlles Éd. J.-C. Lattès, 1994.

CHOIX DES DIRIGEANTS. Je veux dire que la République ne doit pas être la République des ingénieurs, des technocrates, ni même des savants. Je soutiendrais volontiers qu'exiger des dirigeants du pays qu'ils sortent de l'ENA ou de Polytechnique est une attitude réactionnaire qui correspond exactement à l'attitude du pouvoir royal à la fin de l'Ancien Régime exigeant des officiers un certain nombre de quartiers de noblesse. La République doit être celle des « politiques » au sens vrai du terme, de ceux pour qui les problèmes humains l'emportent sur tous les autres, ceux qui ont de ces problèmes une connaissance concrète, née du contact avec les hommes, non d'une analyse abstraite, ou pseudo-scientifique, de l'homme. C'est en fréquentant les hommes, en mesurant leurs difficultés, leurs souffrances, leurs désirs et leurs besoins immédiats, tels qu'ils les ressentent ou tels parfois qu'il faut leur apprendre à les discerner, qu'on se rend capable de gouverner, c'est-à-dire, effectivement, d'assurer à un peuple le maximum de bonheur compatible avec les possibilités nationales et la conjoncture extérieure. L'époque n'est plus à Louis XIV dans son palais de Versailles, au milieu des grands, mais rien n'y ressemblerait davantage qu'un Grand Ordinateur dirigeant de la salle de commande électronique le conditionnement des hommes. Mieux vaut encore, pour prendre un exemple concret, un patron de combat contre lequel des syndicats puissants défendent les droits des travailleurs qu'une machine IBM réalisant les conditions propres à obtenir le rendement maximum dans une ambiance de musique douce et de couleur apaisante. Le bonheur que nos ingénieurs préparent à l'homme de demain ressemble vraiment trop aux conditions de vie idéales pour animaux domestiqués. En vérité, l'avenir serait plutôt à Saint Louis tel qu'on se l'imagine sous un chêne au milieu de son peuple, c'est-à-dire à des chefs ayant une foi, une morale, et répudiant « l'absentéisme du cœur ».

À défaut qu'on puisse en arriver là, et nous en sommes loin, il faut des institutions, des institutions qui assurent à toutes les étapes de la vie, à tous les échelons de la société, dans tous les cadres où s'insère la vie individuelle — famille, profession, province, patrie — le maximum de souplesse et de liberté. Cela, afin de limiter les pouvoirs de l'État, de ne lui laisser que ce qui est sa responsabilité propre et qui est de nos jours déjà immense, de laisser aux citoyens la gestion de leurs propres affaires, de leur vie personnelle, l'organisation de leur bonheur tel qu'ils le conçoivent, afin d'échapper à ce funeste penchant qui, sous prétexte de solidarité, conduit tout droit au troupeau. Cela, afin de permettre au peuple de choisir ses dirigeants en connaissance de cause, de percevoir à l'expérience et avant qu'il ne soit trop tard ceux qui pourraient être tentés par le pouvoir sans limites que donnent les moyens techniques.

Car cette évolution parallèle à laquelle nous avons assisté de l'anarchie dans les mœurs et de l'accroissement illimité du pouvoir étatique va bien au-delà des récriminations contre la dictature des bureaux ou alors faut-il l'entendre au sens de l'univers de Kafka. Elle porte en elle-même le péril immense et dans lequel nous pouvons tomber de deux manières opposées. Soit en faisant prévaloir l'anarchie, qui détruirait rapidement les bases mêmes de tout progrès et déboucherait fatalement sur un totalitarisme de gauche ou de droite ; soit en allant directement vers la solution totalitaire. Le péril n'est pas illusoire. Les théoriciens peuvent, dans l'abstraction, accumuler les raisonnements subtils et compliquer à l'envi les nœuds du problème humain. Nous sommes arrivés à un point extrême où il faudra, n'en doutons pas, mettre fin aux spéculations et recréer un ordre social. Quelqu'un tranchera le nœud gordien. La question est de savoir si ce sera en imposant une discipline démocratique garante des libertés ou si quelque homme fort et casqué tirera l'épée comme Alexandre.

Le fascisme n'est pas si improbable, il est même, je crois, plus près de nous que le totalitarisme communiste. À nous de savoir si nous sommes prêts, pour l'éviter, à résister aux utopies et aux démons de la destruction. « Je n'étais bon ni pour tyran ni pour esclave », disait Chateaubriand. Je souhaite que demain les dirigeants et les citoyens de mon pays soient pénétrés de cette maxime.

© Plon

2. « Conduire la grande transformation de la société française »

(Jacques Chaban-Delmas)

Chargé de mettre en œuvre la volonté d'ouverture annoncée par le chef de l'État, le nouveau Premier ministre va faire mieux qu'appliquer les idées de Georges Pompidou. Jacques Chaban-Delmas va en effet leur donner une interprétation très large, en faire l'instrument d'un « grand dessein » qui se situe dans le droit fil de l'inspiration gaullienne après 1968 : ce sera la « nouvelle société », ainsi définie par lui dans le discours-programme qu'il prononce le 16 septembre 1969 à l'Assemblée nationale : « Cette nouvelle société, quant à moi, je la vois comme une société prospère, généreuse et libérée. [...] C'est sous l'égide de la générosité que je vous propose de placer notre action. Nous devons, par une solidarité renforcée, lutter contre toute les formes d'inégalité des chances. »

Mieux informer les citoyens, repenser le rôle de l'État, moderniser l'économie, réduire les écarts et les déséquilibres entre les différentes parties du corps social, tels sont les objectifs mis en avant par le Premier ministre. Or, si de larges secteurs de l'opinion paraissent accueillir favorablement ce programme, nombreux sont dans les rangs de la majorité parlementaire, et dans ceux de son propre parti, ceux qui en récusent les orientations gauchisantes. Soulignant la distance qui sépare, estime-t-il, les intentions du chef du gouvernement et le conservatisme de la « Chambre introuvable » élue en juin 1968, François Mitterrand dira à ce propos, rétorquant au Premier ministre : « Quand je vous regarde, je ne doute pas de votre sincérité, mais quand je regarde votre majorité, je doute de votre réussite. »

C'est précisément pour tenter de convaincre les parlementaires UDR, réunis à Chamonix en septembre 1970, que Jacques Chaban-Delmas prononce, un an après son discours à la Chambre, l'allocution suivante.

Source : Discours prononcé par le Premier ministre aux journées d'études des parlementaires UDR le 18 septembre 1970, *La Politique intérieure de la France. Chronologie, déclarations gouvernementales, 1ᵉʳ juillet-30 septembre 1970*, Comité interministériel pour l'information, n° 7, novembre 1970, Paris, La Documentation française, pp. 111-119.

Bibliographie : J. Bunel, P. Meunier, *Chaban-Delmas*, Paris, Stock, 1972 ; Ph. Chastenet, *Chaban*, Paris, Le Seuil, 1991.

JE VOUDRAIS, pour conclure, vous faire part de quelques réflexions sur le rôle de la majorité, et sur celui de notre mouvement, qui est la majorité de la majorité.

Notre tâche, notre charge, notre responsabilité sont de gouverner.

Dans de grands pays démocratiques voisins, la vie politique repose sur l'alternance de deux alliances ou de deux partis — celui de l'ordre et celui du mouvement —, chacun assumant tour à tour les responsabilités de l'action et les responsabilités de l'opposition. La situation politique française est tout autre, puisque les adversaires de la majorité sont prisonniers, et plus que jamais, de leurs contradictions, qui est de ne pas pouvoir gouverner avec les communistes et de ne pas pouvoir gouverner sans eux. Ainsi, il y a des opposants, certes, qui nous attaquent et qui s'entre-déchirent ; il n'y a pas vraiment d'opposition. Je le dis sans passion, et je le constate sans plaisir. Car l'alternance, quand elle s'exerce dans le cadre d'une règle du jeu admise par tous, est une force pour la démocratie. Mais je le constate parce que cela est.

La conséquence en est que nous avons des responsabilités plus qu'ordinaires, des responsabilités extraordinaires, vis-à-vis de la France et vis-à-vis des Français ; non pas seulement des Français qui votent pour nous, et des catégories sociales qui nous soutiennent le plus, mais aussi vis-à-vis de ceux et de celles qui ne nous ont pas encore apporté leurs voix mais qui commencent à envisager de le faire. [...]

Dans ces conditions, maintenant que notre indépendance est rétablie et que nos institutions sont assurées, la tâche fondamentale de notre mouvement est d'épauler, d'aider et de conduire la grande transformation de la société française, pour le compte de tous les Français. Ne nous y trompons pas : si nous manquons à cette tâche, la France passera à côté d'une grande chance et notre mouvement courra le risque de voir s'éloigner de lui tous les Français et ils sont nombreux qui aspirent au changement.

Mais nous n'accomplirons notre tâche, et nous n'assurerons notre succès que si nous savons, comme nous l'avons fait jusqu'à présent, conserver notre unité. Elle est inestimable ; qu'elle soit indéfectible. Nous la devons d'abord au général de Gaulle, dont la pensée, l'exemple et l'action ont su rassembler autour de lui, sans fanatisme idéologique et sans intérêt personnel, tant de convictions et de dévouement. Là encore, son départ a été l'épreuve décisive : d'ordinaire, c'est lorsque le père se retire que les fils commencent à se quereller [...].

Le retrait du grand homme qui nous a montré les chemins du redressement nous contraint d'assumer, à un moment décisif de l'histoire de France, la responsabilité de conduire à son heureux terme la grande mutation française. Échouerions-nous, la faiblesse de l'opposition condamne la France à l'anarchie. Si nous réussissons, et nous sommes en chemin pour y parvenir, c'est la chance enfin offerte à notre pays d'asseoir sur des bases industrielles renforcées, l'esquisse d'un nouveau modèle de civilisation dont la nécessité est rendue évidente par les crises et les blocages à l'Est comme à l'Ouest, qu'appelle, parfois dans la confusion, notre jeunesse.

Quelle plus grande fierté que d'être pour la France le bon outil de cette mutation décisive. C'est à cela que nous sommes conviés par l'Histoire.

3. 1971 : un « nouveau » Parti socialiste

La véritable déroute enregistrée par les socialistes lors du premier tour des présidentielles de 1969 (5,1 % des suffrages exprimés pour leur candidat, Gaston Defferre) a incité les dirigeants de la SFIO à se constituer en un « nouveau » Parti socialiste regroupant autour de la « vieille maison » ceux qui l'avaient quittée depuis le début des années 1950 ainsi que les nouveaux courants de la gauche apparus depuis. En 1969 déjà, le PS avait été rejoint par l'Union des clubs pour le renouveau de la gauche d'Alain Savary (qui avait adhéré au Parti socialiste autonome en 1958) et par l'Union des groupes et clubs socialistes de Jean Poperen, et au lendemain de l'élection présidentielle, Alain Savary avait été élu, avec l'appui de Guy Mollet, Premier secrétaire du Parti. Le PSU de Michel Rocard se maintenant délibérément à l'écart, il restait à absorber la Convention des institutions républicaines de François Mitterrand. Cette organisation ne comportait que quelques milliers d'adhérents, mais elle comptait de puissants soutiens au sein du PS, aussi bien dans l'aile modérée du Parti (Defferre et Mauroy, leaders des puissantes fédérations des Bouches-du-Rhône et du Nord) que dans la gauche marxisante, animée par le CERES de Jean-Pierre Chevènement et Didier Motchane.

Lors du Congrès qui se tient à Épinay du 11 au 13 juin 1971, l'alliance tactique des modérés, du CERES et des amis de François Mitterrand (Mermaz, Estier) consacre la refondation du Parti, doté de nouveaux statuts qui stipulent que l'élection des dirigeants se fera désormais à la proportionnelle intégrale. La coalition ainsi constituée s'accorde pour renverser la direction sortante, laissant au CERES — dont la position charnière a été déterminante — le soin de rédiger une motion très révolutionnaire et qui fait explicitement référence à l'union de la gauche et à un programme commun de gouvernement. Le jour même où il donne son adhésion au nouveau Parti, François Mitterrand en est élu Premier secrétaire. C'est son premier discours prononcé à ce titre dont nous reproduisons ici des extraits.

Source : Discours de François Mitterrand au congrès d'Épinay, *Cahier et revue de l'OURS*, mai-juin 1991, pp. 27-28.

Bibliographie : A. Bergounioux, G. Grunberg, *Le Long Remords du pouvoir*, Paris, Fayard, 1992 ; H. Portelli, *Le Parti socialiste*, Paris, Montchrestien, 1992.

P OURQUOI SOMMES-NOUS ICI ? Qu'allons-nous faire de l'unité ?
Eh bien, maintenant que notre parti existe, je voudrais que sa mission soit d'abord de conquérir. En termes un peu techniques, on appelle ça la vocation majoritaire. Je suis pour la vocation majoritaire de ce parti. Je souhaite que ce parti prenne le pouvoir... Déjà le péché d'électoralisme ! Je commence mal.

Je voudrais que nous soyons disposés à considérer que la transformation de notre société ne commence pas avec la prise du pouvoir, elle commence d'abord avec la prise de conscience de nous-mêmes et la prise de conscience des masses. Mais il faut aussi passer par la conquête du pouvoir. La vocation groupusculaire, ce n'est pas la mienne ni celle des amis qui voteront avec moi la même motion.

Mais, conquérir quoi ? Conquérir où ?

D'abord, les autres socialistes, on l'a dit ! Ensuite, je pense — comment cela va-t-il me classer, je ne sais pas encore — je pense qu'il faut d'abord songer à reconquérir le terrain perdu sur les communistes. Je pense qu'il n'est pas normal qu'il y ait aujourd'hui 5 millions, et quelquefois plus, de Françaises et de Français qui choisissent le Parti communiste sur le terrain des luttes, et même sur le terrain électoral, parce qu'ils ont le sentiment que c'est ce parti-là qui défend leurs intérêts légitimes, c'est-à-dire leur vie.

Je considère que l'une des tâches de conquête du Parti socialiste, c'est d'être, avec modestie aujourd'hui, laissant tomber les «paroles verbales», comme disent les diplomates, et sans vouloir faire un effet de congrès, le parti le plus représentatif de ceux dont nous avons parlé tout à l'heure. Ceci ne se fera, pardonnez-moi de le dire, qu'au prix d'actions concrètes.

[...] Nous avons ensuite à conquérir chez les gauchistes, dans la mesure où déjà s'établit une tragique confusion : on emploie indifféremment dans les discours les termes

« gauchiste » ou « la jeunesse ». Personnellement je ne pense pas que ce soit vrai. Mais ce n'est pas non plus nous qui la représentons, la jeunesse.

Il est un certain nombre de valeurs qui ont été exprimées par la révolte, puis traduites dans un langage et par des actions déraisonnables et même dangereuses du point de vue de la défense des intérêts des travailleurs. Mais ces valeurs-là, elles existent, et tant que le Parti socialiste ne les exprimera pas avec conviction, tant que ces valeurs, ce besoin d'être responsable, ce besoin de refuser d'être soumis à des intermédiaires qui vous dérobent finalement votre dignité de citoyen, de travailleur, votre dignité de chaque jour... Parce qu'il y a finalement une sorte de déviation de la démocratie parlementaire qui fait qu'au lieu d'avoir délégué au monarque d'autrefois, et à lui tout seul, le droit de penser et d'agir, la démocratie parlementaire, par ses intermédiaires, a fini par manque d'imagination par confisquer tout cela au citoyen, à l'individu, à celui qui veut être lui-même capable, par l'information et par la formation, par le dialogue et aussi par l'organisation des partis de gauche, capable de penser lui-même et de décider.

[...] Et puis il faut reconquérir les libéraux. Selon une excellente définition de Guy Mollet — et il me permettra de lui emprunter dans les classifications qu'il a faites dans un ouvrage de la physionomie politique française — les libéraux qui évidemment acceptent comme nous l'héritage démocratique dans le domaine politique, mais qui refusent nos méthodes et nos structures sur le plan de l'économie.

Mais les voilà placés devant un choix, dont on dit encore dans le langage savant qu'il est bipolaire. Il est nécessaire de faire comprendre à ceux qui y sont disposés que s'il s'agit pour eux de choisir entre la tyrannie et la décadence, quand ce n'est pas la pourriture du capitalisme, et le socialisme, qui leur déplaît parfois par son esprit de système, ou même par ses signes et ses symboles, s'ils veulent la justice et le droit, ils sont de notre côté.

Et puis il y en a d'autres qui sont indéfinissables. Je ne sais pas comment les appeler. Ils ne savent pas eux-mêmes, d'ailleurs, sans quoi ils seraient ici. Ce sont ceux qui se multiplient dans des groupes de toutes sortes qui foisonnent : les usagers du métro, les usagers des transports en commun, les parents d'élèves, les groupes d'action municipale, que sais-je encore...

Il faut que tous ceux-là, qui sont livrés à des organisations anarchiques et qui s'appliquent à faire seulement, comme ils disent, « du concret », comprennent qu'on ne fait pas de concret et qu'on est écrasé par la société capitaliste lorsqu'on n'admet pas — c'est ma propre évolution, je suis amené à la comprendre — qu'il soit impossible de lutter avec efficacité et de transformer la société par un travail individuel, en refusant une puissante organisation politique. [...]

4. Gilles Martinet quitte le PSU
pour le Parti socialiste
(Janvier 1972)

Après avoir été pendant une dizaine d'années, en dépit de ses effectifs modestes (entre 12 000 et 15 000 adhérents) et de la minceur de ses résultats électoraux (2,26 % des suffrages aux législatives de 1967), l'une des principales forces de proposition et de mobilisation de la gauche française, le Parti socialiste unifié n'a pas réussi à percer au-delà du milieu enseignant et étudiant, ainsi que de la mouvance des militants et des cadres de la CFDT. Les retombées immédiates de mai 1968 lui apporteront certes une brève embellie, qui se manifeste notamment par le score de Michel Rocard aux présidentielles de 1969 (3,66 % des voix), mais ses divisions internes et le pouvoir d'attraction exercé sur la gauche non communiste par un PS en pleine mutation à partir de 1969 auront tôt fait d'entraîner une érosion sensible de ses militants. Au cours des mois qui suivent le congrès d'Épinay, nombre d'entre eux vont ainsi rejoindre les rangs de la formation dont François Mitterrand est devenu le Premier secrétaire, et à laquelle l'activisme gauchisant du CERES confère une dynamique apparente qui répond à leurs attentes. Les « unionistes », partisans de l'union de la gauche, vont ainsi, comme Gilles Martinet, quitter un mouvement dont ils condamnent le caractère doctrinaire et aventuriste pour œuvrer, à l'intérieur du PS, au grand rassemblement de la gauche socialiste.

Source : Lettre de Gilles Martinet aux membres du bureau national du PSU, Archives CHEVS/FNSP, Fonds Gilles Martinet, MR 6, Dr 6 (1972).
Bibliographie : J.-F. Kessler, *De la gauche dissidente au nouveau Parti socialiste. Les minorités qui ont rénové le PS*, Toulouse, Privat, 1990 ; M. Sadoun, *De la démocratie française. Essai sur le socialisme*, Paris, Gallimard, 1993.

AUX MEMBRES du bureau national du PSU.
Chers camarades,
Je ne renouvellerai pas mon adhésion au PSU en 1972. J'ai attendu que vienne le moment de la reprise des cartes pour accomplir un geste que je voulais éviter de dramatiser.

J'aurais pu démissionner lorsque vous m'avez adressé un « rappel à l'ordre » non conforme aux statuts du parti et qui se trouvait assorti de menaces demeurées heureusement sans suite. Mais je n'aime pas ces disputes où l'on cherche à régler des problèmes de fond par des questions de procédure. Elles laissent un goût amer à tous ceux qui y sont mêlés. J'ai préféré m'éloigner de vous dans des conditions qui ne rompent pas le dialogue et laissent intacts des liens de camaraderie qui comptent beaucoup pour moi.

Je tiens tout de suite à préciser que l'influence que peuvent exercer les courants « gauchistes » au sein du parti n'a pas pesé sur ma décision. Je suis en effet un partisan de la discussion avec les militants qui composent ces courants. Et puis je les crois en perte de vitesse à la suite du congrès de Lille où, en votant avec vous, j'ai contribué à leur défaite.

Les thèmes « gauchistes » mais plus souvent « puristes » et « spontanéistes » qui caractérisent de trop nombreux textes du parti ne sont d'ailleurs que l'expression d'une situation de faiblesse. Il est très difficile pour une petite organisation de ne pas devenir une organisation marginale. Ses moyens limités lui permettent de réaliser des coups mais non de promouvoir une action continue et efficace. Elle se trouve préservée de l'électoralisme mais aussi, hélas, de l'esprit de responsabilité. Faute de pouvoir obtenir des résultats elle cherche à acquérir des mérites et n'hésite pas pour cela à prendre des positions utopiques ou démagogiques sans rapport avec les possibilités offertes par les luttes en cours. Je ne fais pas ici seulement allusion au comportement du PSU mais à celui de toutes les organisations qui depuis plus de quarante ans ont tenté en Europe de s'affirmer en face de la social-démocratie et du Parti communiste.

Peut-on échapper à cette malédiction, se soustraire à cette pesanteur ? Je l'ai cru évidemment. Sinon je n'aurais pas contribué à fonder la Nouvelle Gauche, l'Union de la gauche socialiste puis le PSU. Mais j'ai toujours lié les possibilités de succès de ces formations à deux objectifs qui sont apparemment bien difficiles à atteindre : d'une part l'homogénéité politique de l'organisation, la rigueur de ses positions et la nouveauté de son style, d'autre part la capacité d'insérer l'action de cette organisation dans un ensemble plus vaste, de trouver les relais indispensables au développement de son influence. Or le PSU d'aujourd'hui ne remplit ni l'une ni l'autre de ces conditions. Il repose sur un conglomérat idéologique sans cohérence et sans consistance et il adopte à l'égard des perspectives d'union des forces populaires des positions dépourvues d'audace et de réalisme.

Le parti vit sur le souvenir des événements de mai 1968. Mais il se refuse à faire la critique de son attitude de cette période où il a été porté au cœur de l'action et où une chance exceptionnelle lui a été offerte. Il ne veut pas qu'on lui rappelle que pendant les journées décisives — du 24 au 29 mai — il a été incapable de prendre ses responsabilités et de proposer une issue à la crise. On voulait bien Mendès France à Matignon mais à la condition que le pouvoir soit remis aux comités d'action tout en sachant que ces comités étaient bien trop faibles pour le conquérir. On voulait «démasquer» le Parti communiste. On ne se souciait pas de l'obliger à prendre une voie différente de celle qu'il avait jusque-là suivie. Encore une fois les mérites comptaient davantage que les résultats.

Il est vrai que la victoire éventuelle d'une coalition de gauche risque de conduire à de nouvelles déceptions. Mais il n'est pas sérieux d'opposer à cette éventualité la seule perspective d'un développement des luttes populaires. Car les chances d'un dépassement d'une expérience classique de la gauche dépendent précisément de l'articulation qui pourra être établie entre les progrès de l'unité, l'essor des luttes et la détermination d'objectifs qui tiennent compte des contradictions inhérentes à toute société de transition.

Le PSU aurait pu être l'instrument privilégié de cette politique. Il aurait pu, grâce à l'esprit combatif de ses militants, apporter une contribution décisive à la constitution d'un grand parti de la gauche socialiste dont les ouvriers et les paysans mais aussi les couches techniciennes et la jeunesse révolutionnaire ont besoin. Il ne l'a pas fait et a laissé passer les occasions qui se présentaient. C'est pourquoi je vous quitte, camarades, avec l'espoir que la leçon des faits vous conduira un jour à changer d'orientation.

En attendant je vous prie de croire à mes sentiments fraternels.

Gilles Martinet

5. Une « évolution mondiale » : Georges Marchais justifie le Programme commun de gouvernement

(1972)

La publication, en juin 1972, du Programme commun de gouvernement conclu par le Parti communiste et par le Parti socialiste est le point d'aboutissement d'un long processus de rapprochement entre les deux principales formations politiques de la gauche. Celui-ci a commencé en 1962, a pris corps trois ans plus tard avec la désignation de François Mitterrand comme candidat unique de la gauche aux présidentielles et s'est véritablement concrétisé avec le congrès de refondation du Parti socialiste à Épinay, en juin 1971. Dès 1966, François Mitterrand, alors à la tête de la Fédération de la gauche démocrate et socialiste, avait défini une stratégie d'unité avec le PCF, répondant aux avances de son secrétaire général, Waldeck-Rochet, mais la maladie de ce dernier, l'éclatement de la FGDS et surtout les événements du printemps 1968, qui avaient vu les rapports entre le PC et la SFIO se détériorer de manière très sensible, avaient éloigné la perspective d'une entente que la détente internationale rendait cependant beaucoup plus réalisable que dix ans plus tôt. C'est ce que suggère ici Georges Marchais, devenu secrétaire général du PCF en 1970, à l'issue du XIXe Congrès, et partisan lui aussi de la conclusion d'un programme commun de gouvernement avec les socialistes.

Les contacts qui ont été pris, dès avant Épinay, entre les deux partis, vont se multiplier après juin 1971 et donner lieu à de rudes négociations pour faire coïncider les grandes lignes du programme communiste — Changer de cap, *octobre 1971* — *et du programme socialiste :* Changer la vie, *ce dernier n'étant publié qu'en mars 1972. Des concessions importantes sont consenties par les deux parties, mais ce sont les socialistes qui vont imposer leur point de vue sur les deux thèmes majeurs que sont les nationalisations et l'alternance politique.*

Signé le 26 juin par les responsables des deux formations, le Programme commun recevra le 12 juillet le renfort des radicaux de gauche (Maurice Faure, Robert Fabre, René Billères). Cette union des trois principales familles de la gauche rappelle le Front populaire, mais il va beaucoup plus loin, en ce sens qu'il implique non seulement une alliance électorale mais la constitution d'un gouvernement en commun avec participation communiste pour la durée d'une législature et en vue d'objectifs clairement énoncés.

Source : Georges Marchais, préface du *Programme commun de gouvernement du Parti communiste et du Parti socialiste*, Paris, Éditions sociales, 1972.

Bibliographie : J.-J. Becker, *Le Parti communiste veut-il prendre le pouvoir ?*, Paris, Le Seuil, 1981 ; G. Lavau, *À quoi sert le Parti communiste ?*, Paris, Fayard, 1981 ; S. Berstein, J.-P. Rioux, *La France de l'expansion, 2. L'apogée Pompidou, 1969-1974*, Paris, Le Seuil, t. 18 de la « Nouvelle histoire de la France contemporaine », 1995.

C'EST EN EFFET un trait capital de l'époque actuelle que socialisme et paix, de plus en plus s'identifient.

C'est ainsi que, dans la dernière période et grâce avant tout aux pays socialistes, des progrès importants ont été réalisés sur la voie de la détente et de la coopération internationales.

La conclusion des traités entre la République fédérale allemande et l'Union soviétique, entre la République fédérale allemande et la Pologne, constitue à cet égard un tournant décisif dans l'évolution de la situation en Europe et ouvre des perspectives favorables à la lutte pour la sécurité collective sur le continent. La nécessité d'une conférence européenne sur la sécurité et la coopération s'impose de plus en plus largement.

Les accords conclus entre les États-Unis et l'Union soviétique, lors du voyage de Nixon à Moscou, constituent également une contribution capitale à la coexistence pacifique. Ce voyage et ses résultats — qui s'inscrivent dans la mise en œuvre résolue du « plan de paix » présenté par le Parti communiste de l'Union soviétique à son 24ᵉ Congrès — constituent sans aucun doute l'événement le plus considérable dans l'histoire des relations entre les deux systèmes depuis la fin de la Deuxième Guerre mondiale. L'idée qu'il est possible et nécessaire de prendre sans plus attendre des mesures de réduction des armements, de désarmement gagne en consistance. De même, la perspective d'un dépassement des blocs militaires antagonistes, puis de leur dissolution devient un objectif réaliste.

Cette tendance à la détente internationale ne rend que plus monstrueuse la poursuite de la guerre criminelle que l'impérialisme américain mène contre le peuple du Viêt-nam et de toute l'Indochine, où il utilise les moyens les plus barbares pour tenter de masquer son échec face à la volonté d'indépendance des peuples.

Elle souligne les responsabilités écrasantes du gouvernement réactionnaire de l'État d'Israël qui, avec le soutien des États-Unis, entretient délibérément une dangereuse tension au Moyen-Orient et refuse d'appliquer les résolutions des Nations unies, au détriment des peuples arabes et du peuple israélien lui-même.

Ces conflits donnent la preuve que la vigilance et l'action restent indispensables pour préserver la paix et l'indépendance des peuples. À cette condition, c'est désormais une certitude historique que l'impérialisme ne parviendra pas à faire revenir l'humanité en arrière et que l'évolution actuelle de la situation internationale se poursuivra, car elle repose sur une modification profonde du rapport des forces de classe à l'échelle mondiale.

Cette évolution des réalités provoque naturellement une évolution des consciences. C'est un facteur qui entre en ligne de compte lorsqu'on analyse les raisons des changements politiques survenus dans notre pays lui-même.

C'est ainsi, par exemple, que Pierre Mauroy, secrétaire du Parti socialiste, déclarait récemment en parlant de son parti — je le cite d'après un journal du soir : « Pourquoi, quand la planète entière évolue, quand le socialiste Willy Brandt développe sa politique d'ouverture à l'Est, quand le président Nixon rencontre tour à tour Mao-Tsé-Toung et Brejnev, n'aurions-nous pas le droit à l'évolution ? »

C'est notre analyse de l'ensemble de cette situation, nationale et internationale, qui a conduit le Parti communiste français à la conclusion que nous sommes entrés dans une période de grandes batailles politiques dont l'enjeu tient dans des termes simples : maintien d'un régime nouveau de démocratie économique et politique ouvrant la voie au socialisme.

Il y a déjà plus de dix ans qu'avec le mouvement communiste international, nous avions tiré de l'évolution de la situation dans le monde la conclusion qu'il était possible de marcher vers la démocratie et le socialisme selon des voies nouvelles, diverses et originales.

L'accentuation de la crise du capitalisme monopolistique en France, les enseignements du grand mouvement populaire de mai-juin 1968 ont donné plus de relief encore à cette conviction.

C'est en partant de ces diverses considérations que nous avons pris, en octobre 1971, la décision d'adopter, de publier notre programme «Pour un gouvernement démocratique d'union populaire». [...]

6. Mai 1974 : une France coupée en deux

À la suite de la mort de Georges Pompidou, le 2 avril 1974, trois candidats paraissent en mesure d'accéder au second tour du scrutin présidentiel : François Mitterrand qui, comme en 1965, est le candidat unique de la gauche (il a été désigné dès le 5 avril par les trois partis du Programme commun, suivis par les grandes centrales syndicales, puis par le PSU), Jacques Chaban-Delmas pour l'UDR, et Valéry Giscard d'Estaing, représentant de la droite libérale. Entre les deux leaders de la majorité, Chaban-Delmas, qui a été plébiscité l'année précédente par les Assises de Nantes du mouvement gaulliste, paraît au début devoir l'emporter aisément. Mais les manœuvres de Jacques Chirac, ministre de l'Intérieur dans le gouvernement Messmer et très hostile au maire de Bordeaux, et la défection d'un certain nombre de gaullistes «pompidoliens» (ils seront 33 à signer l'«Appel» lancé par Jacques Chirac pour déplorer qu'une «candidature d'union» n'ait pu se réaliser), vont porter un coup fatal à l'ancien promoteur de la «nouvelle société». Ses prestations télévisuelles plutôt médiocres feront le reste, si bien qu'à l'issue du premier tour, c'est Valéry Giscard d'Estaing qui viendra en deuxième position avec 32,9 % des voix contre 43,3 % à François Mitterrand et 14,6 % à son rival de droite.

La campagne du second tour oppose donc, dans un duel droite-gauche, le Premier secrétaire du PS et le jeune ministre des Finances de Pierre Messmer. Au coude à coude jusqu'au dernier moment dans les sondages, ils incarnent deux images de la France que chacun s'efforce d'instrumentaliser à son profit — le «peuple de gauche» d'un côté, le porte-parole d'une France «moderne» de l'autre — ou de retourner contre son adversaire (l'«homme du passé» et l'«homme des monopoles et du pouvoir de l'argent»).

Entre ces deux mythes vivants, les Français trancheront le 19 mai en donnant, à une très courte majorité (50,8 % contre 49,2 %), la victoire à Valéry Giscard d'Estaing. C'est bien une «France coupée en deux» que décrit au lendemain du vote l'éditorialiste du Monde, *Raymond Barrillon.*

Source : Raymond Barrillon, « Le plus petit écart », *Le Monde*, 21 mai 1974.
Bibliographie : J. Chapsal, *La Vie politique sous la Ve République, 2. 1974-1987*, Paris, PUF, 3e éd., 1987 ; J. Berne, *La Campagne présidentielle de Valéry Giscard d'Estaing en 1974*, Paris, PUF, 1981.

D ISTANCÉ DE PEU (342 000 voix sur 25 824 704 suffrages exprimés en métropole), M. François Mitterrand a rapporté à la gauche unie 49,33 % des suffrages exprimés, niveau que cette gauche n'avait atteint, et de loin, ni en 1956 (42,63 %), ni au second tour de l'élection présidentielle de 1965 (45,49 %), ni dans les périodes pourtant fort unitaires du premier tour des législatives de mars 1967 (43,67 %) et de mars 1973

(46,69 %). C'est un résultat qui doit l'encourager à ne pas changer de stratégie, et M. Gaston Defferre a d'ailleurs clairement indiqué dès dimanche soir à M. Lecanuet qu'il n'avait aucune espérance à nourrir quant à un rapprochement des socialistes avec les centristes.

Le député de la Nièvre a la majorité absolue dans 44 départements (au lieu de 26 en 1965) et dépasse la barre des 60 % dans 9 de ces départements (au lieu de 5) : Ariège, Aude, Bouches-du-Rhône, Creuse, Nièvre, Pas-de-Calais, Pyrénées-Orientales, Haute-Vienne, Seine-Saint-Denis. S'il y a encore 19 départements (au lieu de 49 au premier tour) où il enregistre des déficits par rapport au 4 mars 1973, il enlève la majorité absolue des suffrages dans plusieurs villes importantes, dirigées par des UDR (Périgueux, Poitiers, Reims, Belfort, Troyes), des centristes du Centre démocrate (Châtellerault), le CDP (Dôle) ou un Républicain indépendant (Toulouse, Bourges).

On a l'impression que les deux grands « camps » opposés ont pratiquement fait, chacun de son côté, le plein des voix sur lesquelles ils pouvaient compter et que la « course aux centristes » n'étant plus de saison, le centre étant voué à n'avoir plus d'existence propre, c'est une France coupée en deux qui est sortie du scrutin de dimanche. M. Giscard d'Estaing a certes tenu à adresser son « salut très cordial » à « un concurrent moins heureux », mais il ne semble pas avoir eu l'oreille de M. Mitterrand, qui s'est déclaré fermement résolu à « continuer le combat » contre « la formidable coalition du pouvoir en place et des forces de l'argent ».

Une analyse des résultats au niveau des régions confirme l'impression d'un équilibre presque parfait et justifie le sentiment d'une coupure en deux, qui n'est pas seulement politique mais aussi économique et sociologique. MM. Giscard d'Estaing et Mitterrand l'ont, en effet, respectivement emporté dans 12 et 10 régions de programme : 3 des 5 qui sont les plus développées et les plus industrielles, ont donné la préférence au candidat commun de la gauche (région parisienne, Nord-Pas-de-Calais, Provence-Côte d'Azur).

La géographie des deux candidats reflète plus clairement que jamais, et notamment depuis le début de la Ve République, la carte traditionnelle de la gauche et de la droite telle qu'elle apparaît depuis un demi-siècle.

7. Raymond Barre fait le bilan du barrisme

En août 1976, Jacques Chirac, Premier ministre depuis 1974, donne sa démission avec éclat en raison des divergences qui l'opposent au chef de l'État, ce dernier ayant notamment refusé son plan de relance économique. Aussitôt, Valéry Giscard d'Estaing charge Raymond Barre de constituer le nouveau gouvernement, avec pour mission d'assainir la situation financière de la France et de rendre à celle-ci sa compétitivité internationale.

La nomination de Raymond Barre, professeur d'économie, ancien vice-président de la Commission européenne et ministre du Commerce extérieur dans le gouvernement sortant est une surprise pour l'opinion. Sans attache avec ce qu'il appellera lui-même plus tard le « microcosme » politique, Raymond Barre est un technicien de l'économie. Le chef de l'État, outre que ce dernier n'a d'existence politique que par lui, l'a choisi pour cette raison, le qualifiant tantôt de « meilleur économiste de France », tantôt de

« Joffre de l'économie », ce qui sous-entend que l'on attend de lui qu'il remporte la « bataille de la Marne » de l'économie française en vue des législatives de 1978. Cette bataille, d'autant plus difficile à gagner que le gouvernement Barre aura à affronter les effets du « second choc pétrolier », le nouveau Premier ministre entend la mener en pratiquant une stratégie libérale, fondée sur la restauration de l'économie de marché, la désinflation et le choix d'une monnaie forte. Voici comment, au moment de quitter le pouvoir en 1981, il explique les options de son gouvernement.

Source : Raymond Barre, *Une politique pour l'avenir*, Paris, Plon, 1981, pp. 116-120.

Bibliographie : Article « Raymond Barre », in *Dictionnaire historique de la vie politique française au XXe siècle*, Paris, PUF, 1995, pp. 85-88.

L ORSQUE J'AI ÉTÉ NOMMÉ PREMIER MINISTRE, au mois d'août 1976, la situation économique de la France était préoccupante. On pouvait la caractériser par deux mots : inflation et inadaptation. [...]

Face à cette situation, on pouvait concevoir trois types de politique économique.

Une politique de croissance rapide et de plein emploi, assortie d'une politique de contrôle autoritaire des prix et des revenus, de mesures protectionnistes et d'une politique industrielle « volontariste » et « sélective », comme on dit parfois en France, c'est-à-dire une politique industrielle où l'État décide à la place des entreprises.

Cette politique correspond à un courant de pensée répandu en France et que j'appellerai le dirigisme centralisateur et planificateur. Elle plaît à la fois aux forces de gauche et à la droite jacobine et nationaliste.

J'ai écarté d'emblée cette politique : l'expérience passée a montré qu'elle conduit à des effondrements industriels, à des distorsions économiques profo... les, à des explosions sociales, au déséquilibre extérieur, à la récession et au chômage.

Un deuxième type de politique aurait consisté à provoquer, par une politique monétaire et une politique budgétaire drastiques, une déflation massive et brutale. Certains économistes m'ont conseillé d'y recourir et me reprochent encore aujourd'hui de ne l'avoir pas fait. Ces économistes, qui s'appuient sur les enseignements des théories néolibérales et monétaristes, faisaient une analyse exacte des facteurs de l'inflation en 1976 et leur démarche était logique.

Pourtant, il ne m'a pas paru possible de mettre en œuvre cette politique, car elle ignorait les contraintes économiques, politiques et sociales dont le responsable politique doit tenir compte.

Le choix que j'ai effectué a été celui d'une politique économique globale, progressive et continue de désinflation et d'adaptation, c'est-à-dire d'une politique économique « gradualiste ».

Nous sommes ici au cœur de notre sujet. Les théories économiques traitent des phénomènes économiques purs, dans un contexte, c'est-à-dire un jeu d'hypothèses, précis.

La politique économique concerne une réalité complexe dont les phénomènes économiques ne sont qu'un aspect. Elle s'exerce dans un champ de contraintes politiques, psychologiques, démographiques et sociales dont il faut tenir compte. [...]

Le choix délibéré du gouvernement a donc été une politique progressive et continue de désinflation, faisant appel à la combinaison de tous les instruments de la politique économique.

8. Les socialistes
et la renégociation du Programme commun
(Septembre 1977)

Depuis la signature du Programme commun de gouvernement en 1972, les communistes ont pris conscience que, si la dynamique unitaire profitait globalement à tous, l'équilibre des forces au sein de la gauche tendait à se rompre au profit de leurs partenaires socialistes qui, des cantonales de 1976 aux municipales de 1977 en passant par diverses partielles, ne cessent d'engranger les bénéfices de la stratégie d'union de la gauche. Face à cette situation qui risque de conduire à sa progressive marginalisation, le PCF va choisir de remettre en cause l'alliance avec le PS en se montrant d'une intransigeance extrême au cours des négociations en vue de l'actualisation du Programme commun, aussi bien en matière de politique étrangère et de politique de défense que de nationalisations. Autrement dit, il préfère abandonner la stratégie unitaire, au risque de perdre les législatives de 1978, que de jouer les seconds rôles dans une union de la gauche qui fait principalement le jeu des socialistes et de leurs alliés radicaux. Considérant qu'il s'agit non d'une actualisation pure et simple, mais d'un nouveau programme, les dirigeants du PS refusent de se laisser entraîner dans cette voie, si bien qu'en septembre 1977 les négociations sont suspendues sine die. La rupture entre les deux principales organisations de la gauche se trouve consommée, prélude à leur défaite aux législatives de 1978. Dans ce document interne au parti, le PS rejette sur ses partenaires communistes la responsabilité exclusive de l'échec des négociations.

Source : Parti socialiste, document interne. Archives CHEVS/FNSP, Fonds Gilles Martinet, MR 10, Dossier 5, Programme commun, 1977-1978.

Bibliographie : Article «Programme commun du gouvernement» in *Dictionnaire historique de la vie politique française au XX⁰ siècle*, sous la direction de J.-F. Sirinelli, Paris, PUF, 1995, pp. 853-855 ; A. Bergounioux, G. Grunberg, *Le Long Remords du pouvoir, Paris*, Fayard, 1992.

S UR LES PROPOSITIONS DE LA GAUCHE, des millions de Français se sont rassemblés tout au long des dernières années.

Un grand mouvement a fait refluer la droite et, pour la première fois depuis vingt ans, a ouvert la possibilité d'un changement véritable dans notre pays. Pourquoi ? Parce que tous ceux qui vivent de leur travail veulent mettre fin à un régime d'injustice sociale, à un régime qui, après vingt ans, cumule les effets désastreux de l'inflation et du chômage, un régime dur aux petites gens, dur au plus grand nombre et complaisant pour les privilégiés de la fortune.

Parce que le Programme commun tel qu'il a été conclu en 1972 répond à leurs aspirations.

C'est sur la base de ce programme que la gauche a obtenu 45 % des voix aux élections législatives de 1973 et 49,2 % à l'élection présidentielle de 1974.

C'est sur la base de ce programme que 54 % des Français interrogés ont tout récemment annoncé des intentions de vote favorables à la gauche.

Et c'est seulement sur la base de ce programme que la partie décisive peut être gagnée en mars 1978.

Or, le Parti communiste nous propose, notamment dans le domaine des nationalisations, des changements tels qu'on peut parler d'un nouveau programme. Le contrat que nous avons passé avec ceux qui constituent désormais la majorité du peuple français se trouverait ainsi remis en cause à quelques mois à peine, du grand choix de 1978. Comment une telle orientation, si elle était adoptée, ne créerait pas d'inquiétude ? C'est pourquoi les socialistes, comme l'a dit maintes fois François Mitterrand, veulent appliquer le Programme commun et rien que le Programme commun.

Le Programme commun prévoit la *nationalisation* complète du secteur bancaire et de neuf grands groupes industriels. Le PS reste totalement fidèle à ses engagements.

Dans ses propositions du 22 septembre, il précise : *la totalité des biens appartenant à ces neuf groupes, leurs actifs comme leurs participations, dans quelque société que ce soit, seront transférés à la collectivité nationale.*

Dans chaque société où l'État, une collectivité publique ou une entreprise nationale contrôlera plus de 50 % du capital, les dispositions prévues pour l'extension des droits des travailleurs dans le secteur public seront applicables.

Seront également nationalisées les sociétés qui ont voulu se soustraire au PCG depuis 1972 et les filiales ayant un caractère de monopole ou de service public et nécessaires à notre stratégie industrielle.

En ce qui concerne la sidérurgie, le PS réaffirme sa volonté de procéder à des prises de participation majoritaire, et répète que la sidérurgie pourra faire l'objet à terme d'une appropriation totale. Cela est clair.

Nos propositions sociales, ajustées en tenant compte des évolutions économiques des dernières années, prévoient :

— aucun salaire inférieur à 2 200 F par mois pour 40 heures hebdomadaires ;

— taux du SMIC fixé par le gouvernement après concertation avec les organisations syndicales, en tenant compte du rythme d'inflation et en prenant le chiffre de 2 200 F pour base de discussion ;

— droit à la retraite à 60 ans pour les hommes, 55 ans pour les femmes sans que retraites ou pensions soient inférieures à 75 % su SMIC ;

— revalorisation de 25 % des allocations familiales immédiatement appliquée, l'augmentation devant atteindre 50 % au terme de la première année ;

— versement des allocations familiales dès le premier enfant.

Les socialistes s'en tiennent à ces propositions sur lesquelles l'accord pouvait être immédiatement conclu et rien ne les fera changer de route.

Oui ou non le Parti communiste veut-il que l'union de la gauche gagne les élections et arrive au pouvoir ? C'est la question que se posent des millions de Français ! Le Parti communiste doit y répondre. Nous, socialistes, rien ne nous fera changer de route. Contre la politique de droite, contre le plan Barre, qui aggrave les injustices sociales et conduit l'économie française à la faillite et au démantèlement par les firmes multinationales. Union de tous les travailleurs. Union pour une politique de justice sociale et de démocratie ?

Soutenez et renforcez le Parti socialiste.

9. Le « bon choix »
(Janvier 1978)

Confronté à la montée en force de l'opposition depuis les cantonales de 1976 et aux indications des sondages qui, en dépit de la rupture de septembre 1977, continuent de créditer la gauche d'une confortable avance (51 % des indications de vote en janvier 1978, contre 44 % pour la majorité et 4 % pour les écologistes), le chef de l'État a choisi de s'impliquer personnellement dans la campagne : d'une part en poussant à la réorganisation des forces qui le soutiennent directement — avec la création du Parti républicain en mai 1977, puis de l'Union pour la démocratie française en février 1978 —, d'autre part en ne s'interdisant pas de faire connaître, à son heure, « le bon choix pour la France ». C'est ce qu'il fait, le 27 janvier à Verdun-sur-le-Doubs, dans une allocution très attendue et dans laquelle Valéry Giscard d'Estaing met en garde les Français contre l'illusion qu'il pourrait, de l'Élysée, empêcher la mise en œuvre du Programme commun de gouvernement si l'électorat donnait la majorité aux partis qui s'en réclament.

Source : Allocution du président de la République Valéry Giscard d'Estaing à Verdun-sur-le-Doubs, 27 janvier 1978, texte in *Valéry Giscard d'Estaing, Le Pouvoir et la vie*, Paris, Compagnie 12, 1988, pp. 389-399.
Bibliographie : J. Bothorel, *Le Pharaon. Histoire du septennat giscardien*, Paris, Grasset, 1983 ; J.-C. Petitfils, *La Démocratie giscardienne*, Paris, PUF, 1981.

Mes chères Françaises et mes chers Français,
Le moment s'approche où vous allez faire un choix capital pour l'avenir de notre pays, mais aussi un choix capital pour vous.

Je suis venu vous demander de faire le bon choix pour la France.

Ce choix, c'est celui des élections législatives.

Certains, en le voyant venir, paraissent presque le regretter. Comme si tout serait plus simple si les Français n'avaient pas à se décider et si l'on pouvait décider pour eux !

Mais, puisque nous sommes en démocratie, puisque c'est vous qui avez la parole, puisque c'est vous qui déciderez, il faut bien mesurer la gravité du geste.

Trop souvent en France les électeurs se prononcent comme s'il s'agissait de vider une querelle avec le pouvoir ou de punir le gouvernement.

C'est une fausse conception : le jour de l'élection, vous ne serez pas de simples passagers qui peuvent se permettre de critiquer le chauffeur, mais vous serez des conducteurs qui peuvent, selon le geste qu'ils feront, envoyer la voiture dans le fossé ou la maintenir sur la ligne droite.

Il s'agit de choisir votre propre avenir.

Ce soir, je ne m'adresse pas aux blasés, à ceux qui croient tout savoir, et qui ont une opinion sur tout.

Moi qui, dans ma fonction, connais bien les limites du savoir, je m'adresse à celles et à ceux qui cherchent, à celles et à ceux qui ne savent pas encore, à ceux qui écoutent, à ceux qui se taisent, à ceux qui voteront pour la première fois, à toutes celles et à tous ceux qui voudraient être sûrs de bien choisir.

Je m'adresse à vous.

Certains ont voulu dénier au président de la République le droit de s'exprimer. Curieuse République que celle qui serait présidée par un muet !

Nul n'est en droit de me dicter ma conduite. J'agis en tant que chef de l'État et selon ma conscience, et ma conscience me dit ceci : Le président de la République n'est pas un partisan, il n'est pas un chef de parti. Mais il ne peut pas rester non plus indifférent au sort de la France.

Il est à la fois arbitre et responsable.

Sa circonscription, c'est la France. Son rôle, c'est la défense des intérêts supérieurs de la Nation. [...]

Parmi mes responsabilités, j'ai celle de réfléchir constamment, quotidiennement, aux problèmes de l'avenir, et de mettre en garde les citoyens contre tout choix qui rendrait difficile la conduite des affaires de la France. [...]

L'application en France d'un programme d'inspiration collectiviste plongerait la France dans le désordre économique.

Non pas seulement, comme on veut le faire croire, la France des possédants et des riches, mais la France où vous vivez, la vôtre, celle des jeunes qui se préoccupent de leur emploi, celle des personne âgées, des titulaires de petits revenus, des familles, la France de tous ceux qui souffrent plus que les autres de la hausse des prix.

Elle entraînerait inévitablement l'aggravation du déficit budgétaire et la baisse de la valeur de notre monnaie, avec ses conséquences sur le revenu des agriculteurs et sur le prix du pétrole qu'il faudra payer plus cher.

Elle creuserait le déficit extérieur, avec ses conséquences directes sur la sécurité économique et sur l'emploi. Une France moins compétitive serait une France au chômage ! [...]

Vous pouvez choisir l'application du Programme commun. C'est votre droit. Mais si vous le choisissez, il sera appliqué. Ne croyez pas que le président de la République ait, dans la Constitution, les moyens de s'y opposer.

J'aurais manqué à mon devoir si je ne vous avais pas mis en garde.

XXII

LA POLITIQUE ÉTRANGÈRE
DE LA Vᵉ RÉPUBLIQUE JUSQU'EN 1981

Pour le général de Gaulle, la politique étrangère doit poursuivre un objectif majeur qui est d'assurer non seulement la simple survie de la nation — mission à laquelle n'ont pas failli les gouvernements de la IVᵉ République —, mais son indépendance et sa « grandeur ». C'est pourquoi, dès l'automne 1958, il propose aux États-Unis et à la Grande-Bretagne un « directoire à trois » de l'Alliance atlantique (texte n° 1). Devant le refus américain, il met en œuvre une politique indépendante, non dénuée d'une pointe d'anti-américanisme, dont l'instrument principal est la force nucléaire nationale, mise en place à partir de 1960. Désireux de faire pièce à l'hégémonie américaine en Europe, il prône un rééquilibrage des relations avec les pays du bloc de l'Est (texte n° 2) et il décide, en 1966, tout en restant fidèle au pacte Atlantique, le retrait de la France des organes militaires intégrés de l'Alliance (texte n° 3).

Surtout, le fondateur de la Vᵉ République multiplie les critiques et les gestes d'humeur à l'égard de Washington : reconnaissance de la Chine communiste en 1964, désaveu de la guerre menée par les Américains au Viêt-nam et proposition de neutralisation de la péninsule indochinoise (discours de Phnom Penh en 1966), appui aux États du Tiers monde contre la prépondérance américaine, recherche de la détente puis de l'entente avec l'Union soviétique, remise en cause du système monétaire international fondé sur la primauté du dollar et proposition de retour à l'étalon-or, etc.

C'est dans une perspective identique que le général de Gaulle tente d'unir les États européens, de manière à constituer un troisième bloc face aux deux Grands. Il rejette toutefois l'idée d'une Europe supranationale à laquelle il oppose l'« Europe des patries », dans laquelle chaque nation conserverait son identité mais dont les gouvernements mèneraient une politique commune garantissant l'indépendance des nations libres du vieux continent. Cette fédération européenne, dans laquelle la France jouerait un rôle d'inspiratrice — et pourrait ainsi retrouver « sa place dans le monde » —, devra être fondée sur l'entente franco-allemande. Celle-ci est mise en œuvre par une série de rencontres entre le général et le chancelier allemand Adenauer et aboutit au début de 1963 à la signature d'un traité d'amitié entre les deux pays (texte n° 4). Toutefois les successeurs d'Adenauer ne poursuivent pas cette politique, redoutant qu'un tête-à-tête avec la France ne les éloigne des États-Unis dont l'alliance est pour eux fondamentale. De plus, les autres partenaires européens, également attachés à l'Alliance atlantique, font échouer les projets français d'Europe atlantique dont le « plan Fouchet » avait posé les principes en 1961. Déçu, le président de la République réagit en freinant la politique d'intégration et d'élargissement prônée par les autres membres de la CEE. En 1963 (texte n° 5), puis en 1967, il oppose son veto à l'adhésion au Marché commun de la Grande-Bretagne, désignée par lui comme le «cheval de Troie» des États-Unis dans la Communauté. En 1965, dénonçant la «dérive fédérale» dans laquelle, selon lui, la CEE paraît s'engager, il provoque délibérément une crise à propos du financement de la politique agricole commune, pratique pendant plusieurs mois la «politique de la chaise vide» et impose finalement à ses partenaires le «compromis de Luxembourg» qui exige l'unanimité des Six à chaque fois qu'un État jugera que ses intérêts essentiels sont en jeu. Enfin, dans le conflit israélo-arabe qui prend un caractère aigu lors de la «guerre des Six Jours» en juin 1967, il adopte une attitude qui tranche avec celle de la plupart des autres États occidentaux, et notamment avec celle des États-Unis (texte n° 6).

Georges Pompidou, qui succède à l'ancien chef de la France libre en 1969, ne s'écarte guère que sur un point de la politique étrangère pratiquée par son prédécesseur. Conformément aux engagements pris durant la campagne présidentielle, et quoique relativement tiède à l'égard de la construction européenne, il va en effet accepter le principe de l'adhésion du Royaume-Uni à la CEE, permettant ainsi à la Communauté des Six de se transformer en 1973 en une Communauté à neuf avec l'Angleterre, l'Irlande et le Danemark.

Pour le reste, sa politique s'inscrit dans le droit fil de la tradition gaullienne. Les relations avec l'URSS demeurent excellentes, ce qui n'empêche pas le successeur du général de Gaulle de rester ferme sur les principes et de rejeter la proposition d'un traité d'amitié en bonne et due forme avec l'URSS. Avec les États-Unis, les rapports demeurent sereins, du moins jusqu'au déclenchement de la guerre du Kippour, en 1973, qui marque le retour à une attitude moins coopérative à l'égard de la superpuissance occidentale (texte n° 7) : conséquence à la fois du souci manifesté par la diplomatie française de se démarquer radicalement de la politique américaine au Moyen-Orient, et de la forte dépendance de la France à l'égard des pays arabes exportateurs de pétrole.

Pas de changement radical non plus par rapport aux grandes orientations de la Ve République dans les choix de politique étrangère de Valéry Giscard d'Estaing. Toutefois la continuité au niveau des principes s'accompagne, dans la conduite de cette politique, de l'adoption d'un style nouveau, privilégiant le dialogue et la «décrispation», que ce soit dans les rapports avec l'allié américain, dans les relations avec Moscou à l'heure où s'opère, avec la montée en puissance et les actions déstabilisatrices de l'URSS, un sensible refroidissement du climat diplomatique mondial, ou dans la recherche d'un «nouvel ordre économique international» (texte n° 8). Vision optimiste et passablement irénique, continûment affichée jusqu'à la fin du septennat (texte n° 9), et qui va amener le chef de l'État à prendre des initiatives — son voyage en Pologne par exemple, au printemps 1980 — qui lui seront très vivement reprochées, tant en France (à gauche mais aussi, fréquemment, à droite) que parmi nos alliés. Sans doute, Valéry Giscard d'Estaing — qui a eu certes à affronter au cours de son septennat les retombées des deux chocs pétroliers — s'est-il trompé d'histoire en croyant qu'il pourrait, comme aux plus belles heures de l'«équidistance» gaullienne, faire prévaloir le point de vue de la France face à la logique de l'escalade qui était en train de s'imposer dans les deux camps. Ceci moins, semble-t-il, pour des raisons de charisme et de prestige personnels que parce que le monde avait profondément changé depuis la fin des années 1960.

1. Pour un « directoire à trois »
de l'Alliance atlantique

Quelques semaines après son arrivée au pouvoir, l'occasion est donnée au général de Gaulle de poser la question du rôle tenu par la France dans le fonctionnement de l'Alliance atlantique. Le 3 juillet 1958, un accord a en effet été signé entre Washington et Londres sur l'échange d'informations confidentielles dans le domaine nucléaire et la vente au Royaume-Uni de sous-marins atomiques et d'uranium 235. Le lendemain, le secrétaire d'État, John Foster Dulles, rencontre le général à Paris et lui refuse l'aide nucléaire demandée aussi longtemps qu'il n'acceptera pas lui-même, en France, le déploiement de missiles stratégiques à moyenne portée (IRBM), en application d'une décision de l'OTAN. Devant la perspective d'un directoire anglo-américain, De Gaulle adresse le 17 septembre au général Eisenhower et au Premier ministre anglais, Harold Macmillan, un mémorandum dans lequel il réclame une direction tripartite de l'OTAN (États-Unis, Grande-Bretagne, France) qui impliquerait la définition et la mise en œuvre d'une stratégie politique et militaire commune, le contrôle collectif des armes atomiques et la mise en commun des secrets nucléaires. L'ultimatum est clair : la France « subordonne dès à présent » sa participation à l'OTAN à la reconnaissance de ses « intérêts mondiaux » et à son « égale participation » à une stratégie globale. C'est ce mémorandum, auquel Eisenhower donnera un mois plus tard une fin de non-recevoir, que nous présentons ici.

Source : Mémorandum en date du 17 septembre 1958 annexé à la lettre adressée par le général de Gaulle, président du Conseil français, à M. Macmillan, Premier ministre de Grande-Bretagne, *Documents diplomatiques français, 1958*, t. II (*1er juillet-31 décembre*), Imprimerie nationale, 1993.

Bibliographie : A. Grosser, *Affaires extérieures. La politique de la France 1944-1984*, Paris, Flammarion, 1984 ; A. Grosser, *Les Occidentaux*, Paris, Fayard, 1978, réédité en poche au Seuil ; P. Mélandri, *L'Alliance atlantique*, Paris, Gallimard, 1979.

M émorandum[1].
Les événements récents au Moyen-Orient et dans le détroit de Formose[2] ont contribué à montrer que l'organisation actuelle de l'Alliance occidentale ne répond plus aux conditions nécessaires de la sécurité, pour ce qui concerne l'ensemble du monde libre. À la solidarité dans les risques encourus, ne correspond pas la coopération indispensable quant aux décisions prises et aux responsabilités. Le gouvernement français est amené à en tirer des conclusions et à faire des propositions.

1° L'Alliance atlantique a été conçue et sa mise en œuvre est préparée en vue d'une zone d'action éventuelle qui ne répond plus aux réalités politiques et stratégiques. Le monde étant ce qu'il est, on ne peut considérer comme adaptée à son objet une organi-

---

1. Une autre lettre a été adressée, avec copie de ce mémorandum, au président Eisenhower par l'intermédiaire de l'ambassadeur de France à Washington.
2. Le général de Gaulle fait allusion aux événements du Liban et aux bombardements par les communistes chinois des îlots nationalistes de Quemoy et Matsu.

sation telle que l'OTAN, qui se limite à la sécurité de l'Atlantique Nord, comme si ce qui se passe, par exemple, au Moyen-Orient ou en Afrique, n'intéressait pas immédiatement et directement l'Europe, et comme si les responsabilités indivisibles de la France ne s'étendaient pas à l'Afrique, à l'océan Indien et au Pacifique, au même titre que celles de la Grande-Bretagne et des États-Unis. D'autre part, le rayon d'action des navires et des avions et la portée des engins rendent militairement périmé un système aussi étroit. Il est vrai qu'on avait admis que l'armement atomique, évidemment capital, resterait pour longtemps le monopole des États-Unis, ce qui pouvait paraître justifier qu'à l'échelle mondiale les décisions concernant la défense fussent pratiquement déléguées au gouvernement de Washington. Mais, sur ce point également, on doit reconnaître qu'un pareil fait admis au préalable ne vaut plus désormais dans la réalité.

2° La France ne saurait donc considérer que l'OTAN, sous sa forme actuelle, satisfasse aux conditions de la sécurité du monde libre et, notamment, de la sienne propre. Il lui paraît nécessaire qu'à l'échelon politique et stratégique mondial soit instituée une organisation comprenant : les États-Unis, la Grande-Bretagne et la France. Cette organisation aurait, d'une part, à prendre les décisions communes dans les questions politiques touchant à la sécurité mondiale, d'autre part à établir et, le cas échéant, à mettre en application les plans d'action stratégique, notamment en ce qui concerne l'emploi des armes nucléaires. Il serait alors possible de prévoir et d'organiser des théâtres éventuels d'opérations subordonnés à l'organisation générale (tels que l'Arctique, l'Atlantique, le Pacifique, l'océan Indien) qui pourraient être, le cas échéant, subdivisés en sous-théâtres.

3° Le gouvernement français considère comme indispensable une telle organisation de la sécurité. Il y subordonne dès à présent tout développement de sa participation actuelle à l'OTAN, et se propose, si cela paraissait nécessaire pour aboutir, d'invoquer la procédure de révision du traité de l'Atlantique Nord, conformément à l'article 12.

4° Le gouvernement français suggère que les questions soulevées dans cette note fassent le plus tôt possible l'objet de consultations entre les États-Unis, la Grande-Bretagne et la France. Il propose que ces consultations aient lieu à Washington et, pour commencer, par la voie des ambassades et du groupe permanent.

2. De Gaulle rencontre Khrouchtchev
(Avril 1960)

Conformément aux principes de la « coexistence pacifique », qu'il a lui-même énoncés à l'occasion du XXe Congrès du Parti communiste de l'Union soviétique en février 1956, Nikita Khrouchtchev, devenu l'homme fort du Kremlin, s'est engagé à partir de cette date dans une politique de relatif dégel avec l'Occident. En fait, il souffle alternativement le chaud et le froid au gré des circonstances et des pressions qui s'exercent sur son gouvernement. Certes, il ne veut pas d'une guerre dont il juge les conséquences terrifiantes. Mais il ne souhaite pas davantage une situation internationale figée qui aurait pour effet de démobiliser son camp. Aussi joue-t-il à la fois sur les deux registres de la « coexistence pacifique » et de la « guerre froide de mouvement » (R. Aron).

En novembre 1958, c'est pour relancer le jeu diplomatique qu'il a rouvert brusquement le dossier de Berlin, exigeant la transformation des secteurs occidentaux en une ville libre _neutralisée qui aurait son propre gouvernement. À défaut de quoi il menace de signer avec la RDA un traité de paix donnant à ce pays le droit d'interrompre les communications entre la République fédérale et l'ancienne capitale du Reich. Les alliés n'ayant pas cédé à la pression, s'amorce à l'automne 1959 un nouveau dégel, motivé semble-t-il par les débuts du conflit ouvert entre l'URSS et les dirigeants de Pékin. Khrouchtchev se rend aux États-Unis en septembre et rencontre Eisenhower à Camp David. L'entrevue n'aboutit à rien de concret mais elle a contribué à détendre la situation internationale._

Les conversations entre le général de Gaulle et le numéro un du Kremlin, qui se déroulent à Rambouillet fin mars-début avril 1960, à l'occasion de la visite de Khrouchtchev et de Kossyguine en France, se situent entre cette embellie des relations internationales et le retour à la guerre froide qui va se produire un mois plus tard lorsque, subissant les attaques de ses adversaires au sein des instances du PCUS — qui, faisant chœur avec les Chinois, lui font grief de se comporter en « liquidateur » —, Nikita Khrouchtchev va prendre prétexte du survol du territoire de l'URSS par un avion-espion U2 et des « aveux » du pilote, abattu par la chasse soviétique, pour faire échouer la Conférence au sommet réunie à Paris dans le but de trouver une solution définitive au problème de l'Allemagne.

L'entretien du 1ᵉʳ avril, dont nous reproduisons ici un extrait, a précisément porté en priorité sur le problème allemand.

Source : Entretien du général de Gaulle et de M. Khrouchtchev à Rambouillet, le 1ᵉʳ avril 1960 (17 h à 19 h 15). Compte rendu « très secret », _Documents diplomatiques français_, Paris, Imprimerie nationale, 1960, t. I, pp. 384-387.

Bibliographie : J. Lévesque, _L'URSS et sa politique internationale de Lénine à Gorbatchev_, Paris, Armand Colin, 2ᵉ éd., 1988 ; A. Grosser, _Affaires extérieures. La politique de la France, 1944-1984_, Paris, Flammarion, 1984.

PERSONNES PRÉSENTES :
Du côté français : le général de Gaulle, M. Debré.
Du côté soviétique : MM. Khrouchtchev, Kossyguine.

Le général de Gaulle indique à ses interlocuteurs que le président Khrouchtchev et lui-même ont eu l'occasion de parler de beaucoup de problèmes, et en dernier lieu de l'Allemagne. Il remarque que le sort de ce pays apparaît peu enviable ;
M. Khrouchtchev estime que l'Allemagne en est largement responsable et qu'au fond, ce pays est sorti de la guerre sans subir un préjudice excessif.
M. Kossyguine approuve ce point de vue.
Le général de Gaulle remarque cependant que l'Allemagne a subi de profondes blessures. Beaucoup d'Allemands ont été tués pendant la guerre et en particulier par les Russes. Le pays est coupé en deux ; il ne possède pas de capitale ni d'unité.
M. Debré considère qu'en réalité, il n'y a plus maintenant d'Allemagne.
Le général de Gaulle ajoute que, dans ces conditions, l'inquiétude souvent manifestée par M. Khrouchtchev au sujet de l'Allemagne l'étonne.
M. Khrouchtchev précise qu'il ne craint pas que l'Allemagne attaque l'URSS, mais qu'elle se livre à une provocation qui déclencherait une guerre terrible. C'est pourquoi il estime nécessaire de mettre fin à l'état de guerre qui existe toujours formellement.

Le général de Gaulle indique qu'il a expliqué à son interlocuteur la position française à l'égard du problème allemand. En résumé, il considère que si la Russie soviétique montre de la bonne volonté pour permettre de gagner du temps, une nouvelle atmosphère plus favorable au règlement du problème allemand pourrait être créée. Deux ans pourraient être gagnés avant qu'on n'étudie de nouveau ce problème. Cependant, il note que M. Khrouchtchev attache beaucoup d'importance à la possibilité de signer un traité de paix, ne serait-ce qu'avec l'Allemagne de l'Est. De ce fait, des difficultés sont à prévoir.

M. Khrouchtchev, secondé par M. Kossyguine, manifeste son accord sur l'opportunité de créer une atmosphère plus détendue et de rechercher une solution concertée du problème allemand. Il précise qu'un accord provisoire pourrait être conclu à la Conférence au sommet qui permette de s'assurer un répit de deux ans, mais il ajoute que le caractère provisoire de cet accord devrait être souligné.

M. Debré signale que, tant pour l'URSS que pour la France, la prolongation de la situation existant actuellement en Allemagne représente, dans un certain sens, une garantie.

M. Khrouchtchev indique qu'au fond, les propositions soviétique et française sur le problème allemand sont proches, sinon identiques. Cependant, l'URSS attache beaucoup d'importance à la nécessité de régulariser l'état de fait actuel, ce qui constitue la seule différence importante entre sa position et celle de la France.

M. Debré admet que la situation anormale actuelle pourrait éventuellement être une source de difficultés. Cependant, le fait même que l'on ne veuille pas utiliser cette situation dans le but de créer des dissensions permet de considérer comme relativement virtuels les dangers qu'elle comporte.

Le général de Gaulle indique que la question essentielle est la réalisation d'une entente européenne entre l'Europe orientale et occidentale. Il faut donc que l'Europe occidentale existe ; elle doit comprendre une Allemagne occidentale non anéantie. Il estime qu'il y va de l'intérêt mutuel de la France et de l'URSS. [...]

Le général de Gaulle souligne que l'URSS est un pays exceptionnellement fort et grand et qui dispose en outre d'une série de satellites. Même si ses intentions ne sont pas belliqueuses ou agressives, il est difficile d'éviter que d'autres pays n'éprouvent à son égard de l'inquiétude. Le seul remède à cet état de choses est l'établissement d'un équilibre européen. [...]

De toute manière, le désarmement est nécessaire. Lui-même pense proposer à la Conférence au sommet un accord de désarmement s'appliquant en premier lieu au domaine nucléaire et à celui des « véhicules atomiques », fusées et avions, et des bases terrestres ou flottantes susceptibles de servir pour le lancement des engins ou le décollage des avions. Il considère ceci comme essentiel.

Il dit que la France désirerait ne pas être obligée d'acquérir un armement nucléaire. Mais elle y est contrainte puisque d'autres puissances en possèdent — ceci notamment afin d'assurer son autonomie dans le sein de l'Alliance atlantique.

3. La France quitte l'OTAN
(1966)

Après avoir rejeté en janvier 1963 le projet de «force multilatérale» proposé par le président Kennedy, le général de Gaulle a commencé à prendre ses distances vis-à-vis de l'OTAN. Le 3 novembre 1959, dans une allocution prononcée à l'École militaire, il énonce clairement sa conception de l'Alliance : « Il faut — dit-il — que la défense de la France soit française. Un pays comme la France, s'il lui arrive de faire la guerre, il faut que ce soit sa guerre. » Déjà, il a en tête ce qui va devenir la doctrine stratégique de la France et dont il va s'avérer de plus en plus évident, au cours des années suivantes, qu'elle s'inscrit dans une autre logique que celle du Pentagone. C'est pourquoi il a été décidé en février 1959 que la flotte française de Méditerranée serait soustraite en temps de guerre au commandement intégré de l'OTAN. Il en sera de même, quelques années plus tard, de la flotte de l'Atlantique (juin 1963). Viendront ensuite le retour sous contrôle national des moyens de défense aérienne, l'interdiction faite aux Américains d'introduire en France des bombes atomiques, le refus de participer en septembre 1964 aux manœuvres de l'OTAN et en mai 1965 aux exercices stratégiques « Fallex ».

Finalement la décision majeure est signifiée par De Gaulle au président Johnson dans un message personnel du 7 mars 1966. Trois jours plus tard elle est communiquée à l'ensemble des alliés par un aide-mémoire dont nous avons reproduit ici de larges extraits.

La France reste membre de l'Alliance, mais elle refuse de prolonger l'intégration de ses forces dans une organisation supranationale que De Gaulle juge inadaptée aux nouvelles conditions du système international, ainsi que la présence sur son territoire d'unités et de bases américaines.

Source : Aide-mémoire français adressé aux pays de l'OTAN, *L'Année politique 1966*, pp. 414-415.

Bibliographie : *La France et l'OTAN*, sous la direction de M. Vaïsse, Bruxelles, Complexe, 1996 ; G. de Carmoy, *Les Politiques extérieures de la France, 1944-1966*, Paris, La Table Ronde, 1967 ; R. Lothar, *La Politique militaire de la Vᵉ République*, Paris, Presses de la FNSP, 1976.

DEPUIS DES ANNÉES le gouvernement français a marqué en de nombreuses occasions, tant publiquement que dans les entretiens avec les gouvernements alliés, qu'il considérait que l'Organisation du traité de l'Atlantique Nord ne répondait plus, pour ce qui le concerne, aux conditions qui prévalent dans le monde à l'heure actuelle et sont fondamentalement différentes de celles de 1949 et des années suivantes.

En effet, les menaces pesant sur le monde occidental, en particulier en Europe, et qui avaient motivé la conclusion du traité ont changé quant à leur nature. Elles ne présentent plus le caractère immédiat et menaçant qu'elles revêtaient jadis. D'autre part, les pays européens ont rétabli leur économie et dès lors retrouvé des moyens. En particulier la France se dote d'un armement atomique dont la nature exclut même qu'elle soit intégrée. En troisième lieu, l'équilibre nucléaire entre l'Union soviétique et les États-Unis se substituant au monopole détenu par ces derniers a transformé les conditions générales de la défense de l'Occident. Enfin, c'est un fait que l'Europe n'est plus le centre des crises internationales. Celui-ci s'est transporté ailleurs, notamment en Asie, où l'ensemble des pays de l'Alliance atlantique ne sont évidemment pas en cause.

Cette évolution ne conduit en aucune façon le gouvernement français à remettre en question le traité de Washington signé le 4 avril 1949. En d'autres termes, et sauf événements qui, dans les années à venir, viendraient à modifier de manière fondamentale les rapports entre l'Est et l'Ouest, il n'entend pas se prévaloir en 1966, des dispositions de l'article 13 du traité, et considère que l'Alliance doit se poursuivre aussi longtemps qu'elle apparaîtra nécessaire.

Ceci étant affirmé sans équivoque, se pose le problème de l'Organisation, c'est-à-dire de tous les accords, arrangements et décisions intervenus postérieurement à la signature du traité, soit sous forme multilatérale, soit sous forme bilatérale. Le gouvernement français considère que cette organisation ne répond plus à ce qui lui paraît s'imposer.

Sans doute aurait-on pu concevoir qu'une négociation s'engageât pour modifier d'un commun accord les dispositions en vigueur. Le gouvernement français aurait été heureux de le proposer s'il avait eu des raisons de penser qu'elle pût conduire au résultat qu'il avait lui-même en vue. Tout montre malheureusement qu'une telle entreprise serait vouée à l'échec, les partenaires de la France paraissant être, ou s'affirmant, tous partisans du *statu quo*, sinon du renforcement de tout ce qui, du point de vue français, paraît désormais inacceptable.

Dès lors la France est conduite à tirer, en ce qui la concerne, les conséquences de la situation, c'est-à-dire à prendre pour elle-même les mesures qui lui paraissent s'imposer, et qui ne sont à son sens nullement incompatibles avec sa participation à l'Alliance, non plus qu'avec sa participation, le cas échéant, à des opérations militaires aux côtés des Alliés.

Déjà dans le passé, le gouvernement a pris des mesures dans le sens dont il s'agit pour ses forces navales affectées à l'OTAN, soit dans la Méditerranée, soit dans l'Atlantique. Il s'agit maintenant des forces terrestres et aériennes stationnées en Allemagne et qui sont affectées au commandement allié en Europe. La France se propose de mettre un terme à une telle affectation. Cette décision entraînera son retrait simultané des deux commandements intégrés dont dépendent ces forces et auxquels elle participe dans le cadre de l'OTAN, à savoir le commandement supérieur des Forces alliées en Europe, et le commandement Centre-Europe, et, par là-même, le transfert hors du territoire français de ces deux commandements.

L'application de l'ensemble de ces mesures soulève bien entendu nombre de problèmes dont le gouvernement français est prêt, dès à présent, à discuter avec ses alliés (et en particulier avec les États-Unis d'Amérique). Il y aura lieu d'examiner les liaisons qui seraient à établir entre le commandement français et les commandements OTAN, ainsi que de déterminer les conditions dans lesquelles les forces françaises, notamment en Allemagne, participeraient en temps de guerre, si l'article 5 du traité de Washington était appelé à jouer, à des actions militaires communes, tant en ce qui concerne le commandement qu'en ce qui concerne les opérations proprement dites. Ceci suppose en particulier que les forces terrestres et aériennes françaises actuellement stationnées en Allemagne y seront maintenues dans le cadre des conventions du 23 octobre 1954, ce à quoi le gouvernement français, est, pour sa part, disposé. [...]

Les problèmes multilatéraux ne sont toutefois pas seuls à se poser pour les États-Unis et la France. Les deux pays ont en effet conclu dans le passé une série d'accords bilatéraux toujours en application et qui sont les suivants : entrepôts de Déols-La Martinerie ;

mise à disposition des Forces américaines de certains aérodromes et installations en France ; ligne de dépôts ; Quartier général américain de Saint-Germain ; pipeline.

Le gouvernement français estime que ces accords dans leur ensemble ne répondent plus aux conditions présentes, lesquelles le conduisent à reprendre sur le territoire français l'exercice complet de sa souveraineté, autrement dit à ne plus accepter que des unités, installations ou bases étrangères en France relèvent à aucun égard d'autres autorités que les autorités françaises. Il est prêt à étudier et, éventuellement, à régler avec le gouvernement des États-Unis les conséquences pratiques qui en découlent.

Le gouvernement français est disposé, en outre, à engager une discussion sur les facilités militaires, qui pourraient être mises à la disposition du gouvernement des États-Unis sur le territoire français dans l'hypothèse d'un conflit auquel l'un et l'autre pays participeraient en vertu de l'Alliance atlantique. Ces facilités pourraient faire l'objet d'un accord à conclure entre les deux gouvernements. [...]

4. Le traité franco-allemand de janvier 1963

Les Allemands avaient accueilli avec beaucoup de réserve le retour au pouvoir du général de Gaulle en 1958. Ils voyaient en lui un nationaliste impénitent, hostile par principe et par culture à la voisine de l'Est et adversaire du projet de construction européenne dont Adenauer avait fait le pivot de sa politique. Or, dès l'année suivante, toutes ces craintes disparaissent devant l'attitude adoptée par le général à l'égard de la RFA et de son chancelier. Ne confie-t-il pas à l'ambassadeur Seydoux : « S'il est une nation avec laquelle il faut que le peuple français coopère pour le plus grand bien de l'Europe, c'est la nation allemande » ? Ne reçoit-il pas le chancelier en vieil ami, à Colombey, en septembre 1959, puis le président Lübke à Paris en juin de l'année suivante ? — première visite d'un chef d'État allemand en France depuis le Second Empire.

En dépit des turbulences provoquées par la situation internationale (guerre d'Algérie, crise de Berlin) et des initiatives du général de Gaulle en matière de politique européenne (plan Fouchet, rapprochement avec l'URSS), l'idylle franco-allemande se confirme en 1962, lors de la visite de Konrad Adenauer en France. L'image forte des deux hommes, agenouillés côte à côte, dans la cathédrale de Reims, marque le couronnement de l'amitié franco-allemande, et lors de la visite de retour qu'il effectue en RFA, en septembre de la même année, le président de la République touche le cœur de ses hôtes en évoquant le « devoir d'être frères ».

Le 22 janvier 1963, les deux chefs d'État signent à l'Élysée un traité qui apparaît aux yeux de beaucoup comme scellant une véritable alliance entre les ex-ennemis. En vérité, les deux pays ne sont pas à cette date tout à fait sur la même longueur d'ondes. Là où De Gaulle œuvre pour l'indépendance de la France à l'égard des États-Unis, les dirigeants allemands entendent maintenir leurs liens privilégiés avec Washington (ils viennent d'adhérer au projet de « force multilatérale ») et ne partagent pas les idées du général à l'égard de l'« Europe des États ». Si bien que, lors du débat de ratification qui aura lieu au Bundestag quelques semaines plus tard, la majorité et l'opposition ne consentiront à ratifier le traité qu'en l'assortissant d'un préambule qui le vide d'une partie de sa substance. Quoi qu'il en soit, il restera le symbole d'un rapprochement entre les deux nations, inimaginable à l'époque du grand débat sur la CED, soit une dizaine d'années plus tôt.

Sources : Textes officiels de la déclaration commune du président de la République française et du chancelier de la République fédérale d'Allemagne et du traité entre la République française et la République fédérale d'Allemagne sur la coopération franco-allemande (22 janvier 1963), *L'Année politique 1966*, pp. 404-406 (extraits).

Bibliographie : R. Poidevin, J. Bariéty, *Les Relations franco-allemandes,* Paris, Armand Colin, 1977 ; J. Binoche, *De Gaulle et les Allemands*, Bruxelles, Complexe, 1990.

DÉCLARATION COMMUNE

Le général de Gaulle, président de la République française, et le Dr Konrad Adenauer, chancelier de la République fédérale d'Allemagne.

À l'issue de la conférence qui s'est tenue à Paris les 21 et 22 janvier 1963 et à laquelle ont assisté, du côté français, le Premier ministre, le ministre des Affaires étrangères, le ministre des Armées et le ministre de l'Éducation nationale, du côté allemand, le ministre des Affaires étrangères, le ministre de la Défense et le ministre de la Famille et de la Jeunesse.

Convaincus que la réconciliation du peuple allemand et du peuple français, mettant fin à une rivalité séculaire, constitue un événement historique qui transforme profondément les relations entre les deux peuples.

Conscients de la solidarité qui unit les deux peuples tant du point de vue de leur sécurité que du point de vue de leur développement économique et culturel.

Constatant en particulier que la jeunesse a pris conscience de cette solidarité et se trouve appelée à jouer un rôle déterminant dans la consolidation de l'amitié franco-allemande.

Reconnaissant qu'un renforcement de la coopération entre les deux pays constitue une étape indispensable sur la voie de l'Europe unie, qui est le but des deux peuples.

Ont donné leur accord à l'organisation et aux principes de la coopération entre les deux États tels qu'ils sont repris dans le traité signé en date de ce jour.

Fait à Paris, le 22 janvier 1963, en double exemplaire en langue française et en langue allemande.

Traité entre la République française
et la République fédérale d'Allemagne sur la coopération franco-allemande

I. ORGANISATION

1. Les chefs d'État donneront en tant que de besoin les directives nécessaires et suivront régulièrement la mise en œuvre du programme ci-après. Ils se réuniront à cet effet chaque fois que cela sera nécessaire et, en principe, au moins deux fois l'an.

2. Les ministres des Affaires étrangères veilleront à l'exécution du programme dans son ensemble ; ils se réuniront au moins tous les trois mois. [...]

II. PROGRAMME

A. Affaires étrangères

1. Les deux gouvernements se consulteront, avant toute décision, sur toutes les questions importantes de politique étrangère, et en premier lieu sur les questions d'intérêt commun en vue de parvenir, autant que possible, à une position analogue. Cette consul-

tation portera entre autres sur les sujets suivants :
— problèmes relatifs aux communautés européennes et à la coopération politique européenne ;
— relations Est-Ouest, à la fois sur le plan politique et sur le plan économique ;
— affaires traitées au sein de l'Organisation du traité de l'Atlantique Nord et des diverses organisations internationales auxquelles les deux gouvernements sont intéressés, notamment le Conseil de l'Europe, l'Union de l'Europe occidentale, l'Organisation de coopération et de développement économique, les Nations unies et leurs institutions spécialisées. [...]

B. Défense
I. Les objectifs poursuivis dans ce domaine seront les suivants :
1. Sur le plan de la stratégie et de la tactique, les autorités compétentes des deux pays s'attacheront à rapprocher leurs doctrines en vue d'aboutir à des conceptions communes. Des instituts franco-allemands de recherche opérationnelle seront créés.
2. Les échanges de personnel entre les armées seront multipliés ; ils concerneront en particulier les professeurs et les élèves des écoles d'état-major ; ils pourront comporter des détachements temporaires d'unités entières. [...]

C. Éducation et jeunesse
[...]
2. Toutes les possibilités seront offertes aux jeunes des deux pays pour resserrer les liens qui les unissent et pour renforcer leur compréhension mutuelle. Les échanges collectifs seront en particulier multipliés.
    Un organisme destiné à développer ces possibilités et à promouvoir les échanges sera créé par les deux pays avec, à sa tête, un conseil d'administration autonome. Cet organisme disposera d'un fonds commun franco-allemand qui servira aux échanges entre les deux pays d'écoliers, d'étudiants, de jeunes artisans et de jeunes travailleurs.

5. De Gaulle refuse à l'Angleterre l'entrée du Marché commun
(1963)

Le raidissement de la position française à l'égard de la construction européenne qui a abouti au rejet du plan Fouchet (dans sa seconde version) en 1962, se trouve confirmé l'année suivante avec le refus que le général de Gaulle oppose à la demande d'adhésion de la Grande-Bretagne au Marché commun.
    Celle-ci a été présentée par le gouvernement britannique le 2 août 1961, mais, au fur et à mesure que se précise l'accord entre Washington et Londres à propos des armements nucléaires et de la «force multilatérale», le président français manifeste un scepticisme croissant quant à la conversion européenne des Britanniques. Le Premier ministre Harold Macmillan a beau l'assurer de ses sentiments communautaires lors de l'entrevue de Rambouillet, le 15 décembre 1962, De Gaulle ne se laisse pas fléchir. Pour lui, il est clair que le Royaume-Uni, naturellement tourné vers le «grand large» et solidaire des États-Unis, ne peut être que le «cheval de Troie» des Américains dans la

Communauté élargie et le fossoyeur de l'Europe des Six. Lors de la conférence de presse du 14 janvier 1963, il rend publique sa décision de s'opposer à la candidature anglaise.

Source : Charles de Gaulle, Conférence de presse du 14 janvier 1963, *Discours et Messages : Pour l'effort*, t. 4, Paris, Plon, 1972.

Bibliographie : P. Gerbet, *La Construction de l'Europe*, Paris, Imprimerie nationale, 1983, rééd. 1994 ; R. Marx, *La Grande-Bretagne et le monde au XXe siècle*, Paris, Masson, 1986 ; F. de La Serre, *La Grande-Bretagne et la Communauté européenne*, Paris, PUF, 1987 ; F. de La Serre, L. Lervez, H. Wallace (dir.), *Les Politiques étrangères de la France et de la Grande-Bretagne depuis 1945, l'inévitable ajustement*, Paris, Presses de la FNSP, 1990.

L E TRAITÉ DE ROME a été conclu entre six États continentaux. Des États qui, économiquement parlant, sont en somme de même nature. Qu'il s'agisse de leur production industrielle ou agricole, de leurs échanges extérieurs, de leurs habitudes et de leurs clientèles commerciales, de leurs conditions de vie et de travail, il y a entre eux beaucoup plus de ressemblances que de différences. D'ailleurs, ils sont contigus, ils s'interpénètrent, ils se prolongent les uns les autres par leurs communications. Le fait de les grouper et de les lier entre eux de telle façon que ce qu'ils ont à produire, à acheter, à vendre, à consommer, ils le produisent, l'achètent, le vendent, le consomment, de préférence dans leur propre ensemble est donc conforme aux réalités.

L'Angleterre, en effet, est insulaire, maritime, liée par ses échanges, ses marchés, son ravitaillement, aux pays les plus divers et souvent les plus lointains. Elle exerce une activité essentiellement industrielle et commerciale et très peu agricole...

Par exemple, le moyen par lequel se nourrit le peuple de Grande-Bretagne, c'est-à-dire en fait l'importation de denrées alimentaires achetées à bon marché dans les deux Amériques ou dans les anciens dominions, tout en donnant encore des subventions considérables aux paysans anglais, ce moyen-là est évidemment incompatible avec le système que les Six ont établi tout naturellement pour eux-mêmes.

Le système des Six consiste à faire un tout des produits agricoles de toute la Communauté, à fixer rigoureusement leurs prix, à interdire qu'on les subventionne, à organiser leur consommation entre tous les participants et à imposer à chacun de ces participants de verser à la Communauté toute économie qu'il ferait en faisant venir du dehors des aliments au lieu de manger ceux que fournit le Marché commun.

Encore une fois, comment faire entrer l'Angleterre telle qu'elle est dans ce système-là ?

Il faut convenir que l'entrée de la Grande-Bretagne, d'abord, et puis celle de ces États-là changera complètement l'ensemble des ajustements, des ententes, des compensations, des règles, qui ont été établies déjà entre les Six, parce que tous ces États, comme l'Angleterre, ont de très importantes particularités. Alors, c'est un autre Marché commun dont on devrait envisager la construction. Mais celui qu'on bâtirait à onze et puis à treize et puis peut-être à dix-huit ne ressemblerait guère, sans aucun doute, à celui qu'ont bâti les Six.

Il est à prévoir que la cohésion de tous ses membres, qui seraient très nombreux, très divers, n'y résisterait pas longtemps, et, qu'en définitive, il apparaîtrait une Communauté atlantique colossale sous dépendance et direction américaines et qui aurait tôt fait d'absorber la Communauté européenne.

6. De Gaulle et le conflit israélo-arabe
(1967)

L'amitié franco-israélienne, qui avait été une constante sous la IVᵉ République et que De Gaulle célébrait encore en juin 1961, dans un toast porté à Ben Gourion, « notre ami et notre allié », subit à partir de 1962 les effets d'une double série de contraintes : celles qui tiennent à la réorientation de la politique française vis-à-vis du monde arabe dans un sens plus conforme aux traditions de la diplomatie hexagonale et aux impératifs de notre approvisionnement en pétrole, et celles qui relèvent des options tiers-mondistes de la France et du grief qui est fait à Israël d'évoluer dans l'orbite américaine.

Dans le conflit armé qui s'annonce au printemps 1967 à la suite du blocus par Nasser du golfe d'Akaba, le gouvernement français marque d'entrée de jeu sa neutralité. Une fois la « guerre des Six Jours » engagée, le général de Gaulle maintient sa position, proclamant l'embargo sur les livraisons de matériel militaire aux « pays du champ de bataille » : une décision qui ne touche en fait que l'État hébreu, à qui la France avait depuis toujours vendu des armes. Le 21 juin, une déclaration du gouvernement « condamne l'ouverture des hostilités par Israël », ajoutant que la France « ne tient pour acquis aucun des changements réalisés sur le terrain par l'action militaire ».

L'opinion française, aussi bien au sein de la majorité que dans l'opposition, se trouve passablement décontenancée par ce revirement du chef de l'État, lequel suscite des troubles dans les consciences jusque dans l'entourage proche du général. Elle le sera davantage encore lorsque, dans sa conférence de presse du 27 novembre 1967, celui-ci dressera un réquisitoire en bonne et due forme contre la façon dont s'était opérée la colonisation juive en Palestine et parlera du « peuple d'élite, sûr de lui-même et dominateur ». Certains verront un relent d'antisémitisme dans ce qui n'était probablement — si l'on se réfère à l'immense masse des écrits du général — qu'un propos maladroit. Quoi qu'il en soit, le sondage effectué en décembre 1967 par l'IFOP indique un net fléchissement des avis favorables à la politique étrangère gaullienne : 33 % des personnes interrogées désapprouvent l'attitude du chef de l'État dans le conflit israélo-arabe, contre 30 % d'approbations.

Source : Conférence de presse du 27 novembre 1947, *L'Année politique 1967*, pp. 394-395.
Bibliographie : S. Cohen, *De Gaulle, les gaullistes et Israël*, Paris, A. Moreau, 1974.

*Q*UESTION.— *Mon général, la guerre a éclaté au Moyen-Orient, il y a six mois. Elle s'est aussitôt terminée comme on sait. Que pensez-vous de l'évolution de la situation dans ce secteur depuis le mois de juin dernier ?*

Réponse.— L'établissement entre les deux guerres mondiales, car il faut remonter jusque-là, l'établissement d'un foyer sioniste en Palestine et puis, après la Seconde Guerre mondiale, l'établissement d'un État d'Israël, soulevaient à l'époque un certain nombre d'appréhensions. On pouvait se demander, en effet, et on se demandait même chez beaucoup de Juifs, si l'implantation de cette communauté sur des terres qui avaient été acquises dans des conditions plus ou moins justifiables et au milieu des peuples arabes qui lui étaient foncièrement hostiles, n'allait pas entraîner d'incessants, d'interminables conflits. Certains même redoutaient que les Juifs, jusqu'alors dispersés, mais qui étaient restés ce qu'ils avaient été de tout temps, c'est-à-dire un peuple d'élite, sûr de lui-même et dominateur, n'en viennent, une fois rassemblés dans le site de leur ancienne grandeur, à changer en ambition ardente et conquérante les souhaits très émouvants qu'ils formaient depuis dix-neuf siècles.

Cependant, en dépit du flot tantôt montant, tantôt descendant, des malveillances qu'ils provoquaient, qu'ils suscitaient plus exactement, dans certains pays et à certaines époques, un capital considérable d'intérêt et même de sympathie s'était accumulé en leur faveur surtout, il faut bien le dire, dans la chrétienté : un capital qui était issu de l'immense souvenir du *Testament*, nourri par les sources d'une magnifique liturgie, entretenu par la commisération qu'inspirait leur antique malheur et que poétisait, chez nous, la légende du Juif errant, accru par les abominables persécutions qu'ils avaient subies pendant la Seconde Guerre mondiale et grossi depuis qu'ils avaient retrouvé une patrie, par leurs travaux constructifs et le courage de leurs soldats.

C'est pourquoi, indépendamment des vastes concours en argent, en influence, en propagande, que les Israéliens recevaient des milieux juifs d'Amérique et d'Europe, beaucoup de pays, dont la France, voyaient avec satisfaction l'établissement de leur État sur le territoire que leur avaient reconnu les puissances, tout en désirant qu'il parvienne, en usant d'un peu de modestie, à trouver avec ses voisins un *modus vivendi* pacifique.

Il faut dire que ces données psychologiques avaient quelque peu changé depuis 1956 ; à la faveur de l'expédition franco-britannique de Suez, on avait vu apparaître en effet un État d'Israël guerrier et résolu à s'agrandir. Ensuite, l'action qu'il menait pour doubler sa population par l'émigration de nouveaux éléments donnait à penser que le territoire qu'il avait acquis ne lui suffirait pas longtemps et qu'il serait porté, pour l'agrandir, à utiliser toute occasion qui se présenterait. C'est pourquoi, d'ailleurs, la Ve République s'était dégagée vis-à-vis d'Israël des liens spéciaux et très étroits que le régime précédent avait noués avec cet État et s'était appliquée, au contraire, à favoriser la détente dans le Moyen-Orient.

Bien sûr, nous conservions avec le gouvernement israélien des rapports cordiaux et même, nous lui fournissions pour sa défense éventuelle des armements qu'il demandait d'acheter, mais, en même temps, nous lui prodiguions des avis de modération, notamment à propos des litiges qui concernaient les eaux du Jourdain ou bien des escarmouches qui opposaient périodiquement les forces des deux camps. Enfin, nous nous refusions à donner officiellement notre aval à son installation dans un quartier de Jérusalem dont il s'était emparé, et nous maintenions notre ambassade à Tel-Aviv.

D'autre part, une fois mis un terme à l'affaire algérienne, nous avions repris avec les peuples arabes d'Orient la même politique d'amitié, de coopération, qui avait été pendant des siècles celle de la France dans cette partie du monde et dont la raison et le sentiment font qu'elle doit être, aujourd'hui, une des bases fondamentales de notre action extérieure.

Bien entendu, nous ne laissions pas ignorer aux Arabes que, pour nous, l'État d'Israël était un fait accompli et que nous n'admettrions pas qu'il fût détruit. De sorte que, on pouvait imaginer qu'un jour viendrait où notre pays pourrait aider directement à ce qu'une paix réelle fût conclue et garantie en Orient, pourvu qu'aucun drame nouveau ne vînt le déchirer.

Hélas ! le drame est venu. Il avait été préparé par une tension très grande et constante qui résultait du sort scandaleux des réfugiés en Jordanie, et aussi d'une menace de destruction prodiguée contre Israël. Le 22 mai, l'affaire d'Akaba, fâcheusement créée par l'Égypte, allait offrir un prétexte à ceux qui rêvaient d'en découdre. Pour éviter les hostilités, la France avait, dès le 24 mai, proposé aux trois autres grandes puissances, d'interdire, conjointement avec elle, à chacune des deux parties d'entamer le combat.

Le 2 juin, le gouvernement français avait officiellement déclaré, qu'éventuellement, il donnerait tort à quiconque entamerait le premier l'action des armes, et c'est ce que j'avais répété, en toute clarté, à tous les États en cause ; c'est ce que j'avais moi-même, le 24 mai, déclaré à M. Eban, ministre des Affaires étrangères d'Israël, que je voyais à Paris.

« Si Israël est attaqué, lui dis-je, alors, en substance, nous ne le laisserons pas détruire, mais si vous attaquez, nous condamnerons votre initiative. Certes, malgré l'infériorité numérique de votre population, étant donné que vous êtes beaucoup mieux organisés, beaucoup plus rassemblés, beaucoup mieux armés que les Arabes, je ne doute pas que, le cas échéant, vous remporteriez des succès militaires, mais, ensuite, vous vous trouveriez engagés sur le terrain, et, au point de vue international, dans des difficultés grandissantes, d'autant plus que la guerre en Orient ne peut pas manquer d'augmenter dans le monde une tension déplorable et d'avoir des conséquences très malencontreuses pour beaucoup de pays, si bien que c'est à vous, devenus des conquérants, qu'on en imputerait peu à peu les inconvénients. »

On sait que la voix de la France n'a pas été entendue. Israël, ayant attaqué, s'est emparé, en six jours de combat, des objectifs qu'il voulait atteindre. Maintenant, il organise, sur les territoires qu'il a pris, l'occupation qui ne peut aller sans oppression, répressions, expulsions et il s'y manifeste contre lui une résistance, qu'à son tour, il qualifie de terrorisme. Il est vrai que les deux belligérants observent, pour le moment, d'une manière plus ou moins précaire et irrégulière, le cessez-le-feu prescrit par les Nations unies, mais il est bien évident que le conflit n'est que suspendu et qu'il ne peut pas avoir de solution, sauf par la voie internationale. Mais un règlement dans cette voie, à moins que les Nations unies ne déchirent elles-mêmes leur propre Charte, un règlement doit avoir pour base l'évacuation des territoires qui ont été pris par la force, la fin de toute belligérance et la reconnaissance réciproque de chacun des États en cause par tous les autres. Après quoi, par des décisions des Nations unies, en présence et sous la garantie de leurs forces, il serait probablement possible d'arrêter le tracé précis des frontières, les conditions de la vie et de la sécurité des deux côtés, le sort des réfugiés et des minorités et les modalités de la libre navigation pour tous, notamment dans le golfe d'Akaba et dans le canal de Suez.

Suivant la France, dans cette hypothèse, Jérusalem devrait recevoir un statut international.

Pour qu'un règlement puisse être mis en œuvre, il faudrait qu'il y eût l'accord des grandes puissances qui entraînerait *ipso facto* celui des Nations unies, et si un tel accord voyait le jour, la France est d'avance disposée à prêter sur place son concours politique, économique et militaire, pour que cet accord soit effectivement appliqué. Mais on ne voit pas comment un accord quelconque pourrait naître, non point fictivement sur quelque formule creuse, mais effectivement pour une action commune tant que l'un des plus grands des Quatre ne se sera pas dégagé de la guerre odieuse qu'il mène ailleurs. Car tout se tient dans le monde d'aujourd'hui. Sans le drame du Viêt-nam, le conflit entre Israël et les Arabes ne serait pas devenu ce qu'il est et, si demain, l'Asie du Sud-Est voyait renaître la paix, le Moyen-Orient l'aurait bientôt recouvrée, à la faveur de la détente générale qui suivrait un pareil événement.

7. Michel Jobert dénonce
le condominium américano-soviétique
(1973)

Lors de la crise de l'automne 1973, la France va bénéficier du choix qu'elle a fait depuis 1967 d'une politique visant à reconquérir une partie de son influence dans le monde arabe et à contrer l'hégémonie américaine dans la région. Les positions qu'elle a prises à l'ONU à l'égard du problème des territoires occupés par Israël durant la guerre des Six Jours, le renforcement des mesures d'embargo sur les livraisons d'armes à destination de l'État hébreu (y compris pour le matériel déjà commandé et payé, comme les cinq vedettes construites par les chantiers de Cherbourg et qui, dans la nuit du 24 au 25 décembre 1969, ont pris clandestinement la mer pour rejoindre le port d'Haïfa), les 50 avions Mirage V livrés à la Libye (parce qu'État situé hors du «champ de bataille») et que Kadhafi mettra à la disposition de l'Égypte et de la Syrie en 1973, lui ont permis d'engranger des sympathies arabes dont elle a tiré un avantage lors de la guerre d'octobre, en évitant le boycott prononcé par les pays arabes exportateurs de pétrole.

Face à l'offensive menée par ces derniers sur le front des approvisionnements pétroliers, Paris refuse de s'aligner sur la position américaine, comme le feront les autres États européens en adoptant l'idée d'un «front uni» en fait dominé par les États-Unis. Pour Michel Jobert, dont l'hostilité envers Washington, les sentiments pro-arabes et les excès de langage sont connus, surtout depuis que la maladie du président Pompidou lui a conféré une marge d'autonomie qu'il n'avait pas au début du septennat, il est clair que face à une Europe qui n'a su ni affirmer son identité, ni même «parler d'une seule voix» à propos d'une question aussi vitale que celle de ses approvisionnements énergétiques, les États-Unis ont su mettre à profit les effets de la guerre d'octobre pour rétablir leur position dominante sur le vieux continent. Dans un discours prononcé à l'Assemblée nationale le 12 novembre 1973, il dénonce avec force la manière dont a été réglée la crise du Moyen-Orient, par le jeu exclusif du système de concertation mis en place par les deux Grands, l'Europe se trouvant elle-même traitée en «non-personne». Sur un ton gaullien qui n'est pas sans effet sur certains députés (le compte rendu du discours est ponctué de «Très bien ! » émanant notamment des rangs gaullistes), Michel Jobert engage ainsi contre Kissinger et Nixon une guérilla verbale qui — la situation économique et politique internationale étant ce qu'elle est — aura surtout pour effet d'accroître l'irritation de l'opinion américaine à l'égard de la France. Au moment où apparaissent en effet les premiers signes d'un grave dérèglement de l'économie mondiale, il est clair que la «grande politique» voulue et expérimentée par le général de Gaulle a fait long feu.

Source : Discours prononcé à l'Assemblée nationale par le ministre des Affaires étrangères Michel Jobert lors du débat sur le rectificatif à la loi de finance 1974 le 12 novembre 1973, *Journal officiel, Débats parlementaires*, Assemblée nationale, 1973.

Bibliographie : A. Grosser, *Les Occidentaux*, Paris, Fayard, 1978 ; P. Mélandri, *Une incertaine alliance : les États-Unis et l'Europe de 1973 à 1983*, Paris, Publications de la Sorbonne, 1988.

[…] **D**EPUIS LE 6 OCTOBRE DERNIER, la guerre jamais éteinte au Proche-Orient a précisé les périls qu'elle faisait courir à toutes les nations, les plus exposées à ses ravages comme les plus indifférentes ou les plus éloignées. […]

En cinq mois, depuis le mois de juin dernier, sous nos yeux, nous avons vu se préparer, puis apparaître sur le plan international des arrangements d'une portée telle qu'il n'est pas une réflexion ou une action qui ne doive en tenir compte.

Le conflit du Proche-Orient n'en est qu'un point d'application. Car, en signant, le 22 juin dernier, un accord sur la prévention des guerres nucléaires, les États-Unis et l'URSS, superpuissances nucléaires, se sont engagées dans un processus d'équilibre et d'arbitrage qui dépasse de loin leurs propres territoires. L'intérêt politique, les nécessités matérielles, la marge de risque qu'elles ont maintenues entre elles, tout les pousse à perfectionner cet accord et à recourir à l'arbitrage permanent de leurs difficultés comme des conflits des autres qui pourraient gêner leur dialogue. […]

Ces enseignements nous confirment dans nos analyses et dans nos orientations : ils confirment nos incertitudes quant au fonctionnement et aux efforts du système de concertation né de l'accord Brejnev-Nixon, ils nous incitent à poursuivre inlassablement la construction européenne, ils nous imposent de ne pas relâcher notre effort de défense, ils nous engagent à rechercher plus que jamais une voie vers la détente et la coopération qui ne mène pas vers ce théâtre d'illusions et de pièges auquel tant de sourires nous convient : une voie pour les peuples libres et respectueux les uns des autres.

Dans la crise du Proche-Orient, comment ne pas dire qu'elle a confirmé, qu'elle confirme chaque jour nos incertitudes quant au fonctionnement et aux effets du système de concertation entre les États-Unis et l'URSS ?

Sur la solution du conflit d'abord, cette entente n'a pas permis de prévenir la guerre, ni même de deviner — ou de s'informer — qu'une attaque se préparait. Sans doute les deux super-grands ont-ils pu imposer le cessez-le-feu, encore qu'il ait fallu du temps et recourir à deux formules avant d'y parvenir.

Le conflit nourri préalablement par eux d'armes puissantes et nombreuses a été entretenu par chacun d'eux avec des livraisons massives, jusqu'à ce que sur le terrain, après des affrontements sanglants, se dessine une situation dont chaque belligérant pouvait avoir l'illusion de se satisfaire.

Alors seulement, ces deux puissances sont parvenues à un accord, qu'elles ont fait sanctionner par le Conseil de sécurité — comme les résolutions qui ont suivi — tandis que le Conseil était resté jusque-là impuissant à assurer les fonctions qui lui sont dévolues par la Charte. […]

Sur l'Alliance atlantique, dont la solidarité supposait à tout le moins l'information et la consultation, les échos de la nuit du 24 au 25 octobre n'ont pas fini d'être perçus. Comme l'a rappelé M. le président de la République, la manière dont il a été procédé est dangereuse, « l'expérience ayant montré que le tête-à-tête des deux puissances, États-Unis et URSS, pouvait aussi bien servir la détente que conduire à un affrontement généralisé ». Sans se demander même si l'état d'alerte était justifié quant il fut proclamé, on peut encore s'interroger sur la conformité du concours demandé à l'Alliance avec son objet même.

Sur la France et sur l'Europe enfin : leur mise à l'écart brutale qui faisait bon marché de leur recherche patiente et obstinée d'un règlement de paix, au cours des dernières années, a été de la part de chacune des deux puissances une erreur. Une erreur parce que la solution du conflit n'est pas simple et que rien n'indique que le concours de l'Europe ne soit finalement utile. Une maladresse sans doute, aussi, car chacun a pu voir à quelles extrémités et dans quel sens pouvait aller cette politique, qui est celle des partages tumultueux. Traitée comme une «non-personne», humiliée dans son inexistence, l'Europe, dans sa dépendance énergétique, n'en est pas moins l'objet du deuxième combat de cette guerre du Proche-Orient.

Victime oubliée du conflit, mais victime tout de même, alors qu'elle n'avait cessé de dénoncer les périls, son désarroi et son amertume sont évidents. Mais elle a aussi constaté qu'elle était un enjeu, plus encore qu'un instrument ou un appoint dans l'arbitrage des Grands. Elle peut, elle doit en tirer une essentielle leçon.

Bien des peuples atendent, non son sursaut, mais sa naissance !

8. À l'origine de la conférence Nord-Sud
(1975)

Lors du sommet des pays non alignés réunis à Alger en septembre 1973, la revendication majeure des 84 États du Tiers monde représentés à cette réunion avait été l'instauration d'un « nouvel ordre économique mondial » fondé sur une plus grande équité dans les rapports économiques entre le « Nord » industrialisé et le « Sud » en développement.

Au lendemain du premier choc pétrolier, c'est la France qui va prendre l'initiative du « dialogue » avec le Sud. Inaugurée par le général de Gaulle, la politique de coopération avec les États du Tiers monde va trouver un deuxième souffle sous le septennat de Valéry Giscard d'Estaing. Entré à l'Élysée à l'heure où la crise mondiale frappe de plein fouet les économies occidentales, le successeur de Georges Pompidou se trouve, davantage encore que ce dernier, tributaire des contraintes liées au renchérissement de l'énergie et à la nécessité, pour compenser celui-ci, de trouver des débouchés pour les produits industriels français.

Toutefois, si les préoccupations économiques à court terme sont présentes dans le choix que le chef de l'État fait, dès le début du septennat, d'une politique ouverte sur le Sud, interviennent également et très fortement des considérations moins strictement conjoncturelles. Le président français estime en effet que le système international ne saurait reposer bien longtemps sur la base des rapports inégaux entre les pays industrialisés et les États pauvres du Tiers monde. Pourquoi, dans ces conditions, ne pas prendre les devants en répondant à la demande globale de ces derniers ? Face au véritable consensus qui s'est manifesté lors du quatrième sommet des non-alignés, l'Occident n'a-t-il pas intérêt à négocier à froid un rééquilibrage qui, de toute manière, ne pourra être évité ? Telle est en tout cas l'idée que Valéry Giscard d'Estaing se fait de ce que devrait être la politique de la France à l'égard du Tiers monde, et c'est dans cette perspective qu'il lance l'idée d'une « conférence Nord-Sud » destinée à promouvoir, par la concertation entre pays riches et pays pauvres, le nouvel ordre économique réclamé par ces derniers. Dans une conférence prononcée à l'École polytechnique le 28 octobre 1975, le chef de l'État en expose le principe.

Source : Conférence à l'École polytechnique du président Valéry Giscard d'Estaing (28 octobre 1975), extraits cités in *Le dialogue Nord-Sud, Problèmes économiques et sociaux*, Paris, La Documentation française, n° 296, 29 octobre 1976, pp. 48-49.

Bibliographie : E. Jouve, _Le Tiers monde dans la vie internationale_, Paris, Berger-Levrault, 1983 ; Ph. Braillard, M. Reza Dialili, _Le Tiers monde dans les relations internationales_, Paris, Masson, 1984 ; V. Giscard d'Estaing, _Le Pouvoir et la vie_, Paris, rééd. Livre de Poche, 1988 et 1991.

Ma conviction, c'est qu'il n'y aura d'ordre économique mondial que s'il y a un consensus sur ce système ; cette idée ainsi énoncée paraît banale, et cependant c'est une idée qui n'était pas admise.

Il y avait un certain nombre de pays, notamment de grands pays, qui croyaient qu'il pouvait y avoir un ordre économique mondial fondé sur une certaine directive, sur une certaine contrainte qui émanerait de pays plus influents par rapport à la communauté des autres.

Or, nous avons vu, dans l'affaire pétrolière, dans l'affaire monétaire, qu'il n'est pas possible, à quelque groupe de pays que ce soit, d'imposer, par des procédés de contrainte, sa volonté aux autres et qu'il est donc indispensable d'aboutir à un consensus mondial sur ce système.

C'est pourquoi la France s'efforce de faciliter ce consensus en œuvrant avec patience, avec ténacité, et je dois dire sans vanité, sans exercice d'amour-propre, pour que se dégagent peu à peu les lignes de ce consensus.

L'année dernière — c'était à peu près à la même date —, j'avais suggéré que l'on s'efforçât d'ouvrir un dialogue international sur la création d'un nouvel ordre monétaire international. Cette proposition a été accueillie, naturellement, avec le scepticisme des uns et l'ironie des autres. Nous avons quand même réussi à faire tenir une conférence à Paris au mois d'avril.

Cette conférence, qui était la première à laquelle acceptaient de participer les pays qui ont, sur le sujet, des idées aussi dissemblables que, par exemple, les États-Unis d'Amérique, l'Algérie, l'Allemagne fédérale, le Venezuela, cette conférence a abouti à un premier effort de rapprochement et elle ne pouvait pas aboutir à une conclusion positive.

Vous vous souvenez, pour peu que vous n'ayez pas été absorbés à l'époque par d'autres préoccupations, on a dit : échec définitif, lamentable, de cette conférence.

Nous avons repris, pendant l'été, patiemment, les fils de cette conversation, nous avons cherché à faire comprendre aux États-Unis pourquoi certains aspects de leur attitude étaient incompréhensibles pour des pays du Tiers monde, nous avons expliqué à d'autres pourquoi il était nécessaire de rechercher plutôt la conciliation que le fait de vouloir imposer ses propres vues et, finalement, il y a quelques jours, cette conférence s'est réunie à nouveau et a abouti, vous le savez, à la décision de tenir, à Paris, dans les prochaines semaines, une Conférence sur la coopération économique internationale, dont l'objet, précisément, sera de dégager peu à peu les principes et les modalités d'organisation de ce nouvel ordre économique international.

9. « La France n'est pas alignée »

_(1980)_

Le texte ci-dessous est extrait de l'entretien du président de la République, Valéry Giscard d'Estaing, avec deux journalistes de la télévision : Christine Ockrent (FR3) et Patrice Duhamel (TF1), au cours de la cinquième émission de la série « Une heure avec *le président de la République », le mardi 26 février 1980 à 20 heures, sur TF1. Accusé par ses détracteurs, et notamment par Jacques Chirac, de «flou» dans son action internationale, le chef de l'État a passé en revue les grands dossiers de l'heure en matière de politique étrangère, l'accent étant mis sur la continuité avec celle de ses prédécesseurs et sur la primauté absolue du respect de l'indépendance nationale.*

Source : Entretien télévisé du président de la République, Valéry Giscard d'Estaing. *Le Monde*, 28 février 1980.

Bibliographie : V. Giscard d'Estaing, *Démocratie française*, Paris, Fayard, 1976.

J E VOUDRAIS vous expliquer ce qu'est l'action internationale de la France.
 Lorsqu'on parle de l'action internationale de la France, il ne faut pas imaginer que son objet soit de réagir à des événements, ou de nous situer par rapport à l'action d'autres puissances. Elle vise à atteindre des objectifs qui nous sont propres, qui sont les objectifs de la France, compte tenu de l'idée que nous avons de notre pays, de ce qu'il est, de ce qu'il peut devenir. Ce point est important. Il ne faut pas juger l'action internationale simplement comme une réaction à des événements. Il faut toujours se souvenir qu'elle poursuit des objectifs. À cet égard la situation de l'homme public, de l'homme de gouvernement, est différente de celle du commentateur. Tous les jours, vous avez à réagir sur des événements. J'ai, pour ma part, à conduire une action politique. Les objectifs de cette action sont les suivants :
— D'abord, défendre les intérêts de la France, et notamment sa sécurité. C'est évident, mais il faut toujours l'avoir à l'esprit ;
— Ensuite, chercher à maintenir la paix, parce que la France est un pays pacifique. Elle n'a pas de revendications territoriales vis-à-vis d'aucun de ses voisins ; elle n'a pas de volonté impérialiste, où que ce soit dans le monde ; c'est aussi un pays qui a subi sur son sol les ravages des deux derniers conflits mondiaux, qui a assisté à leur naissance, qui sait qu'avant la confrontation il y a une sorte de résignation à la confrontation inévitable. C'est pourquoi le maintien de la paix suppose toujours une action ;
— Troisième objectif de notre politique : rendre à l'Europe, c'est-à-dire au groupe des pays européens, nos partenaires, une influence dans les affaires du monde. Cette influence, l'Europe l'avait jusqu'à la dernière guerre, elle l'avait perdue et elle doit la retrouver ;
— Notre quatrième objectif, c'est enfin de contribuer à une organisation du monde qui tienne compte des réalités nouvelles et qui corrige les injustices. Les réalités nouvelles, c'est l'apparition de nouvelles puissances dans le monde, c'est également l'importance des pays non alignés dans la politique internationale. Corriger les injustices, c'est s'efforcer de corriger les inégalités excessives dans la répartition des richesses et dans les différences de niveau de vie.
 La France a appartenu à diverses alliances : les alliances italiennes, l'alliance espagnole, l'alliance autrichienne, l'alliance russe, l'Entente cordiale avec la Grande-Bretagne, et pendant cette longue période de notre histoire, la France a toujours poursuivi une politique indépendante.
 Mener une politique indépendante, tout en ayant souscrit aux dispositions d'une alliance, telle est la situation normale de la France. [...]
 La France appartient à une alliance. Tout en appartenant à une alliance, elle n'est pas alignée.

XXIII

LA VIE POLITIQUE DEPUIS 1981

L'élection d'un socialiste, François Mitterrand, à la présidence de la République, le 10 mai 1981, fait figure de véritable tornade politique et suscite un immense espoir de changement au sein du «peuple de gauche» (texte n° 1). Elle est suivie, lors des légis- latives de juin, d'un véritable raz-de-marée socialiste et de la désignation d'un gouver- nement comprenant plusieurs communistes et présidé par Pierre Mauroy.

Le gouvernement Mauroy engage aussitôt une politique visant à la fois à combattre le chômage en relançant l'activité économique, et à mettre en œuvre de profondes réformes de structures : nationalisations des banques d'affaires et de cinq groupes industriels, décentralisation conduite par le ministre de l'Intérieur Gaston Defferre (texte n° 2), institu- tion d'un impôt sur la fortune, réforme du système de santé, extension des droits syndicaux dans l'entreprise, abolition de la peine de mort, etc. D'abord bien accueillies, ces mesures provoquent bientôt le mécontentement de nombreux secteurs de l'opinion et permettent à la droite de renouer avec le succès lors des cantonales de 1982. Mais surtout, ce sont les dif- ficultés économiques croissantes qui nourrissent l'opposition au gouvernement Mauroy, la politique française allant à contre-courant de celle des autres grands pays industriels qui privilégient la défense de la monnaie et la restriction de la consommation. Après avoir dû procéder à trois dévaluations du franc, le pouvoir infléchit sa politique en faisant passer au premier plan la lutte contre l'inflation et le résultat des grands équilibres économiques.

Le grand tournant des socialistes s'opère durant l'été 1984, avec le retrait du projet Savary sur l'école et la démission de Pierre Mauroy, remplacé par Laurent Fabius. Avec ce dernier se met en place un socialisme plus pragmatique, réformiste et libéral, tourné vers la modernisation économique. Ce faisant, le PS remet en cause sa propre identité, sans parvenir pour autant à faire diminuer le chômage. Le rétablissement du scrutin proportionnel pour les législatives de 1986, outre qu'il permet à l'extrême droite de faire entrer 35 des siens à l'Assemblée nationale, ne lui permet guère que de limiter les dégâts. Victorieuse de peu, la droite n'en redevient pas moins majoritaire à l'Assemblée.

La victoire de la coalition RPR-UDF ouvre une période de « cohabitation » (texte n° 3) entre le président de la République et le Premier ministre désigné par celui-ci en la personne de Jacques Chirac. Si le chef de l'État garde la haute main sur les relations extérieures et la défense, il perd en revanche l'essentiel de son autorité en matière de politique intérieure. Or Jacques Chirac prend le contre-pied de la politique socialiste en 1981, tant sur le plan économique (suppression de l'impôt sur les grandes fortunes, nombreuses privatisations) que social, ce qui entraîne de fortes résistances dans l'opi- nion. En décembre 1986, le gouvernement doit ainsi renoncer à la loi sur l'enseigne- ment supérieur à la suite de violentes manifestations étudiantes.

La réélection de François Mitterrand, victorieux de Jacques Chirac au 2e tour des présidentielles de 1988 (texte n° 4) et les législatives qui suivent rendent le pouvoir aux socialistes. Prônant l'«ouverture» aux centristes, le chef de l'État fait appel pour diriger le gouvernement à Michel Rocard qui incarne au PS la voie réformiste. Ne disposant que d'une majorité relative, celui-ci conduit de 1988 à 1991 une politique de réformes prudentes tout en s'attaquant aux problèmes de fond de la société (texte n° 5). Il institue un Revenu minimum d'insertion (RMI), financé par le rétablissement de l'impôt sur la fortune, met en place une Contribution sociale généralisée (CSG) pour tenter de résoudre le problème du déficit de la Sécurité sociale et rétablit la paix en Nouvelle-Calédonie par l'instauration d'un nouveau statut du territoire (texte n° 6). Toutefois, après un bref regain de popularité, que symbolise le succès de la commémoration du «Bicentenaire» (texte n° 7), la reprise du chômage réveille les mécontentements et conduit le chef de l'État à remplacer Michel Rocard d'abord par Édith Cresson (mai 1991), puis par Pierre Bérégovoy (avril 1992).

Le discrédit des socialistes dans l'opinion, conséquence de leur impuissance à résoudre le problème du chômage, mais aussi du rôle joué par certains d'entre eux dans diverses «affaires» liées au financement illégal du Parti et des luttes internes menées en son sein par les candidats possibles à l'élection présidentielle, permet à la droite de remporter les législatives de 1993, cette fois avec une écrasante majorité : ceci, malgré la concurrence que lui fait le Front national de Jean-Marie Le Pen (texte n° 8). Peu désireux de recommencer l'expérience de 1986, et de gâcher ainsi ses chances dans la course à l'Élysée, Jacques Chirac va laisser son principal lieutenant, Édouard Balladur, assumer à Matignon la charge de la «seconde cohabitation».

Assuré d'un soutien parlementaire sans faille, le Premier ministre peut d'autant mieux mettre en application son programme de rigueur budgétaire et financière que le chef de l'État n'y met pratiquement aucun obstacle. Crédité d'une cote élevée dans les sondages, Édouard Balladur va tenter d'exploiter cette conjoncture favorable pour accéder à la magistrature suprême. Mais c'est Jacques Chirac qui, parti de très loin, mais porté par un courant qu'il a lui-même créé en multipliant les déclarations optimistes et les promesses, remporte l'élection présidentielle du 7 mai 1995 avec 52,6 % des voix contre 47,8 % au socialiste Lionel Jospin.

Si la campagne électorale a laissé planer des doutes sur le maintien de la politique de rigueur, le chef de l'État va, dès le mois d'octobre, clarifier sa position en annonçant que la résorption des déficits publics constitue désormais la priorité absolue, compte tenu des engagements contractés par la France avec le traité de Maastricht. Telle est bien la voie dans laquelle s'engage le gouvernement d'Alain Juppé. La hausse des prélèvements obligatoires qui en résulte et surtout le plan de réforme de la Sécurité sociale qui est adopté et qui comporte des modifications structurelles importantes du système de santé, entraînent en décembre 1995 un puissant mouvement de grèves dans le secteur public, soutenu par une fraction importante de l'opinion (on a parlé de «grève par procuration»). Le pouvoir en sort quelque peu ébranlé (texte n° 9) mais réussit toutefois à franchir le cap et à faire adopter de nouvelles réformes (en particulier celle de l'armée), sur fond de contestation sporadique, d'affaires politico-financières et de difficultés pour la gauche à imposer à l'opinion l'image d'un projet alternatif crédible. La mort de François Mitterrand, le 8 janvier 1996, marque à la fois la fin d'une époque et — en dépit des jugements contradictoires sur l'homme (texte n° 10) — un moment de communion nationale.

1. « La nouvelle prise de la Bastille »

Avec un score de 26 % au premier tour des présidentielles de 1981, François Mitter-rand s'est placé en tête des candidats de la gauche, tandis que le président sortant, Valéry Giscard d'Estaing, distançait d'une dizaine de points (27,8 % contre 18 %) son rival du camp majoritaire, Jacques Chirac. Le deuxième tour devait donc se jouer entre les deux «finalistes» de 1974, avec cette fois un handicap sérieux pour Giscard qui ne pouvait plus guère opposer à son concurrent l'argument de la « nouveauté », mais avait au contraire à défendre le bilan — négatif en matière de lutte contre le chômage — du « libéralisme avancé ».

Tout va se jouer au second tour sur les désistements. Or, si tous les candidats de gauche se désistent sans condition pour François Mitterrand, de Georges Marchais (15,4 % des voix au premier tour à Arlette Laguiller (2,3 %) et de Michel Crépeau (radical de gauche, 2,2 %) à Huguette Bouchardeau (PSU, 1,1 %), le candidat écolo-giste Brice Lalonde (3,9 %) ne donnant pas de consigne de vote mais se déclarant per-sonnellement plus proche du candidat socialiste que de VGE, les choses ne sont pas aussi claires à droite, dans les rangs des gaullistes «historiques». Michel Debré (1,6 % des suffrages au premier tour) finit par se désister le 5 mai, mais Marie-France Gar-raud (1,3 %) appelle à voter blanc et Jacques Chirac attend le 6 mai pour lancer un appel aux Français afin qu'ils barrent la route au Premier secrétaire du PS.

Pourtant, bien que le duel télévisé du 5 mai ait plutôt tourné à l'avantage de ce der-nier, l'opinion — y compris à gauche — a cru, semble-t-il, jusqu'au dernier moment à la victoire de Giscard. Aussi la surprise a-t-elle été immense lorsqu'au soir du 10 mai, les écrans de télévision ont annoncé celle de son rival, crédité de 52,2 % de voix contre 47,8 %. Surprise, suivie à gauche d'une explosion de joie qui a donné lieu à des mani-festations spontanées dans de nombreuses villes de France, à commencer par Paris où la foule s'est massivement rassemblée sur la place de la Bastille, lieu de mémoire hau-tement symbolique de l'affrontement deux fois séculaire entre le parti de l'«ordre» et celui du «mouvement».

Source : Claire Brisset, « La nouvelle prise de la Bastille », *Le Monde*, 12 mai 1981.

Bibliographie : J.-J. Becker, *Histoire politique de la France depuis 1945*, Paris, Armand Colin, 3ᵉ éd., 1992 ; F. Goguel, *Chroniques électorales*, t. III, Paris, Presses de la FNSP, 1983 ; *Les Élections de l'alternance*, sous la direction d'A. Lancelot, Paris, Presses de la FNSP, 1986.

COMBIEN ÉTAIENT-ILS, cette nuit du 10 mai, à la Bastille ? Cent mille ? deux cent mille ? plus ? Dès 20 h 30, ils sont arrivés par petits groupes, la banderole sous le bras, la rose à la boutonnière, le slogan en tête. « On a gagné ! » Les enfants, eux aussi, courent sur le boulevard Beaumarchais, d'où disparaissent les voitures.

21 heures. Les slogans se font plus politiques. Apparaissent les drapeaux rouges, quelques drapeaux noirs, une grande banderole du Parti communiste. La fête com-mence. « C'est le 14 juillet », dit, sourire aux lèvres, un Turc immigré qui, lui, n'a pas voté. Tant pis. Sa joie éclate.

La foule se fait compacte. Sur l'estrade, Claude Villers anime la fête. Les petits marchands, les feux de bengale, font leur apparition, la fraternité aussi, la joie de ceux qui s'embrassent, se tiennent par la main, par l'épaule. Il fait chaud, cette nuit, à la Bastille.

Sur l'estrade arrivent un à un les ténors, dont la voix couvre les slogans de la foule. « Giscard au chômage ! », clame une voix d'un balcon, la formule est joyeusement reprise. « Ce n'est qu'un début, continuons le combat. » Un orchestre envahit l'estrade, une fanfare des Beaux-Arts mâtinée de style Bastille, qui entonne des chansons à boire.

Arrive Michel Rocard, radieux, ovationné par la foule. « C'est une très belle victoire, indiscutable, François Mitterrand et, derrière lui, toute la France du travail viennent d'ouvrir une page nouvelle. » […]

Pierre Juquin saisit le micro[1] : « On l'a eu, Giscard, on réunira nos efforts pour avoir les patrons, ceux qui ont tout. » Puis, la note politique pour que nul n'en ignore, ce n'est pas seulement une fête, il faut parler des choses sérieuses. « Les communistes sont prêts à prendre toutes leurs responsabilités, jusqu'au gouvernement, et à tous les niveaux », avant d'ajouter, pour renvoyer la politesse à Michel Rocard : « Je suis heureux d'être ici ce soir avec tous mes camarades socialistes. » […]

La fête tourne à la kermesse. « Thierry, douze ans, et Za-Za, trois ans, attendent leurs parents devant le cinéma. » La musique reprend, on danse joyeusement. Un Africain tente depuis le début d'escalader l'estrade, scandant : « Les diamants en Afrique, où sont les diamants ? » Une délégation du MLF[2] entonne, aux côtés de Gaston Defferre, une *Internationale* que reprend la foule avec ferveur. « Debout, les damnés de la terre… » On chante ensuite *La Marseillaise*. Saute sur la scène, hirsute, un lutin en collant rouge, qui danse une carmagnole endiablée.

Enfin, Huguette Bouchardeau[3], visage radieux, la voix cassée, parviendra avec peine à crier sa joie avant, juste avant que ne tombent les formidables trombes d'eau qui devaient tout emporter. La foule n'aura pas vu François Mitterrand, qu'elle attendait, qu'elle réclamait. L'orage aura eu raison de la fête. […]

2. La décentralisation

(1982)

Nous présentons ici quelques extraits de la loi du 2 mars 1982 sur la décentralisation administrative, à laquelle Gaston Defferre, alors en charge du ministère de l'Intérieur, a attaché son nom. Ralliée de fraîche date à cette transformation radicale des structures administratives et de décision, qui était jusqu'alors l'apanage de la droite traditionaliste, la gauche a présenté la « décentralisation » comme une mesure destinée à donner plus de liberté aux collectivités locales et à rapprocher les centres de décision des citoyens. Adoptée à la suite d'une longue bataille de procédure et de plusieurs

---

1. Membre du Comité central du PCF depuis 1967. Député de l'Essonne la même année, Pierre Juquin a été battu en 1968, réélu en 1973 et sera battu une nouvelle fois en mai 1981. Devenu au milieu des années 1980 le chef de file des « rénovateurs », il sera exclu du PCF en 1987 pour ne pas s'être rallié publiquement au candidat communiste à l'élection présidentielle de 1988, André Lajoinie.
2. Le Mouvement de libération des femmes.
3. Secrétaire général du PSU.

recours devant le Conseil constitutionnel, elle donne aux autorités élues des communes, des départements et des régions (maires et présidents des Conseils généraux et régionaux), le pouvoir de faire exécuter les décisions des assemblées qu'elles président, attributions jusqu'alors dévolues aux préfets. Ceux-ci demeurent cependant à la tête des services de l'État dans le département.

Source : *Journal officiel, Lois et décrets,* 2 mars 1982 relative aux droits et libertés des communes, des départements et des régions, 3 mars 1982, pp. 730-752.

Bibliographie : J.-L. Quermonne, *L'Appareil administratif de l'État,* Paris, Le Seuil, « Points-Politique », 1991 ; B. Rémond, J. Blanc, *Les Collectivités locales,* Paris, Presses de la FNSP/Dalloz, 3ᵉ éd., 1994.

ARTICLE 1ᴱᴿ.— Les communes, les départements et les régions s'administrent librement par des conseils élus.

Des lois détermineront la répartition des compétences entre les communes, les départements, les régions et l'État, ainsi que la répartition des ressources publiques résultant des nouvelles règles de la fiscalité locale et des transferts de crédits de l'État aux collectivités territoriales, l'organisation des régions, les garanties statutaires accordées aux personnels des collectivités territoriales, le mode d'élection et le statut des élus, ainsi que les modalités de la coopération entre communes, départements et régions, et le développement de la participation des citoyens à la vie locale. [...]

Art. 23.— Le Conseil général règle par ses délibérations les affaires du département.

Le département apporte aux communes qui le demandent son soutien à l'exercice de leurs compétences. [...]

Art. 25.— Le président du Conseil général est l'organe exécutif du département. Il prépare et exécute les délibérations du Conseil général. Il est l'ordonnateur des dépenses du département et prescrit l'exécution des recettes départementales, sous réserve des dispositions particulières du code général des impôts relatives au recouvrement des recettes fiscales des collectivités locales.

Il est le chef des services du département. Il peut, sous sa surveillance et sa responsabilité, donner délégation de signature en toute matière aux responsables desdits services.

Le président du Conseil général gère le domaine du département. À ce titre, il exerce les pouvoirs de police afférents à cette gestion, notamment en ce qui concerne la circulation sur ce domaine, sous réserve des attributions dévolues aux maires par le code des communes et au représentant de l'État dans le département. [...]

Art. 34.— I. Le représentant de l'État dans le département est nommé par décret en Conseil des ministres.

Il représente chacun des ministres et dirige les services de l'État dans le département, sous réserve des exceptions limitativement énumérées par un décret en Conseil d'État.

Il est seul habilité à s'exprimer au nom de l'État devant le Conseil général.

Le représentant de l'État dans le département a la charge des intérêts nationaux, du respect des lois, de l'ordre public et, dans les conditions fixées par la présente loi, du contrôle administratif. S'il n'en est disposé autrement par la présente loi, il exerce les compétences précédemment dévolues au préfet du département. [...]

III. Outre les pouvoirs qu'il tient de l'article L. 131-13 du code des communes, le représentant de l'État dans le département est seul compétent pour prendre les mesures relatives au bon ordre, à la sûreté, à la sécurité et à la salubrité publiques, dont le champ d'application excède le territoire des communes. [...]

3. La première cohabitation
(1986-1988)

Polytechnicien, énarque, auditeur puis maître des requêtes au Conseil d'État et professeur d'économie à l'université Paris IX-Dauphine, Jacques Attali a été, de 1981 à 1991, conseiller spécial auprès du président de la République. Pendant une décennie, il a ainsi fait partie du cercle rapproché des collaborateurs de François Mitterrand et a pu voir comment, au jour le jour, s'opérait, au plus haut niveau, la conduite des affaires. Bien que certains passages aient paru discutables, voire inexacts à d'autres intimes de l'ancien chef de l'État, son « journal », publié sous le titre Verbatim, *n'en constitue pas moins un témoignage incontournable. Dans le tome second, consacré à la période 1986-1988, Jacques Attali fait le récit des événements qui ont émaillé la « première cohabitation » et dans la préface du livre, il donne de celle-ci une interprétation largement positive.*

Source : Jacques Attali, *Verbatim II. 1986-1988*, Paris, Fayard, 1995, Livre de Poche, 1997, pp. 10-12.
Bibliographie : M.-A. Cohendet, *La Cohabitation. Leçons d'une expérience*, Paris, PUF, 1992 ; J. Massot, *L'Arbitre et le capitaine. La responsabilité présidentielle*, Paris, Flammarion, 1987.

EN FRANCE, des hommes politiques nouveaux, tel Édouard Balladur, faisaient leurs premières armes. D'autres, tels Gaston Defferre ou Alain Savary, livraient leurs ultimes assauts. Jacques Chirac y a fait l'apprentissage du pouvoir suprême. Il s'est révélé progressivement un homme politique cultivé et ouvert. Dans les premiers mois de la cohabitation, la guerre entre les deux pôles de l'exécutif fut terrible et conduisit les uns et les autres à des formules ou à des jugements qu'ils durent sans doute regretter par la suite. Puis s'est installée entre le président et son Premier ministre une relation faite de curiosité réciproque et de réelle sympathie. Peut-être parce que l'un et l'autre avaient beaucoup retenu de la période précédente. Le premier avait retrouvé le goût perdu des batailles et des conquêtes ; le second avait appris la patience. François Mitterrand pensa jusqu'en mai 1988 que Jacques Chirac était trop imprévisible pour faire un bon président ; ce fut même un des moteurs de sa propre candidature. Mais, peu à peu, sa critique se fit plus indulgente, plus compréhensive. Il trouva que l'autre, finalement, apprenait vite. Des adversaires parvinrent ainsi à se connaître, voire à travailler ensemble alors même que s'opposaient parfois brutalement, au sommet de l'État, deux visions de la France. S'élaboraient, souvent dans l'affrontement extrême, de nouvelles règles de fonctionnement du pouvoir d'État. Une lecture inédite de la Constitution voyait le jour, instituant un système où le président de la République devait négocier sans relâche avec un gouvernement issu d'une représentation populaire exigeante. Une nouvelle répartition des rôles apparaissait : le Premier ministre, candidat aux futures élections présidentielles, se concentrait sur le court terme ; le président, avant de se lancer lui-même dans la bataille de sa réélection, ne pensait qu'à l'image que laisserait son septennat dans l'Histoire. Ainsi, au cours de cette période, un nouveau partage des compétences se créa, ne distinguant plus deux *domaines*, mais deux *horizons*, le président assumant les choix à long terme et laissant au gouvernement les responsabilités de la gestion immédiate. Ce passage du *domaine réservé* à *l'horizon réservé* constitue un des acquis de cette période.

Cette distinction est bienvenue : comme toute nation, la France est menacée de perdre son identité dans la mondialisation des idées, des marchés, des objets. La fonction étatique y est donc nécessairement double : d'une part, il convient de gérer, de satisfaire les besoins à court terme, de répondre aux aspirations telles qu'elles se définissent et émergent au gré des conjonctures et des humeurs ; d'autre part, il importe d'entreprendre des actions dont l'échéance est beaucoup plus lointaine que celle du mandat qu'a reçu l'élu. La force des institutions françaises est de le permettre.

© Fayard

4. Lettre à tous les Français
(1988)

À la veille du scrutin présidentiel de 1988, François Mitterrand, dont la réélection paraît probable à la vue des sondages, fait diffuser une lettre-programme d'une cinquantaine de pages adressée « à tous les Français ». Il y développe, autour du thème de « la France unie », les lignes directrices d'une action qui se réclame de la continuité de celle suivie depuis 1986 : équilibrer les institutions, construire l'Europe, encourager le désarmement et garantir la sécurité de la France, œuvrer pour le développement du Tiers monde, moderniser l'économie, assurer la cohésion sociale et multiplier les espaces de culture. Il n'est plus fait référence au socialisme.

La sérénité affichée par le chef de l'État tranche avec l'agitation qui règne à droite où Jacques Chirac et Raymond Barre doivent à la fois « ratisser large », pour pouvoir figurer au second tour, marquer leur différence et se démarquer de Jean-Marie Le Pen, candidat de l'extrême droite, sans pour autant se couper de la fraction droitière de son électorat. Au premier tour, le président en exercice obtiendra 34,09 % des suffrages, devançant Jacques Chirac (19,90 %) et Raymond Barre (16,54 %). Au second, François Mitterrand l'emporte sans difficulté sur son Premier ministre avec 54,02 % des voix. Nous reproduisons ici le début de la lettre.

Source : François Mitterrand, «Lettre à tous les Français», *La Lettre des communes de France*, supplément au n° 28 du 13 avril 1988.

Bibliographie : *L'Élection présidentielle des 24 avril et 8 mai 1988*, Dossiers et documents du *Monde*, Paris, s.d. ; *L'Élection présidentielle : le nouveau contrat de François Mitterrand*, Dossiers et documents du *Monde*, mai 1988.

M es chers compatriotes,
Vous le comprendrez. Je souhaite, par cette lettre, vous parler de la France. Je dois à votre confiance d'exercer depuis sept ans la plus haute charge de la République.

Au terme de ce mandat, je n'aurais pas conçu le projet de me présenter de nouveau à vos suffrages, si je n'avais eu la conviction que nous avions encore beaucoup à faire ensemble pour assurer à notre pays le rôle que l'on attend de lui dans le monde et pour veiller à l'unité de la Nation.

Mais je veux aussi vous parler de vous, de vos soucis, de vos espoirs et de vos justes intérêts.

J'ai choisi ce moyen, vous écrire, afin de m'exprimer sur tous les grands sujets qui valent d'être traités et discutés entre Français, sorte de réflexion en commun, comme il arrive le soir, autour de la table, en famille. Je ne vous présente pas un programme, au sens habituel du mot. Je l'ai fait en 1981 alors que j'étais à la tête du Parti socialiste. Un programme en effet est l'affaire des partis. Pas du président de la République ou de celui qui aspire à le devenir. L'expérience acquise, là où vous m'avez mis, et la pratique des institutions m'ont appris que si l'on voulait que la République marche bien, chacun devait être et rester à sa place. Rien n'est pire que la confusion. L'élection présidentielle n'est pas comparable à l'élection des députés. Et s'il s'agit de régler, jusqu'au détail, la vie quotidienne du pays, la tâche en revient au gouvernement. Mon rôle est de vous soumettre le projet sur lequel la France aura à se prononcer les 24 avril et 8 mai prochains pour les sept années à venir. Je le remplirai de mon mieux avec, au cœur et dans l'esprit, une fois dépassées les légitimes contradictions de notre vie démocratique, la passion d'une France unie. Je m'inquiète parfois des montées de l'intolérance. Nous avons besoin de nous rassembler, mes chers compatriotes. Pour cela je vous propose une politique pour la France.

5. « Je rêve d'un pays où l'on se parle »

Réélu le 8 mai 1988 président de la République, François Mitterrand confie à Michel Rocard le soin de constituer le premier gouvernement du second septennat. Le 29 juin, l'ancien leader du PSU présente devant les députés son programme de politique générale, axé sur le choix d'une grande politique sociale et le désir de répondre aux aspirations quotidiennes des Français. L'une des premières grandes mesures adoptées par son gouvernement sera la création du Revenu minimum d'insertion, lequel offre aux plus défavorisés une garantie de ressource pour leur donner les moyens de trouver un emploi, le financement étant assuré grâce au rétablissement d'un impôt sur les grandes fortunes — l'Impôt de solidarité sur la fortune — remplaçant celui supprimé par Jacques Chirac en 1986.

Le discours prononcé à l'Assemblée nationale par le nouveau chef du gouvernement, le 29 juin 1988, sera diversement apprécié par l'auditoire. La gauche se montre sensible au ton quelque peu messianique adopté par le Premier ministre (le « je rêve » fait penser au célèbre « j'ai fait un rêve » de Martin Luther King), tandis qu'elle suscite les murmures et les quolibets d'une droite qui se souvient (peut-être) du temps où Albert de Mun, parlant des discours de Jaurès, déclarait devant ses collègues de la Chambre : « On reconnaît un discours de M. Jaurès à ce que tous les verbes en sont au conditionnel. »

Source : _Journal officiel, Débats parlementaires_, Assemblée nationale, 30 juin 1988.
Discours de Michel Rocard à l'Assemblée nationale le 29 juin 1988.
Bibliographie : Article « Michel Rocard », in _Dictionnaire historique de la vie politique française_, sous la direction de J.-F. Sirinelli, Paris, PUF, 1995, pp. 932-936 ;
A. Bergougnoux, G. Grundberg, _Le Long Remords du pouvoir_, Paris, Fayard, 1992.

CE QU'IL NOUS FAUT, ce à quoi les Françaises et les Français aspirent, c'est à l'apparition de la démocratie de tous les jours.

Que l'on songe à la situation que notre pays fait aux femmes ! grâce au travail accompli, notamment par Yvette Roudy[1], l'urgence n'est plus à des réformes législatives ; elles sont derrière nous, le droit est là ; elle a conduit toutes celles qui étaient indispensables.

Mais aucune loi n'abolira jamais le fait que la femme plus que le mari se soucie chaque jour de l'avenir des enfants, que la femme plus que le mari souffre de l'exiguïté ou de la mauvaise conception d'un logement, que la femme plus que l'homme soit victime de la délinquance. Et qu'on ne s'y trompe pas, je parle ici de toutes les femmes et pas seulement de celles qui sont privées d'emploi.

Or elles restent exclues de ce qu'on appelle pourtant le dialogue social. Où sont écoutées, où sont entendues, mesdames, messieurs les députés, les deux millions de femmes chefs de famille, célibataires, veuves ou divorcées ?

Si l'on sort un instant de nos perspectives habituelles qui tendent à découper la vie en tranches, que voyons-nous ?

Nous voyons, autre exemple, qu'il y a un problème des villes. Ceux qui y résident sont devenus étrangers les uns aux autres. La convivialité de jadis a laissé place à l'indifférence quand ce n'est pas la méfiance.

On ne se parle plus. On ne connaît plus ses voisins qui, pourtant, vivent et partagent les mêmes problèmes : la difficulté de trouver une place de crèche, le logement trop petit ou trop bruyant, les problèmes d'emploi, les résultats scolaires des enfants, la sécurité dans le quartier ou ailleurs — en un mot, la vie ; [...].

Je rêve _(Murmures sur les bancs du Rassemblement pour la République et de l'Union pour la démocratie française)_ d'un pays où l'on se parle à nouveau. Je rêve de villes où les tensions soient moindres. Je rêve d'une politique où l'on soit attentif à ce qui est dit, plutôt qu'à qui le dit. _(Applaudissements sur les bancs du groupe socialiste.)_ Je rêve tout simplement d'un pays ambitieux dont tous les habitants redécouvrent le sens du dialogue — pourquoi pas de la fête ? — et de la liberté. _(Applaudissements sur les mêmes bancs.)_

Je suis de ceux qui croient, au plus profond d'eux-mêmes, que la liberté, c'est toujours la liberté de celui qui pense autrement.

Chérir la liberté de cette manière-là, c'est autour des thèmes que je vous ai proposés — la réconciliation, la solidarité, les chemins de l'avenir — construire un nouvel espoir pour que vivent les Français et pour que vive la France.

---

1. Ministre délégué auprès du Premier ministre chargé des Droits de la femme de 1981 à 1986.

6. Le référendum sur la Nouvelle-Calédonie

L'une des questions les plus sérieuses qu'ont eu à affronter les gouvernements socialistes, aussi bien que celui de Jacques Chirac durant la première cohabitation, concerne la Nouvelle-Calédonie. Confronté au développement d'un courant indépendantiste dans ce territoire, l'un des derniers vestiges de l'empire, le gouvernement Fabius a réagi en proposant un statut d'autonomie interne en 1984, puis — devant le boycott des élections qui ont suivi —, en préparant en 1985 un statut provisoire avec découpage en quatre régions et décentralisation des pouvoirs.

Tandis que le débat oppose classiquement une droite favorable à la Nouvelle-Calédonie française et une gauche qui accepte l'idée de l'indépendance par étapes, les violences se multiplient sur le terrain. A l'automne 1985, les élections révèlent que les anti-indépendantistes, s'ils sont majoritaires en voix, ne dominent que la région de Nouméa, alors que les partisans de l'indépendance, avec seulement 29 % des suffrages (80 % des Mélanésiens ont voté en ce sens) ont la majorité dans les trois autres régions.

La situation ne va cesser de s'aggraver durant la période de la cohabitation. Revenue au pouvoir, la droite organise en septembre 1987 un référendum qui donne une majorité écrasante aux partisans du maintien du territoire au sein de la République, mais qui est boycotté par le FLNKS, lequel ne tarde pas à renouer avec la stratégie de la violence. Le 22 avril 1988, les membres d'un commando indépendantiste attaquent un poste de gendarmerie sur l'île d'Ouvéa, tuent quatre gendarmes et prennent les autres en otages. Le 5 mai, trois jours avant le second tour des présidentielles, les otages sont libérés au cours d'un assaut donné par les forces de l'ordre : 2 militaires et 19 Canaques sont tués.

La situation est donc extrêmement tendue au moment où Michel Rocard prend ses fonctions. Tirant profit de la très grande émotion qu'ont provoquée en Nouvelle-Calédonie les événements d'Ouvéa, le nouveau Premier ministre obtient, le 26 juin, la signature d'un accord entre le leader indépendantiste, Jean-Marie Tjibaou, et celui du Rassemblement pour la Calédonie dans la République (le RPCR, proche du RPR), Jacques Lafleur. Le FLNKS accepte le report en 1998 du scrutin d'autodétermination et le RPCR la limitation du corps électoral aux électeurs domiciliés dans le territoire depuis au moins dix ans. L'accord est soumis à l'approbation des Français lors du référendum du 6 novembre 1988.

Source : Jean-Marie Colombani, Alain Rollat, « Référendum sur la Nouvelle-Calédonie : tristes tropiques », *Le Monde*, 8 novembre 1988.

Bibliographie : D. Dommel, *La Crise calédonienne : rémission ou guérison ?*, Paris, L'Harmattan, 1993.

L E NIVEAU RECORD atteint, dimanche 6 novembre, par l'abstention (62,96 %), ternit la victoire du « oui » (80 %) au référendum sur l'avenir de la Nouvelle-Calédonie. Le gouvernement considère que le vote de la loi référendaire apporte aux accords entre MM. Tjibaou et Lafleur la garantie du peuple français. Il en va de même du chef de file des indépendantistes. […]

«Le soutien existe. Peut-être a-t-il été chichement mesuré...» : au soir d'un résultat décevant, difficile pour lui-même et pour la cause qu'il voulait servir, Michel Rocard s'est souvenu qu'il était un adepte du «parler vrai». [...]

L'apôtre du consensus qu'est Michel Rocard n'a rassemblé qu'un Français sur quatre sur le dossier qui, jusque-là, illustrait le triomphe de sa «méthode» personnelle.

Le consensus, pourtant, n'est pas absent du résultat : le «oui» déborde largement le clivage droite-gauche. La réussite du Premier ministre est précisément — outre le vote de la loi elle-même — que la victoire du «oui» efface ce clivage. Les départements les plus à droite (Lozère, Vendée) et les plus à gauche (Pas-de-Calais, Haute-Garonne) ont approuvé le nouveau statut néo-calédonien dans les mêmes fortes proportions.

Mais le Premier ministre paie cher ce succès-là : faute de facteurs suffisants de mobilisation, faute d'une dramatisation si contraire à son tempérament, et à laquelle il s'est maladroitement essayé en dénonçant la «lâcheté» des «factieux» dans le camp du RPR, M. Rocard doit se contenter d'une participation exceptionnellement faible. Comme si une majorité de l'électorat avait considéré le référendum comme inutile, suivant en cela les proclamations du RPR, le plus dur — la paix — ayant été accompli. [...]

Le record relatif d'indifférence atteint en 1972, lors du référendum sur l'élargissement de la CEE, avait porté un coup décisif à une institution tombée dans l'oubli jusqu'à 1988. Le record absolu d'indifférence du 6 novembre peut signifier l'arrêt de mort du mode de consultation référendaire, autant que l'inverse, c'est-à-dire sa banalisation. Car le référendum sur la Nouvelle-Calédonie a changé la nature d'une institution qui d'engagement solennel de la responsabilité présidentielle est devenue moyen de gouvernement à l'usage du Premier ministre.

Ce dernier s'étant beaucoup engagé, il lui est demandé beaucoup de comptes ; or, il est atteint dans sa capacité d'entraînement. Rarement un couple exécutif ne s'est si bien porté dans l'opinion six mois après un scrutin présidentiel[1] ; rarement ce zénith aura été, électoralement parlant, aussi peu productif : voilà une belle bataille en perspective, entre le PS d'une part, et l'hôtel Matignon, d'autre part, sur la conduite de la prochaine campagne pour les élections municipales.

7. Le bicentenaire de la Révolution française

Dès son arrivée au pouvoir en 1981, la gauche s'est appliquée à préparer avec soin la commémoration du bicentenaire de la Révolution française : événement fondateur de sa propre identité. Créée en septembre 1986, confiée d'abord à Michel Baroin, puis à Edgar Faure, l'un et l'autre décédés en cours de mandat, la Mission du Bicentenaire a été présidée à partir de mai 1988 par Jean-Noël Jeanneney, professeur des universités à l'Institut d'études politiques de Paris et ancien président de Radio-France.

Dans le rapport remis au chef de l'État en mars 1990, le président de la Mission rappelle la philosophie du projet, évoque l'ensemble des activités auxquelles il a donné naissance et dresse un bilan de la commémoration. Nous présentons ici un extrait du texte introductif dans lequel le responsable de la Mission évoque les grandes lignes de l'action entreprise.

---

1. Selon le baromètre IFOP-_Journal du Dimanche_, F. Mitterrand et M. Rocard étaient crédités respectivement de 50 % et 44 % d'opinions favorables en octobre 1988.

Source : Jean-Noël Jeanneney, *Le Bicentenaire de la Révolution française*. Rapport du président de la Mission du Bicentenaire au président de la République sur les activités de cet organisme et les dimensions de la célébration, 5 mars 1990, Paris, La Documentation française, Collection des rapports officiels, pp. 13-15.

Bibliographie : J.-N. Jeanneney, « Après coup : réflexions d'un commémorateur », *Le Débat*, novembre-décembre 1989, pp. 75-105.

Cette action a été conçue comme politique par le troisième président de la Mission, dès sa nomination à la fin de mai 1988, et en plein accord avec le président de la République et le Premier ministre. Politique, non pas assurément selon une perspective électorale ou partisane, mais avec une préoccupation civique, destinée à dépasser largement le simple souci de restitution historique ou de réjouissances collectives.

La Mission a suivi cette préoccupation civique selon trois axes — en jouant de tout l'éventail des initiatives festives, artistiques et intellectuelles.

a) Il convenait, d'abord, de saisir cette occasion pour aider les citoyens et les citoyennes de France à mieux connaître et comprendre les circonstances dans lesquelles ont été conquises les bases de la démocratie : libertés fondamentales, principe de la souveraineté populaire, égalité de tous devant les lois et devant la Constitution, richesses acquises, qui paraissent toutes naturelles aux générations plus jeunes, mais dont il était assurément utile de rappeler à quel prix elles ont été gagnées et ce qu'elles représentent pour tous les peuples qui en sont encore privés.

b) Nous avons, d'autre part, plus que ne l'avaient fait Michel Baroin et Edgar Faure (qui étaient préoccupés de valoriser seulement ce qui unissait, en éludant ce qui risquait de diviser), fait ressortir ce qui, au service des principes posés par la Révolution, restait encore à conquérir [...]. Il s'agissait de mettre en lumière tout ce qui dans les aspirations de 1789, stimulant pour le « parti du mouvement », au risque que ce fût dérangeant et même fît naître de nouveaux clivages : recherche d'une instruction publique mieux capable de lutter contre l'inégalité des chances, espoir d'une justice plus efficace, lutte au quotidien contre toutes les tentations du racisme et de la xénophobie, du rejet des immigrés, de la peur de l'Autre, etc.

c) Nous avons mis enfin l'accent sur ce que le message révolutionnaire pouvait offrir d'inspirations spécifiques pour aider notre temps à répondre aux défis nouveaux que les progrès de la science nous posent : notamment les conséquences de l'informatique sur les libertés et surtout les perspectives vertigineuses des progrès de la biologie avec toutes les incertitudes éthiques qu'ils entraînent.

Telle a été la charte de notre activité, propre à unifier nos efforts — qui sans elle auraient risqué de se disperser sous l'effet de la multitude des projets dont la commémoration était honorée et parfois accablée.

8. Le Front national,
écho politique de l'anomie urbaine

Cinq ans après la « divine surprise » de Dreux (16,7 % au premier tour lors d'une élection municipale partielle pour la liste conduite par J.-P. Stirbois), le Front national est devenu une force politique présente dans toutes les parties de l'Hexagone, avec laquelle les formations classiques doivent compter. Aux législatives de 1986, avec 2,5 millions d'électeurs et près de 10 % de suffrages exprimés, il a, grâce au rétablissement de la proportionnelle, conquis 35 sièges de députés, et s'il les perd deux ans plus tard du fait du retour au scrutin majoritaire, il établit en même temps le record historique de l'implantation électorale de l'extrême droite, avec 14,4 % des suffrages exprimés.

Les causes de cette montée en force de l'ultra-droite protestataire ont été abondamment analysées depuis dix ans par les politologues et par les spécialistes de la sociologie électorale. Le parti de Jean-Marie Le Pen a fondé toute sa thématique d'exclusion sur le problème de l'immigration, relié à ceux de l'insécurité, de la délinquance, de l'érosion identitaire, s'efforçant ainsi — et avec un certain succès — de parer d'habits neufs les vieilles lunes d'un nationalisme xénophobe et raciste dont la France avait fait l'expérience à la fin du siècle dernier et sous le régime de Vichy.

Au-delà toutefois du rejet de l'Autre, c'est d'une crise profonde de notre société dont témoigne, particulièrement en milieu urbain, l'émergence du Front national. Dans un ouvrage collectif sur l'extrême droite publié en 1993, le politologue Pascal Perrineau met celle-ci en relation avec l'anomie urbaine et avec la désespérance des laissés-pour-compte de la société post-industrielle.

Source : Pascal Perrineau, « Le Front national, 1972-1994 », in *Histoire de l'extrême droite en France*, sous la direction de Michel Winock, Paris, Le Seuil, 1993, pp. 243-299.

Bibliographie : N. Mayer, P. Perrineau (dir.), *Le Front national à découvert*, Paris, Presses de la FNSP, 1989 ; G. Birenbaum, *Le Front national en politique*, Paris, Balland, 1992 ; P. Milza, « Le Front national : droite extrême ou national-populisme », in J.-F. Sirinelli (dir.), *Histoire des droites en France*, t. 1, Paris, Gallimard, 1992, pp. 691-732.

LES BASES SOCIALES DU FN sont assez différentes de celles de la droite classique. L'extrême droite n'est pas sociologiquement une droite extrême qui serait une caricature sociale de la droite classique. Elle constitue plutôt un « entre-deux » entre droite et gauche. Son électorat est beaucoup plus masculin, jeune, actif et interclassiste que celui de la droite classique. Au regard de l'enquête post-électorale effectuée par la SOFRÈS après les législatives de mars 1986, l'électorat est, après celui du PCF, le plus masculin : 53 % de ses électeurs sont des hommes contre seulement 47 % dans l'électorat RPR-UDF. L'électorat du FN est le plus jeune de tous les électorats : 18 % ont de 18 à 24 ans, 11 % seulement ont plus de 65 ans. Dans l'électorat RPR-UDF les pourcentages sont respectivement de 11 % et de 25 %. C'est aussi, après celui du PCF, l'électorat le plus actif : 63 % de ses électeurs sont actifs contre 49 % de ceux de la droite classique. Enfin, c'est après les électorats de gauche, le plus populaire : 50 % de ses électeurs sont ouvriers, employés ou cadres moyens, ils ne sont que 34 % dans l'électorat RPR-UDF. Peu de couches restent hermétiques au message du FN : seules les personnes âgées, les cadres supérieurs, les citoyens bénéficiant d'un niveau d'études supérieures et les catholiques pratiquants prêtent chichement leur concours au succès électoral du FN. [...] Si ce n'est la pointe enregistrée en milieu industriel et commerçant, l'électorat du FN n'a que peu de chose à voir avec l'électorat qui, trente ans plus tôt, s'était retrouvé sur les listes poujadistes. Le FN n'est pas prisonnier du seul monde de la boutique, il plonge ses racines dans toutes les couches sociales. Un électorat plus populaire et dépolitisé a remplacé l'électorat de citoyens de droite radicalisés et exaspérés, en 1984, par la présence de la gauche au pouvoir. [...]

L'électorat du FN est sans conteste un électorat du rejet et de la désespérance. Rejet et désespérance qui dépassent le simple constat d'impuissance pour déboucher sur la recherche de responsables. Désignation de boucs émissaires qui permet d'exorciser, pour une part, les inquiétudes profondes de cet électorat. La cohorte des « pelés et galeux dont vient tout le mal » est longue. Jean-Marie Le Pen, dans ses écrits et ses discours, les présente régulièrement à la vindicte populaire : fonctionnaires, hommes politiques, intelligentsia, journalistes, délinquants, immigrés... Les antiennes de l'anti-étatisme, de l'antiparlementarisme et de l'anti-intellectualisme sont bien reprises par l'électorat du FN. Mais le chœur des électeurs se montre particulièrement vigoureux quand il s'agit du refrain des immigrés et des délinquants. [...] Ce couple immigration-insécurité obsède littéralement l'électorat du FN, au point de reléguer les préoccupations majeures des Français (emploi, pouvoir d'achat, acquis sociaux) en fin de tableau. Cette obsession lancinante semble surtout fleurir sur le terrain de la ville cosmopolite. Les terres urbaines à l'est de la ligne Le Havre-Valence-Toulouse sont également les terres de l'immigration : 85 % de la population étrangère établie sur le sol national y vit. Ce terrain, plus que d'autres, a sécrété nombre d'inquiétudes diffuses vis-à-vis de l'immigré, de l'insécurité et du chômage. Comment l'univers urbain, longtemps perçu comme milieu de tolérance et d'extraversion, est-il devenu le champ clos des haines et de l'introversion ? La ville française ne connaît plus, depuis le milieu des années soixante-dix, de forte croissance et de renouvellement. Les divers groupes sociaux et communautés y cohabitent sans véritable espoir de mobilité. Une perception inquiète de la crise économique et un doute profond vis-à-vis de ses solutions politiques s'enracinent dans les esprits. C'est dans cet univers fini et anémié, où n'existe plus de « nouvelle frontière », qu'apparaissent et que s'avivent les frictions, les intolérances, les craintes et les haines. Le FN, avec son message d'exclusion et de rejet, semble être la seule force politique en phase avec les inquiétudes et les rancœurs distillées par la crise de la société urbaine et par le constat d'impuissance du politique à répondre aux défis de la crise économique.

© Le Seuil

9. Mirage et solitude du pouvoir

À la fin de 1996, un an après le vaste mouvement de grèves dans la fonction publique qui, soutenu par une partie importante de la population, avait fortement ébranlé la position du gouvernement, Alain Juppé, dont le plan visant à fonder sur de nouvelles bases le système français de sécurité sociale, publiait un ouvrage d'une centaine de pages, familièrement intitulé Entre nous. _Le Premier ministre en exercice disait à quel point il s'était senti blessé par les attaques personnelles dirigées contre lui à propos de l'affaire des appartements de la Ville de Paris, et confiait à ses concitoyens les sentiments que lui inspiraient la solitude du pouvoir et l'impopularité assumée. Démarche inhabituelle chez un homme d'État plutôt enclin à la réserve et présenté par les médias comme un « surdoué » peu préoccupé des effets sur l'opinion de son « déficit de communication », l'initiative du chef du gouvernement a sans doute concouru à donner de lui une meilleure image, concrétisée par sa remontée dans les sondages au cours des premiers mois de 1997._

Source : Alain Juppé, _Entre nous_, Nil Éditions, 1996, pp. 114-116.

L E SOIR — tard —, quand j'ai refermé le dernier dossier, je prends la mesure de ma solitude. Elle est le lot de tout homme public. Pourquoi cacher que l'impopularité la rend plus éprouvante ? La conscience de faire pour le mieux est un faible exutoire pour qui souhaite, sinon être aimé, du moins être compris.

Souhait peut-être illusoire en cette époque où celui qui décide est moins respecté que celui qui juge, ou qui censure. Souhait encore plus illusoire en France. Nous sommes restés des Gaulois querelleurs. Je m'en suis aperçu lorsque j'ai décidé de rétablir l'heure unique. Approbation unanime de l'opinion. Mais il fallait choisir l'heure. Celle d'hiver ou celle d'été ? Dès lors, la France s'est coupée en deux.

Le repli sur le bonheur privé n'est pas un recours. Au contraire, mes joies personnelles me paraissent indues, presque scandaleuses. Être heureux de vivre quand les Français souffrent, et que partout on m'impute cette souffrance !

Ma nature me portant plutôt à l'activité, je puise dans la difficulté une incitation supplémentaire à agir pour enrayer les logiques infernales de la cruauté. Car enfin, à quoi bon consacrer l'essentiel de son existence à la chose publique, si l'on n'a pas l'espoir d'améliorer tant soit peu le sort des gens ? La vanité d'occuper une place élevée sur l'échelle sociale ? Elle se paie trop cher. La passion du pouvoir ? C'est un mirage.

Il est trop tôt pour juger de ma réussite ou de mon échec, car je suis au milieu d'un gué. [...]

Si j'échoue, je ne m'en prendrai qu'à moi-même — et je ne regretterai pas d'avoir obéi à cette étrange vocation, la politique. Je ne l'ai pas fait par intérêt, ou par égoïsme. Je suis un homme plein de défauts, sans doute aussi de paradoxes, mais je n'ai pas choisi la politique pour des raisons accessoires. Puissent ces quelques pages en convaincre ceux qui m'imaginent sur l'Olympe de mes ambitions, inaccessible aux sentiments ordinaires. Matignon n'est pas un Olympe, j'ai l'ambition de réussir ce que j'ai entrepris, et mes sentiments sont tels que chaque Français y retrouverait ses joies et ses peines, selon un dosage qui varie selon les jours. Mon moral varie surtout en fonction des chiffres du chômage. Autant dire qu'à peine reposé le stylo, je vais reprendre sans états d'âme ma lutte contre ce fléau, et les autres qui pour une large part en dépendent. Si je réussis, les épreuves que j'ai traversées n'auront pas été inutiles.

© Nil

10. La mort de François Mitterrand

Le 8 janvier 1996, moins d'un an après avoir quitté l'Élysée, François Mitterrand décédait à son domicile parisien du 9 avenue Frédéric-Le Play, près du Champ-de-Mars. Bien que la mort de l'ancien chef de l'État n'ait été une surprise pour personne — la gravité de son état de santé, longtemps tenue secrète, était connue de tous bien avant qu'il ait quitté le pouvoir —, la nouvelle a suscité une grande émotion, tant à l'étranger qu'en France, et elle a largement débordé le clivage droite-gauche. Appliqué depuis des années à forger son image posthume, François Mitterrand avait contribué, ne serait-ce qu'en laissant faire historiens et journalistes en quête d'un scoop, à éclairer quelques-unes des zones d'ombre que comportait sa biographie d'homme public (la jeunesse droitière, le bref passage par Vichy, les amitiés encombrantes, etc.) et sa vie privée.

La mort de l'homme d'État qui, durant quatorze ans, avait assumé le destin de la France, a été suivie d'une prolifération peut-être sans précédent de déclarations, d'écrits et témoignages divers, présentant toute la gamme des opinions, de l'hagiographie sans nuance au réquisitoire le plus féroce. Nous avons choisi de retenir ici deux textes qui ne relèvent pas de ces cas extrêmes, mais qui ont le mérite de mettre en scène deux personnalités intervenant en quelque sorte à contre-emploi : l'ami et le conseiller déçu, devenu juge de son « ancien patron », Régis Debray, et l'ancien partenaire-adversaire des combats présidentiels et de la première cohabitation, Jacques Chirac, successeur de François Mitterrand à l'Élysée.

Sources : A) Régis Debray, « Meilleur géographe qu'historien », *Le Monde*, 12 janvier 1986. B) Discours télévisé prononcé le 8 janvier 1996 par le président de la République Jacques Chirac.

A. « Slalomer sans heurts »

(R. Debray)

L A COMPAGNIE DE JÉSUS nous eût arrangé tout cela. Hélas, prêtres d'Angoulême, maristes du « 104 »[1] n'étaient pas à la hauteur. Définir, classer, distinguer, ordonner; procéder par étapes et divisions ; opposer, éliminer, rassembler : ces précautions s'apprennent dès l'enfance, chez les Pères. C'est l'objet d'une éducation classique. Contrairement à la légende, Mitterrand n'en eut pas de sérieuse. Cet héritier prometteur fut abandonné à la faculté de droit et à ses talents ; trop de finesse et pas assez de système. C'est De Gaulle qui a le style jésuite : clair, net, maîtrisé. [...]

_____

1. 104, rue de Vaugirard, Paris VIe.

N'ayant ni la formation militaire ni la culture managériale du chef d'entreprise, Mitterrand ne put suppléer à son défaut d'éducation abstraite par une expérience pratique de la netteté. Alors, Lamartine règne, « le style c'est l'homme ». J'en parle en connaissance de cause : le négligé-surveillé, l'abandonné-prudent, je me le suis chemin faisant incorporé. Commis dès 1981 aux professions de foi, aux harangues de Cancun et d'ailleurs, aux réponses diplomatiques pour Tiers monde embarrassant, je ripai bientôt, l'apprentissage aidant, de l'oratoire à l'intime et même à l'intimiste. À la fin du premier septennat, je faisais du Mitterrand en liberté non-stop, au kilomètre. [...]

Slalomer sans heurts, se répéter au besoin ; ne fermer aucune porte, trois petits points, que sais-je encore ; louvoyer, survoler, suggérer ; thème et variations, volutes, esquives. Ne rien asséner, ne rien assumer. Et que toute formule en page 1 puisse être balancée en page 2 par une autre de sens inverse. Ainsi toute citation sortie du contexte s'en verrait opposer une autre, contradictoire quoique complémentaire, par un démenti qui n'en serait pas tout à fait un.

Comment jetterais-je la pierre à mon ancien patron ? Je n'aurais jamais pu me couler dans son ombre si ses doubles fonds, ses travers n'avaient été les miens, par un certain côté. Lui, à la fin, c'était mon autre moi, mon sosie agrandi et roublard, l'_alter ego_ du forum : un philosophe n'est pas de bois ni d'idées pures, ce serait trop beau.

B. Allocution de Jacques Chirac, le 8 janvier 1996

Mes chers compatriotes,
Le président François Mitterrand est mort ce matin. Les Français ont appris avec émotion la disparition de celui qui les a guidés pendant quatorze ans. Je voudrais saluer la mémoire de l'homme d'État, mais aussi rendre hommage à l'homme dans sa richesse et sa complexité.

François Mitterrand, c'est une œuvre. Grand lecteur, amoureux des beaux livres, l'écriture était pour lui une respiration naturelle. Sa langue classique fut toujours la traductrice fidèle et sensible de sa pensée.

François Mitterrand, c'est une volonté. Volonté de servir certains idéaux : la solidarité et la justice sociale ; le message humaniste dont notre pays est porteur, et qui s'enracine au plus profond de nos traditions : l'Europe, une Europe dans laquelle la France réconciliée avec l'Allemagne et travaillant avec elle occuperait une place de premier rang. Mais aussi une façon de vivre notre démocratie. Une démocratie moderne, apaisée, grâce notamment à l'alternance maîtrisée, qui a montré que changement de majorité ne signifiait pas crise politique. Nos institutions en ont été renforcées. En politique, François Mitterrand fut d'abord profondément respectueux de la personne humaine, et c'est pourquoi il a décidé d'abolir la peine de mort. Respectueux, aussi, des droits de l'homme : il ne cessa d'intervenir partout où ils étaient bafoués. Ses choix étaient clairs, et il les a toujours faits au nom de l'idée qu'il se faisait de la France.

Mais François Mitterrand, c'est d'abord et avant tout une vie. Certaines existences sont paisibles et égrènent des jours semblables, parsemés d'événements privés. Le président Mitterrand, au contraire, donne le sentiment d'avoir dévoré sa propre vie. Il a épousé son siècle. Plus de cinquante ans passés au cœur de l'arène politique, au cœur des choses en train de s'accomplir. La guerre, la Résistance. Les mandats électoraux. Les ministères dont, très jeune, il assume la charge. La longue période, ensuite, où il sera l'une des figures majeures de l'opposition, avec détermination, opiniâtreté, pugnacité. Les deux septennats enfin, où il prendra toute sa dimension, imprimant sa marque, son style, à la France des années 80.

Mais François Mitterrand n'est pas réductible à son parcours. S'il débordait sa vie, c'est parce qu'il avait la passion de la vie, passion qui nourrissait et permettait son dialogue avec la mort. La vie sous toutes ses formes. La vie dans ses heures sombres et ses heures glorieuses. La vie du terroir, la vie de nos campagnes, cette France rurale qu'il a tant aimée, presque charnellement. Il connaissait notre pays jusque dans ses villages et, partout, il avait une relation, un ami. Car il avait la passion de l'amitié. La fidélité que l'on doit à ses amis était pour lui un dogme, qui l'emportait sur tout autre. Il suscita en retour des fidélités profondes, au travers des années et des épreuves.

Ma situation est singulière, car j'ai été l'adversaire du président François Mitterrand. Mais j'ai été aussi son Premier ministre et je suis aujourd'hui son successeur. Tout cela tisse un lien particulier, où il entre du respect pour l'homme d'État et de l'admiration pour l'homme privé qui s'est battu contre la maladie avec un courage remarquable, la toisant en quelque sorte, et ne cessant de remporter des victoires contre elle. De cette relation avec lui, contrastée mais ancienne, je retiens la force du courage quand il est soutenu par une volonté, la nécessité de replacer l'homme au cœur de tout projet, le poids de l'expérience. Seuls comptent, finalement, ce que l'on est dans sa vérité et ce que l'on peut faire pour la France.

En ce soir de deuil pour notre pays, j'adresse à Madame Mitterrand et à sa famille le témoignage de mon respect et de ma sympathie. À l'heure où François Mitterrand entre dans l'Histoire, je souhaite que nous méditions son message.

XXIV

CRISES ET MUTATIONS
DE LA SOCIÉTÉ FRANÇAISE
DEPUIS LE MILIEU DES ANNÉES 1970

Nous avons, dans ce chapitre, mis l'accent sur quelques-unes des conséquences sociales de la profonde mutation économique et technologique qui caractérise le dernier quart du XXᵉ siècle. Celle-ci s'inscrit dans la longue durée et ne coïncide pas tout à fait avec l'idée que l'on se fait traditionnellement de la « crise », par référence à la grande dépression des années trente. Les deux chocs pétroliers de 1974 et 1979, s'ils ont eu pour effet d'accentuer une évolution entamée quelques années plus tôt, ne sont que très partiellement responsables des difficultés que la France, comme la plupart des États industrialisés, a connues à partir du milieu de la décennie 1970 et qui sont en fait consécutives à la « troisième révolution industrielle ».

En quelques années, les préoccupations des économistes et des observateurs du social, comme celles de tous ceux qui aspirent à une gestion harmonieuse des ressources humaines, ont changé. À la critique acérée du profit (texte n° 2), au réquisitoire dressé contre un système fondé sur les inégalités (texte n° 3), voire au procès intenté à la croissance — autant de comportements psychologiques qui caractérisent fortement l'ultime phase des Trente Glorieuses —, se substitue un mode de « penser la crise » qui tranche avec les diagnostics antérieurs et qui tend à considérer celle-ci comme un phénomène durable et irréversible (texte n° 3), dont les effets ravageurs ne sauraient être limités que par le recours aux remèdes rigoureux prônés par les tenants de l'école monétariste. Au fur et à mesure que le mal devient plus visible et plus profond, ce courant s'amplifie, débordant largement les frontières du libéralisme traditionnel — incarné en France par la droite modérée — pour irriguer d'autres familles politiques : de l'extrême droite lepéniste à la social-démocratie en passant par le mouvement gaulliste. La France, comme les autres pays du monde industrialisé, vit ainsi majoritairement à l'heure de la « pensée unique ».

Le mal est connu et il ne fait pas son apparition avec le quadruplement du prix du pétrole à la fin de 1973. Les premiers éléments de déséquilibre datent en effet des années 1967-1968 et révèlent, ce qui va devenir manifeste quelques années plus tard, une adaptation difficile du monde industriel aux bouleversements technologiques et économiques qui caractérisent, entre autres, l'ère de l'électronique et de l'informatique. Les innovations nées de la seconde révolution industrielle et qui avaient soutenu la croissance des années cinquante et soixante, en particulier les méthodes d'organisation scientifique du travail, ont atteint les limites de leurs effets dynamisants. Comment inclure ces nouveautés déstabilisatrices dans des structures économiques, sociales, mentales, qui sont celles de la seconde révolution industrielle et qui représentent encore l'essentiel de l'activité dans un pays comme la France et emploient la majeure partie de la main-d'œuvre ?

Les principales victimes des inévitables restructurations du tissu industriel ont été les industries anciennes, grandes utilisatrices de main-d'œuvre et dont les tentatives (souvent vaines) de rénovation ont absorbé beaucoup d'énergie et de capitaux : textile, sidérurgie, constructions navales, et même automobile, industrie reine et fer de lance de la croissance à l'époque des Trente Glorieuses.

La « crise » a ainsi partiellement remis en question les acquis de la croissance. Elle a certes accéléré des processus en cours depuis longtemps : désertification de certaines campagnes (Sud-Ouest, Centre, Alpes du Sud), « désindustrialisation » de vieilles régions industrielles comme la Lorraine et le Nord, essor de l'électronique et de l'informatique avec le remplacement (en moindre nombre) des ouvriers par des techniciens, etc. Mais surtout, alors que patronat et gouvernement maintenaient les bas salaires (sauf durant le court intermède qui a suivi l'arrivée des socialistes au pouvoir en 1981), et que les revenus du capital progressaient, les classes moyennes salariées ont vu leurs rémunérations bloquées ou réduites, tandis que croissait le poids des prélèvements obligatoires.

Devenu endémique, le chômage constitue la principale manifestation de cette déprime prolongée. De 450 000 au début des années 1970, le nombre des chômeurs est passé à 1,5 million en 1980, 2,2 millions en 1984 et à plus de 3,5 millions aujourd'hui, soit 12,6 % de la population active, ce qui place la France au dernier rang des pays riches rassemblés dans le G 7. Particulièrement répandu parmi les jeunes, les femmes, les travailleurs étrangers et les ouvriers, le chômage conjugue ses effets avec ceux de l'inadaptation sociale, du manque de formation (texte n° 4) et de handicaps divers, déterminant de nouvelles formes d'exclusion et de pauvreté (texte n° 5) auxquelles tentent de porter remède certaines initiatives publiques (revenu minimum d'insertion) ou privées (« restaurants du cœur »). La France est ainsi menacée de voir naître une « société à deux vitesses » séparant ceux qui bénéficient d'un emploi et profitent de la consommation, des chômeurs ne survivant que grâce à l'assistance ou à des expédients divers (texte n° 6).

Toutes les catégories sociales n'ont pas subi les effets déstabilisateurs de la crise (texte n° 7). Celle-ci, d'autre part, n'a pas radicalement modifié les comportements sociaux qui s'étaient développés dans le contexte euphorisant de l'expansion : propension à consommer pour ceux qui le peuvent, hédonisme, exaltation du moi, refus des contraintes et des interdits, libération des femmes et indépendance des jeunes, culte du loisir (texte n° 8), etc. Ces pratiques ont eu toutefois à subir les effets d'une vague de retour qui relève à la fois de la réaction classique à ce que certains considèrent comme symptomatique de la « décadence », et des simples incidences — matérielles ou autres — de la crise que traverse depuis vingt ans notre société postindustrielle. Ainsi, l'hédonisme et l'individualisme ambiants, le naufrage des idéologies globalisantes, la crise du couple traditionnel (texte n° 9), n'ont pas fait disparaître, loin de là, un système de valeurs que l'on pouvait croire obsolètes, à commencer par celle de la famille, devenue pour beaucoup un refuge et l'ultime repère, dans un monde perçu comme mouvant et hostile (texte n° 10).

1. Une critique du profit abusif
(1973)

Issu d'une famille bourgeoise catholique, polytechnicien, Jean Girette a dirigé le réseau sud-ouest de la SNCF et pouvait prétendre à la direction générale de cette grande entreprise nationalisée, lorsqu'il a décidé, à plus de cinquante ans, de tout abandonner pour se faire embaucher comme tourneur dans une usine mécanique, partageant pendant sept ans les conditions de vie et de travail du prolétariat industriel d'une ville de province.

De cette expérience en milieu ouvrier, il a tiré une philosophie, plus proche du catholicisme social que des idées de la gauche socialiste, qu'il développe dans un ouvrage publié en 1973 sous le titre Je cherche la justice. *Hostile au marxisme matérialiste et à la violence révolutionnaire, respectueux de la propriété et de la libre entreprise, il prône un dépassement de la lutte des classes par le réformisme social, l'éducation des masses et l'autogestion. Un mélange donc de traditionalisme chrétien — qui conduit cet ancien patron devenu ouvrier à condamner le profit abusif et l'argent facile — et de modernisme autogestionnaire qui situe Jean Girette à mi-chemin des héritiers de La Tour du Pin et du PSU post-soixante-huitard.*

Source : Jean Girette, « Je cherche la justice », *Revue politique et parlementaire*, février 1973, pp. 32.

Bibliographie : J. Girette, *Je cherche la justice*, Paris, France-Empire, 1973 ; A. Sauvy, *Le Socialisme en liberté*, Paris, Denoël, 1970.

TOUT CELA ne suffit pas pourtant encore. Il faut regarder en face ce puissant mouvement affectif qui dresse le monde du travail manuel contre le « profit ». Et il ne suffit pas de dire que cela est déraisonnable, et qu'il faut donc passer outre. Il me paraît douteux que le système fondé sur une large propriété privée des moyens de production puisse subsister — même si les travailleurs participent largement à cette propriété — si le régime économique n'assainit pas moralement sa situation. Les abus créent un dégoût chez ceux qui voient les choses d'en bas ; alors le mouvement vers une socialisation totale l'emportera fatalement si le capitalisme ne sait pas, ne peut pas, ou ne veut pas travailler à la correction de ses tares évidentes. Les régimes communistes jouissent d'une réputation de propreté ; même si celle-ci est un peu puritaine, même si elle est la fille de l'austérité, c'est à juste titre qu'elle séduit un grand nombre de ceux qui ne possèdent pas. Si, après tout, le socialisme marxiste était le seul moyen d'éviter toutes les formes de pourriture que charrie le capitalisme, eh bien ! il n'y aurait plus qu'à dire : « Vive le socialisme ! » Il est aujourd'hui malséant de poser la question du bien et du mal. Mais la nausée n'en saisit pas moins ceux qui n'aiment pas l'odeur de pourriture. Il serait facile de s'arrêter à la licence des spectacles, des livres, au scandale de la drogue, etc. Ce que je vise ici, c'est l'amoralisme en matière de profit. Le profit se moralisera dans la mesure où il sera *obligé de se révéler au grand jour*, de s'expliquer, de montrer d'où il vient, et comment et à quoi il est utilisé. La pression de l'opinion pourra jouer alors. Et il deviendra possible de ne plus dénoncer systématiquement tous les profits —ce qui est une absurdité — mais de condamner ceux dont l'origine est inavouable, ou qui scandalisent par leur manque de fondements, ou les profits abusifs, ou ceux qui sont accaparés égoïstement. Il n'est pas facile de tracer une ligne à l'intérieur des spéculations, pour distinguer celles qui sont purement condamnables de celles qui ont une justification, celles qui sont motrices, ou celles qui bloquent (spéculation foncière, par exemple). Mais, à ne pas vouloir le faire, on court un risque certain : que tout soit emporté un jour par un brusque raz de marée, à l'occasion d'un grave scandale, ou pour tout autre motif mobilisant l'affectivité du grand nombre.

Pour conclure, je ne crois pas que l'évolution de notre pays puisse connaître longtemps cette sorte d'attentisme dans lequel nous vivons par crainte de l'inconnu. Ou bien un vigoureux effort sera fait pour répondre aux aspirations foncières dont je me suis fait l'interprète, en ne reculant pas devant les mesures permettant une évolution dans la liberté ; ou bien des choix plus draconiens seront un jour prochain inévitables, sans que personne puisse certifier, malgré toutes les bonnes intentions affirmées, que les libertés acquises ne seront pas remises en cause gravement par de tels choix.

2. Faut-il réduire les inégalités ?

Au début des années 1970 le thème de la réduction des inégalités et celui de l'égalité des chances sont au centre de la critique que les intellectuels et les hommes politiques de gauche adressent à la société capitaliste. À l'heure où la croissance bat des records et où l'intelligentsia socialiste et gauchisante se préoccupe surtout d'en dénoncer les effets pervers, c'est le partage équitable des fruits qu'elle produit qui est à l'ordre du jour, pas encore le chômage, l'exclusion et l'incertitude du lendemain qui caractériseront les deux décennies suivantes. Dans L'Anti-économique, le premier de ses ouvrages, qu'il signe avec Marc Guillaume, et qui paraît au Presses universitaires de France en 1974, Jacques Attali, alors maître des requêtes au Conseil d'État et expert économique auprès du Parti socialiste — qu'il a rejoint après le congrès d'Épinay —, cherche à définir un modèle de « société réellement autonome qui ne soit asservie ni aux sacrifices de la production, ni aux simulacres de l'information ».

Dans l'extrait présenté ici, les deux auteurs expliquent qu'il est d'autant plus difficile de réduire les inégalités que celles-ci constituent, à bien des égards, l'un des moteurs du capitalisme.

Source : Jacques Attali, Marc Guillaume, *L'Anti-économique*, Paris, PUF, 1974, pp. 218-220.
Bibliographie : M. Pebereau, *La Politique économique de la France*, 2 vol., Paris, Armand Colin, 1985 et 1987 ; D. Borne, *Histoire de la société française depuis 1945*, Paris, Armand Colin, 1988.

L'INÉGALITÉ JOUE dans les sociétés industrielles modernes un rôle fondamental sous des formes très diversifiées ; peu de sociétés capitalistes ou socialistes pauvres semblent être prêtes à s'en passer. Faut-il la maintenir ? Faut-il et peut-on la réduire ? la supprimer ? Pour y répondre, il faut d'abord rappeler les divers rôles économiques de l'inégalité, tels que nous les avons définis :

— Par les frustrations qu'elle provoque, elle entretient les désirs et donc maintient la demande marchande.

— Par les mécanismes qui la légitiment, elle encourage la production : produire plus, c'est gagner plus (en salaire ou en profit). Le lien aujourd'hui artificiellement maintenu entre productivité et salaire en est l'expression la plus classique.

— Par la concentration des richesses qu'elle organise, elle favorise l'épargne de ceux qui gagnent plus qu'ils ne peuvent consommer.

— Par l'échelle hiérarchique qu'elle crée, elle donne une finalité matérielle à la vie sociale des travailleurs, pour eux et leurs descendants, en détournant leurs revendications de pouvoir : en définitive, l'inégalité crée les règles d'un jeu que même les plus défavorisés croient avoir, dans le court terme, intérêt à jouer.

Ces éléments suffisent peut-être à expliquer la solidité de la structuration des sociétés industrielles, capitalistes et socialistes. La distribution capitaliste de la valeur ajoutée et la distribution socialiste du produit social s'accomplissent suivant des règles différentes mais qui, en exacerbant les besoins de tous, favorisent de la même façon l'acceptation des règles du jeu social. Ceci étant admis, il n'est pas nécessaire alors, comme certains biologistes et anthropologues l'affirment, de rechercher dans l'histoire génétique de l'homme ou dans la préhistoire de l'humanité les justifications fondamentales de la dominance et du goût pour l'inégalité, et on comprend alors pourquoi les sociétés industrielles ne se donnent jamais de projet plus radical que celui de réduire l'inégalité des chances : l'égalité des chances est en effet le meilleur moyen de légitimer le principe de l'inégalité sociale. Toutes les tentatives en Occident pour réduire les inégalités par des mesures fiscales et réglementaires ne peuvent dont être qu'illusoires. De fait, que l'on examine le revenu d'un ménage avant et après la déduction d'impôt, les différences de salaires, de richesses ne s'améliorent dans aucun pays capitaliste. Ceci peut surprendre : avec le développement économique les dépenses publiques représentent une part de plus en plus élevée du revenu national. Les programmes de transferts publics ou de services (le _Welfare State_), se sont élevés et sont supposés bénéficier d'abord aux plus défavorisés, actifs et inactifs. En réalité, la répartition des revenus après impôt n'est en général pas beaucoup plus égalitaire qu'avant impôt. Les charges de sécurité sociale, les impôts indirects pèsent sur les groupes à bas revenus autant que sur ceux dont les revenus sont élevés. De même, les services publics ne sont pas intrinsèquement redistributifs. Les services coûteux,tels l'éducation et même les soins médicaux bénéficient davantage aux riches. Le système de production exige l'inégalité ; il ne peut que la recréer malgré la mythologie redistributive. Sa survie est à cette condition.

3. « Le pire est devant nous »

Sorti major de l'École nationale d'administration en 1975, inspecteur des finances, Alain Minc a dirigé avec Simon Nora le Rapport sur l'informatisation de la société, _avant de rejoindre le secteur privé en 1979 comme directeur financier, puis comme directeur général de la compagnie Saint-Gobain, fonction qu'il occupera jusqu'en 1986. Deux ans plus tôt, il a fait paraître chez Gallimard l'ouvrage dont nous présentons ici un extrait tiré de l'introduction :_ L'Après-crise est commencé, _ouvrage qui sera suivi de beaucoup d'autres_ (Le Syndrome finlandais, _Seuil, 1986,_ La Machine égalitaire, *Grasset, 1987,* La Grande Illusion, *Grasset, 1988, etc.) et qui rencontre d'entrée de jeu un vaste écho médiatique.*

Dans ce livre, Alain Minc défend la thèse du caractère insolite — et inédit — de la crise que traverse depuis le milieu des années 1970 le monde occidental, et tout particulièrement la France dont les structures, encore fortement imprégnées de l'esprit rentier du XIXe siècle, s'adaptent difficilement aux immenses mutations produites par la troisième révolution industrielle. Il considère que, contrairement à ce qui s'est passé après le krach de Wall Street, il n'y a pas pour l'Europe d'issue à court et moyen termes — ne serait-ce que parce que la dissuasion nucléaire rend désormais la guerre « impensable et impensée » — et qu'il faudra par conséquent s'adapter à l'économie de rareté dans laquelle nous sommes entrés. Ceci suppose à ses yeux davantage d'État, mais dans une perspective totalement différente de celle que prônent les socialistes orthodoxes. C'est le modèle « étato-libertaire » dans lequel l'État est appelé à jouer un rôle de « bouclier industriel » tandis que le marché « a vocation à redevenir un régulateur dans le domaine du social ».

Source : Alain Minc, *L'Après-crise est commencé*, Paris, Gallimard, 1984, pp. 7-12.
Bibliographie : Y. Gauthier, *La Crise mondiale de 1973 à nos jours*, Bruxelles, Complexe, 1989 ; J. Marseille, A. Plessis, *Vive la crise et l'inflation !*, Paris, Hachette, 1983 ; M. Albert, J. Boissonnat, *Crise, Krach, Boom*, Paris, Le Seuil, 1988.

LE PIRE EST DEVANT NOUS mais la crise est sans doute passée. Malgré une économie qui se referme comme un étau, nous entrons dans l'après-crise au rythme des mutations d'une société qui s'adapte plus spontanément à une relative rareté que nos habitudes mentales et nos concepts.

La crise n'est en effet ni une panne temporaire du système productif, comme le pensent les libéraux classiques, ni l'occasion privilégiée d'une mutation de l'appareil de production susceptible de déboucher à terme sur une nouvelle croissance. Dans un cas, le jeu du marché est supposé assurer le rétablissement des grands agrégats, et, partant, les conditions de l'expansion ; dans l'autre, une révolution technologique, en l'occurrence l'informatique, porte en elle les germes de gains de productivité tels qu'ils doivent gager la croissance et le plein emploi. Démarches, toutes deux, marquées au coin du vieil optimisme des économistes convaincus qu'à quelques perturbations près, la croissance est un état naturel de l'économie. Elles font fi du jeu de la société, considérée dans un cas comme neutre, dans le second comme suffisamment plastique pour se mouler sur les impératifs du progrès technologique ; elles traduisent son expulsion du champ d'une économie politique devenue prisonnière de sa fascination pour les chiffres et de sa confusion avec la politique économique.

Or, nous entrons dans l'après-crise, parce qu'il n'y a pas eu de crise, ou du moins de crise au sens d'un choc traumatique et inattendu, qui manifesterait à sa façon la fatalité en économie. L'envolée des prix pétroliers nous sert davantage de symbole cathartique sur lequel nous nous libérons de nos angoisses, qu'elle n'a constitué la cause prédominante de la fin de la croissance : celle-ci était inscrite dans les chromosones d'un système économique qui, au fil même de l'accumulation des années de croissance, sécrétait les anticorps qui allaient progressivement y mettre fin, créant à leur tour une spirale cumulative où les prévisions d'avant-hier sont devenues les erreurs d'hier, et les prévisions d'hier les rêves d'aujourd'hui. [...]

Étrange crise, d'ailleurs, qui se déroulerait sur la toile de fond d'une société assez paisible, plutôt tournée vers ses propres problèmes qu'agitée de tensions sociales insupportables. L'identité des mots finit par occulter la réalité des faits : à trop parler de crise, on croit revivre un mimodrame douillet des années trente. Existe-t-il pourtant situations plus dissemblables ? Les années trente ont sans doute constitué la dernière crise des sociétés encore pauvres ; alors qu'aujourd'hui se joue, en apparence, la première crise de sociétés riches qui, en socialisant les dommages, essaient de s'offrir une assurance tout risque. [...]

La nasse se resserre d'année en année : la croissance ne cesse d'atteindre des niveaux tendanciellement plus faibles et le chômage de croître sans limite. Il nous prend en tenaille à travers deux contraintes. L'une, majeure à court terme, peut-être moins lourde à long terme, tient au déséquilibre croissant des comptes extérieurs dans un système volatil de changes flottants : le déficit aggrave la dépréciation qui, elle-même, accroît le déficit, cercle vicieux qui abaisse à chaque fois le niveau de croissance compatible avec l'équilibre de la balance des paiements. L'autre, mineure dans l'instant, mais décisive à long terme, tient au déficit croissant de l'État-providence : celui-ci, qui a rusé avec les réalités pour éviter le poids de la récession, devra solder les traites sans provision, autre que l'inflation, qu'il a tirées sur l'avenir. [...]

Il n'y aura donc de salut ni dans la révolution informatique — elle n'apportera aucun miracle et alourdira, à son corps défendant, le chômage —, ni dans un sursaut de l'Europe : celle-ci dérive désormais loin du cœur d'une économie-monde, qui se déplace de l'univers atlantique au Pacifique, comme autrefois de Venise à Amsterdam.

L'équation est donc sans solution économique, aujourd'hui et demain. L'économie de rareté où nous entrons n'appelle qu'un pis-aller : le partage. Partage des ressources rares, c'est-à-dire partage du travail productif, des revenus primaires et du revenu socialisé. Mais dans une économie complexe, le partage ne se décrète ni ne se négocie entre les forces sociales dominantes : il se fait dans le travail que la société est capable d'effectuer sur elle-même. [...]

L'univers économique mondial est devenu un champ de forces où s'affrontent des dinosaures industriels. Chaque pays ne cesse de ruser avec le marché, afin de mieux armer ses entreprises pour cette bataille. L'État a désormais la vocation d'un bouclier industriel, même s'il demeure inapte à produire. [...] Mais si l'État bouclier industriel cherche à atténuer le choc du marché, là où il était écrasant, le marché a en revanche vocation à devenir un régulateur du social dont il était banni. [...] Seule, une dose de marché peut en effet contribuer à enrayer le processus d'accumulation bureaucratique qui, nourri des surplus de la croissance, a succédé au mode d'accumulation capitaliste. [...] Mue institutionnelle d'autant moins naturelle qu'elle s'identifie à un étrange précipité idéologique : une démarche « étato-libertaire ». L'après-crise sera en effet étato-libertaire ou ne sera pas : défi majeur, pour nos habitudes idéologiques, que d'accepter cette alliance de contraires sans verser collectivement dans la schizophrénie.

© Gallimard

4. L'éducation pour tous ?

La démocratisation de l'enseignement, amorcée dès les années 1960, a connu au cours des trois décennies suivantes une forte accélération. En se donnant pour objectif de porter à 80 % de la classe d'âge le nombre des bacheliers, le pouvoir socialiste a encore accentué la tendance, comme le montrent les chiffres énoncés dans cet article publié en 1992. Cela ne veut pas dire qu'à l'allongement des études corresponde, pour nombre d'élèves, une formation leur permettant de pallier — pour les représentants des catégories les plus défavorisées — les effets de la mutation économique et sociale que connaît la France depuis vingt ans. Ni qu'il ait favorisé la mobilité sociale ascensionnelle du plus grand nombre.

Depuis le milieu des années 1970, la tendance a plutôt été, après la relative ouverture des deux décennies précédentes, à la refermeture et au repli. Certes, on compte de plus en plus de jeunes issus des catégories intermédiaires dans les universités. Entre 1981 et 1991, le nombre d'inscrits dans l'enseignement supérieur est passé de moins d'1,2 à près d'1,7 million et l'on en attend 2,6 millions à l'horizon de l'an 2 000. Mais cette croissance globale des effectifs ne s'accompagne pas, ou très peu, d'un élargissement des filières qui donnent accès aux postes de commande de notre société. Celles-ci demeurent le fait d'un petit nombre d'établissements qui ont maintenu des procédures de sélection extrêmement restrictives et qui, pour l'essentiel, recrutent leurs élèves dans un milieu financièrement et intellectuellement favorisé.

Au demeurant, la mobilité sociale conserve des limites relativement strictes. D'une génération à l'autre, les mouvements entre les catégories extrêmes sont à peu près nuls. Selon une enquête menée en 1985 par l'INSEE, 60 % des fils de cadres deviennent eux-mêmes cadres, 27 % sont employés ou exercent une profession intermédiaire, 3 % sont chefs d'entreprise, 4 % seulement deviennent et restent ouvriers. En sens inverse, les fils d'ouvrier conservent, pour la moitié d'entre eux, le statut professionnel de leurs pères ; 32 % accèdent aux professions intermédiaires, 8 % au statut de cadre, 9 % sont artisans ou commerçants, et 1 % deviennent chefs d'entreprise.

Source : Gérard Courtois, « L'École déstabilisée », *L'État de la France*, 1992, Paris, La Découverte.

Bibliographie : A. Prost, *L'École et la famille dans une société en mutation*, G.V. Labat, 1982, (tome IV de l'*Histoire générale de l'enseignement et de l'éducation en France*, sous la direction de L.-H. Parias) ; D. Borne, *Histoire de la société française depuis 1945*, Paris, Armand Colin, 1988.

UN FAIT SOCIAL MAJEUR est au centre de ces interrogations : l'ouverture des portes du lycée à la grande majorité de chaque génération quand il n'était, jusque récemment, accessible qu'à une minorité, protégeant efficacement les hiérarchies culturelles, sociales et régionales. Désormais, inscrit dans la loi d'orientation de 1989 (loi Jospin), [...] l'objectif d'amener 80 % des jeunes Français au niveau du baccalauréat a en effet déclenché une onde de choc. [...]

Entre 1986 et 1991, en six ans, les lycées d'enseignement général et technique auront accueilli plus de 360 000 élèves supplémentaires, leurs effectifs passant de 1,2 million à 1,57 million. Le taux d'accès en classe terminale, [...] qui plafonnait jusqu'en 1985 autour de 36 % d'une classe d'âge, a dépassé 50 % à la rentrée 1989 et approche les 60 % en 1991. Selon les prévisions, il devrait atteindre 75 % en 1997. [...] Un jeune sur cinq était bachelier en 1970, un sur trois au début des années 1980, pratiquement un sur deux en 1992.

Avec des répercussions automatiques sur l'université. À la rentrée 1987, l'on comptait 980 000 étudiants *stricto sensu* inscrits dans les filières universitaires. Quatre ans plus tard, on dépassait largement la barre de 1,2 million. [...]

Globalement, le résultat est loin d'être négatif puisque le pourcentage de jeunes obtenant le baccalauréat, approximativement, a doublé en vingt ans. Mais cela n'a pas gommé, au contraire, les disparités sociales : à la fin des années 1980, un enfant d'ouvrier sur quatre avait une chance de décrocher le bac, contre trois sur quatre pour les enfants de cadres et de professions libérales. L'écart s'est même accru au cours des deux dernières années, notamment dans les filières les plus prestigieuses.

© La Découverte

5. Comment on devient SDF

Le chômage de longue durée a donné naissance en France depuis une quinzaine d'années à un phénomène de marginalisation des catégories les plus vulnérables. La «nouvelle pauvreté» frappe des individus jusqu'alors bien intégrés à la société, plus particulièrement des jeunes et des chômeurs de cinquante ans et plus en «fin de droits» n'ayant pas encore atteint l'âge de la retraite. Elle concerne également des femmes, célibataires ou divorcées, ne disposant pas de ressources suffisantes pour assurer leur propre entretien, ainsi que celui de leurs enfants, et des ménages dont la modeste ascension sociale s'est trouvée brusquement stoppée par la crise. Endettés par l'accession à la propriété et par les crédits à la consommation, ces derniers ne peuvent faire face à leurs engagements financiers dès que la perte d'un salaire, parfois des deux, réduit leurs ressources au maigre versement des indemnités de chômage.

Nombreux sont ceux qui, parmi ces «nouveaux pauvres», se trouvent réduits à fréquenter les «restaurants du cœur» (version modernisée et humanisée des «soupes populaires» de l'avant-guerre), à pratiquer dans les lieux publics des formes variées de mendicité, voire pour les plus démunis — les «sans domicile fixe» (SDF) — à attendre des pouvoirs publics ou d'organisations caritatives qu'ils mettent à leur disposition un gîte provisoire pour y survivre au moment des grands froids. Il existe ainsi un parcours de la misère qui conduit un certain nombre de nos concitoyens du chômage prolongé à la clochardisation pure et simple, dont l'auteur de ce texte, chercheur au CNRS, décrit les principales étapes.

Source : Laurent Mucchielli, «Le clochard, mythe et réalité», _Sciences humaines_, Auxerre, n° 28, p. 19.

Bibliographie : J. Danon, _Les SDF_, Paris, La Documentation française, Problèmes politiques et sociaux, n° 770, juillet 1996 ; S. Milano, _Les Chômeurs dans la société_, Paris, La Documentation française, Problèmes politiques et sociaux, n° 748, mai 1995.

Ils s'attirent tour à tour la peur et la pitié, la gêne et la compassion. Ils dérangent par leur extrême dénuement et leur refus souvent proclamé des valeurs sociales. Ils sont près de 400 000 en France. Qui sont ces hommes et ces femmes, comment sont-ils devenus clochards ? Régine travaillait dans un restaurant qui a fait faillite. Depuis, elle s'occupait seulement de la maison. Le jour où son ami l'a plaquée, n'ayant pas de famille proche, elle s'est retrouvée à la rue. Elle dort dans les entrées d'immeubles, se méfie des autres et ne supporte pas la promiscuité, le vacarme et la discipline stricte des centres d'hébergement.

Gérard a la quarantaine. Licencié en économie, il était cadre dans une entreprise. Mais le jour où sa femme est partie avec leurs enfants, tout a chaviré. Déprimé, souvent malade, il a perdu son emploi et n'a retrouvé que des intérims. Il a bientôt été incapable de payer son loyer et a vécu un an chez son frère.

Tentant de réagir, il est parti à l'étranger pour remonter une entreprise et a échoué. De retour à Paris, il est à la rue. [...]

Ces récits de vie authentiques soulignent que la condition de clochard n'est pas un état de départ, mais le résultat d'un processus mêlant les fragilités psychologiques des individus et les drames objectifs de l'existence sociale. Une analyse restée inégalée de ce processus de désocialisation avait été développée en 1957 par le psychologue Alexandre Vexliard[1]. Il proposait un modèle en quatre phases :

1.— Une première phase agressive est déclenchée par un événement brutal (deuil, infirmité, abandon, perte d'emploi). C'est une période d'activité où l'individu tente de rétablir le cours de sa vie momentanément ébranlée. La personne est persuadée qu'elle va reprendre très vite une existence «normale». Pourtant sa vie se précarise déjà, ses contacts avec l'entourage sont empreints de gêne. Elle commence à côtoyer d'autres personnes dans la même situation mais la rejette. Elle est sûre de s'en sortir.

2.— Si elle n'a pas, à ce moment, la chance de retrouver des conditions de vie favorables, une phase de repli s'instaure. Peu à peu, il n'est plus possible de subvenir à ses besoins fondamentaux par «les moyens socialement admis» : il faut alors mendier. L'échange social est rompu : on reçoit sans avoir rien à donner, en baissant les yeux.

La confiance se perd et la dévalorisation de soi s'accentue avec la réprobation que manifeste l'entourage. C'est toute la vision du monde qui change.

3.— Cette tension entre l'aspiration et la réalité produit peu à peu la rupture avec le passé. La personne a de plus en plus le sentiment d'appartenir à une autre catégorie d'individus. Les amis ont disparu, on ne veut plus affronter la compassion méprisante de l'entourage. On dissimule sa mauvaise conscience derrière l'ironie et le dénigrement. C'est généralement à ce stade que la personne commence à boire. [...]

4.— Dans la dernière phase s'opère l'harmonisation définitive des représentations avec la réalité. C'est à la fois la résignation finale par rapport au monde ancien et la rationalisation-valorisation des nouvelles conditions de vie. Des normes nouvelles sont affirmées, opposées aux anciennes qu'on méprise désormais : refus du travail, proclamation de son absolue «liberté».

1. A. Vexliard, *Le Clochard. Étude de psychologie sociale*, Paris, Desclée de Brouwer, 1957.

6. Un ethnologue dans le métro

Sur le même thème de l'exclusion et du retour à des pratiques de mendicité que l'on croyait à peu près éliminées de nos sociétés d'opulence, voici un texte tiré du livre de l'ethnologue Marc Augé, publié en 1986 sous le titre Un ethnologue dans le métro.

Source : Marc Augé, _Un ethnologue dans le métro_, Paris, Hachette, 1986, pp. 81-84.
Bibliographie : F. Chanteau, _Vagabondage et mendicité_, Paris, Pedone,1989 ; J.-L. Degaudenzi, _Zone_, Paris, Fixot, 1987 ; S. Paugam, _La Société française et ses pauvres_, Paris, PUF, 1993.

L A MANCHE PARTICIPE du don imposé : profitant de l'espace clos du wagon, le chanteur ou le musicien dispose d'à peu près trois minutes pour son coup de force et de séduction. Pérec avait noté que l'intervalle de temps moyen entre deux stations était d'une minute et demie environ et que la lecture dans le métro pouvait s'organiser en fonction de ce rythme. C'est encore plus vrai des chansons ou des morceaux pour guitare que leurs interprètes ont tout intérêt à exécuter dans l'intervalle maximum de trois stations, s'ils ne veulent pas perdre leur auditoire ; ils ont donc trois minutes en moyenne, même s'ils travaillent à deux, le second quêtant quand le premier joue ou chante, pour imposer avec leur talent l'idée d'un nécessaire contre-don ; et il est vrai que le talent fait souvent la différence, les passagers se soustrayant plus difficilement au sentiment de la réciprocité lorsqu'ils ont été sensibles à la beauté d'une voix ou à la maîtrise d'un instrumentiste. [...]

La prestation de services artistiques se distingue de la manche : à partir d'un point fixe elle s'adresse à des passants, non à des passagers, et n'impose aucune relation duelle, ne souligne pas le lien nécessaire entre don et contre-don. À en juger par la qualité de certains instrumentistes, classiques notamment, dans les couloirs du métro, on se rend compte que de nombreux jeunes professionnels viennent s'y entraîner — ce qui leur serait sans doute plus difficile chez eux, où ils ne gagneraient en outre aucun argent. Car ils en gagnent. Les choses sont ainsi faites que ceux qui ont le moins l'air de demander reçoivent le plus : juste récompense d'un incontestable talent que reconnaissent quelques-uns et que beaucoup devinent, don gratuit aussi, don du bonheur et de l'instant (des tambours africains à Montparnasse, du jazz à Odéon, des flûtes andines ou du Bach à Sèvres, cela lance ou relance la journée) don proche de l'aumône telle que l'analyse Mauss — don à Dieu plutôt que solidarité entre hommes ?

Certains mendiants (comme on disait jadis car ce terme disparaît) semble avoir compris quelque chose de cela et ne mendient plus à proprement parler, substituant à la demande orale psalmodiée un morceau de carton ou une ardoise qui donne quelques informations sur leur sort et leur situation, instaurant une espèce de mendicité « à la muette », comme on disait du premier commerce avec les peuples « primitifs », mais relayée par l'écriture. « Je sors de prison, je suis sans travail. »

© Hachette

7. Un nouveau rite social : le barbecue

Déjà largement entamée lors de la période précédente (cf. chap. XIX), la montée des cadres s'est poursuivie et accélérée au cours des vingt dernières années, de même que celle des professions libérales et des professions intellectuelles supérieures. Au total, entre 1975 et 1990, le nombre des personnes exerçant leur activité dans ces diverses catégories est passé de 1,6 à plus de 2,6 millions. Parmi les cadres d'entreprise, dont le nombre a cru de 42 % durant cette période, les gestionnaires, les «technico-commerciaux», les informaticiens, les spécialistes des «ressources humaines» et de la communication ont vu leur rôle — et leur rémunération — augmenter dans les proportions beaucoup plus fortes que les ingénieurs de fabrication, ce qui n'a pas manqué de modifier les stratégies de carrière et les filières de formation et de recrutement. Ce n'est guère que depuis quatre ou cinq ans que ces catégories ont commencé à leur tour à payer le prix de la restructuration et de la mondialisation de l'économie, faisant connaissance avec la précarité de l'emploi, avec le chômage et avec l'érosion des revenus.

Quoi qu'il en soit, la catégorie des «cadres», au sens large, embrassant le monde des professions libérales et intellectuelles, continue à bien des égards à donner le la à l'ensemble du corps social. C'est elle qui fait et défait les modes, impose ses goûts, diffuse ses tics linguistiques, souvent empruntés aux marginaux et aux jeunes, ou dérivant de pratiques professionnelles qui font la part belle à l'anglais. C'est elle qui façonne le noyau dur d'une culture commune à toute la classe moyenne, diffusée par les médias audiovisuels, par les magazines et par les hebdomadaires politico-culturels.

Ce sont les représentants de ce qu'il appelle la «constellation centrale» que le sociologue Henri Mendras met en scène dans le texte ci-dessous. Le rite du barbecue, y tient la place de la «réception» ou du «dîner en ville» dans la société traditionnelle. Le naturel, la «décontraction», l'absence apparente de barrières hiérarchiques paraissent y régner sans partage. Pourtant, les rôles ne sont pas tout à fait interchangeables, aussi bien entre hommes et femmes qu'entre les divers acteurs d'un spectacle où chacun s'applique à affirmer sa position sociale.

Source : Henri Mendras, *La Seconde Révolution française, 1965-1984*, Paris, Gallimard, «folio-essais», 1994.

L A «BOUFFE AUTOUR DU BARBECUE» est le rite caractéristique de cette constellation centrale, rite en tout point opposé au repas bourgeois. Ni hiérarchie affirmée ni répartition ritualisée des rôles. Tout est inversé : le grillé remplace le rôti, le dehors le dedans (sans pour autant être dans la nature), l'égalité la hiérarchie. Le spectacle ne sert plus à confirmer les positions sociales mais plutôt à classer et reclasser chacun sur une échelle discrète où l'on s'efforce continuellement de gravir un nouvel échelon dans l'esprit des autres. La cérémonie se passe dehors dans un cadre agreste, sous un arbre, dans une disposition en apparence improvisée, bien que soigneusement préparée, qui contraste avec le cadre figé et «en dedans» de la salle à manger. Hommes et femmes, jeunes et vieux, les invités et leurs hôtes, tous en tenue «campagnarde», d'une élégance savamment négligée ou volontairement débraillée, se lèvent et s'asseoient, se font cuire sa brochette, vont chercher le vin, le sel ou la moutarde. Le désordre est apparent mais bien réglé. L'homme, qui a allumé le feu, préside à tout, distribue les brochettes, se glorifie dans un rôle masculin et rabaisse d'autant le rôle de la femme cantonnée aux salades et aux légumes, qui se préparent dedans, à la cuisine. [...] Chacun se donne en spectacle à chacun des autres, dans un décor « improvisé » et chaque fois renouvelé.

© Gallimard

8. Une survivance
dans la société de l'an 2 000 : la noblesse

Au sein d'une classe dirigeante qui constitue le groupe social dont l'assise économique et le poids dans la société ont, semble-t-il, été moins affectés par les changements récents que les autres catégories, la noblesse — définie non par la particule, mais par l'appartenance à une famille pouvant arguer de ses titres et de la reconnaissance de ses pairs — forme une sorte de « butte-témoin » de la société d'Ancien Régime. Si, pour la plupart, ses membres les plus fortunés sont depuis longtemps liés aux représentants des grandes familles bourgeoises, s'ils occupent des positions semblables dans le monde des décideurs économiques, fréquentent les mêmes cercles et adoptent des pratiques sociales identiques, ils conservent à bien des égards pour toute une partie de l'élite une image d'excellence — de « distinction » — qui confère à cette catégorie sociale résiduelle une fonction de modèle.

Source : Michel Pinçon, Monique Pinçon-Charlot, « La noblesse, survivance sociale ou catégorie contemporaine ? », *L'État de la France 1995-1996*, Paris, La Découverte, pp. 172-174.
Bibliographie : M. Pinçon, M. Pinçon-Charlot, *Dans les beaux quartiers*, Paris, Le Seuil, 1989 ; M. de Saint-Martin, *L'Espace de la noblesse*, Paris, Métaillié, 1993.

DEUX SIÈCLES APRÈS LA RÉVOLUTION, il subsiste en France, selon les annuaires spécialisés, entre 3 500 et 4 000 familles nobles, soit quelques dizaines de milliers d'individus. Ces chiffres marquent un recul sensible : on comptait environ 40 000 familles sous Philippe Auguste et 17 000 à la veille de la Révolution. Il est vrai que, depuis le Second Empire, il n'a plus été créé de titres nobiliaires. Si l'on ajoute aux familles de la noblesse authentique celles qui portent un patronyme d'apparence noble, on atteint un total d'environ 10 000 familles.

Les noms à particule sont courants mais ne signifient rien quant à l'appartenance à l'aristocratie. Charles de Gaulle, le maréchal de Lattre de Tassigny, Valéry Giscard d'Estaing, sont d'authentiques... bourgeois. À l'inverse les Decazes sont ducs, marquis et comtes, bien que leur patronyme ne comporte pas de particule. [...]

[...] La situation matérielle est des plus disparates. On y retrouve aussi bien des personnes réduites à la condition de salariés modestes, comme le vicomte François-René de Bayle, chef de station du métro parisien, que des grandes fortunes, telles celles des barons Guy et Edmond de Rothschild, dont la famille fut anoblie par l'empereur d'Autriche en 1817. Les Voguë, d'authentique noblesse féodale, figurent parmi les trente familles françaises les plus riches, en compagnie des Chandon-Moët et des De Wendel. Entre ces extrêmes, toutes les conditions de fortune existent.

Cette situation se retrouve dans le rapport au domaine, dont le château constitue le cœur. Certaines familles sont restées rurales et attachées aux valeurs aristocratiques. Sous une forme extrême, Philippe de Villiers les revendique. D'autres familles sont devenues parisiennes, qu'elles aient ou non vendu la maison des ancêtres, comme ce fut le cas pour une branche des Ormesson qui s'est séparée du château de Saint-Fargeau (Yonne). Maintenir le château dans le patrimoine familial est l'une des préoccupations les plus constantes de l'aristocratie contemporaine. Dans sa «liste des châteaux», le *Bottin mondain* mentionne 1 080 demeures dont les propriétaires, dans leur grande majorité, portent un titre ou un patronyme à particule. [...]

La noblesse n'est plus une caste fermée. Non seulement les visiteurs envahissent ses châteaux, mais les liens avec la bourgeoisie se sont multipliés. Grande bourgeoisie et aristocratie se trouvent ainsi mêlées dans les grands cercles parisiens. Si la noblesse constitue 90 % des 10 000 membres du Jockey Club, fondé en 1834, on y trouve aussi des Fould, des Vernes, appartenant à de vieilles familles de banquiers, ou les Hennessy qui firent fortune dans le cognac. Il s'agit cependant d'une vieille bourgeoisie, dont les liens avec la noblesse, notamment matrimoniaux, sont étroits. On retrouve, dans des proportions inversées, cette cohabitation dans d'autres cercles comme l'Automobile Club de France, le cercle de l'Union interalliée, le cercle du Bois de Boulogne ou le Polo de Paris, où la proportion de membres appartenant à la noblesse avoisine 10 %. Ces clubs rassemblent les élites du domaine des affaires et de la politique. [...]

Cet «œcuménisme» se manifeste également dans les rallyes qui organisent la sociabilité des adolescents de la «bonne société». En inculquant à ces jeunes les critères de goût et les manières d'être de leur milieu, ces réunions dansantes réduisent la possibilité des choix amoureux hors du champ des partenaires socialement possibles. Or, les rallyes n'accueillent jamais exclusivement des jeunes de la noblesse. [...]

L'aristocratie conserve toutefois une aura spécifique. D'où le nombre de ceux qui tentent de participer à cette image sociale en usurpant les signes extérieurs de la noblesse, particules et titres. D'où les hebdomadaires *Point de vue & images du monde* ou *Dynastie*, qui célèbrent l'aristocratie à longueur de colonnes. D'où la place de choix que tous les grands cercles réservent à leurs membres nobles au sein de leurs instances dirigeantes. Très liée aujourd'hui au monde des affaires, la noblesse possède un avantage sur la simple bourgeoisie : son enracinement dans le passé, perçu comme une garantie de l'excellence sociale.

© La Découverte

9. La famille éclatée

La société française a évolué depuis vingt ans dans le sens d'une affirmation croissante de l'individu. Au terme d'une évolution séculaire, qui n'est pas propre à notre pays, les contraintes sociales, liées aux croyances religieuses, aux règles morales véhiculées par la famille, par l'école, par divers groupes d'appartenance (la «classe», le parti, etc.) se sont relâchées en même temps que se transformaient les institutions qui les avaient produites. Le recul de la pratique religieuse, la crise des idéologies globalisantes, l'éclatement de la famille traditionnelle ont eu à la fois pour cause et pour effet de privilégier l'individu par rapport aux formes collectives de la vie sociale et d'ériger la liberté de chacun en valeur absolue.

L'affirmation du droit au bonheur et à l'accomplissement personnel s'est traduite, sur le plan des mœurs, par une révolution complète avec laquelle le législateur a dû compter. On continue de vivre en couple, mais l'on se marie moins, on choisit d'avoir ou non des enfants, et l'on divorce de plus en plus fréquemment. Depuis 1972, le taux de nuptialité a fortement baissé, passant de 9 % à 6 % en 1980 et à moins de 5 % en 1993. En 1991, on a célébré 280 000 mariages, 100 000 de moins qu'en 1975. Les divorces, qui avaient commencé à augmenter à partir de 1965, ont vu leur nombre tripler entre 1970 et 1990, passant de 11,8 à 32,1 %, soit pratiquement un couple sur trois. Certes, le divorce est souvent suivi d'un remariage, ou d'un concubinage prolongé s'accompagnant d'une « recomposition familiale » dont les effets ne sont pas nécessairement catastrophiques sur les enfants, mais nombre de divorcés, principalement des femmes, restent isolés.

Ce sont ces divers phénomènes qu'analyse dans l'article ci-dessous Fabienne Daguet, à partir des statistiques établies par la division Enquêtes et études démographiques de l'INSEE.

Source : Fabienne Daguet, « Mariage, divorce et union libre », _INSEE Première_, n° 482, août 1996.

Bibliographie : J.-P. Sardon, « L'évolution du divorce en France », _Population_, n° 3, 1996 ; C. Couet, « Les naissances hors mariage », _Données sociales_, INSEE, 1996.

À LA FIN DU SIÈCLE, la vie en couple marié demeure le modèle dominant. Mais [...] depuis les années soixante-dix, de plus en plus d'hommes et de femmes juridiquement célibataires ou divorcés vivent de fait avec un conjoint. Le concubinage compense, en partie, la crise de l'institution.

L'union libre était encore peu courante dans les années soixante : les recensements de 1954 à 1968 ont dénombré à peine 3 % de couples non mariés. [...] La cohabitation dépendait peu de l'âge et concernait même un peu moins les jeunes que les aînés, pour lesquels il s'agissait d'une alternative au remariage. Ensuite, c'est parmi les jeunes encore célibataires qu'elle a pris un essor considérable. Ce comportement a commencé à être adopté à la fin des années soixante par les jeunes adultes nés dans les années d'après-guerre. Puis il s'est propagé dans les générations suivantes en s'accentuant. [...]

Dans les années soixante-dix, la cohabitation semblait ajourner le mariage sans le remplacer. Elle était le plus souvent un mariage à l'essai entre deux jeunes gens, d'où l'appellation « cohabitation juvénile ». Une grossesse incitait au mariage. Dans les années quatre-vingts, la vie en couple non marié s'est imposée comme le principal mode d'entrée dans la vie en couple. Désormais, elle constitue, pour un nombre croissant d'individus, un mode de vie durable qui concurrence le mariage. [...]

Au repli du mariage s'est ajoutée la fragilisation des couples, non plus à cause de la mortalité comme autrefois, mais du divorce. Rétabli en 1884, le divorce s'est banalisé à la fin du XXᵉ siècle. Pourtant, il est resté longtemps mal considéré et, encore au début des années soixante, nombre de divorcés répugnaient à se déclarer comme tels. À la sortie de la guerre, le nombre de divorces était de deux fois et demie plus élevé qu'en 1938. De 1953 à 1963, il s'est stabilisé autour de 30 000 par an. À partir de 1964, il s'est accru. Cette montée a d'abord été hésitante, puis quasi exponentielle dans les années soixante-dix en dépit de la pratique de plus en plus répandue d'une phase de cohabitation. Les unions rompues dépassent 100 000 chaque année depuis 1984. La loi du 11 juillet 1975 introduisant le divorce par consentement mutuel est à l'origine de la hausse de 1976, mais elle n'a pas eu d'effet sur l'évolution globale du divorce. Quant à la stabilisation enregistrée à la fin des années quatre-vingts, elle est due à la fois à la diminution du nombre des mariages dans les années précédentes et à un ralentissement de la hausse de la divortialité. Au total, entre 1962 et 1990, le nombre de divorces a été multiplié par 3,5, celui des couples mariés par 1,7.

10. La famille solidaire

L'individualisme et l'hédonisme ambiants, la libération de la femme, l'indépendance des jeunes et la crise du couple traditionnel n'ont pas entraîné la disparition de la famille. Bien au contraire, celle-ci constitue pour beaucoup de jeunes à la fois un refuge et un palliatif contre les effets d'une crise de l'emploi qui frappe tout particulièrement les moins de vingt-cinq ans. Parents actifs et grands-parents retraités concourent ainsi de plus en plus — y compris lorsque leurs revenus sont relativement modestes — à la survie des enfants et petits-enfants, soit en finançant des études longues (et pas toujours utiles), soit en assurant leur entretien, total ou partiel, dans l'attente d'un débouché professionnel, soit encore en accueillant sous leur toit le jeune couple ou la mère de famille célibataire ou divorcée qui n'ont plus les moyens de payer un loyer.

L'article présenté ici est le résultat d'une enquête menée en 1994 par le Centre de recherche pour l'étude et l'observation des conditions de vie (CREDOC) pour le compte de la Caisse nationale des allocations familiales.

Source : Anne-Delphine Kowalski, «La solidarité familiale, une valeur forte», *L'État de la France 1995-1996*, Paris, La Découverte, pp. 64-65.

Bibliographie : O. Galland, *Les Jeunes*, Paris, La Découverte, 1993 ; M. Bozon, C. Villeneuve-Gokalp, «Les enjeux des relations entre générations à la fin de l'adolescence», *Population*, n° 6, Paris, INED, nov.-déc. 1994.

AVEC L'ALLONGEMENT DES ÉTUDES, les difficultés économiques et l'atténuation progressive des «conflits entre générations», le départ des enfants du foyer familial se fait maintenant plus tardivement qu'il y a quelques années. Cette tendance à la cohabitation prolongée des jeunes avec leur famille a certainement pour effet de contribuer à créer de nouveaux types de relations entre les parents et leurs grands enfants ; et à solliciter, par contrecoup, davantage les familles. Celles-ci doivent en effet apporter un soutien non seulement financier, mais psychologique, affectif et matériel.

Cela ne répond pas à une obligation, à une contrainte «subie» à laquelle se soumettraient bon gré mal gré les parents, mais au contraire à un désir profond, partagé par une forte majorité de la population. Une enquête réalisée au début de 1994 par le CREDOC pour le compte de la Caisse nationale des allocations familiales (CNAF) a montré en effet qu'il existe un large consensus sur la nécessité d'une forte solidarité des parents envers leurs grands enfants (ceux âgés de plus de seize ans). Ainsi, près de sept personnes interrogées sur dix (68 %) repoussent l'idée qu'au-delà d'un certain âge il ne faut plus aider son enfant sous peine de le déresponsabiliser, et 60 % ne croient pas qu'un jeune quittant le domicile familial doive se débrouiller seul. Ce soutien concerne aussi l'aide matérielle : 86 % de la population se montre favorable à l'utilisation des relations des parents pour aider un enfant à décrocher un travail ou un stage. Cette solidarité familiale est d'ailleurs reconnue indispensable aussi bien par les chargés de famille que par les personnes sans enfants. Elle se révèle certes encore plus forte dans les milieux populaires et modestes (ouvriers, non-diplômés) que dans les catégories aisées, mais les différences dépendent beaucoup de l'idée que chacun se fait de la responsabilisation nécessaire du jeune : en tout état de cause, la notion de solidarité passe le plus souvent avant celle de responsabilisation de l'enfant.

Cette entraide se manifeste aussi dans un autre type d'attitude : 56 % des personnes interrogées trouvent normal que les parents acceptent sous leur toit le conjoint de leur enfant si le jeune couple n'a pas les moyens de s'installer. Cela est d'autant plus marquant qu'en réalité seulement 38 % approuvent la vie en couple de jeunes ne disposant pas de ressources régulières (37 % la rejettent et un quart expriment leur indifférence à ce sujet). Accepter ou non la cohabitation des jeunes s'appuie sur des courants de pensée différents : ceux qui y sont favorables sont plus souvent des « libéraux », que l'on peut qualifier de « modernistes » ; ceux qui y sont défavorables se montrent plutôt attachés aux valeurs plus traditionnelles, et sont souvent les personnes les plus âgées. Cependant, même parmi la seconde catégorie, la moitié se déclare prête à accepter l'idée que les parents accueillent chez eux le conjoint de leur enfant si le jeune couple n'a pas les moyens de s'installer.

Ce n'est pas pour autant que l'on dispense les jeunes d'assumer leurs responsabilités : il est en effet jugé nécessaire que s'instaure une relation réciproque d'entraide lorsqu'un enfant actif vit encore au domicile parental. Ainsi paraît-il naturel aux trois quarts des personnes interrogées que ces jeunes contribuent financièrement à la vie familiale, notamment par une participation au loyer ou aux frais d'alimentation. 90 % d'entre elles attendent aussi qu'ils prennent en charge une partie des tâches ménagères : il n'est pas question que le domicile parental fasse office d'« hôtel-restaurant » gratuit.

XXV

LA POLITIQUE ÉTRANGÈRE DE LA FRANCE DEPUIS 1981

Accueillie avec une certaine appréhension par les gouvernements des autres puissances — à l'Ouest, mais aussi à l'Est —, l'élection de François Mitterrand n'a pas modifié les grandes orientations de la politique extérieure française. Certes, durant les deux premières années du septennat, a-t-on manifesté un désir sincère de donner un autre contenu au «tiers-mondisme» prôné par l'Élysée à l'époque de Giscard, en soutenant dans divers secteurs de la planète les luttes révolutionnaires et les mouvements d'émancipation dirigés contre les bourgeoisies réactionnaires et contre leurs alliés américains. Le ton est donné en ce sens par le président lui-même, lors de la conférence Nord-Sud de Cancun, en octobre 1981 (texte n° 1), prélude à l'action entreprise en Amérique centrale et dans les Caraïbes en direction de Cuba et du Nicaragua.

Très vite cependant, l'évolution du régime sandiniste et son alignement sur les positions de l'URSS vont amener l'Élysée à réviser son attitude. L'ultime manifestation de la politique menée dans cette région au nom de l'«anti-impérialisme» aura lieu en octobre 1983, lorsque François Mitterrand condamnera l'intervention américaine à la Grenade.

Ainsi, en Amérique latine, comme en Afrique, les velléités de changement n'ont pas résisté longtemps à l'épreuve et aux contraintes du pouvoir. Dès la fin de 1982, il est clair que la diplomatie mitterrandienne se trouve engagée dans une voie qui, sauf en ce qui concerne la construction communautaire, s'éloigne peu des chemins tracés par le général de Gaulle. Toutefois, sans pour autant verser dans l'atlantisme, le chef de l'État s'est appliqué à rééquilibrer la politique étrangère de la France, et pour cela il a, d'entrée de jeu, adopté à l'égard de Moscou, une attitude ferme, notamment dans la question des euromissiles (texte n° 2). C'est seulement à partir de 1984, donc avant l'arrivée au pouvoir de Gorbatchev, que s'amorce un timide réchauffement des relations avec Moscou, que l'opinion accueille d'ailleurs avec une certaine réserve, comme en témoignent ses réactions, à la fin de 1985, lors de la visite à Paris du général Jaruzelski, chef du parti et de l'État polonais et responsable de la proclamation de l'«état de guerre» en 1981 (texte n° 3).

Plus difficile a été le rééquilibrage de la politique française au Moyen-Orient. François Mitterrand a d'abord incliné dans le sens du rapprochement avec l'État hébreu, annulant les dispositions prises par son prédécesseur à l'encontre du commerce israélien et répudiant la déclaration de Venise. Pourtant, dès son voyage en Israël, en mars 1982, il ne s'est pas privé de dire aux députés de la Knesset qu'il n'approuvait pas la politique menée à l'égard des Palestiniens (texte n° 4). Là encore, les contraintes énergétiques et géostratégiques auront tôt fait de ramener la politique française sur des positions pro-arabes qui étaient celles de Georges Pompi-dou et de Valéry Giscard d'Estaing.

Si les premiers temps du septennat n'ont pas été très «européens», la France s'efforçant de rallier ses partenaires à l'idée d'un «espace social» communautaire, François Mitterrand n'a pas tardé non plus dans ce domaine à prendre conscience des pesanteurs de l'environnement international et a dès lors placé le «chantier européen» au cœur de sa politique. Le rééquilibrage de la CEE, en direction de l'Europe du Sud, avec l'entrée de l'Espagne et du Portugal dans la communauté, la mise en œuvre de l'«Acte unique» instituant l'Union européenne et la signature des accords de Schengen (supprimant les contrôles aux frontières pour les ressortissants de la CEE), constituent les principaux jalons de cette politique.

Celle-ci n'a pas été fondamentalement modifiée par la «première cohabitation» (texte n° 5), de même que le choix de l'Allemagne en tant que partenaire privilégié au sein de l'Europe communautaire. Passées les quelques turbulences qui ont suivi la chute du mur de Berlin et l'annonce de la réunification, François Mitterrand et Helmut Kohl ont de concert consacré toute leur énergie à la création d'une monnaie commune et à la mise en place d'un embryon d'Europe politique. C'est à leur initiative (texte n° 6) qu'est négocié en 1991 et signé en février 1992 à Maastricht le traité instituant l'union économique et monétaire, dotant la Communauté de compétences nouvelles en matière de culture, d'éducation, de santé, de police, de justice, etc., et posant le principe de la mise en commun des politiques étrangères et de défense.

Au lendemain de l'effondrement du communisme et de la disparition du bloc de l'Est, la guerre du Golfe marque, au début de 1991, un tournant pour la diplomatie française. En optant pour l'intervention au Koweït aux côtés des États-Unis, la France a en effet clairement choisi son camp, rompant au nom du respect du droit avec ses traditionnelles amitiés arabes et subordonnant ses intérêts régionaux au souci d'apparaître comme une puissance planétaire, objectif difficilement compatible avec la nouvelle configuration du système international. Le conflit larvé entre les deux Grands avait en effet permis à la France de faire entendre sa voix sur un registre différent, et d'afficher ainsi une vocation mondialiste qui ne correspondait plus tout à fait à son statut de puissance moyenne. L'URSS ayant volé en éclats, elle a perdu la possibilité de jouer un jeu de bascule entre l'Est et l'Ouest, et se doit, pour «tenir son rang», d'être effectivement présente sur un certain nombre de terrains, ce qu'elle ne peut faire — sauf pour des opérations ponctuelles comme celle qui a eu lieu au Rwanda en avril 1994 — qu'en collaboration avec les États-Unis (texte n° 7).

Ni la «seconde cohabitation» (1993-1995), ni l'élection de Jacques Chirac à la présidence de la République en 1995 n'ont modifié cette situation. La politique étrangère de la France n'en demeure pas moins commandée en cette fin de siècle par les principes fondateurs du modèle gaullien et notamment par celui de l'indépendance nationale, fortement réaffirmé lors de la dernière série d'essais nucléaires français dans le Pacifique (texte n° 8). Ce qui ne l'empêche pas d'afficher sans complexe sa vocation européenne (texte n° 9), dans une perspective qui relève sans doute davantage de l'héritage mitterrandiste que de celui du gaullisme historique, mais que Jacques Chirac a faite sienne dès le début de son septennat.

1. L'appel de Mexico
(Octobre 1981)

L'Amérique latine a été, au début du premier septennat de François Mitterrand, le terrain privilégié de la nouvelle politique à l'égard des pays du Tiers monde prônée par le président de la République. Un terrain sur lequel ce dernier ne s'est pas aventuré seul. Sans doute est-ce lui qui, d'entrée de jeu, a donné le ton en faisant de Régis Debray, ancien compagnon de Che Guevarra, un conseiller technique chargé de suivre à l'Élysée les affaires latino-américaines. Mais si ce dernier joue un rôle important dans la préparation des dossiers et des discours présidentiels — à commencer par celui que nous présentons ici —, ce n'est pas lui qui fait la politique de la France dans cette partie du monde mais bel et bien le chef de l'État, incliné il est vrai dans le sens du tiers-mondisme «anti-impérialiste» par le Premier ministre, Pierre Mauroy, et par le ministre des Affaires étrangères, Claude Cheysson, et par la grande majorité des socialistes, que les événements du Chili en 1973 ont durablement traumatisés.

Dès le 28 août 1981, François Mitterrand a rendu publique une déclaration préparée conjointement avec le président mexicain, Lopez Portillo, affirmant que le Front d'opposition à la junte salvadorienne constituait une «force politique représentative». Quelques semaines plus tard, dans un entretien avec un journaliste de Time Magazine, *il explique qu'il faut soutenir les mouvements d'émancipation latino-américains pour les empêcher de tomber dans l'orbite communiste. Mais surtout, c'est le discours prononcé devant le monument de la Révolution de Mexico, le 20 octobre 1981, deux jours avant l'ouverture de la conférence Nord-Sud de Cancun, qui proclame dans un registre lyrique l'engagement de la France aux côtés de ceux qui «prennent les armes pour défendre les libertés».*

Source : Allocution prononcée par le président de la République François Mitterrand le 20 octobre 1981 à Mexico, texte *in* François Mitterrand, *Réflexions sur la politique extérieure de la France. Introduction à vingt-cinq discours (1981-1985)*, Paris, Fayard, 1986, pp. 313-320 (extraits).
Bibliographie : H. Védrine, *Les Mondes de François Mitterrand. À l'Élysée, 1981-1995*, Paris, Fayard, 1996 ; P. Milza, *Les Relations internationales de 1973 à nos jours*, Paris, Armand Colin, 1997.

Aux fils de la Révolution mexicaine, j'apporte le salut fraternel des fils de la Révolution française !

Je le fais avec émotion et respect. Je suis conscient de l'honneur qui a été consenti, à travers ma personne, à la France nouvelle : l'honneur de pouvoir m'adresser au peuple du Mexique du haut d'une tribune entre toutes symbolique.[...]

Nos deux pays ont des buts communs, parce qu'ils ont des sources communes. Ce monument parle de lui-même. Il montre sur quelles pierres d'angle repose la grandeur du Mexique moderne. Chacune porte un nom. La démocratie : Madero[1]. La légalité : Carranza[2]. Le rassemblement : Calles[3]. L'indépendance économique : Cardenas[4].

Par chance, les constructeurs du monument de la Révolution n'ont pas oublié de faire une place à Pancho Villa[5] et, pour ma part, permettez-moi de vous le dire, je n'oublierai pas non plus Emiliano Zapata[6], le signataire du plan d'Ayala, le rédempteur des paysans dépossédés.

Ces héros qui ont façonné votre histoire n'appartiennent qu'à vous. Mais les principes qu'ils incarnent appartiennent à tous. Ce sont aussi les nôtres. C'est pourquoi je me sens ici, au Mexique, en terre familière. Les grands souvenirs des peuples leur font de grandes espérances. [...]

La France, comme le Mexique, a dit non au désespoir qui pousse à la violence ceux qu'on prive de tout autre moyen de se faire entendre. Elle dit non à l'attitude qui consiste à fouler aux pieds les libertés publiques pour décréter ensuite hors-la-loi ceux qui prennent les armes pour défendre les libertés.

À tous les combattants de la liberté, la France lance son message d'espoir. Elle adresse son salut aux femmes, aux hommes, aux enfants même, oui, à ces « enfants héros » qui, dans cette ville, sauvèrent jadis l'honneur de votre patrie et qui tombent en ce moment même de par le monde pour un noble idéal.

Salut aux humiliés, aux émigrés, aux exilés sur leur propre terre, qui veulent vivre et vivre libres.

Salut à celles et à ceux qu'on bâillonne, qu'on persécute ou qu'on torture, qui veulent vivre et vivre libres.

Salut aux séquestrés, aux disparus et aux assassinés qui voulaient seulement vivre et vivre libres.

Salut aux prêtres, aux syndicalistes emprisonnés, aux chômeurs qui vendent leur sang pour survivre, aux Indiens pourchassés dans leur forêt, aux travailleurs sans droits, aux paysans sans terre, aux résistants sans armes, qui veulent vivre et vivre libres.

À tous, la France dit : courage, la liberté vaincra ! Et si elle le dit depuis la capitale du Mexique, c'est parce qu'ici ces mots possèdent tout leur sens.

Quand la championne du droit des citoyens donne la main au champion du droit des peuples, qui peut penser que ce geste n'est pas aussi un geste d'amitié à l'égard de tous les autres peuples du monde, et en particulier du monde américain ? Et si j'en appelle à la liberté pour les peuples qui souffrent de l'espérer encore, je refuse tout autant ses sinistres contrefaçons : il n'est de liberté que par l'avènement de la démocratie. [...]

---

1. Francisco Madero (1873-1913), principal artisan de la Révolution mexicaine de 1911.
2. Venustiano Carranza (1859-1920), président du Mexique après la victoire de la Révolution en 1913.
3. Plutarco Elias Calles (1877-1945), président du Mexique de 1924 à 1928.
4. Le général Lazaro Cardenas (1895-1970), président de la République mexicaine en 1934.
5. Pancho Villa (1878-1927), héros des paysans du Nord pendant la Révolution de 1911, mort assassiné en 1927.
6. Emiliano Zapata (1880-1919), héros des paysans du Sud pendant la Révolution de 1911, assassiné en 1919.

2. La bataille des euromissiles

L'implantation par les Soviétiques, à la fin des années 1970, de missiles à moyenne portée dits SS 20, dotés de plusieurs ogives nucléaires et capables d'éliminer par une frappe surprise la plus grande partie des forces de l'OTAN, a conduit l'organisation atlantique à prendre, en décembre 1979, la décision d'installer une centaine de fusées Pershing-II en Allemagne fédérale et 464 missiles de croisière d'une portée de 2 500 km en Grande-Bretagne, Belgique, Pays-Bas, RFA et Italie.

Cette décision a provoqué dans divers pays de l'Europe de l'Ouest une immense vague de protestation pacifiste, marquée par de puissantes manifestations. En Allemagne, elle a pris l'allure d'une véritable vague de fond, portée par divers courants d'opinion : églises protestantes, écologistes, « alternatifs », bientôt suivis de la majorité du parti socialiste (SPD) dont le leader, Helmut Schmidt, avait été le premier à réclamer une parade au déploiement des SS 20.

En France, la contestation pacifiste a pris un caractère particulier. Membre de l'Alliance atlantique, mais n'appartenant pas aux organismes intégrés de l'OTAN depuis 1966, disposant de sa propre force de frappe nucléaire, la France n'était pas concernée par le déploiement des missiles de croisière et des Pershing sur son propre territoire. Aussi l'opinion a-t-elle eu tendance dans sa très grande majorité à applaudir aux propos du président de la République disant que « les pacifistes sont à l'Ouest et les missiles à l'Est », ou faisant devant le Bundestag, en janvier 1983, la déclaration dont fait état, dans le texte ci-dessous, Hubert Védrine, à l'époque conseiller diplomatique du chef de l'État.

Source : Hubert Védrine, _Les Mondes de François Mitterrand. À l'Élysée, 1981-1995_, Paris, Fayard, 1997, pp. 234-237.

Bibliographie : M. Tatu, _La Bataille des euromissiles_, Paris, FEDN, 1983 ; S. Cohen, _La Monarchie nucléaire_, Paris, Hachette, 1986 ; J. Attali, _Verbatim_, t. 1, Paris, Fayard, 1993.

L E PRÉSIDENT QUI, comme je l'ai indiqué, voulait s'exprimer solennellement sur l'affaire des euromissiles, décide de saisir l'occasion d'une invitation du chancelier à parler au Bundestag, en janvier, pour s'adresser à l'opinion allemande tout entière. Les péripéties de la préparation de son discours et de sa mise au point dans la nuit du 19 au 20 janvier ont été racontées en détail. Je n'oublierai jamais, pour ma part, le François Mitterrand exigeant et rigoureux de cette nuit-là, son esprit concentré tel un laser sur les aspects les plus complexes de la sécurité européenne, son insistance à pousser Cheysson, Hernu, Bianco, Saulnier, Attali et moi[1] dans nos derniers retranchements, son entêtement à trouver le mot juste. Je nous vois encore tard dans la nuit, disposés en arc de cercle autour de son bureau, dans la lumière des lampes. J'entends dans le silence de la pièce sa plume crisser. Je revois l'encre bleue, le gros stylo Waterman, son écriture régulière. De tous les discours à la préparation ou à la relecture desquels j'ai participé,

---

1. Respectivement ministre des Affaires étrangères, ministre de la Défense, secrétaire général de l'Élysée, chef de l'état-major particulier de la présidence de la République et conseiller spécial du chef de l'État.

c'est celui qui reste pour moi «le» discours, celui dans lequel ont été fondus le plus exactement la rigueur sémantique, les choix stratégiques, la décision politique.

La bataille des euromissiles bat alors son plein. Tous les projets que François Mitterrand peut concevoir pour l'Europe, nos rapports avec les États-Unis, l'URSS, l'Allemagne, restent bloqués tant que cette condition préalable n'est pas remplie : rétablir l'équilibre des forces en Europe, priver l'URSS de ce moyen de chantage. Mais comment se faire comprendre d'un Allemand de bonne foi, convaincu que la fermeté est belliciste et que la paix découle de l'affichage d'intentions pacifiques ? Parmi l'assistance, il y aura Helmut Schmidt qui a essayé de faire prendre conscience à ses compatriotes du danger, qui a convaincu ses partenaires de l'OTAN, qui a inspiré la «double décision», mais que son parti a lâché ; Willy Brandt, devenu son «ami», si compréhensif à l'égard de la quête de sens et d'identité nationale sous-jacente à la démarche des pacifistes et des «Verts» ; [...] Helmut Kohl, si bêtement sous-estimé encore par les élites de part et d'autre du Rhin. Et à l'extérieur tous les autres : Allemands, Russes, Américains, Français, qui vont scruter chacun de ses mots. Inutile de chercher à plaire à tous. Trouver la ligne de crête, la phrase incontestable, le raisonnement juste, et s'y tenir ; telle sera sa ligne de conduite. François Mitterrand prend le sujet à bras le corps : la paix, rappelle-t-il, est fondée et garantie par l'équilibre des forces, non par la bonne volonté ou le désarmement unilatéral.

«Seul l'équilibre des forces peut conduire à de bonnes relations avec les pays de l'Est, nos voisins et partenaires historiques. Il a été la base saine de ce que l'on a appelé la détente. Il vous a permis de mettre en œuvre votre *Ostpolitik*. Il a rendu possibles les accords d'Helsinki.

«Or, cet équilibre, dans le monde contemporain, qu'on s'en félicite ou qu'on le déplore, c'est celui de la dissuasion.» Suit une phrase à la construction très mitterrandienne : «Pour qu'il soit rétabli — rétabli et non maintenu, puisqu'il a été rompu unilatéralement par les SS 20 —, il faut que la détermination commune des membres de l'Alliance atlantique et leur solidarité soient clairement confirmées, si l'on veut que la négociation aboutisse. Faute de quoi, le déploiement sera inéluctable. Une menace convaincante de déploiement est le seul ressort de la négociation.» [...]

À Bonn, le chancelier exulte, et le montre le lendemain, à Paris où il fait, à l'hôtel des Monnaies, un discours «de retour». Helmut Schmidt est amèrement satisfait. Le SPD s'estime trahi. Pourtant c'est lui qui a tourné le dos à la position d'Helmut Schmidt, pas François Mitterrand ! Henry Kissinger juge le discours remarquable. Les Soviétiques lancent leur rituelle revendication de prise en compte de nos forces. Le PCF fait le gros dos. Le 28 janvier, Ronald Reagan écrit à François Mitterrand pour le remercier de «renforcer ainsi l'Alliance». [...]

© Fayard

3. Jaruzelski à Paris

Le rééquilibrage de la politique française en direction de l'URSS et des pays de l'Est a été amorcé avant l'arrivée au pouvoir de Mikhaïl Gorbatchev. En juin 1984, François Mitterrand a rendu visite aux dirigeants du Kremlin, mais sa rencontre avec Tchernenko lui a fourni l'occasion d'évoquer sans complaisance le sort des dissidents — en particulier celui d'Andreï Sakharov, en exil à Alma-Ata —, et de redire son désaccord sur l'Afghanistan et la Pologne. Son discours a été censuré par la Pravda, *mais, lors du*

Conseil européen qui s'est réuni quelques jours plus tard à Fontainebleau, les repré-
sentants des partenaires de la France lui ont adressé leurs félicitations, de même que
Ronald Reagan qui lui a téléphoné pesonnellement de Washington.

En revanche, les réactions sont nettement moins favorables, tant en France qu'à
l'étranger, lorsqu'en décembre 1985, le président de la République reçoit à Paris le
général Jaruzelski. L'accueil est certes sans chaleur, le numéro un polonais devant,
pour entrer à l'Élysée, emprunter la grille du jardin. Mais François Mitterrand est tout
de même le premier dirigeant occidental à recevoir le responsable de la proclamation
de l'« état de guerre » en Pologne et de la mise hors-la-loi du syndicat Solidarnosc, *très*
populaire en France.

Venant d'un homme qui, lors de la campagne présidentielle de 1981, avait verte-
ment reproché à Valéry Giscard d'Estaing d'avoir joué au « petit télégraphiste » en se
rendant à Varsovie, l'initiative choque profondément l'opinion. À l'exclusion du PCF,
tous les partis, y compris le PS, critiquent l'attitude du chef de l'État, tandis que
répondant à l'Assemblée nationale à l'interpellation d'un député socialiste, le Premier
ministre Laurent Fabius se déclare « personnellement troublé » par la visite de Jaru-
zelski. C'est ce trouble apporté à la « cohabitation » entre les deux principaux déten-
teurs du pouvoir socialiste qui est analysé dans cet article publié dans Le Monde *à la*
date du 6 décembre 1985.

Source : Patrick Jarreau, « Jaruzelski à Paris », *Le Monde*, 6 décembre 1985.
Bibliographie : P. Favier, M. Martin-Rolland, *Les Années Mitterrand*, t. 1, Paris, Le
Seuil, 1990 ; J. Attali, *Verbatim*, t. 1, Paris, Fayard, 1993.

MM. MITTERRAND ET FABIUS auraient-ils imaginé de miner la « cohabitation », ils
n'auraient pas pu s'y prendre mieux. Premièrement, les relations d'État à État
entrent dans le domaine dont la pratique de la Vᵉ République réserve la maîtrise au président. Deuxièmement, l'audience accordée par le chef de l'État au général Jaruzelski,
chef de l'État polonais, mercredi 4 décembre, heurtait le parti au gouvernement et ses
électeurs. Le Premier ministre a rendu compte, mercredi, à l'Assemblée nationale,
devant « sa » majorité, des explications demandées par lui à l'Élysée sur une décision
qui « relève du président de la République et de lui seul ».

Il est déjà arrivé à M. Fabius, dit-on à l'hôtel Matignon, de s'enquérir des motifs
d'une décision prise à l'Élysée. C'est la première fois, en revanche, qu'il rend
publique une telle démarche. C'est aussi, par conséquent, la première fois qu'il cite
les explications reçues au lieu de les faire siennes. Aux observations de l'hôtel Matignon, il faut ajouter celle-ci : on n'avait jamais vu un Premier ministre exprimer dans
l'hémicycle du Palais-Bourbon le « trouble » que lui a inspiré un acte du président de
la République.

La décision mise en cause non seulement relève du chef de l'État, mais elle a été
prise par lui seul. S'il y avait été associé, M. Fabius n'aurait pas présenté les raisons de
cette décision comme il l'a fait mercredi, c'est-à-dire comme « les réponses que le président de la République a bien voulu [lui] faire » sur l'initiative qu'il avait prise. L'hôtel
Matignon a été simplement informé, et le chef du gouvernement semble avoir mal supporté que son point de vue n'ait pas été pris en considération sur une affaire politiquement aussi sensible. M. Barre a eu beau jeu de rappeler que M. Giscard d'Estaing

n'avait pas manqué, lui, de consulter son Premier ministre sur l'opportunité de sa rencontre avec Leonid Brejnev à Varsovie en 1980.

L'émotion, le « trouble » provoqués par la décision de M. Mitterrand étaient apparents lors de la rencontre hebdomadaire de mardi entre le Premier ministre et les dirigeants du Parti socialiste, en l'occurrence M. Lionel Jospin et M. André Billardon, président du groupe socialiste de l'Assemblée nationale. M. Fabius a donné l'impression, alors, d'être décidé à se démarquer, d'une façon ou d'une autre, du chef de l'État. Il s'en est entretenu avec ce dernier, mercredi matin, avant le Conseil des ministres. Un certain froid entre les deux hommes était perceptible à l'ouverture du Conseil.

La communication de politique internationale qu'a présentée M. Roland Dumas, ministre des Relations extérieures, a été mise à profit par M. Mitterrand pour évoquer l'entretien qu'il allait avoir avec le général Jaruzelski. Le président a indiqué son souhait qu'existent des relations d'État à État entre la France et la Pologne. Il a rappelé que d'autres responsables occidentaux avaient rencontré le dirigeant polonais, avec lequel le pape s'était, lui aussi, entretenu, et il a souligné le rôle international de la France, illustré par les visites que MM. Reagan et Gorbatchev lui ont rendues. M. Mitterrand a fait remarquer, enfin, qu'une décision de recevoir le général Jaruzelski relève de l'autorité de l'État et du « devoir d'État ». [...]

4. François Mitterrand devant la Knesset

Dans l'opposition, François Mitterrand — que certains diplomates arabes considéraient alors comme un « agent sioniste » —, n'avait pas ménagé ses critiques à l'encontre de la politique menée par la France au Proche-Orient depuis 1967. Héritier d'une tradition d'amitié avec Israël qui avait concouru en 1956 à la décision du gouvernement de Guy Mollet d'intervenir à Suez aux côtés des Britanniques et des Israéliens, il a, une fois installé à l'Élysée, multiplié les gestes d'apaisement envers l'État hébreu.

Pourtant, lorsqu'il se rend en Israël, en mars 1982, le discours qu'il prononce devant les députés de la Knesset marque clairement son souci de rééquilibrage. Quoique assortis de considérations sur l'amitié franco-israélienne et sur le droit à l'existence de l'État hébreu, les propos du président de la République, concernant le droit des Palestiniens à disposer d'une « patrie », pouvant le moment venu « signifier un État », vont fortement heurter les dirigeants israéliens.

Source : Discours prononcé par le président de la République française devant la Knesset à Jérusalem le 4 mars 1982 (extraits), *Le Monde*, 5 mars 1982.

UNE VISITE D'ÉTAT a généralement pour objet de rapprocher les points de vue, ce [...] qui suppose qu'ils étaient différents, et, quand il s'agit d'alliés ou d'amis, cette visite doit permettre d'accroître le champ des convergences jugées plus importantes et toujours préférables aux inévitables divergences.

Il est donc normal que j'aie, au nom de la France, une opinion sur les problèmes majeurs de votre région et que je la fasse connaître étant admis une fois pour toutes que j'exprime cette opinion dans le respect des droits fondamentaux qui s'imposent à moi comme aux autres et dont le premier, me semble-t-il, est pour chacun l'irréductible droit de vivre. Ce droit, mesdames et messieurs, est le vôtre. Il est celui des peuples qui vous entourent, et je pense bien entendu, prononçant ces mots, aux Palestiniens de Gaza et de Cisjordanie, comme je pense, bien que les réalités politiques et juridiques ne soient pas les mêmes, aux peuples du Liban.

Mais avant de m'engager plus avant dans cette réflexion, je voudrais exposer les raisons pour lesquelles j'ai pris à l'égard d'Israël les positions dont nul n'ignore qu'elles ont été contestées soit par les uns, soit par les autres.

Pourquoi, en 1947, membre du gouvernement de mon pays, ai-je été, vous le rappeliez, monsieur le Premier ministre[1], ai-je été, avec Édouard Depreux, l'un des deux ministres de l'époque à plaider et obtenir asile pour l'*Exodus* parce que je ne supportais pas que ces hommes et ces femmes en quête de liberté fussent chassés de partout, rejetés du droit d'être eux-mêmes par ceux qui avaient plein la bouche de grands mots et de grands principes.

Pourquoi, en 1978, ai-je approuvé, seul des grands responsables français, l'accord de Camp David, parce que je pensais que ceux qui se faisaient la guerre avaient aussi le droit de se faire la paix et de se rapprocher pour tenter d'apporter une réponse au problème palestinien ?

Pourquoi, en 1980, ai-je regretté que la conférence de Venise[2] ait implicitement écarté au bénéfice d'une négociation globale la procédure de Camp David ? Parce que je préférais une paix qui se fait peu à peu à une paix qui ne se fait pas du tout, une négociation réelle à une négociation incertaine, sans récuser pour autant bien entendu l'accord global, en fin de compte. Pourquoi, président de la République française, ai-je en 1981 refusé d'associer plus longtemps la France au boycottage commercial qui frappait Israël ? Parce que ma règle est de ne consentir en aucune circonstance à quelque discrimination que ce soit contre un peuple honorable. Pourquoi ai-je consenti à ce que la France participât à la force neutre du Sinaï ? Parce que nous sommes volontaires chaque fois qu'il convient d'aider un processus de paix.[…] Pourquoi ai-je souhaité que les habitants arabes de Cisjordanie et de Gaza disposent d'une patrie, parce qu'on ne peut demander à quiconque de renoncer à son identité ni de répondre à sa place.

Il appartient, je le redis, aux Palestiniens comme aux autres, de quelque origine qu'ils soient, de décider eux-mêmes de leur sort, à l'unique condition qu'ils inscrivent leur droit dans le respect de la loi internationale et dans le dialogue substitué à la violence.

Je n'ai pas plus qu'un autre à trancher qui représente ce peuple et qui ne le représente pas. Comment l'OLP, par exemple, qui parle au nom des combattants, peut-elle espérer s'asseoir à la table de négociation tant qu'elle déniera le principal : et le droit d'exister et les moyens de sa sécurité, à Israël ? Le dialogue suppose la reconnaissance préalable et mutuelle du droit de l'autre à l'existence, le renoncement préalable et mutuel à la guerre directe ou indirecte, étant entendu que chacun retrouvera sa liberté d'agir en cas d'échec. Le dialogue suppose que chaque partie puisse aller jusqu'au bout de son droit, ce qui, pour les Palestiniens comme pour les autres, peut le moment venu signifier un

---

1. Menachem Begin.
2. Après avoir, dans un discours prononcé à Amman, en Jordanie, le 8 mars 1980, reconnu le droit des Palestiniens à l'autodétermination, Valéry Giscard d'Estaing avait poussé ses partenaires européens à adopter, lors du sommet de Venise en juin de la même année, une déclaration commune réclamant la « reconnaissance des droits légitimes du peuple palestinien » et un règlement global assorti d'un système de garanties internationales.

État. La France approuvera ce qui sera dialogue ou approche du dialogue, comme elle observera avec inquiétude toute action unilatérale qui, de part et d'autre, retarderait l'heure de la paix.[…]

Je ne sais s'il y a une réponse acceptable par tous au problème palestinien. Mais nul doute qu'il y a problème et que, non résolu, il pèsera d'un poids tragique et il pèsera sur cette région du monde. […]

5. La cohabitation vue du Quai d'Orsay

(1986-1988)

La victoire de la droite aux élections de 1986, suivie de la désignation de Jacques Chirac au poste de Premier ministre, ne pouvait pas manquer de poser un grave problème en matière de « cohabitation ». Qui, du président de la République ou du Premier ministre, allait diriger la politique extérieure de la France ? La pratique de la Ve République, sinon la lettre de la Constitution voulait que ce fût le chef de l'État qui, à défaut d'un « domaine réservé » nullement défini comme tel dans le texte constitutionnel, eût la haute main sur les questions de politique internationale et de défense. Ne serait-ce que pour cette raison qu'en dernier recours, c'est à lui qu'incombait la suprême responsabilité de décider de l'emploi de l'arme nucléaire.

Dès le début de la cohabitation, le problème s'est posé à propos du choix des ministres responsables de la diplomatie et de la défense dans le gouvernement présidé par Jacques Chirac, le chef de l'État n'intervenant que pour récuser les noms de ceux qui pouvaient lui déplaire dans les domaines relevant de son autorité. On se mit ainsi d'accord sur ceux de deux « techniciens » : André Girod, ex-commissaire à l'énergie atomique, pour la Défense, et Jean-Bernard Raimond, diplomate de carrière alors en poste à Moscou, pour les Affaires étrangères. C'est à ce dernier que nous devons le témoignage suivant, extrait d'un livre publié à chaud, au lendemain de la « première cohabitation ».

Source : Jean-Bernard Raimond, *Le Quai d'Orsay à l'épreuve de la cohabitation*, Paris, Flammarion, 1989, pp. 51-53.

Bibliographie : S. Berstein, P. Milza, *Histoire de la France au XXe siècle*, t. 4., *De 1974 à nos jours*, Bruxelles, Complexe, 1994 ; S. Cohen, *La Monarchie nucléaire*, Paris, Hachette, 1986.

TELLES ÉTAIENT QUELQUES-UNES des contraintes qui s'imposaient au Premier ministre et, en l'occurrence, au ministre des Affaires étrangères.

Il y avait d'autres particularités qui me concernaient directement. Je devais, comme le voulait l'usage, accompagner le président de la République dans ses visites officielles à l'étranger et être présent pendant les visites d'État en France. Ce qui était nouveau c'est que, sauf exception, je participais également aux voyages du Premier ministre. Il arrivait parfois que ce soit dans les pays où j'étais allé avec le président et auprès des mêmes interlocuteurs. Cette double exigence dans mon emploi du temps me donnait cependant la possibilité d'être plus au courant de l'état d'esprit, des jugements, des conceptions, voire de la politique des deux principaux responsables de l'État.

Le président de la République et le Premier ministre se voyaient chaque semaine, en tête à tête, vers neuf heures, avant le Conseil des ministres qui était convoqué à neuf heures et demie. Tous les ministres étaient là, ponctuellement. Ils en profitaient pour discuter dans la grande salle des fêtes, proche du salon Murat, en buvant du chocolat chaud. J'étais le seul à présenter chaque semaine une communication, qui portait sur la situation internationale. Ainsi, très souvent, relisais-je, à ma place, mes notes en les complétant à partir d'informations reçues pendant la nuit.

Jacques Chirac donnait son sentiment sur les affaires traitées. Plus rarement, un ministre intervenait sur l'exposé d'un collègue. Quant au président, il présentait ses conclusions quand il le souhaitait ; il le faisait fréquemment sur les questions internationales, soit pour développer ses idées, soit pour approuver l'exposé que je venais de faire. Jamais il ne désavoua ma présentation des événements ou l'orientation préconisée. Le Conseil des ministres était pour moi, sans que cela fût toujours perçu par mes collègues, une occasion de faire avaliser une ligne politique sur tel ou tel sujet particulièrement délicat ou brûlant.

Évidemment, les Conseils des ministres de la cohabitation étaient moins longs que ceux qui avaient lieu sous le général de Gaulle, Georges Pompidou, Valéry Giscard d'Estaing, ou François Mitterrand avant mars 1986. On en comprend la raison. Cependant, le Premier ministre, par souci des convenances et dans un esprit de conciliation, n'abusa jamais des Conseils de cabinet (c'est-à-dire des réunions de gouvernement à l'hôtel Matignon, ce qui était fréquent sous la IIIᵉ République).

Cette structure unique, qui était celle de la cohabitation en matière de politique étrangère, eut une conséquence inattendue : j'avais, dans une certaine mesure, et non sans paradoxe, une plus grande marge de manœuvre que mes prédécesseurs qui avaient seulement à tenir compte de leur relation directe avec le président de la République.

© Flammarion

6. Le choix de Maastricht
(1990-1991)

D'abord peu enthousiaste à l'idée de la réunification allemande, François Mitterrand a dû, dès novembre 1989, modifier son attitude sous la double pression des autres dirigeants européens et d'une opinion publique qui, sur ce point, avait considérablement évolué au cours des quinze années précédentes et se déclarait désormais favorable à la réunification. Dès lors, cette dernière va aller de pair avec la relance européenne, les dirigeants français ne voyant d'autre alternative à la renaissance d'une Allemagne restaurée dans la plénitude de sa souveraineté et dominant le continent, que dans l'achèvement d'une intégration communautaire qui arrimerait solidement l'ancien Reich à la CEE renforcée et économiquement prospère. Autrement dit, Paris va s'efforcer d'obtenir qu'en échange de son adhésion au principe de la réunification, Bonn appuie ses initiatives en matière de création d'une monnaie commune et de mise en place d'une Europe politique.

De ce compromis entre les deux nations-pilotes de la construction européenne découlent les initiatives qui, en moins de deux ans, vont aboutir à la conclusion du traité de Maastricht. Elles sont exposées dans le texte ci-dessous par Roland Dumas, en charge des Affaires étrangères depuis le retour des socialistes au pouvoir en 1988 et ami personnel du chef de l'État.

Source : Roland Dumas, *Le Fil et la pelote. Mémoires*, Paris, Plon, 1997, pp. 348-350 (extraits).
Bibliographie : G.-H. Soutou, *L'Alliance incertaine. Les rapports politico-straté-giques franco-allemands, 1954-1996*, Paris, Fayard, 1996.

CETTE ALLEMAGNE enfin rendue à elle-même allait-elle avoir encore besoin de la Communauté européenne ? Forte de ses quatre-vingts millions d'habitants, de sa monnaie solide, de son économie dynamique, ne serait-elle pas tentée de reconstituer sous sa coupe une *Mitteleuropa* qui l'éloignerait de l'Ouest et du Sud et d'abord de la France ? Sur les deux rives du Rhin, il ne manquait pas de Cassandre pour l'affirmer à longueur de discours et de colonnes journalistiques. Je n'avais pas, pour ma part, d'inquiétudes de ce genre. Mais si le risque existait vraiment, la parade était de pousser les feux de l'union européenne.

C'était le plus souvent les mêmes qui brandissaient le spectre de la domination germanique et qui campaient sur des positions nationalistes d'un autre âge. Pourtant, la France seule face à l'Allemagne isolée n'aurait pas pesé plus que son propre poids, qui se trouve être inférieur à celui de son voisin. Or le génie de la France, en Europe et dans le monde, est de rayonner bien au-delà de ses pures dimensions matérielles. S'unir à l'Allemagne pour unifier l'Europe, telle était la voie réaliste et exaltante dans laquelle, après la chute du mur de Berlin, il convenait plus que jamais de s'engager. La fin brutale du face-à-face entre les deux superpuissances offrait au vieux continent une chance historique de renouveau. La France et l'Allemagne décidèrent de la saisir ensemble pour faire franchir à la CEE, géant économique et nain politique, une étape décisive. Le 19 avril 1990, François Mitterrand et Helmut Kohl adressent au président du Conseil européen, l'Irlandais Haughey, un message clair : « Nous jugeons nécessaire d'accélérer la construction politique de l'Europe des Douze. Nous pensons que le moment est venu de transformer ensemble les relations entre les États membres en une Union européenne et de doter celle-ci de moyens d'action nécessaires, comme le prévoit l'Acte unique. » Ainsi, avec l'ouverture du grand marché au 1er janvier 1993, doit coïncider la définition d'une nouvelle entité politique. Dans cette marche vers ce qui sera le traité de Maastricht, il n'y avait donc pas une minute à perdre. [...]

Hans-Dietrich[1] et moi, nous nous sommes mis au travail. En septembre 1990, à l'hôtel *Vier Jahrezeiten*, à Munich, où se tient le cinquante-sixième sommet franco-allemand, nous dessinons les premiers contours de la nouvelle architecture européenne. Grâce à quoi, le 6 décembre, à Bonn, une semaine avant le sommet européen de Rome qui doit décider du lancement de la conférence intergouvernementale sur l'union politique, François Mitterrand et Helmut Kohl peuvent adresser à Giulio Andreotti, président du Conseil européen en exercice, un message rappelant nos objectifs et soulignant la part prise par l'Italie dans le travail commun. L'essentiel du futur traité s'y trouve déjà : organisation commune de la lutte contre la délinquance et harmonisation des politiques d'immigration et de droit d'asile, élargissement et approfondissement des compétences communautaires dans des domaines tels que la protection sociale, la santé, l'environnement, la recherche, ce qui suppose des décisions prises à la majorité quali-

---

1. Hans-Dietrich Genscher, ministre allemand des Affaires étrangères.

fiée ; définir une véritable citoyenneté européenne ; associer davantage les parlements nationaux et les régions à la vie de l'Union. Le plus gros morceau, qui occupe la moitié du texte, c'est la définition d'une politique étrangère et de sécurité commune, fondée notamment sur la relation organique avec l'UEO. Énoncer ce programme, c'est montrer l'ampleur de la tâche à accomplir et celle aussi des réticences à vaincre.

© Plon

7. La politique française d'intervention dans les conflits

L'effondrement du bloc de l'Est et la fin de la guerre froide ont profondément modifié le fonctionnement du système international. Au « condominium américano-soviétique » s'est substitué un système monopolaire, dominé par la toute-puissante Amérique, et en même temps caractérisé par la prolifération des crises « périphériques » et par la croissante difficulté à gérer les conflits régionaux. Lorsque les intérêts vitaux des États-Unis s'y trouvent directement impliqués, et pour peu que l'intervention projetée puisse trouver une légitimation dans la défense du droit international, ou dans des considérations humanitaires, des entreprises communes de grande envergure peuvent être envisagées et menées à bien sous l'égide de l'Organisation des Nations unies. Il en sera ainsi au début de 1991, à la suite de l'invasion et de l'annexion du Koweït par l'Irak de Saddam Hussein. Dans tous les autres cas, les États directement ou indirectement concernés devront soit se contenter d'objectifs limités (Panama en 1991 et la Somalie en 1993 pour les Américains, le Rwanda en 1994 pour la France), soit limiter leur action collective aux buts humanitaires définis par le mandat donné aux « casques bleus » par le Conseil de sécurité de l'ONU.

Puissance moyenne, mais soucieuse, depuis le début de la Ve République, de jouer un rôle planétaire, la France figure parmi les rares puissances (avec les États-Unis et la Grande-Bretagne) à engager régulièrement ses soldats sur les principaux théâtres de crise, que ce soit au Proche-Orient (Liban), en Afrique subsaharienne (Rwanda), en Asie du Sud-Est (Cambodge) ou dans les Balkans (Bosnie). Des multiples actions auxquelles elle s'est trouvée associée s'est dégagée une doctrine dont rendent compte, entre autres, les travaux de la commission des Affaires étrangères de l'Assemblée nationale et plus particulièrement le rapport de la Mission d'information présidée par Jean-Bernard Raimond. C'est un extrait de ce rapport que nous présentons ici.

Source : _La politique d'intervention dans les conflits. Éléments de doctrine pour la France_, Rapport d'information déposé par la commission des Affaires étrangères sur la politique d'intervention dans les conflits et présenté par M. Jean-Bernard Raimond, député. Enregistré à la Présidence de l'Assemblée nationale le 23 février 1995, n° 1950, Paris, Assemblée nationale, _Les documents d'information_, 1995, pp. 69-72 (extraits).
Bibliographie : S. Cohen, _La Défaite des généraux_, Paris, Fayard, 1994.

L A DOCTRINE que nous proposons ci-dessous ne prétend pas donner automatiquement la réponse à une interrogation future sur l'opportunité d'une intervention française par la force armée. Elle a plus modestement pour objectif de définir les conditions susceptibles de justifier une participation des troupes françaises à une intervention dans un conflit. Ces conditions — qui résument les réflexions développées dans la dernière sous-partie du présent rapport — sont déterminées en grande partie par l'idée que la Mission d'information se fait du rôle de la France dans le monde au regard de son histoire, de ses moyens militaires et des valeurs qui sont les siennes. Cette doctrine prend en compte l'impossibilité qu'il y aurait à prétendre séparer le monde en deux sous-ensembles : l'un occidental et pacifique, l'autre périphérique et conflictuel.

Telles sont les considérations qui sous-tendent les dix points suivants :

1.— L'intervention de la France dans un conflit avec recours à la force armée doit servir un intérêt manifeste et dûment affirmé de la France.

Cet intérêt peut être soit vital, soit stratégique, soit de grande puissance ; selon la définition que donne le *Livre blanc sur la Défense* de ces différentes catégories d'intérêts. Le niveau de notre engagement doit dépendre de la hiérarchisation de ces intérêts.

Hors de la mise en jeu d'un intérêt vital, la participation de la France à une intervention par la force armée doit satisfaire aux critères supplémentaires ci-après.

Cette distinction, qui soumet à certaines conditions préalables les interventions qui ne sont pas commandées par un intérêt vital, a pour objectif de s'assurer que les soldats français ne seront pas utilisés dans des missions qui ne servent pas les intérêts de la France. La Mission d'information n'a pas retenu comme unique motivation de l'intervention des forces armées une définition des intérêts français limitée à une seule approche géographique ou patrimoniale, mais l'a étendue aux intérêts plus immatériels comme la défense des valeurs démocratiques ou des droits de l'homme. [...]

2.— Toute participation de la France à une intervention armée doit être précédée de l'établissement d'un diagnostic national approfondi de la crise. L'intervention française ne se justifie que si ses modalités sont compatibles avec l'analyse contenue dans ce diagnostic.

Cette condition doit permettre d'éviter qu'une intervention soit lancée sur des bases dont le caractère irréaliste apparaîtrait en cours d'opération et nécessiterait une modification des objectifs pour lesquels l'intervention n'a pas été préparée. [...]

3.— Sauf si elle a pour but de répondre à une catastrophe humanitaire qui nécessite une action urgente, la France ne peut accepter de participer à une intervention que si celle-ci s'inscrit dans un processus de règlement politique du conflit. Ce processus doit être jugé réaliste par notre pays.

Cette condition satisfait à l'axiome selon lequel il n'existe pas de solution militaire à un conflit politique.

4.— Toute intervention armée à laquelle se joint la France doit avoir reçu préalablement l'approbation des Nations unies précisant clairement les objectifs à atteindre. [...]

5.— L'intervention doit être conduite de préférence dans le cadre d'une coalition. [...]

8.— La France ne participe à des interventions armées relevant du chapitre VII de la Charte des Nations unies que si celles-ci sont placées sous commandement national — français ou tiers —, plurinational mais en aucun cas onusien.

Cette condition est la conséquence de l'impossibilité de l'ONU de mener dans des conditions satisfaisantes une opération militaire. Elle souligne l'importance, pour la réussite de l'intervention, de l'existence d'un *leadership*, qu'il soit national ou plurinational, américain ou européen.

9.— La France peut intervenir militairement dans toutes les régions du monde même s'il est souhaitable que les pays de la zone concernée soient davantage mis à contribution. Le degré d'engagement de la France doit être mesuré en fonction de la proximité ou de l'éloignement de la zone du conflit, qui détermine la nature de l'intervention. [...]

10.— La France ne participe à des interventions armées que si les conditions fixant un terme à l'intervention sont clairement prévues dans la résolution de l'ONU qui approuve l'intervention et en précise les objectifs.

8. Seule contre tous?
La reprise des essais nucléaires français dans le Pacifique
(1995)

Le principe d'une « déclunéarisation » du Pacifique, voulue par l'Australie et la Nouvelle-Zélande, s'est heurté depuis quinze ans à l'opposition des États-Unis et de la France, cette dernière lui opposant jusqu'en 1996 la nécessité absolue pour la crédibilité de sa force de dissuasion de pouvoir procéder à des tirs expérimentaux effectués en Polynésie française, notamment dans l'atoll de Mururoa.

Exclusivement souterraines depuis 1974, ces expériences ont donné lieu en 1985 à une grave crise dans les relations entre la France et les pays du Pacifique Sud. Des agents secrets français ont saboté et coulé dans le port néo-zélandais d'Auckland un navire frété par l'organisation écologiste Greenpeace, le Rainbow Warrior, *dans le but de faire obstacle aux expériences françaises. L'affaire a eu de fortes répercussions intérieures (démission du ministre de la Défense Charles Hernu) et internationales. Toutefois, la politique menée en 1988-1989 par le gouvernement Rocard (accord de Matignon sur l'avenir de la Nouvelle-Calédonie, voyage du Premier ministre français en Australie, rapprochement avec la Nouvelle-Zélande) a permis de normaliser les rapports avec les deux principales puissances du Pacifique Sud. La décision de François Mitterrand de suspendre les essais nucléaires, décision réaffirmée avec fermeté en 1994, ne pouvait que conforter cette tendance, au grand dam des principaux chefs militaires, soutenus par le ministre de la Défense de la « seconde cohabitation », François Léotard, et par le Premier ministre, Édouard Balladur.*

Dès son élection à la présidence de la République, Jacques Chirac a décidé d'effectuer une dernière série d'essais en 1995-1996, avant la mise au point de la procédure d'essais simulés en laboratoire et la signature par la France du traité de non-prolifération nucléaire. Cette décision a relancé la tension et a déclenché une campagne internationale sans précédent contre la politique nucléaire de la France. Michel Tatu évoque cette question dans un article publié à l'automne 1995 dans la revue Politique internationale.

Source : Michel Tatu, « Après Mururoa », *Politique internationale*, n° 69, automne 1995.
Bibliographie : J. Guisnel, « Défense, l'heure des choix », *L'État de la France 95-96*, Paris, La Découverte, pp. 592-595.

L A REPRISE des essais nucléaires français et le cinquantième anniversaire des bombardements d'Hiroshima et de Nagasaki ont remis au premier plan la question de l'atome militaire - mais, le plus souvent, sans en clarifier les données. Tout au contraire, la question secondaire que représent les essais a éclipsé les autres tandis que la protestation exagérément bruyante des écologistes faussait le débat sur les problèmes de la défense, de l'atome et de la dissuasion dans le monde de l'après-guerre froide.

Une réaction démesurée

Commençons par les essais. Le propos de cet article n'est pas de se prononcer sur les arguments techniques avancés à l'appui de la décision française. Certes, on ne sait pas précisément quels experts ont été consultés, ni si des avis divergents ont été exprimés, et il ne reste qu'à espérer que le «complexe militaro-nucléaire» français n'a pas demandé sans de très bonnes raisons de procéder à des tirs nucléaires à tous égards si coûteux. Constatons seulement que c'était bien des experts qu'il fallait consulter, et aussi que l'effort de transparence a été sans égal : jamais aucune puissance nucléaire n'avait communiqué autant de détails sur ses expériences passées, encore moins sur les objectfs de ses essais à venir.

Constatons aussi que les dégâts eussent été beaucoup plus limités si l'on s'était borné, en 1991 et en 1992, à écouter ces mêmes experts et à terminer la série en cours. À l'époque, les États-Unis n'avaient pas encore achevé leurs essais — le dernier en date eut lieu en septembre 1992, quinze mois après le dernier tir français — et ils étaient encore loin d'accepter l'idée d'un arrêt définitif, même à terme. La Russie avait bien annoncé un moratoire, mais plutôt par nécessité que par vertu, ayant perdu, du fait de l'éclatement de l'URSS, son site privilégié de Semipalatinsk au Kazakhstan. En annonçant prématurément, en avril 1992, un moratoire sur les essais nucléaires français, François Mitterrand prétendait donner un «exemple» qui n'a guère de sens en la matière (nous y reviendrons) et qui, de toute manière, préparait des lendemains difficiles. Même la Chine, qui s'est constamment gardée de tout «effet d'annonce», s'en sort mieux aujourd'hui ; dans la mesure où elle n'a jamais rien arrêté, on ne peut lui reprocher d'avoir «repris» ses essais. La France avait en outre aggravé son cas en annonçant sa décision à la veille du cinquantenaire d'Hiroshima, d'une part, trop longtemps à l'avance, d'autre part : même si les travaux à déployer à Mururoa ne pouvaient passer inaperçus à partir d'un certain stade, mieux valait gagner le plus vite possible et surtout réduire le contenu de l'annonce en privilégiant la partie positive du message, largement ignorée : ces essais prendront fin en mai 1996 et ils seront les derniers.

En ce domaine, la transparence tend à envenimer la situation : de nos jours, en effet, le nucléaire est devenu — et se doit d'être — de plus en plus honteux. Le temps est bien loin où De Gaulle saluait d'un «Hourra la France !» le premier tir de Reggane et où la Chine communiste, après l'Union soviétique, voyait dans sa première bombe une victoire du «camp de la paix». Dès 1974, l'Inde déguisait en «explosion à des fins pacifiques» son premier et unique essai et Israël, venu plus tard, n'a jamais rien annoncé du tout. Quant aux autres candidats plus récents à la bombe, ils doivent procéder dans la clandestinité, tricher et mentir : certains ont même adhéré au Traité de non-prolifération…

Il en va de même des essais, qui sont affaire de «perception» beaucoup plus que de réalité. Philippe Séguin a eu raison de critiquer les Australiens qui «glapissent» contre les essais français de Mururoa, effectués à 6 000 kilomètres de chez eux — à 1 000 mètres sous terre et sous la mer — alors qu'ils avaient accepté, dans les années cinquante, plusieurs essais britanniques directement sur leur territoire, en atmosphère de surcroît[1]. Une autre hypocrisie découverte à cette occasion réside dans le fait que l'Australie a vendu à la France, jusqu'à ces tout derniers temps et pour 9 millions de dollars par an, 10 % de sa production d'uranium : un « service » qui, même si officiellement il n'était pas destiné aux usages militaires, ne pouvait que servir les ambitions nucléaires et « polluantes » de Paris[2]...

Il faut cependant aller plus loin. La France, dans son récent effort de transparence, a reconnu que trois de ses 200 essais avaient donné lieu à des retombées exigeant un travail de décontamination, sans incidences sur les personnes. Il s'agissait de tirs effectués en 1966 et en 1973, tous en atmosphère. Mais que dire alors des quelque 500 essais (dix fois plus que la France) effectués dans les mêmes conditions par les grandes puissances jusqu'au traité d'interdiction limitée de 1963[3] ? On a oublié que le seul Pacifique, la région que l'on voit se dresser contre l'atome français, a vu se dérouler 82 tirs américains, dont l'un, celui de Bikini en février 1954, équivalent à mille Hiroshima[4], entraîna une grave irradiation de pêcheurs japonais et la contamination d'une large zone des îles Marshall. Ou encore que la Grande-Bretagne fit exploser sa première bombe H, en mai 1957, au-dessus des îles Christmas[5]. [...]

9. Pour une politique étrangère commune
(1996)

Élu président de la République en 1995, Jacques Chirac ne s'est pas radicalement éloigné, dans le domaine de la construction européenne, des options et des pratiques de son prédécesseur. Le gouvernement Juppé a poussé les feux de manière que la France soit en mesure, en 1999, de satisfaire aux critères de Maastricht. Des propositions ont été faites en vue d'une réforme des institutions et dans la perspective de l'élargissement de l'Union à certains États de l'Europe de l'Est. Enfin, dans le droit fil de la politique menée par son prédécesseur, Jacques Chirac s'est préoccupé de faire avancer le dossier de la politique étrangère et de sécurité communes (PESC). Lors de la conférence annuelle intergouvernementale qui s'est tenue à Vilvorde, au Danemark, en mars 1996, le ministre délégué aux Affaires européennes, Michel Barnier, évoque dans l'extrait ici présenté de son discours cette question fondamentale pour l'avenir de l'Europe communautaire.

---

1. *Le Journal du Dimanche*, 6 août 1995. C'est au-dessus des îles australiennes de Montebello que la Grande-Bretagne a fait exploser sa première bombe A le 3 octobre 1952. Les Britanniques ont procédé, au total, à douze essais en Australie, avant de les déplacer vers d'autres endroits du Pacifique, puis vers le site américain du Nevada.
2. *Le Monde*, 5 août 1995.
3. Le traité interdit les essais en atmosphère, en milieu marin et dans l'espace. Pendant plusieurs mois, en effet, l'on avait sérieusement envisagé de procéder à des expériences dans le cosmos : une limite de 50 km d'altitude avait été fixée à cette fin.
4. La charge de cette explosion était de 15 mégatonnes, alors que la France n'a dépassé la mégatonne qu'une seule fois, en 1968.
5. Voir à ce sujet, la chronologie très complète des essais nucléaires publiée par *Arms Control Today*, périodique de l'institution américaine *Arms Control Association*, dans son numéro de juillet/août 1995.

Source : Intervention de M. Michel Barnier, ministre délégué aux Affaires européennes, à la conférence annuelle intergouvernementale de Vilvorde (Danemark), le 8 mars 1996, *Politique étrangère de la France*, Paris, Documentation française, Textes et documents, mars-avril 1996, pp. 42-43.

Bibliographie : M. Fouchier (dir.), *Les Défis de la sécurité en Europe médiane*, Paris, Fondation des études de défense, Documentation française, 1996.

NOUS N'AVONS PAS VRAIMENT de politique étrangère commune et pourtant, c'est une grande demande, une grande exigence de nos concitoyens.

C'est aussi, même si je sais les réserves du Danemark, l'un des chapitres du traité de Maastricht, depuis 1992, que l'on oublie quelquefois et qu'il nous faut mettre en œuvre. Nous sommes devant cette nécessité. S'il fallait d'ailleurs, depuis Maastricht, depuis 1992, trouver des preuves ou des raisons supplémentaires à cette orientation, on les trouverait dans ce qui s'est passé ou ce qui ne s'est pas passé en Bosnie. Notre ambition, notre proposition est de créer sous l'autorité des chefs d'État et de gouvernement un lieu où les diplomates de nos différents pays apprennent à travailler ensemble et pas seulement quand il y a une crise, dans la réaction, le dos au mur. Nous serons toujours moins efficaces que les Américains dans de telles situations, si nous n'apprenons pas à travailler ensemble en permanence. Que nos diplomaties cessent d'être parallèles et quelquefois concurrentes ! Mais cela prendra du temps. Donc, raison de plus pour commencer tout de suite à mettre les diplomates ensemble, à planifier ensemble, à faire de la stratégie, de la diplomatie préventive, de la prospective ensemble. Nous proposons de placer à la tête de ce lieu de cohérence diplomatique une personnalité du plus haut niveau, désignée par les chefs d'État et de gouvernement, révocable par eux, et qui travaillera sur des mandats précis que lui fixeront les ministres des Affaires étrangères. Cette personnalité sera la voix et le visage de l'Union européenne et nous en avons besoin, afin de ne plus être contraints, dans l'esprit des gens, même si ce n'est pas vrai ou juste, contraints ou réduits à faire de la politique de sous-traitance ou le service après-vente des Américains sur notre propre continent. Je ne le dis pas d'ailleurs de manière agressive à l'égard des États-Unis, qui ont toujours eu et qui gardent l'ambition d'avoir un *leadership* sur le monde entier. Bill Clinton le disait encore l'autre jour à Londres, mais nous ne sommes pas obligés de l'accepter, s'agissant de l'Europe, et nous pouvons à tout le moins tenter de partager ce *leadership*. Je pense même que c'est à nous Européens qu'il reviendrait d'assumer ce *leadership* en Europe, à condition d'en avoir la volonté politique, et je sais qu'elle existe chez le Premier ministre belge, chez le président de la République et d'autres encore, et d'avoir, à partir de cette ambition politique, les moyens ou les instruments qui n'existent pas aujourd'hui. [...]

XXVI

LA VIE INTELLECTUELLE ET ARTISTIQUE
EN FRANCE DEPUIS 1945

L'attraction du marxisme s'est exercée au lendemain de la guerre sur un grand nombre d'intellectuels. Dans la continuité de la lutte antifasciste et de la Résistance, nombre d'écrivains et d'artistes ont adhéré au marxisme, tantôt simples « compagnons de route », tantôt militants du Parti communiste au moment où celui-ci connaît un essor sans précédent.

Une fois passée l'euphorie de la Libération et de la victoire, l'air du temps se teinte d'un sentiment d'angoisse, d'un pessimisme qui va s'amplifier avec les premiers développements de la guerre froide. Nombreux sont, surtout parmi les jeunes et dans les petits cénacles intellectuels parisiens, ceux qui réagissent en affichant une «fureur de vivre» qui est à la fois refus de toutes les contraintes et fuite un peu suicidaire dans un monde artificiel que symbolise, jusqu'au début des années 1950, le mythe de Saint-Germain-des-Prés. L'immense succès que rencontre l'œuvre romanesque et scénique de Jean-Paul Sartre (texte n° 1) traduit à bien des égards ce «mal du siècle» d'une génération issue de la guerre, en quête de réponses aux inquiétudes qui sont les siennes.

À partir de 1947, la guerre froide investit le champ culturel. Tandis que les intellectuels communistes, suivant les préceptes de Jdanov — l'idéologue numéro un du Kremlin — et de Laurent Casanova, s'empressent de «rallier les positions idéologiques et politiques de la classe ouvrière» et bataillent sur tous les fronts (texte n° 2), le reste de l'intelligentsia progressiste se partage entre ceux qui, comme l'auteur des Chemins de la liberté, acceptent de faire «un bout de chemin» avec le PC, et ceux qui, à l'instar de Camus, refusent de se laisser entraîner au nom de la « justice » sur la voie du totalitarisme (texte n° 3). Sartre lui-même, comme nombre d'intellectuels communistes ou « compagnons de route », va d'ailleurs rompre avec le stalinisme à l'occasion des événements de Hongrie en 1956 (texte n° 4).

À la culture de gauche, dominante durant la guerre froide, s'oppose un courant engagé à droite, mais qui se rassemble autour du gaullisme. Malraux, qui a cessé à cette date d'exercer son talent dans le genre romanesque, en est la figure la plus représentative. Le général de Gaulle fera de lui le premier ministre des Affaires culturelles (texte n° 5). Un autre courant, se réclamant en principe du non-engagement, mais en fait orienté à droite, constitue le petit groupe des « hussards » (Roger Nimier, Michel Déon, Antoine Blondin, Jacques Laurent), aussi hostile à Sartre et à son école qu'au communisme. Enfin, il faut noter que de grands écrivains comme Gide (prix Nobel de littérature en 1947) n'appartiennent à aucune de ces tendances et se tiennent à l'écart de tout engagement politique.

À partir du milieu des années 50, on assiste à un transfert de l'engagement des intellectuels sur d'autres terrains. C'est le moment où, avec la guerre d'Algérie, s'engage la bataille des manifestes (cf. chap. XV) et où des écrivains de renom, dont l'action s'était jusqu'alors focalisée sur le combat politique, prennent position à propos de quelques grands problèmes de société (texte n° 6).

Le relais des avant-gardes de la Libération est pris au même moment par de jeunes littérateurs dont le succès provient en partie de leur aptitude à exprimer les nouvelles valeurs libérées des vieilles contraintes (Bonjour tristesse de Françoise Sagan paraît en 1954), et surtout par l'école du « Nouveau Roman » (Alain Robbe-Grillet, Nathalie Sarraute, Michel Butor, Claude Simon, etc.), pour laquelle l'œuvre romanesque devient à la fois un jeu de langage et une recomposition du réel, un peu à la manière des peintres cubistes, et dont se rapprochent dans le domaine théâtral des auteurs comme Samuel Beckett, Eugène Ionesco et Jean Genet.

Les conflits opposant dans le Tiers Monde les États-Unis et les mouvements de libération nationale (Viêt-nam, Cuba) prolongent la guérilla idéologique jusqu'au milieu des années 1970 et alimentent un fort courant d'anti-américanisme et de contestation du modèle productiviste et « impérialiste ». Toutefois, la publication en 1974 de L'Archipel du Goulag (l'effet « Soljenitsyne »), ainsi que la révélation des crimes commis au nom du socialisme en Chine, au Cambodge ou en Afghanistan, font que, depuis cette date, nombre d'intellectuels se sont repliés soit dans la « tour d'ivoire » de la pure création, soit dans la défense des droits de l'homme et la dénonciation de tous les totalitarismes (texte n° 7). Le temps du prophétisme est passé.

Les vingt-cinq dernières années ont été moins fertiles en œuvres majeures : les grands noms, comme celui de Marguerite Yourcenar, première femme à entrer à l'Académie française (texte n° 8), appartiennent à la génération précédente. Elles ont été marquées d'autre part par les effets pervers de la commercialisation et de la médiatisation à outrance. Il émerge certes quelques individualités de valeur, mais la grande littérature paraît bien avoir à l'heure présente élu domicile sous d'autres cieux : méditerranéens, anglo-saxons ou latino-américains.

Ce qui fait depuis les années 60 la renommée persistante des écrits français à l'étranger, ce sont davantage ceux des spécialistes des sciences humaines et sociales, moins les « nouveaux philosophes », dont la promotion éditoriale a été en 1976 un « coup médiatique » réussi, que les praticiens de l'ethnologie, de l'anthropologie culturelle, de la sociologie, de la mythologie comparée, de la psychanalyse, tels que Raymond Aron, Claude Lévi-Strauss (texte n° 9), Georges Dumézil, Michel Foucault, Roland Barthes, Pierre Bourdieu, et les historiens comme Fernand Braudel (texte n° 10), Georges Duby, Jacques Le Goff ou François Furet.

1. Saint-Germain-des-Prés et la vague existentialiste
(1945)

L'angoisse et la fureur de vivre qui caractérisent l'état d'esprit d'une partie de la jeunesse au lendemain de la Libération ont favorisé l'éclosion d'une nouvelle génération de « mandarins » (ce sera le titre d'un livre de Simone de Beauvoir, couronné par le prix Goncourt en 1954) familiers du Saint-Germain-des-Prés de l'immédiat après-guerre. À la Coupole et au café de Flore, aux Deux-Magots et au Bar vert, au Petit Saint-Benoît et aux Assassins, chez Marguerite Duras et à la Rhumerie, se côtoient écrivains et artistes, poètes et chanteurs (Boris Vian, Juliette Gréco, Jacques Prévert), cinéastes et journalistes, et surtout, autour de Jean-Paul Sartre et de la petite équipe des Temps modernes *(Simone de Beauvoir, Raymond Aron, Maurice Merleau-Ponty), tous ceux que séduit la philosophie nouvelle : l'existentialisme. À l'écoute des nouveaux maîtres à penser, la jeune génération bourgeoise se presse dans les « caves » à la mode, au Tabou, à la Huchette, au Lorientais, etc., cherchant un remède à son mal de vivre dans un étourdissement de musique de jazz, de danse et de transgressions provocatrices.*

Le texte est tiré du second tome des Mémoires *de Simone de Beauvoir. L'auteur du* Deuxième Sexe, *ancienne normalienne et agrégée de philosophie, a enseigné à Marseille, puis à Rouen, avant de s'installer dans la capitale où elle a publié en 1943 son premier roman,* L'Invitée, *et de participer à la fondation des* Temps modernes.

Source : Simone de Beauvoir, *La Force des choses*, Paris, Gallimard, 1963, pp. 50-51.

Bibliographie : J. Verdès-Leroux, *Au service du Parti. Le Parti communiste, les intellectuels et la culture (1944-1956)*, Paris, Fayard/éditions de Minuit, 1983 ; H. R. Lottman, *La Rive gauche, du Front populaire à la guerre froide*, Paris, Seuil, 1981, rééd. Points-Histoire,1984 ; A. Cohen-Solal, *Jean-Paul Sartre*, Paris, Gallimard, 1985, rééd. folio ; D. Bair, *Simone de Beauvoir*, Paris, Fayard, 1990.

CE FUT DONC une « offensive existentialiste » que, sans l'avoir concerté, nous déclenchâmes en ce début d'automne. Dans les semaines qui suivirent la publication de mon roman, les deux premiers volumes des *Chemins de la liberté* parurent, et les premiers numéros des *Temps modernes*. Sartre donna une conférence — *L'Existentialisme est-il un humanisme ?* — et j'en fis une au club Maintenant sur le roman et la métaphysique. *Les Bouches inutiles* furent jouées. Le tumulte que nous soulevâmes nous surprit [...].

Ce fracas s'expliquait en partie par l'« inflation » que sur le moment même Sartre a dénoncée ; devenue une puissance de second ordre, la France se défendait en exaltant, à des fins d'exportation, les produits de son terroir : haute couture et littérature. Le plus modeste écrit suscitait des acclamations, on menait grand tapage autour de son auteur : les pays étrangers s'émouvaient avec bienveillance de ce vacarme et l'amplifiaient. Cependant, si les circonstances jouèrent à un si haut point en faveur de Sartre, ce ne fut pas par hasard ; il y avait, du moins à première vue, un remarquable accord entre ce qu'il apportait au public et ce que celui-ci réclamait. Les petits-bourgeois qui le lisaient avaient eux aussi perdu leur foi dans la paix éternelle, dans un calme progrès, dans des essences immuables ; ils avaient découvert l'histoire sous sa figure la plus affreuse. Ils avaient besoin d'une idéologie qui intégrât ces révélations, sans les obliger cependant à jeter par-dessus bord leurs anciennes justifications. L'existentialisme, s'efforçant de concilier histoire et morale, les autorisait à assumer leur condition transitoire sans renoncer à un certain absolu, à affronter l'horreur et l'absurdité tout en gardant leur dignité d'homme, à préserver leur singularité. Il semblait leur fournir la solution rêvée.

© Gallimard

2. Quand la génétique était « réactionnaire »

À partir de 1947, le champ culturel, au sens large, englobant aussi bien la culture de masse que celle des élites, devient un terrain d'affrontement privilégié pour les influences rivales des deux grands vainqueurs de la guerre. Il n'est pas de secteur de la production et de la consommation intellectuelle ou artistique qui ne soit à l'écart du combat idéologique. La science elle-même n'échappera pas à cette invasion du tout politique et à la prégnance d'un modèle d'explication marxiste réduit à la vulgate *jdanovienne. C'est le moment où écrivains et artistes sont invités avec fermeté à se conformer aux canons du « réalisme socialiste », et où le pouvoir soviétique adopte officiellement les thèses délirantes du biologiste Trofim Denissovitch Lyssenko sur la transmission des caractères acquis, immédiatement suivi par les idéologues du PCF, Garaudy en tête.*

Pourfendeur des « sciences fausses » et de la « fausse science », le généticien Jean Rostand évoque dans un ouvrage paru en 1970 les effets ravageurs du « lyssenkisme » au sein de l'intelligentsia communiste des années 1948-1949.

Source : Jean Rostand, *Le Courrier d'un biologiste*, Paris, Gallimard, 1970, pp. 155-156.

Bibliographie : A. Tétry, *Jean Rostand, prophète clairvoyant et fraternel*, Paris, Gallimard, 1983 ; B. Legendre, *Le Stalinisme français. Qui a dit quoi ? (1944-1956)*, Paris, Seuil, 1980 ; D. Buican, *Lyssenko et le lyssenkisme*, Paris, PUF, 1988.

IMPOSSIBLE, enfin, de ne pas rappeler brièvement la rude offensive idéologique qu'essuya, vers 1948, la génétique mendélo-morganienne[1] de la part des biologistes soviétiques de l'école mitchourienne[2], groupés autour de Lyssenko.

À la suite d'un long et tumultueux débat qui eut lieu devant les sociétés savantes de l'URSS, le Comité central du Parti communiste vota une motion condamnant le mendélo-morganisme. Il fut officiellement décrété qu'il n'y a pas de substance héréditaire, que « le gène est un mythe au même titre que la force vitale », que les lois de Mendel — « les lois des petits pois » — sont mensongères, que les morganiens ne sont que des « éleveurs de mouches », et que tous les tenants de la génétique classique sont d'affreux réactionnaires, des fascistes, des obscurantistes, des idéalistes, des valets de la bourgeoisie militariste, des cléricaux, des faussaires, des empoisonneurs de l'esprit, des ennemis du peuple — et j'en passe.

---

1. Mendel (Gregor) : botaniste autrichien (1822-1884) qui, à partir d'expériences sur l'hybridation des plantes et l'hérédité des végétaux, a dégagé les lois qui portent son nom. — Morgan (Thomas. H.) : biologiste américain (1866-1945) créateur de la théorie chromosomique de l'hérédité.
2. Mitchourine : biologiste russe.

Pauvres chromosomes, les voilà maintenant «politisés», enrôlés et traités en dangereux adversaires du matérialisme dialectique !

Ce n'est plus au nom de Descartes qu'on les répudie, c'est au nom de Karl Marx !

Ce fut une bien triste époque que celle de la dictature stalino-lyssenkiste, mais dont il faut garder le souvenir comme d'un déplorable exemple de l'ingérence du préjugé politique dans le domaine de la science.

Que n'avons-nous alors entendu affirmer par des ignorants passionnés ! La vie naissait dans le jaune d'œuf, des grains de seigle se formaient sur des épis de blé, l'avoine produisait la folle-avoine, les bonnes herbes enfantaient les mauvaises herbes, etc.

En France même, le «lyssenkisme» était glorifié par le poète Aragon, qui, s'improvisant biologiste pour les beaux yeux d'Elsa, pourfendait les lois de Mendel, inventées par un moine, tandis que le philosophe Garaudy, confondant les légumineuses, remettait à leur modeste place des résultats obtenus sur les «haricots».

Aujourd'hui, tout est rentré dans l'ordre, du moins en apparence. Lyssenko est en disgrâce ; mais la génétique de l'URSS a perdu bien des années — comme hier la génétique française. Et chaque fois qu'en un pays la science régresse ou marque le pas, c'est le monde entier qui est perdant.

Quelle école pour les esprits libres — pour tous les esprits libres ! Car il est bien certain que le responsable, le coupable, en l'occurrence, n'est point le communisme, mais beaucoup plus généralement, le sectarisme politique ou philosophique, le fanatisme idéologique sous toutes ses formes.

Hier, ce fanatisme était teinté de rouge ; demain, peut-être, il aura pris une autre couleur, et c'est au nom d'un autre délire qu'on refusera la vérité scientifique, toujours fille de la liberté d'esprit.

© Gallimard

3. «Les hommes ne vivent pas que de justice»

Faisant comme Sartre le constat de l'absurdité d'un monde à la fois étrange et «peuplé d'irrationnel», Albert Camus récuse les attitudes d'évasion que constituent à ses yeux le suicide et la croyance religieuse. Ce qui, pour lui, fait la grandeur de l'homme et donne un sens à son existence, c'est d'agir avec la conscience de la vanité des efforts qu'il déploie («Il faut imaginer Sisyphe heureux», Le Mythe de Sisyphe, 1942). Comme l'auteur de La Nausée, il a toutefois conscience du danger qu'il y aurait à voir dans l'acte individuel, quel qu'il soit, le fondement unique de la liberté et des valeurs humaines. Aussi, a-t-il éprouvé la nécessité de corriger cette attitude en intégrant à sa vision du monde — au prix de contradictions qui ne lui échappent pas — des données inspirées de l'humanisme traditionnel. Il pose ainsi des limites à sa révolte, en proposant à ses contemporains de «diminuer arithmétiquement la douleur du monde», en se réclamant de valeurs telles que la justice et la fraternité, et en refusant toute forme de terreur, fût-elle destinée à préparer l'avènement d'un monde meilleur.

Tel est le message des Justes. Dans cette pièce qui a été créée au théâtre Hébertot le 15 décembre 1949 — donc à l'apogée de la guerre froide — avec Maria Casarès, Serge Reggiani et Michel Bouquet dans les rôles principaux, Camus met en scène un groupe de terroristes russes qui, ayant préparé un attentat à la bombe contre le grand-duc Serge, se trouvent confrontés à l'alternative de devoir renoncer à leur entreprise, ou de *tuer avec leur cible ses deux jeunes neveux. À travers le personnage de Kaliayev, c'est Camus qui oppose au fanatisme justicier de Stepan, fourrier du totalitarisme, son respect de l'innocence et de l'humain.*

Source : Albert Camus, *Les Justes*, Paris, Gallimard (folio), 1977, pp. 61-65.
Bibliographie : A. Lottman, *Albert Camus*, Paris, Seuil, 1985 ; J.-Y. Guérin, *Camus. Portrait de l'artiste en citoyen*, Paris, François Bourin, 1993.

STEPAN.— Rien n'est défendu de ce qui peut servir notre cause.

ANNENKOV, *avec colère.*— Est-il permis de rentrer dans la police et de jouer sur deux tableaux, comme le proposait Evno ? Le ferais-tu ?

STEPAN.— Oui, s'il le fallait.

ANNENKOV, *se levant.*— Stepan, nous oublierons ce que tu viens de dire, en considération de ce que tu as fait pour nous et avec nous. Souviens-toi seulement de ceci. Il s'agit de savoir si, tout à l'heure, nous lancerons des bombes contre deux enfants.

STEPAN.— Des enfants ! Vous n'avez que ce mot à la bouche. Ne comprenez-vous donc rien ? Parce que Yanek n'a pas tué ces deux-là, des milliers d'enfants russes mourront de faim pendant des années encore. Avez-vous vu des enfants mourir de faim ? Moi, oui. Et la mort par la bombe est un enchantement à côté de cette mort-là. Mais Yanek ne les a pas vus ; il n'a vu que les deux chiens savants du grand-duc. N'êtes-vous donc pas des hommes, vivez-vous dans le seul instant ? Alors choisissez la charité et guérissez seulement le mal de chaque jour, non la révolution qui veut guérir tous les maux, présents et à venir.

DORA.— Yanek accepte de tuer le grand-duc puisque sa mort peut avancer le temps où les enfants russes ne mourront plus de faim. Cela n'est déjà pas facile. Mais la mort des neveux du grand-duc n'empêchera aucun enfant de mourir de faim. Même dans la destruction, il y a un ordre, il y a des limites.

STEPAN. — Il n'y a pas de limites. La vérité est que vous ne croyez pas à la révolution. (*Tous se lèvent, sauf Yanek.*) Vous n'y croyez pas. Si vous y croyiez totalement, complètement, si vous étiez sûrs que par nos sacrifices et nos victoires, nous arriverions à bâtir une Russie libérée du despotisme, une terre de liberté qui finira par recouvrir le monde entier, si vous ne doutiez pas qu'alors l'homme, libéré de ses maîtres et de ses préjugés, lèvera vers le ciel la face des vrais dieux, que pèserait la mort de deux enfants ? Vous vous reconnaîtriez tous les droits, tous, vous m'entendez. Et si cette mort vous arrête, c'est que vous n'êtes pas sûrs d'être dans votre droit. Vous ne croyez pas à la révolution.

Silence. Kaliayev se lève.

KALIAYEV.— Stepan, j'ai honte de moi et pourtant je ne te laisserai pas continuer. J'ai accepté de tuer pour renverser le despotisme. Mais derrière ce que tu dis, je vois s'annoncer un despotisme qui, s'il s'installe jamais, fera de moi un assassin alors que j'essaie d'être un justicier.

STEPAN. — Qu'importe que tu ne sois pas un justicier, si justice est faite, même par des assassins. Toi et moi, ne sommes rien.

KALIAYEV.— Nous sommes quelque chose et tu le sais bien puisque c'est au nom de ton orgueil que tu parles encore aujourd'hui.

STEPAN. — Mon orgueil ne regarde que moi. Mais l'orgueil des hommes, leur révolte, l'injustice où ils vivent, cela, c'est notre affaire à tous.
KALIAYEV.— Les hommes ne vivent pas que de justice.
STEPAN. — Quand on leur vole le pain, de quoi vivraient-ils donc, sinon de justice ?
KALIAYEV.— De justice et d'innocence.

© Gallimard

4. 1956 : Le stalinisme vu par Jean-Paul Sartre

Lors du Congrès des intellectuels pour la paix, qui s'est tenu à Wroclaw, en Pologne, en août 1948, Sartre, en compagnie de Malraux et de quelques autres intellectuels « bourgeois », a été dénoncé par l'écrivain russe Fadeïev comme « fauve » au service des « potentats américains », « chacal tapant à la machine » et « hyène dactylographe ». C'est l'époque où, comme Camus, il évoque lui aussi dans une pièce de théâtre qui va connaître un grand succès, Les Mains sales, _le machiavélisme totalitaire. Ceci ne l'empêchera pas de s'engager au moment de la guerre de Corée dans un compagnonnage poussé avec les communistes, allant jusqu'à écrire en 1952 un long article, « Les communistes et la paix », qui est un véritable plaidoyer en faveur du Parti. Inclinée en ce sens par les écrits de ses adversaires tardifs, la mémoire collective a retenu de ce flirt de quelques années avec le PC, l'image d'un Sartre durablement stalinien, en tout cas coupable d'indulgence excessive envers le « parti de la classe ouvrière » et ses inspirateurs moscovites._

Or, dès 1956 et la répression à Budapest, le philosophe-romancier a pris clairement ses distances vis-à-vis de l'URSS et du communisme, rejoignant sur ce terrain d'anciens compagnons comme Merleau-Ponty ou David Rousset et signant dans Les Temps modernes _un article dans lequel il stigmatise la dérive stalinienne et totalitaire du marxisme._

Source : Jean-Paul Sartre, « Le fantôme de Staline », _Les Temps modernes_, 1956, pp. 640-644.
Bibliographie : A. Cohen-Solal, _Jean-Paul Sartre_, Paris, Gallimard, 1985 : D. Causte, _Le Communisme et les intellectuels français, 1914-1960_, Paris, Gallimard, 1967 ; et du même auteur _Les Compagnons de route, 1917-1968_, Paris, R. Laffont, 1979.

L E « SOCIALISME DANS UN SEUL PAYS », ou stalinisme, ne constitue pas une déviation du socialisme : c'est le détour qui lui est imposé par les circonstances ; le rythme et l'évolution de cette construction défensive ne sont pas déterminés par la seule considération des ressources et des besoins soviétiques mais aussi par les relations de l'URSS avec le monde capitaliste, en un mot, par des circonstances extérieures à la socialisation qui l'obligent sans cesse à transiger sur ses principes. Les contradictions de cette première phase provoquent un conflit de classe entre les ouvriers et les paysans et coupent les dirigeants des masses travailleuses ; un système autoritaire et bureaucratique s'instaure où tout est sacrifié à la productivité. Ce système reflète ses contradictions dans ses superstructures idéologiques : il se réclame du marxisme-léninisme mais cette couverture dissimule mal un double jugement de valeur sur l'homme et sur le socialisme. D'une part, la propagande et les romans roses du « réalisme socialiste » se réclament d'un optimisme assez écœurant ; en pays socialiste tout est bon, il n'est de conflit qu'entre les forces du passé et celles qui bâtissent l'avenir ; celles-ci doivent nécessairement triompher. Les échecs, les douleurs, la mort, tout est repris et sauvé par le mouvement de l'Histoire. Il paraît même opportun pendant quelque temps de faire des romans sans conflits. En tout cas, le héros positif ignore les difficultés intérieures et les contradictions ; il contribue pour sa part, sans défaillance et sans erreurs, à l'édification du socialisme, son modèle est le jeune stakhanoviste ; soldat, il ignore la peur. Ces bergeries industrielles et militaires se réclament du marxisme : elles nous dépeignent le bonheur d'une société sans classes. D'autre part, l'exercice de la dictature et les contradictions internes de la bureaucratie engendrent nécessairement un pessimisme qui n'ose pas dire son nom : puisqu'on gouverne par la force, il faut que les hommes soient méchants ; ces héros du travail, ces grands fonctionnaires si dévoués, ces militants du Parti si droits, si purs, un souffle peut éteindre leurs plus brûlantes vertus : les voilà contre-révolutionnaires, espions, agents du capitalisme ; des habitudes de probité, de droiture, trente ans de fidélité au PC, rien ne peut les défendre contre la tentation. Et s'ils s'écartent de la ligne, on découvre bientôt qu'ils étaient coupables de *naissance*. Les grandes actions qui leur valaient tant d'honneurs et tant d'éloges, on découvre tout à coup que c'étaient des forfaits : il faut se tenir prêt à révoquer tous les jugements, à mépriser l'homme qu'on portait aux nues sans jamais s'étonner de s'être trompé si longtemps ; dans ce monde obscur et mêlé, il faut affirmer d'autant plus fort la vérité du jour qu'elle a plus de chances d'être l'erreur de demain. L'État, loin de dépérir, doit se renforcer : son dépérissement viendra quand une éducation autoritaire aura intériorisé en chacun les contraintes qu'il exerce ; ce n'est pas l'émancipation des hommes qui pourra le rendre inutile, c'est leur auto-domestication et leur intéro-conditionnement : il ne disparaîtra pas, il se transportera dans les cœurs. C'est cette défiance de l'homme qui s'exprime dans la fameuse « erreur théorique » de Staline : la lutte des classes s'intensifie en période d'édification socialiste. On a prétendu qu'il voulait cyniquement justifier sa « pratique ». Pourquoi ? C'est la pratique, ici, qui engendre sa propre théorie. Du reste ce pessimisme se retrouve dans la politique étrangère. L'URSS ne veut pas la guerre mais elle la voit venir : à juste raison puisque les armées d'Hitler devaient l'envahir en 41. Mais ces craintes parfaitement valables entraînent une simplification grossière des problèmes : le monde capitaliste, hors d'atteinte, mal connu, devient une pure force destructrice qui poursuit sans merci l'extermination du peuple soviétique et la liquidation par les armes du socialisme ; on parle encore de ses contradictions, des conflits qu'elles peuvent entraîner, des forces de paix qui s'opposent en Occident aux forces de guerre. On en parle mais on n'y croit plus, surtout après l'échec du Front populaire ; car la seule politique sûre dans l'état d'isolement où se trouve la Russie socialiste, c'est de s'armer, de s'armer sans cesse comme si la guerre était pour le lendemain : ainsi la politique extérieure et intérieure doit se déterminer constamment en considération des risques de catastrophe, jamais en fonction des chances de paix. Tant qu'elle n'aura pas rattrapé les nations occidentales, l'URSS doit rester fidèle au principe pessimiste : « *Si vis pacem, para bellum* », ce qui veut dire en français : « Le pire est toujours sûr. »

5. La culture selon André Malraux
(1964)

La politique culturelle engagée à l'époque du Front populaire et poursuivie par la IVe
République a pris un nouveau souffle avec les gouvernements de la Ve. Un ministère des
Affaires culturelles est créé et confié à André Malraux qui occupe ce poste de 1959 à
_1969._ S'adressant aux députés en octobre 1966, l'auteur de La Condition humaine
résumait en ces termes son programme d'éducation populaire permanente : « _Autant_
qu'à l'école, les masses ont droit au théâtre, au musée. Il faut faire pour la culture ce
que Jules Ferry a fait pour l'instruction. »
Vaste projet, qu'il n'est guère facile de mener à bien avec un budget qui n'atteint
pas 0,5 % du budget de la nation, mais qui reçoit néanmoins un début de réalisation
avec la création des Maisons de la Culture, conçues comme des centres polyvalents et
des lieux de sociabilité avec bibliothèque, discothèque, salle de lecture, salle de cinéma,
etc. La première en date a été inaugurée par Malraux en avril 1964.
À l'actif de l'ancien fondateur de l'escadrille Espana, il faut encore noter la création
de la Caisse nationale des Lettres, la remise à neuf des façades de la capitale, la déco-
ration du plafond de l'Opéra de Paris confiée à Chagall, de grandes expositions, la
poursuite de la décentralisation théâtrale, des aides renouvelées à la musique et au
cinéma, etc.
Dans le discours prononcé à l'occasion de l'inauguration de la Maison de la Culture
de Bourges, André Malraux expose sa conception de l'aventure culturelle de l'humanité.

Source : Discours d'André Malraux lors de l'inauguration de la Maison de la Culture
de Bourges, 18 avril 1964, _Espoir_, revue de l'Institut Ch. De Gaulle, n° 2, pp. 58-59.
Bibliographie : J. Lacouture, _André Malraux, une vie dans le siècle_, Paris, Seuil, 1976.

CE QUI SE PASSE ICI est une certaine aventure probablement unique dans le monde
entier. Il y a cinq ans, nous avons dit que la France reprenait sa mission dans l'ordre
de l'esprit et on nous a répondu de tous côtés : faites donc appel aux Français, ils ne
viendront pas. Eh bien, puisque la télévision existe, au lieu de regarder les orateurs,
qu'elle prenne cette salle : la France qu'on avait appelée, elle est là ! Dans cette ville de
soixante mille habitants, voilà une salle entière de gens qui se sont dérangés pour le
domaine de l'esprit. Et si, à Paris, dans un district de dix millions d'habitants, il y avait
autant d'adhérents qu'il y en a dans cette ville, il n'y aurait pas une salle de Paris qui
pût contenir les Français qui devraient s'y trouver.
   Je dis que c'est une aventure dans le domaine de l'esprit parce qu'il faut que l'on
comprenne bien que le mot loisir devrait disparaître de notre vocabulaire commun.
Oui ! il faut que les gens aient des loisirs. Oui ! il faut les aider à avoir les meilleurs loisirs du monde. Mais, si la culture existe, ce n'est pas du tout pour que les gens s'amusent, parce qu'ils peuvent aussi s'amuser, et peut-être bien davantage, avec tout autre
chose et même avec le pire.
   Ce qui est la racine de la culture, c'est que la civilisation qui est la nôtre et qui, même
dans des pays en partie religieux, n'est plus une civilisation religieuse, laisse l'homme

seul en face de son destin et du sens de la vie. Et ce qu'on appelle la culture, c'est l'ensemble des réponses mystérieuses que peut se faire un homme lorsqu'il regarde dans une glace ce que sera son visage de mort.

Or, la seule force qui permette à l'homme d'être aussi puissant que les puissances de la nuit, c'est un ensemble d'œuvres qui ont en commun ce caractère à la fois stupéfiant et simple, d'être les œuvres qui ont échappé à la mort.

Lorsque nous parlons de culture, nous parlons très simplement de tout ce qui, sur la terre, a appartenu au vaste domaine de ce qui n'est plus, mais qui a survécu. Ne parlons pas même d'immortalité car la Renaissance a voulu l'immortalité, mais ce qui la précédait ne voulait que l'éternité. Peu importe, nous n'avons plus aucune réalité de César ou d'Alexandre ; les rois sumériens sont à peine pour nous des noms ; mais, lorsque nous sommes dans un musée en face d'un chef-d'œuvre contemporain d'Alexandre, nous sommes dans un dialogue avec cette statue. Lorsque nous lisons l'*Iliade*, nous sommes dans un dialogue avec quelque chose dont il ne reste rien. Et lorsque nous pensons à ce que fut la Grèce antique, lorsque nous pensons qu'il ne reste absolument rien de ce qui fut pourtant la première liberté des hommes, nous savons que nous entendrons quelque chose que vous allez entendre tout de suite, car je n'ai qu'à citer, c'est la voix d'Antigone lorsqu'elle dit : « Je ne suis pas venue sur terre pour partager la haine, mais pour partager l'amour. »

La culture, c'est l'ensemble de telles paroles et l'ensemble de toutes les formes, fussent-elles les formes du rire, qui ont été plus fortes que la mort parce que la seule puissance égale aux puissances de la nuit, c'est la puissance inconnue et mystérieuse de l'immortalité.

Nous savons tous que le machinisme est un phénomène sans précédent, mais ce que nous semblons presque tous, sinon ignorer, du moins ne pas reconnaître, c'est que depuis un temps assez court, disons à peu près depuis trente ans, au machinisme considéré comme agissant contre l'homme et surtout contre ses rêves, s'est ajouté un autre machinisme qui est précisément le machinisme du rêve. Nous avons inventé les usines de rêves les plus prodigieuses que l'humanité ait jamais connues et, à proprement parler, nous avons inventé les seules usines de rêves que l'humanité ait jamais connues.

Il y a cent ans, il allait à Paris trois mille personnes à un spectacle par jour. Si l'on tient compte de la télévision, il en va aujourd'hui probablement trois millions. Or, quelles en sont les conséquences ? Les conséquences, c'est que l'humanité tout entière est investie par d'immenses puissances de fiction ; et ces puissances de fiction sont aussi des puissances d'argent ou des puissances politiques de même nature — mais je ne veux pas poser le problème politique. Limitons-nous au monde libre et aux puissances d'argent.

Faire rêver cent millions d'hommes, c'est devenu possible à partir du moment où un metteur en scène américain utilisant une actrice suédoise pour interpréter l'œuvre illustre d'un romancier russe — je veux dire *Anna Karénine* — peut faire pleurer l'univers. Nous avons découvert avec Chaplin et avec Garbo, et avec tant d'autres, que certains moyens peuvent faire rire et pleurer l'univers, par-delà les immenses différences de races. Nous avons découvert qu'il y a en chacun de nous une vulnérabilité du rêve — mais en même temps, ceux qui vivent de ces usines ont découvert quels étaient les moyens d'action sur cette vulnérabilité. Et nous sommes dans une civilisation qui est en train de devenir vulnérable du fait très simple que ce qui est le plus puissant sur les rêves des hommes, ce sont les anciens domaines sinistres qui s'appelaient démoniaques : le domaine du sexe et le domaine du sang.

Mais un peu plus bas, il y a tout à gagner dans le rêve, en regardant vers la terre. Il y a tout à gagner en regardant par en bas. Et l'enjeu est de savoir si l'humanité, dans la mesure où elle croit qu'elle s'amuse, acceptera de se vouer à ses rêves les plus sinistres.

Si nous voulons que la France reprenne sa mission, si nous voulons qu'en face du cinéma et de la télévision les plus détestables, il y ait quelque chose qui compte et qui ne soit pas simplement les réprouvés, ce qui n'a aucun intérêt, il faut qu'à tous les jeunes hommes soit apporté un contact avec ce qui compte au moins autant que le sexe et le sang, car après tout, il y a peut-être une immortalité de la nuit, mais il y a sûrement une immortalité des hommes. [...]

Reprendre le sens de notre pays, c'est vouloir être pour tous ce que nous avons pu porter en nous. Il faut que nous puissions rassembler le plus grand nombre d'œuvres pour le plus grand nombre d'hommes. Telle est la tâche que nous essayons d'assumer.

© Plon

6. Duras contre la peine de mort

Entrée en résistance en même temps qu'en littérature — son premier roman, Les Impudents, a été publié en 1943 —, Marguerite Duras [Marguerite Donnadieu] a adhéré au Parti communiste en 1944 et en a été exclue en 1950. Toujours très fortement engagée à gauche, elle a participé à toutes les batailles de l'intelligentsia progressiste et notamment à celle de la guerre d'Algérie, à commencer par le Manifeste des 121, mais elle a également associé son nom à la défense de causes ne relevant pas directement du politique.

En 1958, alors qu'elle accède avec Moderato cantabile à une consécration que confirmera un an plus tard le succès cinématographique d'Hiroshima mon amour, réalisé par Alain Resnais mais dont Marguerite Duras a écrit le scénario, elle publie dans France-Observateur un article dans lequel elle proclame son horreur de la guillotine à laquelle sont promis deux jeunes gens, Jean-Claude Vivier et Jacques Sermeus, condamnés à mort pour un double crime commis en 1956. Ils avaient alors dix-neuf ans.

Source : Marguerite Duras, « "Poubelle" et "La Planche" vont mourir », _France-Observateur_, 1958.

Bibliographie : Y. Andrea, _M.D._, Paris, éditions de Minuit, 1983 ; C. Blot-Labarrère, _Marguerite Duras_, Paris, Seuil, 1992.

« POUBELLE », dit aussi « Citrouille », ainsi que son copain « La Planche », quatre ans après leur sortie de l'orphelinat de Sainte-Bernadette à Andaux, ont donc été condamnés à mort dans ce premier jour de printemps 1958, à vingt ans.

Voici de leurs nouvelles que vient de me donner le défenseur de Vivier, Mᵉ Planty.

Ils sont ensemble maintenant, à la Santé, dans la même cellule, comme à l'orphelinat. Sermeus a très peur de mourir. Vivier en est très agacé, mais le console. Vivier espère encore qu'il ne mourra pas. Ils ont signé hier leur pourvoi en cassation. Mᵉ Planty n'a pas beaucoup d'espoir en ce pourvoi. Eux, ils ne comprennent encore pas. Ils se plaignent de mal dormir depuis deux jours à cause de la lumière électrique qui reste toujours allumée dans les cellules des condamnés à mort. Ils ne savaient pas. Ils s'étonnent. Ils voudraient bien dormir. Ils restent dans cet état d'abrutissement qui a été dénoncé à l'unanimité par les journalistes et le public de Versailles. On peut donc être tranquille, et les journalistes, et les juges, et le public : la peur qu'ils auront sans doute bientôt de la mort, bientôt, au petit jour, restera très animale. Ce sera une peur qui, « c'est curieux », n'émeut pas, une peur qui « ne rime à rien », une peur « absurde », pour reprendre les expressions de mes confrères, *et qui ne fera peur qu'à eux*. Une fois le moment venu de la vivre.

C'est donc fini. L'indifférence recouvrira bientôt toute cette histoire. Comme ce ne sont pas des chiens, le jour venu, la Société protectrice des animaux ne se déplacera pas. Pourtant il paraît que lorsque la fourrière embarque les chiens errants et sans maîtres pour la chambre à gaz, ceux-ci se doutent de quelque chose et qu'ils hurlent et qu'on tente de les rassurer. Mais la Société protectrice des animaux ne se déplacera pas du moment que ce ne sont pas des chiens, civilement des chiens. Personne n'ira donc voir leur peur, ni les chiens, ni les hommes. Excepté, dans cette dernière catégorie, Me Floriot, dit « La Veuve[1] », dans ce beau monde, à cause de son souci constant de l'orphelin. Nous lui conseillons en tout cas de se déplacer pour voir tomber des têtes dans le son afin d'en pouvoir mimer plus tard — selon les besoins de ses causes — les phases diverses et cruelles, et animales.

Soixante-quinze journalistes ont reconnu que « Poubelle », nommé ainsi parce qu'à l'orphelinat il bouffait tout, les croûtes de fromage et les miettes de pain y compris et « La Planche », nommé ainsi à cause de sa maigreur « native », soixante-quinze journalistes ont reconnu que Poubelle et La Planche s'étaient montrés au cours du procès étrangement privés de charme, du moindre attrait.

Tous ont déclaré ne pas avoir été émus par leur condamnation à mort.

Tous ont reconnu au contraire que l'indigence de leur langage, l'incohérence de leurs propos, leur méconnaissance grammaticale, leur maintien dans le box des accusés, leur mise, la suppression de leurs moustaches, leurs yeux, leurs larmes, leurs yeux secs, leurs pieds, etc., indisposaient l'esprit. [...]

Non mais, où s'en va le langage ? Si les assassins ne charment plus, n'émeuvent plus, dans quel bourbier s'en va le crime ? Et les plaidoiries de « La Veuve », orgueil de nos salons, ses mimes feutrés (déclarés bouleversants à l'unanimité de la presse, bouleversants et nécessaires afin que pleurent et que s'effondrent encore plus les parents des victimes) des assassinats, ne risquent-ils pas de n'avoir qu'un public restreint au cadre judiciaire ?

Non. Que ces gens retournent d'où ils viennent, le vide, au vide. La société s'en félicite, au nom du nettoyage et de l'hygiène dite sociale.

---

1. C'est également l'un des surnoms donné à la guillotine.

7. « Voilà bien notre siècle »

(A. Glucksmann)

Une rupture profonde s'est opérée au milieu des années 1970 au sein de l'intelligentsia de gauche. Les énormes difficultés traversées par les pays de l'Est européen, l'écho en Europe occidentale des événements de Prague et de Gdansk, le véritable traumatisme provoqué à gauche par la publication en 1974 de L'Archipel du Goulag _d'Alexandre Soljenitsyne, enfin la révélation des crimes commis au nom du « socialisme » en Chine, au Cambodge ou en Afghanistan, font que de nombreux intellectuels qui étaient restés jusqu'alors sourds aux appels de ceux qui, venus du marxisme et parfois ex-militants et intellectuels communistes prestigieux, en dénonçaient depuis longtemps la dérive totalitaire, ont eu la brusque révélation de la « barbarie à visage humain »._

Cet ébranlement des certitudes qui avaient structuré la pensée et l'action de la gauche intellectuelle depuis la Libération a coïncidé avec la disparition de quelques-unes des figures de proue de l'intelligentsia engagée : Sartre (1980) et Aron (1983) pour la génération née avant le premier conflit mondial, Barthes (1980), Lacan (1981), Foucault (1984), Althusser (sombré dans la démence criminelle en 1980) pour la génération surgie dans le champ de la pensée militante dans le courant des années soixante, disparition précédée parfois d'une remise en question au moins partielle du bilan de leur action par les intéressés eux-mêmes. La visite de Sartre à l'Élysée, en compagnie de son ex-condisciple et adversaire Raymond Aron pour plaider, en juin 1979, la cause des boat people _vietnamiens fait à cet égard figure de symbole._

Avant même que ne s'effacent les silhouettes des maîtres à penser du deuxième après-guerre, avaient surgi, avec l'ambition d'occuper l'espace laissé vacant par le naufrage du marxisme, une nouvelle génération d'« intellocrates », tout droit sortie de la contestation soixante-huitarde. Baptisés « nouveaux philosophes » par les hebdomadaires politico-littéraires, ses représentants ont constitué pendant quelque temps une petite cohorte dont le point commun a été, à partir de la « découverte » du Goulag, la remise en cause non seulement du stalinisme et du post-stalinisme soviétiques, mais, au-delà de ce modèle déjà fortement dévalorisé en 1968, de modèles marxistes de substitution (la Chine, le Viêt-nam, Cuba) au contraire exaltés au temps des grandes espérances révolutionnaires. Avec Bernard-Henri Lévy, auteur de La Barbarie à visage humain _(1977), André Glucksmann constitue l'une des figures les plus représentatives de ce courant qui a été beaucoup brocardé par la gauche, mais auquel on doit tout de même d'avoir familiarisé tout un public resté fidèle à ce secteur du champ politique, avec des idées que nombre de dissidents marxistes — comme, par exemple, les représentants du groupe « Socialisme et barbarie » — avaient vainement tenté d'acclimater en France depuis le début des années 1950._

Ancien normalien et agrégé de philosophie, dissident de l'Union des étudiants communistes passé au maoïsme en 1968, André Glucksmann a tiré de sa propre expérience, de son compagnonnage intellectuel avec Maurice Clavel et des débats que ce dernier a animés chez lui, à Vézelay, la matière d'un livre — La Cuisinière et le mangeur d'hommes _— qui marque sa rupture avec le marxisme, supposé contenir en germe le totalitarisme et les camps d'extermination staliniens, aussi bien que les crimes contre la personne humaine dont se sont rendus coupables les dirigeants chinois, cambodgiens ou cubains._

Source : André Glucksmann, *La Cuisinière et le mangeur d'hommes*, Paris, Seuil, 1975, rééd. Points-Politique, pp. 15-16.

Bibliographie : P. Hamon, P. Rotman, *Les Intellocrates*, Paris, Ramsay, 1981 ; P. Ory, *L'Entre-deux-mai : histoire culturelle de la France, mai 1968 — mai 1981*, Paris, Seuil, 1983 ; R. Rieffel, *La Tribu des clercs ; les intellectuels sous la Vᵉ République*, Paris, Calmann-Lévy, 1993.

ENFANT DU SIÈCLE, qui ne prétend l'être ? Mais qu'est-ce que ce siècle déjà passé aux trois quarts ? La Révolution, la Bombe atomique ont nourri les interrogations des enfants d'octobre et d'Hiroshima. Et les camps de concentration ? L'horreur des charniers nazis apparut exceptionnelle. Elle s'était pourtant déjà manifestée dans la Russie de Staline (qui en inaugura l'usage systématique), elle se perpétue dans la Russie d'aujourd'hui, au Chili... Toute énumération paraîtra incomplète, les camps surgissent souvent et menacent partout. Enfant du siècle, tu seras enfant de Buchenwald et de la Kolyma, même si nous ne parvenons pas encore à déchiffrer cet état civil.

Les camps nazis étaient nazis. Le cancer semblait localisable, nous n'étions pas complices. Mais les camps russes : sont-ils russes, sont-ils marxistes ? force est d'abord de constater qu'il ne s'agit pas d'une particularité russe ou allemande, ni d'une folie absolument originale. À échelles différentes, au gré des circonstances historiques et des coutumes locales, notre siècle produit et reproduit cette invention qui lui est propre : le camp de concentration. Toutes les réalités tangibles, toutes les idées définitives dont il veut s'enorgueillir par ailleurs (est-ce bien absolument « ailleurs » ?) : progrès, révolution, expansion, tout, sur fond de cette nuit, revêt un air douteux.

Nous tournons autour du monstre, bien mal armés pour y penser. Les premiers marxistes n'inscrivent pas à leur programme les camps « soviétiques ». Pas plus que les bourgeois libéraux ne rêvent d'Hitler. Et voilà pourquoi votre fille est muette : puisqu'ils n'ont pas voulu cela, c'est qu'ils n'y ont point pour rien, il suffit de les croire sur parole et de revenir à nos chères lectures. Les déportés témoignent d'un autre monde, pas du nôtre. Les historiens, les théoriciens qui décrivent le monde concentrationnaire coupent les ponts, interdisant toute comparaison, toute analogie entre ce monde et le nôtre : là-bas, le système est totalitaire ; ici, nous avons d'autres principes.

Là-bas, l'enfer. Est-ce une raison pour cultiver ici les paradis artificiels. Les pensées innocentes qui n'ont pas programmé les camps ne les ont pas non plus prévus. Libéralisme, marxisme ; à les supposer innocentes, ces idéologies n'ont rien empêché. Y retourner sans que tant de douleur accumulée ne trouble notre paix théorique, n'est-ce pas manifester un amour immodéré des bibliothèques roses ? Et si ce siècle, si ces sociétés capables d'accoucher de camps de la mort n'étaient pas innocents ? Si un cordon ombilical reliait notre monde policé à cet univers d'horreur qui désormais le hante ?

XXᵉ siècle, siècle des camps de concentration. Les camps font leur apparition lors des guerres coloniales. Les Anglais « concentrent » les Boers. Ils s'esquissent dans les réquisitions massives de travailleurs étrangers pour l'économie de guerre en 14-18. Ils s'étendent très tôt à l'horizon de la révolution russe, fournissant bientôt une main-d'œuvre considérable et nécessaire à ce qui s'intitule « édification du socialisme ». L'ordre nazi en cultive la menace et en brandit la réalité dès sa prise de pouvoir. Colonie, Travail, Ordre : c'est signé, voilà bien notre siècle.

8. Marguerite Yourcenar à l'Académie française

(1981)

L'élection de Marguerite Yourcenar à l'Académie française en 1980 est doublement emblématique des changements qui se sont opérés dans la société et dans le monde de la culture depuis la fin des années soixante. En effet, non seulement cette fille de notables du Nord (elle est née Marguerite de Crayencour) est la première femme à être admise sous la coupole, mais les sages et prudes « immortels » ont poussé loin la transgression de leurs propres normes en accueillant une personnalité dont la destinée — elle a partagé pendant plus de quarante ans la vie d'une autre femme, Grace Frick, et par surcroît, naturalisée américaine en 1947, elle n'a retrouvé que tardivement sa nationalité française — tranche avec le conformisme ordinaire. Jean d'Ormesson, à qui a échu la tâche de répondre à son discours de réception, a souligné d'entrée de jeu le caractère « révolutionnaire » du choix effectué par ses confrères et par lui-même :

*« Madame, c'est une grande joie pour moi de vous souhaiter la bienvenue dans cette vieille et illustre maison où vous êtes, non pas certes le premier venu, mais enfin la première venue, une espèce d'*apax *du vocabulaire académique, une révolution pacifique et vivante, et où vous constituez peut-être, à vous toute seule, un des événements les plus considérables d'une longue et glorieuse histoire. Je ne vous cacherai pas, madame, que ce n'est pas parce que vous êtes une femme que vous êtes ici aujourd'hui : c'est parce que vous êtes un grand écrivain. »*

Source : *Le Monde,* Marguerite Yourcenar, « Discours du récipiendaire », 23 janvier 1981.

Bibliographie : G. Jacquemin, *Marguerite Yourcenar,* Lyon, La Manufacture, 1985 ; J. Savigneau, *Marguerite Yourcenar,* Paris, Gallimard, 1990.

MESSIEURS,
Comme il convient, je commence par vous remercier de m'avoir, honneur sans précédent, accueillie parmi vous. Je n'insiste pas — ils savent déjà tout cela — sur la gratitude que je dois aux amis qui, dans votre Compagnie, ont tenu à m'élire, sans que j'en eusse fait, comme l'usage m'y eût obligée, la demande, mais en me contentant de dire que je ne découragerais pas leurs efforts. Ils savent à quel point je suis sensible aux admirables dons de l'amitié, et plus sensible peut-être à cette occasion que jamais, puisque ces amis, pour la plupart, sont ceux de mes livres, et ne m'avaient jamais, ou que très brièvement, rencontrée dans la vie.

D'autre part, j'ai trop le respect de la tradition, là où elle est encore vivante, puissante et, si j'ose dire, susceptible, pour ne pas comprendre ceux qui résistent aux innovations vers lesquelles les pousse ce qu'on appelle l'esprit du temps, qui n'est souvent, je le leur concède, que la mode du temps. *Sint ut sunt : Qu'ils demeurent tels qu'ils sont,* est une formule qui se justifie par l'inquiétude qu'on ressent toujours, en ne changeant qu'une seule pierre à un bel édifice debout depuis quelques siècles.

Vous m'avez accueillie, disais-je. Ce moi incertain et flottant, cette entité dont j'ai contesté moi-même l'existence, et que je ne sens vraiment délimité que par les quelques ouvrages qu'il m'est arrivé d'écrire, le voici, tel qu'il est, entouré, accompagné d'une troupe invisible de femmes qui auraient dû, peut-être, recevoir beaucoup plus tôt cet honneur, au point que je suis tentée de m'effacer pour laisser passer leurs ombres.

Toutefois, n'oublions pas que c'est seulement il y a un peu plus ou un peu moins d'un siècle que la question de la présence de femmes dans cette assemblée a pu se poser. En d'autres termes, c'est vers le milieu du XIXᵉ siècle que la littérature est devenue en France pour quelques femmes tout ensemble une vocation et une profession, et cet état de choses était encore trop nouveau peut-être pour attirer l'attention d'une Compagnie comme la vôtre. Mme de Staël eût été sans doute inéligible de par son ascendance suisse et son mariage suédois : elle se contentait d'être un des meilleurs esprits du siècle. George Sand eût fait scandale par la turbulence de sa vie, par la générosité même de ses émotions qui font d'elle une femme si admirablement femme ; la personne encore plus que l'écrivain devançait son temps. Colette elle-même pensait qu'une femme ne rend pas visite à des hommes pour solliciter leur voix, et je ne puis qu'être de son avis, ne l'ayant pas fait moi-même. Mais remontons plus haut : les femmes de l'Ancien Régime, reines des salons, et, plus tôt, des ruelles, n'avaient pas songé à franchir votre seuil, et peut-être eussent-elles cru déchoir, en le faisant, de leur souveraineté féminine. Elles inspiraient les écrivains, les régentaient parfois et, fréquemment, ont réussi à faire entrer l'un de leurs protégés dans votre Compagnie, coutume qui, m'assure-t-on, a duré jusqu'à nos jours ; elles se souciaient fort peu d'être elles-mêmes candidates. On ne peut donc prétendre que, dans cette société française si imprégnée d'influences féminines, l'Académie ait été particulièrement misogyne ; elle s'est simplement conformée aux usages qui volontiers plaçaient la femme sur un piédestal, mais ne permettaient pas encore de lui avancer officiellement un fauteuil. Je n'ai donc pas lieu de m'enorgueillir de l'honneur si grand, certes, mais quasi fortuit et de ma part quasi involontaire, qui m'est fait ; je n'en ai d'ailleurs que plus de raisons de remercier ceux qui m'ont tendu la main pour franchir un seuil. […]

© Gallimard

9. L'émergence des sciences sociales dans la France des années 50 : l'ethnographie selon Lévi-Strauss

Dans la mouvance institutionnelle de l'ethnologie, l'«anthropologie sociale» — distincte de la sociologie — a pris son essor avec les écrits fondateurs de Claude Lévi-Strauss, directeur d'études à l'École pratique des hautes études, dans le courant de la décennie 1950. Dans Les Structures élémentaires de la parenté, *publiées en 1949, Lévi-Srauss montre comment les rapports de parenté, dont le rôle est central dans les sociétés primitives, s'ordonnent selon des règles symboliques dont la signification varie d'une société à l'autre. Les textes qui suivent —* Tristes Tropiques *(1955),* Anthropologie structurale *(tome I, 1958),* La Pensée sauvage *(1962) — mettent l'accent sur les « structures » des groupes humains étudiés, c'est-à-dire sur les liaisons inapparentes mais cohérentes qui régissent la vie de leurs membres.*

Le « structuralisme », dont les outils sont largement empruntés à la linguistique, a vite occupé le centre du débat intellectuel, débouchant chez certains sur un déterminisme absolu. Le langage devenant le phénomène culturel par excellence et la loi de la pensée s'avérant identiques aux lois de l'univers, il ne pouvait plus être question pour _l'homme de se choisir : on arrivait ainsi à un discours philosophique qui se situait, et de manière radicale, à l'opposé de la thématique de la liberté, développée par Sartre._

Il serait sans doute abusif de placer sous la même et commode étiquette du « structuralisme » les entreprises intellectuelles des principaux maîtres à penser de la décennie 1960 : Claude Lévi-Strauss, Louis Althusser, Roland Barthes, Michel Foucault et Jacques Lacan. Chacun a eu, semble-t-il, même s'il récuse l'appartenance, sa saison structuraliste. Tous ont en commun d'avoir été partie prenante dans un mouvement de la pensée qui, en privilégiant les structures profondes des agglomérats sociaux, évacue l'homme en tant qu'individu libre et agissant.

Dans le texte suivant, extrait de Tristes Tropiques, _Lévi-Strauss évoque l'influence de l'ethnologie américaine sur ses propres travaux : une influence à bien des égards emblématique de l'évolution des sciences sociales en France au cours des années 1950 et 1960._

Source : Claude Lévi-Strauss, _Tristes Tropiques_, Paris, Plon, 1955, pp. 63-65.

Bibliographie : _L'Anthropologie en France. Situation actuelle et avenir_, Paris, Éditions du CNRS, 1979.

ENTRE LE MARXISME et la psychanalyse qui sont des sciences humaines à perspective sociale pour l'une, individuelle pour l'autre, et la géologie, science physique — mais aussi mère et nourrice de l'histoire, à la fois par sa méthode et par son objet — l'ethnographie s'établit spontanément dans son royaume : car cette humanité, que nous envisageons sans autres limitations que celles de l'espace, affecte d'un nouveau sens les transformations du globe terrestre que l'histoire géologique a léguées : indissoluble travail qui se poursuit au cours des millénaires, dans l'œuvre de sociétés anonymes comme les forces telluriques, et dans la pensée d'individus qui offrent à l'attention du psychologue autant de cas particuliers. L'ethnographie m'apporte une satisfaction intellectuelle : comme histoire qui rejoint par ses deux extrémités celle du monde et la mienne, elle dévoile du même coup leur commune raison. Me proposant d'étudier l'homme, elle m'affranchit du doute, car elle considère en lui ces différences et ces changements qui ont un sens pour tous les hommes à l'exclusion de ceux, propres à une seule civilisation, qui se dissoudraient si l'on choisissait de rester en dehors. Enfin, elle tranquillise cet appétit inquiet et destructeur dont j'ai parlé, en garantissant à ma réflexion une matière pratiquement inépuisable, fournie par la diversité des mœurs, des coutumes et des institutions. Elle réconcilie mon caractère et ma vie.

Après cela, il peut paraître étrange que je sois resté si longtemps sourd à un message qui, dès la classe de philosophie pourtant, m'était transmis par l'œuvre des maîtres de l'école sociologique française. En fait, la révélation m'est seulement venue vers 1933 ou 34, à la lecture d'un livre rencontré par hasard et déjà ancien : _Primitive Sociology_, de Robert H. Lowie. Mais c'est qu'au lieu de notions empruntées à des livres et immédiatement métamorphosées en concepts philosophiques, j'étais confronté à une expérience vécue des sociétés indigènes et dont l'engagement de l'observateur avait préservé la signification. Ma pensée échappait à cette sudation en vase clos à quoi la pratique de la réflexion philosophique la réduisait. Conduite au grand air, elle se sentait rafraîchie d'un souffle nouveau. Comme un citadin lâché dans les montagnes, je m'enivrais d'espace tandis que mon œil ébloui mesurait la richesse et la vérité des objets.

Ainsi a commencé cette longue intimité avec l'ethnologie anglo-américaine, nouée à distance par la lecture et maintenue plus tard au moyen de contacts personnels, qui devait fournir l'occasion de si graves malentendus. Au Brésil d'abord, où les maîtres de l'Université attendaient de moi que je contribue à l'enseignement d'une sociologie durkheimienne vers quoi les avaient poussés la tradition positiviste si vivace en Amérique du Sud, et le souci de donner une base philosophique au libéralisme modéré qui est l'arme idéologique habituelle des oligarchies contre le pouvoir personnel. J'arrivai en état d'insurrection ouverte contre Durkheim et contre toute tentative d'utiliser la sociologie à des fins métaphysiques. Ce n'était certes pas au moment où je cherchais de toutes mes forces à élargir mon horizon que j'allais aider à relever les vieilles murailles. On m'a bien souvent reproché depuis lors je ne sais quelle inféodation à la pensée anglosaxonne. Quelle sottise ! Outre qu'à l'heure actuelle je suis probablement plus fidèle que tout autre à la tradition durkheimienne — on ne s'y trompe pas à l'étranger — les auteurs envers qui je tiens à proclamer ma dette : Lowie, Kroeber, Boas, me semblent aussi éloignés que possible de cette philosophie américaine à la manière de James ou de Dewey (et maintenant du prétendu logico-positivisme) qui est depuis longtemps périmée. Européens de naissance, formés eux-mêmes en Europe ou par des maîtres européens, ils représentent tout autre chose : une synthèse reflétant, sur le plan de la connaissance, celle dont Colomb avait quatre siècles plus tôt fourni l'occasion objective ; cette fois, entre une méthode scientifique vigoureuse et le terrain expérimental unique offert par le Nouveau Monde, à un moment où, jouissant déjà des meilleures bibliothèques, on pouvait quitter son université et se rendre en milieu indigène aussi facilement que nous allons au pays basque ou sur la Côte d'Azur. Ce n'est pas à une tradition intellectuelle que je rends hommage, mais à une situation historique. Qu'on songe seulement au privilège d'accéder à des populations vierges de toute investigation sérieuse et suffisamment bien préservées, grâce au temps si court depuis que fut entreprise leur destruction. Une anecdote le fera bien comprendre : celle d'un Indien échappé seul, miraculeusement, à l'extermination des tribus californiennes encore sauvages, et qui, pendant des années, vécut ignoré de tous au voisinage des grandes villes, taillant les pointes en pierre de ses flèches qui lui permettaient de chasser. Peu à peu, pourtant, le gibier disparut ; on découvrit un jour cet Indien nu et mourant de faim à l'entrée d'un faubourg. Il finit paisiblement son existence comme concierge de l'Université de Californie.

© Plon

10. « Il n'y a pas d'histoire unilatérale »

Auteur d'une thèse rédigée pour l'essentiel de mémoire et sans dossiers durant sa captivité en Allemagne, soutenue en 1947, publiée en 1949 et légitimement considérée comme l'une des œuvres majeures du XXe siècle — La Méditerranée et le monde méditerranéen à l'époque de Philippe II —, Fernand Braudel fait figure de pionnier et d'animateur inlassable, pendant plus de trente ans, du courant dit de la « nouvelle histoire ». Héritier des fondateurs de la revue Annales, en particulier de Lucien Febvre, auquel il a succédé au Collège de France, directeur de cette publication après la mort de son maître (1956), il a à la fois joué un rôle institutionnel considérable comme président et comme rénovateur de la VIe section de l'École pratique des hautes études, puis comme

fondateur de la Maison des sciences de l'homme, et renouvelé tout un pan de la science historique, au confluent de l'histoire économique, de l'histoire sociale, de l'histoire des mentalités et d'autres disciplines telles que la sociologie ou l'anthropologie.
Le texte que nous présentons ici est tiré de la leçon inaugurale que Fernand Braudel a faite au Collège de France en décembre 1950. L'historien de la «longue durée» y expose sa conception de l'explication en histoire et la place que doit occuper selon lui dans cette explication l'examen des « aventures individuelles».

Source : Fernand Braudel, «Leçon inaugurale au Collège de France, 14 décembre 1950», _Écrits sur l'Histoire_, Flammarion, 1985.
Bibliographie : G. Gemelli, _Fernand Braudel e l'Europa universale_, Venise, 1990.

COMME LA VIE ELLE-MÊME, l'histoire nous apparaît un spectacle fuyant, mou- [...] vant, fait de l'entrelacement de problèmes inextricablement mêlés et qui peut prendre, tour à tour, cent visages divers et contradictoires. Cette vie complexe, comment l'aborder et la morceler pour pouvoir la saisir ou du moins en saisir quelque chose ? De nombreuses tentatives pourraient nous décourager à l'avance.

Nous ne croyons plus ainsi à l'explication de l'histoire par tel ou tel facteur dominant. Il n'y a pas d'histoire unilatérale. Ne la dominent exclusivement, ni le conflit des races dont les chocs ou l'accord auraient déterminé tout le passé des hommes ; ni les puissants rythmes économiques, facteurs de progrès ou de débâcle ; ni les constantes tensions sociales ; ni ce spiritualisme diffus d'un Ranke par quoi se sublimisent, pour lui, l'individu et la vaste histoire générale ; ni le règne de la technique ; ni la poussée démographique, cette poussée végétale avec ses conséquences à retardement sur la vie des collectivités... L'homme est autrement complexe.

Pourtant ces tentatives, pour réduire le multiple au simple ou au presque simple, ont signifié un enrichissement sans précédent, depuis plus d'un siècle, de nos études historiques. Elles nous ont mis progressivement sur le chemin du dépassement de l'individu et de l'événement, dépassement prévu longtemps à l'avance, pressenti, entrevu, mais qui, dans sa plénitude, vient de s'accomplir seulement devant nous. Là est peut-être le pas décisif qui implique et résume toutes les transformations. Nous ne nions pas, pour autant, la réalité des événements ou le rôle des individus, ce qui serait puéril. Encore faudrait-il remarquer que l'individu est trop souvent, dans l'histoire, une abstraction. Il n'y a jamais dans la réalité vivante d'individu enfermé en lui-même ; toutes les aventures individuelles se fondent dans une réalité plus complexe, celle du social, une réalité «entrecroisée», comme dit la sociologie. Le problème ne consiste pas à nier l'individuel sous prétexte qu'il est frappé de contingences, mais bien à le dépasser, à le distinguer des forces différentes de lui, à réagir contre une histoire arbitrairement réduite au rôle des héros quintessenciés : nous ne croyons pas au culte de tous ces demi-dieux, ou, plus simplement, nous sommes contre l'orgueilleuse parole unilatérale de Treitschke : «Les hommes font l'histoire.» Non, l'histoire fait aussi les hommes et façonne leur destin — l'histoire anonyme, profonde et souvent silencieuse, dont il faut maintenant aborder l'incertain mais immense domaine.

© Flammarion

XXVII

LES FORCES RELIGIEUSES
DANS LA FRANCE DU XXe SIÈCLE

*À l'échelle du siècle, la France, comme la plupart des autres États industrialisés de tra-
dition chrétienne, a connu un phénomène de sécularisation et de repli de la pratique et
des croyances religieuses. Ainsi, si près des trois quarts des Français se disent
aujourd'hui encore «catholiques», on ne compte guère plus de 15 % de pratiquants
réguliers et, selon un sondage réalisé en 1986 par la SOFRES, 19 % seulement de la
population croit à «une nouvelle vie» après la mort (43 % pense qu'il y a «quelque
chose» mais ne sait pas quoi, et 30 % qu'il n'y a rien). Il n'en reste pas moins qu'en
cette fin tourmentée du second millénaire de l'ère chrétienne les communautés religieuses, et en tout premier lieu l'Église catholique, manifestent une grande vitalité, et
constituent les principaux pôles de résistance à l'éclatement du corps social.*

*Au cours des deux décennies qui précèdent le déclenchement de la Première Guerre
mondiale, la France connaît un renouveau religieux qui est d'ailleurs plus qualitatif
que quantitatif. Il renforce les clivages plus qu'il ne les estompe. Il oppose de plus en
plus nettement une France radicale, laïque et anticléricale, dont les principaux bastions
se situent dans le Bassin parisien, le Midi méditerranéen, le Massif central et l'Aqui-
taine, à une France certes ralliée majoritairement à la République depuis que Léon XIII
l'a invitée à le faire (encyclique «Au milieu des sollicitudes», 1892), mais relevant
d'un catholicisme intransigeant, peu encline à assumer l'héritage de 1789 et qui s'est
engagée à fond dans la défense des congrégations. Elle a ses bases militantes dans les
régions où la pratique est demeurée vigoureuse : l'Ouest, la Flandre intérieure, le sud
du Massif central et le Alpes du Nord. Il y a là l'un des mobiles profonds de ces guerres
«franco-françaises» qui, jusqu'à une date récente, vont périodiquement dresser l'une
contre l'autre les deux moitiés de la communauté nationale.*

*La Grande Guerre a quelque peu modifié cette situation. Le retour de l'Alsace et
d'une partie de la Lorraine à la France victorieuse a renforcé l'assise territoriale des
partis orientés à droite et pour lesquels les catholiques votent majoritairement. L'esprit
de l'«Union sacrée», les souffrances, les peurs, puis la fierté de la victoire, partagés
par les combattants et par leurs familles ont passablement apaisé la guerre froide inter-
confessionnelle ainsi que la querelle entre laïques et cléricaux (texte n° 1). Ni les
mesures favorables à l'Église adoptées par le Bloc national, ni le militantisme laïque
du Cartel, ne modifieront radicalement cette tendance.*

*S'il demeure un clivage très fort dans la société française, c'est celui qui oppose,
au sein même des familles religieuses, conservateurs et progressistes, partisans de la
démocratie pacifique et champions du nationalisme de choc, au premier rang desquels Maurras et l'Action française qui se verront condamnés par le Saint-Siège en*

1926. Certes, le catholicisme français reste solidement ancré à droite, mais l'on voit se développer dans les années trente un courant démocrate-chrétien et des minorités proches de la gauche qui vont joindre leur voix à celle d'intellectuels protestants (texte n° 2) pour dénoncer les idéologies totalitaires et participer au combat contre le fascisme.

La défaite de 1940 et le régime de Vichy accentuent la coupure entre ces deux fractions quantitativement inégales du peuple chrétien. Tandis que la hiérarchie catholique affirme son « loyalisme sincère et complet envers le pouvoir établi » (texte n° 3), suivie par la majorité du clergé et des fidèles, tout en manifestant de vives inquiétudes quant à la collaboration avec l'Allemagne hitlérienne, et en participant au sauvetage de nombreux juifs, des groupes minoritaires, le plus souvent venus de la démocratie chrétienne, des mouvements de jeunesse affiliés à l'Action catholique (texte n° 4) ou des cercles « non conformistes » de l'entre-deux-guerres voient leurs membres s'engager dans la Résistance, se rallier à la France libre et participer aux combats de la Libération.

Passé l'euphorie de la victoire, les angoisses de la guerre froide ont pour effet de radicaliser les courants et de ramener l'Église catholique sur des positions frileuses aussi bien dans le domaine spirituel (texte n° 5) que politique (texte n° 6). Mais un tournant majeur s'opère dans les années soixante avec le concile Vatican II. Sans doute ne faut-il pas attribuer au seul concile des phénomènes qu'il ne fait qu'accentuer et qui relèvent davantage de l'évolution générale des mœurs et de la crise des croyances et des pratiques religieuses qui affecte depuis le siècle dernier le monde industrialisé. La rapide croissance des Trente Glorieuses et la déstructuration du corps social qui en est le corollaire se traduisent toutefois par un effondrement de l'appareil clérical et par un spectaculaire recul de la pratique que soulignent toutes les études de sociologie religieuse.

Le nombre des ordinations, qui avait connu une relative stabilisation en amont et en aval du deuxième conflit mondial, plonge dès le début de la décennie 1960. Ce ne sont plus d'ailleurs les mêmes prêtres qui s'engagent dans le sacerdoce. Ils se veulent résolument dans le siècle et rejettent les aspects les plus visibles de la présence cléricale dans la société. Du côté de la fréquentation religieuse, la débandade est tout aussi forte. La pratique dominicale, qui n'avait baissé que de trois points entre 1948 et 1961 en perd dix ou cours des cinq années suivantes, conséquence en tout premier lieu du déclin d'une France rurale qui avait depuis un siècle servi de vivier pour les vocations et aussi, s'agissant de la France de l'Ouest, de l'Est et du Centre, de bastions résiduels pour la pratique. Sans doute 75 % des Français se disent-ils encore catholiques et restent attachés aux pratiques liées aux grands événements de la vie familiale. Il reste que, dès 1970, 20 % d'entre eux optaient pour des obsèques civiles et que le nombre de ceux qui s'avouent « incroyants » ne cesse de croître.

En contrepartie, on constate chez de nombreux fidèles un approfondissement et un enrichissement du sentiment religieux, tourné vers l'action et la spiritualité, engagé socialement et parfois politiquement, plutôt que réduit aux aspects rituels de la parole et du geste. Ce retour du religieux s'accompagne chez certains croyants du refus militant de modernisation et d'ajustement à la société contemporaine (texte n° 7) que l'institution ecclésiastique a imposé à ses fidèles depuis Vatican II. Une fraction intégriste et ultraminoritaire de catholiques qui ne reconnaissent plus l'Église de leur jeunesse s'est rassemblée à partir du début des années 1970 autour de Mgr Lefebvre et a donné naissance par la suite à un véritable schisme.

Retour au religieux également, et retour en force des valeurs spirituelles au sein des autres communautés religieuses, protestante, juive (texte n° 8), musulmane (texte n° 9), s'accompagnant également de dérives fondamentalistes minoritaires et qui traduisent, sur fond de déstabilisation généralisée et de perte des repères, une angoisse millénariste qui s'exprime aussi dans le succès grandissant des sectes.

1. Barrès et l'unité spirituelle de la France
(1917)

Qualifié par Romain Rolland de « rossignol du carnage », parce qu'il a pendant trois ans publié presque chaque jour dans L'Écho de Paris _des articles destinés à exalter l'héroïsme et le sacrifice des « poilus », Maurice Barrès a commencé à s'interroger au moment de Verdun sur la légitimité de la tâche qu'il s'était assignée. Plus la guerre avance, plus les morts s'accumulent, plus le doute s'installe dans son esprit quant au bien-fondé de la mystique du sacrifice qu'il n'a cessé de développer dans ses écrits journalistiques du temps de guerre. S'amorce ainsi une évolution qui va conduire l'auteur des_ Bastions de l'Est _à s'interroger sur la signification même de son nationalisme. L'ouvrage qu'il rédige en trois mois — très exactement entre le 28 novembre 1916 et le 9 mars 1917 — et auquel il donne pour titre_ Les diverses familles spirituelles de la France, _traduit ce changement de cours de la pensée barrésienne. Il y donne de l'Union sacrée une définition plus large et plus profonde que celle que les politiques avaient formulée au début du conflit. Surtout, c'est un nationalisme d'une tout autre nature que celui issu du combat antidreyfusiste qui surgit sous la plume de l'écrivain lorrain, pluraliste, respectueux des différences, acquis à l'idée que la nation française n'est pas le produit d'un déterminisme biologique mais est constituée de « chapelles variées et vénérables », ayant chacune son originalité et sa légitimité, et non bâtie sur un modèle unique._

De ce livre consensuel, empreint d'une religiosité qui caractérise le Barrès des dernières années (il meurt en 1923), nous reproduisons ici la séquence finale.

Source : Maurice Barrès, _Les diverses familles spirituelles de la France_, Paris, Émile-Paul Frères, 1917, réédité en 1997 à l'Imprimerie nationale : présentation de Pierre Milza.

Bibliographie : Z. Sternhell, _Maurice Barrès et le nationalisme français_, Paris, Presses de la FNSP, 1972 ; R. Soucy, _Fascism in France. The case of Maurice Barrès_, Berkeley, University of California Press, 1972.

L ES ÉGLISES DE FRANCE ont besoin de saints », disait quelqu'un à la veille de la « guerre... Ils naissent chaque jour des champs de bataille et voici leur liste affichée sous le porche. Ces saints de la France appartiennent à toutes les croyances, et la vieille église du village, mère des générations, cœur des cœurs, les accueille tous avec une égale tendresse, car dit-elle aux incroyants, vous êtes mes fils endormis. [...]

Ces prodigieuses périodes où l'on se retrouve, où éclate la splendeur de notre unité profonde, elles ont laissé des traces dans l'histoire. Jadis, nous avons construit ensemble les cathédrales, qu'allons-nous construire demain ? Qu'est-ce qui va naître dans l'immense émotion de la victoire ?

Ce qui naîtra, je ne sais, mais l'âme nationale vient de se réaliser.

En même temps que nous allons libérer la vie française sur des territoires retrouvés, nous la dégagerons en nous-mêmes, et comme la patrie va sortir de cette crise héroïque avec un élargissement physique, chacun de nous y veut trouver une augmentation de l'âme.

Il s'agit de libérer et d'approfondir la vie spirituelle en France.

La guerre vient de nous apprendre que nos cœurs parfois contractés, irrités, possédaient chacun la faculté d'aimer, de comprendre, d'aider les cœurs et les esprits qu'ils croyaient adversaires. Au fond de chacun de nous repose la France entière, désireuse de s'épancher en œuvres vives. Cessons de la contrarier, écartons les obstacles d'hier, les barrières pourries, les palissades de partis, laissons-la agrandie telle que pendant la guerre.

On raconte qu'un soir de bourrasque et de pluie, un aumônier, un pasteur, un rabbin, liés comme il arrive souvent par la vie en commun au poste divisionnaire, se trouvèrent sur une partie du champ de bataille où des soldats relevaient les cadavres. Ces hommes les entourent et leur disent : «Nous n'osons pas mettre la terre sur nos camarades sans qu'on leur ait dit une prière. — À quelle religion appartiennent-ils ? — Nous ne savons pas, mais vous pourriez peut-être vous arranger entre vous. — Eh bien ! nous allons, à tour de rôle, les bénir... » Le catholique a commencé, le protestant a continué, et l'israélite a fini et, tous les trois, ils ont serré la main des soldats qui n'étaient pas nécessairement des croyants.

Mais cette scène, suis-je trop exigeant, demeure pour moi un décor magnifique dont l'âme est un peu incertaine. Je la trouve pauvre de conseil. Si nous avons retrouvé notre unanimité profonde, c'est pour la maintenir, en organiser la défense et continuer à la vivre. Et, pour terminer ce tableau, où je cherchai, fidèle secrétaire de la France, à préparer les versets d'une Bible éternelle de notre nation, je veux raconter ce qui advint à la mort du plus étonnant des héros que j'ai nommés, à la mort du capitaine-prêtre Millon, qui tomba sous Verdun après avoir calqué ses derniers jours sur les derniers jours du Christ.

Le capitaine Millon s'était lié intimement, dans les tranchées, avec son chef de bataillon, le capitaine P..., libre-penseur et franc-maçon, d'une nature généreuse. Quand Millon fut tué, le capitaine P... vint trouver le soldat catholique Joseph Ageorges et lui dit : «La mort de Millon me fait beaucoup de peine. Si j'étais tombé le premier, il aurait dit une messe pour moi. Je ne crois pas, mais sait-on jamais ! Si l'âme est immortelle, Millon sera content que je pense à lui. Vous voulez que nous allions demander au curé un service à son intention ?» Nous y allâmes, me raconte M. Joseph Ageorges. Le capitaine P... inscrivit l'annonce de la messe au rapport. Il assista au service avec les soldats, les gens du village et les enfants d'un orphelinat de la guerre. Après l'Évangile, le curé parla, et quand il eut terminé, il vint par un mouvement du cœur au banc du capitaine, l'inviter à prendre la parole. Le capitaine libre-penseur monta sur les marches de l'autel et, s'adressant aux orphelins, il glorifia le capitaine-prêtre. Pour conclure, il proclama sur le cercueil du héros (et n'entendez-vous pas sa voix sur toutes nos tombes ?) qu'il fallait à la France de demain l'étroite collaboration du prêtre, de l'officier et de l'instituteur.

2. « Résister »

(Septembre 1935)

Né à Nîmes en 1900, dans une famille d'ascendance paysanne et cévenole, André Chamson est une figure caractéristique de la moyenne bourgeoisie protestante acquise aux idéaux de la gauche et résolument hostile à toute forme de dictature. Ancien élève de l'École des Chartes, il mènera parallèlement une carrière de conservateur et d'archiviste (qui sera couronnée par la Direction des Archives de France sous Malraux), en même temps que de romancier (Roux le Bandit, 1925, Les Hommes de la route, 1927, Tyrol, 1930, etc.), tout en faisant quelques incursions dans le milieu politique, en tant que membre du cabinet Daladier en 1926, et que chef-adjoint de cabinet aux Affaires étrangères en 1934. De sensibilité radicale, André Chamson s'engage après le 6 février dans le combat contre les ligues, d'abord comme membre du Comité de vigilance des intellectuels antifascistes, puis comme fondateur, avec Jean Guéhenno et Andrée Viollis, de l'hebdomadaire de gauche Vendredi.

Dans le discours qu'il prononce en septembre 1935 à l'Assemblée du Désert, Chamson appelle ses contemporains à « résister » à l'oppression qui menace l'Europe comme les camisards ont, deux siècles plus tôt, résisté aux agents de l'absolutisme et de l'intolérance.

Source : Discours prononcé à l'Assemblée du Désert, septembre 1935, in _Si la parole a quelque pouvoir_, Genève, Éditions du Mont-Blanc, 1948.

Bibliographie : Cécile Duret, _André Chamson, un intellectuel dans la cité, 1919-1939_, mémoire de DEA, IEP Paris, dir. Michel Winock, 1995 ; G. Castel, _André Chamson et l'histoire. Une philosophie de la paix_, Aix-en-Provence, Édisud, 1980.

S'IL EST DES LIEUX dont le caractère sacré puisse imposer le silence à l'homme, s'il est des lieux dont les échos ne puissent répéter que les chants ou les paroles qui les ont fait résonner dans l'histoire, et, plus loin que l'histoire, dans cette gloire permanente qu'est la conscience humaine, sans doute n'aurions-nous dû apporter ici que ce silence ou que cette fidélité de la lettre et de l'esprit. J'aurais compris qu'une voix comme la mienne, pour aussi fidèle qu'elle veuille rester à l'égard des héros qui ont transfiguré ces solitudes, n'ait pas eu le droit de s'élever ici. [...]

Mais ce secret que peut nous révéler, comme par un éblouissement, la communauté de la foi ou la communauté de la race et du sang, nous pouvons à notre tour le rendre compréhensible aux autres hommes. [...]

Qu'y a-t-il donc de si exemplaire dans cette résistance d'un peuple de montagnards, vieille à présent de plus de deux siècles ? Qu'y a-t-il donc de si exceptionnel ? Est-ce le fait d'avoir lutté pour une foi ? Certes, mais combien d'autres hommes, à travers le monde, au long des siècles, ont aussi souffert pour défendre les droits de leur conscience ? Serait-ce la disproportion des forces qui s'affrontaient ? Les éclatants succès que remporta d'abord cette troupe que rien ne préparait aux dangers de la guerre et qui luttait contre les maîtres de l'Europe ? Serait-ce la longueur de sa résistance, sa hautaine tenue, dans la défaite ? Non. Car d'autres hommes, en d'autres lieux, ont su montrer un égal courage. Cette sérénité à mourir que nous trouvons chez Roland dans son dernier combat ou chez

Castanet expirant sur la roue, seul devant Dieu auquel il avait donné sa vie, n'est pas, malgré sa grandeur, une vertu si rare chez les hommes. Ce qui donne à la résistance des Cévennes sa valeur exemplaire et son caractère exceptionnel, c'est d'avoir été pleinement ce qu'elle voulait être. Car elle fut réellement une résistance de l'homme à l'oppression et aucune autre entreprise n'a pu se servir d'elle pour chercher à réaliser un autre but. Rien n'a détourné de sa résolution ce peuple de bergers qui forgeait ses chefs avec les plus humbles de ses fils ; rien n'a fait dévier de sa route cette communauté fraternelle qui reposait sur le sentiment de l'égale dignité des hommes dans la recherche de leur élévation et de leur accomplissement. Voilà ce qui est grand, voilà ce qui est exemplaire.

Tant que l'homme sera capable d'imposer la souffrance ou de faire subir une oppression aux autres hommes, cet exemple des Cévennes gardera toute sa valeur enseignante. Car le pouvoir que l'homme a de faire souffrir ses semblables ou de les abaisser dans leur conscience et dans leur chair ne peut être vaincu que par la capacité de surmonter la souffrance et de la subir sans en tenir aucun compte. Nous trouvons ici le mot qui nous livre le secret de nos Cévennes, le mot qui est gravé sur la pierre de la tour de Constance et que le vent semble siffler sur les roches ou dans les herbes dures de nos hautes crêtes, par-delà le Jardin de Dieu, sur les hauteurs de l'Aigoual et de la Fageole, le mot que l'on répète aux petits enfants dans toutes les maisons de nos vallées, le mot qui semble inscrit dans ce vallon et dans ce petit village : résister. Et résister, c'est sans doute combattre, mais c'est aussi faire plus : c'est se refuser d'avance à accepter la loi de la défaite. Voilà l'exemple que nos Cévennes donnent à l'homme. Elles lui disent, par toute leur structure, par toute leur histoire, par toute leur humanité, que résister, c'est d'abord ne pas s'arrêter à la persécution, ni à la calomnie, ni à l'injure, puis, s'il le faut, que c'est combattre, et puis vainqueur ou vaincu, que c'est résister quand même, c'est-à-dire rester semblable à ce que l'on est jusque dans la défaite et jusque dans les fers. [...]

Certains qui peuvent garder la haine des morts et des vaincus ont reproché à nos pères de s'être mis en dehors de la grandeur de la France et de l'effort qu'elle poursuivait alors dans l'ordre de la civilisation humaine. Dans certaines bouches, le mot de camisard reste une insulte. Qui pourrait se refuser cependant à voir aujourd'hui que ces pâtres et ces bûcherons ont été les instituteurs de ceux qui les persécutaient ! Depuis plus d'un siècle, notre histoire semble n'avoir été que l'élargissement de l'héroïque protestation des montagnards des Cévennes. Ils ont ajouté un accent à ce respect de l'homme pour l'homme sans lequel toute civilisation et toutes ses conquêtes et toutes ses créations ne seraient jamais qu'une façade illusoire.

Fils de ces vaincus qui n'ont pas ployé sous la défaite, nous comprenons aujourd'hui que toutes les véritables grandeurs se rejoignent. Nous considérons comme notre bien, comme notre héritage, ce que les persécuteurs de nos pères ont pu créer de grand dans les arts, dans les lettres, dans les sciences ou dans l'ordre de la pensée. S'il est encore des esprits incapables de sentir cette convergence, ils font par cela même la preuve qu'ils ne participent vraiment à aucune de ces grandeurs. À la vigilance de leur haine, j'oppose l'image de tant de jeunes Cévenols qui ont su pénétrer dans nos vallées la pensée d'un Descartes, d'un Racine ou d'un Bossuet sans que diminue au fond de leur cœur le souvenir héroïque des combattants de nos montagnes. Dans cette sérénité qui n'est pas un oubli, dans cet apaisement qui n'est pas un relâchement des vertus essentielles, nos pères nous apparaissent brusquement comme n'ayant pas livré autre chose qu'un de ces combats intérieurs par lesquels l'homme lutte contre lui-même pour se contraindre à plus de dignité, de noblesse et de perfection.

3. Les mouvements de jeunesse catholiques et Vichy
(1942)

Le texte présenté ici est caractéristique de l'attitude du haut clergé français à l'égard de Vichy. Celui-ci a en effet été à peu près unanime à apporter son soutien au régime instauré par le maréchal Pétain. Les cas de Mgr Théas à Montauban, ou de Mgr Saliège à Toulouse, dénonçant la persécution des juifs, sont restés isolés, de même d'ailleurs que celui de l'évêque d'Arras en faveur de la collaboration. Cardinaux et archevêques des deux zones ont à diverses reprises exprimé leur « loyalisme sincère et complet envers le pouvoir établi », même si tous ne pensent pas comme le cardinal Gerlier, archevêque de Lyon et primat des Gaules, que « Pétain, c'est la France » et que « la France, c'est Pétain ». En revanche, comme l'Église catholique dans son ensemble et comme le pape lui-même, s'agissant des rapports avec les États fascistes — à commencer par l'Italie mussolinienne —, ils refusent les tentations totalitaires de Vichy, en particulier en ce qui concerne la jeunesse.

Cette lettre datée du 4 juillet 1942 et adressée au président de l'Association catholique de la jeunesse française (ACJF), par Mgr Liénart, cardinal-archevêque de Lille, résume assez bien cette position de la hiérarchie : loyauté envers le régime, tant que celui-ci ne manifeste pas de volonté totalitaire à propos de l'encadrement des jeunes, mais opposition à toute tentative visant à mettre en place une organisation de jeunesse unique entièrement contrôlée par l'État.

Source : Lettre de Mgr Liénart, cardinal-archevêque de Lille, au président de l'Association catholique de la jeunesse française, 4 juillet 1942, *in* Henri Bourdais, *La JOC sous l'Occupation allemande, témoignages et souvenirs*, Paris, Éd. de l'Atelier, 1995, p. 113.

Bibliographie : J. Duquesne, *Les Catholiques français sous l'Occupation*, Paris, Grasset, 1986 ; Y. Durand, *La France dans la Deuxième Guerre mondiale*, Paris, Armand Colin, 1989.

Mon cher ami,

Vous m'avez demandé quelle devait être, à mon sens, l'attitude de mes mouvements d'AC de Jeunes, envers la Délégation à la Jeunesse et notamment à l'occasion de la prochaine visite de M. Lamirand[1].

J'estime que nos mouvements doivent leur apporter une adhésion loyale et franche.

Nous avons en effet demandé à l'État français, justement soucieux de refaire l'union nationale, de ne pas créer de jeunesse unique, mais de laisser subsister des groupements divers, décidés à s'unir sur le terrain civique pour le bien commun du pays. Faisant droit à nos légitimes désirs, il a reconnu à nos mouvements d'AC la liberté d'exister, pourvu qu'en poursuivant leur but particulier ils apportent leurs concours effectif à son effort d'union.

Il ne serait donc pas loyal, après avoir obtenu de l'État l'acceptation de notre formule « jeunesse unie au service du pays », de nous tenir pratiquement à l'écart de la Déléga-

---

1. Secrétaire général à la Jeunesse.

tion et de M. Lamirand qui sont officiellement chargés de réaliser cette union, dans les circonstances où elle doit se manifester.

Si nous ne prenons pas franchement notre place auprès des autorités officielles qui travaillent à unir les mouvements de jeunes, la jeunesse unie ne se fera pas, car d'autres ne la veulent pas. Notre abstention fera échouer l'entreprise. Pour nous être tenus sur notre réserve que nous aurons cru prudente, nous laisserons le champ libre à la jeunesse unique. Elle risque de se faire alors malgré nous et par notre faute.

À une époque comme la nôtre la prudence ne suffit pas. Il faut oser. Ne craignons jamais de compromettre notre œuvre, en accomplissant notre devoir. L'AC sans s'inféoder à aucun régime, ni à aucun parti doit être cependant résolument française. Quand la France l'appelle à prêter son concours à une œuvre d'union comme celle-là, elle doit répondre : présent !

Je souhaite vivement que tous nos dirigeants le comprennent, acceptent de se rencontrer là avec d'autres groupements d'un esprit différent, puisqu'il s'agit précisément de s'unir sans supprimer les diversités et consentent leur part de concession inévitable dès qu'il s'agit d'entente.

Je vous prie de croire à mes sentiments les plus dévoués.

© Éditions de l'Atelier

4. Appel de la JOC aux jeunes travailleurs
(Août 1944)

Ce « Message à la jeunesse ouvrière de France », signé par les deux comités nationaux de la Jeunesse ouvrière chrétienne et de la Jeunesse ouvrière chrétienne féminine, a été imprimé le 19 août 1944 et placardé sur les murs de la capitale au plus fort de l'insurrection parisienne. À cette date, nombreux sont les dirigeants et les militants de la JOC qui, comme ceux de la Jeunesse étudiante chrétienne, ont rejoint les rangs de la Résistance ou qui combattent dans les maquis. Au début de l'Occupation, les organisations dépendant de l'ACJF, qui avaient avant la guerre manifesté une vive hostilité envers le nazisme et adopté en 1938 des positions anti-munichoises, ont massivement adhéré à la Révolution nationale : celle-ci leur paraissant aller dans le sens de l'anti-modernisme catholique tout en innovant en matière de politique de la jeunesse. Plus que les autres, et plus longtemps que les autres, la Jeunesse agricole chrétienne (JAC) s'est avancée dans cette voie, invitant ses adhérents en 1941, par le truchement de son journal, La Terre française, à être « les agents du Maréchal » et même « la police de la Révolution nationale ». La JOC et la JEC ont au contraire pris assez rapidement leurs distances, se démarquant de l'antisémitisme de Vichy, condamnant le STO (la JOC se montrant, il est vrai, moins réticente au départ en Allemagne par souci pastoral), organisant l'assistance aux étudiants et aux jeunes travailleurs réfractaires), pour finalement s'engager dans la Résistance à travers le mouvement des Jeunes chrétiens combattants.

Source : Affiche de la Jeunesse ouvrière chrétienne, août 1944 ; reproduite *in* Henri Bourdais, *La JOC sous l'occupation allemande, témoignages et souvenirs*, Paris, Éd. de l'Atelier, 1995, p. 217.

Bibliographie : Y.-M. Hilaire, « L'Association catholique de la jeunesse française. Les étapes d'une histoire (1886-1956) », *Revue du Nord*, t. LXVI, n° 261/262, avr.-sept. 1984.

CAMARADES !

C'en est fini du terrible esclavage ! Poursuivie depuis quatre ans, la JOC métropoli-taine, après celle d'Afrique du Nord, peut enfin, au grand jour, adresser à la jeunesse ouvrière de France son salut fraternel.

Quatre années de luttes et de souffrances ne doivent pas se clore sans que nous ayons salué la mémoire des morts de la classe ouvrière tombés pour la justice et pour la liberté. La JOC salue ces martyrs et pleure dans le sinistre bilan plus de 100 de ses diri-geants qui ont été fusillés. 12 dirigeants nationaux de la JOC, 100 dirigeants fédéraux, plusieurs centaines de militants, de dirigeants et de dirigeantes ainsi que l'aumônier national du mouvement ont été incarcérés. Ceux-là donnent à la JOC le droit de saluer tous les travailleurs qui ont souffert et qui souffrent encore dans les geôles pour qu'avance l'heure de la libération du pays.

Mais quatre ans de lutte ne font pas oublier à la JOC les dix-sept années d'efforts qu'elle a déployés au service de la jeunesse ouvrière. Forte de ses 400 000 adhérents elle n'a jamais cessé de combattre pour que la jeunesse salariée ne soit plus en France l'éternelle exploitée et l'éternelle abandonnée. La JOC ne poursuit qu'un but : celui de libérer la jeunesse ouvrière de l'emprise du capital, de l'arbitraire ou du plaisir. Elle veut pour la jeunesse travailleuse une éducation véritable afin que la classe ouvrière soit pour notre pays le premier artisan de son salut.

Aujourd'hui dans les souffrances et dans le sang notre pays reconquiert sa liberté. Il appelle sa jeunesse à la lutte. Mais il ne faudrait pas qu'il pense uniquement à elle quand il s'agit de se battre. La République française doit prendre en considération les légitimes aspirations de la jeunesse salariée, pour laquelle la JOC demande :

— La prolongation de la scolarité jusqu'à dix-sept ans.
— Une organisation sérieuse de la formation professionnelle et familiale.
— Un salaire juste.
— La troisième semaine de congés payés.
— Le délégué des jeunes.
— Le prêt au mariage et la caisse dotale.
— Le statut légal du jeune travailleur et de la jeune travailleuse.

C'est par sa jeunesse que notre pays doit commencer sa révolution, la révolution que le monde entier attend de la France, la révolution de la liberté, de la justice et de la fra-ternité.

Camarades ! Rejoignez nos rangs, enrôlez-vous dans nos équipes d'entraide ouvrière.

Notre solidarité fraternelle achèvera la libération du pays.

Vive la classe ouvrière !

Vive la France !

5. Lettre de Teilhard de Chardin au général des Jésuites
(1951)

Né en 1881 dans la région de Clermont-Ferrand, entré à dix-huit ans dans la Compagnie de Jésus, Pierre Teilhard de Chardin a orienté de bonne heure ses études vers la géologie et la paléontologie humaine. Docteur en sciences naturelles en 1921, il enseigne jusqu'en 1925 à l'Institut catholique de Paris, mais doit suspendre son enseignement dans cet établissement à la demande de ses supérieurs, suite à la publication d'une note sur le péché originel non conforme aux enseignements de l'Église. Il va désormais, et jusqu'en 1946, poursuivre ses recherches en Asie, notamment en Chine où il participe aux fouilles qui aboutiront à la découverte du sinanthrope.

Renouant avec l'entreprise «moderniste», que le Saint-Siège avait condamnée en 1907 — il est d'ailleurs proche d'Édouard Le Roy et de Maurice Blondel —, Teilhard de Chardin s'est appliqué, comme les représentants de ce courant déviant, à adapter le dogme catholique à la science contemporaine. Il va pour cela élaborer une synthèse qui voit dans la création non pas le résultat d'un acte fondateur et unique mais le produit d'une construction qui se poursuit dans la durée : ce qui rend la notion de création compatible avec celle d'évolution, tout en conservant à l'homme une place centrale dans le processus, dès lors qu'il est censé atteindre à l'issue de celui-ci un stade de spiritualité parfaite (le «point Oméga» ou le royaume de Dieu).

Les idées et les écrits du Père Teilhard de Chardin ont été jugés suffisamment subversifs par l'Église pour que, dans le climat peu propice à l'ouverture des années les plus tourmentées de la guerre froide, celle-ci en prononçât l'interdit. Les ouvrages de Teilhard ne paraîtront donc qu'après sa mort en 1955. Auparavant, leur auteur — élu à l'Académie des sciences — aura dû renoncer sur injonction de la hiérarchie de l'ordre à poser sa candidature au Collège de France. À partir de 1951, Teilhard de Chardin est chargé par la Fondation Wenner-Gren de missions en Afrique du Sud. C'est de Cape Town qu'il adresse, en octobre 1951, au général des Jésuites la lettre que nous reproduisons ci-dessous.

Source : Lettre de Pierre Teilhard de Chardin, au général des Jésuites, 12 octobre 1951.

Bibliographie : Pierre Leroy, *Le Père Teilhard de Chardin tel que je l'ai connu*, Plon, 1958, pp. 55-60 ; C. Cuénot, *Pierre Teilhard de Chardin. Les grandes étapes de son évolution*, Paris, Plon, 1958 ; E. Rideau, *La pensée du Père Teilhard de Chardin*, Paris, Seuil, 1965.

MON TRÈS RÉVÉREND PÈRE,
Au moment de quitter l'Afrique (c'est-à-dire après deux mois de travail et de calme sur le terrain), j'ai l'impression que le moment est favorable pour vous faire savoir en quelques mots ce que je pense et où j'en suis ; ceci sans oublier que vous êtes le «Général», mais en même temps (comme il y a trois ans, dans notre dernière conversation) avec cette franchise qui est un des plus précieux trésors de la Compagnie.

1. Avant tout je pense qu'il faut vous résigner à me prendre tel que je suis, — c'est-à-dire avec la qualité (ou la faiblesse) congénitale qui fait que, depuis mon enfance, ma

vie spirituelle n'a pas cessé d'être complètement dominée par une sorte de « sentiment » profond de la réalité organique du Monde ; sentiment originairement assez vague dans mon esprit et dans mon cœur, — mais sentiment graduellement devenu, avec les années, sens précis et envahissant d'une convergence générale sur soi de l'Univers ; cette convergence coïncidant et culminant, à son sommet, avec Celui *in quo omnia constant*, que la Compagnie m'a appris à aimer.

Dans la conscience de ce mouvement et de cette synthèse de tout *in Christo Jesu*, j'ai trouvé une extraordinaire et inépuisable source de clarté et de force intérieures, et une atmosphère hors de laquelle il m'est devenu physiquement impossible de respirer, d'adorer, de croire. Et ce qu'on a pu prendre, dans mon attitude depuis trente ans, comme de l'entêtement ou de l'impertinence est tout simplement l'effet de mon impuissance, à ne pas laisser éclater au-dehors mon émerveillement.

Voilà psychologiquement, la situation de fond dont tout dérive, et que je ne puis pas plus changer que le nombre de mes années ou la couleur de mes yeux.

2. Ceci posé, et pour vous rassurer sur ma position intérieure, il me faut insister sur le fait que (généralisable ou non à d'autres individus que moi) l'attitude intérieure que je viens de décrire a pour effet direct de me lier toujours plus inéluctablement à trois convictions qui forment la moelle du Christianisme.

Valeur unique de l'Homme en flèche de la Vie ; position axiale du catholicisme dans le faisceau convergent des activités humaines ; et enfin fonction consommatrice essentielle assumée par le Christ ressuscité au centre et au sommet de la Création : ces trois éléments ont poussé (et continuent à pousser) des racines si profondes et si entrelacées dans le système entier de ma vision qu'il me serait désormais impossible de les arracher sans tout détruire.

En vérité (et en vertu même de toute la structure de ma pensée) je me sens aujourd'hui plus irrémédiablement lié à l'Église hiérarchique et au Christ de l'Évangile que je ne l'ai jamais été à aucun moment de ma vie. Jamais le Christ ne m'a paru plus réel, ni plus personnel, ni plus immense.

Comment croire que la direction où je me suis engagé soit mauvaise ?

3. Reste, je le reconnais pleinement, que Rome peut avoir ses raisons pour estimer que, sous sa forme actuelle, ma vision du Christianisme est prématurée, ou incomplète, et que par suite elle ne saurait être diffusée présentement sans inconvénients.

C'est sur ce point important de fidélité et de docilité extérieures que je tiens particulièrement (en fait ceci est l'objet essentiel de cette lettre) à vous affirmer que, en dépit de certaines apparences, je suis décidé à rester « enfant d'obéissance ».

Évidemment je ne puis (sous peine de catastrophe intérieure et d'infidélité à ma vocation la plus chère) m'arrêter de chercher moi-même. Mais (et ceci depuis des mois) je ne m'occupe plus de propagation (mais seulement d'approfondissement personnel) de mes idées. Attitude grandement facilitée pour moi par le fait que je puis de nouveau faire du travail scientifique direct.

En fait, j'ai bon espoir que mon absence d'Europe fera tout simplement tomber autour de moi l'effervescence qui a pu vous inquiéter dernièrement. Et, dans cette direction, la Providence semble me tendre la main. En ce sens que la Wenner-Gren (ex-Viking) Foundation de New York qui m'a envoyé ici (c'est elle incidemment, qui a renfloué après la guerre, l'*Anthropos* du P. Schmidt) me demande déjà de prolonger autant que possible mon séjour en Amérique : affaire de mettre au point et d'élargir les résultats de mon travail ici. Tout cela me faisant gagner du temps et m'orientant vers une face toute scientifique de terminer ma carrière... et mon existence.

Ces lignes, dans ma pensée, sont, je vous le répète, une simple ouverture de conscience, — et elles n'attendent de vous aucune réponse. Voyez-y seulement la preuve que vous pouvez compter à fond sur moi pour travailler au Règne de Dieu qui est la seule chose que je voie et qui m'intéresse à travers la Science.

Très respectueusement vôtre *in Xto filius*,

© Plon

6. La mise au pas des prêtres-ouvriers
(1954)

Face à la montée en force du militantisme et du vote communistes qui a suivi en France la fin de la Deuxième Guerre mondiale, une nouvelle forme de mission en milieu prolétarien s'est développée tant parmi les laïcs de l'Action catholique ouvrière que parmi les jeunes prêtres qui considèrent qu'il ne peut y avoir d'évangélisation des travailleurs que par le contact permanent avec eux, sur le lieu de travail comme sur les divers sites où se déroule leur vie quotidienne : le club sportif, le comité d'entreprise, le syndicat, etc. Un certain nombre d'entre eux vont ainsi se faire embaucher comme manœuvres, ou comme OS, dans les usines des grandes métropoles industrielles pour y partager la vie des prolétaires.

La hiérarchie a d'abord favorisé ces initiatives dans le cadre de la « mission ouvrière », espérant sinon obtenir des conversions nombreuses, du moins offrir de l'Église une image « sociale » susceptible de freiner les progrès du communisme. Elle s'est vite aperçue cependant que loin d'attirer en son sein les masses déchristianisées, c'était bien souvent dans l'autre sens que s'opérait la conversion, les prêtres-ouvriers se découvrant solidaires de leurs camarades de travail dans les luttes sociales très âpres des années de la reconstruction, et adoptant, sinon l'idéologie marxiste en tant que telle, du moins un discours et des comportements (adhésion à la CGT, participation aux grèves) relevant de la lutte des classes.

Un débat s'est ainsi engagé au sein de l'Église entre ceux qui, soutenant l'apostolat ouvrier, estimaient comme le Père Montuclard qu'il ne pouvait y avoir d'autre attitude que de « participer à tous les combats de cette population ouvrière » (Les Événements et la foi, 1951) et ceux qui, au contraire, voyant dans le militant athée « un chrétien qui s'ignore », redoutaient avec l'abbé Guérin que les prêtres ouvriers ne substituent « une rédemption temporelle à la rédemption du Christ ».

Entre les deux positions, c'est le Saint-Siège qui tranchera en 1954, ordonnant aux prêtres-ouvriers de limiter leur présence à l'usine à trois heures par jour et d'abandonner toute participation syndicale. La décision leur a été communiquée par leurs évêques respectifs dans une lettre datée du 19 janvier 1954 dont nous reproduisons ici des extraits.

Source : Lettre des évêques de France aux prêtres-ouvriers, 19 janvier 1954, *La Documentation catholique*, 7 mars 1954.

Bibliographie : *Les prêtres-ouvriers*, documents, Paris, éd. de Minuit, 1954 ; É. Poulat, *Naissance des prêtres-ouvriers*, Paris, Casterman, 1965 ; R. Wattebled, *Stratégies catholiques en monde ouvrier dans la France d'après-guerre*, Paris, Éditions ouvrières, 1990.

C HERS AMIS,
Nous vous avons vu individuellement ou en groupes, depuis que les cardinaux Liénart, Gerlier et Feltin, à leur retour de Rome, vous ont fait connaître les décisions prises, en pleine union avec le Saint-Père, en ce qui concerne votre apostolat. Nous nous sommes efforcés de bien vous comprendre ; nous avons senti l'angoisse qui remplissait vos cœurs, lorsque vous pensiez aux conséquences des dispositions qui venaient d'être arrêtées. Votre préoccupation dominante était le souci de vos frères ouvriers que vous ne vouliez pas abandonner. Nous vous demandons de nous croire, si nous vous disons que cette angoisse, nous la partageons pleinement. Cependant, nous ne pouvons pas oublier non plus que nous sommes, en union avec notre Saint-Père le Pape, responsables de votre sacerdoce. Il nous appartient, finalement, après vous avoir écoutés et après avoir bien pesé les conséquences de nos décisions, de vous demander ce qui est nécessaire. L'heure est venue maintenant, après des semaines de prières, de réflexion et de contacts répétés d'en venir à la réalisation.

Nous ne vous redirons pas ici ce que vous lirez dans notre déclaration publique. Nous sommes décidés à accentuer notre effort et à envoyer des prêtres plus nombreux dans le monde ouvrier. Vous comprendrez combien nous serions désireux que vous puissiez être les premiers à vous consacrer, sous une forme nouvelle, à l'évangélisation des ouvriers que vous connaissez si bien, qui vous connaissent et vous aiment.

Nous tenons à vous exprimer notre reconnaissance pour votre dévouement, votre générosité, votre désintéressement. Nous avons été heureux de dire les résultats que vous avez obtenus. Par vous, le monde ouvrier a mieux compris que l'Église l'aimait. Pour tout cela, merci ! [...]

Aujourd'hui, nous vous donnons seulement quelques précisions pour la mise en pratique de cette déclaration.

Les deux premières conditions concernent l'avenir que nous voulons préparer.

La troisième est ainsi formulée : « Qu'ils ne s'adonnent au travail manuel que pendant un temps limité, afin que soit sauvegardée la facilité pour eux de répondre à toutes les exigences de leur état sacerdotal. » Il se peut que vous ne trouviez pas, dans l'entreprise où vous êtes, la possibilité de travailler à temps limité. Nous sommes obligés de vous dire, en effet, que, pour le Saint-Père, le temps limité signifie un temps ne dépassant pas trois heures par jour. Dans ce cas, il faudrait, dès réception de cette lettre, et au plus tard avant le 1er mars, vous retirer de votre entreprise.

Pour remplir la quatrième condition, nous vous demandons, dès réception de cette lettre, et au plus tard avant le 1er mars, de donner votre démission de toutes les charges temporelles auxquelles vous avait appelés la confiance de vos camarades. De même, vous voudrez bien, à partir de maintenant, ne pas renouveler votre inscription au syndicat auquel vous appartenez. [...]

En vous parlant ainsi, nous sentons à quel point vous devez éprouver un déchirement de tout votre être, non pas d'une façon égoïste par rapport à vous, mais à cause de votre amour pour vos frères ouvriers. Vous aurez peut-être l'impression qu'après vous avoir donné une mission, nous vous imposons des conditions qui vous empêcheront de l'accomplir. Nous ne voulons pas discuter ce que vous ressentez vivement. Votre souffrance est trop profonde pour que nous puissions espérer la calmer en vous présentant des raisonnements. C'est à votre esprit de foi que nous faisons appel. [...] L'Église vous a envoyés en mission. Elle ne se contente pas de vous donner une mission ; elle peut aussi, comme le Christ le faisait avec ses apôtres, vous dire comment vous devez accomplir votre mission. Sans doute, le monde ouvrier a ses caractéristiques propres qui demandent certaines adaptations ; nous avons essayé de bien vous écouter et de bien vous comprendre. Parmi les adaptations que vous proposez, il y en a que nous retenons, il y en a d'autres que nous ne pouvons pas accepter. [...]

Nous n'osons même pas envisager ce qui arriverait si vous refusiez de vous soumettre ! On a fabriqué, pour tranquilliser votre conscience, toutes sortes de théories ; peut-être êtes-vous arrivés par vous-mêmes aux mêmes conclusions. Ne croyez pas ceux qui vous disent que ce sont là questions politiques. Vous ne mettez pas en doute la sincérité de vos évêques. Or, devant Dieu qui les jugera, ils vous affirment qu'il ne s'agit pas de politique mais de religion. Ne croyez pas ceux qui vous disent qu'on peut rester dans l'Église en attitude de « résistance soumise » ou en attitude de « désobéissance à l'intérieur ». En pareille matière, la désobéissance constituerait une faute très grave. De plus, l'Église ne peut laisser une mission à aucun de ceux, prêtres ou laïcs, qui seraient en désobéissance à son égard. Celui qui ne se soumettrait pas risquerait donc de perdre la grâce et serait privé de toute mission. Certains ont prononcé le mot de « réduction à l'état laïc ». En pareille matière, nous sommes encore plus obligés à la franchise : si, par malheur, vous demandiez la réduction à l'état laïc, cette réduction ne vous serait pas accordée. Par contre, nous sommes obligés de vous prévenir que le prêtre qui se trouverait en état de désobéissance risque d'être puni de peines canoniques. [...]

Au fond, que voulez-vous ?... une seule chose, si nous avons bien compris, c'est que l'Église, avec son message, le message du Christ, soit présente à la classe ouvrière. Or, l'histoire de l'Église nous apprend que jamais quelqu'un qui s'est révolté contre l'Église n'a reçu dans l'avenir une mission d'Église. Par conséquent, non seulement, en refusant d'obéir, vous vous priveriez aujourd'hui d'une mission, mais vous détruiriez tout espoir qu'une mission puisse vous être confiée de nouveau. Au simple point de vue de l'efficacité, une seule voie est ouverte : celle de la soumission loyale et filiale ; alors, dans l'avenir, l'Église sera toute disposée à vous utiliser de plus en plus et à vous donner toutes les facilités qu'elle croira possible pour vous aider à accomplir votre apostolat. [...]

Vous vous demandez quelle forme va prendre maintenant votre vie sacerdotale. Peut-être pourrez-vous continuer votre apostolat sur place, en devenant des permanents au plan de l'Évangile, comme il y a des permanents dans le domaine syndical.

La cinquième condition prévoit le rattachement à une communauté sacerdotale. Peut-être ne savez-vous pas à quelle communauté vous rattacher, ou cela vous paraît-il impossible. Dans ce cas, nous serions heureux de vous donner toutes indications opportunes ou de vous faciliter une reprise intellectuelle et spirituelle. Croyez que nous ferons tout pour vous aider.

Dès maintenant, nous ne pouvons plus accepter que les prêtres envoyés au monde ouvrier constituent une équipe sur le plan national. Dans chaque diocèse, les prêtres de la mission ouvrière dépendent de l'évêque du lieu pour tout ce qui touche à leur apostolat.

Si en face des circonstances actuelles, vous préférez vous retirer complètement de l'apostolat du monde ouvrier, il faudrait, après avoir averti l'évêque du diocèse où vous travaillez, avertir votre propre évêque. Nous pouvons vous assurer que, dans ce cas, il cherchera pour vous et avec vous la meilleure solution. [...]

7. Être catholique en 1996

En mai 1996, le mensuel L'Histoire *consacrait un gros dossier aux catholiques français* *(« spécial catholiques ») et demandait à René Rémond de répondre à la question :* *« Qu'est-ce qu'un catholique dans le monde d'aujourd'hui ? ». Ce sont des extraits de* *la réponse apportée par le président de la Fondation nationale des sciences politiques* *que nous présentons ici.*

Source : René Rémond, « Qu'est-ce qu'un catholique ? », *L'Histoire*, n° 199, mai 1996, pp. 22-23.

Bibliographie : G. Cholvy, *La Religion en France de la fin du XVIIIe siècle à nos* *jours,* Paris, Hachette, « Carré Histoire », 1991 ; J. Le Goff, R. Rémond (dir.), *Histoire* *de la France religieuse*, Paris, Seuil, 1988-1992, 3 vol. ; G. Cholvy, Y.-M. Hilaire, *His-* *toire religieuse de la France contemporaine*, 3 vol., Toulouse, Privat, 1985-1988.

QU'EST-CE QU'ÊTRE CATHOLIQUE AUJOURD'HUI ? Voilà bien une question de notre époque, que l'on n'aurait pas même songé à poser jadis, tant la réponse paraissait évidente.

Être catholique, c'était d'abord adhérer à tout ce que le magistère définissait comme vérité de foi, qui trouvait sa formule dans le *Credo* de Nicée (325) proclamé solennellement à chaque messe. C'était aussi observer scrupuleusement les commandements dits de l'Église, qui réglaient minutieusement la discipline des sacrements et fixaient des fréquences impératives : assistance chaque dimanche à la messe, qui pour l'opinion marquait la différence entre les fidèles et les autres, confession de ses péchés au moins une fois par an, communion pascale. À ces obligations auxquelles le catholique n'attachait pas moins d'importance qu'aux croyances, et dont la transgression mettait en état de péché mortel, s'ajoutaient des prescriptions cultuelles comme le maigre du vendredi, l'abstinence et le jeûne en temps de pénitence.[...]

L'appartenance à la catholicité comportait aussi une dimension dans l'ordre du comportement moral : une attention toute spéciale à la fidélité dans le mariage, l'indissolubilité de l'union conjugale, la condamnation des rapports sexuels hors mariage, la proscription de tous les moyens propres à entraver la conception, une plus grande vigilance à l'égard du péché de la chair, que le catholicisme partageait du reste avec le puritanisme des Églises de la Réforme. [...]

Tout était donc simple et clair, la frontière aisément repérable entre qui était fondé à se dire catholique et les autres. Pourquoi se demander ce que c'était qu'être catholique ?

D'où vient alors que la question se pose aujourd'hui ? Certes, tout n'est pas devenu caduc des éléments de définition qui viennent d'être énoncés ; beaucoup s'y reconnaîtraient encore. Et pourtant, non seulement la question se pose, mais la réponse se fait plus incertaine. C'est que de grands changements sont survenus tant dans les relations entre le catholicisme et la société que dans la vie intérieure de l'Église et dans l'idée qu'elle se fait d'elle-même. En conséquence, la réponse qui convenait hier n'est plus aussi pertinente. On peut même se demander si la question relève encore d'une réponse unique : le catholicisme a cessé de représenter la même chose pour tous.

Pour le plus grand nombre — ces 80 % de Français qui, à toutes les enquêtes sur leur position à l'égard du fait religieux, répondent depuis trente ans qu'ils sont catholiques, bien que la plupart d'entre eux ne mettent jamais les pieds dans une église — l'auto-identification au catholicisme a une signification principalement culturelle : elle exprime leur fidélité à un ensemble de croyances, de souvenirs, de coutumes, où le religieux n'occupe qu'une place modeste, même s'il reste le ciment qui tient les autres éléments assemblés.

Fidélité, teintée souvent de nostalgie, aux souvenirs d'enfance — catéchisme, première communion — auxquels on reste parfois d'autant plus attaché sentimentalement qu'on a perdu le contact avec l'Église vivante, ce qui explique que ceux-là soient souvent les plus déconcertés par les changements survenus dans l'institution, faute de pouvoir se reconnaître dans ses nouveaux usages. [...]

Pour d'autres, moins nombreux assurément, mais dont on aurait tort de dire qu'ils ne sont plus que minoritaires, car ils forment encore dans notre société une majorité relative — aucune autre famille de pensée n'étant en mesure de réunir dans une fidélité régulière des millions d'adhésions volontaires —, la référence au catholicisme a un contenu plus précis et plus spécifiquement religieux : une attestation de foi, un choix de conscience. Même pour ceux-là la réponse ne peut plus aujourd'hui être ni globale ni homogène. Le catholicisme ne se présente plus comme un monolithe qu'on acceptait en bloc ou qu'on rejetait de même. Ceux qui se disent catholiques ne sont plus certains de croire aux mêmes vérités, même les plus essentielles comme la résurrection du Christ, que certains distinguent mal de la métempsycose.

C'est ainsi qu'on peut n'avoir aucune difficulté à croire tout ce que l'Église enseigne sans s'estimer tenu pour autant de suivre à la lettre tous ses commandements : on choisit dans ce qu'elle propose. [...]

En dépit de cette régression, trois ou quatre millions d'adultes se retrouvent chaque semaine à la messe dominicale, auxquels il faut ajouter les quelque deux millions de fidèles de l'émission télévisée *Le Jour du Seigneur* : des chiffres à faire rêver. [...]

S'observe pareillement une distorsion entre adhésion de foi et observance des directives du magistère dans l'ordre éthique. Certes la chose n'est pas nouvelle : de tout temps de bons catholiques ont contrevenu aux règles de la morale. Mais jadis, ce faisant, ils se savaient pécheurs, ils demandaient pardon, ils prenaient même la ferme résolution de ne pas retomber dans leur péché. La nouveauté est que des catholiques qui se considèrent comme de bons chrétiens contestent aujourd'hui les directives morales du magistère, et lui nient même le droit de décréter ce qui est licite et ce qui ne l'est point, revendiquant celui de se déterminer librement.

Cette dissociation n'est nulle part plus manifeste qu'à propos de la position prise par Paul VI en 1968 et réaffirmée par Jean-Paul II sur la contraception : que de jeunes femmes qui sont de bonnes paroissiennes ne tiennent pas compte dans leur vie sexuelle de l'enseignement de l'Église ! la chose eût été impensable au siècle dernier ; aujourd'hui elle ne provoque ni scandale ni cas de conscience.

Elle est en partie conséquence du changement survenu dans la relation de la personne au fait religieux : c'était autrefois l'acceptation d'un bloc de croyances, d'attitudes, de pratiques qui faisaient corps avec les habitudes sociales ; c'est davantage aujourd'hui un choix personnel relevant de la conscience, le religieux étant le domaine où s'affirme par excellence une revendication d'autonomie de la personne. Cette révolution a été encouragée par l'Église elle-même qui, pour légitimer la liberté religieuse, a fortement insisté sur la liberté de l'acte de foi. [...]

Reste évidemment que l'on n'est pas catholique si l'on ne professe pas que Jésus-Christ est fils de Dieu, et si l'on ne croit pas à sa résurrection. Mais cela, tous les chrétiens — à l'exception peut-être de quelques rameaux issus des Églises de la Réforme — ne le professent-ils pas aussi ?

Le catholique d'aujourd'hui ne serait-il donc qu'un chrétien réduit au plus petit dénominateur commun ? S'il est plus difficile à notre époque d'apporter une réponse satisfaisante à la question de l'identité catholique, il reste la présence de tout ce qui a été évoqué à propos de la signification culturelle entre les deux types d'appartenance que nous avons distingués, toutes sortes d'interférences comblant l'intervalle entre eux.

Être catholique, c'est encore accepter l'héritage d'une histoire qui a enraciné la foi dans un peuple et tissé autour du noyau proprement religieux l'enveloppe d'une culture et d'une morale.

8. Le retour du judaïsme

Le retour du religieux ne concerne pas seulement les personnes relevant des diverses mouvances chrétiennes. Il caractérise également la communauté juive. Au lendemain de la guerre, celle-ci se trouvait numériquement réduite — conséquence de la Shoah — à 200 000 personnes, en majorité ashkénazes. À partir du milieu des années 1950, les vagues successives de réfugiés en provenance du Maghreb et d'Égypte ont porté son effectif à plus de 600 000 et modifié sa composition au profit des séfarades, très largement majoritaires. Une fraction importante de la communauté israélite réside en région parisienne, mais ses représentants sont également nombreux à Marseille, Lyon, Toulouse, Strasbourg. Sociologiquement très diverse, elle entretient des liens privilégiés avec l'État d'Israël. Au cours des deux dernières décennies, la tendance a été au retour à une identité affirmée, parfois chèrement payée par la communauté (attentat contre la synagogue de la rue Copernic en octobre 1980, fusillade de la rue des Rosiers), —conséquence à la fois du retentissement en France des événements du Moyen-Orient — et de la crise des idéologies, en particulier de l'idéologie marxiste, très fortement ancrée dans la population juive et notamment parmi les intellectuels.

En 1987, soit à une date à peu près contemporaine du texte présenté ci-dessous, une enquête réalisée par Erik Cohen établissait que 36 % des juifs de France s'affirmaient « non-observants », tandis que 49 % se rangeaient parmi les « traditionalistes », respectueux d'un minimum de prescriptions alimentaires ou autres, et 15 % d'observants stricts se conformant aux interdits rituels (nourriture, pas de télévision durant le sabbat, etc.). Autrement dit, l'influence des « laïques » a fortement reculé au profit de celle des « religieux », et, parmi ces derniers, des orthodoxes.

Depuis le début des années 1980, on assiste d'autre part au renouveau et au développement de la pensée juive : ce qui n'est pas sans provoquer parfois des tensions au sein de la communauté, certains parmi les « religieux » reprochant aux intellectuels « laïques » de mettre l'accent sur ce qui relève de l'universel dans la foi et dans la culture juives aux dépens de ce qui constitue son identité profonde et sa spécificité.

> *Dans le texte présenté ici, le romancier et peintre Marek Halter, co-fondateur en 1984 de SOS-Racisme, insiste précisément sur le message universel du judaïsme, sur son ambition unique au cours des temps qui n'a pas été « de judaïser le monde mais de l'humaniser ».*

Source : Marek Halter, « Mémoire et lois de l'homme », *Le Monde*, 5-6 janvier 1986.
Bibliographie : S. Scharzfuchs, *Du juif à l'israélite*, Paris, Fayard, 1989.

IL NE S'AGIT PLUS AUJOURD'HUI de disséquer cette France juive, venue d'ailleurs [...] — non française donc, — dont parlait Drumont, ni d'examiner ces « juifs étranges », tenus à l'écart dans leur ghetto et par qui, comme le croyait Bloy, arriverait le salut ; il s'agit, au contraire, d'étudier le judaïsme comme l'une des composantes de notre paysage familier. Quel changement en quelques décennies !

Au lendemain de la dernière guerre mondiale, Jean-Paul Sartre publiait un petit livre remarquable, *Réflexions sur la question juive*, dans lequel il analysait les différents types d'antisémites. Il lui parut alors plus urgent de connaître les persécuteurs des juifs que les juifs eux-mêmes. Quand je suis arrivé en France, en 1950[1], on n'employait le mot *juif* qu'avec circonspection ou mépris. On disait habituellement israélite, par pudeur ou par politesse. Chaque fois que je me présentais, tout naturellement comme juif, je faisais naître un de ces longs silences embarrassés que beaucoup connaissent bien.

Petit à petit, sans qu'on y prenne garde, le mot *israélite* a déserté le discours quotidien. Le mot juif, en tant que définition positive d'une personne se réclamant du judaïsme, est entré dans le vocabulaire médiatique. Brusquement, les textes d'un Buber, d'un Rozenzweig, d'un Lévinas, ont cessé d'appartenir au domaine étranger. Dans la littérature et dans le cinéma, le personnage juif virait de la caricature au paradigme de la condition humaine.

Et pourtant, malgré l'intégration progressive du fait juif dans la mentalité et la culture françaises, pouvait-on prévoir qu'un jour Harlem Désir, le président de SOS-Racisme, le mouvement le plus populaire depuis 1968, en appellerait à la Bible plutôt qu'aux textes de Mao Zedong, Che Guevara et autres Lénine..., et qu'il serait acclamé par des milliers de « potes »[2] ?

De même, malgré les retombées tardives de Vatican II, dont on ne dira jamais assez le rôle dans le changement d'attitude envers les juifs, pouvait-on imaginer qu'un jour l'Église de France se donnerait pour chef Jean-Marie Lustiger[3], qui se réclame du judaïsme... et avec lequel il m'arrive parfois d'échanger quelques mots en yiddish ?

Une grande mutation est en train de s'opérer dans nos têtes et dans nos cœurs. Mutation non moins importante que la mutation technologique dont on parle tant. Il s'agit du retour en force des valeurs spirituelles, annoncé par Malraux, résultat du désenchantement de toute une génération qui ne croit plus aux vertus curatives des systèmes philosophiques et idéologiques. Après les catastrophes d'Auschwitz, d'Hiroshima et du

---

1. Échappé du ghetto de Varsovie avec ses parents en 1940 et réfugié en URSS, Marek Halter a quitté ce pays en 1946 pour la Pologne, puis pour la France, son père ayant obtenu un visa pour rejoindre son frère.
2. Allusion au slogan de SOS-Racisme : « Touche pas à mon pote ! », lancé lors des manifestations contre le Front national.
3. Cardinal-archevêque de Paris.

Goulag, qui accompagnent la faillite de la grande promesse, la conscience moderne semble se tourner de plus en plus vers la recherche de ses propres sources. Elle ne pouvait donc éviter le judaïsme. Non que les juifs soient les détenteurs de la morale, mais parce que, à peine libérés de l'esclavage, ils ont introduit l'idée de libération universelle. Car l'esclavage est contraire à la loi. [...]

La génération montante n'appartient ni aux désespérés de la révolution ni aux poseurs de bombes ; elle n'est ni politique ni guerrière. Elle ne s'adresse pas à la peur de l'autre et ne compte pas uniquement sur sa raison. Elle s'adresse justement à sa conscience. Cette conscience que les fanatismes religieux, politiques ou sociaux dénoncent comme une « mutilation de l'homme ».

L'antique morale si longtemps délaissée, décriée, qui commande l'amour, l'égalité entre les hommes, et exalte la foi dans le verbe, resurgirait-elle comme le dernier rempart contre la mort de l'âme ? Je partage la conviction de mon ami Élie Wiesel, selon qui l'unique ambition du judaïsme n'a jamais été « de judaïser le monde mais de l'humaniser ».

Réfléchir donc aujourd'hui sur le retour du judaïsme — pour moi, avant tout, message moral fait de l'affirmation de soi et de reconnaissance de l'autre — peut donc nous éclairer sur les grandes mutations de la conscience humaine à la veille du XXIe siècle.

9. L'Islam en France

Conséquence d'une immigration en provenance du Maghreb, de Turquie, d'Afrique noire, qui s'est développée depuis la guerre et qui a largement fait souche, l'Islam compte aujourd'hui en France, avec plus de trois millions d'adeptes, la deuxième des grandes religions pratiquées dans l'Hexagone. Là encore, on constate depuis une vingtaine d'années un réveil de la foi et de la pratique qu'expliquent à la fois le renouveau de la religion musulmane, le prosélytisme auquel se livre la Ligue islamique mondiale, et le repli de nombreux migrants, en butte à des réactions de rejet de la part des populations autochtones, sur des valeurs identitaires auxquelles se rattachent également des représentants de la seconde et même de la troisième génération. Il en résulte une demande plus forte que dans le passé en matière d'ouvertures de mosquées, de salles de prière sur les lieux de travail et dans les foyers, de boucheries rituelles, et une plus grande observance des fêtes religieuses et du Ramadan.

De là à voir dans le réveil de l'Islam populaire une adhésion massive au fondamentalisme en vigueur dans certains pays du Moyen-Orient et du Maghreb, il y a loin. Certes, le retour à la religion a progressé depuis vingt ans parmi les jeunes issus de l'immigration, mais il s'agit souvent d'un réflexe identitaire face à l'exclusion dont nombre d'entre eux se sentent victimes plus que d'une véritable conversion à la foi musulmane. Au début des années 1990, moins de 40 % des musulmans résidant en France se déclaraient croyants et pratiquants, 16 % seulement fréquentaient la mosquée le vendredi. Beaucoup plus que la « montée » des courants intégristes, dont certaines organisations politiques et certains vecteurs médiatiques ont fait leur « fonds de commerce », c'est semble-t-il la laïcisation des nouvelles générations issues de l'immigration qui est à l'ordre du jour à la fin de ce siècle. C'est ce qu'explique devant les membres de l'Académie des sciences *morales et politiques en 1994 l'un des spécialistes les plus éminents de l'Islam contemporain, Bruno Étienne, professeur de science politique à l'université d'Aix-Marseille III et directeur de l'Observatoire du religieux à l'Institut d'Études politiques d'Aix.*

Source : Bruno Étienne, « L'Islam en France », *Revue des sciences morales et politiques*, 1994, n° 3, pp. 289-291.
Bibliographie : G. Kepel, R. Leveau, *Les Musulmans dans la société française*, Paris, Presses de la FNSP, 1988 ; G. Kepel, *Les Banlieues de l'Islam*, Paris, Seuil, 1987.

L'ISLAM est désormais la deuxième religion en France et sans doute la deuxième française si l'on tient compte des citoyens français sociologiquement rattachables à cette confession. Sa visibilité a été renforcée par un double phénomène, alors que sa présence est très ancienne : voiles, foulards, barbes, jellabas ou gandouras, kippas et habits noirs, prolifèrent aujourd'hui à côté des cols romains et petites ou grandes croix, tandis que la soutane fait sa réapparition. En cette fin du XXᵉ siècle, afficher son identité passe de plus en plus par le culturel, sans doute comme réponse à la mondialisation. [...]

Après le regroupement familial, la fin des années glorieuses et la disparition de l'idée de retour au pays d'origine, on est passé sans s'en apercevoir de l'émigration force de travail à l'immigration danger islamique. La crise du Golfe était donc une opportunité imprévue et surprenante pour tester de l'« intégralité » des musulmans et vérifier leur fidélité en même temps que leur confiance dans le système français.

Voilà qui est fait, n'en déplaise à tous ceux qui ont fait de cette question leur fonds de commerce. En effet le moins que l'on puisse affirmer, avant d'affiner ce propos, est bien que les communautés juives et musulmanes ont donné l'exemple d'un civisme dans des proportions que personne n'osait espérer. Ce fut le résultat de la peur mais aussi du travail de toutes les associations laïques, religieuses, culturelles et autres ; alors que les organisations politiques chantaient, elles, les louanges du consensus sans état d'âme, les curés de quartier, les imams, les rabbins, les évêques, les radios locales juives et « beurs », quelques maires et beaucoup de militants de tous bords « sont allés au charbon » dans la quotidienneté d'un combat qui n'était pas gagné d'avance. [...] La société civile a démenti les experts et la classe politique ; tant pis pour eux. [...]

Sur ce problème de la guerre du Golfe, il ne s'agissait en rien de solidarité musulmane — la moitié des sondés par l'IFOP/SOFRES désapprouvaient l'Arabie saoudite... et l'Irak comme ils désapprouvaient la politique française en cette affaire. Mais tous ont été atteints par l'écrasement de l'Irak et 73 % n'avaient pas confiance dans les informations télévisées... Leur solidarité était essentiellement celle de l'humiliation arabe et la dimension humaine n'a pas joué cette fois. L'Islam, au contraire, est apparu compromis aux yeux de beaucoup qui recevaient pourtant des subsides de l'Arabie saoudite et nous avons de nombreux témoignages, et une ou deux petites enquêtes, qui confirment que la présence des « adorateurs d'idoles » dans le Haram, la terre sacrée, rend problématique le pèlerinage et la légitimité des Bani Sa'ud qui apparaissent trop liés aux ennemis des peuples arabes.

Les jeunes se sont à la fois rapprochés de leurs pères et ont mieux compris certains aspects, occultés par l'intégration, des soucis des primo-arrivants alors que les clivages d'âge s'aggravaient depuis quelque temps entre ceux qui jouaient le jeu de l'intégration et les anciens émigrés restés attachés à leur terre et leur patrimoine d'origine, même par bribes : berbérité, un peu d'Islam traditionnel maghrébin, arabophonie médiocre, quelques références à la 'Umma.

Nous sommes donc face à des situations assez nouvelles dont la moindre n'est pas que beaucoup de jeunes s'interrogent sur l'assimilation et sur la solidarité ou l'appartenance au monde arabe. [...]

La minorité franco-musulmane est, en effet, confrontée à des craintes et à des doutes qui pourraient conduire les plus marginalisés ou radicaux d'entre ses membres à des positions de repli, d'éloignement ou de révolte envers la société française qui a marqué massivement son mépris de l'Autre dans cette affaire. Il ne faudrait pas que cela conduise la société «consensuelle» à provoquer des crispations ethnico-religieuses et plus que jamais la nécessité d'un consistoire musulman se fait sentir, d'autant plus que certaines sources de financement extérieures sont coupées. Il va bien falloir que les citoyens français de confession islamique prennent leur destin en main.

Le nouveau ministre de l'Intérieur[1] en charge des cultes y semble favorable, qui vient de prendre une circulaire heureuse et inattendue : les carrés musulmans sont désormais recommandés et donc possibles dans les cimetières de nos villes. Cette décision est porteuse de paix sociale car, si les musulmans peuvent ensevelir en France leurs morts selon leur rite, cela signifie que ceux qui ont fait le pari de rester ici se sentent suffisamment chez eux pour envisager, sans transgresser la religion-du-Père, de faire enfin le travail de deuil des deux côtés dont parlait Sigmund Freud. Aucun signe n'est plus intégrationniste que celui-là.

---

1. Il s'agit de Charles Pasqua, ministre de l'Intérieur dans le gouvernement Balladur.

XXVIII

COMMUNICATION ET MÉDIAS
DANS LA FRANCE DU XXᵉ SIÈCLE

La presse écrite a connu son âge d'or au cours des trente ou quarante années qui précèdent le premier conflit mondial. Durant l'entre-deux-guerres, elle continue de jouer un rôle majeur en matière d'information et de communication, conséquence à la fois de l'élargissement du lectorat potentiel — grâce aux progrès enregistrés par la démocratisation de l'enseignement — et aux avancées techniques réalisées en matière de composition, de tirage et surtout de transmission des images. L'heure est à la concentration des entreprises de presse. À la veille de la guerre, sur un tirage total qui tourne autour de 10 millions d'exemplaires, deux titres se partagent la part du lion dans la presse parisienne avec un million d'exemplaires pour Le Petit Parisien *et 1,8 million pour* Paris-Soir. *Lancé au début des années trente par Jean Prouvost, grand industriel et maître d'un véritable empire de presse, ce dernier doit sa réussite à l'utilisation des techniques « américaines » de captation du public par l'accent mis sur le « sensationnel » (titres racoleurs, images-chocs, envoi de grands reporters sur les principaux lieux de l'actualité internationale, etc.).*

Mais le progrès technique a aussi pour effet de créer des instruments de communication dont la diffusion tend de plus en plus à concurrencer l'écrit. Il en est ainsi du téléphone, dont l'usage se répand à tous les niveaux (texte n° 1) et de la radio. Au cours de la décennie qui précède la guerre, celle-ci connaît à son tour son âge d'or et tend, dès cette période, à supplanter la presse écrite, à la fois comme moyen d'information et comme outil de diffusion d'une culture de masse administrée à fortes doses (texte n° 2). Les années trente voient en effet le nombre de récepteurs déclarés passer de 500 000 à plus de 5 500 000, ce qui signifie que près de la moitié des habitants de l'Hexagone se trouvent à la veille de la guerre à portée quotidienne des ondes radiophoniques. Celles-ci sont théoriquement placées sous le monopole de l'État (l'administration des PTT), mais des dérogations « provisoires » permettent des initiatives privées qui aboutissent à la création de nouvelles stations. Radio-Paris *se trouve ainsi concurrencée dès le milieu des années trente par* Radio 37 *de Jean Prouvost, le* Poste parisien, *et surtout* Radio-Cité, *née en septembre 1935 du rachat par le publicitaire Marcel Bleustein-Blanchet de* Radio LL *(texte n° 3).*

La Deuxième Guerre mondiale ne modifie pas radicalement cette situation. Tandis que la radio élargit encore son audience, qu'il s'agisse des stations publiques, soumises au monopole de l'État (programme national, programme parisien, Paris-Inter), *ou des postes « périphériques », émettant depuis des stations situées hors de l'Hexagone (*Radio Monte-carlo, Andorre *et surtout* Radio-Luxembourg *et* Europe n° 1), *la presse écrite subit de plein fouet la concurrence de ce médium populaire, du moins dans sa forme* classique privilégiant les grands quotidiens. *Après la courte période d'euphorie qui a suivi la Libération et qui a vu se multiplier les nouveaux titres (texte n° 4), elle enregistre un fort reflux au début des années cinquante. Les grandes feuilles de province, comme* Ouest-France, La Dépêche de Toulouse *ou* Le Dauphiné libéré, *qui apportent à leurs lecteurs des informations régionales que la presse de la capitale ne peut leur fournir, ont mieux tenu la route, de même que les magazines illustrés et les hebdomadaires politico-culturels inspirés des « News » américains, comme* L'Express *et* France-Observateur *(texte n° 5). Jusqu'en 1957, le pouvoir politique peut exercer son influence sur la diffusion de l'information par l'intermédiaire de l'Agence France-Presse (AFP), laquelle est dotée à cette date d'un statut lui assurant une plus grande autonomie (texte n° 6).*

Mais le grand bouleversement du siècle, en matière de communication de masse, d'information et de loisir concerne la télévision. Dès le milieu de la décennie 1960, celle-ci constitue en effet l'instrument médiatique dominant. Son envol coïncide à peu près exactement avec les débuts de la République gaullienne : il y avait en 1958 un peu moins d'un million de récepteurs équipant seulement 9 % des ménages. Sept ans plus tard, on dénombrait 5 millions d'appareils (42 % des foyers), 10 millions en 1969 (plus de 60 %).

Aujourd'hui, plus de 95 % des foyers sont dotés d'au moins un récepteur de télévision. La « petite lucarne » est devenue le principal instrument d'information et de récréation des Français, ce qui n'est pas sans susciter — et ceci depuis longtemps (texte n° 7) — critiques et inquiétude de la part de ceux qui redoutent son pouvoir de conditionnement et d'aliénation. En 1967, un peu plus de 51 % de la population déclarait regarder la télévision « tous les jours » ou « presque tous les jours » ; en 1992, ils étaient 82,6 % à le faire et l'on estimait que les habitants de l'Hexagone consacraient 43 % de leur temps libre à cette activité, et que la moitié d'entre eux stationnaient devant le petit écran plus de 17 heures par semaine.

Jusqu'en 1974, l'État, par le truchement de la RTF (Radiodiffusion-télévision française), puis de l'ORTF (Office de radiodiffusion et de télévision française) a exercé sur le nouveau médium un monopole absolu qui n'était pas sans effet sur l'orientation des programmes et surtout sur la manière dont était choisie, présentée et commentée l'« information » sur la chaîne unique — jusqu'en 1964 —, puis sur les deux chaînes du réseau (texte n° 8). Pas de véritable rupture à cet égard entre la période gaullienne et le septennat interrompu de Georges Pompidou, mais en 1974 le successeur de ce dernier, Valéry Giscard d'Estaing, a mis un terme au monopole de l'ORTF, démembré en sept sociétés : première étape significative d'une libéralisation de l'information qui va s'accentuer à partir de 1981, avec la création de la Haute Autorité et l'espace de liberté concédé aux radios-libres (texte n° 9).

On assiste, au cours de la dernière décennie du siècle, à une véritable explosion des moyens de communication moderne. Partiellement privatisée, la télévision s'est ouverte aux chaînes commerciales qui acheminent par câble, ou grâce aux satellites des nouvelles et des programmes en provenance du monde entier, tandis que, via le réseau Internet, les particuliers peuvent avoir accès à d'innombrables sources d'information par le truchement de simples micro-ordinateurs. Il en résulte certes, pour de larges secteurs de la population, des possibilités centuplées d'accès à la connaissance, mais aussi d'immenses risques de manipulation de l'opinion à laquelle peut concourir également l'usage systématique et quasi obsessionnel des sondages (texte n° 10).

1. Le téléphone et la diplomatie

La diffusion du téléphone a été en France relativement lente, si on la compare avec celle qu'a connue ce moyen de communication à distance dans les pays anglo-saxons et principalement aux États-Unis. Dans l'entre-deux-guerres, il se répand essentiellement dans les couches aisées de la population et dans la fraction des classes moyennes qui soit dispose d'un revenu confortable, soit est amenée à faire usage du téléphone pour des raisons professionnelles (commerçants, membres des professions libérales, etc.).

Peu répandues sont encore à cette époque les communications interurbaines, et moins encore les communications internationales, à la fois parce qu'elles coûtent cher, parce qu'elles sont souvent de mauvaise qualité, et parce qu'elles doivent transiter par divers relais. Pourtant, dès le début du siècle, diplomates et responsables politiques ont commencé à utiliser ce moyen de communiquer plus souple que le télégraphe et moins que lui — jusqu'à la mise au point des « écoutes » — soumis au risque de l'interception. À partir des années vingt, cette pratique s'est généralisée, y compris au niveau des chefs d'État, alors que se développaient précisément les techniques de captation et d'enregistrement des messages. Paul Claudel qui, entre les deux guerres, fut successivement ambassadeur à Tokyo (1921-1927), à Washington (1927-1933) et à Bruxelles (1933-1935), exprime dans le texte suivant la méfiance que lui inspire, en diplomatie, la banalisation des négociations téléphoniques.

Source : Paul Claudel, _Contacts et circonstances_, Gallimard, « La Pléiade », 1936.
Bibliographie : Patrice A. Carré, _Le Téléphone. Le monde à portée de voix_, Paris, Gallimard Découvertes, 1993.

E N RUSSIE, en France même, on prend des mesures, telles que l'évacuation de la zone de dix kilomètres qui donne une tout autre impression que celle du sens commun.

C'est alors que, pour la première fois, mêlant ses appels et ses sonneries au tac-tac du morse, intervient dans la confection des événements humains un lourd et terrible instrument, dont l'action immédiate et imperceptible accentuant le rôle des nerfs et diminuant celui de la volonté, de l'étude et de la réflexion, ne va plus cesser de s'accroître.

C'est le téléphone. Le recueil dont je parlais donne le texte des lettres et des télégrammes, mais qui connaîtra jamais la teneur des communications téléphoniques qui, pendant les derniers jours de juillet 1914, ont été échangées d'une chancellerie à l'autre ? Qui saura l'influence sur les événements de cet enchevêtrement inextricable et anonyme de quiproquos et de coq-à-l'âne ? On le sent, on la devine à travers ces documents haletants et entrecoupés. On entend le grésillement du timbre maudit qui invite au détraquement des organismes surmenés...

Depuis, la science a encore fait des progrès. On m'assure que les communications téléphoniques qui aujourd'hui se font quotidiennement et sereinement à travers les frontières et par-dessus la tête des ambassadeurs sont non seulement écoutées (_tapped_, disent les Américains, c'est-à-dire soutirées) mais _disquées_. C'est la diplomatie dans l'azur ! C'est l'inauguration d'une ère nouvelle : celle des confidences à l'éther. Il faudra s'y habituer.

Quand pour la première fois le téléphone-sans-fil a franchi l'océan, les Américains ont eu l'extase de ce nouveau joujou. Ils collèrent leur bouche à ce trou noir avec l'enthousiasme d'un amant qui déguste une passion inédite. Au moment où le président Hoover (illuminé sans doute par cet ange puritain qui apporta jadis une paire de lunettes d'or au prophète des Mormons) eut l'idée (après tout pas si mauvaise) de proposer une espèce d'année sabbatique pendant laquelle toutes les dettes resteraient suspendues et inopérantes sur un monde en proie à une catalepsie conventionnelle, le fil insubstantiel et sonore venait d'être établi entre les deux rives de l'Atlantique. Toute négociation entre Pennsylvania Avenue, le Quai d'Orsay et cette chambre de la rue de Rivoli où logeait Mr. Andrew Mellon fut menée par téléphone. À raison de la différence d'heures (et déjà quel symptôme et quelle source de détraquement dans les affaires humaines que ce décalage de la durée !), les communications avaient lieu principalement la nuit, et la journée solaire se passait à élaborer l'apport incohérent et à demi onirique du laps nocturne et à préparer l'alimentation de cette ventouse déjà ouverte sur la nuit suivante. Comment s'étonner dans ces conditions que les hoquets et les reprises d'une conversation sans cesse accompagnée ou interrompue par la friture, sans cesse dénaturée par la traduction d'idiomes étrangers entre des interlocuteurs non préparés et juxtaposés à l'état brut, n'aient pas produit le même résultat qu'une bonne négociation suivant la règle antique, conduite à loisir par un rédacteur qui à l'ombre bienfaisante des précédents fait appel à toutes les ressources du style et de l'argument ? Que de blasphèmes, que de grincements de dents (cependant que le cigare s'éteint et se refroidit sur le cendrier) avant que les deux opérateurs, énervés et insomnieux, à travers le gouffre de la distance et des heures facturées, réussissent à établir entre leurs électrodes une épissure précaire ! Napoléon disait que parmi ses maréchaux il y en avait bien peu qui gardassent une pleine possession d'eux-mêmes à trois heures du matin.

Les diplomates n'ont pas une meilleure aptitude à faire usage de ces heures normalement désertes et il ne faut pas s'étonner qu'ils ne soient pas toujours prêts à répondre d'une manière irréprochable aux sommations de l'instantané. Je proposerais volontiers comme frontispice aux recueils diplomatiques de l'avenir l'image de Laocoon étroitement enserré par ce serpent dont la spécialité est de n'avoir ni queue ni tête.

© Gallimard

2. La radio et l'esprit

La plupart des questions qui nourrissent aujourd'hui encore le débat sur l'audiovisuel se sont posées dès la période de l'entre-deux-guerres à propos de la radio. Celle-ci doit-elle être abandonnée à l'entreprise privée, comme dans les pays anglo-saxons, ou au contraire demeurer un monopole d'État ? A-t-elle vocation à éduquer, ou simplement à distraire ? Doit-elle être financée par l'argent public ou par les revenus de la publicité ? Quels garde-fous convient-il de mettre aux empiétements du pouvoir politique et à la médiocrité des programmes ? Pas plus qu'aujourd'hui appliquées à la télévision, et demain aux «autoroutes de l'information», les réponses ne sont pas simples. Elles opposent, comme il est de rigueur à chaque fois qu'intervient un bouleversement technique majeur, les «anciens» et les «modernes» : en l'occurrence, s'agissant de la radio — et au même moment du cinéma — ceux qui estiment que les nouveaux médias sont porteurs d'un abêtissement général, et ceux qui, au contraire, pensent qu'ils peuvent être de puissants agents d'éducation des esprits. Jean Guéhenno, homme de _gauche, co-fondateur avec André Chamson et Andrée Viollis de l'hebdomadaire_ Vendredi — _l'un des principaux lieux d'identité du Front populaire —, appartient à la seconde catégorie. Pour lui, la radio peut et doit être un instrument de culture. Elle ne le sera qu'à condition d'être préservée de la vulgarité et du pouvoir de l'argent, ce qui implique aux yeux de Guéhenno qu'elle soit placée sous le contrôle de la nation, sans être pour autant inféodée au pouvoir politique._

Source : Jean Guéhenno, « La radio et l'esprit », _Vendredi_, 21 janvier 1938.
Bibliographie : P. Miquel, _Histoire de la radio et de la télévision_, Paris, Perrin, 1984 ; C. Méadel, _La Radio des années trente_, Paris, Anthropos-INA, 1994.

TOURNER LE COMMUTATEUR, allumer les lampes, faire ce geste qui après quelques secondes va me mettre en communication avec l'univers ne deviendra jamais pour moi une sotte habitude, une habitude sans pensée. Aussi bien n'en abusé-je pas. Mais c'est chaque fois la même émotion, le même frémissement, la même inquiétude, et la même surprise quand, venue de je ne sais où dans l'univers portée par l'air musical et vibrant, éclate tout d'un coup dans la chambre où je suis seul une voix inconnue et fraternelle. Parce que je suis très ignorant en matière scientifique, c'est toujours le même miracle.

Je me souviens de la première fois que le miracle s'accomplit. C'était dans les toutes premières années de l'après-guerre, un soir, dans une petite ville du Nord, à Douai, au milieu d'un pays où tout évoquait encore la dévastation et la mort. J'habitais Lille. Les postes étaient rares encore et n'avaient pas atteint ce point de perfection qu'ils ont atteint aujourd'hui. Un ami m'avait invité à « venir entendre son poste ». J'y allai comme on se rend à une cérémonie. Je revois en cet instant la petite chambre encombrée de livres. Je contemplai la longue boîte noire, brillante et mystérieuse. Mon ami tourna le bouton fatal. Une petite lumière s'alluma. Et ce furent bientôt des gazouillements, des raclements, des sifflements comme si toutes les ténèbres environnantes se mettaient à vivre et à gronder. Un enfant qui était là tremblait de peur. Mais mon ami, manœuvrant ses manettes comme un dieu, remit l'ordre dans l'univers. Et soudain une musique d'une admirable pureté s'éleva dans la chambre. Une femme chantait pour nous à Berlin. C'était depuis dix ans le premier signe d'amitié qui me parvenait de l'Allemagne. Mon ami, d'un coup de pouce, nous fit faire le tour du monde, ou plutôt il contraignit le monde à nous rendre visite. Londres dansait, Hambourg jouait du trombone. Madrid chantait une sérénade. Paris prononçait un discours. Et par-delà les mers, du côté de New York et tout au fond de la terre, du côté de Moscou, on distinguait un sourd murmure que mon ami ne parvint pas à clarifier, mais c'en était assez pour que chacun de nous crût un instant sa solitude définitivement vaincue par une universelle présence humaine comme répandue tout autour de lui. Et j'admirai dans cette boîte brillante où venait résonner toute la terre le plus merveilleux instrument qu'eût produit la technique moderne, s'il était vrai qu'aucun n'avait réduit davantage les dimensions de la planète et qu'ayant le pouvoir de faire tenir tous les hommes de toutes les races, de tous les pays, dans une chambre, il pouvait plus qu'aucun autre pour leur fraternité.

Que craint-on de la radio ? Que lui reproche-t-on le plus ordinairement ? Les préventions qu'on a contre elle sont les mêmes qu'on a contre le cinéma. Des philosophes, des écrivains, habitués à la réflexion solitaire et qui ont constamment vérifié qu'ils ne devaient jamais qu'à eux-mêmes, à des efforts intimes et longtemps poursuivis, tous les progrès qu'ils ont pu faire dans leur propre pensée, tous ceux enfin qui savent qu'on ne pense bien que seul ne pouvaient manquer de dénoncer les dangers que peuvent, en effet, faire courir à l'esprit les techniques modernes bruyantes ou spectaculaires. Certains même ont affecté de les mépriser, comme des techniques de masses, accommodées aux masses. Ils dénoncent en elles le règne de la facilité. S'il faut en croire ces sombres prophètes, le monde serait menacé d'un vaste déferlement de la sottise. [...] Cette facilité nous accoutumerait à penser que tout nous est dû sans que nous devions nous-mêmes fournir le moindre effort.

Il n'est pas douteux que ces prophètes ne nous donnent là un avertissement salutaire. Il est sûr que la vulgarisation de la culture ne saurait jamais autoriser la vulgarité. Il est vrai qu'il ne saurait suffire ou de regarder défiler des images ou, en tournant un bouton, de faire que nos oreilles s'emplissent de sons et de paroles.

Il est sûr que toute vraie culture est effort sur soi-même, contre soi-même, et choix, et conquête. Il est sûr qu'un homme ne commence d'être cultivé que lorsque la rencontre de la difficulté lui a révélé les limites de son propre esprit, il est sûr qu'un homme ne commence de savoir que quand il mesure bien tout ce qu'il ne sait pas. Tout de même la grande terreur de ces annonciateurs de notre future sottise paraît en fin de compte assez comique. Ils nous font de fausses peurs. La multiplication des postes de radio n'engendre pas plus la sottise que ne l'a fait la multiplication des livres. Autant dire que l'art courra les plus grands risques quand les musées recevront plus de visiteurs. Il ne faut pas se plaindre que les hommes aient enfin des yeux pour regarder. Il ne faut pas non plus se plaindre qu'ils aient enfin des oreilles pour entendre, pour écouter, et il ne faut pas se plaindre qu'ils aient des postes de TSF. La culture n'est pas menacée de naufrage, parce que précisément jamais autant d'hommes n'ont eu les moyens de réfléchir et de penser.

Si « cette facilité moderne » peut en effet faire courir à l'esprit et à la culture quelques dangers, on n'a pas de peine à voir quels immenses services elle lui rend. Jamais encore on n'avait fait appel à tous les esprits des hommes. La culture ne peut que gagner à la mobilisation générale de toutes les intelligences. Et la radio peut être un des moyens de cet appel, de cette mobilisation générale de l'esprit humain. L'épaisseur de la terre, lourde, inerte, est vaincue. Il n'est pas un point du monde où la pensée humaine désormais ne puisse parvenir. C'est à la lettre qu'on peut dire que cette planète baigne en quelque sorte dans sa pensée. Il semble que l'air traversé de tous les cris, de tous les chants, de toutes les paroles de tous les hommes, soit devenu esprit. Au sein de la montagne et de la forêt la plus impénétrable, l'homme le plus isolé peut, à l'instant qu'il lui plaît, connaître la vie de toute l'humanité. En bien des lieux du monde, où l'esprit dormait encore, voici que favorisée par la radio, l'arrivée d'une nouvelle, d'un discours, d'une conférence, d'une chanson, d'une symphonie le réveille, suscite un homme nouveau, une nouvelle conscience.

Mais la radio a des devoirs envers l'esprit. Et d'abord il ne paraît pas convenable que le contrôle d'une technique si puissante pour le mal comme pour le bien puisse appartenir à d'autres qu'à la Nation, pas concevable non plus, qu'à l'intérieur de la Nation et en son nom, ce contrôle soit exercé par une autre autorité qu'une autorité spirituelle totalement libre. L'esprit libre peut seul avoir le change et le soin de former des esprits libres.

La radio est un des plus merveilleux moyens qui soient d'enrichir les esprits. Il est convenable que nous n'oubliions pas qu'elle pourrait devenir aussi bien le plus efficace moyen de les abêtir. M. Georges Duhamel racontait l'autre jour une assez bonne histoire. D'une coupure de journal qui lui avait été communiquée, il résultait que dans un grand pays voisin le jugement d'un tribunal venait d'établir une assez étrange jurisprudence. En cas de saisie mobilière, le poste de radio devient insaisissable aussi bien que le lit où l'on dort, attendu que cet appareil, loin d'être simplement pour celui qui le possède le moyen d'une distraction, est pour tout citoyen le moyen d'écouter la parole et les ordres de son maître. Ce maître a besoin et exige que les esprits aussi puissent dormir.

Puissions-nous être préservés d'être un jour tous nantis d'un appareil de TSF, si c'est à de telle conditions. Dans l'ordre des idées et de la pensée, la radio ne saurait avoir d'autres devoirs que celui que Condorcet, au commencement de notre époque, assignait à tous les enseignements, dans une admirable formule : «Rendre la raison populaire.» Et pour «rendre la raison populaire» quiconque parle devant le micro n'a besoin que d'être libre de pratiquer deux vertus : la probité intellectuelle et l'amour de la vérité.

3. « Au service de l'auditeur et du client publicitaire »

C'est en septembre 1935 que Marcel Bleustein, fondateur de l'agence Publicis, a racheté la station privée Radio LL et créé Radio-Cité. Avec cette station, dont le succès a été immédiat, entrait en lice dans le paysage radiophonique français — alors dominé par le secteur public — un nouveau type de radio où alternaient les diverses éditions du «journal parlé» (la «voix de Paris»), les reportages sportifs, les grandes émissions publiques gratuites sponsorisées («Les fiancés du Byrrh», le «crochet radiophonique» patronné par Monsavon et présenté par Saint-Granier, le «Music-hall des jeunes» qui a révélé entre autres Charles Trenet), les émissions de chansonniers, des émissions à sketches telles que «La famille Duraton» ou «Sur le banc» qui mettaient quotidienne- ment en scène un couple de clochards interprété par Jane Sourza et Raymond Souplex, ou encore des retransmissions théâtrales.

Parallèlement à son entreprise radiophonique, et pour donner à celle-ci un support de presse, Marcel Bleustein-Blanchet a lancé un journal, Ici... Radio-Cité, dans lequel étaient publiés des articles de fond sur la radio dans les différents pays, des reportages et des informations diverses sur les programmes de Radio-Cité. C'est du numéro du 8 juillet 1938 qu'est extrait l'article ci-dessous. Le patron de Publicis y expose, à partir de l'exemple américain, sa propre conception des rapports entre radio et publicité.

Source : Jean Bleustein, «La publicité : force américaine», _Ici... Radio-Cité_, 8 juillet 1938.

Bibliographie : M. Martin, _Trois siècles de publicité en France_, Paris, Odile Jacob, 1992 ; C. Brochand, _Histoire générale de la radio et de la télévision en France_, t. I, _1921-1944_, Paris, La Documentation française, 1994. C. Néadel, _La Radio des années trente_, Paris, Anthropos-INA, 1994.

O N NE DIT PAS CENT MOTS aux États-Unis sans que le mot «publicité» soit prononcé. On y revient sans cesse, à propos de tout. Les Américains ont un si grand besoin d'évaluer chaque chose !

Quel bienheureux pays pour l'homme d'affaires. En se levant le matin, son principal objectif est la nouvelle idée qui va lui permettre d'augmenter son chiffre d'affaires et de dépasser son concurrent. C'est pourquoi toutes les idées nouvelles, si audacieuses qu'elles soient, ont une grande chance d'être réalisées et de connaître la réussite. [...]

J'ai vu et connais toutes les formes de publicité existantes, qui en définitive sont identiques dans tous les pays, puisque le principe même de la publicité n'a pas d'autre but que de toucher la masse par les moyens les plus appropriés. C'est une merveilleuse école de psychologie. Mais nulle part au monde la publicité n'est exploitée avec autant de précision qu'aux États-Unis, car les pulsations du public y sont étudiées dans les moindres détails. [...]

Pour revenir à la radio, qui nous intéresse plus particulièrement, celle-ci a pris une telle place dans ce pays qu'elle règle pour ainsi dire la vie, depuis le matin jusqu'au soir, des 28 millions de familles d'auditeurs, soit en comptant, à l'instar des fameuses statistiques, trois auditeurs par foyer, 84 millions de personnes, c'est-à-dire les deux tiers des citoyens américains. La publicité radiophonique exploite admirablement ce nouveau moyen d'expression et personne ne s'avise ici de la critiquer ou même d'en désirer la suppression ; bien au contraire, car le développement de la radiodiffusion américaine tient précisément à cette émulation qui existe entre les firmes, ce que nos auditeurs français ne comprennent pas toujours. [...]

Que ce soit pour des cigarettes, du savon, des produits alimentaires ou pharmaceutiques, c'est à celui qui retiendra davantage que les autres. Presque jamais de communiqué. Chaque firme cherche à s'attacher l'orchestre, ou l'artiste, ou la vedette la plus en vogue du moment.

Combien de fois, et bien souvent sans succès, ai-je essayé auprès des annonciers français de leur faire comprendre qu'il était de leur intérêt de renoncer à cette publicité hachée et fragmentée du communiqué, pour faire un effort dans le domaine du concert, dont vous, auditeurs, j'en suis sûr, vous montrerez reconnaissants. Mais personne n'ignore que les postes privés français n'ont d'autre ressource que la publicité et sont obligés de se mettre à la disposition de ceux qui, n'ayant que de petits moyens, n'ont pas hésité, contrairement à ce que l'on pourrait croire logiquement, à faire confiance à ce nouveau moyen de propagande que certaines vieilles affaires très importantes négligent encore aujourd'hui, ne tenant pas compte de l'évolution des nouvelles générations qui, depuis l'enfance, sont en contact permanent avec la radio.

C'est pourquoi il faut aujourd'hui remercier tout particulièrement ceux qui nous ont permis d'ouvrir la voie à une exploitation qui donne entière satisfaction à l'immense public des auditeurs, en créant les émissions publiques. Vingt mille auditeurs invités chaque semaine sont en contact avec les vedettes de la radio et acceptent avec faveur une publicité dont l'efficacité est reconnue et dont la présentation adroite ménage toutes leurs susceptibilités.

Plus que jamais nous devons souligner que notre formule consiste à mettre la radio au service de l'auditeur avant tout, pour mieux défendre les intérêts du client publicitaire. C'est dans le compromis de ces deux nécessités que nous devons trouver l'équilibre indispensable à l'exploitation d'un poste de radiodiffusion tel que *Radio-Cité*, qui aura la volonté de poursuivre ses innovations et d'aménager au mieux le terrain conquis en trois années d'efforts.

4. Schéma d'un plan
pour le premier éditorial du « Monde »
(1944)

C'est au général de Gaulle lui-même que revient l'initiative de la création du journal Le Monde *dont le premier numéro est paru le 19 décembre 1944 sur une grande page imprimée recto-verso (le papier étant alors strictement contingenté). Dès le lendemain de la Libération, le chef de la France libre avait manifesté le souhait que la France pût à nouveau disposer d'un organe de presse de réputation internationale, comme l'était avant la guerre le journal* Le Temps. *Celui-ci ayant été mis sous séquestre du fait de son attitude sous l'Occupation, De Gaulle s'opposa à sa reparution et chargea son cabinet, ainsi que Pierre-Henri Teitgen, ministre de l'Information, d'organiser la succession du quotidien d'Émile Henriot et de Jacques Chastenet, et de trouver un directeur au nouveau journal. Sur les conseils de Georges Bidault, ancien éditorialiste de politique étrangère de* L'Aube, *et de Paul Reuter, le choix du général se porta sur Hubert Beuve-Méry, qui avait été avant la guerre correspondant du* Temps *en Tchécoslovaquie et était entré en résistance en 1942 après avoir joué un rôle majeur, en tant que responsable des études, dans l'expérience ambiguë d'Uriage.*

Le 11 décembre 1944, la SARL Le Monde *est créée avec un capital de 200 000 francs. Beuve-Méry en devient le gérant et le codirecteur, en collaboration avec Christian Funck-Brentano et René Courtin. Dans le document ci-dessous, deux pages dactylographiées, non signées et non datées, mais qui de toute évidence ont été rédigées par lui, celui qui signera par la suite des centaines d'éditoriaux sous le pseudonyme transparent de Sirius, trace le schéma du premier éditorial du* Monde.

Source : Schéma d'un plan pour le premier éditorial, Archives de la FNSP/CHEVS, Fonds Hubert Beuve-Méry, BM 2.

Bibliographie : L. Greilsamer, *Hubert Beuve-Méry, 1902-1989*, Paris, Fayard, 1990 ; J.-N. Jeanneney, J. Julliard, « *Le Monde* » *de Beuve-Méry ou le métier d'Alceste*, Paris, Seuil, 1979 ; B. Rémond, *Sirius face à l'histoire : morale et politique chez Hubert Beuve-Méry*, Paris, Presses de la FNSP, 1990 ; P. Sainderichin, *De Gaulle et « Le Monde »*, Paris, Le Monde Éditions, 1990 ; P. Eveno, « *Le Monde* », *Histoire d'une entreprise de presse, 1944-1995*, Paris, Le Monde Éditions, 1996.

INTRODUCTION.—
Notre journal s'adressera spécialement aux classes dirigeantes et entend faire leur liaison avec la Résistance.

Cette tâche est urgente, d'une part parce qu'une partie de la bourgeoisie n'a pas compris le caractère irrémédiable de notre rupture avec le passé, d'autre part parce que beaucoup connaissent mal la Résistance et redoutent, pour elle, des entraînements démagogiques.

Nous aurons donc pour tâche de faire connaître la Résistance à ceux qui la méconnaissent, en même temps que nous nous adresserons à elle pour l'informer en lui rappelant à chaque instant la complexité des problèmes et la difficulté de leur solution.

Politique étrangère. —
....
Politique intérieure. —
....
Politique économique. —
Nécessité d'édifier une France puissante et de généraliser le bien-être. Immensité des sacrifices à consentir.

Il sera nécessaire, pour cela, de faire participer toutes les couches de la population à la vie économique et politique de la nation. La classe ouvrière ne peut plus constituer un corps étranger.

Dans la pénurie présente, un régime d'économie dirigée s'impose pour des raisons décisives. Seuls les besoins essentiels doivent être satisfaits et toutes les forces productives de la nation doivent assurer le rééquipement.

Cette économie dirigée doit s'assouplir au fur et à mesure que la tension entre les besoins et les moyens de les satisfaire diminuera. Il est nécessaire pour cela de chercher à rétablir les équilibres fondamentaux. Nous devons donc progressivement chercher à passer d'une action directe sur les quantités à une action indirecte par l'intermédiaire des prix et de la politique du crédit. Ainsi pourra-t-on rétablir un vaste secteur libre dans lequel les initiatives individuelles pourront s'exercer sans entrave.

Conclusion. —
Ces tendances ne peuvent être évidemment celles de l'unanimité de la Résistance. Les divergences sont la conséquence normale, en même temps que l'honneur et la raison d'être de toute démocratie. Mais nous pensons que toutes les positions peuvent être défendues en évitant les querelles, les controverses, les insinuations qui ont fini par empoisonner la vie politique de la IIIᵉ République.

Entre camarades de la Résistance, les sentiments d'estime et les liens de l'amitié doivent permettre d'opposer les points de vue dans une atmosphère, non seulement de sérénité, mais de confiance et d'estime.

C'est ce sentiment et cette volonté qui dicteront notre action.

5. Naissance d'un hebdomadaire de gauche : « L'Observateur »
(Mars-avril 1950)

Ce feuillet publicitaire porte la signature d'une petite équipe de journalistes issus de la Résistance et qui constitue le noyau fondateur de L'Observateur *« politique, économique et littéraire », dont le premier numéro paraît le 13 avril 1950.*

La base de départ est extrêmement modeste. La mère de Roger Stéphane a avancé 5 millions d'anciens francs et 1 500 lecteurs de Combat *ont, à l'appel de Claude Bourdet, pris un abonnement anticipé. La présentation est donc austère, le nombre de pages réduit, du moins durant les toutes premières années. Pourtant la progression est rapide. Entre la presse communiste et celle de la SFIO,* L'Observateur *occupe un créneau qui, tout en demeurant très minoritaire, répond aux aspirations d'une gauche intellectuelle* qui ne se reconnaît ni dans le prosoviétisme du PCF ni dans le réformisme mou du parti de Guy Mollet, de surcroît associé à la droite conservatrice et bientôt partie prenante dans la politique menée en Algérie par la IVᵉ République.

Les premiers combats menés par L'Observateur ont pour thèmes le neutralisme et l'anticolonialisme. Ils permettent aux promoteurs de l'entreprise de rassembler de nombreuses signatures d'intellectuels appartenant aux divers courants de la gauche non conformiste, parmi lesquels de nombreux transfuges du Parti communiste — de François Furet à Edgar Morin, en passant par Dominique Desanti, Claude Roy et Roger Vailland —, et ils attirent une clientèle composée principalement d'enseignants, d'étudiants, de fonctionnaires, de membres des professions libérales, qui forme l'assiette sociologique de la « nouvelle gauche ».

En 1954, L'Observateur modifiera son titre pour devenir France-Observateur, et à la fin des années 1950 ses ventes avoisineront les 80 000 exemplaires. Le pari est donc gagné pour une équipe qui, comme celle de L'Express, s'était inspirée d'entrée de jeu du modèle anglo-saxon de l'hebdomadaire politico-culturel.

Source : Feuillet publicitaire édité par l'équipe de L'Observateur, mars 1950.

Bibliographie : L. Rioux, L'« Observateur » des bons et mauvais jours, Paris, Hachette, 1982 ; P. Tétart, Naissance et ligne politique d'un hebdomadaire de gauche : « L'Observateur » (1950-1954), mémoire de DEA, IEP de Paris, 1989 ; P. Tétart, « France-Observateur », (1950-1964). Histoire d'un courant de pensée intellectuelle, Thèse de doctorat IEP de Paris, 1995.

Jacques Armel, Claude Bourdet, Hector de Galard, Maurice Laval, Jacques Lebar, Gilles Martinet et Roger Stéphane présentent :

POUR LA PREMIÈRE FOIS, un authentique hebdomadaire d'information est proposé au public français.

Pourquoi un hebdomadaire d'information ?

Le public prend connaissance, à travers ses quotidiens, des nouvelles en vrac, communiquées dans les délais les plus brefs. Mais cette abondance et cette précipitation le déconcertent souvent. Ne disposant ni de moyens ni de temps pour ordonner et classer une telle masse de nouvelles, la plupart des lecteurs conservent des événements quotidiens des impressions floues et incertaines.

La responsabilité de cette confusion incombe moins aux journalistes qu'à la méthode qu'ils sont contraints d'accepter : méthode qui fait de l'information une marchandise soumise aux lois d'un marché et qui en impose l'utilisation ultra-rapide.

On néglige ainsi toute une série de faits essentiels sous le prétexte qu'ils sont commercialement sans intérêt, tandis qu'on publie, en revanche, des informations qui, en dépit de leur présentation sensationnelle, n'éclairent que les aspects anecdotiques et superficiels des événements.

Il est vrai que les éditoriaux et les commentaires publiés par les quotidiens remédient partiellement à ces inconvénients. Mais ils sont, eux aussi, soumis aux règles harassantes de l'actualité et la place qui leur est réservée est très limitée.

D'où la nécessité de véritables hebdomadaires d'information dont on sait la place qu'ils tiennent dans la vie publique d'Outre-Manche.

Ce que sera « L'Observateur »

L'OBSERVATEUR se propose précisément de :

— Mettre en lumière des faits qui échappent au grand public et qui doivent cependant lui permettre de comprendre la nature d'une évolution ou le sens d'une politique.

— Classer et situer les principaux événements de la semaine en précisant leur contexte et leur signification.

— Exposer les différents points de vue qui s'affrontent sur telle ou telle question.

— Apporter une information objective sur les problèmes des territoires non autonomes et des peuples dépendants.

L'OBSERVATEUR ne se bornera pas à traiter des seuls événements politiques. Il réservera une place importante aux faits économiques comme aux manifestations culturelles et rendra compte de tous les livres importants.

C'est dire que ce journal entend devenir un instrument indispensable pour tous ceux qui — militants politiques et syndicaux, fonctionnaires, cadres économiques, membres du corps enseignant, médecins, avocats, etc — veulent avoir une vue aussi complète que possible de ce qui se passe en France et dans le monde.

Un journal libre et scrupuleux

L'OBSERVATEUR ne doit rien à un groupement financier, à un parti ou à un gouvernement. Il est et demeurera la propriété d'une équipe de journalistes qui, dans le combat de la Résistance, puis à travers des expériences diverses, ont éprouvé l'espoir et la nécessité d'un journal aussi scrupuleux dans sa recherche et sa présentation de l'information que rigoureux dans son commentaire.

L'inévitable contrepartie de l'indépendance de ce journal, nous la demandons à nos lecteurs en leur faisant payer le numéro un prix élevé, en les pressant de s'abonner et de nous aider par tous les moyens qui sont en leur pouvoir.

Avec leur appui et leur confiance, nous sommes sûrs de remplir utilement et honnêtement notre tâche.

Pour chacune de ses rubriques, L'OBSERVATEUR s'est assuré la collaboration d'écrivains et de journalistes, de techniciens et d'hommes politiques dont l'autorité et la compétence contribueront à lui assurer sa qualité et son rayonnement.

6. Le nouveau statut de l'agence France-Presse
(1957)

L'agence d'information fondée en 1832 par Charles Havas a étendu vingt ans plus tard ses activités à la publicité, avant de conclure en 1859 avec Reuter et Wolf un accord pour le « partage du monde ». Elle fut séparée en deux branches en 1919 : information et publicité. En 1940, la première fut cédée à l'État français pour la somme de 25 millions de francs et devint l'Office français d'information, puis, en 1944, l'agence France-Presse. La seconde conserva le nom d'agence Havas et la forme de la société anonyme. En 1957, elle reçut le statut dont les grandes lignes sont présentées dans le document ci-dessous.

Le conseil d'administration de l'agence France-Presse est composé de huit représentants des directeurs de quotidiens désignés par leurs organisations, deux du service public audiovisuel nommés par le Premier ministre, trois des services publics abonnés à l'agence (un désigné par le Premier ministre, un par le ministre de l'Économie et des Finances, un par le ministre des Affaires étrangères), deux du personnel de l'agence. Elle emploie aujourd'hui un millier de journalistes, 2 000 pigistes et 150 photographes.

Source : «Le nouveau statut de l'agence France-Presse», _L'Année politique 1957_, Annexes, pp. 556-557.

Bibliographie : P. Albert, _La Presse française_, Paris, Documentation française, 1968 ; E. Terrou, _Histoire et droit des grands moyens d'information_, Paris, 3 vol., 1962-1963.

L'AGENCE FRANCE-PRESSE avait été créée par l'ordonnance du 30 septembre 1944 à titre provisoire : elle devait ultérieurement être remplacée par une agence coopérative d'information. Ce caractère provisoire explique qu'elle ait été dotée d'un statut très rudimentaire qui en faisait un établissement public, administré sous l'autorité du ministre de l'Information par un directeur général, nommé par le gouvernement. Si, sous cette forme, l'agence France-Presse avait réussi, non seulement à maintenir, mais même à développer les positions acquises par l'agence Havas, dont elle était l'héritière, elle était cependant freinée dans son plein développement international, par les suspicions que faisait naître, quant à son objectivité, sa dépendance, de droit sinon de fait, à l'égard des pouvoirs publics. Les grandes agences internationales concurrentes[1] perdaient peu d'occasions de mettre en relief les changements de direction intervenant sur décision du gouvernement, allant même jusqu'à assimiler l'agence France-Presse aux agences des pays totalitaires[2]. La nécessité d'un nouveau statut était unanimement reconnue, mais aucune solution positive, aucune formule d'ensemble ne recueillaient cette unanimité. À l'issue des travaux entrepris dès 1946, et après diverses initiatives parlementaires ou gouvernementales, un projet de statut fut présenté le 14 mars 1956 à l'Assemblée nationale, et finalement adopté par le Parlement à d'importantes majorités. C'est désormais la loi du 10 janvier 1957 et le règlement d'administration publique du 9 mars 1957 qui constituent la charte de l'agence France-Presse.

Le premier objectif à atteindre était d'établir les conditions d'une information exacte et objective en assurant à l'agence France-Presse la plus grande indépendance vis-à-vis tant des pouvoirs publics que des intérêts privés idéologiques ou économiques. L'exacte documentation du public et, donc, au premier stade, des journalistes, est en effet une base indispensable à la démocratie.

En second lieu, l'intérêt de la collectivité nationale aussi bien que celui de la presse nécessitent le développement d'une grande agence à rayonnement mondial, permettant la diffusion sur toute l'étendue du globe de la pensée et de la culture françaises. Il fallait donc veiller à la sauvegarde de ces intérêts nationaux supérieurs. Mais il fallait rechercher également la conciliation de ces préoccupations avec les impératifs économiques propres à notre pays. L'exiguïté du marché français de l'information ne permet pas l'existence d'une agence à champ d'action international, vivant des seules ressources de ses fournitures à la presse nationale. […]

---

1. Essentiellement l'agence Reuter, fondée en 1851 par l'Allemand Paul-Julius Reuter et par la suite basée à Londres, l'Associated-Press (New York) et la United Press (Washington).
2. Principalement l'agence Tass, fondée en 1917.

Trois éléments essentiels caractérisent le nouveau statut de l'agence France-Presse.

Tout d'abord, la loi a fixé les obligations fondamentales auxquelles est soumise l'agence en vue de garantir une information exacte et impartiale et le maintien d'un réseau d'établissement conférant à l'organisme un rayonnement mondial. Un conseil supérieur dont la composition a été conçue de façon à lui conférer l'autorité morale, l'indépendance et le prestige nécessaires veille au respect de ces obligations. Il peut être saisi par tout usager ou organisation professionnelle de presse. [...]

[Cette] gestion est confiée — c'est le second trait du statut — à un conseil d'administration qui, en dehors du président directeur général élu par lui, comporte quinze membres dont huit représentants des quotidiens français. La presse a ainsi une part prépondérante dans l'administration de l'affaire. [...]

Sans doute existe-t-il un danger de voir la presse s'attacher plus volontiers à la protection de ses intérêts d'usager qu'à celle des intérêts de la nation. Mais la prépondérance de la presse est corrigée, sur le plan de l'administration, par les majorités spéciales exigées pour certains actes et par les procédures de contrôle financier, et sur le plan de la politique générale de l'agence, par les obligations fondamentales. La désignation du président-directeur général ne peut, en effet, être acquise en principe que par douze voix au moins, ce qui implique nécessairement l'intervention des membres représentant les intérêts généraux. [...]

Le troisième élément caractéristique du statut est la solution adoptée pour le financement de l'agence. Les ressources de l'agence France-Presse sont essentiellement constituées par le produit de la vente des documents et services d'information à ses clients, y compris les services publics. Le procédé de la subvention a vécu. Un certain nombre d'abonnements sont souscrits par l'État, comme cela se passe pour d'autres agences internationales, dont l'indépendance n'est pas pour autant mise en doute. L'État sera lié à l'agence France-Presse par une convention commerciale, d'une durée que le Parlement a souhaité assez longue, de telle sorte qu'il n'y ait pas de place à des possibilités de pressions arbitraires, au gré des changements de majorité politique. Ainsi, passe-t-on d'un régime de subventions, dont l'octroi et le versement dépendent de décisions unilatérales du pouvoir politique, à un régime conventionnel qui ouvre à l'agence des droits analogues à ceux dont elle dispose à l'égard de ses autres clients.

7. La télévision : « Une machine sans rêves » ?
(1956)

Ce texte, publié dans Les Temps modernes *en février 1956, a pour auteur Bernard Dort, futur directeur du Théâtre au ministère de la Culture et cofondateur, avec Jacques Lang, du festival de Nancy. Après avoir obtenu une licence en droit, suivie d'un passage par Sciences po et par l'École nationale d'administration, Bernard Dort a, comme nombre de jeunes Français, été « rappelé » pendant la guerre d'Algérie sur une base aérienne du Nord de la France. « Il ne me restait — écrira-t-il — dans l'ennui général, que la TV du mess des officiers, chaque soir, comme preuve de l'existence, autour de nous d'un monde qui ne fût pas le* no man's land *de l'armée. »*

Ces conditions d'un premier contact durable avec la « petite lucarne » n'ont certainement pas été favorables au façonnement d'un jugement serein. Bernard Dort n'est pas seul toutefois, dès cette époque (fin 1955, début 1956), et alors que le nombre des récepteurs ne dépasse guère quelques centaines de milliers d'unités, à critiquer avec véhémence un moyen d'expression et de communication qu'il compare — à son désavantage — avec le cinéma. Dès le début des années 1960, les analyses et les mises en garde vont se multiplier de la part d'intellectuels qu'inquiète l'évolution de la société contemporaine vers cette forme de « société du spectacle » que décrira Guy Debord dans un livre célèbre publié en 1967.

Source : Bernard Dort, « Introduction à la télévision ou une machine sans rêves », *Les Temps modernes*, n° 122, février 1956, pp. 1277-1291.

Bibliographie : G. Debord, *La Société du spectacle*, Paris, Buchet-Chastel, 1967, rééd. Gallimard, 1992 ; E. Morin, *L'Esprit du temps*, 1., *Névrose* ; 2., *Nécrose*, Paris, Grasset, 1962, nouvelle édition 1975.

L A TÉLÉVISION, c'est d'abord un petit écran bombé avec ses images floues qui ne s'imposent pas à vous mais qu'il s'agit de déchiffrer, de lire. Rien de commun avec le cinéma. Dès l'entrée dans une salle de projection, vous êtes submergé par les images, livré à elles. Impossible de s'en détacher. Tous les regards, tous les visages de la salle coulent vers l'écran et cet écran leur renvoie en échange d'autres regards, d'autres visages, démesurément grossis, prodigieusement vrais, vrais comme des fictions réussies.

Avec la télévision, rien de cet échange fabuleux, rien de cette immersion dans une salle, dans l'aquarium de l'écran : le poste de TV est petit. Il est « chez soi ». C'est un objet entre tant d'autres, que l'on possède : comme une boule de cristal, comme une tasse à demi remplie de marc de café... Et d'abord il faut y croire : j'entends, il faut l'accepter. Spectateurs de cinéma, nous le sommes, sinon de naissance par vocation sociale. Mais télé-spectateur (j'ai même scrupule à employer ici le mot de spectateur ; c'est autre chose qu'il faudrait trouver : télé-regardeur, télé-voyeur...), il faut que nous le devenions. Et ceci par une sorte de pacte tacite. Car nous devons consentir à voir, à regarder par la TV. Il faut que nous acceptions cette myopie que nous imposent la luminosité variable de son écran et la composition ponctuelle de ses images. Ainsi je connais encore bien des gens pour qui la TV est demeurée lettre morte. Ils passent devant un poste. Ils le voient, et ses images. Ils ne les regardent pas. Ils ne comprennent pas. Ils ont refusé, ils refusent encore la TV.

Mais une fois que nous avons accepté, le dédain ou le refus ne sont plus possibles, car c'est cette acceptation même qui nous enchaîne. C'est elle qui sous-tend ce que l'on doit bien appeler la fascination de la TV. Une fascination sans commune mesure, justement à cause de notre acceptation préalable, avec celle qu'exerce sur nous le cinéma. Au cinéma, en effet, notre abdication — de notre moi, de notre monde, de nos projets — est en quelque sorte automatique. Une fois entrés dans la salle, il n'y a plus de question : nous y revivons pour ainsi dire à distance par l'écran. Nous, nous sommes supprimés. L'écran nous a bus. Mais nous nous retrouvons dans une seconde réalité : celle qui se projette sur l'écran, réalité plus organisée, plus cohérente et somme toute plus confortable que celle de notre vie. Or, avec la TV, ni cette libération ni cette perte (c'est selon...) ne se produisent. Autour du télé-spectateur, il n'y a ni salle obscure, étrangère, installée pour qu'il y disparaisse, ni public, rien de cette atmosphère d'abandon général. Non. Le poste de TV est là, bien posé dans une pièce connue. Le télé-spectateur est assis devant. Il a beau éteindre toute lumière, une pâle lueur (celle qui émane de l'écran) continue à lui rappeler qu'il est là : lui, chez soi. La TV n'efface ni le lieu, ni le moment ; pas plus qu'elle ne fait a priori de quelques personnes rassemblées dans une même pièce, un public. Et ses images, petites, souvent tremblées, ne s'imposent pas à nous. Je l'ai déjà remarqué : c'est nous qui leur apportons notre crédit. C'est nous qui soutenons de notre consentement la succession des images de la TV. Notre fascination vient justement de là. Pas moyen de relâcher notre attention : nous perdrions le fil, nous retomberions dans la pièce, chacun chez soi, à soi. La TV actuelle fatigue les yeux ? Tant pis ou plutôt tant mieux : cette fatigue, encore, nous lie à elle.

8. La télévision française : « L'État dans la salle à manger » *(1962)*

Sous la IVe République, la télévision et particulièrement l'information télévisée étaient déjà étroitement soumises aux directives et au contrôle du gouvernement. Il existait un ministère de l'Information qui surveillait de très près les programmes. L'arrivée au pouvoir du général de Gaulle, en 1958, ne fit qu'accentuer la tendance. On conserva un secrétariat à l'Information, tandis que Michel Debré transformait la Radiodiffusion-télévision française (RTF), qui n'était encore qu'un service administratif, en une entreprise publique que l'ordonnance du 4 février 1959 maintenait « sous l'autorité du gouvernement ».

Le contrôle du pouvoir ne se limitait pas au filtrage des informations, notamment lors de la guerre d'Algérie. Il se manifestait également à travers le choix des hommes, qu'il s'agisse des dirigeants — toujours désignés par le gouvernement en Conseil des ministres —, des responsables des programmes d'actualité, voire de simples présentateurs du journal télévisé dont les commentaires n'étaient pas appréciés en haut lieu. Dès le retour du général de Gaulle aux affaires, Jean d'Arcy, patron respecté de la télévision, sera ainsi remercié et remplacé par un gaulliste sans états d'âme. En 1962, trois grands professionnels du petit écran considérés comme protestataires — Joseph Pasteur, Michel Péricard et Georges Penchenier — seront renvoyés sans ménagement. À cette date, qui est celle de la fin de la guerre d'Algérie et du bouleversement institutionnel provoqué par l'introduction du suffrage universel dans la désignation du chef de l'État, on peut dire que le ministre en charge de l'Information est le véritable patron de la télévision.

Telle est la situation dont hérite Alain Peyrefitte en avril 1962, lorsqu'il succède à Christian de La Malène au secrétariat à l'Information. Il l'évoquera une quinzaine d'années plus tard dans Le Mal français, *d'où est extrait le passage suivant.*

Source : Alain Peyrefitte, *Le Mal français*, Paris, Plon, 1976.
Bibliographie : P. Miquel, *Histoire de la radio et de la télévision*, Paris, Éditions Richelieu, 1972 ; J.-N. Jeanneney, *Une histoire des médias des origines à nos jours*, Paris, Seuil, 1996 ; J. Bourdon, *Histoire de la télévision sous De Gaulle*, Paris, Anthropos, 1990.

L A PREMIÈRE IMAGE sera celle de l'initiation. 15 avril 1962 : Christian de La Malène, à qui je succède, me montre sur le bureau une batterie de boutons de sonnette : «Celui-ci, c'est pour faire venir l'huissier, cet autre votre chef de cabinet, et ceux-là le directeur de la RTF, le directeur des journaux parlés et télévisés, le directeur des programmes de la télévision, le directeur des programmes de radio...»

Naïf, je m'étonnai de pouvoir sonner les responsables de la RTF, comme une châtelaine de jadis ses femmes de chambre.

«C'est ainsi. Tous les jours, vers cinq heures, vous les appellerez pour arrêter les grandes lignes du journal du soir, à la radio et à la télévision. Vous pourrez aussi à tout moment leur donner des instructions par le téléphone intérieur. Ne quittez pas votre bureau entre une heure et demie et huit heures et demie. Après le journal télévisé, vos collègues vous appelleront pour vous reprocher ce qui leur aura déplu.» [...]

Ce que j'avais appris en quelques heures ne se savait guère, mais se sentait. Si la radio et la télévision nationales manquaient de crédit dans la nation, c'était bien que chacun croyait entendre moins la «voix de la France» que celle du gouvernement. La méfiance se laissait assurément mesurer. Pour la radio, les stations périphériques connaissaient un énorme succès. Pour la télévision, elles avaient la préférence dans les provinces frontalières ; et dans la plus grande partie du territoire, où aucune concurrence ne se manifestait, on se tenait à l'écart : la France ne comptait en 1962 que deux millions d'appareils, contre treize et quatorze en Allemagne et en Angleterre — où, pourtant, l'installation avait démarré en même temps. La télévision française, c'était l'État dans la salle à manger.

© Plon

9. Plaidoyer pour le double secteur
(1986)

En matière de relations entre les médias audiovisuels et l'État, le septennat de Valéry Giscard d'Estaing a incontestablement marqué une rupture. L'ORTF a été démantelé en 1974, pour donner naissance à sept sociétés, tandis que le contrôle du pouvoir s'exerçait de manière moins pesante, se limitant principalement au choix du directeur de l'information. Mais c'est surtout l'arrivée de la gauche au pouvoir, en 1981, qui va modifier la situation héritée des deux «régimes» précédents, conséquence à la fois des engagements pris par les socialistes et du bouleversement naturel du «paysage audiovisuel» (mondialisation de l'information, pression du public pour accéder aux possibilités infinies offertes par la concurrence des chaînes cryptées et câblées, etc.). L'événement majeur est la création de la Haute Autorité de la communication individuelle par la loi du 29 juillet 1982. Destinée à constituer un écran entre l'État et les grands médias audiovisuels — radio et télévision —, elle a la charge à la fois de nommer les présidents du secteur public et d'être le «gendarme» du paysage audiovisuel français. Présidée à sa naissance par Michèle Cotta, elle est formée, comme le Conseil constitutionnel, de neuf membres renouvelables par tiers tous les trois ans.

Jean-Noël Jeanneney, qui a été nommé par cette instance président de Radio-France et qui occupera cette charge de 1982 à 1986, explique dans cet article du Monde à la fois sa préférence pour le système du «double secteur» (public et privé) et le rôle positif joué par la Haute Autorité.

Source : « L'État nous a donné les moyens de lui résister », entretien avec Jean-Noël Jeanneney (propos recueillis par Guitta Pessis-Pasternak), *Le Monde*, 4-5 mai 1986.

Bibliographie : J.-N. Jeanneney, *Une histoire des médias des origines à nos jours*, Paris, Seuil, 1996 ; M. Cotta, *Les Miroirs de Jupiter*, Paris, Grasset, 1986 ; H. Bourges, *Une chaîne sur les bras*, Paris, Seuil, 1987.

*L*ES MÉDIAS, *même libérés, exercent-ils vraiment le pouvoir qu'on leur prête ?*
— Ils ont incontestablement un certain pouvoir, mais qu'il est difficile de cerner : c'est toute une circularité d'influences, qui contribuent à cristalliser une sensibilité collective. Ce qui frappe, c'est combien ce « pouvoir » est mythifié par le monde politique. Tous les sociologues et les historiens qui ont travaillé sur l'influence de la radio et de la télévision ont conclu qu'elles jouaient certes un rôle sur le long terme, en faisant évoluer les mentalités, mais que, sur le court terme, par exemple dans les conjonctures électorales, elles exerçaient une pesée extrêmement limitée. Malgré ces démonstrations, la plupart des hommes politiques persistent à considérer qu'il leur est nécessaire d'avoir une emprise directe sur l'audiovisuel public. […]
— *Dans ce contexte, quel impact pourrait avoir la privatisation de l'audiovisuel sur l'échiquier politico-culturel ?*
— Elle se traduirait par un grave appauvrissement de la vie culturelle du pays. L'audiovisuel à dominante commerciale est mû surtout par la recherche du profit ; qui est source de liberté mais aussi, si son empire est débridé et sans rival, fort périlleux, parce qu'il tend à replier les ambitions sur le plus petit dénominateur commun des goûts du public, au creux de la mode. Il tend notamment à négliger les minorités culturelles et les œuvres de faible audience. Si par malheur *France-Culture* venait à disparaître un jour, quelle radio continuerait à parler de jeunes romanciers inconnus, d'expositions insolites, des évolutions de la science ou de la technologie ?
Il faut qu'à côté du commercial subsiste, aiguillonné par lui, un secteur public qui n'ait pas l'obsession des taux d'écoute et qui ne soit pas l'esclave de l'instantané. Nous vivons ici sur un autre rythme, nullement indifférents certes à ce qui se passe à la surface des choses, mais capables d'anticiper sur la culture de demain en aidant au développement d'un « vivier » de créateurs futurs et en même temps de valoriser la richesse du patrimoine ancien, parce que nous disposons d'un trésor unique d'archives télévisuelles et radiophoniques et que nous sommes portés à l'utiliser mieux que d'autres ayant l'expérience de la longue durée.
— *Est-ce l'historien qui parle ?*
— Peut-être, en effet, ma formation m'amène-t-elle à réfléchir souvent dans ma responsabilité à Radio-France, en termes de *rythmes* ; cela peut éclairer utilement la compréhension de maisons comme les nôtres. En somme, je trouverais détestable un monopole de l'audiovisuel qui deviendrait forcément un monopole d'État ; mais je crois également qu'abandonner aux seules forces du marché la responsabilité de la diffusion de l'information et de la culture est une certitude d'appauvrissement. […]
— *Pour vous, seul le secteur public peut offrir une information libre ; en quoi l'emprise de l'État serait-elle plus « neutre » que celle des puissances économiques ?*
— L'important est qu'il existe différents types d'influences. Il serait naïf, donc dangereux, d'imaginer qu'une information puisse ne subir aucune pression. La question est de

savoir comment on traite les pressions, si l'on peut librement en tirer des renseignements utiles et équilibrer ainsi les choses, au nom de critères professionnels — intellectuels et moraux — ou bien si l'on cède à tel ou tel intérêt. Dans une large mesure, à l'intérieur du secteur commercial, la concurrence économique protège contre ce risque, mais jamais complètement, compte tenu des tropismes ordinaires de l'argent. Le secteur public, pour sa part, connaît un autre danger, moins diffus, donc plus aisé, peut-être, à extirper : le danger que le gouvernement — qui a toujours tendance à s'assimiler à l'État — cherche à modeler notre information.

Je ne fais pas des hommes de l'audiovisuel public des années 60 des pantins, dont les ficelles auraient été tirées par les ministres de l'Information, mais enfin on connaît bien des cas d'interventions gouvernementales directes sur le contenu de l'information à la télévision et à la radio. Cela a été un progrès essentiel à mes yeux, et un courage historique de la part des socialistes, que d'organiser en 1982 leur propre dessaisissement, en créant ce corps intermédiaire que constitue la Haute Autorité. Pour la première fois, on a décidé de couper le cordon ombilical entre le gouvernement et l'audiovisuel public, créant ainsi une chance de réussir la séparation au bénéfice de la nation, des rythmes du politique et de l'audiovisuel : séparation que devrait connaître toute démocratie avancée.

— *Cela n'a tout de même pas empêché le gouvernement de « recommander » les présidents-directeurs généraux de TF1 et d'Antenne 2 ?*

— Il est vrai qu'il a été parfois tenté de remettre en cause dans le court terme les conséquences de son courage à long terme. Là où j'étais, je l'ai déploré. Mais l'important, en termes historiques, c'est qu'il nous a donné à nous-mêmes le moyen de lui résister. Il aurait assurément mieux valu que le pouvoir exécutif fît savoir hautement dans les deux cas que vous évoquez, en 1983 et en 1984, qu'il ne s'en mêlait pas. Mais l'important c'est qu'en 1983 comme en 1985, les choix d'ensemble faits par la Haute Autorité furent tout autres que ceux qui auraient été faits en Conseil des ministres. C'est pourquoi j'ai le cœur en berne quand je vois que l'on envisage aujourd'hui de la supprimer. [...]

— *N'y avait-il pas moyen d'« inscrire » la Haute Autorité dans la Constitution, de sorte qu'elle soit irrévocable ?*

— Pour cela il aurait fallu faire une réforme constitutionnelle qui est un processus compliqué, et je ne crois pas que les gouvernants socialistes eux-mêmes l'aient crue possible. C'est évidemment dommage, car, dans ce cas, la situation serait aujourd'hui tout à fait différente.

— *Selon vous, quelle serait-elle alors demain ?*

— Je lis comme vous les déclarations des nouveaux dirigeants[1], annonçant qu'ils vont renforcer les pouvoirs techniques de l'organisme successeur. Bon ! Mais souhaitons qu'il n'y ait pas seulement en son sein des gens de droit, mais aussi bon nombre de professionnels connaissant la complexité de notre réel. On nous dit, d'autre part, que la nouvelle commission n'aurait plus la responsabilité de nommer les présidents du service public. Si ceux-ci étaient à nouveau, directement ou indirectement, franchement ou hypocritement, désignés par le gouvernement, il s'agirait d'une désolante régression. [...]

---

1. Il s'agit du gouvernement de Jacques Chirac.

10. Les sondages :
un « cinquième pouvoir » ?

Destinés à mesurer de manière rigoureuse l'état de l'opinion publique à propos de tel ou tel problème, les sondages d'opinion ont fait leur apparition dans l'entre-deux-guerres, aux États-Unis d'abord où, pour la première fois, en novembre 1936, ils ont annoncé avant le scrutin présidentiel la réélection de Franklin D. Roosevelt, puis en Europe où des instituts spécialisés ont commencé à se développer à partir de 1938.

Depuis cette date, leur usage n'a cessé de se répandre et de se perfectionner, au point de devenir un élément majeur de la vie politique. Dans cet article, paru dans Le Monde en février 1986, André Laurens, successeur de Jacques Fauvet à la direction de ce journal entre 1982 et 1985, montre que les sondages constituent, après celui des médias, un véritable « cinquième pouvoir ».

Source : André Laurens, « Le cinquième pouvoir... », *Le Monde*, 16-17 février 1986.
Bibliographie : J. Stoetzel, A. Girard, *Les Sondages d'opinion*, Paris, PUF, 1973 ; J. Antoine, *Le Pouvoir et l'opinion*, Paris, Denoël, 1972.

IL SERAIT TENTANT D'AFFIRMER, pour la beauté de la démonstration, que l'intrusion des sondages dans la politique française date de 1965, année de la première élection présidentielle au suffrage universel sous la V⁵ République. Ce ne serait pas exact. Il n'empêche : c'est une enquête de l'IFOP qui, par l'intermédiaire de *France-Soir*, a annoncé la mise en ballottage du candidat réputé à l'abri de tous les assauts, le général de Gaulle lui-même.

Les moyens ordinaires de la prévision électorale, limités aux capacités d'observation et d'analyse du réseau des renseignements généraux, qui ne sont pourtant pas vaines, n'avaient pas fait preuve d'une telle clairvoyance ; au moins étaient-ils restés discrets, selon la tradition républicaine. Ainsi, la bonne information venait d'ailleurs et, de surcroît, elle était mise à la disposition du public. Comment ne pas y voir un minimum de consécration pour les décrypteurs de l'opinion ? Jusque-là, ils avaient eu beaucoup de mal à faire admettre l'intérêt de leurs travaux dans une société politique qui se prêtait mal à leur intervention. [...]

Les premières enquêtes de popularité, les premiers indices de satisfaction, apparurent dans *France-Soir*. Il fallait le sens de la presse de Pierre Lazareff pour anticiper sur une pratique qui mettrait des années à s'imposer. Notons que l'initiative se parait de beaucoup de prudence, car *France-Soir* arrêtait la publication des sondages pendant les périodes agitées — celles où ils sont les plus intéressants — et parce qu'elle se limitait à un organe de presse populaire ; *Le Figaro* et les « news magazines », *Le Point* surtout, ne prirent le relais que lorsque la logique de l'élection présidentielle entra dans les têtes et dans les mœurs, mais il y avait encore des résistances à vaincre. [...]

Les journalistes n'étaient pas, pourtant, les mieux armés dans la connaissance de l'opinion. En dehors des échéances électorales et des crises dont les signes apparaissent publiquement (manifestations de rues, grèves, violences), sortis de leurs fréquentations habituelles, ils ne pouvaient guère se fonder que sur d'autres intermédiaires, sur leur expérience psychologique et sur leur flair — le « pifomètre », si l'on préfère, cet instrument de mesure — pour témoigner des sentiments dominants dans leur environnement. Ils n'ont pas, comme beaucoup de responsables politiques ou sociaux, l'expérience du terrain et du contact permanent avec des fractions de l'opinion. Au reste, l'auraient-ils qu'elle se révélerait, désormais, insuffisante, tant il est devenu difficile de déterminer les réactions de groupe.

Leur véritable fonction, celle dans laquelle ils ont indéniablement progressé, est d'utiliser la diversité des sources disponibles pour en tirer la synthèse informative la plus sûre. Les sondages en fournissent une qui n'est pas à négliger. Faute de l'avoir exploitée à temps et pleinement, les commentateurs politiques ont laissé se développer sur leur propre terrain, celui des médias, la concurrence qui est devenue coopération des «politologues».

À mi-chemin du journalisme, qui traite de l'actualité, et de la discipline universitaire, qui a une autre vocation, ils ont pris rang d'experts quotidiens en sociologie électorale. Ils commentent en direct, les soirs de scrutins, les résultats des consultations, ils lisent dans les sondages les balancements du corps social. Conseillers des entreprises spécialisées dans ces études, ils donnent une caution «scientifique» et publique aux chiffres qu'ils révèlent. Ce qui leur vaut, parfois, d'être scientifiquement critiqués par d'autres chercheurs qui contestent la rigueur de leurs méthodes et la neutralité de leurs conclusions.

Les plus réservés dans la presse — ce fut longtemps le cas du _Monde_ — en sont venus à faire état des sondages, puis à procéder à ce type d'investigation, lorsqu'il devint évident et irréversible que la connaissance, prétendue ou étayée, de l'opinion contribuait, de deux manières, à alimenter le débat politique. Elle y participe, discrètement, par les enquêtes que commanditent les partis, les leaders, le pouvoir, pour orienter leur action. Elle intervient, publiquement, dès lors que la divulgation, à échéance régulière, des scores de popularité, de satisfaction ou de classement, sert d'arguments auprès de l'opinion. Celle-ci se nourrit de son propre reflet.[…]

Les partis et leurs leaders ont, tous, une stratégie d'image, qui, de plus en plus, tient lieu de politique, et dont les effets sont contrôlés auprès du public, qu'il s'agisse de mesurer l'impression produite à une émission de télévision de grande écoute, l'impact d'une affiche ou la pénétration d'un slogan.

À l'instar des politologues, par rapport aux journalistes, une nouvelle fonction s'est développée auprès des politiques : les conseillers de l'image, du _look_ si l'on préfère, qui utilisent les techniques de la publicité, du marketing et de la communication. Chaque leader, ou presque, a son gourou, dont les pouvoirs magiques sont censés se refléter dans les sondages avant de s'affirmer dans les résultats électoraux.

S'il fallait, encore, prouver combien la technique des sondages a envahi la vie politique, il suffirait de mentionner deux textes qui les institutionnalisent : la loi du 3 juillet 1977, interdisant la publication des sondages pendant la semaine qui précède le scrutin, et celle du 19 juillet de la même année, qui a créé la commission des sondages pour veiller à leur objectivité et à leur qualité. […]

XXIX

IMMIGRATION ET INTÉGRATION

La baisse précoce de la natalité, conjuguant ses effets avec ceux de l'exode rural et avec les besoins croissants d'une économie fortement consommatrice de main-d'œuvre peu qualifiée, mais adaptée aux tâches pénibles et mal rémunérées de la grande industrie, ont fait de la France — et ceci dès les dernières décennies du XIXᵉ siècle — un pays d'intense immigration. En 1914, on compte déjà plus d'un million d'étrangers dans l'Hexagone, pour la plupart des travailleurs manuels originaires des États limitrophes (Italiens, Belges, Allemands, Suisses, Espagnols) et qui forment des noyaux particulièrement denses dans les zones situées à proximité de la frontière.

La guerre de 1914-1918, et la véritable hémorragie humaine qu' elle a provoquée (1,4 million de morts, un million de mutilés et de gazés, un creux de 1,5 million de naissances) n'ont pu qu'accélérer le processus, l'appel à la main-d'œuvre étrangère devenant une nécessité vitale motivée par les impératifs de la reconstruction et par la diminution continue de la population active. Dès 1921, le nombre des étrangers dépasse le million et demi. Il y en aura — selon les statistiques officielles, sans doute très inférieures à la réalité — 2,4 millions en 1926 et 2,7 millions en 1931, soit 6,5 % de la population totale. Effectif record — avec la crise on retombe à 2,2 millions en 1936 — et qui marque en pourcentage une première crête dans la courbe séculaire des entrées.

En tête viennent toujours les Italiens qui, à eux seuls, représentent le tiers de la population immigrée. Les autres États voisins de l'Hexagone continuent de fournir des contingents importants, qu'il s'agisse de l'Espagne (350 000 en 1931, de la Belgique (250 000), de la Suisse (100 000) ou même de l'Allemagne (72 000). Mais le fait nouveau et fondamental est l'arrivée des Polonais, venus en masse au lendemain de la guerre pour occuper des emplois de travailleurs agricoles et surtout de mineurs dans le Nord et le Pas-de-Calais : ils seront plus de 500 000 au début des années trente, concentrés dans des régions où commencent également à affluer des migrants venus des pays extra-européens et qui, comme eux, vont peu à peu occuper les postes de travail les plus rebutants, laissés vacants par les représentants des vagues précédentes.

Les années de relative prospérité qui suivent la guerre sont propices à une intégration sans heurt de la plupart des migrants. Plus de collisions sanglantes entre immigrés et autochtones, comme celles qui avaient marqué les deux dernières décennies du XIXᵉ siècle (Marseille en juin 1881, Aigues-Mortes en août 1893, Lyon en juin 1894), même si les conditions d'existence et de coexistence ne sont pas toujours faciles (texte n° 1) et si, aux difficultés de l'immigration du travail, viennent parfois s'ajouter les turbulences de l'immigration politique. Le « creuset » français fonctionne convenablement, permet-

tant à une partie des migrants de s'élever dans l'échelle sociale (texte n° 2) et de s'intégrer rapidement à la société d'accueil.

La crise économique qui atteint la France au début des années 1930, même si elle ne sévit pas avec la même intensité qu'ailleurs, a pour conséquence de réveiller des tensions xénophobes qu'attise la dégradation du climat international et qui inclinent les pouvoirs publics à prendre des mesures de surveillance et de restriction de l'immigration étrangère (texte n° 3). Ceci, au moment où la politique terroriste et raciale du IIIe Reich, ainsi que la victoire du franquisme, provoquent l'arrivée massive de réfugiés juifs, antinazis et républicains espagnols.

La Deuxième Guerre mondiale a produit des effets à peu près identiques à ceux de la Première, à savoir un fort recul de l'effectif étranger pendant le conflit, suivi d'une reprise intense des flux motivée par les besoins de la reconstruction et de l'essor industriel qui caractérise les Trente Glorieuses. Certes, la France connaît au lendemain du conflit un baby boom aussi inattendu que profitable à long terme aux divers secteurs de son économie. Mais en attendant, il faut combler les vides et pourvoir aux besoins de la reconstruction, ce qui suppose une reprise rapide des flux migratoires, moins intenses toutefois que dans les années vingt. Il y avait 1 740 000 étrangers en 1946 : il y en aura 1 765 000 en 1954 et 2 170 000 en 1962.

La nouveauté réside dans la tentative faite par les pouvoirs publics pour organiser et maîtriser le phénomène migratoire (texte n° 4). En 1945 est créé l'Office national d'immigration (ONI) auquel est confié le monopole en matière d'introduction des travailleurs et de regroupement des familles. La particularité de la politique française d'immigration, comparée notamment à ce qu'allait devenir plus tard celle de l'Allemagne fédérale, était de concevoir les apports de sang neuf non seulement en fonction des besoins de l'économie française, mais dans une perspective de repeuplement, ce qui supposait que fût favorisée une immigration de peuplement « culturellement assimilable » (textes n°s 5 et 6).

En 1968, la France compte 2 621 000 étrangers, parmi lesquels 72 % sont originaires des pays européens : l'Italie, toujours, mais elle ne vient plus qu'en seconde position après l'Espagne, tandis que le Portugal s'installe au quatrième rang des pays fournisseurs de main-d'œuvre. Parmi les nouveaux arrivants, on trouve quelques dizaines de milliers de Yougoslaves et quelques milliers de Turcs, mais surtout le changement majeur réside dans la percée effectuée par les migrants originaires du Maghreb, qui représentent désormais près du quart de la population immigrée. Cette immigration nouvelle connaît, avec un décalage de plusieurs décennies, des problèmes d'intégration comparables à ceux qu'avaient rencontrés dans le passé Italiens, Espagnols ou Polonais, qu'il s'agisse des conditions d'existence (texte n° 7) ou des réactions de rejet, plus ou moins vives, manifestées par les Français, voire par les représentants de vagues plus anciennes (texte n° 8).

La période de forte expansion, puis de brusque ralentissement de la croissance, qui sépare le recensement de 1968 de celui de 1975, est marquée par un important gonflement de l'effectif des migrants, tandis que se confirme la tendance au reflux des colonies européennes. Aujourd'hui (le dernier recensement date de 1990), dans un contexte global de stabilisation des effectifs qu'expliquent les retombées de la crise et la suspension officielle (depuis 1974) de l'immigration non originaire des États de l'Union européenne, sur un total de 4,2 millions d'immigrés — au sens que l'on donne désormais à ce terme en y incluant les personnes ayant acquis la nationalité française, soit près du _tiers de l'effectif global —, 55 % sont originaires d'un pays européen, 8 % sont des Asiatiques et 34 % des Africains, y compris les « Maghrébins » qui, à eux seuls, représentent près du tiers de la population immigrée officiellement comptabilisée. Ce sont ces derniers cependant qui, du fait de leur forte concentration et de l'histoire conflictuelle des relations franco-algériennes, focalisent sur eux et sur leur descendance les réactions de rejet émanant des fractions de la population française les plus directement affectées par les bouleversements de la fin du siècle._

Sans doute, le « creuset » français ne fonctionne-t-il plus de manière aussi efficace qu'il y a cinquante ou soixante-dix ans. Et pourtant, en dépit de tous les problèmes que posent à notre société les grands bouleversements de l'ère post-industrielle et la mondialisation de l'économie, nombre de signes indiquent que l'assimilation est à l'œuvre et que l'appartenance des migrants à des aires culturelles diverses ne constitue pas un obstacle insurmontable à leur insertion dans le corps social français (textes n°s 9 et 10).

1. Italiens et Slaves dans le « Pays-haut » lorrain

Dès les dernières décennies du XIXe siècle, les besoins de main-d'œuvre de l'industrie minière et de la sidérurgie lorraines ont drainé, dans la partie de cette province restée française après 1871, des groupes importants de migrants venus de Belgique et bientôt surtout d'Italie du Nord. D'abord mal accueillis par une population d'autochtones qui leur reprochaient à la fois leur docilité professionnelle et leur « sauvagerie », les Italiens se sont peu à peu intégrés à la vie des agglomérations où ils formaient des colonies nombreuses (à Longwy, Jœuf, Villerupt, etc.), participant activement aux combats du monde ouvrier et usant de tous les instruments susceptibles d'accélérer leur assimilation (école, syndicats, clubs sportifs, etc.). Après la guerre de 1914-1918, ceux qui avaient fait souche ont vu arriver une seconde vague de migrants, composée également d'Italiens mais aussi de nouveaux venus, originaires notamment d'Europe centrale et de Pologne et qui, à un demi-siècle de distance, se trouvaient confrontés à des problèmes semblables à ceux qu'eux-mêmes ou que leurs parents avaient connus.

Ce sont des représentants de ces deux vagues de migrants que la romancière Anne-Marie Blanc, elle-même issue de l'immigration transalpine, a mis en scène dans le roman dont nous présentons ici un extrait. L'héroïne de l'histoire, Marie-Romaine, est une jeune orpheline du Trentin (née avant 1914, donc en territoire autrichien) émigrée avec ses filles en Lorraine sidérurgique en 1925 après la mort de son mari. Texte de fiction donc, mais de caractère fortement autobiographique, et qui évoque assez fidèlement le monde de l'immigration étrangère dans cette partie de l'Hexagone au lendemain du premier conflit mondial. Marie-Romaine _a reçu le prix Erckmann-Chatrian en 1978._

Source : Anne-Marie Blanc, _Marie-Romaine_, Metz, Éditions Serpenoise, 1978, pp. 128-130.

Bibliographie : S. Bonnet, _La Ligne rouge des hauts-fourneaux. Grèves dans le fer lorrain en 1905_, Paris, Denoël, 1981 ; S. Bonnet, E. Kagan, M. Maigret, _L'Homme du fer_, Nancy, Éditions Serpenoise, 4 vol., 1977-1985 ; G. Noiriel, _Longwy. Immigrés et prolétaires, 1880-1980_, Paris, PUF, 1984 ; G. Noiriel (avec la collaboration de B. Azzaoui), _Vivre et lutter à Longwy_, Paris, Maspero, 1980.

Au DÉBUT, Marie-Romaine et ses filles osaient à peine sortir, surtout les jours et les soirs de paie. Le coron tout entier vibrait d'une excitation singulière où se mêlaient chants, accordéon, disputes, rires, danses, bagarres, cris, exclamations des joueurs de carte et de « mora ». Bien joli lorsque tout cela ne se terminait pas par des poursuites au couteau, ou la défenestration des meubles et des ustensiles de cuisine !

La jeune femme frissonne quand elle repense à tout cela. Au monde décrit par les religieuses. Au monde découvert au théâtre avec Jean, à Trento et pendant la guerre. Un monde civilisé malgré tout, dans ses qualités et ses défauts.

Mais ici ? Comment peut-il devenir aussi sauvage, certains jours ? Parce que déshumanisé par le travail lui-même et la peur du lendemain ? Cette peur qui fait perdre aux hommes le respect d'eux-mêmes et les rend comme des loups les uns pour les autres. [...]

Rien, ici, de comparable avec leur exode en 1915. Elle l'avaient vécu entre femmes d'abord, dans le calme d'un village perdu de Bohême, puis avec Jean sur les bords du Danube, dans une communauté de compatriotes. Même le dénuement total, la famine, le chagrin, les épidémies n'avaient pas fait perdre aux hommes leur dignité. Oui, dans leur cœur, leur âme et leur chair, ils avaient souffert de deuils auprès desquels la faim, l'exil, la pauvreté ne sont rien. Mais ils l'avaient fait avec réserve et gravité, dans la splendeur des paysages.[...]

Marie-Romaine pose son ouvrage sur le rebord de la fenêtre. Elle n'y voit plus assez pour travailler. Immobile, elle regarde, sans la voir, la nuit d'hiver tomber sur les cités silencieuses.

Monde étrange venu de l'ex-empire [1], aux colères et aux joies imprévisibles, à fleur de peau, si disparate... Il ne retrouve son vrai visage, sa dignité que dans l'unité, une fraternité même fugace que devant le malheur ou l'insulte.

Comme elle se sent solidaire, Marie-Romaine, de ces gens hier encore inconnus, de ce peuple de forçats qui se cabre sous l'injure.

Non, ils ne sont pas venus manger le pain des Français : on est venu les chercher, les acheter presque, en Pologne, en Italie et même en Yougoslavie et en Hongrie, avec un contrat ! Bien sûr, ils sont pauvres. Bien sûr, ils n'ont rien ; sans cela ils ne seraient pas là, mais ils viennent faire le travail que les Français ne veulent ou ne peuvent pas faire. Et cela leur donne le droit ou de faire venir leur famille ou de la nourrir là où elle est restée.

Et pourquoi ne leur serait-il pas permis de se priver de tout pour économiser quelques années de soleil ou de vie dans leur pays ? Ou de tout dépenser pour oublier ? Ces Lorrains ne peuvent-ils pas comprendre que c'est là leur seul espoir, la seule force qui leur permet de risquer continuellement leur existence de taupe ou de supporter de vivre, déracinés, dans ce morne pays ? Avec quelle gravité les têtes ont hoché devant le cri d'un nouveau venu après sa première journée au fond :

— Mais je n'ai tué personne pour mériter toute ma vie de faire un travail pareil ! [...]

La population est jeune pourtant. On n'embauche pas les vieux. Combien ont tremblé devant l'œil expert du recruteur venu à leur rencontre à la frontière ou les choisir à l'arrivée, après leur voyage. Pas de grands-pères et pas de grands-mères. Ils sont restés, inutilisables, dans les pays lointains, avec, quelquefois, un enfant ou deux, trop petits pour supporter le transit ou assez grands pour « garder la terre ». Ce petit bout de terre qui n'a pu les nourrir.

---

1. L'Empire austro-hongrois.

Marie-Romaine croit que c'est pour cela qu'ils s'étourdissent, que les hommes boivent quelquefois et que les femmes sont si tristes et si réservées.

© Éditions Serpenoise

2. Intégration et mobilité sociale entre les deux guerres : le modèle salonicien du Sentier

Dans un livre de souvenirs et de réflexion publié en 1989, Edgar Morin évoque la figure de son père : Vidal Nahoum, juif séfarade d'ascendance livournaise, originaire de la Salonique ottomane, où il est né en 1894 et d'où, à l'âge de vingt-deux ans, il a émigré pour la France. Issu d'une famille de commerçants aisés, élevé et éduqué dans un milieu intellectuellement évolué, au carrefour de plusieurs cultures — sa langue maternelle était l'espagnol du XVᵉ siècle, mais il comprenait et parlait tout jeune l'italien, le français et l'allemand —, Vidal n'a pas rencontré de difficulté majeure pour s'intégrer à la société française, à Marseille d'abord, puis très vite au sein de la communauté séfarade du XIᵉ arrondissement et du quartier du Sentier, où il va monter une affaire de vente de tissus : première étape d'une ascension sociale qui restera modeste.

La « réussite » par la boutique, ou par la petite entreprise artisanale ou commerciale, constitue l'un des modèles de l'intégration étrangère en France, qu'il s'agisse des juifs du Sentier ou du quartier du Temple à Paris, des Italiens venus des métiers du bâtiment, de l'alimentation ou de l'habillement, comme aujourd'hui encore des Marocains, Tunisiens, Grecs et Asiatiques tenant épicerie ou commerce de restauration.

Source : Edgar Morin, *Vidal et les siens*, Paris, Seuil, 1989, pp. 119-120.

Bibliographie : N. Green, *Les Travailleurs immigrés juifs à la Belle Époque*, Paris, Fayard, 1985 ; A. Kaspi, A. Marès (dir.), *Le Paris des étrangers depuis un siècle*, Paris, Imprimerie nationale, 1989.

LA FAMILLE BERESSI s'était installée avenue Parmentier[1], puis rue Sedaine. David D. Nahum[2] avait logé pendant son dernier séjour parisien boulevard Voltaire. C'est que le premier pôle d'installation des Saloniciens à Paris fut, avant la Première Guerre mondiale, la rue Sedaine et ses alentours, près de la place Voltaire, où la colonisation des immeubles d'habitation et des commerces de tous ordres créa un micro-Salonique.

Le second pôle, le Sentier, est purement professionnel : c'est là où beaucoup de Saloniciens ouvrent des boutiques de gros dans le textile ou la bonneterie, dans les années 1910-1925. Vidal y prend boutique rue d'Aboukir, en 1922 ; il y demeurera près de quarante ans et toute sa vie restera polarisé sur le Sentier.

Les Saloniciens du Sentier habitent de façon dispersée dans différents quartiers. Vidal s'est d'abord installé non loin du Sentier, d'abord rue Saint-Georges, puis rue Clauzel, puis, au moment de son mariage avec Luna Beressi, près du square Montholon, rue Maryan, dans le IXᵉ arrondissement. Il y vivra avec Luna jusqu'en 1931. Henriette, sa sœur, choisira une rue bourgeoise, dans le XVIIᵉ arrondissement. Ainsi, il y a à la fois la

---

1. Dans le XIᵉ arrondissement.
2. Le grand-père d'Edgar Morin.

concentration résidentielle du XIᵉ arrondissement, autour de la rue Sedaine, petit noyau salonicien où va vivre Myriam Beressi, et la dispersion résidentielle des Saloniciens dans le milieu parisien.

Vidal va progressivement s'enfoncer dans le bain français. Les prénoms de la famille sont déjà francisés depuis Marseille, Haïm étant devenu Henri, Jacob, Jacques, Elena, Hélène, Riquetta, Henriette. Vidal reste Vidal, mais il se fait appeler, dans le Sentier et dans son quartier d'habitation, M. Vidal, comme si c'était son nom de famille. S'il reconstitue immédiatement dans son foyer et dans sa boutique un micro-milieu issu de l'Empire ottoman, c'est avec un couple de gentils : il prend comme employé de magasin un Arménien immigré de fraîche date, Wahram, et comme domestique de maison sa femme Macrue (Marie) qui, d'Alfortville (où se sont installés la plupart des Arméniens venus en France après les massacres turcs), viennent habiter dans la chambre de bonne du 10 de la rue Maryan. Macrue, la « petite Marie » (nommée ainsi non seulement parce qu'elle est petite de taille, mais ausi parce que Corinne a pris à son service une autre Marie arménienne de grande taille, Macrue Solovian), prend soin du petit Edgar quand ses parents s'absentent le soir. Elle est très aimante pour l'enfant. Des rapports affectueux lient le couple séfarade et le couple arménien ; ils dureront après la séparation, le veuvage et le remariage de Vidal et de Macrue. Il y a mutuelle confiance, fidélité et familiarité entre les uns et les autres. Une sorte de sentiment commun, de philosophie commune de la vie les lie. Ils sentent non leur différence religieuse, mais leur météquité orientale commune.

Vidal est déjà totalement parisien, mais il ne se sent pas encore français dans le début des années vingt lorsqu'il doit abandonner son identité d'«israélite du Levant» (sans doute vers 1925), il ne songe pas alors à demander la nationalité française, il préfère pendre la nationalité hellène qui lui est culturellement et affectivement étrangère, mais dont relève désormais sa ville natale.

© Seuil

3. Décret-loi du 2 mai 1938 sur la police des étrangers

La xénophobie teintée d'antisémitisme qui caractérise la période précédant immédiatement la guerre trouve son point d'aboutissement dans les mesures de contrôle et de répression adoptées dès leur arrivée au pouvoir par Édouard Daladier et par son ministre de l'Intérieur, le radical Albert Sarraut. Cette politique, explique le ministre dans une circulaire datée du 14 avril 1938, «correspond au vœu légitime de l'opinion publique et du Parlement».

De fait, à la fois traumatisés par une dépression économique qui n'en finit pas de développer ses effets délétères, par la menace que le rapprochement germano-italien fait courir à la paix européenne, et par celle dont est porteuse pour certains une éventuelle poussée révolutionnaire orchestrée par l'Union soviétique, de nombreux secteurs de l'opinion voient dans la présence de l'étranger — classiquement érigé en bouc émissaire — un péril intérieur dont il convient de se prémunir.

C'est dans ce contexte psychologique que sont adoptés, dès le 2 mai 1938, des décrets organisant la chasse aux clandestins et alourdissant les peines qui les concernent. Les préfets des départements frontaliers peuvent désormais procéder à l'expulsion des étrangers en infraction sans en référer au ministre de l'Intérieur. Le décret du 14 mai 1938 _réduit la liberté de circulation des travailleurs étrangers ; ceux du 12 novembre instituent une carte d'identité spéciale pour les commerçants étrangers, imposent que les candidats au mariage soient en possession d'un permis de séjour de plus d'un an et n'autorisent les naturalisés à voter que cinq ans après l'obtention de leur naturalisation. Enfin, le décret du 12 avril 1939 soumet la création d'associations par des étrangers à l'autorisation préalable des pouvoirs publics._

Source : Décret-loi du 2 mai 1938 : exposé des motifs ; _Journal officiel, lois et décrets,_ 3 mai 1938.

Bibliographie : J.-C. Bonnet, _Les Pouvoirs publics et l'immigration dans l'entredeux-guerres,_ Presses universitaires de Lyon, 1974 ; P. Weil, _La France et ses étrangers. L'aventure d'une politique de l'immigration, 1938-1991,_ Paris, Calmann-Lévy, 1991.

L E NOMBRE sans cesse croissant d'étrangers résidant en France impose au gouvernement [...] d'édicter certaines mesures que commande impérieusement le souci de la sécurité nationale, de l'économie générale du pays et de la protection de l'ordre public.

Il convient d'indiquer dès l'abord [...] que le présent projet de décret-loi ne modifie en rien les conditions régulières d'accès sur notre sol, qu'il ne porte aucune atteinte aux règles traditionnelles de l'hospitalité française, à l'esprit de libéralisme et d'humanité qui est l'un des plus nobles aspects de notre génie national.

La France reste toujours aussi largement ouverte à qui vient chez elle recueillir les enseignements de ses richesses intellectuelles et morales, visiter ses sites incomparables, apporter fraternellement sa contribution au travail de la nation. Elle reste toujours aussi largement ouverte à la pensée [...] aux persécutés qui lui demandent asile, à la condition toutefois qu'il ne soit pas fait du titre respectable de réfugié politique un usage illégitime qui serait un abus de confiance, et qu'une conduite exempte de tout reproche, une attitude absolument correcte vis-à-vis de la République et de ses institutions, soient l'inflexible règle pour tous ceux qui bénéficient de l'accueil français.

Cet esprit de générosité envers celui que nous nommerons l'étranger de bonne foi trouve sa contrepartie légitime dans une volonté formelle de frapper désormais de peines sévères tout étranger qui se serait montré indigne de notre hospitalité [...].

S'il fallait résumer, dans une formule brève, les caractéristiques du présent projet, nous soulignerions qu'il crée une atmosphère épurée autour de l'étranger de bonne foi, qu'il maintient pleinement notre bienveillance traditionnelle pour qui respecte les lois et l'hospitalité de la République, mais qu'il marque enfin pour qui se montre indigne de vivre sur notre sol, une juste et nécessaire rigueur.

4. Ordonnance du 2 novembre 1945 relative aux conditions d'entrée et de séjour des étrangers en France

La Seconde Guerre mondiale avait eu pour effet, comme la Première, de provoquer un fléchissement sensible des effectifs de la population immigrée. C'est à la fois pour combler les vides provoqués par ce reflux (ainsi que par les pertes de la guerre) et pour palier les effets d'une stagnation démographique devenue endémique (l'ampleur du baby boom ne fut guère perçue qu'à la fin de 1946), que l'on décida d'engager une véritable politique de l'immigration. Le ton fut donné par le général de Gaulle lui-même. Dans un discours prononcé le 3 mars 1945 devant l'Assemblée consultative, le chef de la France libre déclara en effet qu'il fallait élaborer un plan d'envergure pour « introduire au cours des prochaines années, avec méthode et intelligence, de bons éléments d'immigration dans la collectivité française ». Trois organismes gouvernementaux eurent à charge de mettre en œuvre cette politique : le secrétariat général de la Famille et de la Population, créé le 4 avril 1945, rattaché au ministère de la Santé publique et dirigé par Alfred Sauvy, le haut comité consultatif de la Population et de la Famille, rattaché au secrétariat général du gouvernement, dont le principal animateur était le géographe Georges Mauco, et le comité interministériel de la Population et de la Famille.

Les travaux de ces divers organismes aboutirent à l'adoption à l'automne 1945 de deux textes régissant la politique française en matière d'immigration : l'ordonnance du 19 octobre définissant le code de la nationalité et celle du 2 novembre qui créait l'Office national de l'immigration (ONI) — auquel était confié le monopole en matière d'introduction des travailleurs et de regroupement des familles — et fixait les conditions d'entrée et de séjour des étrangers. Ce sont des extraits de ce dernier texte dons nous présentons ici de larges extraits.

Source : *Journal officiel*, 4 mars 1945, p. 7225 et *Journal officiel*, 7 mars 1945, p. 7351.

Bibliographie : P. Weil, *La France et ses étrangers. L'aventure d'une politique de l'immigration, 1938-1991*, Paris, Calmann-Lévy, 1991 ; R. Schor, *Histoire de l'immigration en France de la fin du XIXe siècle à nos jours*, Paris, Armand Colin, 1996.

Chapitre Ier
Dispositions générales concernant l'entrée et le séjour des étrangers en France

A RTICLE 1er. Sont considérés comme étrangers au sens de la présente ordonnance tous les individus qui n'ont pas la nationalité française, soit qu'ils aient une nationalité étrangère, soit qu'ils n'aient pas de nationalité.

ART. 2. Les étrangers sont, en ce qui concerne leur séjour en France, soumis aux dispositions de la présente ordonnance, sous réserve des conventions internationales ou des lois et règlements spéciaux y apportant dérogation.

ART. 3. L'expression « en France » au sens de la présente ordonnance, s'entend du territoire métropolitain et de l'Algérie.

ART. 4. Les dispositions de la présente ordonnance ne sont pas applicables aux agents diplomatiques et aux consuls de carrière.

ART. 5. Tout étranger doit, pour entrer en France, être muni des documents et visas exigés par les conventions internationales et les règlements en vigueur.

Si l'étranger vient en France pour y exercer une activité professionnelle salariée, il est tenu de présenter non seulement les documents prévus à l'alinéa précédent, mais encore les contrats de travail régulièrement visés par le ministre chargé du Travail, conformément à l'art. 7 ci-dessous.

Il doit être également porteur d'un certificat médical délivré par un médecin agréé par l'administration.

ART. 6. Tout étranger doit, s'il séjourne en France et après expiration d'un délai de trois mois depuis son entrée sur le territoire français, être muni d'une carte de séjour délivrée dans les conditions prévues par la présente ordonnance.

Le délai de trois mois prévu ci-dessus peut être modifié par décret pris sur le rapport du ministre de l'Intérieur.

La carte de séjour peut provisoirement être remplacée par le récépissé de la demande de délivrance ou de renouvellement de ladite carte.

ART. 7. L'étranger ne peut exercer une activité professionnelle salariée en France sans y avoir été préalablement autorisé par le ministre chargé du Travail. Cette autorisation est délivrée dans des conditions qui seront déterminées par un règlement d'administration publique. Elle précise notamment la profession et la zone dans laquelle l'étranger peut exercer son activité.

Des décrets pris en forme de règlements d'administration publique peuvent également soumettre à autorisation l'exercice par les étrangers de telle ou telle activité professionnelle non salariée.

ART. 8. Les conditions de la circulation des étrangers en France seront déterminées par un décret pris sur le rapport du ministre de l'Intérieur.

Chapitre II
Des différentes catégories d'étrangers en raison de leur séjour en France

ARTICLE 9. Les étrangers en séjour en France sont classés, selon la durée de ce séjour, en étrangers résidents temporaires, étrangers résidents ordinaires et étrangers résidents privilégiés. [...]

Section III. _Des étrangers résidents privilégiés._

[...] ARTICLE 16. Peuvent obtenir une carte dite « carte de résident privilégié » les étrangers qui justifient en France d'une résidence non interrompue d'au moins trois années et qui étaient âgés de moins de trente-cinq ans au moment de leur entrée en France.

Cet âge peut être augmenté de cinq ans par enfant mineur résident en France.

Le délai de trois ans peut être réduit à un an pour :

les étrangers mariés à des Françaises qui ont conservé leur nationalité d'origine ;

les étrangers pères ou mères d'un enfant français.

Toutefois, un décret pris sur le rapport du ministre de l'Intérieur fixera les conditions de délivrance de cette carte aux étrangers ayant rendu des services importants à la France ou ayant servi dans une unité combattante des armées françaises ou alliées. Ces étrangers ne seront soumis à aucune condition d'âge.

La carte de résident privilégié n'est délivrée qu'après une enquête administrative et un examen médical, dans les conditions fixées par décret pris sur le rapport du ministre de l'Intérieur et du ministre de la Santé publique.

Elle est valable dix ans. Elle est renouvelée de plein droit.

ART. 17. Les étrangers titulaires de la carte de résident privilégié seront dispensés de la caution prévue à l'art. 16 du code civil.

En ce qui concerne l'exercice des droits civils, notamment en matière sociale et professionnelle, ils jouiront d'une condition spéciale qui sera déterminée par le règlement d'administration publique prévu à l'art. 7 ci-dessus.

Pour exercer en France une profession, ils devront présenter l'autorisation prévue à l'art. 7 ci-dessus.

Après dix ans de séjour en France à titre de résidents privilégiés, ils recevront de plein droit, sur leur demande, l'autorisation d'exercer, sur l'ensemble du territoire, la profession de leur choix, dans le cadre de la législation en vigueur. Ce délai de dix ans est réduit à raison d'une année par enfant mineur vivant en France [...]

Chapitre III
Pénalités

ARTICLE 19. L'étranger qui aura pénétré en France sans se conformer aux dispositions de l'art. 5 et de l'art. 6 ci-dessus, sera puni d'un emprisonnement de un mois à un an et d'une amende de 600 à 12 000 F.

L'étranger qui, sans excuse valable, aura omis de solliciter, dans les délais réglementaires, la délivrance d'une carte de séjour, sera puni, sans préjudice des amendes fiscales, d'un emprisonnement de quinze jours à un an et d'une amende de 600 à 12 000 F.

Celui auquel la carte de séjour aura été refusée et qui séjournera sur le territoire sans cette carte ou qui sera porteur d'une carte ou d'un récépissé de demande non valable en infraction aux dispositions légales et réglementaires, sera puni d'un emprisonnement de quinze jours à un an et d'une amende de 600 à 12 000 F, ou de l'une de ces deux peines seulement.

ART. 20. La fausse déclaration d'état civil en vue de dissimuler sa véritable identité ou l'usage de fausses pièces d'identité sera pour l'étranger puni d'un emprisonnement de six mois à trois ans et d'une amende de 600 à 12 000 F.

ART. 21. Tout individu qui, par aide directe ou indirecte, aura facilité ou tenté de faciliter l'entrée, la circulation ou le séjour irréguliers d'un étranger sera puni d'un emprisonnement d'un mois à un an et d'une amende de 600 à 12 000 F.

ART. 22. Toute personne logeant un étranger, en quelque qualité que ce soit, même à titre gracieux, devra en faire la déclaration dans des conditions fixées par décret, au commissariat de police de la commune ou du quartier dans lequel résidera l'étranger ou à défaut de commissariat de police, à la mairie.

Les infractions à cette obligation seront punies d'une amende de 5 à 15 F, sans préjudice des poursuites qui pourront être intentées en application de l'art. 21 ci-dessus et des mesures d'expulsion qui pourront être prises à l'encontre des logeurs de nationalité étrangère, qu'ils soient professionnels ou particuliers.

Chapitre IV
De l'expulsion

ARTICLE 23. L'expulsion peut être prononcée par arrêté du ministre de l'Intérieur si la présence de l'étranger sur le territoire français constitue une menace pour l'ordre public ou le crédit public.

Dans les départements-frontière, l'expulsion peut être également prononcée par le préfet qui doit rendre compte immédiatement au ministre de l'Intérieur.

L'arrêté d'expulsion est rapporté, le cas échéant, dans les formes ou il est intervenu.

ART. 24. L'étranger qui justifie être entré en France dans des conditions régulières et être régulièrement titulaire d'une carte de séjour de résident ne peut faire l'objet d'une mesure d'expulsion sans en avoir été préalablement avisé dans les conditions prévues par décret. [...]

ART. 27. Tout étranger qui se sera soustrait à l'exécution d'un arrêté d'expulsion, ou à celle de la mesure prescrite à l'art. 272 c. pén.0 ou qui, expulsé de France, y aura pénétré de nouveau sans autorisation, sera puni d'une peine de six mois à trois ans d'emprisonnement. À l'expiration de sa peine, il sera conduit à la frontière.

Toutefois, la présente disposition n'est pas applicable lorsqu'il est démontré que l'étranger se trouve dans l'impossibilité de quitter le territoire français. Cette impossibilité est considérée comme démontrée lorsque l'étranger établit qu'il ne peut, ni regagner son pays d'origine ni se rendre dans aucun autre pays.

ART. 28. L'étranger qui fait l'objet d'un arrêté d'expulsion et qui justifie être dans l'impossibilité de quitter le territoire français peut, jusqu'à ce qu'il soit en mesure d'y référer, être astreint, par arrêté du ministre de l'Intérieur, à résider dans les lieux qui lui sont fixés et dans lesquels il doit se présenter périodiquement aux services de police et de gendarmerie. La même mesure en cas de nécessité urgente, peut être appliquée, à la demande du préfet, aux étrangers qui font l'objet d'une proposition d'expulsion.

Les étrangers qui n'auront pas rejoint dans les délais prescrits la résidence qui leur est assignée ou qui, ultérieurement, auront quitté cette résidence sans autorisation du ministre de l'Intérieur, seront punis d'un emprisonnement de six mois à trois ans.

5. Une immigration sélective :
lettre du général de Gaulle au garde des Sceaux
(12 juin 1945)

Dès la Libération, un débat s'est engagé parmi les experts à propos des objectifs de la politique d'immigration. Du côté des économistes, et notamment à partir de 1946 au sein du commissariat au Plan, on se préoccupait essentiellement d'assurer la production. On estimait donc que, compte tenu des gains de productivité envisagés, on pouvait se contenter de flux relativement modestes (entre 1 et 1,5 million de personnes) dont la provenance ne constituait pas un problème majeur. Les démographes au contraire, rassemblés à l'Institut national d'études démographiques (INED) autour d'Alfred Sauvy, et les membres du haut comité consultatif de la Population et de la Famille estimaient les besoins à long terme beaucoup plus élevés dès lors que s'ajoutaient aux demandes immédiates de main-d'œuvre les perspectives à long terme du remplacement des générations. À quoi s'ajoutaient pour certains d'entre eux — à commencer par Georges Mauco et Robert Debré — des préoccupations d'ordre «qualitatif», portant sur les capacités d'adaptation et d'assimilation des populations migrantes. Les «Nordiques» (Belges, Néerlandais, Suisses, Scandinaves, Allemands) étaient supposés se fondre plus aisément dans le «creuset français» que les populations originaires du pourtour méditerranéen et de l'Europe centrale et orientale. Cette vision sélective du processus migratoire, qui n'était pas dépourvue d'a priori racistes, était surtout développée par le géographe Georges Mauco, auteur d'une thèse sur les étrangers en France publiée en 1932, et dont les écrits et l'action n'avaient pas été sans effets pendant la guerre sur la politique de ségrégation du gouvernement de Vichy. C'est lui qui, ayant survécu politiquement au régime du maréchal Pétain et placé à la tête du haut comité consultatif de la Population et de la Famille, va élaborer un projet de ventilation des immigrants par origine ethnique dont se fait écho la lettre suivante, adressée par le général de Gaulle au ministre de la Justice, garde des Sceaux, François de Menthon.

Source : Direction Population et Migration (DPM) 212 (1).

Bibliographie : R. Debré, A. Sauvy, *Des Français pour la France (Le problème de la population)*, Paris, Gallimard, 1946 ; A. Sauvy, «Évaluation des besoins de l'immigration française», *Population*, n° 1, janv.-mars 1946.

M ON CHER MINISTRE,
Le haut comité consultatif de la Population et de la Famille étudie actuellement des projets qui constituent son avis en ce qui concerne la politique du gouvernement en matière d'immigration.

Dès à présent, il importe que les naturalisations soient effectuées d'après des directives d'ensemble. Il conviendrait notamment de ne plus les faire dépendre exclusivement de l'étude des cas particuliers, mais de subordonner le choix des individus aux intérêts nationaux dans les domaines ethnique, démographique, professionnel et géographique.

a) Sur le plan *ethnique*, il convient de limiter l'afflux des Méditerranéens et des Orientaux qui ont depuis un demi-siècle profondément modifié la composition de la population française. Sans aller jusqu'à utiliser, comme aux États-Unis, un système rigide de quotas, il est souhaitable que la priorité soit accordée aux naturalisations nordiques (Belges, Luxembourgeois, Suisses, Hollandais, Danois, Anglais, Allemands, etc…). Étant donné le grand nombre de dossiers actuellement en instance dans les préfectures, on pourrait envisager une proportion de 50 % pour ces éléments.

b) Sur le plan *professionnel*, la France a surtout besoin de travailleurs directement producteurs : agriculteurs, mineurs, ouvriers du bâtiment, etc… D'autre part, pour conserver au pays son pouvoir d'assimilation, il est nécessaire que les professions libérales, commerciales, banquières, etc… ne soient pas largement ouvertes aux étrangers. C'est dans la mesure où les étrangers peuvent se donner en France des cadres intellectuels et économiques — même naturalisés — qu'ils conservent leur particularisme. Il y a donc intérêt à limiter les naturalisations dans ces professions et, d'une manière plus générale, dans les professions urbaines.

c) Sur le plan *démographique*, il importe de naturaliser des individus jeunes ou ayant des enfants.

d) Sur le plan *géographique*, il convient de limiter strictement les naturalisations dans les villes, spécialement à Paris, Marseille, Lyon, où l'afflux des étrangers n'est pas désirable pour des multiples raisons. Par contre, les naturalisations doivent être suscitées et multipliées en province et spécialement dans les milieux ruraux.

Je vous prie de bien vouloir donner des instructions aux préfectures pour que l'étude et l'envoi des dossiers s'inspirent de ces directives et pour que soient suscitées au besoin les nationalisations désirables.

Croyez, mon cher Ministre, à mes sentiments cordialement dévoués.

6. L'opinion française et les étrangers
au début des années 1950

Dans le rapport qu'ils ont publié en 1953 à la suite de la vaste enquête effectuée par l'Institut national d'études démographiques (INED) sur « l'attitude française » à l'égard des immigrés et sur l' « adaptation des Italiens et des Polonais », Alain Girard et Alain Stoetzel — qui ont été les maîtres d'œuvre de l'entreprise — évoquent les sondages réalisés par l'IFOP et par l'INED depuis la fin de la guerre.

Questionnés pour la première fois à la Libération, les Français se déclarent hostiles au racisme, mais ils réclament en même temps la protection du « travail national ». À une écrasante majorité, ils manifestent leur hostilité à l'introduction de travailleurs étrangers. Cela va d'un refus massif pour les professions libérales (89 %) à une opposition de principe là où le travail est le plus dur : 68 % des personnes interrogées refusent l'arrivée de travailleurs étrangers dans le bâtiment, 54 % dans les mines. Or, à cette époque, il n'y a pas de chômage. La protection de la main-d'œuvre nationale apparaît ainsi comme un droit acquis, quelle que soit la conjoncture, et le principe figurera en toutes lettres dans le décret fondateur de l'Office national d'immigration.

En dépit des immenses besoins de la reconstruction, l'opinion ne variera guère au cours de la décennie suivante. Certes, selon une enquête de l'INED en 1951, un Français sur deux reconnaît que les étrangers rendent service à la France, mais il s'agit surtout de services économiques, ce qui légitime en pointillé les expulsions et les restrictions en temps de crise. Une fois leur tâche accomplie, les travailleurs immigrés ne trouvent guère de défenseurs. On ignore tout de leur apport démographique et 58 % des Français pensent qu'ils créent des difficultés, en particulier politiques. On ne s'étonnera donc pas de voir 85 % des personnes interrogées réclamer la préférence nationale en matière de logement, 84 % demander que les étrangers soient licenciés les premiers, 31 % qu'ils paient un impôt supplémentaire et 74 % qu'ils soient mobilisés en cas de guerre.

Or, il s'agit de la France de 1950, où tout reste à reconstruire, où les flux migratoires demeurent faibles, où les anciennes communautés d'avant-guerre sont pour la plupart bien intégrées. Ceux qui arrivent alors sont de plus, en majorité, des Italiens, jugés « culturellement proches ». Mais cela ne change rien. Les Belges, les Suisses, les Néerlandais sont les seuls à attirer de vraies sympathies. Face aux Italiens, aux Espagnols et aux Polonais, les avis positifs et négatifs s'équilibrent. Allemands et Nord-Africains enfin sont largement rejetés, héritage d'un passé brûlant pour les uns, préfiguration d'un avenir conflictuel pour les autres. En conséquence de quoi, 45 % des individus sondés se déclarent hostiles aux mariages mixtes et condamnent les immigrés à demeurer à jamais étrangers, même intégrés, même naturalisés.

Source : Alain Girard et Jean Stoetzel. *L'Attitude française. L'adaptation des Italiens et des Polonais,* INED / PUF, 1953, pp. 36-39.
Bibliographie : O. Milza, *Les Français devant l'immigration,* Bruxelles, Complexe, 1988.

Quoi qu'il en soit de l'attitude générale à l'égard de l'immigration et de la politique à suivre envers les immigrants, « beaucoup » d'étrangers sont là, qui travaillent en France. La conscience publique établit entre eux des différences, liées d'abord et essentiellement à leur nationalité d'origine. S'il fallait recourir à l'immigration, un ordre préférentiel établirait une hiérarchie dans le choix. Pour des raisons assez évidentes de parenté linguistique ou ethnique, ou de sympathie instinctive, on accueillerait plus volontiers des représentants de certains peuples plutôt que d'autres. Ce phénomène paraît général et non propre à la psychologie française, illustré notamment par les principes qui président à la législation américaine restrictive en matière d'immigration, laquelle fixe des quotas d'immigrants contingentés appartenant aux différentes nations, d'importance semblable à la composition de la population américaine selon les origines ethniques. L'Australie ou la Nouvelle-Zélande n'agissent pas autrement quand elles accordent leurs préférences à des immigrants britanniques, Israël en accueillant des juifs, l'Argentine en ouvrant ses frontières plutôt à des Italiens ou des Espagnols. Chaque nation porte en soi une conscience obscure de sa nature propre et cherche à ne pas altérer son unité par des apports hétérogènes.

Dans le cas de la France, l'ordre préférentiel exprimé par la population place en tête les Belges et les Suisses, qui recueillent des majorités absolues, et les Hollandais une majorité relative. La moitié n'accueillerait pas volontiers des Polonais, des Italiens, des Nord-Africains et des Espagnols. La majorité absolue se prononce contre l'introduction d'Autrichiens et surtout d'Allemands.

Ce résultat appelle quelques précisions. Le public avait en 1947 et 1949 à se prononcer sur une liste limitée de nationalités étrangères, comprenant seulement celles dont un nombre important de ressortissants étaient déjà établis en France ou étaient susceptibles d'y venir. Ces nationalités représentaient d'ailleurs près des 9/10e de l'ensemble des étrangers présents en France lors du recensement de 1946. D'autre part, les « Nord-Africains » figurent dans cette liste et le terme d'étrangers, appliqué aux Algériens qui constituent la presque totalité de l'immigration nord-africaine, est impropre, puisqu'ils jouissent depuis 1947 de la citoyenneté française. Mais leurs origines ethniques et religieuses étant différentes de celles des Français, il avait paru préférable de ne pas présenter leur cas isolément.

Les préférences exprimées à l'égard de certains peuples, dans le cas d'une immigration, reflètent un état de plus ou moins vive sympathie : l'ordre des sympathies exprimées dans l'enquête de 1951 correspond, en effet, de très près à l'ordre de préférence :
— plus grande sympathie à l'égard des Belges, puis des Suisses et des Hollandais ;
— moins grande sympathie à l'égard des Roumains, des Autrichiens, puis des Nord-Africains et surtout des Allemands ;
— situation intermédiaire à l'égard des Italiens, des Espagnols et des Polonais.[…]

Le classement par sympathie des différents peuples que les Français sont appelés à côtoyer sur leur sol ne paraît pas correspondre aux éléments ethniques qui ont pu intervenir à diverses époques dans la constitution de la « mosaïque » française. La situation privilégiée des Belges et des Suisses paraît s'expliquer par la parenté linguistique entre la France et au moins les parties wallonne et romande de la Belgique et de la Suisse. Au contraire, la place des Autrichiens et des Allemands, surtout en fin de classement, serait dictée sans doute par des ressentiments d'ordre patriotique. Il est moins aisé de rendre compte de la position relative des autres nationalités. Si elle exprime une sorte de sentiment de distance ethnique croissante, on s'expliquerait mal le prestige dont jouissent les Pays-Bas. Mais il n'est pas douteux qu'en ce domaine interviennent des motivations irrationnelles aussi bien que des motifs rationnels, et sans doute convient-il de ne pas chercher à tout prix des explications logiques, mais plutôt de considérer les sentiments exprimés comme des données de fait.

© PUF

7. Le ghetto des Algériens de Paris
(1955)

Il y avait 22 000 Algériens en 1946. À la veille de l'insurrection, on en dénombre 212 000, la plupart cantonnés dans des emplois de manœuvres, avec 30 000 chômeurs et autant de travailleurs en situation irrégulière. Ils vivent en exclus, voués aux bidonvilles, aux foyers sous haute surveillance et aux marchands de sommeil qui sévissent dans les banlieues des grandes villes.

Pourtant, les choses ont commencé à changer au début de la décennie 1950. Jusqu'à cette date, l'immigration était une immigration d'hommes seuls, venus en France pour une durée limitée. Désormais, attirés par les salaires relativement élevés et les avantages sociaux de la métropole, ou poussés au départ par la mécanisation accélérée de l'agriculture algérienne et par les difficultés économiques de leur pays, certains migrants s'installent en France pour des séjours plus longs, rejoints par leurs familles. Ils recherchent de meilleures conditions de logement, envoient leurs enfants à l'école, franchissent les premières marches de la promotion sociale en milieu ouvrier, bref s'engagent dans un processus d'intégration qui a été, trois quarts de siècle plus tôt celui des Italiens, vingt ans auparavant celui des Polonais, mais qui va se trouver brisé net par la guerre d'Algérie.

Dans cet article paru en septembre 1955 dans France-Observateur, _Jacques Estrinnes évoque la situation des Algériens de France un peu moins d'un an après le déclenchement de l'insurrection. Il montre que le ralliement de la majorité des migrants au FLN — voulu par les uns, subi par les autres —, en même temps que la réaction de rejet manifestée par les Français à leur égard, ont eu pour effet de provoquer un réveil religieux de la communauté algérienne qui n'a pu qu'accroître la méfiance et l'hostilité des autochtones : un processus que l'on retrouvera, à peu près inchangé, une trentaine d'années plus tard et qui servira de tremplin au Front national de Jean-Marie Le Pen._

Source : Jacques Estrinnes, « Le ghetto des Algériens de Paris », _France-Observateur_, n° 278, 8 septembre 1955, pp. 9-10.

Bibliographie : J. Costa-Lascoux, É. Témime (dir.), *Les Algériens en France. Genèse et devenir d'une migration*, Paris, Publisud, 1985 ; A. Gilette, A. Sayad, *L'Immigration algérienne en France*, Paris, Éditions Entente, 1985.

A SSEYEZ-VOUS UN SOIR dans une chambrée de ces hôtels meublés, qui ressemblent à des prisons de Montreuil, de Clichy, du XVIIIᵉ ou d'ailleurs, vous y entendrez quelque chose qui ressemble étrangement à ce que l'on murmurait il y a un peu plus de dix ans. Mais serez-vous accepté dans cette chambrée ? Rentrez alors dans ce café « nord-africain », vous vous accoudez au comptoir, dans votre dos une voix monotone se prend à lire les derniers communiqués du gouvernement général.

Il est trop tard, ne demandez plus qu'on vous fasse confiance, ne demandez plus que l'on croie à vos bonnes intentions. Trop de morts sont entre eux et nous. Du temps où il n'y avait que la ségrégation dans le travail et l'habitat pour les travailleurs venus en France, du temps où il n'y avait que des différences de prix entre les malades et les enfants des deux races, on pouvait encore parler. Aujourd'hui quel est l'Algérien de Paris qui n'a reçu une lettre ou entendu un récit d'épouvante ? Quel est celui qui n'est pas fier de ce qu'il nomme désormais « l'armée de libération nationale » ?

Il n'existe pratiquement plus pour le peuple algérien de Paris de partis politiques, plus d'UDMA ou de MTLD, « centraliste » ou « Messaliste », c'est-à-dire plus d'organisations *avec lesquelles la gauche française était en contact*, il n'y a plus que le « Front national ». Les cadres dirigeants ne sont plus les anciens cadres militants mais ce que dans les quartiers de nos villes et dans nos villages nous appellerions des « personnalités locales » dont l'autorité est fondée sur un prestige social et religieux, mais qui manquent pour l'instant de culture politique.

Réveil religieux des Musulmans

Les premiers actes de cette communauté algérienne retrouvée ont été pour un retour à la *stricte observance des lois coraniques*. Jamais, depuis bien des années, une telle ferveur n'avait présidé au Ramadan. Les interdictions sont ensuite venues, celles du vin et du tabac qui ont aussi le sens d'un geste de solidarité avec les combattants de l'armée de libération : « Comment pourrions-nous fumer, me disait un Algérien, quand ils passent des semaines entières sans tabac ? » puis l'interdiction de fréquenter les « femmes ». En même temps un effort était tenté *pour racheter les fonds de commerce*, notamment les boucheries, afin que la viande étant tuée selon les rites, « le péché ne soit pas commis ». La solidarité nationale se marquait enfin par des *collectes* organisées tant auprès des commerçants que des travailleurs, une récente collecte a rapidement rapporté plus de deux millions. D'autres manifestations, encore plus spontanées, du réveil national, ont lieu de côté et d'autre ; c'est, par exemple, ce groupe entonnant dans un café l'hymne national algérien et bientôt entouré d'une foule recueillie et en larmes.

L'arme du boycott

L'unanimité que l'on observe aujourd'hui a été acquise par différents moyens, les hommes du «Front national» affirment qu'ils ont toujours donné des consignes de non-violence. Dans leurs quartiers, dans les abords de l'usine, ceux que nous avons comparés à des personnalités locales, formés en «patrouilles» de deux, invitent leurs compatriotes de villages ou leurs camarades de travail à l'observance. Quelques éclats ont eu lieu, parfois dus à l'intervention de mouchards, d'autres fois à la vivacité ou à l'énervement de la «patrouille» ou à l'intempérance du récalcitrant, mais ces éclats ont été assez rares. Le même travail de «persuasion» a été entrepris auprès des tenanciers de cafés et beaucoup d'entre eux ont accepté de ne plus servir de vin. Là encore des bagarres ont eu lieu malgré les consignes de «non-violence» ; elles ont été cependant moins fréquentes qu'on ne l'a dit. Une arme efficace existait au cas où le commerçant refusait de se plier à la discipline nationale et de verser à la caisse de solidarité : le _boycott_. Vous trouverez ainsi dans Paris un certain nombre de commerces, bistrots ou autres fonds, autrefois florissants d'une clientèle algérienne nombreuse, aujourd'hui désertés [...]

Le comportement des Français

Des observations dûment contrôlées montrent que la peur qu'éprouvent les populations françaises à l'égard des Nord-Africains naît peut-être de la concurrence économique mais surtout de l'angoisse que constitue un bloc de population devenu _absolument impérméable_ ; les Algériens vivent en France en groupes uniquement tournés vers les communautés d'origine, qui sont la terre et le sang de fils ou de pères de familles paysannes. _Loin que Tizi-Ouzou devienne semblable à Pont-à-Mousson, ce sont les «quartiers arabes» de Paris qui ressemblent de plus en plus à Tizi-Ouzou._ La misère des travailleurs qui est celle de leur pays, surtout l'absence de leurs familles, sont des sentiments insupportables pour les populations françaises _parce qu'ils ne sont pas expliqués_ et ne peuvent l'être en dehors de contacts quotidiens et d'une prise de conscience politique globale. S'ils sont miséreux, il vont nous voler ; s'ils sont seuls, ils vont enlever nos femmes, tel est le raisonnement simpliste que fait la population française radicalement séparée des travailleurs algériens. Or qui ne voit que cette ségrégation elle-même, et les conditions de vie des travailleurs nord-africains en France ne sont qu'une exportation du colonialisme, seul résultat tangible de l'assimilation de l'Algérie au territoire national, mais aussi fruit amer qui détruit notre bonne conscience dont il est né. Cela ne se passe plus outre-mer, ce ne sont pas d'autres Français qui oppriment, _notre œuvre est sous nos yeux._ Ne nous y trompons pas, la terreur qui sévit contre les Algériens de Paris est sœur de la terreur qui sévit en Algérie, pour ses exécutants comme pour ses victimes l'enjeu est le même, le réveil du nationalisme algérien. Les mots : pègre, voleur, chômeur, population flottante, des communiqués de police, ne sont que la traduction parisienne des mots : bandits, fellagha, terroristes, rebelles, des communiqués du gouvernement général...

© Publisud

8. Les Français face aux étrangers
à l'époque des « Trente Glorieuses »
(1963)

Dix ans après la publication de la grande enquête de l'INED (cf. texte n° 6), dans une France débarrassée de l'hypothèque algérienne et en pleine euphorie économique, l'opinion des Français à l'égard des étrangers ne s'est guère modifiée. On continue de les juger trop nombreux, de craindre la concurrence qu'ils pourraient exercer sur le marché de l'emploi en cas de récession, d'affirmer que, naturalisé ou non, l'étranger ne sera jamais tout à fait un Français à part entière. On demeure persuadé qu'il existe sinon une hiérarchie des races du moins une plus ou moins grande aptitude des populations immigrées à s'adapter au milieu d'accueil et à s'assimiler. On continue enfin d'affirmer le principe de la préférence nationale. Autrement dit, une bonne partie des thèmes qui nourriront plus tard le discours lepéniste sont, à des degrés divers, présents dans la mentalité collective de l'époque, et cela ne choque nullement les responsables politiques et administratifs, comme en témoigne ce texte, extrait du rapport présenté en 1963 au Premier ministre (en l'occurrence Georges Pompidou) par Michel Roux et Dominique Le Vert, auditeurs au Conseil d'État, au nom du haut comité consultatif de la Population et de la Famille, dont le secrétaire général est toujours à cette date l'inusable Georges Mauco.

Source : *L'Accueil des étrangers en France*. Premier ministre, Haut comité consultatif de la Population et de la Famille, Paris, 1963, pp. 24-27.
Bibliographie : O. Milza, *Les Français devant l'immigration*, Bruxelles, Complexe, 1988.

O N NE PEUT QUE CONSTATER l'existence d'un sentiment général de méfiance à l'égard des étrangers ; sentiment et non attitude raisonnée car c'est, en réalité, plus au niveau des réflexes qu'à celui des réflexions que se situe cette prise de position.

En temps normal d'ailleurs, cela n'interdit nullement une coexistence fondée sur l'ignorance mutuelle. Il paraît légitime à beaucoup que les étrangers viennent en France occuper les postes et exercer les fonctions dont les Français ne veulent plus. Certains ne contesteraient même pas qu'ils aient droit, pour cela, à des avantages particuliers.

Mais que viennent les difficultés et qu'apparaisse le chômage, l'optique change fondamentalement et l'on aperçoit la résurgence de sentiments protectionnistes attachés à la défense des privilèges des nationaux. L'étranger apparaît alors dans sa véritable condition qui est celle d'un homme de seconde catégorie : les garanties accordées aux autres travailleurs lui sont à ce moment refusées et le sentiment populaire verrait sans défaveur l'expulsion des émigrants pour réduire le nombre des parties prenantes au revenu national.

Ce sentiment s'exprime évidemment avec de notables différences selon les milieux sociaux ; les classes «éclairées» y apportent plus de nuances que les couches moins évoluées de la population. Mais en règle générale, ainsi que l'ont montré les enquêtes de 1945 et 1947 réalisées par l'IFOP, le réflexe défensif est d'autant plus fort que chacun se croit personnellement visé ; aussi les personnes interrogées sont-elles plus hostiles à la présence d'étrangers dans leur propre branche professionnelle que dans les autres.

De plus, une sorte d'échelle de valeur des races, et, à l'intérieur de celles-ci, des nationalités, modifie sensiblement l'attitude générale. Les plus proches, géographiquement comme par leur civilisation, seraient volontiers l'objet de mesures de faveur, à moins, toutefois, que n'interviennent des notions de caractère patriotique attachées à la présence d'anciens ennemis.

Mais dans l'ensemble la méfiance prédomine. On constate ainsi une concordance remarquable des prises de position à l'égard du problème de l'emploi des étrangers. À la question : «Conviendrait-il de supprimer le système des cartes et des quotas par profession ?», la réponse est unanimement négative quoique fondée sur des raisons différentes : pour le patronat (favorable à l'allégement des procédures) parce qu'il importe de fournir aux employeurs dans les secteurs où le recrutement de la main-d'œuvre française est difficile, des ouvriers relativement stables malgré la faiblesse des salaires qui leur sont accordés ; pour les syndicats, car il convient de protéger les travailleurs nationaux ; pour l'État, car en cas de crise économique, la responsabilité du plein emploi de la main-d'œuvre nationale reprend une primauté absolue. Les Français admettent ainsi, dans leur majorité, qu'aux moments critiques, le partage entre chômeurs et actifs devra d'abord se faire en considération de la nationalité des intéressés. Il n'est pas jusqu'à certains étrangers — établis — qui ne soient favorables à la sévérité des règles d'entrée et de travail pour ne pas être confondus, dans l'esprit du public, avec le tout-venant des immigrants.

Cette préférence qu'il convient de maintenir au profit des nationaux est profondément ancrée dans l'esprit du public ; elle y trouve d'autres justifications que des réactions de défense collective : il n'est pas rare, en particulier, et des enquêtes d'opinion publique l'ont démontré, que les Français considèrent en quelque sorte les immigrants comme des étrangers de seconde catégorie ; dès lors qu'ils ont quitté leur pays, c'est que — pour une raison mal définie — il n'y réussissaient pas. On voit alors s'affirmer une certaine conception moralisatrice selon laquelle la protection ne doit aller qu'à ceux qui en sont réellement dignes.

Les Français dans leurs relations courantes avec les étrangers

Ces constatations ne doivent pas conduire à penser que l'étranger recevra en France un accueil systématiquement défavorable. L'expérience prouve, au contraire, que ce pays est un de ceux qui savent le mieux assimiler les immigrants.

Lorsque l'on passe d'un plan général aux relations concrètes et quotidiennes du Français avec l'étranger dans son milieu de travail, dans son quartier ou dans son village, les perspectives changent assez profondément. Certes la majorité continue de penser que l'étranger ne peut jamais devenir réellement Français (même s'il est naturalisé) mais aucun obstacle de principe n'est plus opposé aux contacts et à la cohabitation. La condition inférieure à laquelle on le voue, plus ou moins consciemment, s'estompe ; le Français accepte le travail et les distractions en commun, pour les adultes, les jeux communs pour les enfants. Il reste toutefois réservé sur un point : les mariages mixtes, bien qu'il ne se montre pas vraiment hostile au mariage d'un Français avec une étrangère.

Il apparaît, en réalité, que l'étranger lorsqu'il est côtoyé perd l'aspect menaçant qu'il revêtait dans l'abstrait. Ainsi s'explique, en particulier, le fait que la sympathie témoignée pour une nationalité est d'autant plus grande que cette nationalité est plus importante dans la région considérée.

On peut tirer de ces considérations deux ordres de conclusions :

— D'une part, une action d'information et de persuasion convenablement orientée serait certainement de nature à modifier l'attitude des Français à l'égard des étrangers puisque la connaissance concrète suffit à lever bien des préventions ; les Français qui s'exagèrent les différences qui les séparent des étrangers et jusqu'au nombre même des immigrants installés en France pourraient être amenés à une vision plus réaliste des problèmes.

— Mais, d'autre part, avant que cette action ait porté ses fruits, le problème de l'accueil, et plus précisément celui de l'accueil au début du séjour, restera essentiel puisque, spontanément, le Français ne se porte pas au-devant de l'étranger qu'il ne connaît pas.

Si l'on rapproche ces conclusions des remarques faites plus haut à propos de l'étranger lui-même, on est conduit aux considérations suivantes touchant :

a) aux modalités de l'action à entreprendre.

— La période cruciale pour l'accueil étant celle qui suit de très près l'arrivée en France, il conviendra de porter une attention particulière à ce qui la concerne.

— Une fois écoulée cette période, l'action à plus long terme qui pourra être entreprise pour assurer l'insertion correcte du migrant dans la collectivité devra tenir le plus grand compte des aspirations manifestées par l'étranger ; mais elle ne saurait réussir si elle ne comporte un certain aspect éducatif qui lui permette de faire progressivement son apprentissage à la vie française.

b) aux objectifs que peut poursuivre une politique d'accueil et à son incidence.

— La condition même de l'étranger étant ce que l'on a vu, il serait vain de poursuivre une politique orientée vers l'assimilation totale : seul celui dont la personnalité n'est pas suffisamment formée par un pays pour ne pouvoir être modifiée par un autre peut réellement devenir « semblable » à un Français ; l'assimilation ne saurait, en réalité, concerner que les jeunes. Mais les adultes de la première génération pourront être l'objet de mesures tendant, d'une part, à les adapter au pays qu'ils ont choisi et, d'autre part, à les y stabiliser.

— La présence de groupes nationaux constituant un puissant facteur d'attraction pour les immigrants de même origine, une politique orientée vers la stabilisation des étrangers en France signifie en réalité le maintien d'une immigration continue et probablement croissante dans toute la mesure où cette politique sera couronnée de succès : chaque étranger qui a trouvé sa voie en France agit, à son insu peut-être, comme un agent recruteur.

9. La scolarisation des enfants d'immigrés au début des années 1980

Au début des années 1980, dans une conjoncture qui est celle de la suspension de l'immigration non communautaire et du regroupement familial, le pourcentage des élèves étrangers dans les établissements scolaires français atteint 9 % de l'effectif global, auxquels il convient d'ajouter les enfants d'origine étrangère mais de nationalité française que les statistiques ne prennent pas en compte, mais qui représentent une masse importante et qui connaissent souvent les mêmes difficultés que les premiers. Sur le million d'enfants et d'adolescents de nationalité étrangère qui fréquentent l'école ou le collège, beaucoup plus rarement le lycée et l'université, plus de la moitié sont des « Maghrébins » (220 000 Algériens, 260 000 Marocains, 80 000 Tunisiens), 80 000 des Turcs et 100 000 environ sont originaires d'Afrique noire. C'est dire qu'ils appartiennent à des communautés qui cumulent un maximum de difficultés, que ce soit en matière de revenus, de logement, de chômage des parents, de soutien apporté par les familles aux études des enfants, etc. Il n'est pas surprenant, dans ces conditions, que les jeunes issus de l'immigration récente aient connu, plus que d'autres, des difficultés d'ordre scolaire, à commencer par l'apprentissage de la langue.

Les pouvoirs publics ont, dès le début des années 1970, mis en place un certain nombre de structures destinées à pallier ces handicaps. On commença, dans la perspective jugée alors souhaitable du retour, de développer, en accord avec le pays de départ, l'enseignement de la langue et de la culture d'origine (ELCO). On multiplia les classes d'initiation dans les écoles élémentaires et les classes d'adaptation, rebaptisées par la suite « classes d'accueil » dans le secondaire. En 1982, Alain Savary, ministre de l'Éducation nationale dans le gouvernement Mauroy, créa les zones d'éducation prioritaire (ZEP), dotées de moyens supplémentaires en matière de postes, de crédits et de formation.

Les résultats sont loin d'avoir été négligeables. Si le système des ELCO a été très critiqué, il est faux qu'il ait poussé à l'isolement et à la marginalisation des élèves, moins encore à leur radicalisation religieuse dans le cas des jeunes musulmans. Les élèves des ZEP ont souvent rattrapé une partie de leur retard, du moins dans l'enseignement élémentaire, et les situations d'échec scolaire, enquêtes et rapports sont à peu près unanimes à le noter — à commencer par celui qui est présenté ici —, restent davantage dues à la condition sociale des élèves qu'à leur origine étrangère.

Source : H. Bastide, _Les Enfants d'immigrés et l'enseignement français. Enquête dans les établissements du premier et du second degré_, Paris, INED/PUF, 1982, pp. 194-195.

Bibliographie : S. Boulot, D. Boyzon-Fradet, _Les Immigrés à l'école : une course d'obstacles. Lectures de chiffres (1973-1987)_, Paris, CIEMI/L'Harmattan, 1988 ; D. Schnapper, _La France de l'intégration_, Paris, Gallimard, 1991 ; J. Berque, _L'Immigration à l'école publique. Rapport au ministre de l'Éducation nationale_, Paris, CNDP/La Documentation française, 1985.

D E L'ANALYSE DES OPINIONS et jugements émis par près de 1 700 chefs d'établissements faisant partie de l'échantillon se dégagent des tendances révélatrices de la situation d'ensemble.

L'obligation scolaire est respectée par les familles étrangères et l'on peut dire que tous les enfants concernés sont scolarisés sans difficultés.

Que les contacts entre parents et maîtres soient épisodiques et rares n'est pas particulier aux familles étrangères. Dans les établissements scolaires, les relations entre maîtres et élèves étrangers ne donnent, pour ainsi dire, jamais lieu à difficultés. Quant aux élèves entre eux, il ressort que, sauf exceptions, les Français accueillent presque toujours leurs camarades étrangers sans problèmes sérieux ; en tout cas, les difficultés lorsqu'il y en a, ne sont pas plus nombreuses entre Français et étrangers qu'entre ressortissants des diverses nationalités étrangères.

L'importance des flux d'entrée et de sortie de ces élèves, en cours d'année scolaire, ne diffère guère, toutes proportions gardées, de celle des Français. Si, dans quelques établissements, on observe une forte mobilité, celle-ci tient aux conditions de vie des familles et les changements de résidence ont pour cause, bien souvent, le travail du père.

L'assiduité des élèves étrangers ne pose pas, elle non plus, de problèmes sérieux ou du moins pas plus que celle des Français. Un absentéisme estimé fréquent se manifeste dans un nombre fort limité d'établissements. Plus marqué dans le second degré qu'à l'école élémentaire, il tient à l'avancement en âge, à la médiocre réussite scolaire et souvent à la commodité familiale.

Lors des délibérations relatives à l'avenir scolaire des élèves, la nationalité n'entre pas en ligne de compte en tant que telle. Mais les handicaps socio-économiques, linguistiques et culturels, le retard scolaire et le niveau des connaissances sont tels que, bien souvent, peu d'élèves peuvent être orientés vers les études longues ; mais il en va de même chez les Français, à milieu social équivalent.

Bien que la plupart de ces élèves soient nés ou arrivés très jeunes en France, l'ignorance du français est sans doute, de tous les points abordés dans ce chapitre, celui qui pose le plus sérieux problème dans une école primaire sur deux recevant des étrangers. Toutefois, ces difficultés concernent presque toujours un nombre d'élèves relativement peu ou très peu élevé. En tout état de cause, le temps d'apprentissage retarde l'élève dans sa scolarité et rend plus malaisée la poursuite d'études longues. La situation s'améliore quelque peu au cours du temps mais le problème se pose encore dans un tiers des collèges ou des lycées recevant des étrangers.

L'influence de la famille ne saurait être minimisée. Nombreux sont les directeurs qui en font état en manière de conclusion, de vue générale ou l'évoquent à propos d'une autre observation. Lorsque les parents sont installés depuis longtemps, lorsqu'ils ont une attitude favorable à l'intégration, les problèmes d'adaptation scolaires sont résolus ou en voie de l'être et c'est le cas le plus fréquent. Au contraire, quand la famille vit repliée sur elle-même, les difficultés d'adaptation à la vie scolaire sont plus grandes pour l'enfant, sollicité entre la culture française dispensée à l'école et les coutumes familiales importées du pays d'origine. Il peut s'ensuivre d'ailleurs des difficultés plus ou moins graves entre l'enfant et ses parents.

Schématisant quelque peu, on pourrait alors distinguer deux situations types, du point de vue scolaire :

— l'une favorable, lorsque la famille est « installée » en France et adaptée à la société d'accueil. L'élève a toutes ses chances, lui aussi, d'être intégré à la vie de l'école et le déroulement de la scolarité ne pose pas plus de difficultés que celle des Français de milieu social équivalent. Peu importe le nombre des élèves étrangers ; ils passent à peu près inaperçus, et c'est le cas général ;

— l'autre, défavorable, où la famille ne souhaite pas ou ne peut pas s'adapter à la vie française. L'enfant éprouve alors des difficultés plus ou moins sérieuses, soit sur le plan scolaire, soit sur le plan familial selon son degré d'adaptation à l'école.

Entre ces extrêmes, existe toute une gamme de situations diverses où les problèmes deviennent de plus en plus sérieux. Elles nécessitent, surtout lorsque ces élèves sont nombreux dans la même école, la mise en œuvre, le renforcement des moyens propres à permettre à ces enfants de pouvoir bénéficier, le mieux possible, de l'enseignement qui leur est dispensé.

Ces observations de caractère général tirées d'une expérience portant sur plusieurs années et formulées par des centaines d'enseignants, chacun de leur côté, décrivent une situation d'ensemble qui ne contredit nullement les résultats tirés de l'observation directe sur les élèves. Si des difficultés plus ou moins sérieuses subsistent encore çà et là, elles concernent toujours des minorités.

© INED/PUF

10. L'Islam en France

Les travaux que la démographe Michèle Tribalat a réalisés pour l'INED (avec le concours de l'INSEE) à partir du recensement de 1990 et de divers sondages montrent que, contrairement aux idées communément reçues — idées dont une partie de la classe politique et des médias ont fait leur «fonds de commerce» — le « creuset français » ne fonctionne pas aussi mal qu'on le dit et que si l'Islam est devenu la seconde religion pratiquée dans notre pays, il ne constitue pas nécessairement un obstacle majeur à l'insertion, puis à l'assimilation des migrants de la deuxième génération. Nous présentons ici un extrait du rapport rédigé à la suite de cette enquête et remis le 5 mai 1995 aux organismes ayant participé à son financement.

Source : Michèle Tribalat, _De l'immigration à l'assimilation. Enquête sur les populations d'origine étrangère en France_, Paris, La Découverte / INED, 1996, p.262.
Bibliographie : M. Tribalat, _Faire France. Une enquête sur les immigrés et leurs enfants_, Paris, Seuil, 1987 ; J. Césari, _Être musulman en France. Associations, militants et mosquées_, Paris/Aix-en-Provence, Karthala/Iremam, 1994 ; R. Leveau, G. Kepel, _Les Musulmans dans la société française_, Paris, Presses de la FNSP, 1988.

LES PRATIQUES DE L'ISLAM en France et ses implications notamment en matière de statut de la femme sont aujourd'hui au centre des interrogations sur l'assimilation des populations immigrées. La préoccupation est encore plus marquée pour celles originaires d'Algérie en raison de la crise qui secoue la société algérienne. Les débats ont tendance à considérer les musulmans de France comme un groupe homogène, alors que l'intensité des pratiques religieuses varie fortement avec le pays d'origine. Parmi les populations de culture musulmane en France, les immigrés venus d'Algérie sont ceux qui pratiquent le moins et se rendent le moins fréquemment dans un lieu de culte. Les plus pratiquants sont, sans conteste, les immigrés de Turquie, du Maroc et d'Afrique noire et, parmi ces derniers, les Mandés avec un record de pratique régulière. Il n'en reste pas moins que les groupes de culture musulmane pratiquent plus régulièrement que les migrants appartenant à d'autres cultures religieuses et que la moyenne des personnes résidant en France : entre un quart des hommes nés en Algérie et 65 % des hommes Mandés contre 7 % des hommes en moyenne en France. Pour tous, la pratique religieuse est toujours un peu plus développée parmi les femmes. Les jeunes migrants pratiquent généralement moins que les migrants adultes et les jeunes d'origine algérienne marquent un désintérêt à l'égard de la religion aussi fort que celui de la jeunesse française dans son ensemble puisque environ 70 % des hommes et près de 60 % des femmes se déclarent sans religion ou ne pratiquant pas. Le petit noyau de pratiquants réguliers s'est réduit de moitié par rapport à la génération des parents. Les populations apportées par l'immigration algérienne en France ont donc fortement adapté leur comportement religieux à celui des Français et on assiste à leur laïcisation. On ne peut pas se prononcer pour les autres courants migratoires en provenance de pays musulmans, la génération des enfants nés en France de parents immigrés n'étant pas encore suffisamment importante pour en permettre l'observation. Leur plus forte religiosité laisse cependant supposer une adaptation moins radicale, notamment pour les groupes structurés vivant en circuit fermé que forment les Turcs mais aussi les Mandés d'Afrique noire. Pour tous les immigrés d'origine musulmane, les déclarations en matière d'interdits alimentaires montrent un attachement culturel fort à ces pratiques même si, dans la réalité, les comportements ne sont pas aussi rigoureux. Les jeunes d'origine algérienne disent respecter un peu moins souvent ces interdits, mais se déclarent très attachés à ces pratiques, surtout lorsqu'ils vivent encore au foyer des parents. Il est probable que leur respect des rites attachés à l'Islam est moins fort qu'il ne le déclarent, surtout chez les hommes : environ un sur deux dit ne pas faire ramadan, ni manger de porc et un peu plus d'un quart seulement déclare ne jamais boire d'alcool. L'attachement aux interdits alimentaires s'apparente donc, pour ces jeunes, à une marque affective de fidélité aux traditions culturelles des parents, surtout quand ils sont encore dans leur environnement familial.

XXX

L'ENSEIGNEMENT

Deux faits majeurs caractérisent l'histoire de l'enseignement en France depuis la fin de la Première Guerre mondiale : d'une part la démocratisation croissante de cette institution à tous les niveaux, obtenue non sans résistance ni parfois sans retours en arrière, d'autre part la persistance jusqu'à une date récente de l'affrontement entre les partisans d'une laïcité militante et ceux de la liberté scolaire. Il faut y ajouter, s'agissant principalement de l'enseignement élémentaire, un souci de rénovation des méthodes pédagogiques qui, à partir des expériences révolutionnaires entreprises par exemple par Célestin Freinet au début des années 1920 (texte n° 1), ont pendant une quarantaine d'années profondément modifié à la fois les techniques d'apprentissage (de la lecture, de la langue, de l'orthographe, du « calcul », etc.) et l'atmosphère de l'école.

La période de l'entre-deux-guerres est encore celle de la guerre ouverte entre les deux écoles. Aux mesures favorables aux congrégations religieuses et au maintien du concordat en Alsace-Lorraine qui soustrait les trois départements recouvrés aux lois laïques de la Troisième République, répondent les projets anticléricaux du Cartel des gauches, vite abandonnés d'ailleurs par le gouvernement Herriot et ensuite mis en sommeil par la gauche, y compris après la victoire du Front populaire en 1936. Il est vrai que le combat droite/gauche se manifeste désormais sur un autre plan, celui de l'accès à l'enseignement secondaire, encore jalousement gardé par les classes dominantes et objet, dans le courant des années vingt et trente, d'une guérilla opposant les défenseurs des humanités gréco-latines (texte n° 2) aux partisans de l'« école unique ».

C'est précisément l'un de ces derniers, le radical Jean Zay qui, devenu ministre de l'Éducation nationale dans le gouvernement Léon Blum et maintenu dans cette fonction jusqu'à la guerre, déposera en mars 1937 un projet de loi portant sur l'unification des classes primaires des lycées et des écoles élémentaires — qui sera enterré par la commission parlementaire présidée par Hippolyte Ducos — et fera adopter, par la voie législative ou par décrets, toute une série de dispositions unifiant les programmes du primaire supérieur et du premier cycle secondaire, prolongeant d'un an l'obligation scolaire, rattachant les écoles normales supérieures de Fontenay et de Saint-Cloud à la direction de l'enseignement supérieur, etc.

À droite comme à gauche, dans les rangs vichyssois comme dans ceux de la Résistance, on jugera après le désastre de 1940 que la cause de la défaite réside à bien des égards dans la défaillance des élites. Mais l'on ne tirera pas de ce constat les mêmes enseignements. Pour un universitaire entré dans le combat clandestin, comme Marc Bloch, la solution après la guerre passe par le développement d'un enseignement secondaire moderne, la démocratisation du supérieur, doté de crédits importants, et la suppression des grandes écoles (texte n° 3). Pour le gouvernement de Vichy au contraire, il s'agit essentiellement de dégager une élite de « chefs » capables de conduire la masse à laquelle on demande seulement l'obéissance. C'est la raison pour laquelle on rétablit les frais de scolarité dans le second cycle, on y restaure l'obligation du latin et du grec et l'on y développe des classes élémentaires (alors qu'au même moment on supprime le second cycle des écoles primaires supérieures). À quoi s'ajoutent des mesures visant à réintroduire « Dieu » dans l'institution scolaire : heures réservées à l'éducation religieuse dans les écoles, autorisation d'enseigner rendue aux religieux, subventions accordées aux écoles libres, etc.

Le rétablissement de la République s'accompagne de l'abrogation des mesures cléricales adoptées par Vichy, mais ne modifie pas radicalement la situation héritée d'une longue pratique du malthusianisme scolaire. Il faut attendre le début de la décennie 1950 pour que, avec l'amélioration globale du niveau de vie et l'arrivée de la génération du baby boom *à l'âge scolaire, se développe une demande sociale motivée par l'aspiration des catégories moyennes ou modestes à la promotion et à l'« égalité des chances » et provoquant un gonflement sans précédent des effectifs scolarisés, particulièrement dans le secondaire.*

Avec la République gaullienne, les derniers verrous sautent, emportés l'un après l'autre par les réformes successives. Celle de 1959 prolonge de deux ans la scolarité obligatoire, transforme les cours complémentaires en « collèges d'enseignement général » et institue un cycle d'observation de deux ans en sixième et en cinquième. Elle s'accompagne, il est vrai, de l'adoption d'une loi organisant le soutien financier de l'État à l'enseignement privé sous contrat (texte n° 4), qui suscite de vives résistances parmi les tenants d'une stricte laïcité (texte n° 5), mais qui, à moyen terme, a fortement concouru semble-t-il à l'apaisement de la querelle scolaire. La réforme de 1963 (dite « réforme Fouchet ») reporte en seconde l'orientation vers les filières « longue » et « courte », et surtout elle crée une nouvelle catégorie d'établissements, les CES, qui vont progressivement se substituer au premier cycle des lycées. Après la tornade de 1968 (texte n° 6), Edgar Faure — qui a fait adopter par les députés une loi d'orientation de l'enseignement supérieur modifiant très sensiblement l'organisation universitaire (texte n° 7) —, décide de reporter le début du latin en quatrième, ce qui supprime la section classique. L'ultime étape est celle que conduit René Haby en 1975-1976, avec la suppression des différentes sections des CES.

Désormais, la France possède une « école moyenne » répondant au désir d'égalité formelle de la majorité des citoyens. Que cette évolution, qui coïncide avec les progrès de la démocratie, ait eu pour effet pervers de « primariser » l'enseignement secondaire, cela ne fait guère de doute. Mais elle a en même temps accompagné et canalisé une explosion scolaire qu'aucun gouvernement ne pouvait ni ne voulait endiguer, et elle a fortement contribué à l'élévation du niveau moyen de formation des Français.

L'arrivée au pouvoir des socialistes en 1981 s'est traduite, dans un premier temps, par un réveil de la querelle scolaire. Le projet relativement modéré de « grand service public unifié et laïque de l'Éducation nationale » présenté par Alain Savary (texte n° 8), que les responsables de l'école privée paraissaient disposés à accepter avec des amendements, n'a pas résisté à la pression de la droite et à la surenchère des tenants de l'intransigeance en matière de laïcité. Savary écarté, il appartiendra à ses successeurs — Jean-Pierre Chevènement, puis Lionel Jospin après la parenthèse de la première cohabitation — de concentrer leurs efforts sur deux points : l'amélioration de la qualité _oppurtune_

de l'enseignement, avec le retour à une pédagogie axée davantage sur l'apprentissage que sur l'« éveil », et le choix pour l'an 2 000 de conduire 80 % de la classe d'âge « au niveau du baccalauréat ». Un choix jugé irréaliste par beaucoup, y compris dans les _rangs des enseignants du secondaire, mais qui ne sera remis en cause ni par Jacques Chirac en 1986-1988, ni par les gouvernements Balladur et Juppé après 1993._

Au moment où le siècle s'achève, l'accès au lycée — même si celui-ci demeure à bien des égards un lieu de reproduction des clivages sociaux (texte n° 9) —, voire le passage par l'université, sont devenus pour nombre de jeunes (et pour leurs familles), l'angoisse de l'avenir aidant, une sorte de droit moral imprescriptible contre lequel sont venues se briser toutes les tentatives de réforme visant à renforcer les procédures de sélection.

1. Les techniques Freinet de l'école moderne

Promoteur dans la France de l'entre-deux-guerres d'une pédagogie fondée sur l'activité des élèves, Célestin Freinet est né à Gars, dans les Alpes-Maritimes, en 1896. Il est encore élève de l'école normale de Nice lorsque la guerre éclate et l'envoie sur le front où il est gravement blessé. C'est un homme très diminué physiquement qui, en octobre 1920, est affecté à l'école primaire de Bar-sur-Loup (Alpes-Maritimes) où il s'aperçoit très vite qu'il est hors d'état d'exercer son métier dans des conditions « normales ». C'est là, comme il l'explique dans ce texte avec une extrême modestie, l'origine de la révolution pédagogique à laquelle Célestin Freinet a attaché son nom et qui est essentiellement expérimentale. Freinet étudiera par la suite les grands doctrinaires de la pédagogie moderne (Pestalozzi, Ferrière, Bovet, etc.), mais sa méthode conservera toujours un caractère pratique, à commencer par l'usage de l'imprimerie à l'école. En 1928, il poursuit ses expériences à Saint-Paul-de-Vence où il doit bientôt mener des luttes sévères pour imposer ses idées. Freinet y crée la Coopérative de l'enseignement laïc et finira par ouvrir en 1935 une école privée — l'École moderne — dans laquelle il pourra développer librement ses innovations pédagogiques.

Source : Célestin Freinet, _Œuvres pédagogiques_, I, Le Seuil, 1994, pp. 19-21.
Bibliographie : P. Boumard, _Célestin Freinet_, Paris, PUF, 1996.

J E ME GARDAI BIEN de m'attribuer un talent spécial qui aurait pu me prédestiner à un rôle de chef de file. Il s'en est fallu d'ailleurs de fort peu que, tout comme la masse de mes collègues, je me contente de la paisible routine qui conduit à la retraite sans trop d'efforts et de soucis. Quand je suis revenu de la Grande Guerre, en 1920, je n'étais qu'un « glorieux blessé » du poumon, affaibli, essoufflé, incapable de parler en classe plus de quelques minutes. Malgré ma respiration compromise, j'aurais pu, peut-être, avec une autre pédagogie, accomplir normalement un métier que j'aimais. Mais faire des leçons à des enfants qui n'écoutent pas et ne comprennent pas (leurs yeux vagues le disent avec une suffisante éloquence), s'interrompre à tout instant pour rappeler à l'ordre les rêveurs et les indisciplinés par les apostrophes traditionnelles, c'était là peine perdue dans l'atmosphère confinée d'une classe qui avait raison de mes possibilités physiologiques. Comme le noyé qui ne veut pas sombrer, il fallait bien que je trouve un moyen pour surnager. C'était pour moi une question de vie ou de mort. [...]

Il y a donc, à l'origine de mes recherches, la nécessité où je me suis trouvé d'améliorer mes conditions de travail pour une efficacité si possible accrue. Et il y a eu aussi une obstination insensée à honorer un métier que j'avais choisi et que j'aimais. [...]

Il fallait donc que je cherche, hors de la scolastique, dont s'accommodait tant bien que mal la masse de mes collègues, une solution nouvelle, une technique de travail qui soit à la mesure de mes possibilités réduites.

Je fis alors comme tous les chercheurs. J'adoptai le même processus de tâtonnement expérimental que nous placerons ensuite au centre de notre comportement d'apprentissage et de nos techniques de vie. Je lus Montaigne et Rousseau, et plus tard Pestalozzi, avec qui je me sentais une étonnante parenté. Ferrière, avec son *École active* et la *Pratique de l'école active*, orienta mes essais. Je visitai les écoles communautaires d'Altona et de Hambourg. En 1923, je participai au congrès de Montreux de la Ligue internationale pour l'éducation nouvelle, où se côtoyaient les grands maîtres de l'époque, de Ferrière à Pierre Bovet, de Claparède à Cousinet et à Coué. Enfin, un voyage en URSS, en 1925, me plaça au centre d'une fermentation quelque peu hallucinante d'expériences et de réalisations.

Mais sitôt que je me retrouvais seul dans ma classe, au mois d'octobre, sans le soutien et l'appui moral des penseurs que j'admirais, je me sentais désespéré : aucune des théories lues et entendues ne pouvait être transposée dans mon école de village. Les seules réalisations valables étaient celles de certaines écoles nouvelles d'Allemagne ou de Suisse qui, avec un nombre réduit d'élèves et une profusion d'éducateurs de choix, fonctionnaient dans des conditions qui n'avaient rien de comparable à celles que je devais subir. Force m'était de revenir tant bien que mal aux techniques et aux outils traditionnels, de faire des leçons que nul ne comprenait, de faire lire des textes qui, même s'ils étaient simples, ne signifiaient rien dans le devenir éducatif des enfants.

Il me fallait, dans ce climat épuisant, me démener, pour essayer, tel un clown sans talent, de retenir un instant, artificiellement, l'attention fugitive de mes élèves. [...]

Une éclaircie pratique et technique dans ce ciel désespérément scolastique : les instituteurs qui militaient dans la Fédération de l'enseignement essayaient alors, en avant-garde, de faire pénétrer un peu de vie dans leur enseignement. Des expériences de « classes-promenades » avaient été faites. Le mot était évidemment mal choisi, les parents jugeant que les enfants ne vont pas à l'école pour se promener, et l'inspecteur n'ayant nulle envie de partir à travers champs pour retrouver ses ouailles.

La classe-promenade fut pour moi la planche de salut. Au lieu de somnoler devant un tableau de lecture, à la rentrée de la classe de l'après-midi, nous partions dans les champs qui bordaient le village. Nous nous arrêtions en traversant les rues pour admirer le forgeron, le menuisier ou le tisserand, dont les gestes méthodiques et sûrs nous donnaient envie de les imiter. Nous observions la campagne aux diverses saisons, l'hiver quand les grands draps étaient étalés sous les oliviers pour recevoir les olives gaulées, ou au printemps quand les fleurs d'oranger épanouies semblent s'offrir à la cueillette. Nous n'examinions plus scolairement autour de nous la fleur ou l'insecte, la pierre ou le ruisseau. Nous les sentions avec tout notre être, non pas seulement objectivement, mais avec toute notre sensibilité. Et nous ramenions nos richesses : des fossiles, des chatons de noisetier, de l'argile ou un oiseau mort...

Il était normal que, dans cette atmosphère nouvelle, dans ce climat non scolaire, nous accédions spontanément à des formes de rapports qui n'étaient plus celles, trop conventionnelles, de l'école. Nous nous parlions, nous nous communiquions, sur un ton familier, les éléments de culture qui nous étaient naturels et dont nous tirions tous, maîtres et élèves, un profit évident. Quand nous retournions en classe, nous écrivions au tableau le compte rendu de la « promenade ».

Mais ce n'était encore là qu'un coin lumineux enfoncé provisoirement dans le mur de la scolastique. La vie s'arrêtait à cette première étape. Faute d'outils nouveaux et de techniques adéquates, je n'avais d'autres ressources, pour enseigner la lecture d'un texte imprimé, que de dire, sur un ton résigné : « Maintenant, prenez votre livre de lecture page 38... »

Et, pendant que nous lisions une page également étrangère à l'intérêt des enfants et du maître, nous avions encore dans la tête, vivaces et parlantes, les images de la promenade. Les mots eux-mêmes s'habillaient en fonction des minutes exaltantes que nous avions vécues. Le travail auquel nous étions ainsi contraints perdait de ce fait tous les avantages du travail vivant pour devenir une tâche fastidieuse et sans portée.

Je me disais alors : « Si je pouvais, par un matériel d'imprimerie adapté à ma classe, traduire le texte vivant, expression de la "promenade", en pages scolaires qui remplaceraient les pages du manuel, nous retrouverions, pour la lecture imprimée, le même intérêt profond et fonctionnel que pour la préparation du texte lui-même. »

C'était simple et logique, si simple que je m'étonnais même que nul n'y ait pensé avant moi.

J'essayai alors de réaliser mon rêve. Je trouvai heureusement, chez un vieil artisan imprimeur, un petit matériel d'imprimerie avec composteurs spéciaux et presse en bois, qui devait en principe permettre l'impression de nos textes. En réalité, nous parvenions difficilement à imprimer de cinq à sept lignes, de quoi garnir les feuilles 10,5 x 13,5 que nous employions alors.

Je ne m'attendais pas, à ce moment-là, à ce que les élèves puissent se passionner longtemps pour un travail dont je mesurais tout à la fois la complexité et la minutie. J'étais tellement habitué au travail qu'on impose et qui exige l'effort, que je n'imaginais pas que puisse exister effectivement une autre forme d'activité plus allégée et plus agréable.

Je me trompais. Les élèves se passionnèrent pour la composition et l'imprimerie, ce qui n'était pourtant pas simple avec notre matériel encore rudimentaire. Ils étaient pris au jeu, parce que nous avions retrouvé un processus normal de la culture : l'observation, la pensée, l'expression naturelle devenaient un texte parfait. Ce texte avait été coulé dans le métal, puis imprimé. Et tous les spectateurs, l'auteur en tout premier chef, se sentaient émus à la sortie de l'imprimé, à la vue de ce texte magnifié qui prenait désormais valeur de témoignage.

C'était la première découverte de base qui allait permettre de reconsidérer progressivement tout notre enseignement. Nous avions rétabli un circuit naturel obstrué par la scolastique. la pensée et la vie de l'enfant pouvaient désormais devenir des éléments majeurs de sa culture.

© Le Seuil

2. Edmond Goblot et la question du latin
(1925)

Parce qu'elle prépare à ce véritable brevet d'appartenance sociale que constitue encore le baccalauréat, la filière des lycées reste, au lendemain de la Première Guerre mondiale, monopolisée par une élite. Certes, le nombre des boursiers a augmenté depuis l'avant-guerre : on en compte désormais de 12 à 13 %, ce qui n'est pas négligeable. Mais l'effectif des élèves ne s'est accru que faiblement. Au milieu des années vingt, on en dénombre 55 000 dans les classes élémentaires des lycées, 120 000 dans les classes secondaires, 30 000 dans l'enseignement féminin du second degré, à quoi il faut ajouter 110 000 garçons et filles dans les établissements privés.

Outre que l'envoi d'un enfant au lycée coûte cher et que les bourses sont accordées de manière hautement sélective, l'instrument du malthusianisme bourgeois en matière d'accès à l'enseignement secondaire est la barrière que les humanités classiques opposent à l'entrée dans le système des enfants du peuple, orientés vers la filière «primaire supérieure» aux objectifs plus modestes et qui peuvent rarement permettre d'accéder à l'élite. C'est pourquoi la lutte de la gauche pour la démocratisation de l'enseignement passe par l'institution de l'«école unique» et la suppression de la barrière des humanités gréco-latines, qu'illustre par exemple l'opposition des formations cartellistes au décret Bérard de mai 1923 qui renforçait ces dernières. Dans le texte suivant, tiré d'un ouvrage qu'il a publié en 1925, le philosophe Edmond Goblot dénonce le caractère ségrégationniste du latin, érigé en symbole du malthusianisme des élites dirigeantes.

Source : E. Goblot, *La Barrière et le niveau, étude sociologique sur la bourgeoisie française moderne*, Paris, Alcan, 1925, 2ᵉ éd. PUF, 1967, pp. 81-86.

Bibliographie : A. Prost, *Histoire de l'enseignement en France, 1800-1967*, Paris, Armand Colin, 1968.

IL EST REMARQUABLE que la question du latin surgit dans les débats pédagogiques de l'Université, à propos de tout, même de questions où il semblait d'abord qu'elle n'eût rien à faire. Et, dès qu'elle surgit, il y a des gens qui voient rouge et foncent sur l'adversaire comme le taureau. C'est que, sous la simple question pédagogique, qui devrait être étudiée froidement, en pesant à tête reposée les avantages et les inconvénients, en dosant les sacrifices qu'il faut bien faire d'un côté comme de l'autre, sous la question pédagogique il y a la question de classe sociale. [...]

Pour la grande majorité des élèves, les études latines n'ont d'autre but que de faire une version de baccalauréat. Est-ce assez pour justifier le temps qu'on y consacre ? Déchiffrer péniblement, à coups de dictionnaire, en trois heures, sans y faire plus de trois ou quatre contresens qu'on y tolère, vingt lignes d'un latin que l'examinateur a choisi simple, régulier, sans surprises et sans embûches, et cela pour ne plus jamais lire une ligne de latin dans le reste de sa vie, voilà pourtant, pour beaucoup d'élèves, tout le résultat des études latines.

Ceux qu'on considère comme adversaires des études latines sont au contraire ceux qui les voudraient plus sérieuses et plus poussées. Mais pour cela, il ne faut pas qu'elles soient imposées à tous. Elles devraient être abordées par les esprits bien doués qui, ayant le travail plus facile et craignant moins leur peine, sauraient les mener de front avec d'autres études, notamment avec celle des sciences. Ils formeraient une élite. Les autres, vu l'insuffisance de leur intelligence ou de leur courage, devraient se résigner à une culture plus réduite. C'est justement ce que ne veulent pas les défenseurs du latin ; ce qu'ils veulent, c'est que les études latines continuent à être imposées par une règle commune à toute la classe bourgeoise. Ils ne peuvent avoir d'autre raison pour cela, quoique peut-être ils s'en défendent eux-mêmes, que de maintenir entre les classes sociales cette distinction si nette, si aisément saisissable : d'un côté, ceux qui ne savent pas le latin, de l'autre — je ne dirai pas ceux qui le savent — mais ceux qui l'ont appris.

Qu'arriverait-il, en effet, si l'on pouvait faire des études secondaires sans latin ? Un élève intelligent et travailleur, en complétant ses études primaires élémentaires par l'école primaire supérieure ou même par un bon enseignement technique, pourrait être plus instruit et même plus cultivé que la moyenne des élèves de l'enseignement secondaire. Il n'y aurait plus cette inégalité de culture qui distingue les classes sociales ; tout serait confondu. Le bourgeois a besoin d'une instruction qui demeure inaccessible au peuple, qui lui soit fermée, qui soit la barrière. Et cette instruction, il ne suffit pas qu'il l'ait reçue ; car on pourrait ne pas s'en apercevoir. Il faut encore qu'un diplôme d'État, un parchemin signé du ministre, constatant officiellement qu'il a appris le latin, lui confère le droit de ne pas le savoir. [...]

Le baccalauréat, voilà la barrière sérieuse, la barrière officielle et garantie par l'État, qui défend contre l'invasion. On devient bourgeois, c'est vrai ; mais pour cela il faut d'abord devenir bachelier. Quand une famille s'élève de la classe populaire à la bourgeoise, elle n'y arrive pas en une seule génération. Elle y arrive quand elle a réussi à faire donner à ses enfants l'instruction secondaire et à leur faire passer le baccalauréat.

© PUF

3. Marc Bloch : « C'est une révolution qui s'impose »

C'est également contre un système scolaire et universitaire visant à l'exacte reproduction du corps social que s'élève l'historien Marc Bloch dans l'ouvrage qu'il a rédigé pendant la guerre et dans lequel il s'interroge sur les causes de l'«étrange défaite». À l'origine de ce qu'il considère comme «une défaite de l'intelligence et du caractère», l'auteur des Rois thaumaturges _place la vétusté d'un système éducatif fermé sur lui-même, stérilisé par son recrutement malthusien et par des pratiques pédagogiques d'un autre âge, «dévoré par les écoles spéciales du type napoléonien», incapable de produire autre chose que des professeurs voués au «bachotage», des «politiques qui ignorent le monde», «des administrateurs qui ont horreur du neuf». Il faut, explique-t-il, régénérer l'institution scolaire et universitaire en la dotant de moyens décents, en faisant du secondaire autre chose qu'un enseignement de classe, en adoptant une pédagogie attractive dans laquelle entreront les exercices du corps, en préférant «pas de latin du tout» au «latin maladroitement ânonné», en supprimant les grandes écoles et en remplaçant le monopole des Sciences Po par «un grand concours d'administration civile». Texte révolutionnaire, et en tout cas prophétique, dans lequel Marc Bloch se pose en précurseur des grandes innovations de l'après-guerre : des activités d'éveil du primaire au concours de l'ENA en passant par les Instituts universitaires de formation des maîtres, le contrôle continu et les unités de valeur de l'université post-soixante-huitarde._

Source : Marc Bloch, *L'Étrange défaite*, Paris, Gallimard, 1946, rééd. 1990 (Folio), pp. 254-268.
Bibliographie : P. Albertini, *L'École en France, XIXe-XXe siècle. De la maternelle à l'université*, Paris, Hachette, 1992.

C'EST UNE RÉVOLUTION qui s'impose. Ne nous laissons pas troubler par le discrédit qu'un régime odieux réussirait, si l'on n'y prenait garde, à jeter sur ce mot, qu'il a choisi pour camouflage. En matière d'enseignement, comme partout, la prétendue révolution nationale a perpétuellement oscillé entre le retour aux routines les plus désuètes et l'imitation servile de systèmes étrangers au génie de notre peuple. La révolution que nous voulons saura rester fidèle aux plus authentiques traditions de notre civilisation. Et elle sera une révolution, parce qu'elle fera du neuf. [...]

Une condition préliminaire s'impose : à ce point impérieuse que, si elle manque à être remplie, rien de sérieux ne se fera. Il importe que, pour l'éducation de ses jeunes, comme pour le développement permanent de la culture dans l'ensemble de ses citoyens, la France de demain sache dépenser incomparablement plus qu'elle ne s'y est résignée jusqu'ici. [...] Il nous faudra donc des ressources nouvelles. Pour nos laboratoires. Pour nos bibliothèques peut-être plus encore, car elles ont été, jusqu'ici, les grandes victimes. [...] Pour nos entreprises de recherches. Pour nos universités, nos lycées et nos écoles, où il convient que pénètrent l'hygiène et la joie, la jeunesse a le droit de ne plus être confinée entre des murs lépreux, dans l'obscurité de sordides *in pace*. Il nous en faudra aussi, disons-le sans fausse honte, pour assurer à nos maîtres de tous les degrés une existence non pas luxueuse certes (ce n'est pas une France de luxe que nous rêvons), mais suffisamment dégagée des menues angoisses matérielles, suffisamment protégée contre la nécessité de gagne-pain accessoires pour que ces hommes puissent apporter à leurs tâches d'enseignement ou d'enquête scientifique une âme entièrement libre et un esprit qui n'aura pas cessé de se rafraîchir aux sources vives de l'art ou de la science. [...]

L'enseignement supérieur a été dévoré par les écoles spéciales, du type napoléonien. Les Facultés même ne méritent guère d'autre nom que celui-là. Qu'est-ce qu'une Faculté des Lettres, sinon, avant tout, une usine à fabriquer des professeurs, comme Polytechnique une usine à fabriquer des ingénieurs ou des artilleurs ? D'où deux résultats également déplorables. Le premier est que nous préparons mal à la recherche scientifique ; que, par suite, cette recherche chez nous périclite. [...] Par là, soit dit en passant, notre rayonnement international a été gravement atteint : en beaucoup de matières, les étudiants étrangers ont cessé de venir chez nous, parce que nos universités ne leur offrent plus qu'une préparation à des examens professionnels, sans intérêt pour eux. D'autre part, à nos groupes dirigeants, trop tôt spécialisés, nous ne donnons pas la culture générale élevée, faute de laquelle tout homme d'action ne sera jamais qu'un contremaître. Nous formons des chefs d'entreprise qui, bons technciens, je veux le croire, sont sans connaissance réelle des problèmes humains ; des politiques qui ignorent le monde ; des administrateurs qui ont horreur du neuf. À aucun nous n'apprenons le sens critique, auquel seuls (car ici se rejoignent les deux conséquences à l'instant signalées) le spectacle et l'usage de la libre recherche pourraient dresser les cerveaux. Enfin, nous créons, volontairement, de petites sociétés fermées où se développe l'esprit de corps, qui ne favorise ni la largeur d'esprit ni l'esprit du citoyen. [...]

Nous avons vu naguère le Front populaire se proposer de briser le quasi-monopole des Sciences Politiques, comme pépinière de notre haute administration. Politiquement, l'idée était saine. Un régime a toujours le droit de ne pas recruter ses serviteurs dans un milieu dont les traditions lui sont presque unanimement hostiles. Mais qu'imaginèrent alors les hommes au gouvernement ? Ils auraient pu songer à instituer un grand concours d'administration civile, analogue à l'admirable concours du Civil Service britannique : comme lui, commun à toutes les branches de l'administration ; comme lui, fondé avant tout sur des épreuves de culture générale et laissant, grâce à un libre jeu d'options, une grande part aux curiosités individuelles ; comme lui, enfin, préparé dans des universités d'esprit élargi. Ils préférèrent tracer le plan d'une nouvelle école spéciale : une autre École des Sciences politiques, encore un peu mieux close que sa rivale. [...]

Plutôt que de développer ces critiques, il vaudra mieux, sans doute, indiquer sommairement ce que nous souhaitons.

Nous demandons un enseignement secondaire très largement ouvert. Son rôle est de former des élites, sans acception d'origine ou de fortune. Du moment donc qu'il doit cesser d'être (ou de redevenir) un enseignement de classe, une sélection s'imposera. Un examen d'entrée demeurera probablement nécessaire ; il le faudra très simple et adapté à l'enfance : un test d'intelligence plutôt qu'une épreuve de connaissances... ou de perroquetage. [...] Nous demandons une discipline plus accueillante, dans des classes moins nombreuses. [...] Au lieu de chercher à plier l'enfant à un régime implacablement uniforme, on s'attachera à cultiver ses goûts, voire ses «marottes». Il y avait une grande fécondité dans l'idée des loisirs dirigés que, sous le nom d'éducation générale, Vichy s'est annexée en la déformant. Il conviendra de la reprendre, à l'aide d'un personnel jeune. L'éducation physique aura sa large part. Étrangère à tout excès ridicule, à toute admiration béate ou malsaine pour un athlétisme d'exception, elle sera, simplement, ce qu'elle doit être: un moyen de fortifier le corps, donc le cerveau; un appel à l'esprit d'équipe et de loyauté.

Nous demandons une très souple liberté d'option dans les matières d'enseignement: liberté désormais d'autant plus aisée que la suppression du carcan des examens doit permettre une grande variété d'initiative. Se rend-on bien compte que, par la faute du baccalauréat, la France est actuellement un des rares pays où toute l'expérimentation pédagogique, toute nouveauté qui ne s'élève pas immédiatement à l'universel, se trouve pratiquement interdite. Le latin universellement obligatoire est une absurdité. [...] Plutôt qu'un latin maladroitement ânonné, comme on le voit trop souvent aujourd'hui, mieux vaudrait pas de latin du tout ; avant toute chose, il faut dans l'éducation fuir l'à-peu-près.

4. La loi Debré
(1959)

Le 23 décembre 1959, Michel Debré, chef du premier gouvernement de la Vᵉ République, présente devant l'Assemblée nationale le texte de la loi qui introduit un système de soutien financier à l'enseignement privé par le biais des contrats (simples ou association). Il s'agit, explique-t-il, non de réveiller la guerre scolaire mais au contraire de mettre fin à trois quarts de siècle d'affrontement entre partisans de l'école libre et tenants d'une laïcité intransigeante.

Pour le gouvernement, la difficulté a consisté à apporter à l'enseignement privé une aide substantielle sans tomber dans l'un ou l'autre piège auquel pouvait conduire cette politique : d'un côté l'étatisation du secteur privé, rejeté avec vigueur par les établissements concernés, de l'autre l'octroi d'un financement sans contrepartie, s'agissant du contrôle de l'État en matière de niveau de formation des maîtres, de respect de la liberté de conscience et de qualité de l'enseignement. La solution choisie, à la suite du rapport établi par une commission d'études qui a siégé durant cinq mois, a été celle du contrat, déclinée sous des formes diverses que le Premier ministre expose devant les députés.

Source : Discours prononcé devant l'Assemblée nationale par M. Michel Debré, Premier ministre, le 23 décembre 1959, *Journal officiel, Débats parlementaires*, Assemblée nationale, 24 décembre 1959.

Bibliographie : É. Poulat, *Liberté, laïcité. La guerre des deux France et le principe de la modernité*, Paris, Cerf, 1987 ; A. Prost, *L'Enseignement en France, 1800-1967*, Paris, Armand Colin, 1968.

L E GOUVERNEMENT propose au Parlement un texte qui détermine les rapports entre l'État et les établissements d'enseignement privé. Aussitôt dans certains milieux, les esprits se sont enflammés. Pour quelques-uns plus rien ne semblait compter : ce projet leur paraissait précipiter la France dans un abîme d'erreurs, dont elle ne sortirait plus. Je fais allusion à ceux qui, d'un côté et de l'autre, sont prêts à rejeter un texte qui n'est pas conforme à leurs conceptions passionnées. Il faut revenir à une juste mesure des choses. Certes je comprends — il faut le comprendre — que le passé, le présent et l'avenir expliquent, sinon justifient, que les passions éclatent.

Nous avons hérité des générations précédentes le souvenir de longues querelles et même de luttes ardentes. Si nous ne nous livrons pas à une réflexion personnelle, nous risquons d'être enfermés dans des formules qui avaient leur raison d'être il y a trois quarts de siècle, mais que nous devrons examiner avec les yeux de notre temps.[...]

À côté de l'Éducation nationale, à côté de l'enseignement public, il existe un enseignement privé, qui est l'expression d'une liberté essentielle. Il ne suffit pas, pour qu'une liberté existe, qu'elle soit inscrite dans des textes ; il faut surtout qu'elle puisse s'exprimer et que son expression soit garantie. [...] Le problème vient de ce que la plus grande partie de l'enseignement privé a un caractère religieux, plus exactement les établissements qui le dispensent ont un caractère religieux qui est leur raison d'être.

Nous ne sommes plus à la fin du XIXᵉ siècle, où l'État luttait contre la religion pour être l'État. Ceux de ses représentants, non des moindres, qui s'exclamaient : « Le cléricalisme, voilà l'ennemi », vivaient à une époque où il fallait libérer l'État d'un certain nombre de sujétions. Si, aujourd'hui encore, l'État doit se libérer, c'est d'autres adversaires plus dangereux pour son autorité et pour l'indépendance nationale que certains restes du passé. Aujourd'hui la religion catholique représente seulement une méthode de pensée qui répond aux désirs de nombreuses familles. [...]

Mais la reconnaissance de l'enseignement privé par l'État a une contrepartie ; sans exiger une uniformité qui serait contraire à la nature des choses et à l'esprit de la mission éducative, il convient d'admettre que l'enseignement privé doit accepter une discipline ; il s'agit de s'assurer de sa qualité et de sa conformité avec les principes essentiels de la vie nationale, et, sans briser le caractère propre des établissements, de garantir le libre accès des enfants de toutes les familles et le respect de la liberté de conscience. [...]

Du moment où nous considérons comme une exigence fondamentale d'écarter les chimères et de trouver le chemin de la raison, nous aboutissons aux deux conclusions que la commission scolaire a consignées dans son rapport.

La première est le caractère national et nécessaire de l'aide de l'État aux établissements privés. L'État doit les aider et surtout aider leurs maîtres dont l'effort est utile à la collectivité. [...]

La seconde conclusion, c'est que l'aide de l'État doit avoir pour complément son droit de veiller à la qualité de l'enseignement, c'est aussi que son intervention doit tendre à rapprocher établissements privés et établissements publics, de façon que l'aide financière et le contrôle pédagogique aboutissent à une coopération entre les représentants des deux enseignements. Telles sont les conclusions essentielles de la commission scolaire.[...] Le gouvernement ne pouvait mieux faire que de s'en inspirer.

Son projet ouvre d'abord une possibilité d'association par contrat des établissements privés à l'enseignement public. L'État prend en charge l'enseignement de certaines classes. Aucune modification n'est apportée aux classes qui ne sont pas prises en charge, ni aux formes complémentaires d'instruction ou d'éducation qui s'ajoutent au programme public d'enseignement. Aux classes prises en charge s'appliquent les règles de l'enseignement public. Les maîtres sont nommés par l'État avec l'agrément de la direction de l'établissement.

La deuxième possibilité est celle de la collaboration ou du contrat simple. Elle concerne avant tout, mais pas exclusivement, les établissements du premier degré. L'État apporte aux écoles qui remplissent des conditions clairement définies, l'aide que constitue le traitement des maîtres, pas n'importe quels maîtres, mais de maîtres qualifiés par leur titre ou leur expérience. En contrepartie, il exerce un contrôle pédagogique et financier sur ces établissements.

Troisième possibilité : l'État garde aux établissements privés ce qu'on appelle le système de l'allocation Barangé[1], qui — après avoir été maintenu tel quel pendant quelques années — sera ensuite conservé sous forme de prestations équivalentes versées directement aux établissements qui n'ont pas signé de contrat, sous réserve qu'un contrôle pédagogique s'ajoute au contrôle financier déjà en vigueur.

Ces trois possibilités sont offertes dans une atmosphère de tolérance et de coopération, avec le désir de tenter une expérience utile à tous. [...]

5. Pour l'école laïque

Si elle a vraisemblablement contribué à l'établissement en France de la paix scolaire, la loi Debré a eu pour effet, à court terme, de provoquer une vive réaction de la part du camp laïque. À l'initiative du Comité national d'action laïque (CNAL), une circulaire dénonçant le financement de l'enseignement privé par l'État a circulé au cours des derniers mois de 1959, recueillant des millions de signatures. Déjà, en avril de la

1. La loi Barangé : allocation à toutes les familles ayant un enfant dans l'enseignement primaire d'une indemnité de 3 000 francs par enfant et par an.

même année, l'ancien maître d'école algérois d'Albert Camus, Germain Louis, confiait à son ex-élève ses craintes de voir remise en cause par la nouvelle majorité les acquis de l'école républicaine.

Source : Lettre de Germain Louis à Albert Camus, *in* Albert Camus, *Le Premier Homme*, Gallimard, 1994, pp. 330-331.

Bibliographie : J.-Y. Guérin, *Camus, portrait de l'artiste en citoyen*, Paris, François Bourin, 1993 ; voir également la bibliographie du texte n° 4.

Alger, ce 30 avril 1959

AVANT DE TERMINER, je veux te dire le mal que j'éprouve en tant qu'instituteur [...] laïc, devant les projets menaçants ourdis contre notre école. Je crois, durant toute ma carrière, avoir respecté ce qu'il y a de plus sacré dans l'enfant : le droit de chercher sa vérité. Je vous ai tous aimés et crois avoir fait tout mon possible pour ne pas manifester mes idées et peser ainsi sur votre jeune intelligence. Lorsqu'il était question de Dieu (c'est dans le programme), je disais que certains y croyaient, d'autres non. Et que dans la plénitude de ses droits, chacun faisait ce qu'il voulait. De même, pour le chapitre des religions, je me bornais à indiquer celles qui existaient, auxquelles appartenaient ceux à qui cela plaisait. Pour être vrai, j'ajoutais qu'il y avait des personnes ne pratiquant aucune religion. Je sais bien que cela ne plaît pas à ceux qui voudraient faire des instituteurs des commis voyageurs en religion et, pour être plus précis, en religion *catholique*. À l'École normale d'Alger (installée alors au parc de Galland), mon père, comme ses camarades, était *obligé* d'aller à la messe et de communier chaque dimanche. Un jour, excédé par cette contrainte, il a mis l'hostie «consacrée» dans un livre de messe qu'il a fermé ! Le directeur de l'École a été informé de ce fait et n'a pas hésité à exclure mon père de l'école. Voilà ce que veulent les partisans de «l'École libre» (libre… de penser comme eux). Avec la composition de la Chambre des députés actuelle, je crains que le mauvais coup n'aboutisse. *Le Canard enchaîné* a signalé que, dans un département, une centaine de classes de l'École laïque fonctionnent sous le crucifix accroché au mur. Je vois là un abominable attentat contre la conscience des enfants. Que sera-ce, peut-être, dans quelque temps ? Ces pensées m'attristent profondément. [...]

© B. N.

6. « Défense des maîtres »

Professeurs de lycée et enseignants du supérieur ont été les premiers à subir de plein fouet la révolte de la «génération 68». Partie de Nanterre, avec le «mouvement du 22 mars», la vague contestataire s'est étendue aux universités parisiennes et provinciales, début mai, puis aux établissements du second degré. Partout la contestation de l'ordre établi a pris pour première cible ceux qui étaient censés en être les gardiens et les reproducteurs au sein des «lycées-casernes» et de l'université «capitaliste». Nombre d'enseignants, pas toujours parmi les plus conservateurs ou les moins soucieux de leurs étudiants, vont ainsi se trouver boycottés, insultés, humiliés, empêchés de faire leurs cours, dénoncés par voie de tracts ou d'affiche, sur le modèle — toutes proportions gardées — des intellectuels en butte aux persécutions des gardes-rouges chinois.

*Dans un certain nombre de sites universitaires, la mise au pas des « mandarins » va
durer tout au long de l'année universitaire suivante, orchestrée par des minorités de
jusqu'au-boutistes que la politique libérale adoptée par le ministre Edgar Faure et par
de nombreux responsables d'établissements n'a pas suffi à désarmer.*

Dans cet article du Monde *daté du 15 octobre 1968, Étienne Wolf, administrateur du
Collège de France, exprime son amertume et celle de ses collègues, enseignants du
second degré et du supérieur, devant ce qu'ils considèrent comme un injuste procès.*

Source : Étienne Wolf, « Défense des maîtres », *Le Monde*, 15 octobre 1968.
Bibliographie : R. Aron, *La Révolution introuvable, réflexions sur la révolution
de mai*, Paris, Julliard, 1968.

MAINTENANT que le statut et l'avenir de notre enseignement supérieur sont réglés par
la loi d'orientation, je voudrais sortir du silence que je me suis imposé depuis le
début de la crise. Non point pour me prononcer sur une réforme qui donne des satisfactions aux uns, des inquiétudes aux autres, et que l'expérience jugera. Mais pour apporter
mon témoignage à une catégorie d'hommes qui sortent meurtris de la crise : le corps
professoral tout entier. Je pense aussi bien aux professeurs du second degré qu'aux professeurs des universités. J'ai été l'un et l'autre. J'ai fréquenté, comme étudiant, les
facultés des lettres, des sciences et de médecine. Aujourd'hui à la tête d'un établissement indépendant des universités, qui s'efforce de développer les plus hautes formes de
la culture classique et de la culture moderne, et qui se trouve au carrefour de grands
courants de pensée, je crois avoir quelque titre à parler sans passion des enseignants.

Jamais accusation plus injuste et plus cruelle n'a pesé sur eux. Une minorité d'étudiants les tient pour responsables des fautes d'une structure, d'un système que les enseignants ont souvent dénoncés, auxquels ils avaient tenté de porter remède, comme ce fut
le cas au colloque de Caen. Il me souvient qu'en 1940 dans le camp de prisonniers où
des hommes de toutes les classes sociales se trouvaient rassemblés pêle-mêle, et recherchaient avec amertume les causes de notre défaite, on entendait les assertions les plus
étranges. Il fallait trouver un bouc émissaire. Pour les représentants de certaines classes
privilégiées, c'étaient les instituteurs ! Et déjà je prenais la défense de ce corps incomparable d'enseignants. S'il n'est pas attaqué actuellement, c'est que la contagion de la
révolte n'a pas encore atteint les enfants des écoles primaires.

Mais les critiques n'ont pas été ménagées aux professeurs des lycées et des universités, en
vertu de certaines formules à l'emporte-pièce et d'effroyables confusions d'idées. Certes les
professeurs ne sont plus qualifiés de vieilles barbes, en un temps où les barbes sont passées
du côté des jeunes ! Mais ils sont devenus des « mandarins », auxquels on ajoute l'épithète
« sclérosés », quand on ne l'applique pas à l'Université tout entière. Les mots ont une force
de persuasion et de contagion, quand ils sont habilement lancés. Mandarins, les professeurs ?
Les voilà du même coup rejetés du côté des classes privilégiées, des bourgeois, des capitalistes, des exploitants ! Nous voyons comment l'idée chemine, s'enfle, se déforme. Est-ce
leur faute s'ils étaient trop peu nombreux à donner des enseignements, à délivrer des
diplômes à trop d'étudiants, si ceux-ci se pressaient par centaines de milliers à leurs cours
dans des amphithéâtres exigus, dans des locaux de démonstration insuffisants, où partout le
rapport des enseignants à celui des enseignés était dérisoire ? Est-ce leur faute si les débouchés de certaines études étaient trop limités ou nuls, si l'insuffisance des carrières offertes et

la nécessite de maintenir une certaine valeur aux diplômes entraînaient une sélection trop sévère ? Est-ce leur faute si le système n'avait prévu aucun débouché, aucune «passerelle», aucune reconversion aux recalés trop nombreux ! Et voilà qu'on voudrait — car il faut un bouc émissaire — faire retomber sur les universitaires toutes les erreurs d'une structure. […]

On proclame partout que la France a effectué un rétablissement prodigieux dans les secteurs scientifique, technique, industriel et qu'elle connaît une ère de prospérité. Si cette ascension a été possible dans certains domaines, si une jeune et brillante génération de cadres a été formée depuis 1945, c'est aux universitaires qu'on le doit. Qu'on ne vienne pas nous dire que l'Université n'est pour rien dans le progrès technique et industriel, car ce sont les écoles nationales ou les instituts d'université qui ont formé un grand nombre d'ingénieurs et de dirigeants. […]

Et voilà que les jeunes de 1945, qui ont fait cet effort et obtenu de brillants résultats, sont devenus des maîtres et ont progressé dans la hiérarchie. Ici commence le drame. Quel esprit sensé pourrait croire que, du jour où ils sont nommés maîtres de conférences ou professeurs, ils deviennent du même coup des «mandarins sclérosés» ? Comme si le choix des maîtres, leur montée dans la hiérarchie, étaient précisément à l'inverse de leur valeur ! À quels débiles mentaux voudrait-on faire admettre cela ?

Les accusations les plus injustes fusent de tous côtés, par l'ignorance des uns, par la malveillance des autres. Il est facile de trouver des victimes parmi des hommes qui sont trop fiers et se situent trop haut pour répondre. Mais je sais que beaucoup de nos collègues souffrent en silence, qu'ils luttent contre le découragement et la solitude où ils se trouvent soudain confinés. Beaucoup, arrivés bientôt au terme de leur carrière, envisagent avec soulagement cette retraite dont ils redoutaient l'inaction. Et tous — jeunes et vieux — se disent : «Nous qui avons consacré notre vie à l'étude, à la science, à nos étudiants, à nos chercheurs, avec tout notre coeur et de toutes nos forces, est-il possible que nous soyons relégués au magasin des mannequins démodés ?» Non, mes collègues des universités, et aussi mes collègues du second degré, ce n'est pas possible et ce n'est pas vrai. Vous saurez surmonter l'amertume et le découragement, vous trouverez dans la recherche et dans l'enseignement, quelles que soient les nouvelles structures, le réconfort et la joie. Vous saurez vous adapter une fois de plus, vous à qui on demandait presque chaque année de vous adapter à de nouveaux programmes et à de nouveaux enseignements. Vous aurez parfois à serrer les dents, à consentir à quelques sacrifices. La plupart d'entre vous en ont accepté bien d'autres, pendant les combats, la résistance, la captivité ou la déportation. Cette crise passera, elle aussi, grâce à votre énergie et à votre savoir. Bientôt, on vous rendra justice.

7. Loi d'orientation de l'enseignement supérieur
(1968)

Nommé ministre de l'Éducation dans le gouvernement Couve de Murville, Edgar Faure s'est aussitôt entouré d'une équipe dynamique, constituée d'universitaires proches de la gauche. Dans le courant de l'été 1968, celle-ci va jeter les bases d'une réforme qui est présentée au Parlement en septembre, sous la forme d'une loi-cadre qui sera définitivement adoptée le 12 novembre 1968.

La loi d'orientation de l'enseignement supérieur s'appuie sur deux principes qui constituent une réponse aux vœux de la plus grande partie de la communauté universi-

taire, même si elle suscite des réserves de la part des éléments les plus conservateurs et la franche hostilité des gauchistes. Tout d'abord la participation qui consiste à donner la gestion des universités et des Unités d'enseignement et de recherche (UER) à des conseils élus où sont représentés enseignants, étudiants et personnel administratif. Ensuite l'autonomie qui doit permettre aux établissements d'enseignement supérieur de mettre en œuvre des formations nouvelles fondées sur la pluridisciplinarité et d'innover en matière de programmes et de méthodes pédagogiques. Toutefois, le maintien de diplômes nationaux et le refus de donner aux universités l'autonomie financière apparaissent d'emblée comme restrictions au principe d'autonomie.

Plutôt bien accueillie dans les universités, la loi d'orientation a été votée à l'Assemblée nationale par 441 voix contre 0 et 39 abstentions (les communistes et 6 UDR) et au Sénat dans des conditions tout aussi favorables, à la suite de discussions qui ont révélé la différence d'attitude entre un ministre réformateur, jouissant du soutien appuyé du général de Gaulle, et une majorité conservatrice qui jugeait que l'on faisait la part trop belle aux revendications des gauchistes.

Source : _Journal officiel de la République française_, 13 novembre 1968, pp. 10579-10584.

Bibliographie : A. Prost, _Histoire générale de l'enseignement et de l'éducation en France_, T. IV, Paris, Nouvelle librairie de France, 1982 ; D. Colard, _Edgar Faure_, Paris, J. Dullis, 1975.

L'ASSEMBLÉE NATIONALE et le Sénat ont adopté,
Le Président de la République promulgue la loi dont la teneur suit :

Titre 1ᵉʳ
Mission de l'enseignement supérieur

ARTICLE 1ᵉʳ. Les universités et les établissements auxquels les dispositions de la présente loi seront étendues ont pour mission fondamentale l'élaboration et la transmission de la connaissance, le développement de la recherche et la formation des hommes.

Les universités doivent s'attacher à porter au plus haut niveau et au meilleur rythme de progrès les formes supérieures de la culture et de la recherche et à en procurer l'accès à tous ceux qui en ont la vocation et la capacité.

Elles doivent répondre aux besoins de la nation en lui fournissant des cadres dans tous les domaines et en participant au développement social et économique de chaque région. Dans cette tâche, elles doivent se conformer à l'évolution démocratique exigée par la révolution industrielle et technique.

À l'égard des enseignants et des chercheurs, elles doivent assurer les moyens d'exercer leur activité d'enseignement et de recherche dans les conditions d'indépendance et de sérénité indispensables à la réflexion et à la création intellectuelle.

À l'égard des étudiants, elles doivent s'efforcer d'assurer les moyens de leur orientation et du meilleur choix de l'activité professionnelle à laquelle ils entendent se consacrer et leur dispenser à cet effet, non seulement les connaissances nécessaires, mais les éléments de la formation.

Elles facilitent les activités culturelles, sportives et sociales des étudiants, condition essentielle d'une formation équilibrée et complète.

Elles forment les maîtres de l'Éducation nationale, veillent à l'unité générale de cette formation — sans préjudice de l'adaptation des diverses catégories d'enseignants à leurs tâches respectives — et permettent l'amélioration continue de la pédagogie et le renouvellement des connaissances et des méthodes.

L'enseignement supérieur doit être ouvert aux anciens étudiants ainsi qu'aux personnes qui n'ont pas eu la possibilité de poursuivre des études afin de leur permettre, selon leurs capacités, d'améliorer leurs chances de promotion ou de convertir leur activité professionnelle.

Les universités doivent concourir, notamment en tirant parti des moyens nouveaux de diffusion des connaissances, à l'éducation permanente à l'usage de toutes les catégories de la population et à toutes fins qu'elle peut comporter.

D'une manière générale, l'enseignement supérieur — ensemble des enseignements qui font suite aux études secondaires — concourt à la promotion culturelle de la société et par là même à son évolution vers une responsabilité plus grande de chaque homme dans son propre destin. [...]

Titre II

Les institutions universitaires

ART. 3. Les universités sont des établissements publics à caractère scientifique et culturel, jouissant de la personnalité morale et de l'autonomie financière. Elles groupent organiquement des unités d'enseignement et de recherche pouvant éventuellement recevoir le statut d'établissement public à caractère scientifique et culturel et des services communs à ces unités. Elles assument l'ensemble des activités exercées par les universités et les facultés présentement en activité, ainsi que, sous réserve des dérogations qui pourront être prononcées par décret, par les instituts qui leur sont rattachés.

Lorsque les unités d'enseignement et de recherche ne constituent pas des établissements publics, elles bénéficient des possibilités propres de gestion et d'administration qui résultent de la présente loi et des décrets pris pour son application.

Des décrets, pris après avis du Conseil national de l'enseignement supérieur et de la recherche, fixent la liste des établissements publics d'enseignement supérieur relevant du ministre de l'Éducation nationale auxquels les dispositions de la présente loi seront étendues avec les adaptations que pourra imposer, pour chacun d'eux, la mission particulière qui lui est dévolue. Des décrets déterminent ceux de ces établissements qui seront rattachés aux universités. [...]

Titre III

Autonomie administrative et participation

ART. 11. Les établissements publics à caractère scientifique et culturel et les unités d'enseignement et de recherche groupées par ces établissements déterminent leurs statuts, leurs structures internes et leurs liens avec d'autres unités universitaires, conformément aux dispositions de la présente loi et de ses décrets d'application.

Les délibérations d'ordre statutaire sont prises à la majorité des deux tiers des membres composant les conseils.

Les statuts des unités d'enseignement et de recherche sont approuvés par le conseil de l'université dont elles font partie.

Art. 12. Les établissements publics à caractère scientifique et culturel sont administrés par un conseil élu et dirigés par un président élu par ce conseil.

Les unités d'enseignement et de recherche sont administrées par un conseil élu et dirigées par un directeur élu par ce conseil.

Le nombre des membres de ces conseils ne peut être supérieur à quatre-vingts pour les établissements et quarante pour les unités.

Art. 13. Les conseils sont composés, dans un esprit de participation, par des enseignants, des chercheurs, des étudiants et par des membres du personnel non enseignant. Nul ne peut être élu dans plus d'un conseil d'université ni dans plus d'un conseil d'unité d'enseignement et de recherche.

Dans le même esprit, les statuts doivent prévoir dans les conseils d'université et établissements publics indépendants des universités la participation de personnes extérieures choisies en raison de leur compétence et notamment de leur rôle dans l'activité régionale ; leur nombre ne peut être inférieur au sixième ni supérieur au tiers de l'effectif du conseil. Les statuts peuvent également prévoir la participation de personnes extérieures dans les conseils d'unité d'enseignement et de recherche. Les dispositions relatives à cette participation sont homologuées par le conseil de l'université en ce qui concerne les unités d'enseignement et de recherche qui en font partie et par le ministre de l'Éducation nationale, après avis du Conseil national de l'enseignement supérieur et de la recherche, en ce qui concerne les universités et les établissements à caractère scientifique et culturel indépendants des universités.

La représentation des enseignants exerçant les fonctions de professeur, maître de conférences, maître-assistant ou celles qui leur sont assimilées doit être au moins égale à celle des étudiants dans les organes mixtes, conseils et autres organismes où ils sont associés. La représentation des enseignants exerçant les fonctions de professeur ou maître de conférences y doit être au moins égale à 60 % de celle de l'ensemble des enseignants, sauf dérogation approuvée par le ministre de l'Éducation nationale après avis du Conseil national de l'enseignement supérieur et de la recherche. [...]

Art. 15. Le président d'un établissement en assure la direction et le représente à l'égard des tiers. Il est élu pour cinq ans et n'est pas immédiatement rééligible. Sauf dérogation décidée par le conseil à la majorité des deux tiers, il doit avoir le rang de professeur titulaire de l'établissement et être membre du conseil : s'il n'est pas professeur titulaire, sa nomination doit être approuvée par le ministre de l'Éducation nationale, après avis du Conseil national de l'enseignement supérieur et de la recherche.

Le directeur d'une unité d'enseignement et de recherche est élu pour trois ans. Sauf dérogation décidée par le conseil à la majorité des deux tiers, il doit avoir le rang de professeur titulaire ou maître de conférences ou maître-assistant de l'établissement et être membre du conseil. S'il n'est pas professeur titulaire ou maître de conférences ou maître-assistant, sa nomination doit être approuvée par le ministre de l'Éducation nationale, après avis du conseil de l'université dont l'unité d'enseignement et de recherche font partie. [...]

La présente loi sera exécutée comme loi de l'État.

8. La méthode Savary

Le programme socialiste et les 110 propositions du « candidat Mitterrand » faisaient de la création d'un « grand service public unifié et laïque de l'Éducation nationale » l'un des principaux objectifs de la majorité de gauche élue en 1981. Pour le faire aboutir, Alain Savary, ministre en charge de l'Éducation nationale dans le gouvernement Mauroy, a entamé avec les responsables de l'enseignement catholique une longue négociation destinée à obtenir leur adhésion à un projet qui ne devait pas porter atteinte à la spécificité de cet enseignement. Or les négociateurs se trouvent bientôt soumis aux pressions exercées par les extrémistes des deux bords, le Comité national d'action laïque (CNAL), d'une part, et son antenne syndicale de la Fédération de l'Éducation nationale (FEN), soutenus par de nombreux élus et militants socialistes, l'Union nationale des associations de parents d'élèves des écoles libres, d'autre part, à laquelle l'opposition de droite apporte son appui.

Dans sa lettre datée du 11 mars 1983 et adressée à François Mitterrand, Alain Savary expose au président l'état de la négociation et fait état auprès de lui des craintes que suscitent à ses yeux la surenchère de l'extrême gauche et l'appui incertain que le CNAL apporte à sa méthode de travail. À cette date, la manifestation de masse qui a rassemblé à Versailles 800 000 personnes le 4 mars a eu pour résultat en effet de radicaliser les positions du CNAL et de la FEN. Si bien que le projet présenté par le ministre le 22 mai, et accepté dans ses grandes lignes par les responsables de l'enseignement privé, se trouve remis en question à la suite des pressions exercées sur le Premier ministre par de nombreux élus et dirigeants du PS et des deux amendements acceptés par Pierre Mauroy. Le 24 mai, le texte est adopté par l'Assemblée nationale, mais la grande manifestation organisée à Paris un mois plus tard par les défenseurs de l'école libre (environ un million de personnes) marque le désaveu de larges secteurs de l'opinion au principe de l'école unique et entraîne, le 14 juillet, le retrait du projet Savary par le président de la République et la démission du ministre de l'Éducation nationale.

Source : Lettre d'Alain Savary à François Mitterrand, président de la République, 11 mars 1983, Archives FNSP/CHEVS, Fonds Alain Savary, 3 SV 11.

Bibliographie : A. Bergounioux, G. Grundberg, *Le Long remords du pouvoir*, Paris, Fayard, 1992 ; E. Melchior, *Le PS, du projet au pouvoir*, Paris, éd. de l'Atelier, 1993.

Monsieur le Président de la République,
À la suite des propositions concernant les rapports entre enseignement public et enseignement privé que j'ai rendues publiques le 20 décembre 1982, le Comité national de l'Enseignement catholique posait en préalable à l'ouverture de négociations un certain nombre de conditions qui ne pouvaient être acceptées. J'ai donc reporté l'ouverture de ces négociations, et proposé le 13 janvier 1983 aux partenaires une phase intermédiaire, d'éclaircissement et d'approfondissement, appuyée sur des contacts directs avec le ministère et excluant tout recours aux médias.

Acceptée dans son principe par le Comité national de l'enseignement catholique le 14 janvier, cette méthode de travail a été mise en œuvre aussitôt. À leur demande, j'ai reçu le 14 février les quatorze membres de la Commission permanente du Comité national. Cette rencontre a été précédée et suivie de contacts entre mon Cabinet et le chanoine Paul Guiberteau, secrétaire général de l'Enseignement catholique, dont l'épiscopat m'avait confirmé qu'il était, pour l'ensemble de cette affaire, son représentant mandaté. [...]

D'un point de vue factuel, je crois qu'il convient d'abord de relever que les représentants de l'enseignement catholique ont accepté le principe de la discussion sans faire de contre-propositions ou de contre-plan ; ce sont donc bien les propositions ministérielles qui sont la matière de nos échanges. Ce point était loin d'être acquis au mois de janvier. [...]

On peut tirer des éléments factuels et de l'accord partiel intervenu sur les problèmes de fond, quelques conclusions à caractère politique.

Tout d'abord la répétition des rencontres officieuses ou officielles, la constitution (au sein des instances supérieures de l'Enseignement catholique) de groupes de travail sur les thèmes que nous avons proposés, l'accord pour engager une concertation sur la carte scolaire et la limitation des créations d'emploi avec effet à la rentrée 1983, les audiences avec les organisations syndicales de l'enseignement privé, donnent à la phase dite « des contacts directs » progressivement le caractère de pré-négociations.

Ensuite, on peut remarquer que depuis les premiers contacts officieux (avant la déclaration du 20 décembre 1982) jusqu'aujourd'hui, la volonté de la hiérarchie catholique de régler au fond avec un gouvernement de gauche la question scolaire est apparue sous des formes diverses ; elle me paraît cependant être incontestable.

Malgré les difficultés internes que les instances nationales de l'enseignement privé catholique connaissent, leurs autorités supérieures n'ont pas innocemment donné les signes de cette volonté avant les échéances électorales, et très précisément pour certains points dans la présente semaine.

Il semble bien que leur détermination procède de deux convictions : d'une part, l'enseignement catholique n'a rien à gagner d'une politisation de l'enjeu qu'il représente, d'autre part, ce qu'un gouvernement de gauche aura fait avec leur accord sur ce sujet ne pourra être défait par un gouvernement de droite. [...]

De leur côté, les défenseurs de la laïcité ont globalement respecté la trêve électorale, mais l'extrême gauche a mobilisé sur le thème de l'abrogation immédiate des lois anti-laïques, et a obtenu quelques résultats. Mon inquiétude va à l'heure actuelle plus de ce côté-ci ; j'espère toutefois que l'accord exprimé sur la méthode et le fond de nos propositions par le Comité national d'action laïque, s'accompagnera d'un soutien constant dans la limite de celles-ci.

Veuillez agréer, Monsieur le Président de la République, l'expression de ma haute considération et de mes sentiments amicaux.

9. Le lycée toujours inégalitaire

En dépit de l'évolution globale de la société et des efforts accomplis par les divers gouvernements de la Ve République, le lycée, même s'il n'a plus grand-chose de commun avec l'établissement-caserne du XIXe siècle, ni même avec ce qu'il conservait il y a encore trente ou quarante ans de sa fonction de filtre des élites, représente aujourd'hui encore un lieu de reproduction des clivages sociaux. Tel est le thème de cet article publié dans Le Monde _en septembre 1989._

Source : Philippe Bernard, « Le lycée toujours inégalitaire », _Le Monde_, 7 septembre 1989.

Bibliographie : A. Prost, *Éducation, société et politiques. Une histoire de l'enseignement en France de 1945 à nos jours*, Paris, Le Seuil, 1992 ; *La Société française, données sociales*, 1993, Paris, INSEE, 1993.

V INGT ANS APRÈS le boom scolaire qui a conduit la quasi-totalité des jeunes à entrer en sixième et à fréquenter le collège, un phénomène du même ordre se produit dans les lycées, à partir de la classe de seconde. La moitié des jeunes générations actuelles accèdent au lycée, alors que la moitié seulement de leurs parents entraient en sixième au début des années soixante. [...] Mais ce spectaculaire envol statistique masque le maintien intégral des inégalités sociales. L'accès au baccalauréat varie toujours du simple au triple, selon la profession des parents. [...]

Ces mouvements massifs se sont accompagnés d'une certaine résorption des disparités entre filles et garçons — ces derniers restant nettement sous-représentés dans les lycées — et entre régions. Mais il n'en a rien été en ce qui concerne les inégalités sociales. Le constat est particulièrement net pour l'accès en terminale : un peu plus de 20 % des enfants d'ouvriers non qualifiés accèdent en terminale, alors que les fils et les filles de cadres supérieurs ou de professions libérales dépassent désormais le fameux objectif national des 80 %, les champions en la matière restant les enfants d'enseignants. Les chiffres récents reproduisent presque fidèlement les inégalités constatées sept années plus tôt. En dépit d'une progression générale du taux d'accès en terminale, les classes défavorisées n'ont aucunement réduit leur retard.

La discrimination sociale est encore plus marquée si l'on considère la répartition des lycéens dans les différentes filières selon leur prestige. Quand un enfant de cadre, de profession libérale ou d'enseignant, parvient en terminale, c'est plus d'une fois sur quatre en section C, mais seulement une fois sur quinze en milieu ouvrier. Le rapport s'inverse pratiquement pour la section G, dont les débouchés et les chances de réussite dans l'enseignement supérieur sont bien plus limitées. D'autre part, les vieux clichés sur les sciences « masculines » et les lettres « féminines » ont la vie dure : les deux tiers des élèves de C sont des garçons, tandis que A accueille 80 % de filles[1].

En moyenne, sur cent élèves entrés en sixième en 1980, quarante-deux sont parvenus en terminale, contre trente-quatre pour la génération entrée au collège en 1973. Cette modeste progression correspond à l'époque de mise en place du « collège unique » issu de la réforme Haby. [...] Les années qui viennent permettront de savoir si la forte pression sociale en faveur de l'allongement de la scolarité qui se manifeste depuis les années 1981-1983, ainsi que l'ensemble des mesures prises à la même époque pour faire face à la diversité croissante des collégiens (« rénovation » des collèges, zones prioritaires, classes technologiques) ont permis d'accélérer et de démocratiser l'accès au lycée.

Question décisive si l'on considère que les maux dont les collèges souffraient — et souffrent encore largement — sont précisément ceux qui atteignent aujourd'hui massivement les lycées : insuffisante formation des enseignants à l'accueil d'un public hétérogène, inadaptation des contenus d'enseignement et des bâtiments.

---

1. A : section littéraire. C : section scientifique. G : gestion.

XXXI

VILLES ET BANLIEUES

La croissance urbaine est un phénomène ancien, directement lié aux différentes phases de l'industrialisation, et dont le rythme épouse les grandes mutations de l'économie française. La première, puis la seconde révolution industrielle ont ainsi provoqué au XIXe et au début du XXe siècle des transferts de population auxquels la guerre de 1914-1918 a donné une impulsion nouvelle. De 1921 à 1931, plus de deux millions de personnes sont venues s'installer dans les villes, cette croissance rapide s'opérant essentiellement au profit des agglomérations de plus de 100 000 habitants et en premier lieu de la périphérie parisienne. Or, cette nouvelle poussée d'urbanisation s'est effectuée dans une complète anarchie, sans la moindre perspective d'ensemble et avec le seul souci — de la part des « lotisseurs » — de la rentabilité immédiate.

Il en est résulté une dégradation précipitée des espaces péri-urbains, transformés en zones pavillonnaires hétéroclites et sans équipement, mal reliées au lieu de travail de leurs habitants et où dominent, hors de quelques banlieues résidentielles de l'ouest et du sud de la région parisienne, les édifices disgracieux et sans confort, parfois bâtis avec des matériaux de fortune et que séparent des jardinets qui permettent aux nouveaux habitants de ces banlieues-dortoirs de ne pas se sentir complètement coupés de leurs racines rurales.

Si la tendance est, entre les deux guerres, à la dégradation du parc immobilier et au manque de constructions nouvelles — ce sont les conséquences du blocage des loyers —, quelques efforts sont faits par les pouvoirs publics et par certaines collectivités locales, d'une part pour aider les catégories modestes à financer l'achat de leur résidence, d'autre part pour enrayer la prolifération désordonnée des habitations individuelles et lui substituer des réalisations à vocation collective dotées d'un relatif confort. Votée en 1928, la loi Loucheur prévoit ainsi la construction sur cinq ans de 200 000 habitations à bon marché (HBM) et d'une soixantaine de milliers d'habitations à loyer moyen (texte n° 1).

La réflexion urbanistique n'a peut-être jamais été aussi intense qu'en ces années de croissance sauvage et de stagnation des grandes commandes. À l'heure où s'affirme en Allemagne l'esthétique dépouillée du Bauhaus, la France s'engage elle aussi sur la voie du fonctionnalisme, déjà largement explorée avant la guerre. Le ton est donné par les écrits théoriques et par les œuvres du Suisse Charles-Édouard Jeanneret, dit Le Corbusier, véritable pionnier d'une architecture révolutionnaire qui triomphera surtout après la guerre (texte n° 2).

Par l'ampleur des destructions subies, notamment durant la phase de libération du territoire, la Deuxième Guerre mondiale a considérablement aggravé la crise du loge-

ment, celle-ci étant d'autant plus préoccupante qu'aux impératifs de la reconstruction sont venus s'ajouter ceux résultant du baby boom et de l'hypercentralisation parisienne *(texte n° 3)*, en attendant l'exode massif des Français d'Afrique du Nord.

Divers remèdes ont été expérimentés pour tenter de résoudre ce problème majeur. On s'est d'abord efforcé de libérer les loyers afin de susciter un regain d'intérêt de la part des propriétaires pour la construction et l'entretien des locaux d'habitation. Le résultat fut un engouement général pour les placements immobiliers et une hausse très forte de certains loyers, absorbant une part importante du revenu des classes moyennes et interdisant l'accès de cette catégorie de logements aux bénéficiaires de revenus modestes. Aussi, à l'initiative de l'État planificateur *(texte n° 4)*, une autre solution a-t-elle été recherchée dans la constitution par les collectivités locales d'offices publics de HLM (habitations à loyers modérés). L'État surveille leur construction, consent des prêts à taux très bas aux offices de HLM, fixe les prix des loyers (inférieurs de moitié au prix du marché) et attribue aux familles dont les revenus ne dépassent pas un certain seuil des « allocations de logement ». Mais surtout, l'effort des pouvoirs publics a porté sur une formule permettant aux particuliers d'accéder — avec l'aide de l'État — à la propriété ou à la copropriété.

Quantitativement, la politique des divers gouvernements de la IVe et de la Ve République a porté ses fruits. Le nombre des familles vivant dans les taudis sordides des périphéries urbaines *(texte n° 5)*, sans le moindre confort et dans des conditions d'entassement et de manque d'hygiène déplorables, s'est fortement réduit. Pourtant la politique du logement est loin d'avoir résolu tous les problèmes. Celui tout d'abord de l'aménagement de l'espace urbain et péri-urbain. L'espace construit s'est en effet constitué en fonction des besoins et de la rentabilité des opérations. Il en est résulté — dans un contexte d'ensemble qui a vu l'espace occupé par les agglomérations urbaines doubler entre 1954 et 1975 — une nouvelle poussée de croissance des banlieues, jusqu'au milieu des années soixante, qui s'est effectuée de façon tout aussi anarchique que la précédente, c'est-à-dire sans grand souci de fournir aux populations concernées les équipements collectifs que leur implantation massive rendait nécessaire. La plupart des grandes métropoles françaises ont été confrontées à des problèmes de ce type. Mais c'est en région parisienne qu'ils se sont posés avec une acuité dramatique, particulièrement pour ces fantassins de la croissance que constituaient les immigrés *(texte n° 6)*.

Dans le cadre de la politique d'« aménagement du territoire », les pouvoirs publics se sont efforcés de remédier aux inconvénients les plus criants de l'urbanisme sauvage. Pour cela, on a conçu de développer à la périphérie des grandes villes de « grands ensembles » planifiés, sur le modèle de Sarcelles, dans la banlieue nord de Paris *(texte n° 7)*. En 1965, a été élaboré un schéma directeur de la région parisienne qui envisageait de créer des « villes nouvelles », situées à une distance suffisante de la capitale pour se constituer en pôles urbains autonomes capables d'attirer des activités économiques secondaires et tertiaires et de maintenir sur place une partie au moins des résidents. Les premières furent Cergy-Pontoise *(texte n° 8)* et Évry *(texte n° 9)*.

On pensait pouvoir fixer dans ces agglomérations les populations que les banlieues-dortoirs de la seconde génération n'avaient pas réussi à sédentariser durablement. Or ni les grands ensembles ni les villes nouvelles n'ont su répondre aux besoins profonds des nouveaux citadins, ou de ceux que la nécessité de trouver un logement décent rejetait à la périphérie des grandes métropoles *(texte n° 10)*.

Les problèmes posés par la croissance mal maîtrisée du phénomène urbain (près de 80 % de la population française vit aujourd'hui en ville) se sont aggravés au cours des vingt dernières années avec la montée du chômage, qui frappe tout particulièrement les jeunes sans qualification, très nombreux dans les banlieues-dortoirs, la place crois-sante des ménages à revenus modestes et des ménages étrangers logés en HLM, la forte proportion des inactifs et notamment des retraités, celle du nombre de loyers impayés ou payés avec retard, etc., — avec pour conséquence la rapide dégradation de nom-breux immeubles, la multiplication des nuisances, la montée de l'insécurité et de la vio-lence, sous toutes ses formes (texte n° 11), provoquant en retour la généralisation des comportements sécuritaires, de la xénophobie et du racisme.

1. La loi Loucheur
(1928)

Représentant du monde industriel — patron de l'industrie chimique, il a pendant la guerre réalisé des profits importants en fabriquant des gaz de combat —, Louis Lou-cheur est entré en 1926 dans le cabinet d'union nationale présidé par Raymond Poin-caré. Revenu au pouvoir après l'échec du Cartel, Poincaré n'a pas voulu se poser en chef de file de la droite, situation qu'il avait déjà refusé d'assumer en 1924. C'est au contraire en artisan de la politique d'Union sacrée inaugurée par lui en 1914 qu'il se présente devant la Chambre élue en 1924 et composée en majorité de députés cartel-listes. De là découlent la composition de son gouvernement où figurent hommes de droite, modérés et radicaux, et le choix d'une politique dont ne sont pas absentes les considérations sociales.

C'est au gouvernement Poincaré que la France doit en effet sa première grande loi sur les assurances sociales et la « loi établissant un programme de construction d'habi-tations à bon marché et de logements, en vue de remédier à la crise de l'habitation » à laquelle Louis Loucheur, ministre du Travail, de l'hygiène, de l'assistance et de la pré-voyance sociales, a donné son nom. Elle prévoit la construction, échelonnée sur cinq ans, de 200 000 HBM et d'une soixantaine de milliers d'habitations à loyer moyen.

Cette politique, encore timide, d'intervention de l'État en matière de logement social, se trouve relayée par diverses initiatives municipales ou départementales, comme celle qui aboutira à la construction à Châtenay-Malabry du premier grand ensemble évolu-tif, la « Butte rouge », édifié par l'office HBM de la Seine (présidé par Henri Sellier), ou celles qui sont prises dans le Nord par Raoul Dautry, directeur des chemins de fer de cette région, pour y édifier des cités-jardins.

Source : Loi établissant un programme de construction d'habitations à bon marché et de logements, en vue de remédier à la crise de l'habitation, *Journal officiel, lois et décrets*, 17 juillet 1928.

Bibliographie : M. Agulhon, *Histoire de la France urbaine*, t. 4, *La ville de l'âge industriel*, Paris, Le Seuil, 1983.

ARTICLE 1ᴱᴿ — La présente loi a pour but, en vue de remédier à la crise du logement, d'établir un programme :

a) de construction et d'aménagement d'immeubles salubres, d'assainissement et de réparation des maisons existantes dans les conditions prévues par la législation sur les habitations à bon marché[1] ;

b) de construction d'habitations à loyers moyens, à réaliser pendant les années 1928, 1929, 1930, 1931, 1932 et 1933, et de prescrire les mesures propres à assurer l'exécution de ce programme.

ART. 2 — Le programme des logements ou maisons individuelles à bon marché à réaliser, en vertu de la présente loi, est fixé à 200 000 logements ou maisons individuelles. Il sera déterminé, chaque année, par arrêté des ministres du Travail et des Finances, en conformité des crédits ouverts par la loi de finances, ou reportés en vertu de l'article 4 de la présente loi.

Les maisons individuelles et les logements prévus par la présente loi sont surtout destinés à devenir la propriété de personnes peu fortunées et notamment de travailleurs vivant principalement de leur salaire. [...]

ART. 3. — À partir du 1ᵉʳ août 1928, le taux des prêts qui seront consentis par l'État, en vertu de la loi du 5 décembre 1922 et de la présente loi, sera fixé à 2 %. [...]

ART. 16. — Les bénéficiaires du titre Iᵉʳ de la présente loi qui achèteront des maisons individuelles ou des logements, pour les occuper personnellement, dans un délai maximum de deux ans après achèvement de leur construction ou dans le délai de deux ans après la promulgation de la présente loi pour les maisons construites avant cette promulgation, seront exonérés du droit proportionnel de 12 % fixé par l'article 30 de la loi du 4 avril 1920.

ART. 17. — L'exemption temporaire de la contribution foncière et des taxes spéciales perçues au profit des départements et des communes établie par l'article 60 de la loi du 5 décembre 1922 et par l'article 31 de la loi du 1ᵉʳ avril 1926, est accordée, pour les conditions d'habitation à bon marché exonérées en vertu de la présente loi, qui seront terminées avant le 1ᵉʳ janvier 1935, pour une durée de quinze ans, à compter de l'année qui suivra celle de leur achèvement.

ART. 18. — Toute location partielle ou totale d'une maison individuelle ou d'un logement à bon marché acquis à l'aide d'une subvention de l'État sera interdite pendant une période de dix ans. Cette location ne pourra être accordée, de façon tout à fait exceptionnelle, que par décision du comité de patronage des habitations à bon marché et de la prévoyance sociale. [...]

ART. 19. — Les dispositions de la présente loi s'appliquent également à la construction, à l'acquisition d'immeubles déjà existants en vue de leur reconstitution, à l'aménagement, à la réparation et à l'assainissement des habitations destinées au logement des ouvriers agricoles et des propriétaires ou petits exploitants peu fortunés travaillant habituellement seuls ou avec un seul ouvrier et avec des membres de leur famille salariés ou non habitant avec eux, ainsi qu'aux logements avec atelier pour artisans.[...]

---

1. La Société française des habitations à bon marché a été fondée en 1889. La loi Siegfried du 30 novembre 1894 a fixé les modalités de l'aide de l'État aux HBM. La loi Bonnevay du 23 décembre 1912 a organisé l'intervention des départements et des communes par la création des offices publics d'HBM. Toutes les dispositions concernant les HBM ont été codifiées par la loi Strauss du 5 décembre 1922.

2. La « charte d'Athènes »
(1943)

*Charles-Édouard Jeanneret, dit Le Corbusier, est né à La Chaux-de-Fonds, en Suisse,
en 1887 et s'est installé définitivement à Paris en 1917. Peintre, ingénieur, théoricien
de l'architecture* (Vers une architecture, *1923,* Urbanisme, *1925), concepteur d'édifices
de toutes dimensions et de vastes ensembles urbains, il a subi l'influence d'Auguste
Perret, véritable pionnier en France de l'art de bâtir fonctionnaliste. Comme ce dernier, il s'applique à mettre en valeur la fonction de l'espace construit et l'esthétique qui
découle de l'emploi sans enjolivures des matériaux nouveaux (principalement le béton),
mais il est en même temps à la recherche d'une rénovation profonde de l'art d'habiter
et s'applique dans ses projets à réorganiser la ville afin de l'adapter aux exigences du
monde moderne.*

*À partir de 1928, Le Corbusier anime les Congrès internationaux de l'architecture
moderne (CIAM). Ceux-ci rassemblent des architectes novateurs et élaborent les principes d'un urbanisme fonctionnaliste qui seront codifiés à la suite du congrès d'Athènes
(CIAM IV) de 1933. Rédigée pour l'essentiel dans sa forme définitive par Le Corbusier
en 1941, la « charte d'Athènes » sera publiée deux ans plus tard avec une préface de
Jean Giraudoux. C'est ce « discours liminaire » de l'auteur de* Pleins pouvoirs, *lui-
même passionné d'urbanisme et persuadé que celui-ci constituait un élément primordial de la rénovation nationale, que nous présentons ici.*

Source : Jean Giraudoux, « Discours liminaire », *La Charte d'Athènes*, Paris, Plon,
1943, rééd. Éditions de Minuit, 1957.

Bibliographie : S. von Moos, *Le Corbusier, l'architecte et son mythe*, Paris, Horizon
de France, 1971.

N<small>E PARLONS PAS DU CIEL</small>, pour lequel la méthode ne souffre pas de conteste. Mais
chaque homme possédant la terre, chaque citoyen possédant son pays au même titre
que tous les autres hommes et citoyens, il n'est de politique humaine et nationale que
dans l'ambition de lui rendre et facile et réel l'exercice de cette égalité. À tout enfant
qui naît, la patrie doit le même cadeau de bienvenue : elle-même, dans son ensemble,
sans restriction ; et ce n'est pas seulement à la grandeur de sa nature et de son esprit,
mais aussi à l'aisance de leur approche, à la commodité de leur jouissance, que se
reconnaît une grande patrie. [...]

Il est à craindre que le soin de conserver sa raison à la nation ne soit un jour réservé à
une caste, à une oligarchie, que le génie du pays ne soit plus la fonction du pays dans
son ensemble et dans sa masse, n'en soit plus la sève, mais l'acte cérébral d'une intelligence de plus en plus isolée, et qui ne pourra plus imposer à un peuple ses propres vertus et sa propre nature que par l'artifice ou par la tyrannie. [...]

Toute restriction apportée dans l'attribution au citoyen de ses droits urbains et de leur
bénéfice, détermine un état d'inégalité qui tend justement à désagréger le corps du pays
et à en ruiner les fonctions générales. La coexistence dans la même ville, et dans la
même vie, de citoyens équipés pour la lutte moderne et de citoyens démunis ne peut que
provoquer des différences d'humeur, d'habitudes, de goût, c'est-à-dire finalement de

condition et d'honneur. Le mal sera d'autant plus irrémédiable qu'il pénétrera à l'intérieur de chaque classe ; l'éclat de l'époque et sa sordidité toucheront indifféremment, selon les caprices ou les routines des municipalités, le bourgeois et l'ouvrier. Il y aura une zone sordide du travail et de la pensée, une zone éclatante et, au même niveau, se coudoieront, dans un protocole humain et national lamentable, des êtres opaques et des êtres lumineux. L'honneur du pays n'est plus un bien et une gloire indivise. Il est réservé, non plus même à une caste ou à un État dans l'État, mais à ceux que le hasard a placés dans les taches de soleil. Et il en est de l'audace comme de l'honneur. Les individus audacieux peuvent abonder, l'audace générale du pays se retire ; et sous prétexte de faire passer les droits et les soucis civiques avant les droits humains, la pire inégalité est créée, celle de la dignité humaine. [...] C'est la reconnaissance de cette vérité dont la charte d'Athènes fait le principe de toute action d'État conduite non par un administrateur, mais par un chef. Même s'il est possible à l'individu de compenser par l'énergie et la chance la médiocrité de départ, il est indispensable qu'un peuple soit lancé dans sa masse et dans sa force sur cette aventure entre histoire et légende, entre soleil et glace, entre métaux et onde, entre travail et jeu, entre nécessité et fantaisie que peut devenir sa vie au seuil de cette ère nouvelle.

© Éditions de Minuit

3. « Paris et le désert français »
(1947)

C'est en 1947 que le géographe Jean-François Gravier publie un livre qui va faire grand bruit, Paris et le désert français, *dans lequel il dénonce la monopolisation par la capitale de toutes les activités économiques dynamiques aux dépens du reste du territoire et plus particulièrement des régions rurales éloignées des grands courants d'échanges ou ne possédant pas un marché suffisant. Désertification et mort lente d'un côté, mais aussi engorgement et risques d'asphyxie de l'autre, à commencer par la mégapole parisienne où commencent à se manifester les effets pervers de l'hyperconcentration.*

Préfacé par Raoul Dautry, l'ouvrage de Jean-François Gravier contribuera à la prise de conscience de ce problème par les pouvoirs publics, d'abord sous la IVe République (avec les gouvernements Mendès France et Edgar Faure), puis sous la Ve. C'est vers 1963-1964 que les premières mesures voient le jour avec la création de la Délégation à l'aménagement du territoire (DATAR), administration de coordination et d'impulsion directement rattachée au Premier ministre, dont le premier titulaire sera Olivier Guichard. À la même époque sont créés les préfets de région et les Commissions de développement économique régional (CODER), responsables du développement économique dans les 22 « régions de programme » créées en 1957.

Dans l'ensemble, les résultats de cette « géographie volontaire » du développement ont été assez limités. Ceci parce que les déséquilibres constatés proviennent de données naturelles ou géographiques sur lesquelles l'action des hommes, sans être insignifiante, paraît peu déterminante. Tout au plus parviendra-t-on à en limiter les effets négatifs.

Source : Raoul Dautry, préface au livre de Jean-François Gravier, *Paris et le désert français*, Paris, Fayard, 1947.

Bibliographie : J.-L. Monneron, A. Rowley, *Les Vingt-cinq ans qui ont transformé la France*, t. VI de *L'Histoire du peuple français*, Paris, Nouvelle Librairie de France, 1987 ; J. Guyard, *Le Miracle français*, Paris, Le Seuil, 1970.

L E TITRE MÊME de son ouvrage : «Paris et le désert français», dit tout à la fois ses recherches et son dessein.

Les premières conduisent à des résultats bien décevants. Étayées par des données numériques savamment choisies, claires, précises et abondantes, elles mettent dans une lumière aveuglante les désastreuses conséquences d'une excessive poussée urbaine. Nous apprenons, au terme de calculs très simples, qu'entre deux guerres et par une véritable stérilisation des masses qu'elle attire, l'agglomération parisienne a coûté à la France 600 000 naissances, et que la population s'y reproduit deux fois moins que dans le Morbihan ou dans la Manche. Nous voyons l'immigration vers les grandes villes multiplier les intermédiaires, les oisifs, les non-producteurs, transformer surtout nos campagnes en désert : l'activité multiple de ces centres ruraux qui a fait l'équilibre et la vie de notre pays, appartient désormais trop souvent au passé. L'auteur analyse avec lucidité le mécanisme, les causes historiques et administratives de ce processus de concentration et de cette agonie.

Mais le photographe qu'il est, après avoir achevé son travail d'analyste, s'engage aussitôt dans la synthèse et il devient naturellement urbaniste.

Il écarte délibérément un «retour à la terre» trop simple et dangereux, d'ailleurs impossible. Il ne nous propose pas non plus une quelconque théorie de reconstruction : il «voit» un paysage, une France à construire. Son Urbanisme est bien cette géographie optimiste qu'il nous promettait ; et nous découvrons au fil de notre lecture une Champagne vivifiée jusque dans ses moindres villages par l'industrie mécanique, tandis que Poitiers et Aix-en-Provence sont promues au rang d'Oxford et de Cambridge français.

Beaucoup pourront ne pas approuver ou estimer irréalisable tel ou tel des aménagements préconisés dans cet ouvrage, telle solution aux problèmes économiques et financiers. Tout peut être, en effet, comme pour toute suggestion constructive, matière à critique de détail ; mais la méthode de J.-F. Gravier est la bonne ; la vision de l'avenir étayée sur l'illustration des faits existants demeure nécessaire, moins dangereuse et certainement plus féconde, en vérité, que les considérations générales vagues et contradictoires sur la reconstruction, que toutes les pauvres philosophies de l'urbanisme qui foisonnent un peu partout, œuvres sans expérience, consécration de routines administratives ou expression de préoccupations étrangères à l'intérêt général.

4. La responsabilité de l'urbaniste
(1950)

L'article suivant a été publié en 1950 dans la revue Urbanisme. *Il a pour auteur Eugène Claudius-Petit qui occupa, de 1948 à 1953, la charge de ministre de la Reconstruction et de l'urbanisme dans divers ministères de la IVe République. Né à Angers en 1907, Eugène Claudius-Petit a été élève de l'école Boulle, puis ouvrier ébéniste et professeur de dessin avant de s'engager dans la Résistance — il est membre du CNR en*

1943 —, puis dans la vie politique. Il fait partie des membres fondateurs de l'Union démocratique et socialiste de la Résistance (UDSR), parti charnière des majorités de la Troisième Force, dont il sera avec René Pleven l'un des dirigeants de l'aile droite.

Ce n'est pas le simple effet du hasard de la vie politique qui a fait de cet ancien artisan, passionné de bel ouvrage, le responsable pendant cinq ans de la reconstruction de la France. Les idées qu'Eugène Claudius-Petit développe dans ce texte lui sont inspirées à la fois par l'esprit du programme du CNR et par celui de la charte d'Athènes. Il fera d'ailleurs venir Le Corbusier à Firminy, la ville dont il est député-maire.

Source : Eugène Claudius-Petit, *Urbanisme*, n° 1-2, 1950, p. 2.

Bibliographie : J. E. Tournant, «La laborieuse naissance de l'urbanisme contemporain», *Cahiers de sociologie économique*, n° 13-14, mai 1996, pp. 253-254 ; F. Choay, *L'Urbanisme, utopies et réalités. Une anthologie*, Paris, Le Seuil, 1965.

LES TÂCHES DE L'URBANISTE sont imposées aujourd'hui aux Français — non seulement aux hommes de l'art, mais à tous les Français — par l'ampleur même des besoins de logements et par la mise en œuvre des moyens de le satisfaire. Voilà qui est clair à l'esprit de chacun.

Voilà qui est neuf. Le dessin des villes, le visage des régions ne dépend plus aujourd'hui des soucis de décoration, d'efficacité militaire, ou simplement d'égoïsmes.

Voilà qui est source d'enrichissement. Pour la première fois, je crois, l'urbaniste, dont la pensée, nécessairement à la recherche de synthèse, entrait nécessairement en conflit avec la somme des analyses des désirs particuliers, trouve, va trouver, l'audience de ceux-mêmes dont il modèle silencieusement la vie. Pour la première fois, la tâche est de si grande envergure, sa pression si forte sur les consciences, qu'il n'est pas d'autre moyen d'y faire face et de la mener à bien, que de la concevoir sainement. C'est métier d'urbaniste.[…]

Un urbanisme, qui a eu ses vertus, a habitué des générations aux déserts de pierre, à nos villes. Beaucoup d'hommes y trouvent un charme délicat, en tirent maintes sensations. Oserai-je dire que cette pente paraît mener à une véritable perversion. Il suffit d'ailleurs de tenter de calculer le coût réel de nos villes concentrées, non seulement en espèces, mais en existences, pour porter condamnation.

L'urbaniste éventrera donc par avance les canaux de pierres qui corsettent les hommes. Il réimplantera ces dernières dans les conditions d'un équilibre essentiel entre la nature et l'homme. Il les dressera dans la lumière, le soleil et la paix, ménageant ici les chemins de l'activité, là les horizons du repos, sachant fort bien que toute richesse autre rapidement s'affadit, si même ne devient pas meurtrière, lorsque celles-là sont interdites.

Tous ces hommes reliés entre eux par mille rapports, toute la ville replantée dans son tuf naturel, la Cité jouera pleinement enfin son rôle naturel, celui de Gardienne.

Aucune habitude n'est une fatalité, ni ne prévaut contre les besoins essentiels longtemps oubliés. La somme de tous les travaux humains bouleversera d'ailleurs toute habitude, comme on voit que fait la circulation automobile dans Paris. Là est la vraie fatalité, celle d'assumer nos œuvres. Faute d'y satisfaire, de guider ses pouvoirs, chacun sera appauvri ou blessé.

Or les besoins immenses de la France, enfin perçus par tous, enfin définis en toute clarté, ont déjà suscité les premiers moyens de les satisfaire. À une reconstruction plus rapide vient s'ajouter une construction renaissante. Les collectivités usent chaque année davantage des facilités de la législation sur les Habitations à loyers modérés. Les Français font appel plus souvent au crédit immobilier. Les primes à la construction vont être prochainement distribuées. L'épargne-construction doit enfin donner l'assurance de l'avenir à chacun. Nous commençons à apercevoir le moment où les travaux seront à la mesure de nos besoins.

Aussi l'urbaniste qui sait avec certitude comment construire doit-il savoir dès aujourd'hui où construire. Au désir souvent irraisonné, doué de toutes les forces nées de la privation, à la poussée jamais tout à fait disparue des intérêts de la spéculation, l'urbaniste doit opposer la raison de la prévision fondée sur l'intérêt général.

Il le fera dans le cadre du plan national d'aménagement du territoire dont l'élaboration se poursuit.

Le plan est l'expression même de l'urbanisme concevant toutes les tâches de la nation, prévoyant le développement de cette dernière, apparaint, comme ils doivent l'être, les moyens de production et les producteurs. Il n'est pas l'œuvre d'un homme, ni d'une école. Il donnera un ordre raisonné aux initiatives et aux efforts. Leur portée en sera multipliée.

5. Lettre de l'abbé Pierre au ministre du Logement
(1954)

Né en 1912 dans une famille aisée de soyeux lyonnais, catholique fervente, Henri Groués a été ordonné prêtre en 1938 après des études secondaires chez les jésuites et un long noviciat chez les capucins. Vicaire à la cathédrale de Grenoble au moment de la déclaration de guerre, il entre dans la Résistance, fait passer la frontière suisse à de nombreux juifs et résistants (dont le frère cadet du général de Gaulle) et participe à la fondation du maquis du Vercors. De la période de la clandestinité, il conservera un nom de guerre — « abbé Pierre » — et des amitiés qui le pousseront, la paix revenue, à devenir député de Meurthe-et-Moselle sous l'étiquette du Mouvement républicain populaire.

D'une grande intransigeance à l'égard des ex-collaborateurs (il est juré de la Haute Cour en 1946), l'abbé Pierre prend peu à peu ses distances à l'égard de ses amis politiques, s'insurgeant contre les exactions de l'armée française en Indochine, refusant d'approuver la ratification du pacte Atlantique et soutenant le « citoyen du monde » Gary Davis. En mai 1950, il quitte le MRP et fonde avec quelques autres députés protestataires le groupe de la Gauche indépendante, dont les votes se mêleront souvent avec ceux des communistes.

Battu en 1951, l'abbé Pierre — qui a fondé en 1949 avec un ancien condamné de droit commun la Communauté d'Emmaüs — va se consacrer entièrement à cette œuvre caritative. Le 1er février 1954, au cœur d'un hiver particulièrement rigoureux, il lance depuis les studios de Radio-Luxembourg un appel pathétique en faveur des sans abri, qui rencontre aussitôt un immense écho. C'est le début de l'« insurrection de bonté » qui va faire de ce « défroqué de la politique » l'une des personnalités les plus populaires de la République.

Un mois avant que ne s'engage cette croisade contre la misère et le froid, l'abbé Pierre publiait dans Le Figaro *une lettre au ministre du Logement dont nous reproduisons ici de larges extraits.*

Source : Henri Grouès, dit l'abbé Pierre, lettre au ministre du Logement, *Le Figaro*, 7 janvier 1954.

Bibliographie : Ph. Denoix, article « Abbé Pierre », in *Universalia*, 1995, pp. 457-458.

Neuilly-Plaisance, 6 janvier 1954

Monsieur le Ministre,

Vous avez proclamé au Parlement : « Dans trois ans nous reverrons à Paris les pancartes : "logements à louer". »

L'Allemagne a cette année bâti 89 logements par 10 000 habitants, l'Amérique 70, l'Angleterre 48, la France en a terminé… 28 !

Dire une telle parole dans un tel moment, c'est briser l'élan.

Pour les logements riches, ces pancartes, Monsieur le Ministre, ce n'est pas dans trois ans, c'est aujourd'hui qu'elles peuvent déjà, nombreuses, pendre aux balcons des immeubles de luxe qui, aidés de « prêts spéciaux », scandaleusement prolifèrent.

Mais pour les logements populaires, là, Monsieur le Ministre, vous savez bien que ce ne peut-être vrai. N'avez-vous jamais parcouru le pays des ruines, des caves et des soupentes ? N'avez-vous jamais lu vos propres archives ? Face aux réalités qu'elles révèlent, il est impossible de prétendre que, dans trois ans, le peuple de Paris n'aura que l'embarras de choisir son chez-soi.

Mais plus que tout, c'est mal d'avoir balayé comme vous l'avez fait, de quelques phrases faciles, l'espérance qui naissait d'un *secours d'urgence* pour les plus désespérés.

À ceux qui vous disaient : « Que ferons-nous en attendant vos trois ans ? Que ferons-nous, ménages empilés à quinze personnes dans deux soupentes, à dix-sept dans une cave, à soixante dans une cour avec un seul cabinet ? Que ferons-nous, milliers de ménages expulsés jour après jour, foyers en dérive ? Que ferons-nous, hommes qui, sous tentes et huttes tout autour de Paris, voyons grelotter nos petits ? » […]

À tous ceux-là qui vous disaient : « Pour les inondés de Hollande, vous remuez pathétiquement le cœur des Français ; pour un Jamboree, vous aidez à bâtir des cités qui pourraient, pour vingt ans, abriter des milliers de ménages, et vous les démolissez quinze jours après. Et pour nous ? » […]

« Pour nous les travailleurs (car on n'est pas des mendiants, on gagne son pain, on veut bien payer son loyer) ; pour nous, tout de suite, faites "un programme d'urgence", aiguillez un milliard des HLM pour 3 000 "logements de dépannage", pas du provisoire, du dur, sommaire et perfectible ; donnez-nous le moyen, tout de suite, de ne plus crever… en attendant vos trois ans. »

À ceux-là, vous avez répondu « non ».

Mais cette nuit-là, Monsieur le Ministre, le gel tout d'un coup est venu. À deux pas de chez moi (qui suis encore un privilégié), un bébé de trois mois est mort de froid dans un vieux car, entre son papa et sa maman. Pas des vagabonds, des ouvriers. Ils étaient là parce que depuis leur mariage, voilà deux ans, ils n'avaient jamais pu trouver un gîte et qu'il n'avaient pas assez pour payer toutes les nuits d'hôtel. Ils attendaient parmi des milliers d'autres votre permission pour que les camarades et moi on ait le crédit pour leur bâtir un toit.

Et vous voudriez que, pendant les trois ans qu'avec votre « non » de bien-logé vous avez cette nuit imposés, il soit ainsi trop tard pour beaucoup d'autres ?

Monsieur le Ministre, le petit bébé de la Cité des Coquelicots, à Neuilly-Plaisance, mort de froid dans la nuit du 3 au 4 janvier, pendant le discours où vous refusiez les « cités d'urgence », c'est à 14 heures, jeudi 7 janvier, qu'on va l'enterrer. Pensez à lui. Ce serait bien si vous veniez parmi nous à cette heure-là. On n'est pas des gens méchants.

On vous recevrait pas mal, croyez-moi. On sait bien que « vous ne vouliez pas ça » en renvoyant à dans trois ans ceux qui couchent sous les ponts au sortir de l'usine.[…]

On vous emmènerait voir de vos yeux Pomponne et ses 80 gosses d'ouvriers dans la forêt, et les terrains qu'à force de souffrances et de labeur on est en train d'acheter (il nous manque encore 12 millions qu'il faut trouver à emprunter d'ici le 31 janvier) justement pour le réaliser ce rêve de la première « cité d'urgence ». Vous verriez nos premières maisons à 300 000 francs, qui ne sont pas indignes de Français, après avoir vu leurs cabanes. L'espoir, écrasé dimanche, revivrait. Direz-vous une deuxième fois « non » ?

Notre vie est dure. Cela nous rend rudes, mais pas mauvais. C'est d'un cœur droit que nous avons voulu vous dire tout ce que nous croyons vrai, juste et possible. Ne nous en veuillez pas. Nous sommes prêts, nous, à ne pas vous en vouloir.

Recevez, Monsieur le Ministre, nos franches salutations. […]

Abbé Pierre

6. Le bidonville de Nanterre

En 1955, on dénombre plus de 8 000 travailleurs nord-africains à Nanterre, pour la plupart des Algériens que les emplois de manœuvres ou d'ouvriers spécialisés ont attirés dans ce secteur de la région parisienne depuis longtemps fréquenté par les migrants originaire du Maghreb. Sur ce total, 2 000 vivent en hôtels meublés, 800 en foyers, quelques centaines en appartements et environ 600 dans des caves et chez les logeurs clandestins. Le reste, soit plus de la moitié, vit dans des baraquements improvisés, notamment dans le quartier du Petit-Nanterre où va se développer au cours des années suivantes le plus important des bidonvilles de la région parisienne. Ils seront trois fois plus nombreux dix ans plus tard.

Aux origines du bidonville, il y a des baraques en bois, construites à la hâte sur un terrain vague, à proximité d'un hôtel meublé devenu trop exigu pour accueillir la foule des migrants à la recherche d'un toit. Il y a environ 70 hôtels meublés à Nanterre en 1954, pour la plupart des taudis où règnent le manque d'hygiène et la plus plus grande promiscuité : c'est dire que les baraques qui essaiment autour de nombre d'entre eux ont tôt fait de constituer une agglomération où se pressent les immigrés, accompagnés ou non de leur famille. On y vit un peu moins mal que dans les chambres d'hôtel que l'on se partage à six, huit ou davantage. Néanmoins les conditions d'existence y sont déplorables, comme le montre ce témoignage d'un ancien habitant du bidonville du Petit-Nanterre, interviewé par le sociologue Abdelmalek Sayad.

Source : Témoignage recueilli par Abdelmalek Sayad, *Un Nanterre algérien, terre de bidonvilles*, Paris, Éditions Autrement, 1995, pp. 54-55.

Bibliographie : R. Fosset, *La Population nord-africaine de Nanterre*, Paris, DES de géographie, 1954 ; M. Segalen, *Nanterriens, les familles dans la ville, une ethnologie de l'identité*, Toulouse, Presses universitaires du Mirail, 1990 ; A. Sayad, *L'Immigration ou les paradoxes de l'altérité*, Bruxelles, Éditions universitaires de Boeck, 1991.

L E PLUS DIFFICILE, c'est d'abord l'eau, la misère de l'eau ; la deuxième chose, c'est la saleté ; et c'est la même chose... Oui, le bidonville, c'est dégueulasse, c'est sale, c'est comme ça, il faut le dire ; on ne peut rien contre la malpropreté. On fait tout pour être propre, pour nous tenir propres, sur nous, sur nos habits, dans nos maisons ; mais on ne peut pas ; c'est plus fort ! Le bidonville, c'est sale. Nous le savons et les autres le savent, et alors ils nous prennent pour des sales... on vit mal... Et c'est loin, fatiguant pour aller chercher l'eau. Et pourtant, on ne peut pas vivre sans eau. On fait alors attention pour l'eau plus que pour l'huile... L'huile, je l'achète, comme tout le monde, parce que tout le monde l'achète, il n'y a pas de différence. Mais l'eau, avec l'eau, il y a ceux du bidonville et il y a ceux qui ont leur maison, leur appartement, et donc leur eau chez eux, comme ils veulent et où ils veulent. Nous n'avons pas cette chance : l'eau, il faut aller la chercher loin, la cueillir comme on cueille des fruits, la transporter et la garder avec soin, la mettre en provisions. On fait des provisions d'eau. Et tous, tant que nous sommes, hommes, femmes, enfants, on est tracassés par l'eau, on n'a que ça en tête constamment... C'est un souci permanent, et c'est aussi une honte... Les gens qui nous voient entrer et sortir dans notre bled à nous, ils ont raison de se considérer supérieurs à nous, de nous regarder de haut, comme si nous étions plus bas que terre, des « rien-du-tout », des vers de terre ou des rats... Ils nous regardent ramener nos bidons pleins d'eau. Ils nous regardent d'un drôle d'œil. Je ne sais pas ce qu'ils peuvent penser de nous, ce qu'ils disent de nous, mais je peux le deviner et le voir rien que dans leurs regards, leur sourire. Ils ont l'air de se moquer de nous. Entre nous, ils ont raison ; ils sont du bon côté... Ils peuvent dire des saletés sur notre compte, derrière notre dos ; mais ils les disent devant nous, à notre face. C'est cela qui fait mal... C'est pour cette raison que je n'aime pas aller chercher de l'eau... et c'est encore plus désagréable, plus douloureux, plus humiliant quand c'est ma femme. J'essaie de lui éviter cela, mais pas toujours... Oui, c'est pénible, mais ce n'est pas cela qui est le plus grave. Pour la fatigue des bras, il y a des solutions. Nous avons tous bricolé des carrosses. Nous ramenons des centaines de litres d'eau en une seule fois, en un seul voyage. Et je me dis que cela fait partie de ma journée de travail ; c'est ma journée de travail qui continue. Quand je rentre à la maison, été comme hiver, qu'il fasse beau ou qu'il pleuve, je ne prends même pas mon café avant que je sorte ce carrosse. Oui, je l'appelle de ce nom : c'est ce que nous disions tous ici, le carrosse, comme l'automobile... (D'ailleurs, à la fin, j'ai acheté une auto pour aller chercher de l'eau ; je l'ai achetée spécialement pour cela...) On dit aussi la charrette ou le chariot, c'est notre vocabulaire à nous. Chacun a fini donc par avoir son carrosse pour aller chercher de l'eau. Et quand on n'en avait pas, on allait le chercher chez des voisins.

7. Vivre à Sarcelles

Ni les zones pavillonnaires issues des grands « lotissements » des années 1920-1950, ni les « grands ensembles » ou les « villes nouvelles » qui leur ont succédé, ou qui ont coexisté avec elles, n'ont su répondre aux besoins des populations concernées par l'extension de l'agglomération parisienne. Certains problèmes qui s'étaient déjà posés avant la guerre aux habitants de la banlieue sont ainsi réapparus : celui des transports en tout premier lieu, surtout pour les déplacements d'une localité à l'autre de la ceinture péri-urbaine. D'autres ont surgi dès l'éclosion des nouvelles formes d'habitat, tantôt liés à la médiocrité des matériaux employés et à la hâte avec laquelle ont été édifiées les immenses demeures collectives (insonorisation inexistante, chauffage « au sol », étanchéité déficiente, etc.), tantôt à l'isolement des cités dans un environnement semi-désertique et aux effets sur la psychologie des usagers de la monotonie architecturale imposée par les contraintes financières et techniques. L'absence d'une sociabilité citadine qui a besoin pour s'exprimer de lieux de rencontre et d'animation, et donc le sentiment de désœuvrement et d'abandon qui se sont ainsi traduits, chez les jeunes, par diverses formes de révolte et de délinquance, et chez les femmes, encore nombreuses à cette date à demeurer au foyer pour élever les enfants, par une « déprime » parfois baptisée « sarcellite » par référence au grand ensemble de la banlieue-nord.

Dans un roman publié en 1961 — Les Petits Enfants du siècle —, Christiane Rochefort qui a accédé à la célébrité littéraire en 1958 avec Le Repos du guerrier — met en scène une famille nombreuse de milieu modeste dont la fille aînée relate à la première personne l'existence dans une cité proche du « grand ensemble » de Sarcelles.

Source : Christiane Rochefort, *Les Petits Enfants du siècle*, Paris, Livre de Poche, 1961, pp.124-126.
Bibliographie : P. Clerc, *Grands ensembles. Banlieues nouvelles. Enquêtes démographique et sociologique*, Paris, Hachette, 1967 ; J. Bastié, *La Croissance de la banlieue parisienne*, Paris, PUF, 1965.

ON ARRIVE À SARCELLES par un pont, et tout à coup, un peu d'en haut, on voit tout. Oh là ! et je croyais que j'habitais dans des blocs ! Ça oui, c'étaient des blocs ! Ça c'était de la Cité, de la vraie Cité de l'Avenir ! sur des kilomètres et des kilomètres et des kilomètres, des maisons des maisons. Pareilles. Alignées. Blanches. Encore des maisons. Maisons maisons maisons maisons maisons maisons maisons maisons maisons. Maisons. Maisons. Et du ciel ; une immensité. Du soleil. Du soleil plein les maisons, passant à travers, ressortant de l'autre côté. Des Espaces Verts énormes, propres, superbes, des tapis, avec sur chacun l'écriteau Respectez et Faites respecter les Pelouses et les Arbres, qui d'ailleurs ici avaient l'air de faire plus d'effet que chez nous, les gens eux-mêmes étant sans doute en progrès comme l'architecture.

Les boutiques étaient toutes mises ensemble, au milieu de chaque rectangle de maisons, de façon que chaque bonne femme ait le même nombre de pas à faire pour aller prendre ses nouilles ; il y avait même de la justice. Un peu à part étaient posés de beaux chalets entièrement vitrés, on voyait tout l'intérieur en passant. L'un était une bibliothèque, avec des tables et des chaises modernes de toute beauté ; on s'asseyait là et tout le monde pouvait vous voir en train de lire ; un autre en bois imitant la campagne était marqué : « Maison des Jeunes et de la Culture » ; les Jeunes étaient dedans, garçons et filles, on pouvait les voir rire et s'amuser, au grand jour.

Ici on ne pouvait pas faire le mal ; un gosse qui aurait fait l'école buissonnière, on l'aurait repéré immédiatement, seul dehors de cet âge à la mauvaise heure ; un voleur se serait vu à des kilomètres, avec son butin ; un type sale, tout le monde l'aurait envoyé se laver. Et pour s'offrir une môme, je ne voyais pas d'autre solution que de passer à la mairie, qui, j'espère pour eux, était tout près aussi. Ça c'est de l'architecture. Et ce que c'était beau ! J'avais jamais vu autant de vitres. […]

C'était beau. Vert, blanc. Ordonné. On sentait l'organisation. Ils avaient tout fait pour qu'on soit bien, ils s'étaient demandé : qu'est-ce qu'il faut mettre pour qu'ils soient bien ? et ils l'avaient mis. Ils avaient même mis de la diversité : quatre grandes tours, pour varier le paysage ; ils avaient fait de petites collines, des accidents de terrain, pour que ce ne soit pas monotone ; il n'y avait pas deux chalets pareils ; ils avaient pensé à tout, pour ainsi dire on voyait leurs pensées, là, posées, avec la bonne volonté, le désir de bien faire, les efforts, le soin, l'application, l'intelligence, jusque dans les plus petits détails. Ils devaient être rudement fiers ceux qui avaient fait ça. […]

En rentrant, notre Cité me parut pauvre, en retard sur son temps ; une vraie antiquité. On était déjà hier nous autres, ça va vite, vite. Même les blocs en face, les « grands », n'avaient l'air de rien. Douze misérables baraques sur un petit terrain. Je n'irais sûrement plus y pleurer.

© Grasset

8. Les villes nouvelles de la région parisienne
(1968)

Né en 1927, l'auteur de cet article paru dans la revue Urbanisme *en 1968, est un ingénieur des Ponts et Chaussées qui a exercé, de 1966 à 1975, les fonctions de directeur de l'Établissement public d'aménagement de la ville nouvelle de Cergy-Pontoise, puis celles de directeur régional de l'équipement de l'Ile-de-France et de directeur de l'Institut d'aménagement et d'urbanisme. Il expose ici les raisons qui ont incliné les responsables de l'aménagement du territoire à concevoir le projet des « villes nouvelles ».*

C'est en 1965 qu'a été élaboré en ce sens un « schéma directeur de la région parisienne » qui envisageait de créer autour de l'agglomération parisienne plusieurs cités-satellites conçues sur le modèle des réalisations britanniques et nord-européennes, les deux premières étant situées au nord (Cergy-Pontoise) et au sud (Évry) de la capitale.

Source : Bernard Hirsch, « Pontoise-Cergy ville nouvelle », *Urbanisme*, n° 2, 1968, pp.30-40.
Bibliographie : J. Steinberg, *Les Villes nouvelles d'Ile-de-France*, Paris, Masson, 1980.

L E SCHÉMA DIRECTEUR d'aménagement et d'urbanisme de la région de Paris, publié en 1965, est destiné à organiser la croissance de l'agglomération de façon à accueillir dans des conditions convenables une population qui devrait atteindre 14 millions d'habitants d'ici à la fin du siècle.

Une des options majeures de ce Schéma directeur est la création de sept villes nouvelles situées à une trentaine de kilomètres du centre de Paris, dans la zone réservée à l'extension de l'urbanisation. Ces villes sont destinées, en premier lieu, à recevoir les nouveaux logements que l'on construit actuellement à un rythme de près de 100 000 par an.

Les villes nouvelles ont un deuxième objectif, au moins aussi important : il s'agit de contribuer à résoudre le problème des transports dans Paris et la proche banlieue.

Chacun se rend compte en effet que ce n'est pas en multipliant les autoroutes à l'intérieur de Paris qu'on y améliorera la circulation. Bien au contraire, il est probable que l'ouverture de nouvelles percées dans Paris ne ferait qu'augmenter l'attraction qu'exerce le centre et par conséquent sa congestion si, parallèlement, des mesures n'étaient pas prises pour satisfaire sur place les besoins des habitants de banlieue. Il faut leur offrir à proximité de leur domicile ce qu'ils sont contraints de chercher dans le centre de Paris : essentiellement les emplois, les équipements, les grands magasins, les universités, etc.

Tel est l'objectif des villes nouvelles et pour qu'elles puissent réellement jouer le rôle d'un contrepoids à Paris, il faut qu'elles aient une dimension suffisante : c'est ainsi qu'un grand magasin ne peut vivre qu'avec une clientèle de 200 000 habitants, qu'une université ne se justifie que pour une population de 400 000 habitants. C'est pour cette raison que les villes nouvelles de la région parisienne sont prévues avec une population de plusieurs centaines de milliers d'habitants. C'est le cas en particulier pour Pontoise-Cergy qui devrait atteindre 400 000 habitants à la fin du siècle. Cela représente un changement d'échelle par rapport aux réalisations déjà effectuées à l'étranger, et en particulier aux « new town » de la banlieue de Londres qui sont situées plus loin du centre et dont la population ne dépasse pas 100 000 habitants.

9. Une cathédrale pour le XXIᵉ siècle

Si elle ne répond pas à tous les besoins d'une population citadine qui demeure très dépendante des possibilités d'emploi, de formation et de loisirs offertes par la mégapole parisienne, la ville nouvelle n'en constitue pas moins une forme plus humaine d'occupation de l'espace que les « cités » édifiées dans les années 1960 à une moindre distance de la capitale mais qui, pour nombre d'entre elles, sont mal reliées au noyau urbain et largement dépourvues d'installations autonomes leur permettant d'échapper au statut de « villes-dortoirs ». Évry par exemple, situé au cœur du département de l'Essonne, dispose aujourd'hui d'équipements modernes — notamment dans le domaine sanitaire et éducatif — qui lui ont permis de fixer une partie de sa population pour des raisons autres que celles de la stricte contrainte budgétaire. On y a même construit une cathédrale, symbole d'enracinement que souligne ici Mgr Herbulot, évêque d'Évry-Corbeil.

Source : Préface de Monseigneur Guy Herbulot, évêque d'Évry-Corbeil-Essonnes, au livre de Jacques Longuet, *Autour d'une cathédrale*, Paris, Mediaspaul, 1995, pp. 7-9.
Bibliographie : C. Mollard, *La Cathédrale d'Évry*, Paris, Odile Jacob, 1996.

C'EST D'ABORD L'AVENTURE d'une ville. Une agglomération surgie de terre au seuil des années soixante-dix. Un pari sur l'avenir. Une anticipation d'une maîtrise raisonnée de l'urbanisme alors galopant. Une exaltante entreprise pour tous ceux qui l'ont pensée, puis vécue. Dans un département tout neuf, faire surgir une ville nouvelle de la terre grasse du Hurepoix et lui donner une dimension humaine… Cela relevait quelque peu du défi.

Mais c'est à croire qu'un esprit pionnier s'était désormais emparé de ce site. Là où architectes, promoteurs, urbanistes et géographes avaient semé la vie, l'Église, à son tour, voulait inscrire sa trace. À nouveaux départements, diocèses nouveaux, dans lesquels fidèles et clergé d'Ile-de-France devaient trouver leurs propres dimensions. Le diocèse d'Évry-Corbeil-Essonnes fit partie de ceux-là. Et c'est dans ce contexte que s'écrivent les premières pages de l'histoire de la cathédrale de la Résurrection d'Évry.

En faire la touche finale de l'évolution de la ville, enfin parvenue à l'âge mûr, est peut-être une vision un peu trop réductrice. D'abord, parce qu'il n'y a jamais, dans un cadre urbain, d'étape définitive : une ville s'inscrit dans la très longue durée et ne cesse d'évoluer avec le temps ; mais aussi, parce que la cathédrale au milieu de la ville n'est pas un monument banal. Par la façon dont elle s'insère dans la vie des hommes, par l'attirance qu'elle exerce, et par l'écho qu'elle renvoie, sa place dans l'urbanisme est très spécifique. Intégrée à la ville mais non diluée, en harmonie avec son cadre, mais non dénuée de personnalité propre, elle s'affirme dans son originalité comme une structure particulière d'accueil et de rencontre, comme lieu destiné à grandir l'homme.

La ville fournit à l'homme ses racines. Tout comme elle, la cathédrale doit participer à cette fonction d'enracinement qui humanise et sécurise, et par là même nourrit et révèle des aspirations profondes. L'histoire est là pour nous rappeler combien la construction d'une cathédrale a toujours permis aux hommes d'assumer leur appartenance à la ville et de trouver un sens à leur vie. Dépourvue de tradition locale en beaucoup d'endroits, la population de l'Essonne doit trouver ici le moyen de se forger cette identité dont elle est si souvent en recherche. Non, le XX⁰ siècle n'a pas perdu toute âme. La cathédrale est confirmation de la permanence de cette quête d'espérance. Comment ne pas lui donner alors la place qui lui revient naturellement, au sein des constructions de la ville et de ses nombreux édifices religieux de confessions chrétiennes ou non chrétiennes ? Comment ne pas entendre l'appel à la rencontre ? Sa présence n'est plus à justifier ; elle se suffit à elle-même et s'inscrit avec force et discrétion dans le paysage créatif de la ville, dont elle constitue désormais un point d'ancrage de nouvelles sensibilités. […]

Nous sommes conviés à ce temps où l'Église, dans le cadre d'une pastorale nouvelle, élargie, doit reprendre cette mission d'annonce de l'Évangile libérateur, bien sûr par la présence de communautés de croyants et par la Parole, mais encore par d'autres signes. Une architecture forte s'inscrivant dans le paysage urbain en est un. Ainsi la cathédrale, lieu du rassemblement d'un peuple de Dieu divers, en recherche de communion, lieu de la célébration de la victoire de l'amour sur la mort, peut-elle devenir, par son architecture-même, un signe d'espérance qui parle à nos contemporains.

Certains pourront parler d'instabilité : après le «temps de l'enfouissement» viendrait celui de la franche lisibilité. D'autres crieront au triomphalisme. L'histoire, une fois de plus, nous invite à la modestie. Combien de fois l'Église n'a-t-elle pas oscillé entre discrétion et affirmation ? Aujourd'hui, à travers la réalisation de la cathédrale de la Résurrection d'Évry, à travers l'architecture inspirée et audacieuse de Mario Botta, c'est à nouveau la volonté de parler au monde qui s'affirme. C'est le défi d'une pastorale du signe, celui d'un message d'espoir lancé aux générations du troisième millénaire. L'Église y trouve sa véritable dimension : celle d'un espace de vie redevenu espace d'hommes d'espoir, acte de foi générateur d'élans nouveaux et porteur des valeurs spirituelles profondes qui nous habitent et nous animent.

© Mediaspaul

10. La fin des « grands ensembles » ?

(1973)

Pour tenter d'enrayer la dégradation des conditions de vie dans les ghettos des périphéries urbaines, l'État et les collectivités publiques ont expérimenté diverses formes d'intervention. Dès le début des années 1970, on s'est penché sur le problème des « grands ensembles » et l'on a décidé d'empêcher leur réalisation et de limiter les implantations de zones d'aménagement concerté (ZAC). Tel est l'objet de la « circulaire Guichard » du 21 mars 1973, reproduite ici et dont l'auteur, Olivier Guichard — l'un des « barons du gaullisme » — exerce à cette date les fonctions de ministre de l'Aménagement du territoire, de l'Équipement, du Logement et du Tourisme.

Source : Directive ministérielle du 21 mars 1973 visant à prévenir la réalisation des formes d'urbanisation dites « Grands Ensembles », et à lutter contre la ségrégation sociale par l'habitat, *Urbanisme n° 136*, mars 1973, p.76.
Bibliographie : H. Mendras, *La Seconde Révolution française, 1965-1984*, Paris, Gallimard, « folio-essais », 1994.

APRÈS LES EFFORTS considérables accomplis pour augmenter la production massive de logements neufs, il est aujourd'hui indispensable de répondre plus efficacement aux aspirations à une meilleure qualité de l'habitat et de l'urbanisme, et de lutter contre le développement de la ségrégation sociale par l'habitat.

La présente directive définit quelques règles simples en matière d'urbanisme et d'attribution des aides au logement ; ces règles doivent contribuer :
— à empêcher la réalisation des formes d'urbanisation désignées généralement sous le nom de « grands ensembles », peu conformes aux aspirations des habitants et sans justification économique sérieuse ;
— à lutter contre les tendances à la ségrégation qu'entraîne la répartition des diverses catégories de logements entre les communes des agglomérations urbaines.

L'homogénéité des types et des catégories de logements réalisés, la monotonie des formes et de l'architecture, la perte de la mesure humaine dans l'échelle des constructions ou des ensembles eux-mêmes, l'intervention d'un maître d'ouvrage, d'un architecte ou d'un organisme gestionnaire sur trop de grands ensembles ne favorisent pas une bonne intégration des quartiers nouveaux dans le site urbain, ni celle des habitants nouveaux au sein de la commune qui les accueille.

Je vous demande donc de subordonner désormais toutes les décisions administratives de votre compétence au respect des conditions suivantes :

1. Une ZAC[1] d'habitation ne pourra être créée et son dossier de réalisation approuvé que si les deux conditions suivantes sont respectées :
a) Le nombre total des logements à usage de résidences principales à y réaliser doit être tel que la zone puisse être achevée dans un délai de cinq à six ans. Ce nombre n'excède pas en toute hypothèse :
— pour les habitations urbaines de moins de 50 000 habitants (INSEE[2]) le nombre de logements réalisés au cours des deux dernières années dans l'agglomération, et au plus de 1 000 logements ;
— pour les agglomérations urbaines à l'exception des villes nouvelles : 2 000 logements.
Cette règle doit éviter que le développement d'une agglomération se trouve déséquilibré par une concentration excessive sur un seul site ; elle doit permettre la réalisation rapide, bien coordonnée et sans aléas, d'opérations d'aménagement qui restent à l'échelle des capacités financières et des moyens techniques des collectivités locales et des organismes aménageurs.
b) Dans les ZAC de plus de 1 000 logements, la proportion des logements HLM locatifs doit atteindre au moins 20 % et ne pas dépasser 50 % du nombre total des logements. On s'efforcera d'assurer une répartition du même ordre dans les ZAC de moindre importance.
2. Dans les agglomérations de plus de 50 000 habitants, la répartition des aides au logement devra être faite de manière à éviter que les implantations des programmes relevant de chacune des catégories de financement ne se concentrent exclusivement dans certaines communes et ne se réalisent pratiquement jamais dans certaines autres ; il conviendra au contraire, dans le respect des dispositions du SDAU[3], de veiller à une répartition territoriale entre les différentes communes telles que soient compensées les tendances actuelles à la ségrégation. […] La participation des habitants des ensembles importants de logements à la définition et à la gestion de leur cadre de vie doit être encouragée. Le renouvellement et la diversité de l'architecture doivent être assurés, spécialement dans les constructions aidées. Vous encouragerez les maîtres d'ouvrage à faire appel aux techniques et aux concepts qui permettent de rompre avec l'uniformité et la monotonie, et les maîtres d'œuvre à exprimer leur imagination et leur talent. Vous éviterez de financer des programmes de plus de 500 logements aidés qui feraient appel, sur un seul site, à un même architecte. Dans les ZAC et plus généralement dans tous les ensembles de logements, le rapprochement ou l'intégration d'autres fonctions urbaines que l'habitat seront recherchés : activités de diverses natures, équipements de loisirs ou de culture, etc. Les orientations de la circulaire ministérielle du 30 novembre 1971 relative aux formes d'urbanisation adaptées aux villes moyennes (dite « tours et barres ») sont confirmées. Il convient en outre de s'en inspirer très largement pour les autres agglomérations urbaines, notamment en recherchant la réalisation d'une proportion importante de maisons individuelles dans les ZAC d'extension périphérique. C'est dans le même esprit que vous voudrez bien adapter ou corriger dans la mesure compatible avec le financement et les délais prévus, les opérations d'aménagement et les programmes de logements déjà décidés et qui ne sont pas encore engagés de façon irréversible.

Olivier Guichard,
ministre de l'Aménagement du territoire, de l'Équipement, du Logement et du Tourisme

---

1. Zone d'aménagement concerté (ZAC). Procédure d'urbanisme opérationnelle introduite par la loi d'orientation foncière (LOF) du 30 décembre 1967.
2. Institut national de la statistique et des études économiques.
3. Schéma directeur d'Aménagement et d'Urbanisme mis en place par la LOF. Il fixe les orientations de la politique d'aménagement sur plusieurs communes.

11. Une culture de la marginalité

La montée du chômage et de l'exclusion sociale a eu pour corollaire celle de la violence et de la délinquance urbaines et péri-urbaines. Celle-ci affecte principalement les quartiers et les banlieues les plus déshérités — quartiers nord de Marseille, cités ouvrières de la périphérie parisienne ou lyonnaise —, mais elle peut aussi s'étendre sporadiquement à l'ensemble du tissu urbain, voire à certaines zones de contact entre la ville et la campagne dans les régions sinistrées de l'Est et du Nord où sévit la désindustrialisation et la concentration en ghettos de populations issues de l'immigration et qui cumulent tous les handicaps.

Paupérisation et exclusion ont ainsi nourri depuis une vingtaine d'années une véritable culture de la marginalité et de la violence. Violence du geste et du vêtement, parodie de la normalité chez les Punks ; agressivité et parfois agression délibérée chez certains Rockers, chez les Skinheads (fréquemment liés à l'extrême droite) et autres « zoulous ». Violence du son et du rythme et aussi violence du verbe, avec la nouvelle vague du rock qui traduit désormais la révolte du Quart monde et la désespérance des ghettos urbains.

Musique simple et spontanée, née dans les milieux populaires d'outre-Atlantique, expression dans sa version européenne de la difficulté et de la « fureur de vivre » d'une génération perturbée par les effets contrastés de la croissance, puis de la crise, le rock n'a pas tardé à être récupéré par les principaux bénéficiaires de son succès, pour donner naissance, dans les années soixante et soixante-dix, à un produit de consommation industrialisé. Il demeure cependant l'expression d'un besoin de communiquer et de communier dans la ferveur du groupe, ainsi que le moyen pour les jeunes générations d'affirmer un certain nombre de valeurs : la paix, la fraternité, le refus de l'exclusion et du racisme. Aujourd'hui, cette fonction sociale du rock est davantage assumée par le rap, parole scandée sur des rythmes syncopés qui, lui aussi, est né aux États-Unis au début de la présente décennie, avant de s'étendre aux ghettos misérables du Tiers et du Quart monde, ou à ceux de nos sociétés industrielles en crise.

Sous d'autres formes, la culture de masse de notre temps rend compte de cette violence latente de notre société mutante et du mal de vivre des générations nouvelles. Cela est vrai aussi bien de la « culture tag » que de la bande dessinée, du « nouveau polar » ou du cinéma, qu'il s'agisse de reportages filmés comme le Houston Texas _de François Reichenbach (1980) ou d'œuvres de fiction à l'image de_ Série noire _d'Alain Corneau (1979) et des films de Bertrand Blier (_Un, deux, trois, soleil_), de Luc Besson (_Le Grand Bleu, Nikita, Léon_), de Leos Carax (_Les Amants du Pont-Neuf_), de Cyril Collard (_Les Nuits fauves_) ou de Mathieu Kassowitz (_La Haine, Assassins_)._

Source : Farid Chenoune, Jean-François Poirier, « Rap et tag : l'esthétique des banlieues sur la place publique », _Universalia 1993_, pp. 347-351.

Bibliographie : A. Jazouli, _Les Années banlieue_, Paris, Le Seuil, 1992 ; G. Lapassade, P. Rousselot, _Le Rap ou la fureur de dire_, Paris, L. Talmart, 1990 ; A. Vulbeau, _Du tag au tag_, Paris, Institut de l'enfance et de la famille, 1990.

C'EST SUR CETTE TRAME de micro-événements que la presse s'emparera, durant [...] l'été de 1990, d'un phénomène en gestation depuis 1988 : la guerre des bandes zouloues dans les «cités barbares» (*Le Figaro*, 27 novembre 1990). Avec leurs noms de gangs de ghetto américains tout droit sortis de leurs films cultes (*Warriors*, 1985, et *Colors*, 1988), les Black Dragons, les Requins Juniors, les Criminal Action Force, les Derniers Salauds se battent, forment des alliances, les dénouent pour s'assurer le contrôle d'un quartier ou d'un trafic. Pour ces bandes de jeunes Noirs et parfois Beurs, l'ennemi n'est pas le Blanc, le batbou ou le from, ni Black ni Beur, ni le bounty, noir dehors et blanc dedans comme les confiseries du même nom, ni l'écharpien, petit mec insignifiant portant écharpe, ou autres bouffons. L'ennemi, c'est le semblable, celui qui connaît la même aspiration à l'hégémonie sur un territoire donné. La mort d'Omar Touré, un jeune Malien tué le 29 juillet 1990 à la sortie d'une boîte de nuit de la Défense, le Midnight Express, révélera l'existence inédite de ces classes dangereuses pour elles-mêmes. Les émeutes de Vaulx-en-Velin, municipalité qui passait pourtant pour un modèle en matière de réhabilitation, et les magasins pillés à Montparnasse par les jeunes du Val-Fourré lors des manifestations lycéennes de novembre suivant porteront au grand jour la crise des cités suburbaines et de leur jeunesse.

Pour ces jeunes dits de la seconde génération, élevés, parfois nés dans ces parcs immobiliers mal desservis et laissés à l'abandon, les liens sociaux traditionnels sont rompus. Sur cet agrégat pluri-ethnique composé en grande partie d'une population déportée vers la périphérie lors d'opérations de réhabilitation de quartiers vétustes, les structures d'intégration, de médiation et d'expression anciennes (le Parti communiste des banlieues rouges) ou plus récentes (SOS-Racisme et les associations beurs des années 1981 à 1986) n'ont aucune prise. Leur effondrement dans le premier cas, leur légitimité volatile dans le second n'ont fait que souligner davantage encore l'absence de repères et de tremplins. [...]

La culture rap évolue dans une configuration générale où l'emblème n'a cessé de gagner en importance. Logos, marques et labels ont largement supplanté dans l'espace public et dans la vie politique slogans, mots d'ordre et programmes. Les conflits ne sauraient désormais se dérouler dans la clandestinité. Pour exister, et leurs acteurs avec eux, il doivent être visibles, et c'est finalement une rhétorique guerrière de la visibilité, du défi et de la prouesse qui régit les performances des taggers, des breakers et des rappers. Ainsi, dans la logique territoriale des taggers, le site est un facteur de style. Du point de vue de leur stratégie d'occupation, le métro et le RER constituent un prodigieux théâtre d'opérations, riche en épreuves. Il faut agir de nuit, vite et avec brio. Il faut savoir s'introduire dans les hangars souterrains, déjouer les équipes de surveillance, éviter les rames encore en circulation et braver les risques d'accident. Certains taggers funambules, petits Savoyards du hip hop, s'attaqueront même aux toits de Paris, trompant digicodes, interphones et concierges, pour gagner l'«endroit le plus clean» de la capitale et ces étendues «qui peuvent atteindre jusqu'à 1 kilomètre de long» (*TOX 1*, n° 4, juin-juill.-août 1992). Encore faut-il qu'à l'exploit topographique s'ajoute l'habileté calligraphique qui fait d'un tag aux lettrages sophistiqués un «graf mortel» et d'une fresque une «brûlure». Pour protéger sa réputation et son copyright, le tagger plagié ne connaît, comme la RATP, que la procédure des flagrants délits : il appose une marque publique d'infamie, le toy, sur les contrefaçons.

XXXII

LES PROBLÈMES DE DÉFENSE

Jusqu'au milieu des années trente, auréolée du prestige de la victoire de 1918 (pour une large part obtenue grâce à l'engagement américain), l'armée française était considérée comme la première du monde. La spectaculaire bravade d'Hitler — qui, en violation du traité de Versailles, a rétabli le service militaire obligatoire en mars 1935 — a remis brusquement en question cette prépondérance. Pourtant, avant même qu'elle ait eu lieu, des voix s'étaient élevées en France pour stigmatiser l'inadaptation et l'archaïsme d'un instrument militaire qui ne correspondait plus ni aux acquis de certaines technologies de pointe, ni surtout aux nécessités d'une diplomatie fondée sur les alliances de revers.

Depuis la fin du premier conflit mondial, la doctrine stratégique de l'état-major français reposait en effet sur l'idée que l'offensive étant devenue difficile et demandant des moyens matériels énormes, il importait d'opposer à l'adversaire potentiel un front défensif impénétrable en attendant que la mobilisation industrielle fournisse une supériorité matérielle permettant soit de dissuader l'ennemi d'attaquer, soit d'engager l'assaut dans des conditions optimales. Des novateurs s'étaient élevés contre cette conception défendue notamment par le maréchal Pétain et dictée à ses promoteurs par l'expérience meurtrière du conflit précédent. Reprenant et développant certaines idées du capitaine britannique Liddle Hart, le lieutenant-colonel de Gaulle publiait en 1934 Vers l'armée de métier, dans lequel il préconisait la création d'une force blindée autonome de 100 000 hommes, tous engagés, servant pour six ans dans ce corps d'élite, et 3 000 chars disposés sur plusieurs échelons sur un front de 50 km. Malgré les campagnes de L'Écho de Paris, de L'Époque, de L'Aube, et l'action de Paul Reynaud (texte n° 1), les idées de De Gaulle se heurtèrent à l'indifférence de l'opinion et à l'hostilité des milieux militaires et politiques.

Malgré les efforts accomplis par le gouvernement Blum, puis par celui d'Édouard Daladier pour pallier les effets désastreux produits par la politique d'amputation des crédits militaires des gouvernements précédents, la France va donc se trouver en septembre 1939 en possession d'un outil militaire inadapté aux impératifs de la guerre moderne : outre l'absence d'une force cuirassée autonome, un système de fortifications jugé infranchissable mais s'arrêtant à la frontière belge — la ligne Maginot (texte n° 2) — et une arme aérienne ne disposant pas des avions d'assaut capables d'appuyer une offensive de chars ou de stopper celle de l'adversaire (texte n° 3). Ces déficiences, jointes à celles du haut-commandement, expliquent pour une large part le désastre de 1940.

De ce désastre, les responsables politiques et militaires français ne tireront guère la leçon qu'au milieu des années cinquante. Il est vrai que, jusqu'à cette date, leurs pré-

occupations militaires ont essentiellement porté sur la défense de l'empire et sur l'intégration à l'OTAN de nos forces «conventionnelles». Ce sont d'une part les événements d'Indochine, d'autre part la menace d'intervention nucléaire brandie lors de la crise de Suez par le maréchal Boulganine, en novembre 1956, qui vont pousser les derniers gouvernements de la IVᵉ République, notamment ceux de Guy Mollet et de Félix Gaillard à lancer un programme d'armement nucléaire qui est déjà très avancé lorsque survient le changement de régime au printemps 1958.

Le général de Gaulle n'hérite donc pas, en arrivant au pouvoir, d'un dossier vide. Simplement, ce qui n'avait été jusqu'alors que décisions ponctuelles et désordonnées devient avec lui un projet cohérent dont il va faire la clé de voûte de sa politique d'indépendance nationale (texte n° 4). Le 13 février 1960, la première bombe A française est expérimentée avec une pleine réussite à Reggane, au Sahara, et huit ans plus tard il en sera de même de la bombe H à Mururoa, en Polynésie française (août 1968). Dans le même temps sont mis en œuvre les moyens qui vont permettre à la «force de frappe» française de disposer au début des années 1970 des engins destinés à frapper l'auteur d'une éventuelle agression : avions Mirage IV, sous-marins nucléaires équipés de missiles mer-sol et engins balistiques entreposés dans les silos du plateau d'Albion.

Définie par l'ordonnance du 7 janvier 1959 comme englobant «en tous temps, en toutes circonstances et contre toutes les formes d'agression» tous les secteurs de la vie du pays, la Défense est désormais rattachée au Premier ministre, tandis que le président de la République, dont la Constitution dit qu'il est le «chef des armées», se voit attribuer par un décret en date du 14 janvier 1964 la responsabilité suprême de l'emploi de l'arme nucléaire (texte n° 5). C'est à lui qu'il incombe de mettre en œuvre, le cas échéant, la stratégie dissuasive élaborée par les théoriciens du deterrent nucléaire.

Jusqu'au milieu des années 1970, la doctrine stratégique française est en effet fondée sur le principe de la dissuasion (texte n° 6), le but étant non pas de «gagner» une guerre atomique — qui peut prétendre gagner quoi que ce soit dans l'Apocalypse déclenchée par le feu nucléaire ? —, mais de rendre impossible la guerre entre des puissances nucléaires. Le «pouvoir égalisateur de l'atome» permettant au «faible» d'infliger au «fort» des dommages hors de proportion avec les avantages qu'il pourrait escompter d'une agression victorieuse, on va s'orienter après le retrait de la France de l'OTAN vers une doctrine de représailles massives et de sanctuarisation absolue du territoire national, qui ne sera guère remise en cause que sous le septennat de Valéry Giscard d'Estaing, objet à la fois d'inflexions sensibles de la part des décideurs (texte n° 7) et de critiques dans les rangs de l'opposition (texte n° 8).

L'éclatement du bloc de l'Est, le naufrage de l'URSS et la fin de la guerre froide ont évidemment beaucoup modifié l'approche par les dirigeants politiques et par les chefs militaires du problème de la défense. Pour la France, le problème essentiel est aujourd'hui celui de l'adaptation de l'outil militaire à une situation internationale qui n'est plus conditionnée par le poids du danger à l'Est : ce qui modifie notamment la nature de ses rapports avec l'OTAN (texte n° 9) au moment où cette organisation s'apprête à accueillir d'anciens pays satellites de l'URSS.

1. Paul Reynaud et l'armée de métier

(1935)

*C'est en décembre 1934 que Paul Reynaud, alors vice-président du groupe parlemen-
taire du Centre républicain, qu'a créé André Tardieu, rencontre pour la première fois
le lieutenant-colonel de Gaulle. Celui-ci est alors à peu près inconnu du public, mais
la publication peu de temps auparavant de l'ouvrage dans lequel il expose ses idées
novatrices sur la constitution d'une force cuirassée composée de militaires professionnels et rassemblant six divisions de ligne motorisées et blindées — Vers l'armée de
métier — a rencontré de modestes échos dans la presse et auprès d'un étroit cercle
d'hommes politiques, au premier rang desquels figure le futur chef du dernier gouvernement de la IIIe République.*

*Reynaud est aussitôt conquis par les thèses du lieutenant-colonel de Gaulle. Comme
ce dernier, il estime que la doctrine défensive de l'état-major est complètement inadaptée aux impératifs de la politique étrangère française, laquelle repose pour une large
part sur l'alliance avec de petits États de l'Europe centrale et orientale qui ne pourraient être secourus, en cas de guerre, si notre armée restait campée derrière les casemates de la ligne Maginot. La nécessité de créer, comme le suggère De Gaulle, une
force cuirassée autonome destinée à l'offensive lui paraît d'autant plus évidente que
cette ligne stratégique est celle que les Allemands ont choisie et qu'il mettront
d'ailleurs en pratique, en mai 1940, lors de la bataille des Ardennes.*

*Le 14 juin 1935, deux mois après l'annonce par Hitler du rétablissement de la
conscription en Allemagne, le député du IIe arrondissement de Paris profite du débat
sur la défense nationale pour aborder la question de l'armée de métier et pour exposer
devant ses collègues les thèses du lieutenant-colonel de Gaulle, lesquelles soulèvent à
la fois l'hostilité de la gauche pacifiste et le scepticisme d'une droite qui s'accommode
parfaitement — à la fois par immobilisme et par souci d'économie — de la stratégie
défensive préconisée par l'état-major. Le contre-projet que Reynaud présente à la suite
de l'intervention quasi prophétique (quant au déroulement de la future campagne de
France) dont nous présentons ici un extrait, sera rejeté à l'unanimité par la commission
de la Défense nationale comme « contraire à la logique et à l'histoire ».*

Source : Intervention de Paul Reynaud à la Chambre des députés, *Journal officiel,
Débats parlementaires.* Chambre des députés, 14 juin 1935.
Bibliographie : P. Reynaud, *Mémoires*, 2 vol., Paris, Flammarion, 1960-1963 ;
P. Reynaud, *Le Problème militaire français*, Paris, Flammarion, 1937 ; R. Frank, *Le
Prix du réarmement français*, Paris, Publications de la Sorbonne, 1980 ; J.-B. Duroselle,
La Décadence, 1932-1939, Paris, Imprimerie nationale, 1979 ; M. Vaïsse, *Sécurité
d'abord*, Paris, Pedone, 1981.

M. PAUL REYNAUD. — Messieurs, du débat qui vient de se dérouler devant vous et
qui restera sans doute comme l'un des plus graves de cette législature, je tire trois
conclusions : la première est qu'une prolongation de la durée du service militaire est
provisoirement indispensable ; la seconde est que cette mesure ne doit pas être prise à

titre précaire, sans cesse révocable, et la troisième, qu'il faut, dès aujourd'hui, refondre notre organisation militaire, pour faire face à des périls et à des besoins nouveaux.

Je ne serais pas surpris que le système militaire qu'on nous demande de colmater soit brusquement apparu à la Chambre après les révélations qui lui ont été faites cet après-midi, comme un système vieilli et caduc.

À vrai dire, il serait miraculeux qu'un système conçu en fonction de l'Europe de 1927 pût nous permettre de pourvoir à notre sécurité dans l'Europe de 1935. *(Très bien ! très bien !)*

1927. L'Allemagne de Stresemann allait entrer à la Société des Nations.

1935. L'Allemagne de M. Hitler en est sortie. Elle forme une jeunesse fanatisée, exaltée par tous les moyens de la publicité moderne, une jeunesse à qui l'on enseigne que, s'il n'y a plus d'espoir dans la paix, il y a peut-être encore un espoir, une chance dans la guerre.

Une Europe qui est peut-être une Europe perdue, une Europe surpeuplée parce que ses deux soupapes de sûreté sont bloquées, elle ne peut plus exporter ni ses hommes ni ses marchandises, et l'on se demande si les fils de cette Europe ne vont pas s'entre-détruire dans une guerre finale. Voilà, messieurs, 1935.

Dès lors, comment s'étonner qu'en face de cette situation tragique, la pensée, si excellente fût-elle, des hommes éminents qui ont construit le régime militaire sur lequel nous vivons, ne soit plus adéquate au temps présent ?

[...] Aujourd'hui, est-ce la politique de la quantité que nous allons vivre ? Mais alors, il faudra constamment augmenter la durée du service militaire, car M. Léon Blum nous a dit cet après-midi — et je crois qu'il a raison — qu'à partir de 1940, la différence sera formidable en nombre entre les classes allemandes et les classes françaises. Il a, je crois, parlé du double. Si nous nous tournons du côté de la quantité, ne voyez-vous pas que ce peuple va se révolter contre nous en nous disant que, pour vivre, nous lui enlevons les raisons de vivre ? *(Applaudissements.)*

Si nous écartons la quantité, il ne reste plus que la qualité, et c'est cette carte qu'il faut jouer. [...]

Vous lisez comme moi, messieurs, la presse allemande ; vous savez que les Allemands disent : On ne nous y prendra plus ; une guerre de quatre ans, merci bien ! C'est une guerre qui saigne et épuise le vainqueur comme le vaincu. Il s'agit, cette fois, de faire une opération immédiate, instantanée, foudroyante.

Tandis que l'on a, chez nous, les yeux tournés vers la guerre d'hier, les Allemands portent leurs regards vers la guerre de demain.

C'est par une offensive foudroyante, avec une aviation ultra-moderne et une armée rapide à grand rendement, que l'Allemagne fera cette opération.

Sommes-nous armés pour y répondre ? Le problème est que les réflexes de l'assailli soient aussi rapides que l'attaque de l'assaillant. Sommes-nous en état ?

Nous avons une aviation animée d'un esprit offensif, mais, à la différence de celle de l'Allemagne, notre aviation n'est pas accompagnée, sur terre, d'une troupe capable d'une offensive foudroyante, comme l'armée de choc allemande.

C'est ainsi que se présente, aujourd'hui, pour nous, le problème militaire.

Il y a disharmonie entre notre aviation et notre armée, parce que l'une est orientée vers l'offensive, l'autre vers la défensive.

Si l'aviation française est apte à remplir sa tâche, c'est qu'elle est composée de techniciens professionnels. Dans une escadrille en vol, il n'y a que des professionnels. Si les instruments délicats et fragiles que sont les navires de guerre sont, aujourd'hui, exactement au point, c'est parce qu'ils ne sont montés que par des professionnels. Les professionnels, sur une navire de guerre, représentent 75 % de l'effectif ; le reste est chargé d'humbles travaux.

C'est le progrès scientifique, c'est la nature du matériel qui a imposé cette formule.

Le progrès technique exige la spécialisation dans l'industrie, l'exige aussi dans l'aviation et dans la marine.

Peut-être ne nous en sommes-nous pas aperçus, mais c'est un fait. Or, je dis que, pour une partie de notre armée de terre, la partie motorisée, la spécialisation est aussi nécessaire que dans l'aviation ou dans la marine. Par quelle surprenante timidité intellectuelle, par quelle paresse d'esprit, par quelle routine, repousserions-nous pour l'armée de terre ce que nous acceptons pour l'aviation et pour la marine ? _(Applaudissements au centre et à droite.)_

L'erreur de l'état-major est de ne rechercher que le plus grand nombre possible d'unités, toutes sur le même pied et toutes capables d'attaquer.

Il en est encore à 1914, alors que toute l'armée avait le même fusil, modèle 1886, modifié en 1893, et le même canon. Aujourd'hui, nous avons des chars qui coûtent un million ou un million et demi de francs pièce. Si ces instruments, à la fois ruineux, complexes et fragiles, sont mis entre les mains d'apprentis qui ne savent pas s'en servir, il arrivera ce qui arriverait si l'on mettait un torpilleur entre les mains de néophytes. [...]

Le problème français, du point de vue militaire, est de créer un corps spécialisé propre à des répliques aussi foudroyantes que l'attaque, car si l'assailli n'a pas de ripostes aussi rapides que l'assaillant, tout est perdu. _(Très bien ! très bien !)_

Ce corps de manœuvre nous est, au surplus, imposé par notre politique étrangère.

2. Gamelin et la ligne Maginot

C'est en tout premier lieu au maréchal Pétain, en tant que vice-président du Conseil supérieur de la guerre jusqu'en 1931, et au général Buat, chef d'état-major général, c'est-à-dire aux deux principaux chefs de l'armée, que la France doit d'avoir, en matière stratégique, tout misé sur la défense des frontières. L'ampleur de l'hécatombe de 1914-1918 et le souvenir des tranchées ont après la guerre nourri une double obsession : éviter à tout prix l'offensive meurtrière (celle lancée par Nivelle en avril 1917 au Chemin des Dames avait fait plusieurs dizaines de milliers de tués en quelques jours) et remplacer l'enfer des tranchées par des fortifications confortables avec des mètres de béton au-dessus de la tête. Paul Painlevé, ministre de la Guerre de façon à peu près ininterrompue entre novembre 1925 et novembre 1929, fit sienne cette doctrine et c'est à son initiative que furent entreprises les études relatives aux fortifications du Nord-Est.

Le successeur de Painlevé, André Maginot, fit voter la loi du 14 janvier 1930 qui ordonnait la construction d'une « muraille » infranchissable, en fait composée d'un réseau de casemates et de galeries bétonnées, à laquelle il donnera son nom.

La création d'une ligne fortifiée (à laquelle répondra après la réoccupation de la Rhénanie en 1936 l'édification par les Allemands de la « ligne Siegfried ») n'impliquait pas nécessairement le maintien d'une doctrine défensive. On pouvait la concevoir comme une base de départ pour l'assaut d'un puissant corps de bataille. Mais en cette période de budgets militaires resserrés, il était difficile de financer à la fois les armes mécaniques et le béton. Pour cette raison, mais aussi par principe, on préféra donc *celui-ci à la force cuirassée souhaitée par De Gaulle et Reynaud. Sans toutefois aller jusqu'au bout de la logique choisie, en prolongeant la ligne Maginot jusqu'à la mer.*

Interrogé en 1947 par la Commission « chargée d'enquêter sur les événements survenus en France de 1933 à 1945 » et de trouver des responsables au drame de 1940), le général Gamelin, ancien chef d'état-major général, explique aux membres de cette commission les raisons de cette carence du dispositif défensif français.

Source : Assemblée nationale, première législature, session de 1947, *Les Événements survenus en France de 1933 à 1945. Témoignages et documents reueillis par la commission d'enquête parlementaire*, Paris, PUF, t. II, Annexes, séance du 2 décembre 1947, pp. 404-406.

Bibliographie : Général Gamelin, *Servir*, t. 1, *Les Armées françaises de 1940*, Paris, Plon, 1946 ; Général A. Beaufre, *La Défaite de 1940*, Paris, Plon, 1965 ; M. Sorlot, *André Maginot. Une biographie politique*, thèse sous la direction de François Roth, Nancy-II.

C'EST LÀ qu'intervient la notion de la fortification, sous sa double forme de fortifi-[…] cation permanente et de fortification de champ de bataille. L'attaque de la première nécessitant des moyens de feux exceptionnels. Et je vous demande de vous rappeler que la ligne Maginot s'arrêtait à hauteur de Longuyon. Plus à l'ouest, il n'y avait que la tête de pont de Montmédy ; au-delà, nous n'avions plus de fortifications permanentes sauf localement à Maubeuge, mais seulement une fortification de champ de bataille.

J'ai raconté dans mes *Souvenirs* comment, en 1932, le maréchal Pétain nous a empêchés, le général Weygand et moi, de faire commencer l'organisation de fortifications permanentes dans le Nord, solution que soutenait à fond M. Piétri, à ce moment-là ministre de la Défense nationale. J'ai raconté comment c'est l'influence du « maréchal » Pétain d'alors qui fit échouer nos projets. Finalement, après une séance à l'Élysée, le président de la République et le président du Conseil, Tardieu, nous ont dit : « Les militaires doivent d'abord se mettre d'accord. Réunissez donc le Conseil supérieur de la Guerre entre vous » ; le Conseil supérieur de la Guerre, d'ailleurs à une très petite majorité, a décidé qu'il n'y avait pas lieu de prolonger dans le Nord la ligne Maginot ; alors qu'à ce moment même les commissions de la Chambre, d'une part, par l'intermédiaire de Fabry[1], du Sénat d'autre part, par l'intermédiaire de Messimy, étaient d'accord pour que l'on concédât les crédits nécessaires en vue d'amorcer la constitution de fortifications permanentes dans le Nord. Puis sont venues les années difficiles pour le budget de la Guerre.

Quand, en 1935-1936, nous avons pu reprendre la question, — et je l'ai reprise notamment avec le général Maurin en 1935 — il était trop tard pour prolonger la ligne Maginot dans le Nord, en raison de deux considérations :
— la première est que nous étions très en retard en ce qui concernait les matériels et que tout l'argent dont nous pouvions disposer devait plutôt être porté sur les matériels nécessaires à la guerre moderne que sur des fortifications ;
— la deuxième était qu'une organisation comme la ligne Maginot avait demandé cinq ans. Je sais que, dans les formules plus modernes, c'est-à-dire à partir du moment où nous avons construit la partie entre Rohrbach et la vallée de la Sarre, et la tête de pont

---

1. Jean Fabry était député de Paris et président de la commission de la Défense nationale à la Chambre.

de Montmédy, nous sommes arrivés à terminer nos ouvrages en trois ans seulement. Il restait que, étant donné la conception de la ligne Maginot à base de casemates et d'ouvrages, pendant tout le temps où un ouvrage n'était pas achevé, le front ne présentait qu'une série d'excavations rendant la défense difficile. Les travaux entamés étaient plus nuisibles qu'utiles pour la défense.

J'ajoute que la ligne Maginot présentait à mon sens de graves inconvénients.

Le premier inconvénient était que, pour trouver une situation tactique plus avantageuse, la ligne Maginot était établie, sur une grande partie du front, relativement en arrière de la frontière et qu'elle laissait en avant des régions intéressantes au point de vue national, et notamment au point de vue de nos industries de guerre. En 1930, le général Weygand et moi avions demandé que notre ligne de fortifications, que l'on prolongeait alors à l'ouest de Thionville, soit établie le long de la frontière du Luxembourg pour aboutir à Longwy, de manière à occuper toutes les hauteurs qui dominent la plaine du Luxembourg et à couvrir toutes nos usines dans la partie nord de la Lorraine.

Qui s'y est opposé ? Le « maréchal » Pétain. Il a voulu que l'on établisse, sur cette partie du front, la ligne Maginot plus en arrière. On y trouvait évidemment des conditions théoriquement peut-être plus favorables parce que nous étions sur des plateaux avec des champs de tir étendus, mais au point de vue stratégique, c'était à mon sens une erreur. Et quelle en fut la conséquence ? Ce fut que nous avons été obligés de consacrer des forces à tenir une ligne de couverture en avant de la ligne Maginot, c'est-à-dire de mettre en jeu sur cette partie de la frontière des effectifs plus importants que nous ne l'eussions souhaité et que la ligne Maginot ne nous a pas permis de réaliser intégralement les économies de forces que des fortifications de cette puissance auraient dû nous permettre.

3. Les carences de l'arme aérienne en 1939

Le texte suivant est extrait d'une autre audition devant la Commission d'enquête parlementaire sur les événements survenus en France de 1933 à 1945 : celle de Guy La Chambre, député de Saint-Malo (qui lui doit sa reconstruction « à l'ancienne » après la destruction de 1944), président de la commission de l'Armée en 1936 et surtout successeur de Pierre Cot au ministère de l'Air de janvier 1938 à mars 1940.

Bien qu'il eût été parmi les parlementaires qui votèrent les pleins pouvoirs au maréchal Pétain le 10 juillet 1940, ce républicain intègre fut traduit par le régime de Vichy devant la Cour de Riom. Pas plus que devant la Commission d'enquête de 1947 il n'eut de difficulté à démontrer qu'en fait de « responsabilité dans la défaite de la France », il avait œuvré à la reconstruction de l'arme aérienne, obtenant en 1938 5 milliards de crédits pour l'accélération de la fabrication d'appareils modernes, faisant passer la production mensuelle d'avions de 25 à plus de 300 unités et passant commande aux États-Unis de 2 000 avions et de 8 000 moteurs.

Le retard accumulé fit qu'en dépit de cet effort, l'armée de l'air française ne pouvait aligner en mai 1940, au moment de l'offensive de Guderian dans les Ardennes, que 2 000 avions en service, dont 500 chasseurs et une centaine de bombardiers d'un type récent, contre les 7 000 appareils modernes de la Luftwaffe. Mais surtout, comme le souligna Guy La Chambre devant ses collègues de la Commission d'enquête, le matériel était conçu « en fonction d'une doctrine de guerre périmée », la France n'ayant pas *su tirer la leçon de la guerre d'Espagne : à savoir que l'avion multiplace lent et très armé qui avait conservé les faveurs de l'état-major n'avait plus grande utilité face au chasseur-bombardier et surtout au bombardier en piqué, du type Stuka.*

Source : Déposition de Guy La Chambre, ancien ministre de l'Air devant la Commission chargée d'enquêter sur les événements survenus en France de 1933 à 1945, *Rapport de Charles Serre*, rapporteur général, député, séance du 27 novembre 1947, Paris, PUF, 1947, pp. 357-359.

Bibliographie : J. Doise, M. Vaïsse, *Diplomatie et outil militaire*, Paris, Imprimerie nationale, 1987, rééd. Points-Seuil, 1989 ; R. Jacomet, *L'Armement de la France*, Paris, Éditions Lajeunesse, 1945.

CE QUI EST CURIEUX cependant à observer, c'est que ce n'est pas surtout de l'insuffisance de notre bombardement dont se plaignirent les chefs de l'armée de terre, mais de l'insuffisance de notre chasse.

J'ai des déclarations des généraux Gamelin, Corap et Dufieux qui concordent toutes pour dire : « C'est surtout la chasse qui nous a fait défaut. »

Or nous avons vu tout à l'heure que nous disposions de tous les avions de chasse dont la fabrication avait été prévue au plan V, c'est-à-dire de tous ceux qui avaient été demandés par le commandement au début de 1938. Si ces dotations en chasse se sont révélées insuffisantes, c'est qu'en 1938 le commandement, responsable de la définition des besoins, avait sous-estimé les besoins français. C'est là que nous touchons le point sensible. Cette sous-estimation des besoins provient de la méconnaissance par le Haut Commandement du rôle que l'aviation devait être appelée à jouer dans un conflit moderne.

Cette erreur de doctrine de la part de ceux qui avaient pour charge de penser et de préparer la guerre est à l'origine de notre infériorité aérienne ; elle en est la cause profonde. […]

Or, c'est précisément dans ce domaine de l'emploi des chars et de la combinaison des moyens aéro-mécaniques que les Allemands ont opéré, sur le plan tactique, une véritable révolution.

Non seulement à la méthode des chars disséminés par petits paquets, ils ont substitué celle de l'emploi des chars groupés en masse de manœuvre, mais, surtout, ils ont substitué l'action d'une aviation spéciale — aviation d'assaut et de bombardement en piqué — à celle de l'artillerie pour ouvrir la voie aux chars et accompagner leur progression.

Du même coup, ils ont libéré les chars de toutes les servitudes que comporte la mise en œuvre d'une action d'artillerie (approvisionnement de la position, mise en batterie) et des retards successifs qu'engendre le renouvellement d'une telle action.

Les percées profondes effectuées par les blindés allemands n'ont été possibles que parce qu'ils étaient dotés d'une artillerie volante permettant, à tout moment de leur progression, une action aérienne instantanée contre les obstacles qu'ils rencontraient.

Rien de semblable n'avait été prévu par le commandement français dont les conceptions n'avaient guère varié depuis la guerre de 1914-1918. […]

J'en ai terminé. Je me résumerai, si vous le voulez bien, en quelques mots.

Jusqu'en 1934, il n'y a pas eu en France de réarmement aérien ; la France vit sur sa victoire.

Aussi bien ce n'est, vous vous en souvenez, que le 17 avril 1934, à la suite de l'envoi de la note Barthou, que la France décide de pourvoir désormais à sa sécurité par ses moyens propres.

À la suite de cette note, le général Denain a le grand mérite, en juillet 1934, de déposer le premier plan de réarmement aérien, le plan I. Mais il a le tort de ne pas doter les usines de l'outillage nécessaire à la construction des avions et place d'abord les commandes. De ce fait, ce n'est qu'avec de grands retards que le plan Denain est exécuté.

En 1936, M. Pierre Cot fait approuver, au mois d'août, le plan de renouvellement quinquennal, mais, faute de nouveaux prototypes permettant de renouveler effectivement la flotte aérienne, il a dû transformer ce plan de renouvellement quinquennal en une rallonge au plan Denain. [...]

En 1937, l'état-major de l'Air propose, devant le Comité permanent, un plan de renforcement des moyens de défense aérienne, le plan n° III, et ensuite un plan de renforcement de l'armée de l'air, le plan n° IV. Mais, devant le Comité permanent qui en est saisi, M. Pierre Cot déclare lui-même que la réalisation de ces plans lui paraît impossible dans l'état de l'économie française.

De sorte que ce n'est qu'en 1938, après que j'aurai fait approuver le plan V, qu'on arrivera enfin à exhausser la capacité de l'industrie au niveau de nos besoins. Cet exhaussement n'aura pas son effet en 1938, mais seulement sur les sorties de 1939 et 1940.

En 1939, pour la première fois, le matériel moderne sort en série : 100 avions en janvier, 300 en septembre.

Cependant, ce matériel est conçu en fonction d'une doctrine périmée, exception faite de l'aviation de chasse. Il n'est pas adapté aux procédés de combat modernes que met en œuvre l'Allemagne : bombardement en piqué et bombardement d'assaut. C'est ce qui explique que le général Vuillemin ait pu déclarer que, pendant tout le cours de la bataille de France, l'aviation française avait été employée dans des «missions de sacrifice».

4. « Il faut que la défense de la France soit française »
(1959)

L'idée d'indépendance est au cœur de la construction gaullienne. Elle conditionne aussi bien les choix institutionnels du fondateur de la Ve République que ses conceptions en matière économique et financière, le désir qu'il a de maintenir et renforcer la cohésion sociale en poussant à la « participation », à l'association du « capital » et du « travail », et surtout elle se fonde à ses yeux sur le contrôle par la France de son outil militaire.

Dès le 3 novembre 1959, dans une allocution prononcée à l'École militaire, le général expose sa conception de l'Alliance et de ce que doit être la position de la France en regard de ses partenaires occidentaux, à commencer par les États-Unis. Déjà, au moment où il prononce les paroles rapportées ici, il a en tête ce qui va devenir la doctrine stratégique de la France, à savoir une dissuasion assurée par elle-même et dont il va s'avérer de plus en plus évident au cours des années suivantes qu'elle s'inscrit dans une autre logique que celle du Pentagone.

Trois mois plus tard, la première bombe atomique française sera expérimentée avec une pleine réussite à Reggane, au Sahara, première étape de la mise en œuvre d'une force de frappe nucléaire considérée par De Gaulle comme le fondement même de *l'indépendance de la nation. « Hourra pour la France ! — câble-t-il le jour même à Pierre Guillaumat, ministre des Armées et responsable de l'opération "Gerboise bleue" — Depuis ce matin elle est plus forte et plus fière. Du fond du cœur, merci à vous et à ceux qui ont, pour elle, apporté ce magnifique succès. »*

Source : Exposé prononcé par le général de Gaulle au Centre des Hautes études militaires, 3 novembre 1959, *L'Année politique, 1959*, Paris, PUF, 1960, pp. 631-633.

Bibliographie : J. Doise, M. Vaïsse, *Diplomatie et outil militaire, 1871-1969*, Paris, Imprimerie nationale, 1987, rééd. Points-Seuil, 1991 ; L. Ruehl, *La Politique militaire de la Ve République*, Paris, Presses de la FNSP, 1976 ; *L'Aventure de la bombe*, Paris, Institut Charles de Gaulle, 1985 ; A. Martin-Pannetier, *La Défense de la France*, Paris, Lavauzelle, 1985.

IL FAUT QUE LA DÉFENSE de la France soit française. C'est une nécessité qui n'a
[…] pas toujours été très familière au cours de ces dernières années. Je le sais. Il est indispensable qu'elle le redevienne. Un pays comme la France, s'il lui arrive de faire la guerre, il faut que ce soit sa guerre. Il faut que son effort soit son effort. S'il en était autrement, notre pays serait en contradiction avec tout ce qu'il est depuis ses origines, avec son rôle, avec l'estime qu'il a de lui-même, avec son âme. Naturellement, la défense française serait, le cas échéant, conjuguée avec celle d'autres pays. Cela est dans la nature des choses. Mais il est indispensable qu'elle nous soit propre, que la France se défende par elle-même, pour elle-même et à sa façon.

S'il devait en être autrement, si on admettait pour longtemps que la défense de la France cessât d'être dans le cadre national et qu'elle se confondît, ou fondît, avec autre chose, il ne serait pas possible de maintenir chez nous un État. Le gouvernement a pour raison d'être, à toute époque, la défense de l'indépendance et de l'intégrité du territoire. C'est de là qu'il procède. En France, en particulier, tous nos régimes sont venus de là. […]

Quant au commandement militaire, qui doit avoir la responsabilité incomparable de commander sur les champs de bataille, c'est-à-dire d'y répondre du destin du pays, s'il cessait de porter cet honneur et cette charge, s'il n'était plus qu'un élément dans une hiérarchie qui ne serait pas la nôtre, c'en serait fait rapidement de son autorité, de sa dignité, de son prestige devant la nation et, par conséquent, devant les armées.

C'est pourquoi la conception d'une guerre et même celle d'une bataille dans lesquelles la France ne serait plus elle-même et n'agirait plus pour son compte avec sa part bien à elle et suivant ce qu'elle veut, cette conception ne peut être admise. Le système qu'on a appelé « intégration » et qui a été inauguré et même, dans une certaine mesure, pratiqué après les grandes épreuves que nous avions traversées, alors qu'on pouvait croire que le monde libre était placé devant une menace imminente et que nous n'avions pas encore recouvré notre personnalité nationale, ce système de l'intégration a vécu.

Il va de soi, évidemment, que notre défense, la mise sur pied de nos moyens, la conception de la conduite de la guerre, doivent être pour nous combinées avec ce qui est dans d'autres pays. Notre stratégie doit être conjuguée avec la stratégie des autres. Sur les champs de bataille, il est infiniment probable que nous nous trouverions côte à côte avec des alliés. Mais, que chacun ait sa part à lui !

Voilà un point capital que je recommande à vos réflexions. La conception d'une défense de la France et de la Communauté qui soit une défense française, cette conception-là doit être à la base de la philosophie de vos centres et de vos écoles.

La conséquence, c'est qu'il faut, évidemment, que nous sachions nous pourvoir, au cours des prochaines années, d'une force capable d'agir pour notre compte, de ce qu'on est convenu d'appeler une « force de frappe » susceptible de se déployer à tout moment et n'importe où. Il va de soi qu'à la base de cette force sera un armement atomique — que nous le fabriquions ou que nous l'achetions — mais qui doit nous appartenir. Et, puisqu'on peut détruire la France, éventuellement, à partir de n'importe quel point du monde, il faut que notre force soit faite pour agir où que ce soit sur la terre.

5. Décret du 14 janvier 1964
relatif aux forces aériennes stratégiques

Quatre ans seulement après l'explosion expérimentale de Reggane, les Forces aériennes stratégiques (FAS), qui constituent la première composante de la force de dissuasion (en attendant les sous-marins nucléaires porteurs de missiles mer-sol MSBS et les engins SSBS entreposés au plateau d'Albion), sont opérationnelles. En 1967, elles comporteront 62 appareils Mirage IV, construits par la société Marcel Dassault, répartis en neuf bases aériennes reliées au poste de commandement de Taverny et capables de transporter des bombes A de 60 kilotonnes chacune.

Le décret 64-46 du 14 janvier 1964 fixe, dans son article 5, le processus d'engagement de ces Forces aériennes stratégiques, les faisant relever d'un ordre direct du président de la République. Désormais élu au suffrage universel, celui-ci détient donc l'autorité suprême pour décider, en cas d'agression majeure contre la France, de l'emploi de l'arme atomique. Il se trouve ainsi placé au centre du processus de dissuasion sur lequel repose la sécurité du pays.

Source : Décret 64-46 du 14 janvier 1964 relatif aux forces aériennes stratégiques, *Journal officiel, Lois et décrets*, 15 janvier 1964.
Bibliographie : S. Cohen, *La Monarchie nucléaire*, Paris, Hachette, 1986 ; S. Cohen, *La Défaite des généraux. Le pouvoir politique et l'armée sous la Ve République*, Paris, Fayard, 1994.

ARTICLE PREMIER — La mission, l'organisation et les conditions d'engagement des forces aériennes stratégiques sont arrêtées en Conseil de défense.

ART. 2 — Le Premier ministre assure l'application des mesures générales à prendre en vertu de ces décisions.

Le ministre des Armées est responsable de l'organisation, de la gestion et de la mise en condition des forces aériennes stratégiques et de l'infrastructure qui leur est nécessaire.

À ce titre, le commandant des forces aériennes stratégiques relève directement du ministre des Armées.

ART. 3 — Le commandement des forces aériennes stratégiques est exercé par un officier général du corps des officiers de l'air.

Art. 4 — Dans le cadre des décisions prises en Conseil de défense et des directives du ministre des Armées, le commandant des forces aériennes stratégiques :
— participe aux études relatives à la définition et à l'emploi des forces aériennes stratégiques ;
— prépare le plan d'opérations ; il établit à cet effet le bilan des moyens nécessaires à sa réalisation ;
— prépare les forces à leur mission ;
— participe à l'établissement des programmes d'essais et d'expérimentation du matériel.
Art. 5 — Le commandant des forces aériennes stratégiques est chargé de l'exécution des opérations de ces forces sur ordre d'engagement donné par le président de la République, président du Conseil de défense et chef des armées.
Art. 6 — Le commandant des forces aériennes stratégiques dispose d'un état-major et de moyens de commandement dont la composition est fixée par arrêté.

Les moyens aériens qui lui sont affectés et sur lesquels il exerce son commandement sont constitués en un groupement d'unités aériennes spécialisées dont la composition, l'organisation et le fonctionnement sont fixés par instruction particulière. [...]

Fait à Paris le 18 juillet 1964
Par le président de la République : Charles de Gaulle.
Le Premier ministre : Georges Pompidou.
Le ministre des Armées : Pierre Messmer.

6. Les principes de la dissuasion

Jusqu'au milieu de la décennie 1970, la doctrine stratégique française est fondée sur le principe de la dissuasion associé à la notion de « représailles massives », au choix de frappes « anti-cités » en cas de conflit nucléaire et au dogme de la sanctuarisation du territoire national.

Critiquant en 1964 dans la Revue de la défense nationale *la nouvelle doctrine américaine de la riposte flexible, le général Ailleret écrivait : « La dissuasion réciproque entre les blocs occidental et soviétique résulte de l'action nucléaire immédiate qui pourrait être consécutive à une agression. C'est cette action qui reste le meilleur gage de l'élimination de la guerre extérieure comme moyen de la politique. »*

Autrement dit, il s'agit d'appliquer classiquement la doctrine qui a fait les beaux jours des stratèges américains durant la phase la plus aiguë de la guerre froide, à savoir celle des « représailles massives ». Vue d'Europe, toute autre hypothèse s'avère à la fois peu crédible et éminemment dangereuse pour la survie du vieux continent. Peu crédible en ce sens qu'on ne voit pas très bien comment les Américains pourraient, en cas de conflit avec l'URSS, prendre le risque d'une riposte nucléaire à une attaque soviétique effectuée sur leur propre territoire pour défendre l'Europe en usant d'une première salve d'engins stratégiques. Dangereuse et même mortelle parce qu'en supposant qu'ils le fassent après avoir franchi les diverses étapes de l'« escalade », le déclenchement en Europe d'une guerre nucléaire généralisée ne pourrait avoir d'autre effet que la destruction assurée de cette partie du monde. L'Europe, et avec elle la France, deviendraient ainsi — l'expression est du général Gallois — le « terrain de parcours » des deux Grands, et c'est contre cette éventualité sinistre que se développe un discours _stratégique qui rejette la riposte flexible et fonde sa logique sur le principe de la « dissuasion du faible au fort »._ Dans un ouvrage publié en 1960, le général Pierre Gallois _en expose les principes et les vertus._

Source : Général Pierre M. Gallois, _Stratégie de l'âge nucléaire_, Paris, Calmann-Lévy, 1960, pp. 171-180.
Bibliographie : R. Girardet, _Problèmes militaires et stratégiques contemporains_, Paris, Dalloz, 1988 ; P. Boniface, _Vive la bombe !_, Paris, Édition 1992 ; Général Charles Ailleret, _L'Art de la guerre et la technique_, Paris, Lavauzelle, 1950.

S I L'AGRESSEUR POTENTIEL était persuadé qu'en attaquant le premier les objectifs vitaux de sa victime, il ne paralyserait point sa réaction, que, même dans le désarroi de la surprise et des dévastations, le pays ainsi atomisé lancerait néanmoins ses forces nucléaires en représailles et, qu'en somme, en pressant sur le bouton de l'attaque, l'agresseur actionnerait aussi la détente de la riposte, alors il lui faudrait renoncer à la force et la stratégie de dissuasion aurait atteint ses objectifs.

On admettra qu'une telle politique de sécurité sera d'autant plus efficace que les moyens militaires sur lesquels elle est fondée seront moins dépendants de l'opinion publique. Peut-on imaginer un peuple d'Europe occidentale qui, ainsi attaqué, serait néanmoins unanime pour riposter atomiquement quitte à s'attirer d'effroyables représailles ? À tous n'apparaîtra-t-il pas plus sage et plus rationnel d'accepter la perte des quelques agglomérations déjà atomisées et de négocier pour sauver le reste ? À quoi servirait une riposte nucléaire qui ne pourrait priver l'adversaire des moyens d'achever son œuvre de destruction ? À quoi bon raser certaines de ses cités si, décidé à venger ces destructions, il écrasait alors le pays ayant riposté à coups de massue thermonucléaire ? La raison commanderait que l'on rengaine les mégatonnes et que l'on discute d'un nouveau _modus vivendi_, la politique de dissuasion ayant alors totalement échoué. Et le recours à la négociation serait d'autant plus logique, plus probable, que la disproportion des forces serait plus grande entre l'assaillant et l'assailli.

Placée sur ce terrain, la stratégie de dissuasion ne peut conserver son efficacité ni avoir le moindre effet sur un adversaire déterminé. Subordonnée à la discussion des membres du gouvernement, voire au consentement de l'opinion, la représaille serait paralysée. La probabilité qu'elle soit décidée serait très faible et l'agresseur pourrait accepter le maigre risque correspondant. Par contre, s'il était probable, voire seulement plausible, que la riposte soit automatiquement déclenchée s'il y avait agression, alors l'assaillant devrait accepter le risque correspondant. Sans doute renoncerait-il à l'épreuve de force. [...]

L'analyse montre qu'en matière de destruction tout dépend de la nature des objectifs choisis par celui qui riposte. Il est vraisemblable que quelques dizaines de projectiles ou de charges thermonucléaires suffiraient à «casser» la structure politique et sociale d'un grand pays moderne et centralisé. Pareilles destructions auraient, en outre, d'incalculables conséquences sur la faculté qu'aurait ensuite le pays atomisé d'intervenir dans les affaires du monde. [...]

L'agression atomique devrait conférer à celui qui s'y résout de bien considérables avantages pour les payer d'un tel prix.

C'est pourquoi, à partir du moment où elle est dirigée contre le système démographique de l'adversaire, la menace de représailles thermonucléaires prend tout son sens et acquiert une réelle force dissuasive. À l'agresseur potentiel, il apparaîtra d'autant plus plausible que le pays qu'il entend subjuguer brandisse cette menace qu'elle est plus facile à matérialiser. Et, à l'âge des missiles balistiques à charges thermonucléaires, le système d'objectifs constitué par l'habitat demeure le plus facile à anéantir.

© P. M. Gallois

7. Raymond Barre au camp de Mailly :
pour une dissuasion élargie
(1977)

Après l'élection de Valéry Giscard d'Estaing à la présidence de la République, la doctrine gaullienne en matière de dissuasion a été adaptée aux nouvelles conditions de la situation en Europe, ainsi qu'aux changements intervenus du fait de la sophistication et de la diversification des armes nucléaires stratégiques et tactiques, mais elle n'a pas été abandonnée. Au tout début de son mandat, le chef de l'État a certes marqué quelque hésitation, parlant de défense « autonome », envisageant d'interrompre les essais nucléaires dans l'atmosphère à Mururoa, s'efforçant de relever le seuil d'utilisation de la dissuasion en soulignant que l'arme atomique ne devait être employée que contre une puissance dotée des mêmes armes. Mais, dès 1975, le non-retour dans l'OTAN était solennellement réaffirmé, de même que l'indépendance de la force de dissuasion. Ceci toutefois dans une perspective nouvelle qui n'était plus tout à fait celle de la « sanctuarisation » du seul territoire national, encore que, sur ce point, Valéry Giscard d'Estaing ait dû tenir compte des fortes résistances de l'opposition et du parti gaulliste.

En juin 1976, le général Méry, chef d'état-major des armées, avait dans un article très controversé de la Revue de la défense nationale, *évoqué avec prudence l'éventualité d'une participation de la France à la « bataille de l'avant », autrement dit à une intervention aux côtés de ses alliés dans l'hypothèse d'une attaque soviétique dirigée contre l'Allemagne fédérale. Cela impliquait une sorte d'automaticité de l'intervention française en cas d'agression contre un pays ami et voisin qui n'était nullement dans l'esprit des doctrinaires du « tout ou rien », jusqu'alors maîtres du jeu en matière de dissuasion nucléaire. Dans la polémique qui avait suivi, le chef de l'État s'était prononcé dans le même sens, estimant comme le général Méry que la menace contre les « intérêts vitaux » de la France ne se limitait pas aux frontières de l'Hexagone, et substituant en quelque sorte à la doctrine établie celle de la « sanctuarisation élargie ». Mais il ne put guère aller plus loin. Parlant, en juin 1977, au camp de Mailly, le Premier ministre Raymond Barre dut se contenter d'expliquer que le concept de dissuasion s'appliquait « à la défense de nos intérêts vitaux, c'est-à-dire essentiellement à notre territoire national, cœur de notre existence en tant que nation, mais également à ses approches, c'est-à-dire aux territoires voisins et alliés ».*

Source : Discours de M. Raymond Barre au camp de Mailly, 18 juin 1977, cité in *La Politique de défense de la France. Textes et documents*, présentation de Dominique David, Paris, FEDN, 1989, pp. 245-254.

Bibliographie : X-Défense, *La Paix nucléaire en question. Stratégie et technologie*, Paris, FEDN, 1989 ; L. Poirier, *Des stratégies nucléaires*, rééd. Bruxelles, Complexe, 1988.

[…] **P**OUR ASSURER, par une dissuasion efficace, la sécurité de nos intérêts vitaux, il nous faut aussi des forces conventionnelles et des forces nucléaires tactiques. Car, contrairement à certaines assertions, notre politique de défense n'est pas, et n'a d'ailleurs jamais été, celle du « tout ou rien », pour l'excellente raison qu'une telle stratégie ne peut et n'a jamais pu être considérée comme efficace.

Il existe en effet, de toute évidence, même s'il n'est ni possible ni surtout souhaitable de la définir de façon précise, un seuil de crédibilité, ou pour le dire autrement, un niveau d'agression en dessous duquel le recours à la force nucléaire stratégique ne peut être crédible. […]

C'est là qu'intervient le rôle dissuasif fondamental de l'atome tactique que vous avez, messieurs, l'honneur de servir. Son existence montre en effet à celui qui aurait l'intention de nous attaquer que, même s'il le faisait à un très bas niveau, bien en dessous du seuil de crédibilité de la force nucléaire stratégique, nous pourrions, en cas de difficultés, passer aussitôt au nucléaire, avec toutes les pertes et surtout les risques d'engrenage irréversible de la violence qui en découleraient. […]

On voit donc que, pour nous, l'atome tactique est d'abord et surtout une arme de dissuasion, au même titre que les autres, depuis nos missiles stratégiques jusqu'aux fusils de nos fantassins ; et qu'il serait, en second lieu, si par extraordinaire la nécessité s'en faisait sentir, une arme de dernier avertissement.

Mais son existence dans notre arsenal ne signifie nullement que nous accepterions une bataille classique et nucléaire tactique prolongée. Bien au contraire, nous refusons totalement cette éventualité. C'est pourquoi le nombre de nos armes nucléaires tactiques est et restera limité.

Telles sont, messieurs, les données fondamentales du concept de défense de nos intérêts vitaux par la dissuasion. Elles n'ont pas changé et il n'y a pas de raison qu'elles changent.

Il ne s'agit ni du « tout ou rien », ni d'une sorte de dissuasion « à double détente » avec « restauration », par le combat, d'une « dissuasion » qui serait en fait déjà compromise dès lors que ce combat aurait éclaté à quelque niveau que ce soit.

Il s'agit au contraire d'un concept réaliste de dissuasion à tous les niveaux.

Il tend à empêcher *a priori* le déclenchement de toute agression extérieure contre nos intérêts vitaux, quelles que soient la forme et l'importance de l'agression ou la puissance de l'agresseur.

Toutes nos forces, forces nucléaires stratégiques, forces nucléaires tactiques et conventionnelles, participent, au même titre, à la dissuasion et doivent, de ce fait, être en permanence prêtes à la bataille afin que celle-ci n'éclate jamais.

Ce concept de dissuasion s'applique à la défense de nos intérêts vitaux, c'est-à-dire essentiellement à notre territoire national, cœur de notre existence en tant que nation, mais également à ses approches, c'est-à-dire aux territoires voisins et alliés. Car il est bien évident que si tous ces territoires, à l'exception du nôtre, tombaient entre les mains d'un agresseur, nos jours seraient inévitablement comptés. De même que si un conflit éclatait sur l'un de ces territoires, il ne tarderait pas, compte tenu des distances, à déborder chez nous.

Certes, l'application de ce concept aux territoires de nations souveraines appartenant à une alliance dont nous sommes membres à part entière, mais appartenant aussi à une organisation intégrée à laquelle nous n'appartenons pas et dont le concept de dissuasion est sensiblement différent du nôtre, pose inévitablement des problèmes d'adaptation et, pour le cas où nous déciderions d'agir ensemble, des problèmes de coordination. Ces problèmes sont étudiés, aujourd'hui, comme ils l'étaient hier au temps du général de Gaulle, au niveau des états-majors.

Mais les Français peuvent être certains que, quoi qu'il arrive, les décisions d'emploi des troupes et des armes françaises resteront entre les mains du président de la République et du gouvernement français et seront prises en fonction de l'intérêt supérieur de la France et des Français.

8. La « nouvelle ligne Maginot »

C'est également à une critique de la doctrine du « tout ou rien » que se livre le socialiste Gilles Martinet dans les colonnes du Nouvel Observateur, *en juin 1980. Pour cet ancien « neutraliste », adversaire en 1949 de l'adhésion de la France à l'Alliance atlantique, l'application à la lettre du principe de la sanctuarisation absolue ne peut qu'encourager les Soviétiques à imposer à la France, et à d'autres pays européens, un processus de « finlandisation » devenu d'autant plus crédible que l'Europe de l'Ouest se trouve désormais sous la menace directe de leurs SS 20.*

Source : Gilles Martinet, « La nouvelle ligne Maginot », *Le Nouvel Observateur*, 16 juin 1980.
Bibliographie : G. Parmentier, *Le Retour de l'Histoire. Stratégie et relations internationales pendant et après la guerre froide*, Bruxelles, Complexe, 1993.

[...]L ES EUROPÉENS veulent la sécurité mais ils ne veulent pas entendre parler du prix qu'ils auraient à payer pour l'assurer eux-mêmes. Ils réservent à leurs dépenses militaires un pourcentage de leur revenu national trois fois inférieur à celui que les Soviétiques — avec une population égale, une industrie moins puissante et, par conséquent, un niveau de vie beaucoup plus bas — consacrent à leur propre budget militaire. Le résultat est que les forces armées de l'Europe occidentale sont très inférieures à celles de l'Union soviétique.

Alors, que faut-il proposer, prévoir ? La dissuasion atomique française, nous dit-on... Et d'opposer à toute idée de « riposte graduée » le déchaînement de l'apocalypse, le feu nucléaire national frappant non point des concentrations de troupes ou des nœuds de communication mais des villes avec leur population. Notre menace concernerait non plus des millions mais des dizaines de millions d'hommes et de femmes. Le RPR a tout récemment insisté sur ce choix, à ses yeux fondamental. Mais s'agit-il vraiment d'un choix ?

Car l'on confond deux situations différentes : celle où la France déciderait de se tenir en dehors d'un conflit mondial et celle où elle jugerait de son devoir d'y participer. Dans le premier cas, on peut effectivement pratiquer la politique du « sanctuaire ». C'est en fonction de cette hypothèse qu'un certain nombre de membres de l'opposition, dont je suis, se sont ralliés au principe de l'armement atomique, à une époque où l'engagement américain au Viêt-nam pouvait nous entraîner dans un conflit dont nous ne voulions pas. Un pays qui n'entend pas sacrifier son indépendance doit toujours conserver sa liberté de décision.

Il existe, cependant, une autre hypothèse et qui est au moins aussi vraisemblable : celle où les dirigeants soviétiques, qui souhaitent ne pas avoir à affronter un conflit mondial mais qui peuvent mettre à profit leur actuelle supériorité militaire pour étendre leur zone d'influence, chercheraient à imposer à un ou plusieurs pays européens un processus de « finlandisation ». La France, dans ce cas, romprait-elle toute solidarité à l'égard des nations menacées ? Imaginerait-elle pouvoir acheter sa tranquillité au prix d'un abandon de ses partenaires européens ? Cela aussi peut se concevoir, mais la question ne doit pas être éludée.

J'ai moi-même fait partie, il y a trente ans, de cette petite minorité qui, pour des raisons très différentes de celles qui animaient un Parti communiste alors ouvertement et totalement stalinien, souhaitait que la France ne signât pas le pacte Atlantique. Nous rêvions d'une Europe qui ne fût ni russe ni américaine. À l'époque, on ne nous prêtait pas beaucoup de « réalisme »... En aurions-nous davantage aujourd'hui si nous reprenions les positions du neutralisme en les réduisant aux dimensions de l'Hexagone ? [...] Compte tenu de ce qu'est aujourd'hui la situation de la France en Europe et dans le monde, je ne le pense pas. J'observe, en tout cas, que les quatre grands partis politiques français se déclarent tous partisans du maintien de notre pays dans l'Alliance atlantique. C'est bien la preuve que la fameuse dissuasion atomique dont ils acceptent également le principe ne répond pas à tous les problèmes. [...]

Dès lors, pourquoi établir une distinction aussi tranchée entre les armes nucléaires stratégiques (réputées bonnes pour la France) et les armes tactiques (qui seraient le symbole de notre inféodation aux États-Unis) ? Ou bien nous excluons toute participation à une guerre de coalition (or une guerre européenne est nécessairement une guerre de coalition), ou nous ne l'excluons pas. Dans ce dernier cas, pourquoi priver notre armée de certains moyens et en réserver le monopole aux Américains ? Pourquoi faire prendre à notre industrie militaire des retards qu'il lui sera très difficile de rattraper ? Pourquoi la bombe à hydrogène et pas la bombe à neutrons ?

Je retrouve chez certains théoriciens de la dissuasion un dogmatisme et un irréalisme qui me rappellent ceux des partisans de la ligne Maginot. Celle-ci aurait pu servir de base de départ à des opérations de grande envergure. Mais on la limitait à son seul rôle défensif : elle ne faisait alors que créer une fausse sécurité. Elle constituait en même temps un « signal » involontaire dont les Allemands surent profiter. Tant que les Français se tenaient derrière leur ligne fortifiée, il n'y avait aucun risque à attaquer la Pologne. Je crains que les déclarations sur l'utilisation _exclusive_ de l'arme atomique française soient également perçues comme un « signal », mais _cette fois par l'état-major soviétique_. Si les Français s'en tiennent au « tout ou rien », cela signifie qu'ils ne feront _rien_ dans le cas où certains événements se produiraient en Allemagne. On comprend pourquoi Georges Marchais s'est aussi aisément fait le défenseur de la théorie d'une dissuasion atomique purement française !

Cette théorie, je le répète, ne résiste pas à l'hypothèse d'une guerre générale à laquelle nous estimerions devoir participer.

9. Retour à l'OTAN ?

La France a quitté en juillet 1966 les organismes intégrés de l'OTAN. Elle restait membre de l'Alliance atlantique, mais elle refusait de prolonger l'intégration de ses forces dans une organisation supranationale que le général de Gaulle jugeait inadaptée aux nouvelles conditions du système international. Depuis cette date, mais surtout après chaque changement de majorité ou de président de la République, on s'est demandé si les nouveaux décideurs allaient ou n'allaient pas rentrer, directement ou indirectement, dans le giron de l'organisation intégrée. Il y eut des gestes en ce sens, notamment au début du septennat de Valéry Giscard d'Estaing, mais ils n'aboutirent jamais à remettre en cause la démarche de 1966, ne serait-ce que parce qu'une décision en ce sens eût été difficilement compatible avec les principes de la dissuasion à la française.

Depuis deux ans, les choses ont quelque peu changé. Dans un contexte international entièrement renouvelé depuis que l'URSS a disparu et que la guerre froide est finie, les dirigeants politiques — et plus que d'autres, paradoxalement, Jacques Chirac, en principe héritier de l'orthodoxie gaullienne — ont fait quelques pas en direction de l'OTAN, préfiguration peut-être, au moment où la France abandonne la conscription, d'un retour dans l'organisation nord-atlantique. C'est ce qu'explique dans l'article ci-dessous l'ancien ambassadeur François de Rose.

Source : «France-OTAN : la fin du désamour ?», *Politique internationale*, printemps 1996, pp. 81-88.
Bibliographie : F. de Rose, *La Troisième Guerre mondiale n'a pas eu lieu : l'Alliance atlantique et la paix*, Paris, Desclée de Brouwer, 1995 ; Th. Garcin, *L'Avenir de l'arme nucléaire*, Paris, Bruylant, 1995.

L A NOUVELLE POLITIQUE de notre gouvernement à l'égard de l'Alliance atlantique va bien au-delà d'un simple rapprochement entre les structures militaires françaises et celles de l'OTAN. Replacée dans le contexte des déclarations du président de la République du 22 février 1996, elle s'inscrit dans la vision d'une refonte complète de la politique de défense de notre pays à l'horizon du prochain siècle.

Le respect quasi religieux du dogme républicain de la conscription, ainsi que le maintien d'une stratégie réputée gaullienne, qui confinait nos forces armées dans le rôle de valet d'arme et de détonateur de l'arme nucléaire, ont retardé pendant au moins une décennie cette nécessaire remise à plat. Les réformes annoncées visent rien moins qu'à adapter nos forces à la situation géopolitique et géostratégique du continent, à la place que la France et l'Europe doivent y tenir, et à l'avenir des rapports entre Européens et Américains au sein de l'Alliance.

La sécurité de l'Europe dépend moins, désormais, de la puissance militaire de l'OTAN que de l'effacement de la menace que représentait la politique expansionniste de l'ex-URSS. La dissuasion nucléaire, clé de voûte de la responsabilité éminente des État-Unis, serait inadaptée au règlement, voire à la prévention des conflits qui pourraient éclater sur le Vieux Continent. L'hypothèse selon laquelle l'Europe pourrait être, à nouveau, le foyer de départ d'une conflagration mondiale est l'une des moins vraisemblables qui soient. [...]

Il nous faut aujourd'hui prévenir le pensable en préparant le faisable. Le pensable nous offre, en effet, chaque jour la preuve que notre continent peut connaître des conflits dont l'horreur et la barbarie ne le cèdent en rien à ce que nous avons enduré de pire dans un passé encore récent.

Ou bien la conscience populaire ne tolérera plus de tels faits, ou bien le cynisme et la résignation deviendront la loi de la société internationale. C'est sans doute parce que les autorités françaises ont conscience de cette alternative qu'elles ont décidé de se rapprocher des structures militaires de l'Alliance et qu'elles recherchent des formules susceptibles d'éviter aux puissances occidentales d'être paralysées, comme elles l'ont été dans la tragédie bosniaque, par les désaccords entre Européens, d'une part, et entre Européens et Américains, de l'autre. [...]

Pour ce qui la concerne directement, la France a décidé de participer au Comité militaire qui réunit les chefs d'état-major des pays membres. Décision logique dès lors que nos forces participent, sous le commandement de l'OTAN, aux opérations en Bosnie. Décision durable, également, car compte tenu de l'impuissance de l'ONU à faire respecter ses résolutions, il est probable qu'en cas de nouvelle menace pour la paix en Europe l'Alliance serait encore une fois sollicitée.

Selon la même logique, nous devrions réintégrer à part entière le Comité des plans de défense. Ce comité, qui siège au niveau des ministres, a été créé lors de notre sortie du système militaire intégré. Depuis 1950, en effet, et jusqu'en 1966, c'était le Conseil atlantique lui-même, avec participation conjointe des ministres des Affaires étrangères et de la Défense, qui exerçait la pleine responsabilité des décisions de l'Alliance dans les matières relevant des compétences de ces ministres.

Si l'Entité européenne de défense que nous appelons de nos vœux finit pas voir le jour, elle entraînera nécessairement notre participation statutaire. Avons-nous intérêt à attendre plutôt qu'à préparer les voies de ce retour ? Telle est la question à laquelle il faudra bien répondre.

Enfin, l'intervention en Bosnie, la plus grande opération militaire jamais menée par l'Alliance, s'est déroulée dans une région considérée, naguère, comme « hors zone » — un « hors zone » qui a désormais vocation à englober l'ensemble de l'Europe centrale et orientale. L'engagement actuel de l'Alliance montre qu'à l'avenir action politique et action militaire seront de moins en moins séparables. Si l'on rapproche ces considérations de l'annonce de la professionnalisation de nos forces et du développement de nos capacités de projection (qui nous permettront d'envoyer sur un théâtre extérieur jusqu'à 50 ou 60 000 hommes), ce serait nous priver d'un levier majeur sur la politique européenne que de ne participer qu'épisodiquement au Comité des plans de défense, alors que nous aurons peut-être les moyens d'intervention les plus importants des pays d'Europe de l'Ouest.

XXXIII

POLICE ET JUSTICE

Le souci de l'ordre public et celui de l'égalité de tous devant la loi — impliquant qu'en matière pénale le même traitement soit appliqué au puissant et au faible — déterminent très largement le rapport que le citoyen français entretient avec les pouvoirs et avec les structures administratives qui ont à charge de dire le droit et d'en faire respecter les règles. Or ces structures, relativement complexes et généralement mal connues du citoyen ordinaire, ont relativement peu évolué au cours du siècle. L'« ordre public » et la sécurité continuent d'être assurés par une armée de fonctionnaires (environ 200 000 à l'heure actuelle) auxquels sont dévolues les quatre tâches essentielles du « maintien de l'ordre » (police nationale dans les villes de plus de 10 000 habitants, gendarmerie dans les zones rurales), de la police judiciaire, des « renseignements généraux » et de la « sécurité du territoire ». L'organisation judiciaire reste fondée sur le double clivage du « civil » et du « pénal », du « siège » et du « parquet », et les tentatives de réforme qui ont été faites récemment pour remettre en cause le principe du « jury populaire », hérité de la Révolution française et lié au dogme du peuple souverain, ou pour assurer une plus grande indépendance des juges par rapport au pouvoir politique, ont suscité des réactions qui en disent long sur l'attachement de fait des Français à un système judiciaire dont ils ne se privent pas cependant de critiquer les insuffisances ou les excès.

Ce qui, en revanche, a fortement changé, ce sont les contenus des notions d'« ordre public », de « sécurité », voire de « délinquance », et c'est la sensibilité manifestée par le corps social tantôt en regard de la violence (globalement moins répandue qu'au début du siècle, mais plus difficilement tolérée), tantôt en matière de répression et de châtiment, encore que sur ce point l'évolution générale vers une plus grande humanisation du système pénal ne soit pas exclusive de résistances et de retours en arrière de la part d'une opinion sensibilisée aux effets déstabilisateurs et criminogènes de la crise par les médias et par des organisations politiques qui ont établi leur « fonds de commerce » sur le thème de l'insécurité.

Au milieu des années vingt, c'est le bagne de Cayenne qui est mis en cause par le journaliste Albert Londres : pas encore le principe du bagne, alors universellement admis par l'opinion comme tout aussi indispensable à la dissuasion du crime que la guillotine, mais la façon inhumaine avec laquelle il est appliqué en Guyane (texte n° 1). Un quart de siècle plus tard, Edmond Michelet plaide au nom de l'esprit de la Résistance pour une large amnistie en faveur des anciens vichystes et collaborationnistes condamnés à la Libération (texte n° 2) : cinq ans après les grands règlements de comptes des années noires, une voix s'élève pour dire qu'il n'y a pas de justice en démocratie sans pardon. Ni l'un ni l'autre de ces textes ne remettent cependant en cause le bien-fondé d'un système répressif dont on souhaite seulement corriger les excès et limiter dans le temps les effets ravageurs quant au maintien de la cohésion sociale. Au contraire, c'est à une remise en question radicale de l'institution carcérale — qui est au centre du dispositif pénitentiaire moderne — que se livre au milieu des années 1970 le philosophe Michel Foucault (texte n° 3), tandis qu'apparaissent dans le débat législatif des préoccupations nouvelles : celles, par exemple, qui ont trait à la pénalisation de la conduite en état d'ivresse (texte n° 4).

L'abolition de la peine de mort, à la suite de l'arrivée au pouvoir de la gauche en 1981 (texte n° 5), la réforme du code pénal et les tentatives faites pour humaniser la prison, pour éviter l'incarcération ou pour en réduire la durée lorsque le condamné est un mineur ou un délinquant primaire, et plus généralement pour limiter l'application des peines sévères aux délits graves, traduisent, de la part de la classe politique et des instances judiciaires, une volonté d'adaptation du système pénitentiaire au monde moderne qui n'est pas sans susciter des réactions hostiles dans l'opinion, face à ce qui apparaît, à tort ou à raison, comme une recrudescence de la violence (texte n° 6). D'autre part, des actes criminels qui étaient jusqu'à une date récente peu évoqués devant les tribunaux, quand ils n'étaient pas purement et simplement absous — comme le viol et la pédophilie —, sont aujourd'hui l'objet d'une attention et d'une rigueur particulières. Les crimes contre l'enfance constituent notamment pour nombre de nos contemporains le seuil de l'intolérable, au-delà duquel il ne peut y avoir — à défaut de la peine de mort réclamée par certains avec l'approbation d'une majorité de Français interrogés par les sondages — de peine compressible. De même qu'il ne peut y avoir de pardon, donc d'amnistie, pour les « crimes contre l'humanité » (texte n° 7).

L'évolution des mœurs, comme celle de la justice et du système pénitentiaire, se sont accompagnées d'un changement radical dans le recrutement des magistrats et dans leur rapport à la société, que symbolise par exemple, dans le droit fil du mouvement de mai-juin 1968, la création du syndicat de la magistrature (texte n° 8). Il n'en est pas tout à fait de même de la police pour une raison qui tient largement à l'usage que font de cette institution les responsables des pouvoirs publics, qu'il s'agisse de la police « politique », à laquelle les gouvernants ont fréquemment assigné des tâches peu compatibles avec la médiocrité des moyens mis à sa disposition (texte n° 9) et avec les idéaux de la démocratie, ou des éléments chargés du maintien de l'ordre public, le pouvoir établi ayant tendance à donner un sens extensif à cette notion en principe synonyme de « tranquillité publique » et de sécurité des citoyens. Depuis le début du siècle, des unités spécialisées de la gendarmerie et de la police nationale, mais aussi de simples « gardiens de la paix » chargés le reste du temps de missions pacifiques (circulation, information, surveillance des établissements publics, interventions diverses sur la voie publique) et de la lutte contre la délinquance, ont remplacé l'armée dans la répression des grèves et des manifestations de toute nature, qu'elles aient ou non un caractère subversif. Avec pour résultat des « bavures », voire à certains moments une véritable dérive fasciste de l'institution policière, qui s'est manifestée notamment lors de la guerre d'Algérie (texte n° 10), mais qui a le plus souvent été combattue avec vigueur et efficacité, par les dirigeants politiques, par les principaux responsables administratifs (texte n° 11), et par la masse des fonctionnaires de police, respectueux, dans leur immense majorité, de l'ordre républicain et des valeurs qui s'y rattachent.

1. Albert Londres contre le bagne de Cayenne

Dans cette « Lettre ouverte à Monsieur le ministre des Colonies » — en l'occurrence le radical Albert Sarraut, en charge de ce département ministériel entre 1920 et 1924 — Albert Londres, grand reporter au Petit Parisien, _dénonce l'inhumanité du bagne de Cayenne, en Guyane, et demande au ministre de «passer sur le corps de l'administration pénitentiaire»._

Né en 1884, Albert Londres a consacré la première partie de sa vie professionnelle à la poésie et au journalisme parlementaire. La Première Guerre mondiale, à laquelle il participe comme correspondant du Matin, _puis du_ Petit Journal, _sur les fronts européens et en Orient, va faire de lui un « grand reporter », successivement au_ Petit Journal, _à_ L'Excelsior, _au_ Quotidien _et enfin au_ Petit Parisien. _C'est dans cet organe de la grande presse parisienne, que dirige Pierre Dupuy et dont le rédacteur en chef est Élie-Joseph Bois, qu'il a connu avant la guerre à Lyon où il dirigeait_ Le Salut public, _qu'Albert Londres va publier à partir de 1923 des articles retentissants (Le Petit Parisien tire à 1,7 million d'exemplaires) dans lesquels il dénonce les injustices et les misères qu'il a pu constater lors de ses reportages sur les cinq continents. Le premier est consacré au bagne et comporte une description minutieuse et émouvante des épouvantables conditions de vie auxquelles sont soumis les condamnés aux travaux forcés dans l'enfer guyanais, avec, pour ceux dont la peine initiale dépasse dix ans, la quasi-certitude de ne jamais en revenir._

Envoyé en Chine en 1931 par Le Journal, _pour couvrir le conflit de Mandchourie, Albert Londres disparaît en mai 1932 sur le chemin du retour dans le naufrage du paquebot_ Georges-Philipar. _Restés très présents dans les mémoires et relayés par d'autres témoignages, ses articles sur le bagne de Cayenne ont fortement concouru à la fermeture progressive de cet établissement pénitentiaire entre 1936 et 1938._

Source : Albert Londres, «Lettre ouverte à Monsieur le ministre des Colonies», texte in _Œuvres complètes_, Paris, Arléa, 1992, pp. 96-97.

Bibliographie : P. Assouline, _Vie et mort d'un grand reporter (1884-1932)_, Paris, Balland, 1989 ; P. Mousset, _Albert Londres, l'aventure du grand reportage_, Paris, Grasset, 1970.

Monsieur le Ministre,
J'ai fini.

Au gouvernement de commencer.

Vous êtes un grand voyageur, M. Sarraut. Peut-être un jour irez-vous à la Guyane. Et je vois d'ici l'homme qui, en Indochine, a fait ce que vous avez fait. Vous lèverez les bras au ciel, et d'un mot bien senti tombera du premier coup votre réprobation.

Ce n'est pas des réformes qu'il faut en Guyane, c'est un chambardement général.

Pour ce qui est du bagne, quatre mesures s'imposent, immédiates :

1° La sélection.

Ce qui se passe aujourd'hui est immoral pour un État. Aucune différence entre le condamné primaire et la fripouille la plus opiniâtre. Quand un convoi arrive : allez ! tous au chenil, et que les plus pourris pourrissent les autres. Le résultat est obtenu, Monsieur le ministre. Il n'y faut pas un an.

2° Ne pas livrer les transportés à la maladie.

Et pour cela deux motifs. L'un intéressant le bon renom de la France : l'humanité ; l'autre l'avenir de la colonie : le rendement. Vous envoyez de la main-d'œuvre à la colonie et vous faites périr cette main-d'œuvre. Ne serait-ce que pour la logique, qui est l'une des manières de raisonner les plus appréciées de notre génie, il faut éloigner du bagne les fléaux physiques.

Rendre la quinine obligatoire.

Inventer un modèle de chaussures (puisqu'ils vendaient jadis celles qu'on leur donnait), chaussures qui seront sans doute infamantes, mais salutaires.

Nourrir l'homme non d'après le règlement, mais selon son estomac.

Tous vos médecins coloniaux vous diront que c'est là le premier pas.

3° Rétribution du travail.

Pour faire travailler un homme qui est nourri (peut-être cela changera-t-il au vingt-cinquième siècle, mais nous ne sommes qu'au vingtième), il faut au moins trois choses : l'appât d'une récompense, la crainte d'un châtiment exemplaire ou l'espoir d'améliorer sa situation.

Pour ce qui est du châtiment, nous ne pouvons mieux faire. Ce moyen, dans cette société-là, n'est donc pas efficace. Il vous reste les deux autres. Ainsi procèdent les bagnes américains. Le résultat est favorable.

4° Suppression du doublage[1] et de la résidence perpétuelle comme peines accessoires.

Si je ne vous ai pas prouvé, Monsieur le ministre, que les buts offerts à cette mesure n'ont pas été atteints, tout le monde vous le prouvera.

Le libéré ne s'amende pas mais se dégrade.

La colonie ne profite pas de lui, mais en meurt.

J'ai dit pourquoi. Vous le savez. À autre chose.

La main-d'œuvre ayant été remise en état, l'essentiel manquera encore : un plan de colonisation.

La Guyane est un Eldorado, mais on dirait que nous y débarquons d'hier. Depuis soixante ans, nous tournons et retournons autour d'une coquille qui renferme un trésor et nous n'osons pas briser cette coquille. [...]

Le pays n'est pas équipé parce que le directeur qui vient détruit le travail du directeur qui s'en va.

Les colonies ne sont pas faites pour MM. les très honorables gouverneurs et directeurs.

Une fois votre plan établi, Monsieur le ministre, vous direz à l'homme que vous aurez élu : Partez ! Les grands intérêts de la nation doivent être au-dessus des hasards qui souvent président au choix des exécutants. [...] Vous voilà, Monsieur le ministre, devant une reconstruction. Comme le terrain n'est pas libre, vous vous trouverez du même coup en face d'une démolition. Il faudra passer sur le corps de l'administration pénitentiaire.

Vous aurez beau câbler au gouverneur qu'il a toute autorité sur le directeur, cela n'empêchera pas le directeur d'être le gérant absolu des quatorze millions que vous lui envoyez chaque année pour ses bagnards.

Le gouverneur aura peut-être l'autorité, mais le directeur aura l'argent.

L'administration pénitentiaire est un corps trop étroit, vivant sur lui-même, recruté, en partie, sur place, avançant sur place.

---

1. Certaines condamnations impliquaient pour le condamné qu'à sa libération du bagne il dût être maintenu dans la colonie pour une durée égale à celle de la peine purgée.

Le directeur est un roi trop autonome et, sinon vous, du moins vos prédécesseurs ont pu voir des directeurs faire sauter des gouverneurs.

Le remède ? Il en est plusieurs : fusionner le corps de la Pénitentiaire avec celui des administrateurs coloniaux. On y gagnerait un élargissement de vues, et puisqu'il s'agit, avant tout, de faire rendre la colonie, on aurait des coloniaux et non des pénitentiaires. Du même coup, l'administrateur en chef tomberait dans la main du gouverneur, c'est-à-dire dans la vôtre. D'autres proposent de donner le bagne aux militaires. Le passé plaide pour leur thèse. La Guyane n'a travaillé que lorsqu'un colonel dirigeait tout. Cette idée vous paraîtra peut-être fort réactionnaire si toutefois aller de l'avant peut s'appeler revenir en arrière.

Et voici les hommes modernes :
Affermez le bagne à un gros industriel, à un homme d'affaires d'envergure. Et vous verrez le rendement.

Vous avez le choix, Monsieur le ministre et peut-être aussi votre idée. Nous l'attendons. [...]

© Arléa

2. Plaidoyer pour l'amnistie
(1950)

C'est en novembre 1950, sous le gouvernement présidé par René Pleven, que s'est posé pour la première fois depuis la Libération le problème de l'amnistie des condamnations prononcées à l'encontre des personnes jugées pour collaboration avec l'ennemi. Edmond Michelet qui, après avoir été l'un des dirigeants du mouvement de résistance Combat, _a été déporté à Dachau, avant d'être nommé par le général de Gaulle à la tête du ministère des Armées en 1945, est parmi les premiers à juger que les difficultés de la France et les périls que font courir à celle-ci les tensions consécutives au déclenchement de la guerre froide imposent à ses dirigeants d'accorder aux anciens égarés du régime vichyste et de la collaboration une large amnistie. Il y va selon lui de la nécessaire cohésion nationale, en même temps que du respect du pardon chrétien. Au moment où, après avoir défendu à la tribune de l'Assemblée nationale la cause de l'amnistie, il publie dans_ La Vie corrézienne _l'éditorial reproduit ci-dessous, Edmond Michelet ne fait plus partie du MRP, le mouvement démocrate-chrétien l'ayant exclu en 1947 à la suite de son adhésion à l'intergroupe « Pour une vraie démocratie », présidé par Jacques Vendroux, comme lui-même rallié au RPF._

À la différence du régime de Vichy, qui s'était arrogé par l'acte constitutionnel n° 2 du 11 juillet 1940 le pouvoir exclusif d'amnistier, celui-ci a été confié par la Constitution de 1946 au pouvoir législatif, émanation de la nation et arbitre des mesures d'apaisement social, le président de la République pouvant en outre faire adopter une loi d'amnistie au tout début de son septennat. Il faudra attendre la loi du 6 août 1953, votée sous le gouvernement présidé par Joseph Laniel, pour que soit adoptée l'amnistie partielle des condamnations prononcées après la Libération pour fait de collaboration. Par la suite les principaux textes d'amnistie adoptés sous la Vᵉ République concernent les délits commis entre le 1ᵉʳ mai et le 28 septembre 1958 (loi du 31 juillet 1959), ceux se rapportant à la guerre d'Algérie (décrets du 22 mars 1962 et la loi du 31 juillet 1968), aux événements de Corse (2 mars 1982) et aux troubles en Nouvelle-Calédonie *(lois du 31 décembre 1985, du 9 novembre 1988 et du 10 janvier 1990). Dans un autre registre, une loi d'amnistie — au demeurant très controversée — « relative à la limitation des dépenses électorales et à la clarification du financement des activités politiques » a été adoptée par les députés en janvier 1990.*

Source : Edmond Michelet, éditorial in *La Vie corrézienne*, 18 novembre 1950.

Bibliographie : J. Charbonnel, *Edmond Michelet*, Paris, Beauchesne, 1987 ; R. Letteron, « Le droit à l'oubli », *Revue du droit public et de la science politique en France et à l'étranger*, 1996, n° 2, pp. 385-424 ; S. Lefranc, *Le Pardon politique*, DEA, Histoire du XXe siècle, IEP Paris, 1995 ; S. Gacon, *L'Amnistie et la guerre d'Algérie*, DEA, Études politiques, IEP Paris, 1991.

UN JOURNAL issu de la Résistance écrivait ces jours derniers des lignes fort sévères sur les mornes débats parlementaires au cours desquels se discute interminablement la loi d'amnistie. Cette sévérité est amplement justifiée.

Jamais je n'ai autant ressenti la médiocrité et la lâcheté qui peuvent naître d'une Assemblée. Les uns consentent à pardonner, dit *Combat*, le journal en question, mais avec « amendements restrictifs ». Les autres veulent bien gracier, mais « à la loupe ». Tout cela est affreusement triste.

Pour dire les choses telles qu'elles sont, toute la confusion vient de l'attitude des socialistes. Une fois de plus, ils ont fait preuve de sectarisme toujours aussi virulent. Par ailleurs, la terreur de ne pas paraître aussi « avancés » que les communistes les a amenés à tourner le dos à toute leur tradition humanitaire.

Par-dessus le marché, comme pour mieux symboliser l'anarchie qui règne au sein du gouvernement et de sa majorité, nous venons d'assister à un spectacle invraisemblable. Contre la volonté de la commission de la Justice, le ministère vient de joindre les voix dont il dispose à celles des communistes et des socialistes pour accepter une disposition qui, en limitant étroitement aux seuls condamnés à dix ans d'indignité nationale le bénéfice de l'amnistie, rend cette dernière pratiquement inopérante. Le grand geste politique de réconciliation des Français aura ainsi été manqué.

Je ne parle que pour mémoire du scrutin qui a suivi la demande de six député anciens déportés, tendant à sortir de prison le vieux vainqueur de Verdun. Ce geste de simple élégance, d'humanité — qui ne voulait d'ailleurs pas remettre en question un verdict que, seule, maintenant, la sereine Histoire jugera —, ce geste, on le sait, n'a rencontré qu'une centaine d'approbations sur plus de six cents votants. Comme le disait pourtant très justement mon ami Louis Terrenoire, qui plaida la cause avec courage et talent, si, pour une fois, le monolithisme des groupes avait consenti à se laisser entamer par la conscience de chacun, ce geste d'apaisement aurait été adopté à une forte majorité. Mais l'esprit partisan l'a emporté sur la générosité du cœur…

Et cependant, devant les nuages qui s'amoncellent sur le sombre horizon d'un monde terriblement menaçant, combien s'avère indispensable l'union de tous les Français de bonne foi ! Non pas l'union dans la confusion, dans les arrière-pensées, mais l'union « réelle, sincère, fraternelle », comme la réclamait dès le lendemain de la Libération l'ancien condamné à mort de la cour martiale de Riom.

Devant un problème comme celui-là, les chrétiens de France doivent comprendre qu'ils ont un très grand rôle à jouer. Puisqu'ils ont pris une part très large à ce qu'on a appelé, d'un mot que certains ont abominablement sali, la Résistance, ils doivent imposer contre vents et marées l'esprit de cette même Résistance.

J'ose dire, ici, que cet esprit était à l'extrême opposé de la haine et de la vengeance. Et je ne crains pas d'en appeler au témoignage de tous nos morts. C'est d'une France maternelle pacifiée et réconciliée avec elle-même qu'ils rêvaient. Et non pas de je ne sais quelle marâtre, inhumaine et dure.

3. Surveiller et punir

Philosophe de formation et historien de goût et d'adoption, Michel Foucault a enseigné successivement aux universités de Clermont-Ferrand et de Tunis avant d'être élu en 1970 au Collège de France, à la chaire d'histoire de la pensée. Disciple de Merleau-Ponty et pendant une brève période de Louis Althusser, il a, dès le début des années 1960, acquis une certaine notoriété parmi ses pairs avec son Histoire de la folie à l'âge classique _(1961), confirmée en 1969 par la publication de_ L'Archéologie du savoir.

Dans Surveiller et punir, _paru chez Gallimard en 1975 — dont nous présentons le texte liminaire porté sur la quatrième de couverture —, Foucault décrit la « naissance de la prison ». Il voit dans l'enfermement pénal, introduit dans nos sociétés à la fin du XVIIIᵉ siècle, l'un des moyens par lesquels le pouvoir s'assure la maîtrise des individus, la discipline des prisons étant à ses yeux de même nature que celle pratiquée à l'armée, dans les ateliers, dans les hôpitaux et les asiles psychiatriques, ainsi que dans les collèges et les lycées. Il montre que, dans le monde contemporain, la prison sert moins à punir le délinquant qu'à l'isoler provisoirement du corps social avant de le réadapter. Du moins est-ce l'intention affichée par l'institution en charge de cette mission. Dans la réalité, elle demeure une « forme mixte d'assujettissement et d'objectivation » toujours appliquée à surveiller les corps et à faire œuvre d'« orthopédie sociale »._

En France, une commission de réforme des institutions pénitentiaires a effectivement formulé un certain nombre de principes dont le premier énonçait que « la peine a pour but essentiel l'amendement et le reclassement social du condamné », définition reprise à l'article 728 du Code de procédure pénale de 1958. La loi du 22 juin 1987 reformulera la mission du service public pénitentiaire en précisant qu'il « favorise la réinsertion des personnes qui lui sont confiées par l'autorité judiciaire » et « est organisé de manière à assurer l'individualisation des peines ». On a ainsi multiplié les mesures destinées à assortir la privation de liberté d'un correctif socio-éducatif dont l'efficacité est loin d'être démontrée.

Source : Michel Foucault, _Surveiller et punir_, Gallimard, « Bibliothèque des histoires », 1975, 4ᵉ de couverture.

Bibliographie : G. Deleuze, _Foucault_, Paris, Éditions de Minuit, 1986 ; D. Éribon, _Michel Foucault_, Paris, Flammarion, 1991 ; P. Perron, _La Prison et les droits de l'homme_, Paris, LGDJ, 1995.

P<small>EUT-ÊTRE</small> <small>AVONS-NOUS</small> <small>HONTE</small> aujourd'hui de nos prisons. Le XIXe siècle, lui, était fier des forteresses qu'il construisait aux limites et parfois au cœur des villes. Il s'enchantait de cette douceur nouvelle qui remplaçait les échafauds. Il s'émerveillait de ne plus châtier les corps, et de savoir désormais corriger les âmes. Ces murs, ces verrous, ces cellules figuraient toute une entreprise d'orthopédie sociale.

Ceux qui volent, on les emprisonne ; ceux qui violent, on les emprisonne ; ceux qui tuent, également. D'où vient cette étrange pratique et le curieux projet d'enfermer pour redresser, que portent avec eux les codes pénaux de l'époque moderne ?

Un vieil héritage des cachots du Moyen Âge ? Plutôt une technologie nouvelle : la mise au point, du XVIe au XIXe, de tout un ensemble de procédures pour quadriller, contrôler, mesurer, dresser les individus, les rendre à la fois «dociles et utiles». Surveillance, exercices, manœuvres, notations, rangs et places, classements, examens, enregistrements, toute une manière d'assujettir les corps, de maîtriser les multiplicités humaines et de manipuler leurs forces, s'est développée au cours des siècles classiques, dans les hôpitaux, à l'armée, dans les écoles, les collèges ou les ateliers : la discipline. Le XVIIIe siècle a sans doute inventé les libertés ; mais il leur a donné un sous-sol profond et solide, la société disciplinaire dont nous relevons toujours.

La prison est à replacer dans la formation de cette société de surveillance.

La pénalité moderne n'ose plus dire qu'elle punit des crimes ; elle prétend réadapter des délinquants. Voilà deux siècles bientôt qu'elle voisine et cousine avec les «sciences humaines». C'est sa fierté, sa manière, en tout cas, de n'être pas trop honteuse d'elle-même : «Je ne suis peut-être pas encore tout à fait juste ; ayez un peu de patience, regardez comme je suis en train de devenir savante.» Mais comment la psychologie, la psychiatrie, la criminologie pourraient-elles justifier la justice aujourd'hui, puisque leur histoire montre une même technologie politique, au point où elles se sont formées les unes les autres ? Sous la connaissance des hommes et sous l'humanité des châtiments, se retrouvent un certain investissement disciplinaire des corps, une forme mixte d'assujettissement et d'objectivation, un même «pouvoir-savoir». Peut-on faire la généalogie de la morale moderne à partir d'une histoire politique des corps ?

© Gallimard

4. « Halte au massacre ! »

Ancien dirigeant de l'UDSR passé au gaullisme en 1958 et plus tard rallié à Georges Pompidou, René Pleven occupe en 1970 la charge de ministre de la Justice, garde des Sceaux. C'est à ce titre qu'il présente devant l'Assemblée nationale au printemps 1970 un projet de loi visant à interdire la conduite automobile aux personnes dont le degré d'alcoolémie — mesuré par un «alcootest» effectué par les agents de la police nationale ou par les gendarmes — dépasserait 0,80 g pour mille.

Cette mesure, rendue nécessaire par le nombre croissant de décès — environ 15 000 pour la seule année 1969 — et d'invalidités graves causées par un accident de la route, très fréquemment à la suite d'un excès d'absorption d'alcool par son auteur, a été assez mal accueillie en France, non seulement par les représentants des lobbies intéressés (celui du vin et celui de l'automobile), mais aussi par l'opinion qui y voyait une atteinte à la liberté individuelle. Le propos du ministre, dont on notera au passage la très grande prudence avec laquelle il explique son texte devant un aréopage parmi lesquels

_on compte de nombreux représentants des départements viticoles, témoigne de la diffi-
culté qu'il y a encore en 1970, à l'apogée des Trente Glorieuses et de l'ère de l'automobile, à faire accepter par les législateurs l'idée que la conduite en état d'ivresse
constitue un délit véritable, qu'il y a lieu de combattre avec énergie et détermination._

Source : Extrait du discours prononcé par René Pleven à l'Assemblée nationale,
20 avril 1970, _Journal officiel, Débats parlementaires,_ Assemblée nationale, 21 avril 1970.

Bibliographie : J. Audrian, « Les accidents mortels de la circulation », _Cahiers de
sociologie et de démographie médicales,_ n° 31(2), avril-juin 1991, pp. 143-165 ; W.
Maffenini, J.-L. Rattu, « Les accidents de la route en Italie et en France », _Population,_
n° 46 (4), juillet-août 1991, pp. 913-940.

NOTRE PAYS se trouve dans une situation dramatique et humiliante qui ressort de
quelques chiffres. En 1969 près de 15 000 personnes ont été tuées sur la route et
près de 350 000 ont été blessées. Ce bilan est d'autant plus tragique qu'il traduit une
forte progression annuelle des accidents de la circulation dont le nombre des victimes,
si elle continuait à ce rythme, équivaudrait au cours des dix années à venir à la population du Havre en ce qui concerne les tués, et à celle de Paris, de Lyon et de Marseille en
ce qui concerne les blessés. Nous détenons d'ailleurs en la matière un triste record : en
effet, si l'on prend 1964 comme année de référence, l'indice correspondant au nombre
des personnes tuées sur la route s'est élevé en France de 100 en 1964 à 122,5 en 1968,
alors que, pour la même période, il est demeuré stationnaire dans les autres pays européens et qu'il s'est abaissé à 88 en Grande-Bretagne.

Il est évident que l'alcool n'est pas la cause unique des accidents de la circulation et
de leur progression. Il existe beaucoup d'autres causes auxquelles le gouvernement
entend s'attaquer et s'attaque effectivement dans le cadre plus général de sa politique de
sécurité routière. Mais il a été suffisamment établi, par les statistiques des services de
police et de gendarmerie et par l'expérience des autres pays ayant adopté un taux
d'alcoolémie, que l'alcool avait une lourde part de responsabilité dans les chiffres évoqués il y a un instant. [...]

Ce taux est d'abord celui de la science. Il est exact que l'influence de l'alcool est
variable avec les individus, mais des expériences faites au moyen de tests psychotech-
niques ainsi que des enquêtes réalisées tant à l'étranger que dans notre pays — notamment celle menée tout récemment par l'Organisme national de sécurité routière — ont
établi qu'au-delà d'une alcoolémie de 0,80 g pour mille la capacité de conduire un véhicule était nécessairement altérée chez tous les conducteurs et que le risque moyen d'être
impliqué dans un accident de la route était considérablement augmenté. Et l'Académie
de médecine, sur le rapport du professeur Debré, a consacré officiellement le résultat de
ces travaux en recommandant aux pouvoirs publics de modifier en ce sens les dispositions de l'article L. 1ᵉʳ du Code de la route.

Ce taux c'est ensuite celui de l'Europe. Dès 1967, le Conseil des ministres européens
des transports, réuni à Hambourg, a recommandé à ses membres de l'insérer dans leurs
législations nationales. Plusieurs pays — notamment l'Angleterre, la Belgique, la Suisse
et l'Autriche — l'ont déjà fait par voie législative ou jurisprudentielle. D'autres pays —
tels les Pays-Bas, ont saisi leurs Parlements de projets de loi en ce sens. Quant à l'Allemagne fédérale, le projet de loi déposé au Bundestag en 1968 est devenu caduc avec le

changement de législature, mais je sais de bonne source qu'il doit être prochainement soumis à nouveau au Conseil des ministres.

Enfin, ce taux n'est pas seulement celui des recommandations, c'est beaucoup mieux, c'est celui de l'expérience, puisqu'aussi bien la Grande-Bretagne, qui nous a précédés à cet égard dans ce que l'on me permettra peut-être d'appeler le « marché commun de l'alcoolémie », l'a adopté par la « Road Safety Act » du 1er octobre 1967, sous l'impulsion de son énergique ministre des Transports, Mme Barbara Castle. Or, depuis l'entrée en vigueur de cette loi, nombreux sont les orateurs qui l'ont rappelé, alors que le trafic automobile s'accroissait, le nombre des accidents de la route a diminué en Angleterre de 10 à 30 % selon les périodes de l'année et selon les régions géographiques. En particulier, dans l'année qui a suivi le vote de la loi, on a enregistré une chute de 33 % du nombre des tués et de 42 % du nombre des blessés. Et même si, par la suite, cette loi a eu des résultats moins spectaculaires, elle continue à être très efficace. [...]

Permettez-moi en terminant, de souligner à nouveau toute l'importance que le gouvernement attache au vote de ce texte. Certes, dans un pays comme la France où la production et la consommation de vins et d'alcools sont parmi les plus élevées du monde et où, par ailleurs, l'usage d'une automobile est si fortement prisé, il pourra vous sembler difficile d'approuver des dispositions qui, touchant à deux secteurs clés de l'économie nationale, sont susceptibles de contrarier les habitudes et les goûts d'une grande partie de nos compatriotes. Ces dispositions, à la vérité, ne portent directement atteinte ni à la circulation automobile, ni à la consommation de boissons alcoolisées. Il ne s'agit pas ici, en effet, de lutter contre l'alcoolisme. Ce fléau social appelle des mesures spécifiques, qui n'ont pas été négligées.

Il s'agit encore moins, de nuire aux intérêts des régions viticoles. Nous ne faisons pas la guerre au vin, qui fait partie de notre « art de vivre national » et contribue à notre réputation sur les plans gastronomique et touristique, non plus d'ailleurs qu'à la bière et au cidre. Nous mettons seulement en garde les conducteurs contre les dangers d'une consommation excessive et ce ne sont pas ceux, d'ailleurs, qui apprécient le plus le vin de France, qui ont coutume d'en abuser.

Ce texte, avant d'être un texte répressif, est un texte préventif ; il tend seulement à interdire au conducteur de prendre le volant de son véhicule après avoir ingéré, à l'occasion d'un repas, plus d'une bouteille de vin ou son équivalent en alcool — ce qui correspond, pour la majorité des individus, aux taux d'alcoolémie de 0,80 g pour mille. En bref, il s'agit de « dissuader les conducteurs de boire, ou les buveurs de conduire ». Et puis, même s'il devait en résulter une gêne pour certains, le préjudice causé à la nation tout entière par les accidents de la circulation est si élevé qu'il appelle, plutôt qu'un assouplissement de la répression, une véritable loi de salut public. Les personnes tuées et blessées sur la route — dont le nombre croissant a été évoqué à plusieurs reprises devant vous — ainsi que les dégâts matériels occasionnés par les accidents de la circulation coûtent en définitive à notre pays — d'après une évaluation faite en 1968 — plus de 10 milliards de francs, soit environ cinq fois le chiffre de nos investissements routiers.

En conclusion, indépendamment des mesures qui pourront être prises par ailleurs pour remédier au mal qui prend les proportions d'une véritable catastrophe nationale qui, dès à présent, peut atteindre chacun d'entre nous, sinon dans sa personne, du moins dans sa famille ou dans ses biens, le gouvernement vous demandera de prendre vos responsabilités au moment du vote de ce texte, comme il a pris les siennes en vous le présentant.

5. Le débat sur la peine de mort

(1981)

L'abolition de la peine de mort figurait, lors de la campagne présidentielle de 1981, parmi les 110 propositions de François Mitterrand. L'idée, il est vrai, était dans l'air depuis un certain nombre d'années et Valéry Giscard d'Estaing avait lui-même songé à la mettre en pratique mais avait dû y renoncer devant les réticences de sa majorité, elle-même soumise à la pression d'une opinion publique dont les sondages indiquaient clairement qu'elle n'était pas favorable au projet. L'arrivée de la gauche au pouvoir n'a pas modifié l'état du sentiment public, mais l'entrée au Palais-Bourbon de nouveaux élus, moins perméables aux inclinations de l'électorat conservateur, et surtout l'engagement personnel du président ont précipité les choses.

C'est à Robert Badinter, ministre de la Justice, garde des Sceaux dans le gouvernement présidé par Pierre Mauroy qu'il devait revenir de défendre devant les députés et les sénateurs le texte abolissant la peine de mort. Celui-ci fut voté à une forte majorité à la suite d'un débat au cours duquel le garde des Sceaux dut cependant faire face aux interventions virulentes de certains parlementaires anti-abolitionnistes. Ce sont des extraits de ce débat que nous présentons ici.

La France se trouvait ainsi être l'un des derniers pays européens à avoir radié le châtiment suprême de la liste des peines encourues par les auteurs de délits criminels. Le Portugal l'avait fait en 1867, les Pays-Bas en 1870, la Norvège et la Suède respectivement en 1905 et 1921, le Danemark en 1930, la Suisse en 1942, l'Italie en 1944, la Finlande et la RFA en 1949, l'Autriche en 1950, le Royaume-Uni en 1965, l'Espagne en 1978. Avant son abolition en France, les Cours d'assises prononçaient en moyenne de 5 à 10 condamnations à mort par an, qui n'étaient généralement pas exécutées, le président de la République usant presque systématiquement de son droit de grâce.

Source : Discours prononcé par M. Robert Badinter, ministre de la Justice, garde des Sceaux, devant l'Assemblée nationale à l'occasion du débat sur la peine de mort ; séance du 17 septembre 1981, *Journal officiel, Débats parlementaires*, Assemblée nationale, 18 septembre 1981.

Bibliographie : J. Imbert, *La Peine de mort*, Paris, PUF, « Que sais-je ? », 2ᵉ éd., 1993.

M. ROBERT BADINTER, garde des Sceaux, ministre de la Justice.
[...] En vérité, la question de la peine de mort est simple pour qui veut l'analyser avec lucidité. Elle ne se pose pas en termes de dissuasion, ni même de technique répressive, mais en termes de choix politique ou de choix moral.

Je l'ai déjà dit, mais je le répète volontiers au regard du grand silence antérieur : le seul résultat auquel ont conduit toutes les recherches menées par les criminologues est la constatation de l'absence de lien entre la peine de mort et l'évolution de la criminalité sanglante. [...]

Si vous y réfléchissez simplement, les crimes les plus terribles, ceux qui saisissent le plus la sensibilité, publique — et on le comprend —, ceux qu'on appelle les crimes atroces sont commis le plus souvent par des hommes emportés par une pulsion de violence et de mort qui abolit jusqu'aux défenses de la raison. À cet instant de folie, à cet instant de passion meurtrière, l'évocation de la peine, qu'elle soit de mort ou qu'elle soit perpétuelle, ne trouve pas sa place chez l'homme qui tue. [...]

Quant aux autres, les criminels dits de sang-froid, ceux qui pèsent les risques, ceux qui méditent le profit et la peine, ceux-là, jamais vous ne les retrouverez dans des situations où ils risquent l'échafaud. Truands raisonnables, profiteurs du crime, criminels organisés, proxénètes, trafiquants, maffiosi, jamais vous ne les trouverez dans ces situations-là. Jamais ! *(Applaudissements sur les bancs des socialistes et des communistes.)*

Ceux qui interrogent les annales judiciaires, car c'est là où s'inscrit dans la réalité la peine de mort, savent que dans les trente dernières années vous n'y trouverez pas le nom d'un « grand » gangster, si l'on peut utiliser cet adjectif en parlant de ce type d'hommes. Pas un seul « ennemi public » n'y a jamais figuré.

Jean Brocard. — Et Mesrine ?

M. Hyacinthe Santoni. — Et Buffet ? Et Bontems ?

M. le garde des Sceaux. — Ce sont les autres, ceux que j'évoquais précédemment qui peuplent ces annales.

En fait, ceux qui croient à la valeur dissuasive de la peine de mort méconnaissent la vérité humaine. La passion criminelle n'est pas plus arrêtée par la peur de la mort que d'autres passions ne le sont qui, celles-là, sont nobles. [...]

Voici la première évidence : dans les pays de liberté, l'abolition est presque partout la règle ; dans les pays où règne la dictature, la peine de mort est partout pratiquée.

Ce partage du monde ne résulte pas d'une simple coïncidence, mais exprime une corrélation. La vraie signification politique de la peine de mort, c'est bien qu'elle procède de l'idée que l'État a le droit de disposer du citoyen jusqu'à lui retirer la vie. C'est par là que la peine de mort s'inscrit dans les systèmes totalitaires.

C'est par là même que vous retrouvez, dans la réalité judiciaire, et jusque dans celle qu'évoquait Raymond Forni[1], la vraie signification de la peine de mort. Dans la réalité judiciaire, qu'est-ce que la peine de mort ? Ce sont douze hommes et femmes, deux jours d'audience, l'impossibilité d'aller jusqu'au fond des choses et le droit, ou le devoir, de trancher, en quelques quarts d'heure, parfois quelques minutes, le problème si difficile de la culpabilité, et, au-delà, de décider de la vie ou de la mort d'un autre être. Douze personnes, dans une démocratie, qui ont le droit de dire : celui-là doit vivre, celui-là doit mourir ! Je le dis : cette conception de la justice ne peut être celle des pays de liberté, précisément pour ce qu'elle comporte de signification totalitaire.

Quant au droit de grâce, il convient, comme Raymond Forni l'a rappelé, de s'interroger à son sujet. Lorsque le Roi représentait Dieu sur la terre, qu'il était oint par la volonté divine, le droit de grâce avait un fondement légitime. Dans une civilisation, dans une société, dont les institutions sont imprégnées par la foi religieuse, on comprend aisément que le représentant de Dieu ait pu disposer du droit de vie ou de mort. Mais dans une république, dans une démocratie, quels que soient ses mérites, quelle que soit sa conscience, aucun homme, aucun pouvoir ne saurait disposer d'un tel droit sur quiconque en temps de paix. [...]

---

1. Le rapporteur de la loi.

6. Violence et hantise sécuritaire

Les effets conjugués de l'urbanisation sauvage et du chômage ont incontestablement favorisé, en France comme dans les autres pays industrialisés, la montée de la violence et de la délinquance au cours des vingt dernières années. Celle-ci constitue pour les diverses formations politiques qui aspirent à la direction des affaires une donnée majeure, tant est forte l'inquiétude des habitants de l'Hexagone devant ce qui apparaît comme un phénomène irrépressible, préfiguration d'un retour à la barbarie dont les médias, le cinéma, le « polar », la bande dessinée d'anticipation, s'appliquent à donner à nos contemporains une vision horrifiante. Il importe pourtant de le relativiser et de faire la part d'une obsession sécuritaire qui rappelle à bien des égards les craintes du XIXe siècle devant les « nouveaux barbares » campant aux portes de la ville. Tel est l'objet de cet article, publié en mai 1986 dans Le Monde diplomatique *par Jean-Claude Chesnais, chercheur à l'Institut national d'études démographiques (INED).*

Source : Jean-Claude Chesnais, « Quand l'utopie se fait masque », *Le Monde diplomatique*, mai 1986, pp. 18-19.
Bibliographie : J.-C. Chesnais, *Histoire de la violence*, Paris, Robert Laffont, « Pluriel », 1981 ; *Aspects de la criminalité et de la délinquance en France*, Paris, La Documentation française, 1984.

B IEN DES CONTROVERSES sur la violence tiennent à un mauvais usage des mots. Si les notions de criminalité et de délinquance ont un contenu juridique et pénal précis, celles de violence, et à fortiori, de « sentiment d'insécurité », encore plus souvent utilisées, surtout dans le langage public et politique actuel, n'en ont guère, voire aucun. C'est pourtant sur une prétendue « montée de la violence » que l'on se fonde pour réorienter la politique criminelle et mettre en place de nouvelles dispositions répressives. [...]

L'histoire de la violence contredit l'imaginaire social, nourri de préjugés et de nostalgies millénaires : il y a eu, au cours des derniers siècles et des dernières décennies, une régression considérable de la violence criminelle. Lors même de la période récente de récession économique, marquée par un développement massif du chômage des jeunes, l'évolution de la violence a été loin de suivre le cours dramatique que laisse supposer le discours alarmiste dominant. Tant l'évidence des faits que le raisonnement logique lui-même confortent ce diagnostic. Qu'il s'agisse de statistiques policières ou de statistiques sanitaires, la fréquence des meurtres et assassinats est extrêmement faible ; le taux de mortalité imputable à l'homicide volontaire est de l'ordre de un pour cent mille habitants (dans les sociétés patriarcales traditionnelles l'ordre de grandeur est jusqu'à cinquante fois plus élevé). Certes, il y a eu progrès médical, et l'on meurt moins souvent des suites de ses blessures, mais la panoplie criminelle n'a-t-elle pas évolué également ?

Tournons-nous maintenant vers la logique. Comment admettre que l'appesantissement de l'État, à la fois à travers son appareil préventif (école, armée) et son appareil répressif (police, justice) soit demeuré inopérant ? En France, en particulier, le processus de contrôle étatique est ancien : les polices urbaines et la gendarmerie nationale existent depuis des siècles, et le centralisme des institutions assure une puissance extraordinaire aux organes de détection et de répression de la criminalité ; depuis plus d'un siècle, l'école républicaine a soustrait l'enfant à la rue et, dès le plus tendre âge, l'a coulé dans le moule social. Si, dès le XIXe siècle, le niveau comparé de violence, mesuré par le taux d'homicides volontaires, est, en France, incroyablement bas, c'est que, derrière l'histoire de la violence, se profile l'histoire de l'État. [...]

Peut-on, en outre, raisonnablement supposer que des transformations structurelles aussi profondes que la lente disparition de la rareté et la révolution démographique (maîtrise de la mort) aient été sans incidence sur les mœurs ? [...] Quand la mort est omniprésente, on méprise la vie ; quand elle disparaît du paysage quotidien, on la valorise.

C'est donc au refoulement des pulsions, à l'émergence de la rationalité dans la sphère morale et à la soumission à la règle étatique qu'il faut imputer la marginalisation progressive de la violence dans les sociétés occidentales. [...]

Si la violence n'est plus ce qu'elle était, comment, alors, rendre compte du sentiment d'insécurité. À supposer qu'en France, à l'instar de l'Amérique du Nord, ce sentiment s'identifie au risque de victimisation, c'est-à-dire au vécu réel des intéressés (ce qui reste à établir), plusieurs facteurs peuvent intervenir pour expliquer un tel paradoxe :
— la disparition des grandes peurs du passé qui libère un espace nouveau pour l'anxiété ;
— l'augmentation de la délinquance, phénomène par nature inflationniste, dès lors qu'une société s'enrichit, diversifie ses échanges et multiplie ses codes de règlements ;
— l'intrusion croissante des médias dans la sphère domestique des individus, et notamment de la télévision, dont l'incidence est importante sur la perception des personnes isolées, plus fragiles ; les « informations » ne sont, le plus souvent, qu'une sélection de nouvelles sanglantes ;
— la transformation de la composition socio-économique de la population (montée du troisième âge, multiplication des ménages de solitaires, diffusion de la propriété) ;
— l'essor, orchestré par les médias, des terrorismes islamiques importés ;
— l'augmentation de la demande de sécurité, liée à l'aménagement de dispositifs de sécurité dans tous les domaines de la vie quotidienne (sécurité sociale, assurance-chômage, assurance-automobile, assurance-vie, etc.) et à l'offre des organes spécialisés (vigiles, sociétés de gardiennage, entreprises de serrurerie, compagnies d'assurances, etc.) ;
— l'évolution du seuil de tolérance à la violence et, plus généralement, à la souffrance ;
— enfin, la diminution même de la violence qui, en augmentant la sécurité objective, renforce l'insécurité subjective : plus un phénomène désagréable diminue, plus ce qu'il en reste devient insupportable.

L'énumération ne saurait cependant s'arrêter là, car, depuis une dizaine d'années, l'insécurité est devenue un enjeu politique et idéologique majeur. L'idéologie sécuritaire est inséparable des préoccupations électorales : le thème de la sécurité réveille les instincts les plus profonds, dont celui de conservation ; jouant sur les peurs inconscientes, chatouillant la fibre chaude de l'intégrité des biens et de la personne, dernier refuge de la conscience nationale, ce discours sollicite les réflexes unitaires, conservateurs, de défense collective. La résurgence des partis d'extrême droite est une éclatante illustration de l'exploitation possible du sentiment d'insécurité.

7. La notion de « crime contre l'humanité »

L'expression « crime contre l'humanité » _est apparue pour la première fois en 1915 dans un texte officiel, en l'occurrence une déclaration conjointe des gouvernements français, britannique et russe évoquant le massacre des Arméniens par les Turcs. Mais c'est au tribunal interallié réuni à Nuremberg au lendemain de la guerre pour juger les criminels de guerre nazis que l'on doit la première — et encore très incertaine — définition de ce délit, distinct du simple crime de guerre. Celle-ci a été reprise dans une résolution des Nations unies, en date du 13 février 1946, et c'est à elle que se réfère la loi française du 26 décembre 1964 disposant que les crimes contre l'humanité sont_ « imprescriptibles par leur nature ». _Or, si les parlementaires ont été unanimes à voter ce texte, la définition du crime a varié au cours du débat avec les orateurs._

Il a fallu attendre 1985 pour que, à l'occasion de l'instruction du procès de Klaus Barbie, le chef de la Gestapo de Lyon, une définition un peu plus précise soit donnée de la notion de crime contre l'humanité appliquée au droit français. Le débat portait, entre autre, sur la qualité des victimes. Selon Paul Truche (Cour d'appel de Lyon, octobre 1985), on ne pouvait mettre sur le même plan l'enfant déporté, « qui ne savait pas encore ce que c'est que d'être juif mais qui, parce qu'il était né dans cette religion, avait été déporté à Auschwitz où il avait trouvé la mort dès son arrivée » _et_ « le résistant qui avait choisi la lutte armée contre l'occupant et en avait accepté les risques mais qui, arrêté, avait été déporté dans un camp de concentration pour y être soumis à un esclavage inhumain et souvent y trouver la mort ». _Le premier relevait du_ « crime contre l'humanité », _le second du_ « crime de guerre ». _Tel ne fut pas l'avis de la Cour de cassation. Celle-ci en effet, dans son arrêt du 20 décembre 1985, a assimilé les déportations de résistants à des crimes contre l'humanité, ce qui n'a pas manqué de susciter des débats, aussi bien parmi les philosophes que parmi les juristes. Étaient considérés par ce texte comme relevant du crime contre l'humanité_ « les actes inhumains et les persécutions qui, au nom d'un État pratiquant une politique d'hégémonie idéologique, ont été commis de façon systématique, non seulement contre des personnes en raison de leur appartenance à une collectivité raciale ou religieuse, mais aussi contre les adversaires de cette politique, quelle que soit la forme de leur opposition ». _C'est sur cette base qu'ont été élaborées et introduites dans le nouveau code pénal français les lois du 22 juillet 1992 dont nous présentons ici des extraits._

Source : Lois n° 92-683 à 686 du 22 juillet 1992, _Journal officiel, Lois et décrets_, 23 juillet 1992.

Bibliographie : M. Delmas-Marty, _Le Crime contre l'humanité_, XXVᵉ Congrès de l'Association française de criminologie, Toulouse, Privat, 1993 ; A. Finkielkraut, _La Mémoire vaine du crime contre l'humanité_, Paris, Gallimard, 1989 ; A. Frossard, _Le Crime contre l'humanité_, Paris, Robert Laffont, 1987.

LIVRE II
DES CRIMES ET DÉLITS CONTRE LES PERSONNES
TITRE Iᵉʳ
DES CRIMES CONTRE L'HUMANITÉ
CHAPITRE Iᵉʳ
Du génocide

ARTICLE 211. 1 — Constitue un génocide le fait, en exécution d'un plan concerté, tendant à la destruction totale ou partielle d'un groupe national, ethnique, racial ou religieux, ou d'un groupe déterminé à partir de tout autre critère arbitraire, de commettre ou de faire commettre, à l'encontre de membres de ce groupe l'un des actes suivants :
— atteinte volontaire à la vie ;
— atteinte grave à l'intégrité physique ou psychique ;
— soumission à des conditions d'existence de nature à entraîner la destruction totale ou partielle de ce groupe ;
— mesures visant à entraver les naissances ;
— transfert forcé d'enfants.
Le génocide est puni de la réclusion criminelle à perpétuité.
Les deux premiers alinéas de l'article 132-23 relatif à la période de sûreté, sont applicables au crime prévu par le présent article.

CHAPITRE II
Des autres crimes contre l'humanité

Article 212. 1 — La déportation, la réduction en esclavage ou la pratique massive et systématique d'exécutions sommaires, d'enlèvements de personnes suivies de leur disparition, de la torture ou d'actes inhumains, inspirées par des motifs politiques, raciaux ou religieux et organisées en exécution d'un plan concerté à l'encontre d'un groupe de population civile sont punies de la réclusion criminelle à perpétuité. […]
Art. 212. 2 — Lorsqu'ils sont commis en temps de guerre en exécution d'un plan concerté, contre ceux qui combattent le système idéologique au nom duquel sont perpétrés des crimes contre l'humanité, les actes visés à l'article 212. 1 sont punis de la réclusion criminelle à perpétuité. […]
Art. 212. 3 — La participation à un groupement formé ou à une entente établie en vue de la préparation, caractérisée par un ou plusieurs faits matériels, de l'un des crimes définis par les articles 211. 1, 212. 1 et 212. 2 est punie de la réclusion criminelle à perpétuité. […]

CHAPITRE III
Dispositions communes

Article 213. 1 — Les personnes physiques coupables des infractions prévues par le présent titre encourent également les peines suivantes :
1. L'interdiction des droits civiques, civils et de famille, selon les modalités prévues par l'article 131. 26 ;

2. L'interdiction d'exercer une fonction publique, selon les modalités prévues par l'article 131.2 ;

3. L'interdiction de séjour, selon les modalités prévues par l'article 131. 3 ;

4. La confiscation de tout ou partie de leurs biens. [...]

Art. 213. 3 — Les personnes morales peuvent être déclarées responsables pénalement de crimes contre l'humanité dans les conditions prévues par l'article 121. 2.

Les peines encourues par les personnes morales sont :

1. Les peines mentionnées à l'article 131. 39 ;

2. La confiscation de tout ou partie de leurs biens ;

Art. 213. 4 — L'auteur ou le complice d'un crime vis, par le présent titre ne peut être exonéré de sa responsabilité du seul fait qu'il a accompli un acte prescrit ou autorisé par des dispositions législatives ou réglementaires ou un acte commandé par l'autorité légitime. Toutefois, la juridiction tient compte de cette circonstance lorsqu'elle détermine la peine et en fixe le montant.

Art. 213. 5 — L'action publique relative aux crimes prévus par le présent titre, ainsi que les peines prononcées, sont imprescriptibles.

8. Naissance du syndicat de la magistrature
(Juin 1968)

Fondé par un petit groupe de jeunes magistrats contestataires de l'ordre établi, hostiles à la fois au conformisme de leurs organisations professionnelles et à ce qu'ils considéraient comme une « justice de classe » au service de l'oligarchie dirigeante, le syndicat de la magistrature a vu le jour en juin 1968. Il a donc été marqué dès l'origine aussi bien par un souci de rénovation du système judiciaire et pénitentiaire français que par la volonté de ses membres de voir modifiés les rapports entre la magistrature et le pouvoir politique — dans le sens d'une indépendance plus grande — et les règles régissant leur carrière. Souvent accusé par les milieux conservateurs de favoriser la prolifération des « juges rouges », le syndicat de la magistrature a incontestablement pesé sur la production judiciaire, ainsi que sur les rapports entre ceux qui ont à charge de faire respecter la loi et le reste de la population.

Dans le texte ci-dessous, deux anciens secrétaires généraux du syndicat de la magistrature — Daniel Lecrubier et Pierre Lyon-Caen — relatent les circonstances qui ont présidé à sa création.

Source : Daniel Lecrubier, Pierre Lyon-Caen, « Si le syndicat de la magistrature nous était compté », *Revue politique et parlementaire*, n° 937, septembre-octobre 1988, pp. 67-82.

Bibliographie : Mᵉ Soulez Larivière, *Les Juges dans la balance*, Paris, Ramsay, 1987 ; F. Babinet, G. Duprat, J.-F. Blet, *Justice et police*, Colloque IEP de Strasbourg, Presses universitaires d'Alsace, 1974.

ON CONNAÎT L'APHORISME d'Edgar Faure : « Voici que s'avance l'immobilisme et [...] nous ne savons pas comment l'arrêter... »

Tel était à peu près le sentiment des jeunes générations de magistrats, naturellement impertinentes, à l'égard de leurs aînés, récemment issues de l'École de la magistrature créée en 1958 par Michel Debré et dont le nombre ne devait pas dépasser de beaucoup 200, dix ans plus tard. Le décalage entre leur idéal, leur dynamisme et ce qu'ils découvraient au cours de leur stage en juridiction était considérable. Ils s'étaient, dans un premier temps, regroupés au sein d'une Association dite des auditeurs et anciens auditeurs de justice (AAAAJ) et certains d'entre eux, fin 1967, s'interrogeaient à la fois sur la nécessité de transformer cette association — qui restait trop une amicale d'anciens élèves — en un syndicat, et sur l'ouverture de celui-ci à tous les magistrats, et non plus aux seuls anciens auditeurs de justice, dans le souci de parvenir plus vite à un degré de représentativité convenable et, en raison de la faiblesse en nombre des recrutements d'alors.

De plus, les associations de magistrats alors existantes n'étaient guère attractives et ne comprenaient d'ailleurs que très peu de jeunes magistrats : l'une, de création récente, apparaissait trop comme l'émanation du pouvoir en place ; l'autre, plus ancienne, comme trop exclusivement corporatiste. Il n'est besoin à cet égard que de citer l'extrême et sans doute excessive opinion méprisante que formule à leur sujet M. Jean Foyer, qui fut garde des Sceaux de 1962 à 1967, dans un article paru en janvier 1981, opinion qui est un hommage indirect et bien involontaire au syndicat de la magistrature : « Par un effet de contamination et de compétition normalement engendré par le pluralisme syndical, le syndicalisme ancien style ne s'est plus contenté d'arracher au pouvoir des avancements et des décorations pour ses dirigeants, il a lui aussi rêvé d'exercer le pouvoir » (Revue *Pouvoirs*, n° 16, la Justice, p. 27).

Les événements de mai 1968 survinrent après que les décisions de principe aient été arrêtées par les initiateurs, lesquels prirent le parti de ne pas retarder la date de réunion de l'assemblée générale fixée au 8 juin, en dépit des circonstances. Le week-end de la Pentecôte ayant mis fin aux grèves générales, environ 150 membres de l'AAAAJ, venus de toute la France étaient présents, projet de statut d'un nouveau syndicat en main et votèrent, sans grands débats, la création du syndicat de la magistrature ouvert à tous les magistrats.

Cette création passa totalement inaperçue, la presse n'en étant pas informée. Mais à l'intérieur du corps judiciaire, le succès fut rapide : 400 adhérents en trois semaines, 600 le 10 octobre, 940 début mars 1969, sur un effectif total de 4 400 magistrats. Ainsi le pari de l'ouverture à tous les magistrats et de la représentativité était-il gagné.

Mais quel était le but poursuivi par les fondateurs ? — un syndicat pour quoi faire ?

Telle avait été l'une des rares questions débattues à l'occasion de l'assemblée constitutive, certains ayant exprimé le souhait de définir d'abord les finalités, afin que les adhésions se fassent sur une base claire. Si leur position était d'une logique certaine, elle fut heureusement écartée par la majorité, à défaut le syndicat de la magistrature n'aurait jamais vu le jour. [...]

Ainsi, ce qui caractérise le SM à ses débuts, c'est l'absence de toute idéologie précise, une approche institutionnelle des problèmes judiciaires, avec un grand souci de pragmatisme, d'efficacité concrète et très vite deux autres éléments spécifiques : une volonté de désenclavement de la justice impliquant une ouverture très large sur l'extérieur et un souci constant de se préoccuper autant des problèmes des justiciables que de ceux des juges. [...]

9. La grande misère de la Sûreté générale
(1934)

Sous le Second Empire, le préfet de police détenait en France la tutelle de toutes les polices et il conserva celle-ci jusqu'en 1876. À cette date, on décida de rétablir le dualisme antérieur au coup d'État du 2 décembre 1851 : les compétences et l'autorité de la Préfecture de police étaient désormais circonscrites au seul département de la Seine, tandis que la Sûreté générale, érigée en direction du ministère de l'Intérieur, coiffait tous les autres services de police du territoire national, à l'exception de la gendarmerie qui continuait de dépendre du ministère de la Guerre.

L'Affaire Stavisky, suivie des événements du 6 février, révélèrent au début de 1934 les graves carences du système policier et les fortes disparités existant entre la Préfecture de police de Paris, objet d'une attention soutenue de la part des pouvoirs publics et de la municipalité parisienne, et la Sûreté générale, très médiocrement dotée. La présence de Jean Chiappe à la tête du bastion de l'île de la Cité entre 1927 et 1934 avait accentué encore ce déséquilibre. À la suite de son limogeage par Daladier et de l'émeute du 6 février, il fut procédé à une refonte du système : la Sûreté générale, transformée en Sûreté nationale, fut entièrement réorganisée et reliée plus étroitement aux autorités judiciaires. Le texte ci-dessous est extrait d'un rapport sur cette administration adressé en avril 1934 au président de la République, antérieurement à cette réforme.

Source : Rapport sur la Sûreté générale adressé en avril 1934 au président de la République, cité in A. Lebigre, *La Police. Une histoire sous influence*, Paris, Gallimard (coll. Découvertes), 1993, pp. 140-141.

Bibliographie : J.-M. Berlière, *Le Monde des polices*, Bruxelles, Complexe, 1996 ; M. Le Clère, *Histoire de la police*, Paris, PUF, « Que sais-je ? », 1975 ; P. Allard, *L'Anarchie de la police*, Paris, Calmann-Lévy, 1934.

DIRECTION NETTEMENT SQUELETTIQUE eu égard à la tâche primordiale qui lui est dévolue, installée dans des conditions matérielles telles qu'on se demande comment, pour certains services, le travail quotidien peut cependant y être convenablement accompli. Nombre de locaux, en effet, sont nettement insalubres : le personnel y est entassé au milieu des dossiers qui montent jusqu'au plafond ou qui envahissent les couloirs ; les services, créés au hasard des besoins, s'enchevêtrent les uns dans les autres, dans des fractions d'immeubles peu à peu achetés ou loués, nullement adaptés aux nécessités administratives, desservis par un labyrinthe de couloirs obscurs et malodorants, où tout contrôle soit sur les fonctionnaires, soit sur les visiteurs, est rendu pratiquement impossible.

Telle est la Sûreté générale, dans son cadre vétuste, dans ses locaux sans air et sans lumière, avec ses effectifs indigents, chargés de l'écrasante mission que l'on sait — et cela sans service de législation et de contentieux, sans service de presse, sans service de lecture de ce qui paraît, de ce qui s'écrit, sans service financier, sans bureau économique — (et le problème de la spéculation et de la vie chère relève d'elle !), sans archives centrales, sans fichier central.

À la Sûreté générale dotée d'un budget de 47 millions, comparons la Préfecture de police, avec un budget de 546 millions, ayant à sa tête son préfet entouré, à juste titre, pour ses multiples tâches, d'un état-major considérable.[…] Maison magnifiquement dotée, organisée et commandée, entretenue par des dotations budgétaires municipales extrêmement riches, avec des moyens matériels inégalés, des traitements à son personnel bien supérieurs, à grade égal, aux traitements des agents de la Sûreté générale.

10. Claude Bourdet dénonce la répression sanglante du 17 octobre 1961

Ultime épisode de la « bataille de Paris », menée depuis 1958 par le préfet de police Maurice Papon contre la Fédération de France du FLN, la répression de la manifestation algérienne du 17 octobre 1961 a été longtemps occultée. Elle a pourtant fait, au bas mot, entre 150 et 200 victimes parmi les manifestants, la plupart tués par balles — certains dans la cour même de la Préfecture de police — et jetés à la Seine, sans qu'aucune poursuite n'ait été menée à son terme contre quiconque : gardiens de la paix, CRS, fonctionnaires de tous grades, et moins encore contre le principal responsable du drame, au demeurant sous le coup aujourd'hui d'une inculpation pour crime contre l'humanité pour avoir, en tant que secrétaire général de la préfecture de la Gironde de 1942 à 1944, participé à l'arrestation et à la déportation d'un millier de juifs.

Dans la soirée du 17 octobre 1961, à l'appel de la Fédération de France du FLN qui entendait ainsi protester contre le couvre-feu institué par le préfet Maurice Papon à l'encontre des Français musulmans résidant dans la région parisienne, une vingtaine de milliers de manifestants — des hommes pour la plupart, mais aussi des femmes et des enfants de tous âges — convergèrent des banlieues et des quartiers périphériques en direction des grands boulevards où ils se heurtèrent aux 7000 agents de la police parisienne et à 1500 CRS et gendarmes mobiles. En début de soirée, la rumeur avait couru de coups de feu tirés par les manifestants sur le pont de Neuilly et de tués parmi les membres des forces de l'ordre (ce qui était faux). La police, alors assez largement infiltrée par les réseaux d'extrême droite et à laquelle, semble-t-il, des consignes d'extrême rigueur avaient été données en haut lieu, procéda pendant plusieurs heures à une véritable « ratonnade » de masse, procédant à plus de 11000 arrestations, parquant les détenus dans des conditions d'hygiène déplorables dans les « centres de tri » de Vincennes et de Beaujon, au Palais des sports de la porte de Versailles et à la Préfecture de police, et faisant disparaître des dizaines de personnes, tuées au cours des échauffourées, abattues de sang-froid et jetées à la Seine (on retrouvera de nombreux cadavres entre Paris et Rouen au cours des jours suivants).

Pudiquement cachés ou transformés par la « grande presse d'information », les faits furent aussitôt évoqués — non sans prudence au début pour éviter la saisie — par divers organes de gauche comme L'Humanité, Libération *et surtout* France-Observateur. *Il y eut également des interpellations à l'Assemblée nationale, au Sénat et au Conseil municipal de Paris, auxquelles le préfet de police, le ministre de l'Intérieur et le Premier ministre répliquèrent par des démentis formels. C'est un extrait du débat du 27 octobre, illustré notamment par l'intervention de Claude Bourdet — l'un des fondateurs et des principaux animateurs de* France-Observateur, *élu en 1959 conseiller municipal de la capitale — que nous reproduisons ici.*

Source : Extrait de l'intervention de Claude Bourdet au Conseil municipal de Paris, 27 octobre 1961, repris in _France-Observateur_, n° 600, 2 novembre 1961 et _in_ C. Bourdet, _Mes batailles_, Ozoir-la-Ferrière, Éditions In fine, 1993, pp. 161-167. Texte cité _in_ P. Tétart, _Histoire politique de « France-Observateur »_, _1950-1964_, thèse de doctorat de l'Institut d'études politiques de Paris, 1995, pp. 834-835.

Bibliographie : A. Tristan, _Le Silence du fleuve. Ce crime que nous n'avons toujours pas nommé_, Paris, Au nom de la mémoire, 1991 ; C. Melnik, _Mille jours à Matignon_, Paris, Grasset, 1988 (Constantin Melnik a été conseiller du Premier ministre, Michel Debré, pour les questions de sécurité) ; M. Papon, _Les Chevaux du pouvoir_, Paris, Plon, 1988 (un plaidoyer pro domo) ; J.-L. Einaudi, _La Bataille de Paris, 17 octobre 1961_, Paris, Le Seuil, 1991 ; A. Haroun, _La 7e wilaya, la guerre du FLN en France, 1954-1962_, Paris, Le Seuil, 1986.

J'EN VIENS MAINTENANT AUX FAITS. Il n'est guère besoin de s'étendre. Parlerai-je de ces Algériens couchés sur le trottoir, baignant dans leur sang, morts ou mourants, auxquels la police interdisait qu'on porte secours ? Parlerai-je de cette femme enceinte, près de la place de la République, qu'un policier frappait sur le ventre ? [...] J'ai des témoignages de Français et des témoignages de journalistes étrangers.

Je veux simplement mentionner les faits les plus graves et poser des questions. [...] D'abord, est-il vrai qu'au cours de cette journée, il n'y avait pas de blessés par balles au sein de la police ? Est-il vrai que les cars radio de la police aient annoncé au début de la manifestation dix morts parmi les forces de l'ordre, message nécessairement capté par l'ensemble des brigades, et qui devait donc exciter au plus haut point l'ensemble des policiers ? C'était peut-être une erreur ? C'était peut-être un sabotage, il faudrait le savoir ; et peut-être, d'autre part, n'est-ce pas vrai. C'est pour cela que je veux une enquête.

De même, est-il vrai qu'un grand nombre de blessés ou des morts ont été atteints par des balles de même calibre d'une grande manufacture qui fournit l'armement de la police ? Qu'une grande partie de ces balles ont été tirées à bout portant ? [...] Et voici le plus grave : est-il vrai que dans la « cour d'isolement » de la Cité, une cinquantaine de manifestants, arrêtés apparemment dans les alentours du boulevard Saint-Michel sont morts ? Et que sont devenus leurs corps ? Est-il vrai qu'il y a eu de nombreux corps retirés de la Seine ? [...] On parle de 150 corps retirés de la Seine entre Paris et Rouen. C'est vrai ou ce n'est pas vrai ?

J'en viens maintenant au propos qui pour moi est l'essentiel, celui qui vous concerne directement, Monsieur le préfet de police. Mon projet n'est pas de clouer au pilori la police parisienne, de prétendre qu'elle est composée de sauvages, encore qu'il y ait bon nombre d'actes de sauvagerie. [...]

Je dis, Monsieur le préfet de police, que vous-même avez particulièrement contribué à créer au sein d'une population misérable, épouvantée, une situation où le réflexe de sécurité ne joue plus. Je dis que les consignes d'attentat contre la police étaient bien plus faciles à donner dans un climat pareil de désespoir. Je dis que même si de telles consignes n'existaient pas, le désespoir et l'indignation suffisaient souvent à causer des attentats spontanés, en même temps qu'à encourager ceux qui, au sein du FLN, voulaient en organiser. Je dis qu'on a ainsi alimenté un enchaînement auquel on n'est pas capable de mettre fin.

Je pense, Monsieur le préfet de police, que vous avez agi, dans toute cette affaire, exactement comme ces chefs militaires qui considèrent que leurs propres succès et leurs propres mérites se mesurent à la violence des combats, à leur capacité meurtrière, à la dureté de la guerre. [...] Ici, je suis obligé de vous poser une question très grave. Je vous prie, non pas de m'en excuser, car vous ne m'en excuserez pas, mais de comprendre qu'il est difficile, pour un journaliste qui sait que son journal sera saisi si quoi que ce soit déplaît un peu trop à la police ou au gouvernement, d'écrire un article sur ce sujet. Mais quand ce journaliste est conseiller municipal, il a la possibilité de venir dire ces choses à la tribune et de les dire sans ambages.

Voici ma question : est-il vrai qu'aux mois de septembre et d'octobre, parlant à des membres de la police parisienne, vous ayez affirmé à plusieurs reprises que le ministre de la Justice avait été changé, que la police était maintenant « couverte » et que vous aviez l'appui du gouvernement ? Si c'était vrai, cela expliquerait en grande partie l'attitude de la police au cours de ces derniers jours. Si ce n'est pas vrai, tant mieux. De toute façon, d'ici quelques années, d'ici quelques mois, quelques semaines peut-être, tout se saura et l'on verra qui avait raison[1]. Et si j'avais eu tort aujourd'hui, je serais le premier à m'en féliciter[2] !

11. « Être policier n'est pas un métier comme les autres »
(Mai 1968)

Dans un contexte il est vrai différent de celui de 1961, le successeur de Maurice Papon à la tête de la Préfecture de police de Paris va faire preuve, à l'occasion des journées agitées de mai-juin 1968, d'un sang-froid et d'un esprit de tolérance qui ont très fortement pesé dans le fait que les « événements » n'ont pas dégénéré en drame. Certes, il est arrivé parfois que, des cortèges du Quartier latin, alternant avec le célèbre « CRS-SS ! », monte le cri de « Grimaud Gestapo ! », lancé par des manifestants peu soucieux des nuances. Mais, dans l'ensemble, on s'accordera après la bataille à créditer Maurice Grimaud d'un courage serein qui n'a guère été le commun dénominateur des représentants de la classe politique et de la haute fonction publique, durant la période de quasi-vacance du pouvoir qui caractérise les tout derniers jours de mai. « De tout le personnel éperdu, infidèle ou obstiné — écrira Jean Lacouture[3] — qui grouille, quelques jours durant, sur ce qui paraît être la dépouille de la Vᵉ République, seuls restent debout le Premier ministre et le préfet de police. »

Né en 1913 à Annonay (Ardèche), Maurice Grimaud a commencé sa carrière comme attaché, à la résidence générale du Maroc, avant de devenir après le débarquement allié en Afrique du Nord, commissaire à l'Intérieur à Alger. Il a ensuite occupé divers postes dans la haute administration, ceux notamment de préfet des Landes, de la Savoie

---

1. On ne verra rien. Il y aura bien, à la demande de Gaston Defferre, sénateur socialiste, acceptation le 31 octobre par le gouvernement d'une commission d'enquête parlementaire, mais elle sera suspendue jusqu'à la conclusion d'informations judiciaires qui aboutiront toutes à des non-lieux.
2. À cette question, la réponse de Maurice Papon fut : « La police parisienne a fait simplement ce qu'elle devait ».
3. *André Malraux. Une vie dans le siècle*, Paris, Le Seuil, 1973.

et de la Loire, puis celui de directeur de la Sûreté nationale, de 1963 à 1967. Après son passage à la Préfecture de police, il poursuivra une carrière brillante, devenant en 1981 directeur de cabinet de Gaston Defferre, ministre d'État, ministre de l'Intérieur et de la décentralisation.

Le texte présenté ici est une adresse en date du 29 mai 1968 à tous les fonctionnaires de police placés sous son autorité. Maurice Grimaud se déclare à la fois solidaire du personnel placé sous ses ordres et soucieux d'éviter tout débordement : cela au moment où le général de Gaulle ayant « disparu », la France paraît au bord d'une grave crise politique.

Source : Adresse du préfet de police, Maurice Grimaud, à tous les personnels de police de la région parisienne, 29 mai 1968 ; texte _in_ Maurice Grimaud, _En mai fais ce qu'il te plaît_, Paris, Stock, 1977, pp. 341-343.

Bibliographie : A. Dansette, _Mai 68_, Paris, Plon, 1971 ; L. Joffrin, _Mai 1968. Histoire des événements_, Paris, Le Seuil, 1988.

JE M'ADRESSE AUJOURD'HUI à toute la Maison : aux gardiens comme aux gradés, aux officiers comme aux patrons, et je veux leur parler d'un sujet que nous n'avons pas le droit de passer sous silence : c'est celui des excès dans l'emploi de la force.

Si nous ne nous expliquons pas très clairement et très franchement sur ce point, nous gagnerons peut-être la bataille dans la rue, mais nous perdrons quelque chose de beaucoup plus précieux et à quoi vous tenez comme moi : c'est notre réputation.

Je sais, pour en avoir parlé avec beaucoup d'entre vous, que, dans votre immense majorité, vous condamnez certaines méthodes. Je sais aussi, et vous le savez avec moi, que des faits se sont produits que personne ne peut accepter.

Bien entendu, il est déplorable que, trop souvent, la presse fasse le procès de la police en citant ces faits séparés de leur contexte et ne dise pas, dans le même temps, tout ce que la même police a subi d'outrages et de coups en gardant son calme et en faisant simplement son devoir.

Je suis allé toutes les fois que je l'ai pu au chevet de nos blessés, et c'est en témoin que je pourrais dire la sauvagerie de certaines agressions qui vont du pavé lancé de plein fouet sur une troupe immobile, jusqu'au jet de produits chimiques destinés à aveugler ou à brûler gravement.

Tout cela est tristement vrai et chacun de nous en a eu connaissance.

C'est pour cela que je comprends que lorsque des hommes ainsi assaillis pendant de longs moments reçoivent l'ordre de dégager la rue, leur action soit souvent violente. Mais où nous devons bien être tous d'accord, c'est que, passé le choc inévitable du contact avec des manifestants agressifs qu'il s'agit de repousser, les hommes d'ordre que vous êtes doivent aussitôt reprendre toute leur maîtrise.

Frapper un manifestant tombé à terre, c'est se frapper soi-même en apparaissant sous un jour qui atteint toute la fonction policière. Il est encore plus grave de frapper des manifestants après arrestation et lorsqu'ils sont conduits dans des locaux de police pour y être interrogés.

Je sais que ce que je dis là sera mal interprété par certains, mais je sais que j'ai raison et qu'au fond de vous-mêmes vous le reconnaissez.

Si je parle ainsi, c'est parce que je suis solidaire de vous. Je l'ai dit et je le répéterai : tout ce que fait la police parisienne me concerne et je ne me séparerai pas d'elle dans les responsabilités. C'est pour cela qu'il faut que nous soyons également tous solidaires dans l'application des directives que je rappelle aujourd'hui et dont dépend, j'en suis convaincu, l'avenir de la Préfecture de police.

Dites-vous bien, et répétez-le autour de vous : toutes les fois qu'une violence illégitime est commise contre un manifestant, ce sont des dizaines de ses camarades qui souhaitent le venger. Cette escalade n'a pas de limites.

Dites-vous aussi que lorsque vous donnez la preuve de votre sang-froid et de votre courage, ceux qui sont en face de vous sont obligés de vous admirer, même s'ils ne le disent pas.

Nous nous souviendrons, pour terminer, qu'être policier n'est pas un métier comme les autres ; quand on l'a choisi, on en a accepté les dures exigences mais aussi la grandeur. [...]

Je vous redis toute ma confiance et toute mon admiration pour vous avoir vus à l'œuvre pendant vingt-cinq journées exceptionnelles, et je sais que les hommes de cœur que vous êtes me soutiendront totalement dans ce que j'entreprends et qui n'a d'autre but que de défendre la police dans son honneur et devant la nation.

XXXIV

LES FEMMES

La Première Guerre mondiale a assurément modifié le statut des femmes dans la société, du moins en milieu urbain et plus précisément dans les grandes métropoles. Encore faut-il marquer les limites de cette « révolution » qui n'affecte en profondeur qu'une minorité. Le scandale qui suit la publication en 1922 de La Garçonne *de Victor Margueritte (cf. chap. V) — radié de l'ordre de la Légion d'honneur pour avoir mis en scène dans son roman une femme « émancipée » — en dit long sur les réticences du corps social, notamment celles du monde conservateur, à voir le « beau sexe » sortir de son rôle traditionnel (texte n° 1). Toujours vouées prioritairement aux tâches domestiques, à l'éducation des enfants, aux visites d'amies, aux « travaux d'aiguille », voire au « repos du guerrier », les jeunes filles et les femmes ont beaucoup de mal, quand elles le souhaitent, à poursuivre des études secondaires et supérieures ou à obtenir un emploi. Dans tous les cas de figure, ou à peu près, la loi civile ne leur est guère favorable, mais surtout elles demeurent jusqu'à la guerre privées de droits politiques. En effet, si la gauche socialiste et communiste est favorable au droit de vote des femmes, de même que le Parti démocrate populaire, d'inspiration démocrate-chrétienne (texte n° 2), et si la Chambre des députés se prononce à plusieurs reprises en ce sens, les radicaux y sont rigoureusement hostiles et le Sénat oppose régulièrement son veto à toute modification du statu quo. Il faudra attendre l'ordonnance du 21 avril 1944 pour que l'égalité des droits civiques entre les deux sexes soit enfin reconnue par le gouvernement du général de Gaulle.*

Pour les mêmes raisons que le premier — remplacement des combattants et des prisonniers à de nombreux postes de travail, responsabilités familiales accrues en l'absence du père, déstructuration accélérée du corps social, etc., — le second conflit mondial a fait prendre conscience aux femmes du fossé existant entre leur rôle effectif dans la société et la place subalterne que leur assignent une morale sociale et un ordre juridique établis et maintenus par les hommes. Face à l'antiféminisme ordinaire qui continue de nourrir — sous le couvert de la dérision aimable, du paternalisme ou de la « galanterie » — une bonne partie du discours masculin (texte n° 3), le féminisme tend à changer de cible, à substituer aux revendications politiques désormais satisfaites les exigences égalitaires portant sur le travail, sur les rapports à l'intérieur du couple et bientôt sur la sexualité. Le ton est donné avec la parution en 1949 du Deuxième Sexe, *de Simone de Beauvoir, livre-phare du nouveau féminisme dont l'audience, d'abord confidentielle, va s'étendre à la fin des années soixante à de larges secteurs du public féminin (texte n° 4).*

À partir du milieu des années cinquante, les femmes ont bénéficié dans leur conquête de l'égalité de fait avec les hommes de plusieurs conditions favorables : outre l'évolution générale des mœurs et les progrès du confort domestique, qui les a «libérées» de certaines tâches, la mixité scolaire — généralisée au cours de la décennie 1960 —, les avancées de la médecine et de la pharmacie qui ont facilité l'adoption par étapes du «contrôle des naissances», enfin les effectifs longtemps insuffisants de la population active qui ont poussé à la généralisation du travail féminin.

L'action militante, tantôt radicale, tantôt composant avec diverses forces politiques pour faire avancer la législation, et la pression exercée par un nombre croissant de femmes pour modifier les rapports entre les sexes dans le couple, dans le travail et dans la vie quotidienne ont fait le reste. Les batailles les plus rudes sont celles qui ont porté sur le droit des femmes à disposer librement de leur corps et à faire admettre que la maternité était un choix et non cette fatalité dans laquelle la société masculine avait prétendu les enfermer jusqu'alors, en grande partie pour des raisons économiques camouflées sous le masque de la morale (textes n°s 5 et 6). Cette évolution s'est accompagnée durant les années 1960 et 1970 d'une modification de l'image de la femme qui a affecté divers compartiments de la culture, au sens le plus large du terme, englobant aussi bien la littérature que des pratiques sociales et festives telles que la mode (texte n° 7), le sport et diverses activités considérées jusqu'à cette date comme «réservées» aux hommes.

Aujourd'hui, si le droit au travail (texte n° 8) ne leur est plus contesté que par une minorité appartenant à des franges ultra-conservatrices de la classe politique et de la société, l'exercice de ce droit est souvent rendu difficile du fait de la persistance de contraintes liées à l'éducation des enfants, à la persistance de conduites «sexistes» dans la celule conjugale et aux effets sélectifs de la rétraction du marché de l'emploi. Ainsi, si plus de 45 % des femmes (soit 10 millions de personnes, parmi lesquelles on compte une très grande majorité de mères de famille) occupent un emploi, elles sont davantage touchées par le chômage et par l'extension des emplois précaires que les hommes (texte n° 9), et s'il est vrai qu'il n'est plus guère de secteur (armée, police, direction d'entreprise, grands corps de l'État) où elles ne soient présentes, elles exercent en moyenne des activités moins valorisantes et moins bien rémunérées. Elles sont notamment très fortement marginalisées dans un monde politique dont la conquête reste à faire et qui a attendu l'extrême fin du siècle pour se poser le problème de leur participation autre que symbolique aux fonctions électives et à la direction des affaires publiques.

Rien n'est complètement joué à l'heure actuelle, qu'il s'agisse de l'occupation paritaire avec les hommes des bastions dont ces derniers conservent un contrôle quasi hégémonique, de la persistance de discriminations masquées sous des alibis divers, de la défense des droits acquis au cours du dernier demi-siècle en matière notamment de contraception et d'interruption volontaire de grossesse, de violence spécifiquement dirigée contre les femmes (texte n° 10), et plus généralement de la prise en compte de ce que notre culture peut avoir conservé d'inégalitaire dans le rapport du masculin au féminin (texte n° 11). L'heure n'est plus où, dans un numéro spécial d'*Esprit* (juin 1936), Emmanuel Mounier devait rappeler que «la femme aussi est une personne». Mais comme toutes les libertés et comme la démocratie elle-même, les acquis du combat mené par les femmes au cours de ce siècle ne sont pas forcément irréversibles. L'appel à la vigilance lancé il y a plus de trente ans par l'Américaine Betty Friedan[1]

1. B. Friedan *La Femme mystifiée*, trad. de l'américain, Paris, Éditions Gonthier, 1964.

*reste d'actualité, aussi bien outre-Atlantique que dans nos sociétés européennes, désta-
bilisées et nostalgiques d'un ordre moral dont la disparition est imputée par nombre de
nos contemporains à la libération des femmes.*

1. Les femmes du monde ne sont plus ce qu'elles étaient
(1919)

*Maurice Sachs, à qui l'on doit ce texte en forme de journal, dans lequel il fustige la fri-
volité des «femmes du monde» de l'immédiat après-guerre, a été durant les «années
folles» — la «décade de l'illusion» pour reprendre le titre du livre qu'il consacrera à
cette période — le familier de Cocteau, de Max Jacob et d'autres représentants de
l'avant-garde littéraire et artistique. Ami de Jacques et de Raïssa Maritain, il s'est
converti au catholicisme et a même songé un moment à devenir prêtre. La misogynie
affichée dont il fait preuve dans ce court extrait d'un livre posthume traduit l'ambiva-
lence du personnage — à la fois homosexuel en lutte contre le conformisme ambiant et
jeune bourgeois épris de dandysme et au fond très attaché à son milieu et à l'ordre
social qui en assure la pérennité — en même temps qu'elle reflète l'état d'esprit d'une
génération qui accepte mal les changements intervenus dans le statut de la femme à la
suite du premier conflit mondial.*

Source : Maurice Sachs, *Au Temps du bœuf sur le toit*, Paris, Grasset, 1987, pp. 16-19.
Bibliographie : J.-M. Belle, *Les Folles années de Maurice Sachs*, Paris, Grasset, 1979.

27 juillet 1919

LOUISE ET VIOLETTE D'ESPARD sont toutes les deux jolies. Le malheur c'est qu'on
pense directement à épouser Violette, mais qu'on a envie de coucher avec Louise.
Problème assez insoluble dans la moralité.

30 juillet 1919

Stupéfait de rencontrer Mme de Boigencis à Paris. Elle est venue entre deux trains chercher un renfort de robes du soir. «Il faut bien faire oublier à nos pauvres poilus tout ce
qu'ils ont souffert», s'est-elle écriée, du même ton qu'on disait à l'arrière pendant la
guerre : «Il faut bien vivre.» Toutes les femmes que je connais en sont là. Elles ont eu
beaucoup de mal à trouver le joint qui excuserait leur coquetterie entre 1914 et 1918.
Elles se croient obligées aujourd'hui de chercher de nouvelles excuses pour la coquetterie de la paix, elles en ont trouvé. Ne faut-il pas disent-elles, distraire les maris qui sont
revenus ; remplacer les morts ? Pour que les orphelins soient bien éduqués, ne faut-il
pas que les mères se remarient ? Si, si, matrones d'Éphèse, vous avez raison, «soyez
frivoles, légères, charmantes, il y a tant de bonté à cela». On répète partout cette formule de Mme Minchin qui est directrice de conscience pour femmes du monde. Parfait,
parfait ! Je n'y contredis rien, mais c'est DRÔLE.

27 juillet 1919 [...]

La conversation a encore souffert de ceci qu'il n'y a plus de maison à parler à six heures car les femmes ne sont plus chez elles et vont à quatre cocktail-parties de six à neuf heures.

Avant 1914, une femme qui ne serait pas restée chez elle avant le dîner se serait fait remarquer. D'ailleurs, les femmes du monde qui sortent et font la fête datent de l'après-guerre. Elles vont au restaurant alors qu'avant elles n'y eussent pas mis les pieds, et y vont même avec n'importe qui alors qu'en 1913 elles ne seraient jamais sorties sans leur mari ou quelque membre de leur famille. De même au cinéma. [...]

© Grasset

2. Pour le vote des femmes
(1931)

Le suffrage féminin constitue, entre les deux guerres, l'objectif principal des mouvements féministes, au point qu'il sera habituel durant cette période de confondre «féministes» et «suffragistes». C'est le thème du droit de vote des femmes qui inspire les articles les plus engagés de la presse féministe, suscite des «états généraux» du féminisme, mobilise les militantes des «ligues» et autres organisations suffragistes : l'Union nationale pour le vote des femmes (UNVF) que préside la duchesse de La Rochefoucauld, l'Union française pour le suffrage des femmes (UFSF) de Cécile Brunschvicg, la Ligue française pour le droit des femmes (LFDF) de Maria Vérone, ou encore la Ligue internationale des femmes pour la paix et la liberté, plus pacifiste que suffragiste, qu'animent des socialistes comme Gabrielle Duchêne.

Du côté des partis politiques, la gauche socialiste et communiste est assez largement acquise à l'extension aux femmes du suffrage universel, mais elle n'en fait pas son cheval de bataille. La droite est partagée entre ceux qui campent sur des positions résolument conservatrices, une masse de «modérés» qui ne sont pas hostiles par principe au vote féminin mais préféreraient à celui-ci le «vote familial», autrement dit un élargissement du vote masculin, et des suffragistes convaincus, parmi lesquels on trouve les dirigeants de la Fédération républicaine, avec à leur tête Louis Marin, président du groupe féministe parlementaire qui tentera à maintes reprises de faire passer des projets de loi introduisant le vote des femmes dans la pratique électorale française. En vain : l'opposition irréductible du Parti radical — où militent cependant des féministes célèbres comme Cécile Brunschvicg, mais qui redoute l'influence de l'Église sur l'électorat féminin — et la résistance acharnée du Sénat auront raison de tous les projets proposés ou votés par les députés.

Le texte présenté ici est extrait des Cahiers de la démocratie populaire, *une revue publiée par le petit Parti démocrate populaire (PDP), une formation créée en 1924 et qui regroupe une «aile gauche» du catholicisme social et une «aile droite» de la démocratie chrétienne. Son auteur, Germaine Chapuis (plus tard Poinso-Chapuis), est une avocate de cinquante ans qui jouera après la guerre un rôle important au sein du Mouvement républicain populaire. Les positions du PDP n'ont rien de surprenant, si l'on se réfère à celles du Saint-Siège et d'une partie de la hiérarchie. En 1919 en effet, Benoît XV s'est prononcé en faveur du vote des femmes et en France le cardinal Baudrillart et le Père Sertillanges ont adopté une attitude identique.*

Source : Germaine Chapuis, « Pourquoi nous sommes partisans du suffrage féminin », *Cahiers de la démocratie populaire*, Paris, Éditions du Petit démocrate, n° 12, 1931, pp. 4-6.

Bibliographie : H. Bouchardeau, *Pas d'histoire, les femmes ?*, Paris, Syros, 1977 ; M. Dogan, J. Narbonne, *Les Françaises face à la politique*, Paris, Armand Colin, 1955 ; M. Albistur, D. Armogathe, *Histoire du féminisme français*, Paris, Des femmes, 1977.

Nous sommes en France, soumis au suffrage universel. Or, rien n'est moins universel que le suffrage par lequel nos assemblées législatives sont élues. Un suffrage vraiment universel ne devrait-il pas être, en effet, l'expression aussi exacte que possible de la volonté de tous les citoyens parvenus à une maturité d'esprit suffisante, et que nulle indignité, légalement proclamée, ne prive de leur droit de participer aux affaires publiques ? Or, notre suffrage, soi-disant universel, n'aboutit à rien moins qu'à écarter, en fait, plus de la moitié de la nation adulte, et à confisquer, au profit d'une minorité dont le seul privilège réside dans le sexe, toutes les commandes de notre organisation politique.

Du moins, selon la logique, cet État, à l'organisation duquel les femmes n'ont point de part, devrait subsister sans elles. Cette démocratie, dont elles sont exclues, devrait les ignorer totalement. Ce suffrage universel, auquel elles ne participent point, devrait les laisser étrangères à ses décisions, et aux lois qu'elles engendrent. Mais ici, c'est le défi total à la logique. L'antiféministe grognon, lui-même, en reste coi un instant.

Lorsqu'il s'agit de soumission aux lois, de paiement des impôts, de formalités administratives à accomplir, il n'y a plus qu'une catégorie de citoyens, et non pas deux. Les femmes sont soumises alors aux mêmes règles qui s'imposent aux hommes. Elles subissent les lois à l'élaboration desquelles elles n'ont pas eu de part. Elles payent les impôts qu'elles n'ont pas consentis ; peu importe, à cet égard, que la Déclaration des droits de l'homme ait inscrit dans sa charte le privilège, fort légitime, pour le citoyen, de voter ses impôts. Parce que femmes, il faut payer sans demander pourquoi, et surtout ne jamais émettre quelque exorbitante prétention, telle que contrôler ce qu'il peut advenir de ce paiement forcé.

Sans doute, le « Monsieur pour qui tout est bien » et qui, évidemment, a toujours raison, se chargera-t-il de rassurer notre logique inquiète en affirmant d'une voix docte quelques rassurantes vérités. L'une d'elles est sans réplique. Le suffrage est la contrepartie d'une obligation civique tout à fait spéciale et que la femme n'accomplit point. […] L'homme, qui fait à la cité un rempart de son corps, n'a-t-il point le droit, et le droit exclusif, d'administrer, de diriger, de gouverner cette même cité qui lui doit, dans le passé — et chaque fois qu'un danger la menace — l'existence et même le salut.

À cela, nous répondons que si le sacrifice du citoyen s'immolant pour sa patrie est grand et fécond, il ne faudrait point, pour autant, oublier celle à qui le citoyen doit la vie : la mère de famille, la continuatrice de la race, la créatrice des soldats dans la guerre, des bons citoyens dans la paix. Si la femme ne fait point la guerre avec son propre sang, on ne saurait nier qu'elle la fasse avec le sang de son sang, avec la chair de sa chair, et que, pour qui aime vraiment, il soit plus aisé de s'immoler soi-même, que d'immoler l'objet de son amour et la vie de son cœur.

Plus encore, la femme n'accomplit-elle point, sans se plaindre, la dure tâche civique du service maternel, combien plus ingrat, aussi héroïque parfois, toujours plus fécond pour le pays, que le service militaire ? Faut-il donner le pas, dans l'ordre des valeurs, aux vertus guerrières, qui sauvent en détruisant, sur les vertus constructives de la maternité, qui sauve en créant ?

3. L'antiféminisme ordinaire
à la fin des années cinquante

Ancien membre du secrétariat particulier du général de Gaulle en 1944-1945, journaliste à l'ORTF et au Figaro littéraire, Jean Duché a été également éditorialiste à Elle, l'hebdomadaire féminin dirigé depuis 1945 par Hélène Gordon-Lazareff de 1951 à 1974. Le fait qu'il ait durant une période aussi longue tenu une rubrique hebdomadaire dans la publication qui se voulait à l'écoute des femmes et en quelque sorte à l'avant-garde de leurs aspirations et de leurs préoccupations paraît le mettre à l'abri du soupçon d'antiféminisme. Pourtant — mais son propos ne fait que refléter une tendance très répandue, et pas seulement parmi les hommes —, la manière dont il conçoit l'«émancipation» féminine et la causticité dont il fait preuve à l'égard des femmes «pédantes» et envers celles qui, comme les «peuples sous-développés [...] se gargarisent de leur indépendance», ou comme les «adolescents fracassants [...] croient [...] tout réinventer», en disent long non seulement sur son conservatisme en matière de relations sociales et internationales, mais sur le conformisme d'un discours (et d'un lectorat) qui, rejetant le discours, quasi marginal à cette date, du féminisme radical, renvoie le «deuxième sexe» à sa «nature profonde».

Source : Jean Duché, « Émancipation + féminité = femme totale », *Elle*, n° 714, 31 août 1959.
Bibliographie : P.-H. Chombart de Lauwe, *La Femme dans la société. Son image dans différents milieux*, Paris, Éditions du CNRS, 1963 ; F. Dumas, *L'Autre semblable*, Paris, Delachaux et Niestlé, 1967.

IL NE M'EST PAS POSSIBLE — surtout en été quand je n'ai pas de secrétaire — de répondre à toutes les lettres que je reçois. Ma série d'articles sur l'émancipation des femmes en a provoqué une grande quantité. Je voudrais, aujourd'hui que nous nous retrouvons, répondre ici à certaines d'entre vous.

Cette révolution féminine qui tant agite les femmes d'aujourd'hui et parfois inquiète les hommes, je l'ai observée de points de vue successifs, de semaine en semaine : l'espace dont je dispose ne me permet guère d'examiner dans le même temps le pour et le contre. Je constate qu'il est des lectrices qui n'ont retenu qu'une de mes propositions, parfois une seule phrase — celle qui apportait de l'eau au moulin de leur passion — sans tenir compte de l'ensemble. Mais qui est en cause — et quoi — au bout du compte ? Je n'ai parlé que des femmes de la bourgeoisie parce que cette révolution est la leur, comme celle de 89 fut le fait des bourgeois. Les femmes de la classe ouvrière, depuis toujours travailleuses, et depuis longtemps gérant le budget familial, avaient déjà en ce sens plus d'indépendance que les bourgeoises ; quand l'ouvrier remettait sa paie à sa femme, ou quand celle-ci allait à l'usine, quand la boutiquière collaborait avec son mari, ou gérait seule le magasin, l'industriel confiait une certaine somme à Madame, et pour le reste elle était le plus souvent incapable de dire comment marchait l'usine, fût-ce avec l'argent de sa dot. Le fait nouveau est qu'il se rencontre maintenant des femmes capables de diriger une usine.

La femme d'intérieur dont la compétence ne dépassait pas les frontières du foyer, ou le gracieux petit animal attentif et soumis, est donc une figure du XIXᵉ siècle à ranger au musée (je dis « du XIXᵉ » pour rappeler une fois encore qu'il fut, avant le nôtre, d'autres époques d'émancipation). La femme d'aujourd'hui, si elle a la chance d'être née intelligente et dans un certain milieu social, peut gagner sa liberté matérielle en exerçant un métier, et sa liberté intérieure en cultivant son esprit. Qui ne s'en féliciterait ? Reprenons la phrase de La Bruyère, et méditons-la comme il convient, car n'est-elle pas notre idéal ? « Une belle femme qui a les qualités d'un honnête homme est ce qu'il y a eu monde de plus délicieux. »

D'un honnête homme, oui. Mais pas d'un homme. Je suis sûr que vous sentirez la nuance. Il est des féministes, des jacobines de l'émancipation féminine, naïvement éblouies par leurs conquêtes, qui nous assomment de leur pédantisme, et semblent ne concevoir d'autre idéal que de singer les hommes. Elles se conduisent, disais-je, comme ces peuples sous-développés qui, au siècle des avions-fusées, se gargarisent de leur « indépendance » ; ou comme ces adolescents fracassants qui croient tout réinventer. C'est touchant, on comprend leur enthousiasme de néophytes, mais l'on attend qu'elles comprennent que cela peut être agaçant. Et affligeant. Car il est affligeant de voir quelqu'un que l'on aime s'amputer de son bien le plus précieux. Quoi ? Ses racines.

Bien sûr, tout beau tout nouveau, et une femme émancipée ne peut pas ne pas éprouver d'abord que son bien le plus précieux est son émancipation. Et c'est un bien en effet. Mais ce serait un mal irrémédiable si la femme ingénieur, médecin, avocat, fonctionnaire, en venait à méconnaître en elle-même la femme. J'en sais plus d'un exemple.

La seule réplique valable, à mes yeux, serait : Et les hommes, est-ce qu'ils ne perdent pas, dans leur fonction, leur virilité ? Il n'est que trop certain. Mais c'est aux femmes que je m'adresse.

Peut-être conviendrait-il d'élargir le débat, et de mettre en accusation les fondements mêmes de notre civilisation. Ceci est une autre histoire…

Me voilà au bas de ma colonne. Tirons un trait, additionnons : l'émancipation de la femme, _plus_ sa féminité de toujours, cela pourrait faire une femme totale — « ce qu'il y a au monde de plus délicieux ». Resterait peut-être à tenter le portrait de cette femme totale…

4. Qu'est-ce qu'une femme ?

C'est en 1949, dans le reflux de la vague existentialiste et alors que la guerre froide culturelle bat son plein, que Simone de Beauvoir fait paraître l'ouvrage qui, plus que tout autre, devait assurer sa célébrité mondiale : Le Deuxième Sexe. _Succès de scandale, dans un premier temps, simplement parce que son auteur dit crûment un certain nombre de choses concernant les femmes et le « sexe », mais succès modeste en termes de diffusion, le lectorat féminin étant peu préparé à cette date à recevoir le message décapant et passablement subversif qui lui était délivré par ce gros livre savant. Il en sera, dans un autre registre, du_ Deuxième Sexe _comme de l'œuvre romanesque de Boris Vian : c'est quinze ou vingt ans après leur publication qu'ils rencontreront véritablement leur public. Et de fait, il faut attendre le tournant de 1968 pour que cet ouvrage majeur_ *trouve le sien, même si certaines analyses de son auteur, et surtout l'optimisme raison-nable qui ressort de sa conclusion ne sont pas partagés par toutes les militantes des mouvements féministes de l'époque, même si c'est surtout hors de France, et principale-ment aux États-Unis, qu'il rassemblera le plus grand nombre d'adeptes.*

L'objet principal du Deuxième Sexe *est le refus radical de l'idée d'une « essence » ou d'une « nature » féminine qui servirait d'alibi au maintien de la situation des femmes dans la société. Récusant les arguments et les systèmes théoriques, religieux, philo-sophiques, scientifiques, visant à légitimer le maintien de la domination masculine, Simone de Beauvoir use d'une part des outils de disciplines telles que la biologie, l'anthropologie, la sociologie, l'histoire, d'autre part des postulats de la philosophie existentialiste et de sa théorie de la liberté et de l'altérité. Considérées par les hommes comme l'Autre, condamnées de ce fait, pour des raisons essentiellement historiques (la répétition des maternités), à un rôle passif, les femmes se trouvent ainsi exclues de la position de sujets, au même titre que le furent dans le passé les prolétaires et les coloni-sés. Comme eux, elles ont toutefois la possibilité de retourner cette situation et de mettre fin par la révolte à cette passivité millénaire. Le texte que nous avons retenu ici est extrait de l'introduction du* Deuxième Sexe.

Source : Simone de Beauvoir, *Le Deuxième Sexe*, Paris, Gallimard, 1949, rééd. « Folio essais », 1976, pp. 11-13.

Bibliographie : D. Bair, *Simone de Beauvoir*, Paris, Fayard, 1990 ; « Simone de Beau-voir et la lutte des femmes », *L'Arc*, n° 61, 1975 ; M.-J. Dhavernas, L. Kandel, « Le sexisme comme réalité et comme représentation », in *Les Temps modernes* n° 444, 1983 ; K. Barry, *L'Esclavage sexuel de la femme*, Paris, Stock, 1982.

J'AI LONGTEMPS HÉSITÉ à écrire un livre sur la femme. Le sujet est irritant, surtout pour les femmes; et il n'est pas neuf. La querelle du féminisme a fait couler assez d'encre, à présent elle est à peu près close : n'en parlons plus. On en parle encore cependant.

Et il ne semble pas que les volumineuses sottises débitées pendant ce dernier siècle aient beaucoup éclairé le problème. D'ailleurs, y a-t-il un problème ? Et quel est-il ? Y a-t-il même des femmes ? Certes la théorie de l'éternel féminin compte encore des adeptes ; ils chuchotent : « Même en Russie, *elles* restent bien femmes » ; mais d'autres gens bien informés — et les mêmes aussi quelquefois — soupirent : « La femme se perd, la femme est perdue. » On ne sait plus bien s'il existe encore des femmes, s'il en existera toujours, s'il faut ou non le souhaiter, quelle place elles occupent en ce monde, quelle place elles devraient y occuper. « Où sont les femmes ? », demandait récemment un magazine intermittent[1]. Mais d'abord : qu'est-ce qu'une femme ? « *Tota mulier in utero* : c'est une matrice », dit l'un. Cependant, parlant de certaines femmes, les connaisseurs décrètent : « Ce ne sont pas des femmes » bien qu'elles aient un utérus comme les autres. Tout le monde s'accorde à reconnaître qu'il y a dans l'espèce humaine des femelles ; elles constituent aujourd'hui comme autrefois à peu près la moi-tié de l'humanité ; et pourtant on nous dit que « la féminité est en péril » ; on nous exhorte : « Soyez femmes, restez femmes, devenez femme. » Tout être humain femelle n'est donc pas nécessairement une femme ; il lui faut participer à cette réalité mysté-

---

1. Il s'appelait *Franchise*.

rieuse et menacée qu'est la féminité. Celle-ci est-elle sécrétée par les ovaires ? ou figée au fond d'un ciel platonicien ? Suffit-il d'un jupon à frou-frou pour la faire descendre sur terre ? Bien que certaines femmes s'efforcent avec zèle de l'incarner, le modèle n'en a jamais été déposé.[...] Au temps de saint Thomas, elle apparaissait comme une essence aussi sûrement définitive que la vertu dormitive du pavot. Mais le conceptualisme a perdu du terrain : les sciences biologiques et sociales ne croient plus en l'existence d'entités immuablement fixées qui définiraient les caractères donnés tels que ceux de la femme, du Juif ou du Noir ; elles considèrent le caractère comme une réaction secondaire à une *situation*. S'il n'y a plus aujourd'hui de féminité, c'est qu'il n'y en a jamais eu. Cela signifie-t-il que le mot « femme » n'a aucun contenu ? C'est ce qu'affirment vigoureusement les partisans de la philosophie des lumières, du rationalisme, du nominalisme: les femmes seraient seulement parmi les êtres humains ceux qu'on désigne arbitrairement par le mot « femme » ; [...] Mais le nominalisme est une doctrine un peu courte ; et les antiféministes ont beau jeu de montrer que les femmes ne *sont* pas des hommes. Assurément la femme est comme l'homme un être humain : mais une telle affirmation est abstraite ; le fait est que tout être humain concret est toujours singulièrement situé. Refuser les notions d'éternel féminin, d'âme noire, de caractère juif, ce n'est pas nier qu'il y ait aujourd'hui des Juifs, des Noirs, des femmes : cette négation ne représente pas pour les intéressés une libération, mais une fuite inauthentique. Il est clair qu'aucune femme ne peut prétendre sans mauvaise foi se situer par-delà son sexe. [...] L'attitude de défi dans laquelle se crispent les Américaines prouve qu'elles sont hantées par le sentiment de leur féminité. Et en vérité il suffit de se promener les yeux ouverts pour constater que l'humanité se partage en deux catégories d'individus dont les vêtements, le visage, le corps, les sourires, la démarche, les intérêts, les occupations sont manifestement différents : peut-être ces différences sont-elles superficielles, peut-être sont-elles destinées à disparaître. Ce qui est certain, c'est que pour l'instant elles existent avec une éclatante évidence.

Si sa fonction de femelle ne suffit pas à définir la femme, si nous refusons de l'expliquer par « l'éternel féminin » et si cependant nous admettons que, fût-ce à titre provisoire, il y a des femmes sur terre, nous avons donc à nous poser la question : qu'est-ce qu'une femme ?

© Gallimard

5. Françoise Giroud contre la loi de 1920
(1956)

Suite à la saignée à blanc de la guerre, et à la victoire du très conservateur Bloc national, la Chambre des députés et le Sénat ont adopté, en juillet 1920, une loi réprimant la provocation à l'avortement et à la propagande anticonceptionnelle. Ainsi, ce n'était pas seulement le « crime d'avortement » qui était sanctionné mais tout ce qui pouvait concourir aux pratiques malthusiennes, « soit par la vente, la mise en vente, l'offre, même non publique, ou par l'exposition, l'affichage ou la distribution sur la voie publique ou dans les lieux publics, ou par la distribution à domicile, la remise sous bande ou sous enveloppe fermée ou non fermée, à la poste, ou à tout agent de distribution ou de transport, de livres, d'écrits, d'imprimés, d'annonces, d'affiches, dessins, images et emblèmes ».

Aussi rigoureuse qu'elle fût, la « loi de 1920 » ne doit pas faire oublier celle de 1923 qui instituait la correctionnalisation de l'avortement et qui fut votée à la Chambre par 472 voix contre 72 et adoptée à main levée au Sénat. Jusqu'alors, le délit d'avortement était régi par l'article 317 du code pénal, lequel prévoyait la réclusion pour ceux qui avaient procuré l'avortement à une femme enceinte et pour les femmes qui se l'étaient procuré à elles-mêmes. Mais le « crime » relevait du jury d'assises pour lequel l'indulgence était devenue la règle. En transférant le jugement aux tribunaux correctionnels, peuplés à l'époque de magistrats très conservateurs, on entendait diminuer de manière drastique le nombre des acquittements, et de fait la moyenne passa de 72 % pour la période 1880-1910 à 19 % au cours des années 1925-1934.

À travers cette « Lettre à un jeune député » datée d'octobre 1956 et publiée dans L'Express, dont elle est codirectrice avec Jean-Jacques Servan-Schreiber, Françoise Giroud — qui a assumé de 1945 à 1953 la rédaction en chef de l'hebdomadaire Elle —, prend pour cible l'ensemble de la législation contre la contraception et l'avortement, jugée par elle et par un nombre croissant de femmes comme désuète, inapplicable et inique. Néanmoins, compte tenu de l'état de l'opinion, c'est encore sur les « moyens modernes contraceptifs » que l'accent est mis, plutôt que sur l'interruption volontaire de grossesse.

Source : Françoise Giroud, « Lettre à un jeune député », *L'Express*, 23 octobre 1956.

Bibliographie : F. Giroud, *Si je mens*, Paris, Stock, 1972 ; « L'avortement, histoire d'un débat », présenté par H. Berger, Paris, Flammarion, 1975 ; R.-H. Guerrand, *La Libre Maternité*, Paris, Casterman, 1971.

V̇OUS ÊTES, Monsieur le jeune député, impatient de briller et de vous faire connaître. Vous avez trente-cinq ou trente-huit ans, de l'audace, des électrices et — du moins je l'espère — des enfants. Pourquoi des enfants ? Parce qu'ils seront utiles au dessein que timidement je forme pour vous rendre à la fois populaire — ce qui n'est pas si courant — et utile — ce qui l'est moins encore.

Peut-être avez-vous entendu parler d'une loi du 31 juillet 1920 ? [...]

Les articles 1 et 2 visent à punir tentatives d'avortement et intention de provoquer l'avortement. Son efficacité n'est plus à démontrer. Là où les médecins comptent 800 000 cas par an, les tribunaux en ont connu 2 022 en 1947.

Serez-vous d'accord pour considérer qu'une loi à laquelle échappent 40 000 pour cent coupables, n'est pas une loi bien faite ?

Il faut se rappeler comment elle fut votée, dans l'improvisation d'une séance où la question n'était pas inscrite à l'ordre du jour, par des hommes accusés de « toucher de l'argent boche » lorsqu'ils prétendirent s'y opposer. En effet, elle répondait — mal, mais elle répondait — à une inquiétude légitime : la dénatalité qui, au lendemain de la guerre, menaçait la France.

Les articles 3 et 4 de la même loi punissent la propagande anticonceptionnelle sous toutes ses formes.

C'est-à-dire que si, mariant votre jeune frère, vous lui avez dit: « Et puis débrouille-toi pour ne pas avoir d'enfants avant un ou deux ans... », vous vous êtes rendu coupable et relevez des tribunaux.

Ces dispositions de la loi ont été, contrairement aux précédentes, suivies de vastes effets. L'absence de propagande a été si totalement respectée que, faute de pouvoir éviter de donner la vie, dix millions de Françaises — selon l'évaluation du professeur Péquignot — ont pratiqué délibérément l'assassinat clandestin. Fallait-il mal les connaître pour imaginer qu'elles céderaient à la crainte ! [...]

Ce qui explique la résignation des Francaises devant une législation qui les contraint au plus morne des crimes, c'est l'ignorance où elles sont demeurées des moyens modernes contraceptifs, non seulement diffusés, mais recommandés en Scandinavie, en Angleterre, aux États-Unis. Beaucoup en sont arrivées à considérer l'avortement comme une fatalité inhérente à la condition féminine. On se communique des adresses comme s'il s'agissait d'une couturière. On n'en fait pas un drame. On a honte, on a mal, on a peur. Quoi ! c'est le sort commun.

Vous qui prétendez, Monsieur le député, représenter tout le peuple, vous ne pouvez pas ignorer ce qui se passe aujourd'hui à tous les échelons de la société, y compris dans les plus respectables foyers où les plus respectables auteurs des plus respectables ouvrages sur la famille tentent discrètement de répandre l'usage de la fameuse méthode Ogino-Knaus, activité qui devrait les conduire tout droit en correctionnelle, si l'on prenait la loi au pied de la lettre.

Tout cela est fort désagréable à évoquer, je le reconnais. [...] Mais à quoi servirions-nous, vous et moi, si, convaincus de plaider une bonne cause et disposant d'une tribune pour la défendre, nous nous abstenions d'en user ?

Les risques, en vérité, sont limités. La crainte d'une inculpation toujours possible justifie peut-être ceux qui, informés, se taisent. Mais ne jouissez-vous pas de l'immunité parlementaire ?

Le souci de ne pas offenser à la morale chrétienne ? Il est infiniment respectable. Pour ma part, j'en refuse l'alibi. Le conflit si douloureux qu'abritent, sur ce point précis, les véritables ménages chrétiens ne saurait être tranché par les dispositions du code civil.

La peur des maîtres occultes qui règnent sur l'Assemblée ? Je vous propose, Monsieur le député, cette perle rare : une prise de position qui va dans le sens de l'intérêt général sans léser le moindre intérêt particulier, un projet de loi qui, impitoyable à l'avortement, autoriserait l'usage et la diffusion des méthodes contraceptives admises, par exemple dans les pays anglo-saxons.

L'opinion publique ? Elle est toujours en avance sur ceux qui prétendent la respecter.

Voilà, direz-vous, bien de la véhémence, au sujet d'un problème qui n'est pas plus urgent aujourd'hui qu'il ne l'était hier, qu'il ne le sera demain. Et puis la famille, les enfants, l'hygiène... Je ne suis pas compétent. Vous devriez en parler à...

Le dites-vous ? Alors tout est perdu. Vous êtes déjà un vieux député.

Mais ceux qui n'auront pas le courage de dire « oui » auront-ils le courage de dire « non » ?

6. Discours de Simone Veil à l'Assemblée nationale
(1974)

C'est à la fin des années cinquante qu'a commencé à se dessiner le mouvement en faveur de l'abrogation de la loi de 1920. Créé en 1956, le Mouvement français pour le planning familial a connu un essor rapide, chaque grande ville disposant bientôt d'un centre où les femmes peuvent obtenir des conseils et des moyens contraceptifs en contravention avec la législation en vigueur, tandis que la presse féminine, Elle *et surtout* Marie-Claire, *rompt peu à peu avec le tabou du silence. Il faut toutefois attendre 1967 pour qu'avec la loi Neuwirth soit reconnu officiellement le droit à la contraception et plusieurs années encore pour que soient adoptés les décrets d'application.*

L'ultime bataille pour le droit des femmes à la maternité choisie va se livrer au début des années 1970. Menée par des militantes féministes dont les événements de 1968 ont radicalisé le discours et l'action, notamment par Gisèle Halimi, avocate, fondatrice du mouvement Choisir et auteur en 1973 de La Cause des femmes, *elle donne lieu à quelques épisodes spectaculaires et fortement médiatisés comme le Manifeste des 343 (militantes politiques, intellectuelles, artistes connues qui affirment publiquement avoir elles-mêmes avorté) et le procès de Bobigny (intenté à une adolescente accusée d'avoir mis fin à sa grossesse).*

Lorsque Valéry Giscard d'Estaing devient président de la République au printemps 1974, la situation paraît mûre pour l'abrogation de la législation anti-abortive. C'est à Simone Veil, qui occupe le portefeuille de la Santé dans le gouvernement présidé par Jacques Chirac, qu'il reviendra de préparer et de défendre devant le Parlement la loi qui porte son nom et qui autorise dans certaines conditions l'interruption volontaire de grossesse (IVG). Celle-ci ne sera votée que grâce à l'appui massif de la gauche, à la suite d'un débat houleux au cours duquel Simone Veil devra affronter l'aile ultra-conservatrice de la majorité. Le texte présenté ici est extrait du discours qu'elle a prononcé à l'Assemblée nationale le 26 novembre 1974.

Source : Discours de Simone Veil à l'Assemblée nationale, 26 novembre 1974, *Journal officiel, Débats parlementaires*, Assemblée nationale, 27 novembre 1974.
Bibliographie : G. Halimi, *La Cause des femmes*, Paris, B. Grasset, 1973 ; M. Ferrand, M. Jaspard, *L'Interruption volontaire de grossesse*, Paris, PUF, 1987 ; J. Mossuz-Lavau, *Les Lois de l'amour. Les politiques de la sexualité en France (1950-1990)*, Paris, Payot, 1991 ; F. Picq, *Libération des femmes. Les années mouvement*, Paris, Le Seuil, 1993.

MME SIMONE VEIL, ministre de la Santé.
Monsieur le président, Mesdames, Messieurs, si j'interviens aujourd'hui à cette tribune, ministre de la Santé, femme et non-parlementaire, pour proposer aux élus de la nation une profonde modification de la législation sur l'avortement, croyez bien que c'est avec un profond sentiment d'humilité devant la difficulté du problème, comme devant l'ampleur des résonances qu'il suscite au plus intime de chacun des Français et des Françaises, et en pleine conscience de la gravité des responsabilités que nous allons assumer ensemble. [...] Pourtant, d'aucuns s'interrogent encore : une nouvelle loi est-elle vraiment nécessaire ? Pour quelques-uns, les choses sont simples : il existe une loi répressive, il n'y a qu'à l'appliquer. D'autres se demandent pourquoi le Parlement devrait trancher maintenant

ces problèmes : nul n'ignore que depuis l'origine, et particulièrement depuis le début du siècle, la loi a toujours été rigoureuse, mais qu'elle n'a été que peu appliquée. En quoi les choses ont-elles donc changé, qui oblige à intervenir ? Pourquoi ne pas maintenir le principe et continuer à ne l'appliquer qu'à titre exceptionnel ? Pourquoi consacrer une pratique délictueuse et, ainsi, risquer de l'encourager ? Pourquoi légiférer et couvrir ainsi le laxisme de notre société, favoriser les égoïsmes individuels au lieu de faire revivre une morale de civisme et de rigueur ? Pourquoi risquer d'aggraver un risque de dénatalité dangereusement amorcé au lieu de promouvoir une politique familiale généreuse et constructive qui permette à toutes les mères de mettre au monde et d'élever les enfants qu'elles ont conçus ?

Parce que tout nous montre que la question ne se pose pas en ces termes. Croyez-vous que ce gouvernement et celui qui l'a précédé se seraient résolus à élaborer un texte et à vous le proposer s'ils avaient pensé qu'une autre solution était encore possible ? Nous sommes arrivés à un point où, en ce domaine, les pouvoirs publics ne peuvent plus éluder leurs responsabilités. Tout le démontre : les études et les travaux menés depuis plusieurs années, les auditions de votre commission, l'expérience des autres pays européens. Et la plupart d'entre vous le sentent, qui savent qu'on ne peut empêcher les avortements clandestins et qu'on ne peut non plus appliquer la loi pénale à toutes les femmes qui seraient passibles de ses rigueurs.

Pourquoi donc ne pas continuer à fermer les yeux ? Parce que la situation actuelle est mauvaise. Je dirai même qu'elle est déplorable et dramatique. Elle est mauvaise parce que la loi est ouvertement bafouée, pire même, ridiculisée. [...]

Lorsque les médecins, dans leurs cabinets, enfreignent la loi et le font connaître publiquement, lorsque les parquets, avant de poursuivre, sont invités à en référer dans chaque cas au ministère de la Justice, lorsque les services sociaux d'organismes publics fournissent à des femmes en détresse les renseignements susceptibles de faciliter une interruption de grossesse, lorsque, aux mêmes fins, sont organisés ouvertement et même par charter des voyages à l'étranger, alors je dis que nous sommes dans une situation de désordre et d'anarchie qui ne peut plus continuer. (_Applaudissements sur divers bancs des Républicains indépendants, de l'Union des démocrates pour la République, des réformateurs, des centristes et des démocrates sociaux et sur quelques bancs des socialistes et des radicaux de gauche._)

Mais, me direz-vous, pourquoi avoir laissé la situation se dégrader ainsi et pourquoi la tolérer ? Pourquoi ne pas faire respecter la loi ?

Parce que si des médecins, si des personnels sociaux, si même un certain nombre de citoyens participent à ces actions illégales, c'est bien qu'ils s'y sentent contraints ; en opposition parfois avec leurs convictions personnelles, ils se trouvent confrontés à des situations de fait qu'ils ne peuvent méconnaître. Parce qu'en face d'une femme décidée à interrompre sa grossesse, ils savent qu'en refusant leur conseil et leur soutien ils la rejettent dans la solitude et l'angoisse d'un acte perpétré dans les pires conditions, qui risque de la laisser mutilée à jamais. Ils savent que la même femme, si elle a de l'argent, si elle sait s'informer, se rendra dans un pays voisin ou même en France dans certaines cliniques et pourra, sans encourir aucun risque ni aucune pénalité, mettre fin à sa grossesse. Et ces femmes, ce ne sont pas nécessairement les plus immorales ou les plus inconscientes. Elles sont 300 000 chaque année. Ce sont celles que nous côtoyons chaque jour et dont nous ignorons la plupart du temps la détresse et les drames.

C'est à ce désordre qu'il faut mettre fin. C'est cette injustice qu'il convient de faire cesser.

7. Le match Chanel-Courrèges

Deux hebdomadaires féminins de grande diffusion, Elle *et* Marie-Claire, *se partagent, au milieu des années 1960, un lectorat appartenant pour l'essentiel aux classes moyennes. L'un et l'autre consacrent la plus grande partie de leurs pages à la mode et à la « beauté », mais de plus en plus ils tendent à répondre à d'autres besoins et à d'autres préoccupations du public féminin, suivant en cela l'évolution des idées et des mœurs. La famille, la « maison », l'éducation des enfants, continuent d'occuper une place importante dans leurs colonnes, mais peu à peu s'imposent d'autres sujets, directement branchés sur les changements qui s'opèrent à cette date dans la société : la place des femmes dans le monde du travail, les rapports à l'intérieur du couple et bientôt tout ce qui a trait au « contrôle des naissances ».*

La mode étant elle-même, à bien des égards, le reflet des transformations du corps social et des mentalités, il n'est pas étonnant que la rédaction de Marie-Claire *ait demandé à Roland Barthes d'expliquer à ses lectrices quelle signification revêtait aux yeux du sémiologue le « match Chanel-Courrèges ».*

Source : Roland Barthes, « Le match Chanel-Courrèges », *Marie-Claire*, n° 181, septembre 1967.
Bibliographie : R. Barthes, *Système de la mode*, Paris, 1967 ; J. Kristeva, « Le sens et la mode », in *Critique*, vol. XXIII, n° 247, 1967 ; B. Duroselle, *La Mode*, Paris, Imprimerie nationale, coll. « Notre siècle », 1986.

S<small>I VOUS OUVRIEZ AUJOURD'HUI</small> une histoire de notre littérature, vous devriez y trouver le nom d'un nouvel auteur classique : Coco Chanel. Chanel n'écrit pas avec du papier et de l'encre (sauf à ses moments perdus) mais avec de l'étoffe, des formes et des couleurs ; cela n'empêche pas qu'on lui prête communément l'autorité et le panache d'un écrivain du grand siècle : élégante comme Racine, janséniste comme Pascal (qu'elle cite), philosophe comme La Rochefoucauld (qu'elle imite en donnant elle aussi au public des maximes), sensible comme Mme de Sévigné, frondeuse enfin comme la Grande Mademoiselle dont elle recueille le surnom et la fonction (voir ses déclarations de guerre aux couturiers). Chanel, dit-on, retient la mode au bord de la barbarie et la comble de toutes les valeurs de l'ordre classique : la raison, le naturel, la permanence, le goût de plaire, non d'étonner : on aime bien Chanel au *Figaro* où elle occupe avec Cocteau les marges de la bonne culture mondaine.

Que peut-on opposer d'extrême au classicisme sinon le futurisme ? Courrèges habille, dit-on, les femmes de l'an 2 000 qui sont déjà les petites filles d'aujourd'hui. Mélangeant, comme dans toute légende, le caractère de la personne et le style des œuvres, on gratifie Courrèges des qualités fabuleuses du novateur absolu : jeune, impétueux, galvanique, virulent, fou de sport (et du plus abrupt : le rugby), amateur de rythme (la présentation de sa collection s'est faite au son du jerk), téméraire jusqu'à la contradiction puisqu'il invente une robe du soir qui n'est pas une robe (mais un short). [...]

Tout cela veut dire qu'on a partout le sentiment que quelque chose d'important sépare Chanel et Courrèges — quelque chose peut-être de plus profond que la mode ou du moins dont la mode n'est que la circonstance d'apparition. Quoi ?

Les créations de Chanel contestent l'idée même de mode. La mode (telle que nous la concevons aujourd'hui) repose sur un sentiment violent du temps. Chaque année, la mode détruit ce qu'elle vient d'adorer, elle adore ce qu'elle va détruire. [...] L'œuvre de Chanel ne participe pas — ou participe peu — à cette vendetta annuelle. Chanel travaille toujours le même modèle qui ne fait que « varier », d'année en année, comme on « varie » un thème de musique ; son œuvre dit (et elle-même le confirme) qu'il y a une beauté « éternelle » de la femme dont l'image unique nous serait transmise par l'histoire de l'art ; elle repousse avec indignation les matières périssables, le papier, le plastique, dont on essaye parfois, en Amérique, de faire des robes. La chose même qui nie la mode, la durée, Chanel en fait une qualité précieuse. [...] Les modèles de Courrèges n'ont pas cette hantise : très frais, colorés ou même coloriés, en eux domine le blanc, ce neuf absolu ; cette mode volontairement très jeune, avec ses références collégiennes, parfois infantiles même (chaussettes et chaussures de bébé), pour laquelle l'hiver est lui aussi une saison toute claire, est continuellement neuve, sans complexe parce qu'elle habille des êtres neufs. De Chanel à Courrèges, la « grammaire » des temps change : le « chic » inaltérable de Chanel nous dit que la femme a déjà vécu (et su vivre), le « neuf » obstiné de Courrèges qu'elle va vivre.

Le temps donc, qui est _style_ pour l'une et _mode_ pour l'autre, sépare Chanel et Courrèges ; une certaine idée du corps aussi. Ce n'est pas par hasard que l'invention propre de Chanel, le tailleur, est bien proche du vêtement d'homme. Le costume masculin et le tailleur chanélien ont un idéal commun : la « distinction ». La « distinction » était au XIXᵉ siècle une valeur sociale, elle permettait dans une société récemment démocratisée où il était interdit aux hommes des classes dites supérieures d'afficher leur argent — chose toujours permise par procuration à leurs épouses —, de « se distinguer » tout de même par quelque détail discret. Le style de Chanel recueille, filtré, féminisé, cet héritage historique et c'est en cela, d'ailleurs, qu'il est paradoxalement daté ; il correspond à ce moment assez bref de notre histoire (qui est celui de la jeunesse de Chanel) où une minorité de femmes a enfin accédé au travail et a dû transposer dans son vêtement quelque chose des valeurs masculines, à commencer par cette fameuse « distinction », seul luxe qui reste aux hommes uniformisés par leur travail. La femme de Chanel, ce n'est pas la jeune fille oisive mais la jeune femme affrontée à un travail lui-même discret, évasif dont elle laisse lire, dans son tailleur souple, à la fois pratique et racé, non le contenu (ce n'est pas un uniforme) mais la compensation, une forme supérieure de loisir, la croisière, le yacht, le wagon-lit, en un mot le voyage, moderne et aristocratique, chanté par Paul Morand et Valéry Larbaud. [...]

Il y a cependant une contrepartie au style de Chanel : un certain oubli du corps que l'on dirait tout entier réfugié, absorbé dans la « distinction » sociale du vêtement. Ce n'est pas la faute de Chanel : depuis ses débuts quelque chose de nouveau est apparu, dans notre société, que les nouveaux couturiers essaient de traduire, de coder : une nouvelle classe est née que n'avaient pas prévue les sociologues : la jeunesse. Comme le corps est son seul bien, la jeunesse n'a pas à être vulgaire ou « distinguée » : simplement, elle _est_. Voyez la femme de Chanel : on peut situer son milieu, ses occupations, ses loisirs, ses voyages ; voyez celle de Courrèges : on ne se demande pas ce qu'elle fait, qui sont ses parents, quels sont ses revenus ; elle est jeune, nécessairement et suffisamment. Tout à la fois abstraite et matérielle, la mode de Courrèges ne semble s'être donné qu'une fonction : celle de faire du vêtement un signe très clair de tout le corps.

8. Le « rapport Sullerot »
(1975)

Sociologue et écrivain, Évelyne Sullerot a consacré l'essentiel de son œuvre à l'étude du travail féminin. Elle a également été fondatrice en 1955 et secrétaire générale (1955-1958), puis présidente d'honneur du Mouvement pour le planning familial, véritable précurseur en la matière. Nommée en 1974 au Conseil économique et social, elle a été chargée par celui-ci de rédiger l'année suivante, au moment où les premiers effets de la crise commençaient à se manifester, un rapport sur le travail et l'emploi des femmes dont nous présentons ici de larges extraits.

Source : Rapport présenté au nom du Conseil économique et social par Évelyne Sullerot (extrait), *Journal officiel*, 26 novembre 1975.

Bibliographie : É. Sullerot, *Histoire et sociologie du travail féminin*, Paris, Stock, 1968 ; É. Sullerot, *L'emploi des femmes et ses problèmes dans les États membres de la Communauté*, Bruxelles, 1972 ; *Les problèmes posés par les conditions de travail des femmes*, rapport du ministère des Affaires sociales, Paris, Comité du travail féminin, 1976 ; J. Laot, *Stratégie pour les femmes*, Paris, Stock, 1977.

P̲OUR LA PREMIÈRE FOIS, le Conseil économique et social traite d'un problème qui intéresse la condition féminine : il a été saisi d'une demande d'étude et d'avis sur *les problèmes posés par le travail et l'emploi des femmes*. Le libellé de cette saisine n'est pas indifférent et confère une certaine originalité à cette étude. Généralement, dans la littérature économique et sociale, les femmes n'apparaissent que dans un chapitre parmi d'autres consacré aux effets de telle ou telle évolution sur des groupes particuliers : les jeunes, les immigrés, les handicapés, les femmes, etc. On étudie alors la manière spécifique dont le groupe en question réagit à des phénomènes qui semblent toujours naître, se décider, se développer indépendamment de lui : la manière, en somme, dont les femmes subissent les évolutions de la société, les problèmes que ces évolutions leur posent.

L'intérêt de l'étude qui a été demandée au Conseil économique et social est de renverser les termes de la question pour s'interroger sur les problèmes que pose et que posera dans un proche avenir à la société française le travail des femmes.

Il s'agit donc, non seulement d'étudier quels rôles ont été attribués aux femmes par la société dans le travail et hors travail, selon quels mécanismes, et avec quels effets pour elles, mais aussi de considérer les conduites féminines comme induisant à leur tour des évolutions en chaîne :

— quels effets peuvent avoir, à court et moyen terme, les taux d'activité féminine et leur augmentation effective ou prévisible sur la production, sur la situation de l'emploi, sur le développement des régions, sur la natalité, sur l'éducation des enfants, sur la famille ?

— quels aménagements législatifs, sociaux, économiques sont à leur tour rendus nécessaires et urgents par les transformations de la condition féminine et, entre autres, par les formes et l'importance du travail des femmes à l'extérieur du foyer ?

— enfin, quelle société désirons-nous construire qui prenne en compte les besoins fondamentaux et les désirs des femmes comme des hommes ? [...]

Au chapitre des principes doit figurer d'abord celui du droit au travail de tout citoyen, homme ou femme. Ce droit est imprescriptible. Il figure dans le préambule de la Constitution. Il ne souffre aucune interprétation tendancieuse. Que la conjoncture économique soit difficile et le marché du travail lourd ne permet pas de considérer que certains auraient un peu moins droit au travail que d'autres : les femmes ont le même droit au travail que les hommes. Le droit au travail, d'autre part, est reconnu à l'individu et non à la famille : la femme mariée à un travailleur a droit au travail au même titre que lui, au même titre que son fils et sa fille célibataires.

À ce principe s'ajoute celui de l'égalité des droits entre hommes et femmes dans tous les autres domaines : éducation, formation, accès à l'emploi, salaires, promotion, etc. Nous examinerons les dispositions législatives particulières qui aménagent, dans tel ou tel domaine, l'application de ce principe d'égalité et signalerons éventuellement dans quel autre domaine et de quelle manière le législateur pourrait le réaffirmer.

Quant au rappel préliminaire de certaines vérités, il devrait avoir pour effet de débarrasser tout de suite le terrain de ces affirmations gratuites, non vérifiées et controuvées par les faits, qui circulent à propos du travail des femmes.

Ainsi, on entend toujours dire que «les femmes travaillent de plus en plus», quand encore on n'emploie pas tout simplement la locution : «Maintenant que la femme travaille...» Une croyance tenace de l'opinion veut que les femmes se soient récemment lancées dans l'activité alors que naguère elles se contentaient de s'occuper de leur famille. Ces affirmations répétées finissent par créer un climat fait de regrets d'un autre temps, de critique latente ou exprimée de l'attitude de nombre de femmes qui déséquilibrent l'économie et la société par une sorte d'ambition d'imiter les hommes qui serait regrettable et réversible.

Aussi semble-t-il nécessaire de rappeler que l'activité des femmes n'a jamais cessé d'être intense : elle a seulement changé de modalités sous la pression des mutations économiques et sociales. Durant des siècles les femmes, à l'exception d'une négligeable minorité de personnes fortunées et oisives, ont été des travailleuses qui, à l'échelle des petites unités que constituaient les fermes et les familles, produisaient des biens et transformaient des biens. Elles assuraient pour la totalité ou pour la plus grande part : la fabrication des textiles, la confection des vêtements, les produits laitiers (lait, beurre, fromages), les volailles, les œufs, les légumes, les conserves, les salaisons, les produits d'entretien (savons, cires, etc.), certains éclairages (les chandelles). Elles assuraient aussi, en sus, le ravitaillement en eau, et des services comme le chauffage, la blanchisserie, l'entretien des habitations et, bien entendu, l'éducation des jeunes enfants. En outre, beaucoup avaient des activités commerçantes. La femme dans l'économie traditionnelle était une productrice et une artisane polyvalente et cela lui conférait dans la communauté villageoise ou urbaine des pouvoirs.

Il n'est que d'énumérer ces productions et ces activités qui ont été si longtemps leur apanage pour comprendre quels coups la révolution industrielle a porté aux femmes. Dès le XIXᵉ siècle, beaucoup durent abandonner ces productions familiales et durement concurrencées par la fabrication en série et aller travailler en atelier et en usine, afin de tenter de s'insérer dans une économie organisée en dehors d'elles. Ce faisant, elles ont troqué de plus en plus souvent leur statut d'artisanes indépendantes contre celui de salariées.

Cette évolution n'a cessé de se poursuivre. On oublie souvent à quel point elle s'est accélérée durant ces vingt dernières années. La valeur économique de la femme qui demeurait au foyer n'a fait que diminuer. La confection des vêtements (couture ou tricot) et de certaines nourritures (conserves, confitures, etc.) a cessé, entre 1950 et 1960, de représenter une économie pour le ménage, tant les produits finis mis sur le marché se multipliaient en devenant plus accessibles. L'amélioration technique de l'équipement ménager et des services a également réduit considérablement la valeur économique de l'activité ménagère. Dans le même temps, le niveau des besoins augmentait et il devenait de plus en plus nécessaire de disposer d'argent pour se procurer ces biens et ces services multipliés, et, pour gagner de l'argent, le travail à l'extérieur devenait la seule solution. [...] La dévalorisation des prestations familiales et les coûts de la garde des enfants, du fait de la carence en équipements sociaux, rendent moins bénéficiaire le travail au dehors de certaines mères de familles, surtout si leurs salaires sont bas. Mais, dans l'ensemble, les femmes qui travaillent contribuent aujourd'hui pour 40 % aux ressources des ménages. Ceci peut être chiffré et prouvé. On n'a que trop tendance à oublier ces réalités économiques, indéniables et irréversibles, pour souligner surtout le légitime désir d'assurer son indépendance par le travail, ou pour parler de «choix» plus ou moins éthique ou idéologique entre travail et foyer.

Si on appelle «femme active» toute femme qui touche une rémunération pour un travail effectué le plus souvent hors du foyer, il est certain que le nombre des femmes actives a augmenté, depuis 1969 surtout. Mais si l'on appelle «femme active» toute femme dont les occupations quotidiennes représentent une valeur économique, il faut bien constater qu'il n'y a pas de plus en plus de femmes actives, mais plutôt de moins en moins.

D'autres réalités économiques et sociologiques ne doivent pas être oubliées qui expliquent en partie le malaise, voire la révolte des femmes, et leurs attitudes nouvelles face à l'emploi.

Durant ces vingt dernières années l'économie de marché n'a cessé de gagner du terrain et tout travail est devenu valeur d'échange par la médiation de l'argent. Non seulement tout produit, tout objet, mais aussi toute activité a été affectée par le prix : sauf, justement, celle que la femme accomplit au foyer. La valeur économique des tâches faites au foyer n'a pas été prise en considération, par exemple, dans les comptes de la nation.

Travailler, pour de très nombreuses femmes, c'est consciemment ou inconsciemment, atténuer leur marginalité par rapport à la société dominante en réduisant leur vulnérabilité économique et en se donnant une identité dans une société où tout être est défini par la réponse à la question «que fait-il ?» et non à la question «qui est-il ?» C'est aussi établir de nouveaux rapports avec les hommes fondés sur un partage repensé des rôles et des tâches. Car cette évolution irréversible qui conduit au partage (bien qu'encore inégal) des rôles économiques conduit aussi inéluctablement à repenser le partage des autres tâches non encore affectées d'une valeur économique franche, comme l'entretien de la maison et l'éducation des enfants. À ce point de l'évolution, le débat ne se circonscrit plus seulement aux hommes et aux femmes dans leur vie privée, aux pères et aux mères : il pose le problème de la part que la société peut prendre pour soulager les familles d'une partie de ces tâches et de les relayer dans leurs rôles.

Mais que fera alors la communauté ? Combien cela lui coûtera-t-il ? Qui en profitera ? Qui paiera ? Du moment où la société prend en charge tout ou une partie de ces tâches, jusque-là sans définition économique, elle les traduit en termes économiques, et donc en termes de choix politique.

9. L'emploi féminin au début des années 1990

Quinze ans après la publication du rapport Sullerot, Ariane Artinian, journaliste à La Vie française et Laurence Boccara, de l'Agence française de presse, s'interrogent dans un ouvrage publié en 1992 et dont nous présentons ici un extrait sur la place qu'occupent les femmes dans le monde du travail à la fin d'un siècle qui a vu leur statut dans la société se modifier radicalement. Bilan mitigé : les femmes en effet représentent aujourd'hui 43 % de la population active, soit un taux qui n'est pas très éloigné de celui des hommes, mais elles sont loin encore d'exercer dans notre société une influence qui soit en rapport avec leur nombre. Même si, en théorie et en droit, toutes les professions leur sont accessibles, elles demeurent confrontées à une discrimination tout autre que symbolique en termes d'embauche, de salaire, de précarité de l'emploi et de formation. Elles ont en outre à affronter les difficultés qui tiennent à leur condition et à leur image dans la société — maternité, garde des enfants, « double journée », ségrégation opérée pour de nombreux postes de responsabilité par des modes de recrutement contrôlés par les hommes, « harcèlement sexuel », etc. — et elles ont, plus que les hommes, subi de plein fouet les effets de la crise.

Source : Arianne Artinian, Laurence Boccara, *Femmes au travail*, Paris, Hatier, « Enjeux », 1992, pp. 26-30.
Bibliographie : M. Maruani, *Mais qui a peur du travail des femmes ?*, Paris, Syros, 1990 ; M. Maruani, C. Nicole, *Au labeur des dames*, Paris, Syros, 1989 ; L. A. Tilly, J. W. Scott, *Les Femmes, le travail et la famille*, Paris, Rivages, 1987.

DEPUIS LE DÉBUT DES ANNÉES 80, l'emploi salarié féminin a brillé par son dynamisme : malgré la crise, il n'a cessé de croître, alors que l'emploi masculin chutait de 1980 à 1986. De plus en plus, les femmes sont salariées tandis que les travailleuses indépendantes se raréfient.

Globalement, les femmes occupaient, en 1989, 42,3 % des emplois totaux. Précisons d'emblée que le taux de féminité varie fortement selon les secteurs. Il atteint 51,8 % dans le tertiaire où travaillent les trois quarts des femmes, 34,9 % dans l'agriculture et 29,7 % dans l'industrie (mais seulement 8,3 % dans le bâtiment). Ce déséquilibre sectoriel explique le fait qu'entre 1982 et 1989, l'emploi féminin ait augmenté tandis que l'emploi masculin reculait. En effet, les femmes étaient très présentes dans les secteurs d'activité dynamique (services marchands et non marchands) et occupaient peu de place dans le secteur secondaire qui a subi de nombreuses suppressions d'emplois. Dans l'ensemble, la bonne tenue du secteur tertiaire a été favorable à l'emploi féminin.

Cependant, depuis 1988, la dynamique sectorielle ne joue plus en faveur du « deuxième sexe ». Les secteurs qui bénéficient le plus de la reprise économique (industrie des biens intermédiaires et des biens d'équipement, bâtiment, commerce de gros non alimentaire) sont à dominante masculine et la saignée du textile-habillement et du cuir-chaussure conjuguée au plafonnement de l'emploi public, touche profondément les femmes, majoritaires dans ces secteurs. [...]

Forte concentration et faible diversification, telles sont les deux particularités de la structure socioprofessionnelle féminine : 20 professions sur 455 regroupent 45 % des femmes. Quels sont les ghettos de l'emploi féminin ? Garde d'enfants, activités de nettoyage, emplois d'exécution de type administratif, emplois liés à la vente en constituent une part très importante. Outre ces professions en général peu qualifiées, les femmes sont majoritaires dans le secteur médico-social et l'éducation nationale, où elles exercent notamment les professions d'infirmières et d'institutrices.

En revanche, la présence féminine est inférieure à 10 % dans 167 professions. On constate la persistance de la faiblesse des effectifs féminins, même s'ils connaissent une certaine progression, dans les secteurs à tradition fortement masculine : professeurs et professions scientifiques (9,6 %), ouvriers qualifiés de type artisanal (6,4 %), chauffeurs (3,1 %) et ouvriers qualifiés de la manutention et du transport (5,3 %). Les professions du bâtiment et des travaux publics s'ouvrent difficilement aux femmes. Autrement dit, il s'agit de professions nécessitant force et endurance physiques, ou bien impliquant un niveau d'études très élevé.

La rareté de la présence féminine concerne aussi les postes d'encadrement et de responsabilité : on ne trouve que 6,6 % de femmes parmi les contremaîtres et les agents de maîtrise. Peu de femmes sont chefs d'entreprise — une pour huit hommes — tandis que les postes de cadres et les professions intellectuelles sont tenus par moins d'une femme sur trois. Dans ce cas, il semble que ce soit le « manque d'autorité » — abusivement — attribué aux femmes, qui les pénalise pour exercer des emplois d'encadrement.

Les emplois de cadres de la fonction publique ne sont occupés que pour 23,5 % par des femmes, alors même que le statut de la fonction publique devrait assurer la garantie de chances de carrière égales à celles des hommes ! Il a fallu attendre le décret du 4 mars 1992, pour que les quotas d'emploi des femmes dans les corps actifs de la police nationale soient supprimés. Elles peuvent désormais participer à toutes les missions de la police. Mais les femmes sont par ailleurs largement sous-représentées dans la politique, l'armée ou l'Église.[…]

Petit à petit, les femmes sortent des ghettos où elles ont longtemps été cantonnées. Et malgré sa lenteur, la conquête de tous les secteurs semble irréversible. Grâce à une formation plus poussée qu'autrefois, les portes de métiers plus nombreux leur sont désormais ouvertes. Mais l'emploi féminin conserve certaines spécificités qui ont été accentuées par la montée de la flexibilité du marché du travail.

© Hatier

10. La violence contre les femmes
au milieu des années 1990

À l'occasion de la quatrième Conférence mondiale sur les femmes, organisée par les Nations unies, les différentes délégations participantes ont été invitées à présenter un rapport de synthèse sur la situation des femmes dans le pays dont elles étaient originaires. Le texte élaboré par la France témoigne de la persistance, sinon de l'aggravation depuis 1985, des comportements de violence sexuelle à l'égard des femmes et des mineurs de moins de quinze ans. Il est clair que, comme l'indiquent les termes mêmes du rapport, l'accroissement du nombre des déclarations de viols et attentats à la pudeur ne signifie pas qu'il y ait eu une croissance symétrique des actes incriminés. En effet, depuis une quinzaine d'années, un certain nombre de verrous qui faisaient que beaucoup de femmes, et plus encore d'enfants et d'adolescents ayant été victimes d'abus et de violences sexuels gardaient le silence et répugnaient à déposer une plainte auprès des autorités judiciaires (honte, peur, réactions d'indifférence ou d'hostilité de la part du milieu _et des services habilités à recevoir la plainte) ont au moins partiellement sauté. L'augmentation du nombre des plaintes ne coïncide donc pas avec celle des délits ayant effectivement eu lieu. Il n'en reste pas moins que, d'une part, l'ampleur du phénomène reste scandaleusement élevée dans une société qui se pose volontiers en antithèse de la barbarie, et que d'autre part il existe encore — s'agissant notamment des violences sexuelles contre les mineurs — de nombreux cas de sévices non déclarés ; à quoi s'ajoute la très grande disparité dans la distribution des peines par les jurys d'assises._

Source : _Les Femmes en France, 1985-1995._ Rapport pour l'ONU par la France en vue de la quatrième Conférence mondiale sur les femmes, Paris, La Documentation française, 1996, pp. 76-78.

Bibliographie : J. Aubut (dir.), _Les Agresseurs sexuels_, Paris, Maloine, 1993.

L'ESSENTIEL DES DONNÉES disponibles provient des travaux menés par les associations et des nombreuses études et recherches produites à l'étranger.

Les sources émanant, par exemple, des statistiques de police judiciaire ou des associations d'aide aux victimes ne peuvent être considérées comme une mesure valable du phénomène et de son évolution. Il existe en effet un biais important lié aux comportements de déclaration (ou de non-déclaration) des agressions, qui évoluent eux-mêmes de façon significative.

De ce fait, les données aujourd'hui disponibles reflètent plus la visibilité du phénomène que son ampleur réelle. La croissance des statistiques doit être interprétée dans cette perspective.

Statistiques de la Police judiciaire et de la Justice: de la plainte à la condamnation

	Plaintes Viols	Plaintes Attentats à la pudeur	Condamnations Agressions sexuelles graves, viols	
			Total	Sur mineurs de moins de 15 ans
1985	2823	6494	618	76
1986	2937	6445	619	88
1987	3196	7002	574	94
1988	3776	7444	711	155
1989	4342	8704	677	159
1990	4582	8762	735	235
1991	5068	9164		

Par ailleurs, certains comportements spécifiques ne sont pas appréhendés dans le système d'information actuel : ainsi, il n'est pas possible de repérer, dans les statistiques relatives aux violences, celles qui se réfèrent à la notion de violence conjugale.

De même, le système d'enregistrement statistique ne permet pas de prendre en compte la réitération des violences exercées à l'encontre d'une même femme, chaque acte de violence étant enregistré de façon isolée.

La persistance de ces zones d'ombre est évidemment très préjudiciable aux femmes dans la mesure où elle conduit à méconnaître la dimension des problèmes à traiter.

La violence à l'encontre des femmes
n'en constitue pas moins un phénomène d'ampleur significative

Selon un sondage d'opinion réalisé en 1991 auprès de plus de 1 000 personnes à la demande du secrétariat d'État aux Droits des femmes, 21 % des hommes et des femmes ont été personnellement confrontés en milieu de travail à un sollicitation d'ordre sexuel.

Une autre enquête auprès d'un échantillon représentatif de la population conclut que 30 % des femmes interrogées et 8 % des hommes ont subi au moins une fois une agression verbale ou un appel téléphonique à caractère pornographique.

Elle chiffre par ailleurs à 4,4 % la proportion des femmes qui déclarent avoir subi au moins une fois des rapports sexuels imposés par la contrainte.

Le rapprochement de ce chiffre de celui des agressions sexuelles déclarées à la police conduit à estimer, de façon grossière, que le nombre réel des victimes serait 4 fois supérieur au nombre annuel de plaintes pour viol.

Cette enquête montre par ailleurs que, dans la grande majorité des cas, l'agresseur n'était pas un inconnu de la victime.

Les rapports sexuels imposés par la contrainte :
nature de l'agresseur selon l'âge auquel ils ont eu lieu (en %)

	Âge auquel le rapport a été subi	
	À 17 ans ou avant	À 18 ans ou plus
L'agresseur était :		
—un membre de la famille	30	22
—une personne que l'on connaissait	51	46
—un inconnu	19	32
TOTAL	100	100

Aussi les rapports sexuels contraints, loin de prendre systématiquement la forme de violence extérieure aveugle, se produisent plus souvent dans des contextes relationnels ordinaires.

La contrainte sexuelle apparaîtrait dans ce contexte comme une manifestation extrême de la domination masculine et de l'inffériorisation sociale des jeunes filles (particulièrement exposées) et des femmes.

La persistance, dans une société où les femmes ont tant gagné en autonomie sociale et personnelle, de manifestations aussi archaïques d'un mode de relation entre hommes et femmes apparaît préoccupante et pour le moins paradoxale.

11. Pour la féminisation des noms de métier

Professeur de lettres, puis journaliste, Benoîte Groult est également romancière et essayiste. Elle a écrit, entre autres : Le Journal à quatre mains, *avec sa sœur Flora,* Ainsi soit-elle, Les Trois Quarts du temps, Ni tout à fait la même, ni tout à fait une autre, Les Vaisseaux du cœur *et a mené une action militante pour la cause des femmes.* L'Histoire d'une évasion, *qu'elle a fait paraître chez Grasset en 1997, est un essai en forme d'entretien avec Josyane Savigneau, qui dirige les pages culturelles du* Monde *et à qui l'on doit notamment une biographie de Marguerite Yourcenar.*

Nous présentons ici un extrait du chapitre IX (« Cachez ce.féminin que je ne saurais voir... »). Benoîte Groult y relate son expérience à la tête de la Commission pour la féminisation des noms de métier, de 1984 à 1986.

Source : Benoîte Groult, avec l'intervention de Josyane Savigneau, *Histoire d'une évasion*, Paris, Grasset, 1997.
Bibliographie : G. Duby, M. Perrot (dir.), *Histoire des femmes en Occident*, t. 5 : *Le XXe siècle*, sous la dir. de F. Thébaud, Paris, Plon, 1992 ; A. de Pisan, A. Tristan, *Histoire du MLF*, Paris, Calmann-Lévy, 1977 ; M. Yaguello, *Les Mots et les femmes*, Paris, Payot, 1992.

V OUS AVEZ PRÉSIDÉ la commission pour la féminisation des noms de métier, J. S. — V de 1984 à 1986. Voilà bien un sujet qui ne fait pas l'unanimité entre les femmes, certaines considérant que c'est une affaire futile et que d'autres combats requièrent leur énergie. Vous, vous tenez à cette lutte pour que les femmes puissent nommer, au féminin, leur profession. Vous vous dites « écrivaine ». Mais, au fond, est-ce vraiment un enjeu important ?

B. G. — On ne peut tout simplement pas rester comme ça ! La langue française, qui se pique de logique, et de clarté, est en plein cafouillage, et nous sommes priés d'oublier les règles de formation du féminin apprises au cours élémentaire ! La règle qu'apprennent les enfants de huit ans dans la grammaire Hamon est pourtant claire : « Le nom commun change généralement de forme selon son genre, masculin pour les êtres mâles, féminin pour les êtres femelles. La forme féminine est marquée le plus souvent par un *e* muet en finale. Le nom en français a perdu le genre neutre, si fréquent en latin. »

Face à cette norme, on ne devrait rencontrer aucune difficulté pour féminiser les métiers nouvellement exercés par les femmes. Or, depuis quelques années, nous nageons en pleine confusion. Les exemples, je vais vous en citer, sont aberrants. […]

Ainsi, Claude Chirac se dit « conseiller en communication » (*Paris-Match*, avril 1996). « Conseillère » existe, c'est un mot usuel. Serait-elle moins efficace si elle le portait ?

Barbara Mac Clintock, qui reçut le Nobel à quatre-vingt-un ans, eut droit à « généticienne », mais Marguerite Yourcenar resta « Mme l'Académicien » (elle s'en moquait royalement d'ailleurs). Au point que l'Académie, qui se veut la gardienne du langage mais qui en est plutôt la geôlière, fit annoncer dans *Le Monde*, lors du décès de Marguerite, « la mort de notre cher confrère ». Plutôt un solécisme que du féminisme !

Dans le *Jardin romantique* de George Sand, on parle de l'« écrivain berrichonne » ! De quoi faire gerber tous les grammairiens et décourager les élèves priés de faire l'analyse grammaticale de cette formule. […]

On nous cite, dans *Libération*, Paloma Picasso, «créateur» et Isabella Rossellini, «actrice». Souvent, la même femme passe du masculin au féminin dans la même phrase. Simone Berriau, «chanteur lyrique» et «comédienne» (*Courrier de l'Ouest*). On apprend la nomination à la Légion d'honneur de Monique Berlioux, «ancien directeur de l'équipe olympique», et de Mme Claude Bessy, «directrice de l'école de danse de l'Opéra». Le féminin passe encore pour la danse, mais est interdit pour le sport.[...]

Enfin, je ne peux passer sous silence, chère Josyane, que vous-même butez parfois sur le féminin. Dans votre biographie de Carson McCullers, p. 222, vous notez : «Mrs. McCullers, l'Européenne, écrivain célébrée.» Vous écrivez d'ailleurs «écrivain célèbre et célébrée», preuve que vous vous sentiez gênée de faire voisiner un nom masculin avec un adjectif au féminin !

J. S. — Oui, j'ai sur ce sujet, des positions irrationnelles. Je commence seulement, après avoir regardé de près votre action en ce domaine, à être convaincue que ce combat doit être mené, que son enjeu symbolique est de taille. [...] Et puis, quand on me demande d'utiliser «écrivaine», je prétends que je trouve ce mot laid, ce qui est absurde. À l'inverse, lorsque j'essaie d'écrire dans un article de journal «la poète», ce qui ne pose vraiment aucun problème, pas plus que «la journaliste», je me heurte à une forme de résistance passive ; il se trouve toujours un correcteur pour modifier en poétesse, mot qui me déplaît, car il a pris une tonalité dévalorisante. Une poétesse, c'est nécessairement un sous-poète.

B. G. — Bien sûr, poétesse est superflu puisque, comme journaliste ou photographe, le mot poète se termine par un *e* muet. On ne dit pas photographesse ! En plus, le suffixe «esse» est devenu péjoratif, comme beaucoup de formes féminines. [...] Et les dérives dévalorisantes frappent toujours le terme féminin. C'est si vrai que le dictionnaire Grévisse précise que «"poétesse" se dit d'une femme qui fait de mauvais vers». Comme doctoresse, ça a pris un petit côté bas de gamme. Alors qu'autrefois les mots en «esse», princesse, diaconesse ou venderesse, par exemple, n'avaient rien de péjoratif. [...]

XXXV

LES JEUNES

La séquence s'ouvre sur le constat d'un désastre : près d'un million et demi d'hommes jeunes fauchés par la plus grande tuerie de notre histoire ! des centaines de milliers de blessés, de mutilés, d'individus traumatisés à vie dans les classes d'âge des 20/35 ans ! N'oublions pas que les « anciens combattants » de l'immédiat après-guerre appartiennent majoritairement à cette catégorie et que parmi eux se recrutent nombre de militants des ligues (à commencer par celle des Jeunesses patriotes), en attendant la relève des fils, trop jeunes pour avoir participé à la guerre mais marqués eux aussi par l'événement et partagés, comme leurs pères (quand ils n'ont pas disparu), entre l'horreur du massacre et les nostalgies héroïques.

Que l'action individuelle et collective des jeunes ait été ainsi très fortement déterminée par le souvenir de la guerre, cela ne fait aucun doute. Le non-conformisme et l'esprit de révolte qui caractérisent traditionnellement la jeunesse trouvent, entre les deux guerres, un aliment nouveau dans la critique d'une société bourgeoise qui n'a su ni empêcher la tuerie, ni exploiter la victoire, ni se préparer à un éventuel retour du processus conflictuel. De là découlent l'engagement de nombreux représentants des générations nouvelles aux deux extrêmes du spectre politique, la place qu'ils occupent dans les avant-gardes littéraires et artistiques, leur opposition très vive à l'establishment intellectuel et politique (texte n° 1), et le pacifisme affiché par la très grande majorité d'entre eux.

Passé les épreuves de la drôle de guerre et de la défaite — qui affectent encore une fois majoritairement les 20/35 ans —, la jeunesse devient un enjeu dans le combat qui oppose bientôt Résistance et Collaboration. Surtout, elle est l'objet d'une attention particulière de la part d'un régime qui entend fonder sur elle le « renouveau de la France », et qui, en attendant, s'applique à l'enrégimenter et à l'encadrer idéologiquement (texte n° 3), avant de prêter son concours au Service du travail obligatoire. Avec pour résultat de voir une partie de ses représentants passer au maquis, tandis que d'autres, faisant fi du catéchisme maréchaliste, répondent par l'extravagance et la dérision aux mots d'ordre vichystes (texte n° 4).

Pas plus que les «zazous» des années noires, les «rats de cave» du Saint-Germain-des-Prés de 1945-1946, les « J 3 tragiques[1] » de 1950 — mis en scène par Cayatte dans

---

1. Les J 3 étaient pendant et après la guerre les titulaires des cartes d'alimentation destinées aux adolescents ; «tragiques» par référence à un fait divers mettant en scène des jeunes gens accusés de meurtre à l'époque de la guerre de Corée.

Avant le déluge —, *ou les «tricheurs*[1]*» de 1958 ne représentent la jeunesse française du second après-guerre. Sans doute donnent-ils le ton en matière de musique, de vêtement, de lectures, de tics linguistiques, de rapports amoureux, etc., mais la masse des adolescents et des tout jeunes adultes continue, surtout en province, de se conformer aux pratiques familiales et sociales qui leur sont imposées par un environnement resté assez largement conservateur. Elle se tient à l'écart des attitudes provocatrices minoritaires. D'autre part, ni le mouvement étudiant encore embryonnaire à cette époque (texte n° 5), ni les classiques organisations de jeunesse (texte n° 6), ni celles qui affichent leur militantisme politique ne se posent à cette date en porte-parole de la Jeunesse, c'est-à-dire d'un groupe social homogène porteur d'une culture et de revendications propres.*

Il faut attendre le début des sixties *pour que les choses changent de manière radicale. La génération du* baby boom *est la première en effet à se constituer en un groupe autonome, voire en un véritable « modèle » imposant ses modes, ses choix culturels, sa manière de vivre et de penser à toute une partie du corps social. Jusqu'alors, l'affirmation identitaire d'une génération par le rejet collectif des modèles imposés par les aînés n'avait affecté que de petits cercles géographiquement et sociologiquement circonscrits. Ce qui fait l'originalité des années soixante, c'est l'émergence d'une culture qui, à des degrés divers, irrigue sinon toute la jeunesse, du moins une fraction importante de la classe d'âge considérée (textes nᵒˢ 7 et 8).*

De la vogue yé-yé et du culte des idoles du rock à la révolte étudiante et lycéenne de 1968 (cf. chap. XX), il y a le mince espace temporel qui sépare l'envolée de la société de consommation de sa remise en cause par ceux qui en sont à la fois les bénéficiaires et les témoins culpabilisés par le spectacle du monde. Et plus court encore est celui qui sépare le grand chambardement soixante-huitard des premiers développements d'une crise dont les jeunes seront bientôt les principales victimes : crise économique, ou plutôt mutation de longue durée liée à la « mondialisation » et à l'avènement de la société post-industrielle, mais aussi crise morale et crise de civilisation aux multiples facettes.

Les 15/25 ans cumulent en effet, plus fortement que les autres classes d'âge, les handicaps et les difficultés qui tiennent à la rétraction du marché de l'emploi, à la concentration des catégories sociales les plus défavorisées dans les ghettos des périphéries urbaines, à l'effritement des structures d'encadrement de notre société. S'ils sont seulement une minorité à souffrir de l'exclusion, à connaître la « galère » (texte n° 9), à sombrer dans la délinquance et la toxicomanie, tous et toutes catégories sociales mêlées doivent compter avec des fléaux tels que le chômage ou le sida (texte n° 10), et surtout s'adapter aux nouvelles « normes » sociales (éclatement du couple, fréquence des divorces, familles recomposées, etc.)

À la génération engagée politiquement de la fin des Trente Glorieuses a ainsi succédé la « génération bof» de la fin des années 1970, caractérisée par son individualisme hédoniste, son désintérêt pour la politique et à son apparente désinvolture, et à celle-ci une « génération morale », façonnée par la crise et par le naufrage des certitudes inculquées naguère par les «maîtres penseurs». Plus longtemps dépendante qu'elle ne l'était jusqu'alors de la société des adultes, elle se pose en même temps en gardienne du temple des valeurs humanistes, et ceci au moment où la classe politique, le monde des managers et la majeure partie du corps social paraissent s'en détacher (texte n° 11).

---

1. Titre d'un film de Marcel Carné sorti sur les écrans en 1958.

1. « Non, nous ne sommes pas heureux »
(1932)

Ce texte révélateur de l'état d'esprit d'une partie de la jeunesse étudiante à l'heure des premiers développements de la crise et de la montée des périls, est extrait d'un journal publié par les étudiants de Strasbourg et date de février 1932. Au-delà de la rhétorique convenue et du nihilisme de façade qui caractérise son propos (anticonformisme, refus du puritanisme et du mandarinat, apolitisme affiché), l'auteur se pose en porte-parole d'une classe d'âge qui s'est éveillée au monde à l'époque de la guerre et qui en a profondément ressenti le caractère tragique. Génération orpheline, en quelque sorte, venue à l'âge adulte au moment où s'achève le cycle hédoniste des « années folles » et dont la fureur de vivre se heurte à la fois aux effets de la grande dépression et à l'embourgeoisement frileux de la génération combattante.

Source : Léon Bender, « La jeunesse d'aujourd'hui est-elle heureuse ? », à G. Lecomte, de l'Académie française, et à nos anciens, *Strasbourg étudiant*, février 1932.
Bibliographie : Y. Cohen, *Les Jeunes, le socialisme et la guerre. Histoire des mouvements de jeunesse en France*, Paris, L'Harmattan, 1989 ; A. Coutrot, *Jeunesse et politique, guide de recherches*, Paris, Armand Colin/FNSP, 1971 ; J.-P. et C. Bachy, *Les Étudiants et la politique*, Paris, Armand Colin, 1973.

L E MOIS DERNIER, M. Lecomte, dans un article d'un optimisme forcené, a décrété que la jeunesse était heureuse. Allons donc, elle rit, cette jeunesse !

Nous ne savons que faire, M. l'Académicien, de votre optimisme. Vous aussi, vous nous lancez un os pour nous faire taire. Riez, les jeunes ! Vos anciens seraient inquiets.

Votre génération a trop ri au temps de sa jeunesse. Un million et quelques hommes couchés dans l'Est en sont témoins. L'insouciance se rachète. Nous profitons de cette dure leçon.

L'avez-vous entendu notre rire ? C'est un rire fêlé de jeunesse inquiète. Nous sommes nés dans l'inquiétude et nous continuons à y vivre. Nous avons vu nos mères pleurer silencieusement ceux qui n'étaient plus. Cela nous a vieillis bien jeunes. Nous étions déjà des petits hommes quand vous nous prêchiez l'amour du prochain. Et le canon tonnait encore.

Nous avons poussé comme de jeunes sauvages, sans père, sans tuteurs. Aussi écoutez notre rire. Il est plein de haine et de révolte contre cette universelle hypocrisie. Alors vous avez peur qu'en un souffle ce rire ne balaie tous vos bonzes repus et autres mandarins officiels.

Non, nous ne sommes pas heureux.

Petits, nous avons cru à vos contes de fées et la vie n'est qu'ordure. Nous vous en voulons de nous avoir trompés. Nous rions alors de mépris.

Qu'avez-vous fait pour notre bonheur ? Rien ? Nos pères en mourant n'ont-ils point confiés leurs fils à leurs compagnons ? Mais cela était vite oublié. Les anciens combattants sont de bien braves bourgeois que bercent tendrement leurs épouses vertueuses et fidèles.

Ils ont oublié de prendre l'avenir en mains. Les orphelins ne veulent pas être un bel élevage pour une nouvelle boucherie.

Nous sommes dégoûtés et parfois découragés. Alors, nous allons dans un coin nous étendre dans un néant d'imagination où l'on désire la mort. Cela, nos anciens ne peuvent pas le comprendre. « Ces jeunes, cela ne s'amuse plus ! » Non, ils ne s'amusent plus, ils ne content plus fleurette. Ce qu'on appelle s'amuser à notre siècle est bien vilain. Aussi, lorsque nous aimons c'est gravement. Notre bonheur même ne rit pas. Nous allons chercher un idéal pour réchauffer le nôtre, puisque les « grandes personnes » ne comprennent plus, puisqu'entre elles et nous il y a un précipice où gisent tous les restes de nos illusions.

N'allez pas crier au défaitisme. Ne cherchez pas de couleur politique ! Nous sommes pessimistes parce que nous nous sentons forts ; nous nous moquons des étiquettes parce que nous aimons la liberté.

Nous ne pouvons pas nous faire au relent de votre société. Nous nous révoltons contre le mal que vous acceptez par peur. Nous voulons que vous nous fassiez place pour avoir de l'air pur. Nous en avons assez de vos combines puritaines, de vos préjugés idiots. Aussi, quand vous entendrez un rire de jeune : Écoutez, approchez et dites-lui : « Viens, je serai ton ami ». Essayez de comprendre !

Sinon, retournez lentement à votre dictionnaire, M. l'Académicien, et taisez-vous, car la jeunesse n'est pas contente de vous.

2. La mission pacifique des Auberges de la jeunesse
(1938)

Le mouvement des Auberges de la jeunesse est né en Allemagne, quelques années avant le déclenchement de la Première Guerre mondiale. Après avoir essaimé dans différents pays d'Europe centrale et en Scandinavie, puis en Grande-Bretagne et aux États-Unis, il fait en France une apparition tardive à la fin de années vingt.

C'est en 1929 en effet que, sous l'impulsion de Marc Sangnier, ancien dirigeant du Sillon, est fondée la première auberge à Bierville, dans la région parisienne. L'inspiration est donc à la fois démocrate-chrétienne et pacifiste. Avec l'appui de Benoît XV, Marc Sangnier avait organisé quelques années plus tôt, également à Bierville, un grand rassemblement pour la paix et la réconciliation franco-allemande. Les deux ex-ennemies vivaient alors à l'heure des grandes initiatives impulsées par Aristide Briand et Gustav Stresemann. On est loin de cette période euphorique au moment où ces lignes sont écrites. La réunion de clôture des « journées ajistes » au cours de laquelle le fondateur des Auberges prononce l'allocution ici reproduite, coïncide en effet avec la crise qui aboutira, le 30 septembre 1938, aux accords de Munich. Sangnier n'en développe pas moins avec force le thème de la fraternité internationale et de la paix entre les peuples.

Le mouvement ajiste, qui reprend à son compte quelques-unes des pratiques du scoutisme (camping, vie collective en plein air, activités culturelles telles que le chant choral, la danse folklorique, le théâtre), ne se limite pas à la mouvance catholique, représentée par la Ligue française pour les auberges de la jeunesse. Avec l'appui de la CGT, de la Fédération générale de l'enseignement et du syndicat national des instituteurs, se crée bientôt un Centre laïque des Auberges de la jeunesse, les deux organisations prenant un essor décisif avec les lois Léo Lagrange sur les congés payés et les crédits d'équipement accordés par le gouvernement de Front populaire.

Source : Extrait du discours prononcé à la réunion de clôture des «Journées ajistes», à Bierville, le 25 septembre 1938. Marc Sangnier, «La mission pacificatrice des auberges de la jeunesse», _L'Auberge de la jeunesse_, n° 46, novembre 1948.
Bibliographie : A. Coutrot, «Les mouvements de jeunesse en France dans l'entre-deux-guerres», in _Les Cahiers de l'animation_, n° 32, 2ᵉ trim. 1981, pp. 29-37.

À L'HEURE ACTUELLE, il faudrait être bien aveugle pour ne pas sentir que, si le monde continue à vivre dans l'atmosphère présente, la paix est impossible. On a beau faire des traités d'alliance, on a beau multiplier les armements, tout ce que l'on fait pour garantir la paix risque de se retourner contre la paix elle-même.

Il y a donc quelque chose d'autre à accomplir, et je ne crains pas d'affirmer que, tant qu'il n'y aura pas dans le monde une conscience internationale, tant que les hommes ne se considéreront pas, non seulement comme les fils de leur Patrie, mais encore comme des enfants d'une grande patrie humaine, il sera à tout jamais impossible de maintenir la paix. Or, ce sentiment de fraternité internationale, comment le développer, sinon par des contacts et des rapports de plus en plus fréquents, de plus en plus intimes entre les hommes de tous les pays, et tout particulièrement entre les jeunes, qui sont responsables de l'avenir, et qui peuvent plus facilement renoncer aux vieux partis pris, aux vieilles routines, aux vieilles haines, et trouver une façon simple et spontanée de former entre eux une seule et même grande famille ? Eh bien ! c'est là le rôle des Auberges de la jeunesse ; on n'y fait pas de politique, on n'y discute pas de savants projets d'organisation mondiale, mais on y sent vivement et intensément qu'il y a des liens entre tous les hommes, que rien ne peut arriver à briser. Français, Anglais, Allemands, fils de toutes les races et de tous les pays, ceux qui viennent dans les Auberges de la jeunesse, et en particulier dans cet «Épi d'Or» qu'a créé le «Foyer de la Paix», tout de suite ont l'impression que, si les hommes le voulaient, ils pourraient arriver à s'entendre, qu'il suffirait que chacun d'eux ne se proposât pas en égoïste des avantages uniquement personnels et n'ait pas seulement la préoccupation d'assurer la force et la grandeur du pays dans lequel il est né, mais ait aussi la préoccupation de faire servir toutes ces familles humaines, toutes ces nations, à une grande tâche commune de progrès et de fraternité. Il ne s'agit pas de renoncer en aucune manière à l'amour de son pays, mais tout au contraire d'aimer assez son pays pour être convaincu qu'il est digne et qu'il est capable de servir la grande cause de l'humanité tout entière.

Et alors, tout deviendra facile, tout deviendra possible ; il y aura un désarmement des haines, précédant le désarmement matériel, et le monde entier deviendra semblable à ces Auberges de la jeunesse où les jeunes qui les fréquentent n'ont qu'une idée, c'est de se soutenir, de s'aider mutuellement, de se reposer ensemble pour se préparer ensuite à travailler dans la vie à une tâche qui doit être utile, non seulement à chacun d'eux en particulier, mais à la collectivité tout entière. C'est l'apprentissage de la fraternité internationale qui s'accomplit dans les Auberges de la jeunesse et, quelle que soit l'opinion philosophique, quel que soit le parti politique, quelle que soit la confession religieuse de ceux qui s'intéressent aux Auberges de la jeunesse, tous ils ont le sentiment qu'en travaillant à cette œuvre ils font quelque chose d'utile, de bon, de fécond pour l'avenir. Seulement, chers camarades, il faut que les Auberges de la jeunesse soient de vraies Auberges de la jeunesse, que l'esprit ajiste soit vraiment l'esprit ajiste ; je voudrais que tous nos camarades aient à cœur de donner partout, surtout dans les populations de la campagne qui ne sont pas encore bien habituées à voir s'élever des Auberges de la jeunesse, des exemples si sympathiques, si aimables, que bientôt tous les paysans de France aiment les Auberges de la jeunesse ; c'est cet enracinement dans la tradition française qui fera la force des Auberges de la jeunesse ; il ne faut pas que nos Auberges soient comme d'importation étrangère, il ne faut pas que nos Auberges soient comme posées sur le sol du pays ; il faut qu'il y ait une compénétration intime entre l'esprit de la population et les Auberges de la jeunesse elles-mêmes ; c'est ainsi qu'elles auront une grande force éducative, et que l'Auberge de la jeunesse sera utile, non seulement aux ajistes qui la fréquentent, mais même aux populations au milieu desquelles elles s'élèveront.

Toutes ces pensées, mes chers camarades, je vous demande de les avoir, je vous demande de réfléchir à tous les problèmes qui se posent, car vraiment, à l'heure actuelle, plus que jamais, il faut que nous travaillions pour créer dans le monde des réseaux de sympathie cordiale et d'affection fraternelle. C'est le seul moyen de sortir des heures troubles que nous vivons aujourd'hui ; et, si jamais nous devions connaître les horreurs de nouvelles catastrophes, je vous dis que, même alors, il ne faudrait pas perdre confiance, et que nous aurions le devoir de ramasser en nous toutes nos espérances, de garder nos âmes de paix et d'amour, de façon à pouvoir ensuite travailler avec plus de vigueur que jamais, sur un monde écrasé et sanglant, à faire renaître la fraternité et l'amour entre tous les hommes.

3. Les Chantiers de la jeunesse

Dans son projet de remodelage de la nation et de mise en place d'un « ordre nouveau » conforme aux principes de la « révolution nationale », Vichy ne pouvait pas ne pas s'intéresser de près à la jeunesse, creuset de la future élite dont il entendait doter la France. Refusant le projet des extrémistes qui auraient souhaité la création d'une organisation unique de la jeunesse, sur le modèle des régimes totalitaires, le gouvernement du maréchal Pétain a laissé subsister le pluralisme en la matière. Le scoutisme, les Auberges de la jeunesse et autres mouvements pour adolescents et jeunes adultes ont donc maintenu leurs activités, à condition toutefois d'adopter les idées et le discours de la Révolution nationale.

Le régime a cependant privilégié des organisations dont les buts et l'action paraissaient répondre à ses objectifs, tels les « Compagnons de France », créés en juillet 1940 par un inspecteur des finances, Henri Dhavernas, avec l'accord du général Weygand et du secrétaire d'État à la jeunesse, Ybarnégaray. Leur but était de prendre en charge les garçons de 15 à 20 ans, dont on craignait le désœuvrement, et de les organiser en compagnies rurales, urbaines, itinérantes, théâtrales, etc.

Plus précis étaient les objectifs concernant les jeunes gens de plus de vingt ans, désormais dispensés du service militaire. C'est également en juillet 1940 que furent fondés à leur intention par le général de La Porte du Theil les « Chantiers de la jeunesse », destinés dans un premier temps à accueillir les jeunes de la classe 1940 en cours de démobilisation. À partir de janvier 1941, ils furent étendus à tous les Français en âge d'accomplir leurs obligations militaires et qui se trouvaient astreints à passer huit mois dans les Chantiers. L'objet était double : donner à la jeunesse un embryon de formation militaire déguisée, pour ne pas encourir de protestations de la part du vainqueur, et endoctriner les nouvelles générations dans l'esprit du régime de Vichy.

Le texte ci-dessous est extrait d'une brochure maréchaliste en date d'avril 1941.

Source : « La Vie ardente des chantiers de la jeunesse », (signé O. C.), in *La Jeune France*, avril 1941, pp. 59-64.

Bibliographie : A. Coutrot, « La politique de la jeunesse », in *Le Gouvernement de Vichy, 1940-1942*, Paris, Armand Colin/FNSP, 1972 ; R. Hervet, *Les Chantiers de la jeunesse*, Paris, France-Empire, 1962 ; R. Hervet, *Les Compagnons de France*, Paris, France-Empire, 1965.

L E PREMIER CONTINGENT des Chantiers de la jeunesse a été libéré le 15 février. Un mois plus tard, les nouveaux Jeunes de France sont venus reprendre la place des anciens et continuer la tâche commencée. À leur tour, ils connaîtront la vie de plein air, ses joies et ses peines et, à chaque motte de terre remuée, à chaque arbre abattu, à chaque maison relevée des ruines, leurs bras deviendront plus durs et leur âme plus forte.

Dans les premiers jours, quand l'effort inaccoutumé courbera leurs épaules et que la dure couchette d'un logement rustique ne parviendra pas à délasser leurs membres rompus, ils devront penser à ceux qui les ont précédés et qui, au mois de décembre, couchaient encore sous une tente de toile. Aux aînés qui ont souffert du froid et parfois de la faim et qui, luttant contre les attaques d'un hiver particulièrement rigoureux, ont construit des baraquements, installé l'électricité, tracé des routes et donné aux jeunes, venus au printemps, le confort relatif dont ils jouissent.

L'abbé Ducatillon, aumônier du Chantier n° 25, rappelle en ces termes, dans la revue du groupement *L'Écho de Roland*, leur vie de pionniers.

« Aux Vignères, fin octobre, quand il gelait à –5°, nous vivions sans feu dans des huttes de branches entrelacées, où l'air circulait presque sans obstacle. [...] Aux Cazalets, nous étions encore sous la tente à la fin de décembre, au moment des tempêtes de neige, et pas sous des marabouts bien clos, comme au groupement paradisiaque d'Hyères, mais sous les carrés de toile de tente individuelle, attachés ensemble par des boulons. Au mois de septembre, quand l'essence manquait, que les gazos[1] étaient en panne, nous avions quelquefois bien faim, et encore en janvier quand les trains étaient bloqués par la neige, et qu'au mont Caroux il fallait percer un tunnel à travers une congère de trois mètres de haut pour aller à pied chercher le ravitaillement au col de Mandale. » [...]

Arrivée aux Chantiers

15 mars. — Les nouveaux équipiers sont arrivés. Désormais tous les efforts des chefs ne vont tendre qu'à un seul but : faire des jeunes gens qui leur sont confiés des hommes au corps robuste et résistant, d'un esprit clair et d'un cœur droit.

Il faut que le jeune qui arrive au Chantier sache qu'une occasion unique lui est donnée de se perfectionner moralement, intellectuellement et physiquement et de mettre ainsi toutes les chances de son côté pour débuter dans la vie.

---

1. *Gazo* pour gazogène : référence aux véhicules utilisés durant la guerre pour remplacer les moteurs à essence et qui fonctionnaient en utilisant les gaz produits, sous l'action de l'air, par un combustible solide (en l'occurrence le charbon de bois).

Pendant huit mois, il sera à l'abri des soucis matériels. La nourriture et le toit lui sont assurés et toute une organisation créée pour lui ; des hommes de valeur sont là pour lui faire acquérir le maximum de qualités et de connaissances, développer sa puissance de travail, sa personnalité et son esprit d'initiative.

Paroles de chef

À l'entrée du Chantier, de ce grand creuset où il va vivre et travailler avec des camarades de tous les milieux, de toutes les conditions et de tous les métiers, le Jeune de France devra se dépouiller de cet égoïsme à courte vue, s'attachant à des valeurs qui n'ont plus cours, pour ne plus obéir qu'à des sentiments de générosité et de solidarité.

C'est en ces termes que le Chef du groupement Turenne s'adresse aux nouveaux venus : « Si donc tu veux que ta vie soit féconde, attache-toi à des valeurs plus hautes, cherche-lui un sens au-delà de ton égoïsme. Il ne te mettrait d'ailleurs pas à l'abri, car tu ne saurais être heureux tout seul et ton bonheur humain est lié au sort de ton pays. Rien de durable ne se crée hors du sacrifice ; accepte-le d'un cœur délibéré : sacrifice de tes aises, de ta paresse, de ton indépendance, sacrifice total, s'il le faut. Au lieu de le redouter, de chercher à l'esquiver, prépares-y ton corps et ton âme en les élevant, en les affermissant ; tu verras alors comme il en coûte peu.

« Ta Patrie a souffert d'un long empoisonnement moral ; elle a payé ses fautes de son sang ; elle les expie encore dans la misère et la servitude. Tourne-toi vers elle et donne-toi à elle tout entier. Que ton cœur n'ait qu'un seul amour : la France ; ta volonté un seul but : la grandeur nationale ; ton effort, une seule raison : la liberté de la Patrie. Ton père t'a fait naître dans un pays puissant et glorieux, prépare pour tes fils un pays libre et propre. Aux ordres du Chef providentiel qui ressuscite la patrie, consacre-toi tout entier à l'œuvre à laquelle il convie tous les Français. Longue, pénible, austère, elle te réserve un dur effort, des déceptions, des douleurs, mais aussi les joies les plus magnifiques qui puissent emplir un cœur humain. »

4. « Le jeune homme swing »
(1942)

Loin des Chantiers où se forge la « nouvelle jeunesse de France », telle qu'on la rêve dans l'entourage du maréchal, virile, obéissante, prête à tous les sacrifices, le « jeune homme swing »[1] *— ou le « zazou » (par référence à un disque de Cab Calloway, enregistré en 1933 — hante ces « lieux de perdition » du Paris occupé que sont les cafés du Quartier latin (le Dupont Latin, le Grand et le Petit Cluny, le Pam Pam) et ceux des Champs-Élysées. Il se distingue par l'extravagance de son comportement vestimentaire et gestuel, par son dandysme et son oisiveté, et davantage encore par son goût pour la musique de jazz et pour les danses qui s'y rattachent. Il est donc bientôt accusé de tous les maux par une presse maréchaliste et collaborationniste qui voit dans la vague*

---

1. Le *swing* est originellement une manière de jouer adoptée par les musiciens de jazz au début des années 30 et importée en France en 1938. La même année, le mot devait passer dans la langue ordinaire avec la chanson de Johnny Hess : *Je suis swing*.

« zazoue » le signe de la décadence et l'œuvre d'une conspiration étrangère contre la révolution nationale et son effort de « redressement intellectuel et moral ». Aussi va-t-elle se déchaîner contre les représentants de la jeunesse « swing », notamment après l'entrée en guerre des États-Unis en décembre 1941, prélude à une série de mesures concrètes portant sur la confection des vêtements (les dirigeants de l'industrie textile prescrivent l'interdiction des dos et des poches à soufflets pour les vestes et limitent la largeur des bas de pantalon !), la coiffure et les cours de danse. On commence à parler de « maladie contagieuse » et d'« épidémie », et le journal antisémite Le Pilori évoque sans complexe l'envoi des zazous « dans les camps ».

Que les « zazous » — qui n'appartenaient pas tous à la bourgeoisie des beaux quartiers, comme le prétendait la presse collaborationniste — aient été majoritairement hostiles au régime et favorables aux alliés anglo-américains, cela ne fait guère de doute. Cela ne suffit pas à faire de leurs excentricités provocatrices un acte de résistance. Plus que d'un rejet militant de la Révolution nationale, il y a dans leur comportement un classique désir de se démarquer de la génération des pères (et des mères car le « jeune homme swing » a son homologue féminin) en affichant, par le vêtement, l'apparence corporelle, le langage, la musique écoutée et dansée, une identité générationnelle au demeurant très minoritaire. La mode zazoue n'en constitue pas moins un signe symbolique fort de la difficulté du régime à imposer aux jeunes ses normes idéologiques et morales. Les censeurs de Vichy, les fascistes parisiens (qui feront parfois la « chasse aux zazous », rasés et expédiés à la campagne) et la presse à leur dévotion ne s'y sont pas trompés, comme en témoigne cet article paru dans L'Œuvre en mars 1942.

Source : Yves Ranc, « Swing ou pas swing », *L'Œuvre*, 4 mars 1942.

Bibliographie : E. Thoumieux-Rioux, « Les zazous, enfants terribles de Vichy », *L'Histoire*, n° 165, avril 1993, pp. 31-39 ; P. Giolitto, *Histoire de la jeunesse sous Vichy*, Paris, Perrin, 1991 ; W.D. Halls, *Les Jeunes et la politique de Vichy*, Paris, Syros, 1988 ; D. Veillon, *La Mode sous l'Occupation*, Paris, Payot, 1990.

CHEVEUX EN BROSSE HAUTE, front bas, œil vague, petite moustache, lèvres débordantes et humides, bras étirés, épaules tombantes, taille mince, jambes longues, démarche souple à grand pas, buste en avant... Voilà pour le physique.

Chapeau mou, marron et minuscule ; col de chemise à rayures dépassant d'une bonne distance celui de la veste, cravate voyante ou nœud ultra-serré, disposée de façon à sortir copieusement du gilet en formant une courbe ; veste longue couvrant largement le postérieur ; pantalon court étroit du bas, flottant aux genoux, revers assez haut ; chaussettes blanches, chaussures en daim à quadruples semelles ; parapluie roulé avec un long manche, gants ajourés. Voilà pour le « vestimentaire ».

Nous vous présentons le jeune homme *swing*.

Cette espèce, qui a fait son apparition timide en 1941, tend à se multiplier et déjà, dans les milieux scientifiques, on se préoccupe d'en déterminer les tests.

Le problème *swing* est donc posé sur un plan supérieur.

Jusqu'ici les travaux de nos chercheurs n'ont donné que peu de résultats. À leur lumière, on a pu cependant constater que le jeune homme *swing* avait son équivalent de l'autre côté de la barrière.

La jeune fille *swing* n'est pas un mythe. Il n'est que de tâter pour s'en rendre compte.

Le sujet s'étend ainsi considérablement et vers le domaine racial.

C'est qu'il est à prévoir, en effet, qu'il y aura des ménages *swing*, et vraisemblablement des enfants *swing*, qui naîtront en poussant des zazou zazou ! à ébranler les murs. On sait, ou on ne sait pas, que *zazou zazou* est la première lettre de l'alphabet swing.

Une race est donc en voie de formation, et si l'homme descend encore du singe, les prochaines générations descendront, elles, du *swing*, ce qui n'est guère plus reluisant.

Mais nous ne vous avons pas encore dit — bien que l'ayant décrit — ce qu'était en fait le jeune homme *swing*.

S'il ne s'agissait en réalité que d'une mode, d'une passade, le sujet ne mériterait certes pas ces quelques lignes. Il existe malheureusement un état d'esprit *swing* qui est — et nous ne blaguons pas — une conséquence assez inattendue de la guerre, quelque chose comme le mal du siècle de nos romantiques.

Le mal du siècle inspira cependant nos romantiques, tandis que le snobisme *swing* ne risque que de faire une génération d'abrutis. Ce qui nous paraît grave, d'autant que le *swing* est contagieux.

Être *swing* ou ne pas être *swing*. Qu'est-ce que cela veut dire au juste. Être *swing* : ne prendre aucune chose au sérieux, ne rien faire comme les autres, ne rien faire en général, fréquenter les bars assidûment, être ignare, tenir des propos plats ou dénués de tout sens, être immoral, être incapable de fixer la ligne de démarcation entre ce que l'on peut faire et ce que l'on ne doit pas faire, n'avoir aucun respect pour la famille, nier l'amour, n'aimer que l'argent, surtout paraître désabusé et, avec tout cela, essayer de passer pour un « type » intelligent. Ce qui semble alors bien compliqué.

Il faudrait se garder de voir dans le jeune homme *swing* un excentrique. L'excentrique est souvent drôle, parfois spirituel, parce que ses excentricités sont spontanées. Dans le genre qui nous intéresse, elles sont forcées et par conséquent, ou grossières ou ridicules.

On dira, par exemple, d'un jeune homme qu'il est *swing*, si au lieu de boire un apéritif — et nous exagérons volontairement — il mange consciencieusement le verre.

Voilà qui nous ramène aux « gags » de films à succès, très amusants sur la pellicule, mais pas du tout dans la vie.

Mais les gens *swing* ne font pas de différence entre la fiction et la réalité.

On pourra alors penser qu'ils relèvent directement du médecin psychiatre. Ce serait leur faire grand honneur. [...]

5. La « charte de Grenoble »

(1946)

Née en 1907, l'Union nationale des étudiants de France (UNEF) a été continûment l'enjeu des rivalités politiques entre la droite et la gauche. Au cours des années qui précèdent le déclenchement de la Deuxième Guerre mondiale, elle est assez largement gagnée au courant xénophobe et antisémite, et au lendemain de la défaite elle se rallie sans états d'âme à la Révolution nationale. Ses dirigeants sont même à l'origine de la loi de juin 1941 qui introduit un numerus clausus dans l'Université à l'encontre des étudiants juifs. Si bien qu'à la Libération, les Associations générales des étudiants (AGE) dont elle assure la coordination sont dissoutes ou placées sous séquestre.

La fin de la guerre marque pour l'UNEF un nouveau départ. Elle va en effet, lors du 35ᵉ Congrès, qui se tient à Grenoble en avril 1946, adopter une « Charte » qui définit l'étudiant comme « un jeune travailleur intellectuel » et élargit considérablement le rôle de l'organisation étudiante.

Source : Déclaration des droits et devoirs de l'étudiant adoptée par le 35ᵉ Congrès de l'UNEF réuni à Grenoble, 20 avril 1946.

Bibliographie : F. Borella, M. de La Fournière, *Le Syndicalisme étudiant*, Paris, Le Seuil, 1957 ; J.-Y. Sabot, « Charte de Grenoble et syndicalisme », in *Cahiers du GERME*, n° 1, mars 1996, pp. 25-30.

LES REPRÉSENTANTS des étudiants français, légalement réunis à Grenoble en Congrès national à Grenoble, le 24 avril 1946, conscients de la valeur historique de l'époque :

Où l'Union française élabore la nouvelle Déclaration des droits de l'homme et du citoyen ;

Où s'édifie le statut pacifique des Nations ;

Où le monde du travail et de la jeunesse dégage les bases d'une révolution économique et sociale au service de l'Homme ;

Affirment leur volonté de participer à l'effort unanime de reconstruction ;

Fidèles aux buts traditionnels poursuivis par la Jeunesse étudiante lorsqu'elle était à la plus haute conscience de sa mission,

Fidèles à l'exemple des meilleurs d'entre eux, morts dans la lutte du peuple français pour sa liberté,

Constatant le caractère périmé des institutions qui les régissent,

Déclarent vouloir se placer, comme ils l'ont fait si souvent au cours de notre histoire, à l'avant-garde de la jeunesse française, en définissant librement, comme bases de leurs tâches et de leurs revendications les principes suivants :

Article premier. L'étudiant est un jeune travailleur intellectuel.

Droits et devoirs de l'étudiant en tant que jeune :

Art. II. En tant que jeune l'Étudiant a droit à une prévoyance sociale particulière dans les domaines physique, intellectuel et moral.

Art. III. En tant que jeune, l'Étudiant a le devoir de s'intégrer à l'ensemble de la jeunesse nationale et mondiale.

Droits et devoirs de l'étudiant en tant que travailleur :

Art. IV. En tant que travailleur, l'Étudiant a droit au travail et au repos dans les meilleures conditions et dans l'indépendance matérielle, tant personnelle que sociale, garantie par le libre exercice des droits syndicaux.

Art. V. En tant que travailleur, l'Étudiant a le devoir d'acquérir la meilleure compétence technique.

Droits et devoirs de l'étudiant en tant qu'intellectuel :

Art. VI. En tant qu'intellectuel, l'Étudiant a droit à la recherche de la vérité et à la liberté qui en est la condition première.

Art. VII. En tant qu'intellectuel, l'Étudiant a le devoir :

— de chercher, de propager et défendre la vérité, ce qui implique le devoir de faire partager et progresser la culture et de dégager le sens de l'histoire ;

— de défendre la liberté contre toute oppression, ce qui, pour l'intellectuel, est la mission la plus sacrée.

Cette déclaration constitue désormais la Charte de l'Étudiant. [...]

6. Proposition de la « Route »
(1956)

Comme les autres mouvements de la jeunesse catholique (JOC, JEC, Cœurs Vaillants, Ligue française pour les auberges de la jeunesse), les Scouts de France ont fortement subi l'attraction du premier Vichy. La culture et l'éthique du mouvement — fondé sur des valeurs telles que la terre, la nature, l'esprit de chevalerie, le patriotisme, la foi, le culte des héros et notamment celui de Jeanne d'Arc, l'esprit missionnaire, le rejet du libéralisme — s'accommodaient en effet assez bien de l'idéologie de la Révolution nationale. Aussi devait-on trouver nombre de cadres du scoutisme parmi les dirigeants des Compagnons de France et des Chantiers de la jeunesse, ainsi qu'à Uriage et dans les Écoles régionales de cadres créées par le régime, du moins jusqu'en 1942.

À partir de cette date, l'évolution du régime et la généralisation du STO vont incliner de nombreux dirigeants scouts à choisir le camp de la Résistance et de la France libre, alors que l'état-major du mouvement garde sa confiance au maréchal Pétain. Jugé néanmoins trop « gaulliste » par Laval, le mouvement est dissous en janvier 1944.

Rétabli à la Libération, le mouvement des Scouts de France ne retrouvera pas la place qu'il détenait dans les années 1930. Il ne tarde pas en effet à rencontrer des difficultés à la fois d'ordre financier et idéologique, et des tensions au sommet qui tiennent à la présence en son sein d'anciens résistants et d'anciens vichystes. La « Route » notamment, qui rassemble les adolescents de 15-18 ans et forme les futurs scoutmestres, voit ses effectifs diminuer de moitié entre 1946 et 1950, conséquence du décalage qui s'est établi entre le conservatisme autoritaire de l'Église (qui s'est notamment manifesté à propos des prêtres-ouvriers) et les aspirations progressistes qui animent la majorité des responsables routiers. Il en résulte une véritable crise de l'organisation qui aboutira en 1956 à la transformation de celle-ci en un classique mouvement de jeunesse. Tel est l'objet de la Proposition de la Route *présentée en octobre 1956 par l'équipe dirigeante et qui sera entérinée par l'Assemblée générale du 3 novembre.*

Source : Texte élaboré par l'Équipe nationale Route et présenté à l'Assemblée nationale du mouvement, octobre 1956 ; cité _in_ Philippe Laneyrie, _Les Scouts de France, l'évolution du mouvement des origines aux années 80_, Paris, Le Cerf, 1985, pp. 255-256.
Bibliographie : H. Van Effenterre, _Histoire du scoutisme_, Paris, PUF (Que sais-je ?), 2ᵉ éd., 1961 ; M. Menu, _Raiders scouts_, Paris, Presses de l'Île-de-France, 1955, plusieurs rééditions.

[…] PARTIE INTÉGRANTE du scoutisme qui lui donne son style et son caractère éducatif, la Route est aussi Mouvement de jeunesse : comme tel, elle travaille avec les autres mouvements de jeunesse à unir les jeunes, à exprimer leurs besoins et à favoriser leur épanouissement. Consciente de représenter un mouvement vivant dans sa génération, libre de toute pression partisane, la Route recherche sur quels refus et sur quels choix peut se construire un monde plus fraternel pour tous les hommes de demain. […]

La Route veut, en mettant les jeunes en marche vers leur vie adulte, travailler dans sa génération à la vitalité du pays et de l'Église.

Le départ routier propose un certain type d'homme et de chrétien conforme aux impératifs de l'Évangile et un idéal communautaire mis en œuvre à la Route : la Route est par là orientée et _l'on ne peut être vraiment routier qu'en entrant librement dans ses orientations missionnaires, sociales et politiques_. Quelles sont ces orientations ?

1. La pratique d'un humanisme aussi total et aussi concret que possible, prenant en charge l'ensemble des besoins vitaux des jeunes (politique de la jeunesse), constitue une des originalités de la Route. L'homme routier se dispose _à travailler dans les sociétés adultes et par les moyens institutionnels (actions sociale, civique et politique), à une véritable humanisation de la vie des groupes_, dont dépend l'épanouissement des personnes et des familles (aménagement du territoire, urbanisme, éducation populaire, réformes de l'enseignement et du service militaire, loisirs, etc.).

2. La pratique du service et de l'entreprise oriente la vie de l'homme routier dans la voie du service désintéressé des communautés comme des personnes les plus pauvres et les plus brimées ; et ceci _par une action sociale collective_ autant que par l'action individuelle.

3. Le partage d'une vie communautaire inspirée de la fraternité évangélique conduit l'homme routier à lutter pour l'avènement d'une société dont le matérialisme ne soit plus le fondement (qu'il soit communautaire ou capitaliste).

4. Le fonctionnement communautaire de la Route le prépare _à promouvoir et à servir un régime politique associant tous les citoyens à l'exercice véritable du maximum de responsabilités_.

5. Les contacts avec les jeunesses organisées des pays d'outre-mer et des pays étrangers l'incitent à travailler, _à l'encontre du nationalisme_, dans le sens d'un patriotisme ouvert et accueillant.

6. Les échanges communautaires qui existent entre nous, sur le plan de la foi et de la liturgie, sont la négation d'un christianisme individualiste : les anciens routiers sont dans la logique du mouvement en devenant artisans de vraies communautés chrétiennes d'adultes.

7. Les exigences missionnaires sans sectarisme que veut développer la Route à l'intérieur de ces communautés et au milieu des jeunes aussi bien que la conscience d'être jeunesse d'Église, font de l'entrée dans les mouvements chrétiens d'adultes et dans l'Action catholique une démarche, elle aussi logique, pour ceux qui ont pris le Départ routier. […]

7. « Salut les copains ! »
(1963)

Les avancées technologiques et la sensible amélioration du niveau de vie général qui caractérisent les années 1960 sont pour une bonne part à la base de la mutation qui fait de la génération du baby boom une véritable « classe d'âge » s'offrant en modèle culturel au reste du corps social. Le transistor, l'électrophone, le microsillon qui se répandent dès le début de la décennie dans toutes les couches de la société offrent aux professionnels de la radio, du disque et de la presse spécialisée — en attendant l'explosion télévisuelle — un formidable marché sur lequel ont commencé à opérer dès la fin des années cinquante les observateurs les plus perspicaces des bouleversements en cours.

En 1959, Daniel Filipacchi et Frank Ténot ont lancé sur Europe 1 une émission — Salut les copains ! — explicitement destinée au jeune public des «fans» de la nouvelle musique. Le succès croissant de ce rendez-vous quotidien avec les teenagers *donne à Filipacchi l'idée de prolonger et d'exploiter l'audience de l'émission en lançant un magazine qui paraît sous le même titre à partir de juillet 1962 et qui, dès l'année suivante, tire à plus d'un million d'exemplaires. C'est à l'initiative de son fondateur qu'a lieu, le 22 juin 1963 à la Nation, la première messe en plein air du culte rocker, version yé-yé : 150 000 jeunes y applaudissent Johnny Hallyday, Sylvie Vartan, Richard Anthony, les Chats sauvages. Edgar Morin donne quelques semaines plus tard dans* Le Monde *son interprétation du phénomène.*

Source : Edgar Morin, « Salut les copains ! », *Le Monde*, 6 juillet 1963.
Bibliographie : M. Winock, *Chronique des années soixante*, Paris, Le Seuil, 1987 ; E. Morin, *L'Esprit du temps*, Paris, 2 vol., Grasset, 1962.

L A VOGUE DE ROCK'N ROLL qui, avec les disques d'Elvis Presley, arriva en France ne suscita pas immédiatement un rock français. Il n'y eut qu'une tentative parodique, effectuée par Henri Salvador, du type « Va te faire cuire un œuf, Mac ». [...] Le music-hall exsangue renaît sous l'influence des copains ; les tournées se multiplient en province, sillonnées par les deux groupes leaders, le groupe Johnny-Sylvie[1] et le groupe Richard-Françoise[2]. *Paris-Match* consacre chez les « croulants » le triomphe des copains puisqu'il accorde aux amours supposées de Johnny et de Sylvie la place d'honneur réservée aux Soraya et Margaret. *Ici-Paris* potine en publiant les Mémoires d'une amie délaissée de Johnny, qui jusqu'alors sauvegardait son standing en ne s'abandonnant qu'aux seuls amants de B.B. L'apothéose «copains» se situe dans un des ultimes samedis de juin 1963, où le grand Barnum copain, Daniel, organisa le rassemblement de masse autour des vedettes. Cent cinquante mille décagénaires étaient au rendez-vous sabbatique, manifestant cet enthousiasme qui a le don d'ahurir totalement l'adulte.

Ce phénomène, qui s'inscrit dans un développement économique, ne peut être dilué dans ce développement même. La promotion économique des décagénères s'inscrit elle-même dans la formation d'une nouvelle classe d'âge, que l'on peut appeler à son gré

---

1. Johnny Hallyday et Sylvie Vartan.
2. Richard Anthony et Françoise Hardy.

(les mots ne se recouvrent pas, mais la réalité est trop fluide pour pouvoir être saisie dans un concept précis) : le *teen-age*, ou l'adolescence. J'opte pour ce dernier terme.

Les communications de masse (presse, radio, TV, cinéma) ont joué un grand rôle dans la cristallisation de cette nouvelle classe d'âge, en lui fournissant mythes, héros et modèles. Dans un premier stade, le cinéma fait émerger les nouveaux héros de l'adolescence, qui s'ordonnent autour de l'image exemplaire de James Dean. Dans un deuxième stade, c'est le rock qui joue le rôle moteur. Mais tous les moyens de communications sont engagés dans le processus. Elvis Presley devient vedette de cinéma, comme vont peut-être le devenir en France Johnny, Sylvie et Françoise qui tournent leur premier film, la seconde Françoise prenant place dans le char de la première, Sagan.

L'adolescence surgit en classe d'âge dans le milieu du XXᵉ siècle, incontestablement sous la stimulation permanente du capitalisme de spectacle et de l'imaginaire, mais il s'agit d'une stimulation plus que d'une création. Dans les pays de l'Est comme dans les pays arriérés économiquement, nous voyons des cristallisations analogues, comme si le phénomène obéissait plus à un esprit du temps qu'à des déterminations nationales ou économiques particulières. Cela dit, c'est dans l'univers capitaliste occidental que le phénomène s'épanouit pleinement, et par l'intermédiaire des « mass media ».

La constitution d'une classe adolescente n'est pas qu'un simple accès à la citoyenneté économique. De toute façon, cette accession signifie promotion de la juvénilité. Cette promotion constitue un phénomène complexe qui implique notamment une précocité de plus en plus grande (ici, sans doute, la culture de masse joue un grand rôle en introduisant et rapidement l'enfant dans l'univers déjà passablement infantilisé de l'adulte moderne). À la précocité sociologique et psychologique s'associe une précocité amoureuse et sexuelle (accentuée par l'intensification des « stimuli » érotiques apportés par la culture de masse et l'affaiblissement continu des interdits). Ainsi le *teen-age* n'est pas la gaminerie constituée en classe d'âge, c'est la gaminerie se muant en adolescence précoce. Et cette adolescence est en mesure de consommer non seulement du rythme pur, mais de l'amour, valeur marchande numéro 1 et valeur suprême de l'individualisme moderne, comme elle est en mesure de consommer l'acte amoureux.

Ceci dit, la nouvelle classe d'âge n'est pas totalement homogène. Elle présente, même dans ses héros, un visage complexe, ou plutôt de multiples visages, depuis le blouson noir avec chaîne de vélo (image pré-délinquante dans la perception des parents et adultes) jusqu'au beatnik, l'intellectuel barbu et rebelle, héritier de ce que les journaux appelaient il y a dix ans les existentialistes. [...]

Toutefois, on peut dégager des traits communs.

La classe d'âge s'est cristallisée sur :

— une panoplie commune, qui du reste évolue au fur et à mesure que les « croulants » avides de juvénilité se l'approprient ; ainsi ont été arborés blue-jeans, polos, blousons et vestes de cuir, et actuellement la mode est au tee-shirt imprimé, à la chemise brodée ;

— aristocratisation propre à la mode adulte (sur quoi se greffe une dialectique supplémentaire provoquée par le pillage adulte et la volonté permanente de se différencier de la classe pillarde ;

— l'accession à des biens de propriété décagénères : électrophone, guitare de préférence électrique, radio à transistors, collection de 45 tours, photos ;

— un langage commun ponctué d'épithètes superlatives comme « terrible », « sensass », langage « copain » où le mot « copain » lui -même est le maître-mot, mot de passe (est-il interdit d'y voir la forme devenue twisteuse de cette aspiration qui nous poussait à dire « camarades », « frères » ?) ;

— ses cérémonies de communion, depuis la surprise-partie jusqu'au spectacle de music-hall et peut-être, dans l'avenir, des rassemblements géants sur le modèle de celui de la Nation ;

— ses héros. Un culte familier d'idoles-copains est né. Il n'est pas particulièrement porté sur le « voyeurisme ». Ce culte est donc beaucoup plus raisonnable, moins mythologique que celui du « star-system ». Mais là où il est beaucoup plus ardent, c'est dans l'acte même de la communion, le tour de chant, où le rapport devient frénétique, extatique.

8. La nouvelle idole

Inventé et « mis au point » aux États-Unis au milieu de la décennie 1950 par métissage d'une certaine forme de jazz et de musique country, diffusé par les premières stars de la pop music — *les Elvis Presley, Sam Philips, Bill Haley, Chuck Berry et autres Little Richard —, puis exporté en Grande-Bretagne où il va bientôt exprimer la révolte des quartiers populaires de Liverpool (avec les Beatles), puis d'autres villes de l'Angleterre noire, le rock'n roll débarque en France au tout début des années soixante. Le succès est immédiat parmi les jeunes qui vont, en peu de temps, faire une idole d'un « garçon de la balle », rebaptisé Johnny Hallyday pour les besoins du* show biz *et qui, à dix-neuf ans, dispute bientôt la palme de la notoriété à Brigitte Bardot, à Charles Aznavour... et au général de Gaulle !*

Le type de rock qui se répand dans la France du début des sixties *n'a pas grand-chose à voir avec ses homologues d'outre-Atlantique et d'outre-Manche. Bien qu'eux-mêmes grands amateurs de jazz et puristes en matière de musique américaine, Daniel Filipacchi et Frank Ténot laisseront se développer dans la mouvance de* Salut les copains ! *une forme bâtarde de rock, s'agissant notamment du texte d'accompagnement, généralement indigent et lénifiant. Les chanteurs ayant essentiellement retenu du modèle américain le « yeah ! » de ponctuation, on baptisa « yé-yé » le rock à la française.*

Source : Yves Salgues, *Jour de France*, n° 363, 28 octobre 1961.

Bibliographie : Th. Frebourg, *Le Rock*, Paris, M.A., « Le monde de... », 1987 ; J. Barsiaman, F. Jouffa, *L'Âge d'or du yé-yé*, Paris, Ramsay, 1983 ; P. Yonnet, *Jeux, modes et masses, 1945-1985*, Paris, Gallimard, 1985.

QUAND, UN SAMEDI SOIR, à l'Olympia, Allégret a vu pour la première fois Johnny Hallyday porté par le délire des bravos et des cris de douze cents admirateurs enthousiastes, il a compris qu'il se trouvait en présence non seulement d'un phénomène, mais d'un authentique «animal de spectacle». Après dix-sept rappels, Johnny — épuisé par son récital coupé de démonstrations de twist — saluait, souriant, imperturbable, la foule qui l'ovationnait. La lumière aveuglante des projecteurs transformait son visage ruisselant de sueur en celui d'un Père Noël couvert de flocons de neige. À dix-huit ans, le seul chanteur français à avoir une légende : la légende dorée d'un blouson noir repenti qui a trouvé dans le rock and roll, du jour au lendemain, un somptueux exutoire.

Mais cette légende est fausse, comme est romanesque le courant journalistique qui veut que Johnny ait fait une réussite foudroyante et conquis Paris en un soir. Bien plus attachante est la vérité. Johnny, l'enfant de la balle, est en réalité le contraire d'un enfant prodige et d'un adolescent dévoyé. Ceux qui l'imaginaient naguère encore hantant les terrains vagues de Marcel Carné, une chaîne rouillée de motocyclette à la main, chef de bande prêt au combat, ceux-là sont dans l'erreur. Quand Johnny — fils de parents séparés — eut quitté Bruxelles, sa ville natale, pour s'installer à Paris avec son tuteur, ce fut pour y commencer l'ingrat, le terrible apprentissage du «professionnel de music-hall».

Du reste, Johnny travaille depuis l'âge de six ans. Il eut sa première guitare à douze, donc en 1955. Jusqu'en 1959, il prit six fois par semaine des cours de guitare classique avec un professeur renommé du Conservatoire, en même temps qu'il étudiait la danse dans l'application et le brio d'un premier de la classe. Samedis et dimanches, il tenait la guitare dans un orchestre de variétés dont il était également l'animateur, le chanteur de charme et le danseur de calypso. À cette époque, les commerçants du quartier de la Trinité voyaient souvent — ses grands yeux affamés fixés sur leur vitrine — un grand garçon, blond, pâle, dégingandé qu'on surnommait «Johnny-la-guitare» : c'était le futur jeune dieu du rock and roll. Un dieu alors très pauvre, qui vivait dans une chambre quasi misérable, avec des cachets de famine — mais à qui l'espoir donnait des ailes.

«Oui, dit Hallyday, j'ai mangé plus que ma ration de pain noir.» Ce n'est plus qu'un souvenir. Catégorique, Allégret déclare : «Johnny sera l'équivalent masculin de Brigitte Bardot.» On ne néglige rien pour cela. Charles Aznavour, qui le parraine, a écrit pour Johnny deux chansons nouvelles qu'il créera dans *Sophie*. L'une, échevelée, volcanique, dans la tradition violente du «rock». L'autre, douce, poétique, est une chanson d'amour : il la dédiera à Catherine pour la remercier de lui avoir permis, en lui offrant sa guitare, de gagner au cinéma sa première bataille contre le destin.

9. La « galère »
(1987)

Les mutations économiques du dernier quart de siècle ont eu pour effet de faire éclater cette « classe d'âge » décrite par les sociologues des années soixante qu'était la « jeunesse ». Celle-ci a cessé d'être identifiable à la « crise d'adolescence » d'autrefois. Le chômage, qui touche particulièrement la catégorie des 20/25 et même celle des 25/30 ans, la course au diplôme, la généralisation de la cohabitation juvénile, la difficulté à trouver un logement, le retour à la famille, ont allongé cette phase de la vie comprise entre l'enfance et l'« âge adulte » et qui connaît une précarisation générale.

Si toutes les catégories sociales sont affectées par ce changement, les individus les plus vulnérables sont évidemment ceux qui, cumulant tous les handicaps — enfermement dans les ghettos péri-urbains, absence totale de débouchés professionnels, formation insuffisante, familles éclatées, chômage et souvent rejet xénophobe — se trouvent complètement exclus du reste de la société. Ceux-là connaissent la « galère », comme l'explique Frédéric Gaussen dans cet article du Monde, *paru en mars 1987 et toujours d'actualité.*

Source : Frédéric Gaussen, « La galère », *Le Monde*, 4 mars 1987.
Bibliographie : F. Dubet, *La Galère, jeunes en survie*, Paris, Fayard, 1987 ;
F. Dubet, D. Lapeyronnie, *Les Quartiers d'exil*, Paris, Le Seuil, 1992.

L A GALÈRE, c'est un monde à la dérive, un monde qui n'a plus de sens. Celui des HLM de banlieue, de ces grands ensembles surgis de terre à la va-vite pendant les Trente Glorieuses et où s'entasse une population déboussolée, frappée par le chômage et la désindustrialisation.

La galère c'est d'abord l'univers de la jeunesse. Des jeunes sans racines ni débouchés en rupture d'école et de travail, flottant entre les petits boulots aléatoires, des « stages » plus ou moins bidon et les « combines » inavouables, traînant leur désœuvrement entre les cages d'escalier nauséabondes, les trottoirs défoncés, les rares cafés, les centres commerciaux barricadés à cause des vols et les vagues centres culturels mis à leur disposition et régulièrement saccagés. [...]

Les jeunes de la galère constituent-ils un mouvement social ? À première vue, non. Ils en sont même à l'opposé. Ils n'ont ni sentiment d'appartenir à une communauté, ni revendications précises, ni perspectives, ni stratégie. Ce qui les caractérise, constate François Dubet, c'est la « désorganisation, l'exclusion et la rage ». Désorganisation du milieu familial et des structures sociales ; exclusion du jeu scolaire et professionnel, par lequel passe l'intégration. Quant à la rage, elle est l'expression spontanée d'un désespoir qui tourne à vide, d'une agressivité sans objet qui se porte d'abord sur l'environnement immédiat. Agressions, déprédation, indifférence au malheur des proches... la rage est, à la fois, une façon de régler ses comptes avec la société et une forme d'autodestruction. [...]

Si les solidarités familiales, ethniques, religieuses, politiques, syndicales ont volé en éclats, laissant les jeunes désemparés, on n'y trouve pas non plus ces sociétés de substitution qui sont les refuges ordinaires des déshérités : pas de bandes organisées, de gangs unis autour d'un leader ou d'un territoire, de groupes politiques radicaux. La violence comme la délinquance sont instables, volatiles. La sociabilité se limite à des contacts fragmentaires, aussi vite dissous que formés. Les comportements sont insaisissables, oscillant entre l'apathie et la révolte, la résignation et le cynisme. Se sachant définitivement hors-jeu, n'ayant aucune expérience de l'action collective, les jeunes de la galère passent le temps, profitant habilement des maigres occasions de l'aide sociale et pratiquant sans remords une forme de « redistribution » par le vol et de menus trafics. [...]

Pour François Dubet, la galère est l'expression sauvage de la société duale postindustrielle qui s'installe où les anciennes solidarités nouées autour du travail à l'usine et de la classe ouvrière s'effondrent et où chacun se trouve confronté aux valeurs véhiculées par les moyens de communication de masse. En ce sens le malheur de la galère pourrait annoncer des comportements nouveaux, relativement mieux adaptés à la société éclatée de demain. François Dubet évoque cette hypothèse lorsqu'il note la « modernité » culturelle des jeunes de la galère, leur désir d'autonomie et d'épanouissement personnel, leur recherche du bonheur intime, leur goût pour l'expression corporelle et la musique, leur pragmatisme. [...]

10. Le sida

Au premier rang des fléaux qui touchent notre société postmoderne, le sida fait figure de véritable épouvantail. D'abord limité aux catégories dites à « haut risque » — homosexuels, « accrocs » aux drogues « dures », population carcérale — il n'épargne aujourd'hui aucun segment du corps social mais sévit principalement parmi les jeunes. C'est l'un d'entre eux qui est le sujet de ce témoignage, extrait du livre de Marie de Hennezel : La Mort intime. L'auteur évoque son passage au service «unité de soins sida» de l'hôpital Notre-Dame-du-Bon-Secours à Paris.

Source : Marie de Hennezel, *La Mort intime*, Paris, Robert Laffont, 1995, rééd. «Pocket», 1996, pp. 65-67.

Bibliographie : V. Marange, *Les Jeunes*, Paris, Le Monde éditions/Marabout, 1995.

Dans une petite chambre du rez-de-chaussée donnant sur de grands arbres, Patrick m'attend. Il est jeune, comme presque tous nos malades du sida. Son ami est mort il y a deux ans, du même mal. Maintenant c'est lui qui est atteint. Il est arrivé il y a quelques semaines, dans un état physique pitoyable, amaigri, faible, avec ce cancer de la peau qu'on appelle Kaposi, qui lui recouvre les deux jambes. Cela fait un an qu'il n'a eu recours à aucun soin, s'étant enfermé chez lui, dans un repli sur soi total.

« C'est comme si je m'étais abandonné moi-même », dit-il en évoquant cette période. « Je me suis regardé me dégrader, comme si cela arrivait à quelqu'un d'autre. J'avais l'impression d'être dédoublé. Ces jambes que je voyais, ce n'étaient pas les miennes. Je regardais mon Kaposi sans aucun sentiment. »

Patrick étant quelqu'un de très solitaire, sa famille ne s'est pas inquiétée de ce silence ; il y avait déjà eu de longues périodes pendant lesquelles il ne donnait pas signe de vie. «Un jour, j'ai décidé de partir dans un hôtel en Bretagne. J'ai pris une chambre avec vue sur la mer. Là, j'ai pris peur : je me sentais coupé du monde, j'ai appelé ma famille et je leur ai dit que j'étais séropositif. Je ne peux pas employer le nom de ma maladie, ce mot, pour moi, c'est un mot, mais c'est un mot qui me fait peur, parce que c'est la mort. Non ! Je ne peux pas prononcer ce mot. »

© Laffont

11. Enquête sur la jeunesse à la fin des années 1980

À la suite d'un sondage sur les 16/24 ans réalisé par BVA en septembre 1987, Robert Solé brosse dans Le Monde *un portrait de la jeunesse française un peu moins d'un an après les manifestations étudiantes et lycéennes qui ont accueilli la «réforme Devaquet» et ont provoqué son retrait par le gouvernement Chirac. L'image simplifiée qui en ressort est celle d'une génération guérie des idéologies globalisantes mais généreuse, individualiste mais préoccupée de justice sociale et des droits de l'homme, narcissique et hédoniste mais très attachée au milieu familial dès lors qu'il ne porte pas atteinte à sa liberté. À l'optimisme révolutionnaire et utopique de la génération du* baby boom *s'est substitué un pessimisme mesuré ou, comme l'écrit Henri Weber, «un sentiment aigu de la complexité des choses et du peu de puissance des hommes à les maîtriser».*

Source : Robert Solé, «Jeunes, individualistes, généreux...», *Le Monde*, 30 septembre 1987.

Bibliographie : H. Weber, *Vingt ans après. Que reste-t-il de 68 ?* Paris, Le Seuil, 1988 ; L. Ferry, « La morale du XXIe siècle : un humanisme négatif », *Le Monde*, 21 novembre 1987 ; L. Ferry, A. Renaut, *1968-1986. Itinéraires de l'individu*, Paris, Gallimard, 1986.

T OUCHE PAS À MON UNIVERSITÉ, touche pas à ma radio, touche pas à mon pote... *« Moi... et les autres »*, souligne Joël-Yves Le Bigot, président de l'Institut de l'enfant, qui réalise chaque année un «baromètre» des 15-25 ans. *« L'égologie a succédé à l'écologie. L'individualisme qui devient peu à peu la seule valeur sûre, celle qui commande toutes les autres, va de pair avec l'ouverture et la générosité : on peut parler d'un individualisme généreux. »* si le tiers-mondisme ne fait plus recette, le Tiers monde est très présent dans les préoccupations de cette tranche d'âge. Et d'une manière générale, tout ce qui concerne les laissés-pour-compte et les droits de l'homme.

Ces jeunes Français vont chercher des modèles qui incarnent l'un de leurs propres traits — ou de leurs propres ambitions. Coluche symbolise la générosité et la dérision ; Jean-Jacques Goldman ou Madonna la musique ; Yannick Noah ou Bernard Tapie la réussite professionnelle... Une galerie de portraits façonnée par la télévision et fondée davantage sur l'émotion que sur les certitudes. Aujourd'hui, on aime ce qu'on « sent ». On adhère à ce qui fait vibrer.

Les jeunes Français acquièrent très tôt une certaine autonomie. Plus besoin de courir sur les routes : le monde vient aux enfants et aux adolescents par le biais de la télévision. Et les parents — absents ou impuissants — n'ont aucun contrôle sur ces images extérieures qui s'adressent indifféremment à tous les âges. Mais, paradoxalement, cette autonomie se perd par la suite : les jeunes adultes sont privés de l'indépendance à laquelle ils pourraient prétendre, puisqu'ils habitent massivement chez leurs parents : 75 % à vingt ans, et encore 24 % à vingt-quatre ans.

Cette cohabitation prolongée est due, à la fois, à l'allongement des études et à l'augmentation du chômage.

Les voilà producteurs de plus en plus tard, mais consommateurs de plus en plus tôt. Et quels consommateurs ! Ils achètent en moyenne six pantalons par an... Cette tranche d'âge «pèse» plus de 200 milliards de francs en revenu annuel, si on additionne les salaires, les indemnités de chômage, les gains obtenus par les petits boulots, l'argent de poche. [...]

Un public solvable donc, mais un public exigeant. Qui sait apprécier la qualité — et, plus encore, le «statut» — d'un produit. Qui est prêt à retarder un achat pour acquérir une marque précise, plus chère, correspondant au «look» souhaité.

Car le «look» est fondamental. Les jeunes sont les plus gros consommateurs de produits de beauté. Et les garçons n'ont presque plus rien à envier aux filles dans ce domaine. [...]

Entre les jeunes et leurs parents, c'est une sorte de paix armée. Tout va bien tant que les seconds remplissent le frigo, financent les achats et évitent les sujets de friction...

Mais il ne faut pas réduire la famille française à cette cohabitation forcée ; les générations n'ont jamais été aussi proches les unes des autres. La famille est pour beaucoup de jeunes un lieu privilégié d'échanges, de discussions et de plaisir de vivre. De leurs parents, ils déclarent surtout attendre une présence affective et un soutien moral. La famille est aujourd'hui, malgré la multiplication des divorces, l'institution à laquelle les jeunes Français accordent le plus de crédit.

De la révolte à l'indifférence, de l'indifférence à l'angoisse,… la « bof génération » d'hier, dit-on, est devenue la « flip génération ». Ne découvre-t-elle pas la sexualité sur fond de sida et la vie professionnelle sous la menace du chômage ?

Le sida ne semble pourtant pas terroriser les 16-24 ans. Parmi leurs peurs avouées, cette épidémie figure loin derrière la guerre ou le terrorisme. Seule une petite minorité de jeunes affirme avoir changé ses habitudes sexuelles à cause du sida. Mais programme-t-on son activité sexuelle à seize ans ? Et l'avoue-t-on si facilement ?

Curieusement, les jeunes interrogés se déclarent deux fois moins inquiets par le chômage que par la guerre. […] Précision intéressante: quand on leur demande quel métier ils souhaiteraient exercer, les jeunes ne plébiscitent nullement les emplois garantis. Peu sont tentés par les ministères, les entreprises publiques ou les géants de l'industrie, alors que leurs suffrages se portent massivement sur les petites boîtes dynamiques nouvellement créées ou les agences de publicité. En d'autres termes, l'intérêt du travail et les contacts humains comptent davantage que la sécurité.

N'en déplaise aux Cassandre, 57 % des 16-24 ans sont plutôt optimistes sur l'avenir des jeunes en France. Et encore plus optimistes (74 %) sur leur propre avenir !

BIBLIOGRAPHIE

Ouvrages généraux

1. HISTOIRES GÉNÉRALES

M. AGULHON, *La République de 1880 à nos jours*, Paris, Hachette, 1990 (t. 5 de l'« Histoire de France Hachette »).

C. AMBROSI, A. AMBROSI, *La France, 1870-1981*, Paris, Masson, 1981.

G. BERSTEIN, S. BERSTEIN, *La Troisième République, les noms, les thèmes, les lieux*, Paris, MA, 1987.

G. BERSTEIN, S. BERSTEIN, *Dictionnaire historique de la France contemporaine*, t. I, *1870-1945*, Bruxelles, Complexe, 1995.

F. BÉDARIDA, J.-M. MAYEUR, J.-L. MONNERON, A. PROST, *Cent ans d'esprit républicain*, t. V de l'*Histoire du peuple français*, Paris, Nouvelle Librairie de France, 1965.

S. BERSTEIN, P. MILZA, *Histoire de la France au xxᵉ siècle*, Bruxelles, Complexe, 1995.

J.-J. CHEVALLIER, *Histoire des institutions et des régimes politiques de la France de 1789 à nos jours*, Paris, Dalloz, 1985.

S. HOFFMANN, *Essai sur la France. Déclin ou renouveau ?* Paris, Le Seuil, 1974.

Y. LEQUIN (dir.), *Histoire des Français. xixᵉ-xxᵉ siècles, Paris*, Armand Colin, 3 vol., 1983-1984.

R. RÉMOND (avec la collaboration de J.-F. SIRINELLI), *Notre siècle*, Paris, 2ᵉ éd. 1996.

J.-F. SIRINELLI (dir), *Dictionnaire historique de la vie politique française au xxᵉ siècle*, Paris, PUF, 1995.

M. WINOCK, *La Fièvre hexagonale. Les grandes crises politiques de 1871 à 1968*, Paris, Calmann-Lévy, 1986.

2. ÉCONOMIE ET SOCIÉTÉ

Ph. ARIÈS, *Histoire des populations françaises*, Paris, Le Seuil, 1971.

J.-Ch. ASSELAIN, *Histoire économique de la France*, Paris, Seuil, 2 vol., 1984.

H. BONIN, *Histoire économique de la France depuis 1880*, Paris, Masson, 1988.

H. BONIN, *L'Argent en France depuis 1880, banquiers, financiers, épargnants*, Paris, Masson, 1989.

M. BOUVIER-AJAM, *Histoire du travail en France depuis la Révolution*, Paris, Librairie générale de droit et de jurisprudence, 1969.

F. BRAUDEL, E. LABROUSSE (dir.), *Histoire économique et sociale de la France*, t. 4, 2 vol., Paris, PUF, 1980-1982.

J. BRON, *Histoire du mouvement ouvrier français*, Paris, Les Éditions ouvrières, 1968.

F. CARON, *Histoire économique de la France (XIXe-XXe siècles)*, Paris, Armand Colin, 1981.

A. DEWERPE, *Le Monde du travail en France, 1800-1950*, Paris, Armand Colin, 1989.

J. DUPAQUIER (dir.), *Histoire de la population française*, t. 4, *De 1914 à nos jours*, Paris, PUF, 1988.

G. DUPEUX, *La Société française*, Paris, Armand Colin, 1964.

G. DUBY, Ph. ARIÈS, *Histoire de la vie privée*, t. 5 sous la direction de G. Vincent et A. Prost, Paris, Le Seuil, 1987.

M. GERVAIS, M. JOLLIVET, Y. TAVERNIER, *Histoire de la France rurale*, t. 4. *La fin de la France paysanne de 1914 à nos jours*, Paris, Le seuil, 1977.

Histoire de la France urbaine, t. 4 (M. AGULHON dir.), t. 5 (M. RONCAYOLO dir.), Paris, Le Seuil, 1983 et 1985.

R.F. KUISEL, *Le Capitalisme et l'État en France. Modernisation et dirigisme au XXe siècle*, Paris, Gallimard, 1984.

G. LEFRANC, *Histoire du mouvement ouvrier en France des origines à nos jours*, Paris, Montaigne, 1946.

A. MOULIN, *Les Paysans dans la société française. De la Révolution à nos jours*, Paris, Le Seuil, 1988.

J. NERE, *Les crises économiques du XXe siècle*, Paris, Armand Colin, 1989.

G. NOIRIEL, *Les Ouvriers dans la société française, XIXe-XXe siècles*, Paris, Le Seuil, 1986.

P. SORLIN, *La Société française*, t. 2., *1914-1968*, Paris, Arthaud, 1971.

3. VIE ET FORCES POLITIQUES

S. BERSTEIN, *Histoire du Parti radical*, 2 vol., Paris, Presses de la FNSP, 1980-1982.

S. BERSTEIN, O. RUDELLE (dir.), *Le Modèle républicain*, Paris, PUF, 1991.

J.-J. BECKER, S. BERSTEIN, *Histoire de l'anticommunisme en France*, t. 1, *1917-1940*, Paris, Orban, 1987.

J.-J. BECKER, *Le Parti communiste français veut-il prendre le pouvoir ? La stratégie du PCF de 1930 à nos jours*, Paris, Le Seuil, 1981.

J.-P. BRUNET, *Histoire du PCF*, Paris, PUF, « Que sais-je ? », 1982.

A. CHEBEL D'APOLLONIA, *L'Extrême droite en France. De Maurras à Le Pen*, Bruxelles, Complexe, 2e éd. 1996.

S. COURTOIS, M. LAZAR, *Histoire du Parti communiste français*, Paris, PUF, 1995.

A. KRIEGEL, *Les Communistes français*, Paris, Le Seuil, 1968.

P. LÉVÊQUE, *Histoire des forces politiques en France*, t. 2., *1880-1940*, Paris, Armand Colin, 1994.

J.-M. MAYEUR, *La Vie politique sous la Troisième République*, Paris, Le Seuil, 1984.

J.-M. MAYEUR, *Des partis catholiques à la démocratie chrétienne (XIXe-XXe siècles)*, Paris, Armand Colin, 1980.

P. MILZA, _Fascisme français. Passé et présent_, Paris, Flammarion, 1987, rééd., Champs Flammarion, 1991.

C. NICOLET, _L'Idée républicaine en France. Essai d'histoire critique_, Paris, Gallimard, 1982.

R. RÉMOND, _Les Droites en France_, Paris, Aubier, 1982.

Ph. ROBRIEUX, _Histoire intérieure du Parti communiste_, 4 vol., Paris, Fayard, 1980-1984.

J.-F. SIRINELLI (dir.), _Histoire des droites en France_, 3 vol., Paris, Gallimard, 1992.

Z. STERNHELL, _Ni droite ni gauche. L'idéologie fasciste en France_, Paris, Le Seuil, 1983.

J. TOUCHARD, _La Gauche en France depuis 1900_, Paris, Le Seuil, 1977.

M. WINOCK, _Nationalisme, antisémitisme et fascisme en France_, Paris, Le Seuil, 1982.

M. WINOCK (dir.), _Histoire de l'extrême droite en France_, Paris, Le Seuil, 1993.

4. VIE INTELLECTUELLE — CULTURE — COMMUNICATION

C. BELLANGER, J. GODECHOT, P. GUIRAL, F. TERROU (dir.), _Histoire générale de la presse française_, t. 3 à 5, Paris, PUF, 1972-1976.

J. CHARPENTREAU, F. VERNILLAT, _La Chanson française_, Paris, 1971.

M. CRUBELLIER, _Histoire culturelle de la France, XIXᵉ-XXᵉ siècles_, Paris, Armand Colin, 1974.

G. DUBY, R. MANDROU, _Histoire de la civilisation française, t. 2, XVIIᵉ-XXᵉ siècles_, Paris, Armand colin, 1958.

J.-M. CHARON, _La Presse en France de 1945 à nos jours_, Paris, Le Seuil, 1991.

G. DUMUR (dir.), _Histoire des spectacles_, Paris, 1965.

R. DUVAL, _Histoire de la radio en France_, Paris, A. Moreau, 1979.

J.-N. JEANNENEY, _Une histoire des médias des origines à nos jours_, Paris, Le Seuil, 1996.

P. MIQUEL, _Histoire de la radio et de la télévision_, Paris, Perrin, 1984.

A. PROST, _L'Enseignement en France, 1800-1967_, Paris, Armand Colin, 1968.

P. ORY, J.-F. SIRINELLI, _Les Intellectuels en France de l'affaire Dreyfus à nos jours_, Paris, Armand Colin, 1984.

J.-F. SIRINELLI, _Intellectuels et passions françaises: manifestes et pétitions au XXᵉ siècle_, Paris, Fayard, 1990.

5. VIE ET FORCES RELIGIEUSES

A. COUTROT, F.-G. DREYFUS, _Les Forces religieuses dans la société française_, Paris, Armand Colin, 1965.

G. CHOLVY, Y.-M. HILAIRE, _Histoire religieuse de la France contemporaine_, t. 2, _1880-1930_, t. 3, _1930-1988_, Toulouse, Privat, 1986-1988.

J.-M. MAYEUR (dir.), _Histoire religieuse de la France. Problèmes et méthodes_, Paris, 1975.

R. RÉMOND, _L'Anticléricalisme en France de 1815 à nos jours_, Bruxelles, Complexe, 1985.

Bibliographie par dossier

I. LA FRANCE À LA FIN DE LA PREMIÈRE GUERRE MONDIALE (1918-1919)

J.-B. DUROSELLE, *La Grande Guerre des Français*, Paris, Perrin, 1995.
J.-B. DUROSELLE, *La France et les Français, 1914-1920*, Paris, Éditions Richelieu, 1972.
J.-J. BECKER, S. BERSTEIN, *Victoire et frustrations, 1914-1929*, t. 12 de la *Nouvelle Histoire de la France contemporaine*, Paris, Le Seuil, 1990.
N. ROUSSELLIER, *Phénomène de majorité et relation de majorité en régime parlementaire : le cas du Bloc national en France dans le premier après-guerre européen (1919-1924)*, Paris, Presses de la FNSP, 1996.

II. LA VIE POLITIQUE EN FRANCE DE 1919 À 1930

Ph. BERNARD, *La Fin d'un monde, 1914-1929*, Paris, Le Seuil, 1975, version ancienne du t. 12 de la *Nouvelle Histoire de la France contemporaine*.
S. BERSTEIN, *Édouard Herriot ou la République en personne*, Paris, Presses de la FNSP, 1985.
J.-N. JEANNENEY, *Leçon d'histoire pour une gauche au pouvoir. La faillite du Cartel (1924-1926)*, Paris, Le Seuil, 1977.
A. KRIEGEL, *Aux origines du communisme français, 1914-1920*, 2 vol., Paris, Mouton, 1964.
A. KRIEGEL, *Le Congrès de Tours (1920)*, Paris, Julliard, coll. « Archives », 1964.
Ph. MACHEFER, *Ligues et fascismes en France, 1919-1939*, Paris, PUF, « dossiers Clio », 1974.
J.-B. DUROSELLE, *Clemenceau*, Paris, Fayard, 1987.
P. MIQUEL, *Poincaré*, Paris, Fayard, 1961.
J. NERE, *Le Problème du mur d'argent. Les crises du franc (1924-1926)*, Paris, La Pensée universelle, 1985.
R. SOUCY, *Le Fascisme français, 1924-1933*, Paris, PUF, 1988.
M. SOULIÉ, *Le Cartel des gauches et la crise présidentielle*, Paris, Jean Dullis éd., 1974.

III. LA CRISE DES ANNÉES TRENTE

S. BERSTEIN, *La France des années 30*, Paris, Armand Colin, coll. « Cursus », 1988.
S. BERSTEIN, *Le 6 février 1934*, Paris, Gallimard-Julliard, « Archives », 1975.
E. BONNEFOUS, *Histoire politique de la IIIe République*, t. 5, *La République en danger, des ligues au Front populaire (1930-1936)*, Paris, PUF, 1962.
D. BORNE, H. DUBIEF, *La Crise des années 30*, Paris, Le Seuil, t. 13 de la *Nouvelle Histoire de la France contemporaine*, éd. 1989.
Y. GUCHET, *Georges Valois. L'Action française, le Faisceau, la République syndicale*, Paris, Éd. Albatros, 1975.
A. DENIEL, *Bucard et le francisme*, Paris, Éditions J. Picollec, 1979.

J.-L. LOUBET DEL BAYLE, _Les non-conformistes des années 30. Une tentative de renouvellement de la pensée politique française_, Paris, Le Seuil, 1969.
J. NOBÉCOURT, _Le Colonel de La Rocque_, Paris, Fayard, 1996.
J. PLUMYENE, R. LASIERRA, _Les Fascismes français_, Paris, Le Seuil, 1963.
Ph. RUDAUX, _Les Croix de feu et le PSF_, Paris, France-Empire, 1967.
E. WEBER, _L'Action française_, Paris, Stock, 1964.

IV. DU FRONT POPULAIRE À LA GUERRE (1936-1940)

L. BODIN, J. TOUCHARD, _Le Front populaire_, Paris, Armand Colin, coll. «Kiosque», 1961.
J. BOUVIER (dir.), _La France en mouvement_, Paris, Éd. Champ Vallon, 1986.
J. COLTON, _Léon Blum_, Paris, Fayard, 1967.
A. GREILSAMMER, _Léon Blum_, Paris, Flammarion, 1995.
G. COURTOIS, A. KRIEGEL, _Eugène Fried_, Paris, Le Seuil, 1997.
J. LACOUTURE, _Léon Blum_, Paris, Le Seuil, 1977.
G. LEFRANC, _Histoire du Front populaire_, Paris, Payot, 1965.
J. KERGOAT, _La France du Front populaire_, Paris, La Découverte, 1986.
R. RÉMOND, P. RENOUVIN (dir.), _Léon Blum, chef de gouvernement_, Paris, Armand Colin, 1967.
R. RÉMOND, J. BOURDIN, _Édouard Daladier, chef de gouvernement_, 2 vol., Paris, Presses de la FNSP, 1977-1978.
G. LEFRANC, _Le Front populaire_, Paris, PUF, «Que sais-je ?», n° 1209.
G. LEFRANC, _Juin 1936_, Paris, Julliard, «Archives», 1966.
S. WOLIKOW, _Le Front populaire_, Bruxelles, Complexe, 1996.

V. ÉCONOMIE ET SOCIÉTÉ EN FRANCE ENTRE LES DEUX GUERRES

P. BARRAL, _Les Agrariens français de Méline à Pisani_, Paris, Armand Colin, 1966.
M. DREYFUS, _Histoire de la CGT_, Bruxelles, Complexe, 1995.
H. W. EHRMANN, _La Politique du patronat français, 1936-1959_, Paris, Armand Colin, 1959.
C. GIGNOUX, _L'Économie française entre les deux guerres, 1919-1939_, Paris, Armand Colin, 1942.
J. KOLBOOM, _La Revanche des patrons, le patronat français face au Front populaire_, Paris, Flammarion, 1986.
M. LAUNAY, _La CFTC. Origines et développement (1912-1940)_, Paris, Publications de la Sorbonne, 1987.
P. MILZA (dir.), _Les Italiens en France de 1914 à 1940_, Rome, École française de Rome, 1985.
A. PROST, _Les Anciens Combattants et la société française, 1914-1940_, 3 vol., Paris, Presses de la FNSP, 1973.
A. PROST, _La CGT à l'époque du Front populaire, 1934-1939_, Paris, Armand Colin, 1964.

P. SALY, *La Politique des grands travaux en France, 1929-1939*, New York, Arno Press, 1977.

A. SAUVY, *Histoire économique de la France entre les deux guerres*, 4 vol., Paris, Fayard, 1965-1975 ; nouvelle édition, 3 vol., Paris, Économica, 1984.

R. SCHOR, *L'Opinion française et les étrangers (1919-1939)*, Paris, Publications de la Sorbonne, 1985.

VI. VIE INTELLECTUELLE ET CULTURE ENTRE LES DEUX GUERRES

G. DE CORTANZE, *Le Surréalisme*, Paris, MA, 1985.

H. DUMESNIL, *La Musique en France entre les deux guerres (1919-1939)*, Paris, Milieu du monde, 1943.

J.-P. JEANCOLAS, *15 ans d'années trente, le cinéma des Français, 1929-1944*, Paris, Stock, 1983.

R. LALOU, *Histoire de la littérature française contemporaine*, 2 vol., Paris, PUF, 1953.

M. NADEAU, *Histoire du Surréalisme*, Paris, Le Seuil, 1945.

R. PRÉDAL, *La Société française à travers le cinéma (1914-1945)*, Paris, Armand Colin, 1972.

J.-F. SIRINELLI, *Génération intellectuelle, khâgneux et normaliens dans l'entre-deux-guerres*, Paris, Fayard, 1988.

M. WINOCK, *Histoire politique de la revue « Esprit »*, Paris, Le Seuil, 1975.

VII. LA POLITIQUE ÉTRANGÈRE DE LA FRANCE DE 1919 À 1939

J. BARIÉTY, *Les Relations franco-allemandes après la Première Guerre mondiale*, Paris, Pedone, 1977.

J.-B. DUROSELLE, *La Décadence, 1932-1939*, Paris, Imprimerie nationale, 1979.

R. FRANK, *Le Prix du réarmement français, 1935-1939*, Paris, Publications de la Sorbonne, 1982.

J. BOUILLON, G. VALETTE, *Munich 1938*, Paris, Armand Colin, nouvelle édition 1986.

P. MILZA, *Les Relations internationales de 1918 à 1939*, Paris, Armand Colin, 1995.

D. P. PIKE, *La France et la guerre d'Espagne, 1936-1939*, Paris, PUF, 1975.

H. G. SOUTOU, *L'Or et le sang. Les buts de guerre économiques des puissances*, Paris, Fayard, 1989.

M. VAISSE, *Sécurité d'abord. La politique française en matière de désarmement (9 décembre 1930-17 avril 1934)*, Paris, Pedone, 1981.

VIII. LA FRANCE ET SON EMPIRE DE 1918 À 1940

J. BOUVIER, R. GIRAULT, J. THOBIE, *L'Impérialisme à la française, 1914-1960*, Paris, La Découverte, 1986.

P.-R. FERAY, *Le Viêt-nam au XXe siècle*, Paris, PUF, 1979.

P. GUILLAUME, *Le Monde colonial, XIXe-XXe siècles*, Paris, Armand Colin, 1974.

H. HAMON, P. ROTMAN, *Les Porteurs de valises. La résistance française à la guerre d'Algérie*, Paris, Albin Michel, 1979.
J.-P. RIOUX, J.-F. SIRINELLI (dir.), *La Guerre d'algérie et les intellectuels français*, Bruxelles, Complexe, 1991.

XVI. LES « TRENTE GLORIEUSES » DE L'ÉCONOMIE FRANÇAISE

J. FOURASTIÉ, *Les Trente Glorieuses ou la révolution invisible de 1946 à 1975*, Paris, Fayard, 1979.
J. GUYARD, *Le Miracle français*, Paris, Le Seuil, 1970.
E. MALINVAUD, J.-J. CARRÉ, P. DUBOIS, *La Croissance française*, Paris, Le Seuil, 1972.
M. PARODI, *L'Économie et la société française depuis 1945*, Paris, Armand Colin, 1981.
H. ROUSSO (dir.), *De Monnet à Massé*, Paris, IHTP/CNRS, 1986.

XVII. LA FIN DE LA IVe RÉPUBLIQUE ET LES DÉBUTS DE LA Ve (1956-1959)

J. CHARLOT, *Le Gaullisme d'opposition, 1946-1958*, Paris, Fayard, 1983.
J. FERNIOT, *De Gaulle et le 13 mai*, Paris, Plon, 1965.
R. RÉMOND, *Le Retour de De Gaulle*, Bruxelles, Complexe, 1983.
O. RUDELLE, *Mai 58. De Gaulle et la République*, Paris, Plon, 1988.
S. & M. BROMBERGER, *Les Treize Complots du 13 mai*, Paris, Fayard, 1959.

XVIII. LA RÉPUBLIQUE GAULLIENNE (1959-1969)

P. AVRIL, *Le Régime politique de la Ve République*, Paris, LGDJ, 1967.
S. BERSTEIN, *La France de l'expansion. I. La République gaullienne (1958-1969)*, t. 17 de la *Nouvelle histoire de la France contemporaine*, Paris, Le Seuil, 1989.
J. CHAPSAL, *La Vie politique sous la Ve République, 1958-1974*, Paris, PUF, 1981.
O. DUHAMEL, J.-L. PARODI (dir.), *La Constitution de la Ve République*, Paris, Presses de la FNSP, 1965.
H. PORTELLI, *La Ve République*, Paris, Grasset, 1987, nouvelle édition « Le Livre de Poche », 1994.
J.-L. QUERMONNE, *Le Gouvernement de la France sous la Ve République*, Paris, Dalloz, 1980.
S. SUR, *La Vie politique en France sous la Ve République*, Paris, Montchrestien, 1977.
P. VIANSSON-PONTÉ, *Histoire de la République gaullienne*, 2 vol., Paris, Fayard, 1970-1971.
J. LACOUTURE, *De Gaulle*, 3 vol., Paris, Le Seuil, 1981.

XIX. 1968 EN FRANCE

A. DANSETTE, *Mai 68*, Paris, Plon, 1970.

H. HAMON, P. ROTMAN, *Génération*, 2 vol. 1. *Les années de rêve* — 2. *Les années de poudre*, Paris, Le Seuil, 1987-1988.

R. ARON, *La Révolution introuvable, réflexions sur la révolution de mai*, Paris, Julliard, 1968.

E. MORIN, C. LEFORT, C. CASTORIADIS, *Mai 68 : la brèche, suivi de Vingt ans après*, Bruxelles, Complexe, 1988.

A. TOURAINE, *Le Mouvement de mai ou le communisme utopique*, Paris, Le Seuil, 1968.

Ph. ALEXANDRE, J. TUBIANA, *L'Élysée en péril, 2-30 mai 1968*, Paris, Fayard, 1969.

XX. LA SOCIÉTÉ FRANÇAISE DE 1945 AUX ANNÉES 1970

J. BAUDRILLARD, *La Société de consommation : ses mythes, ses structures*, Paris, Gallimard, 1974.

P. BIRNBAUM, *La Classe dirigeante française*, Paris, PUF, 1978.

L. BOLTANSKI, *Les Cadres*, Paris, Éditions de Minuit, 1982.

D. BORNE, *Histoire de la société française depuis 1945*, Paris, Armand Colin, « Cursus », 1988.

M. CROZIER, *La Société bloquée*, Paris, Le Seuil, 1970.

S. HOFFMANN, *À la recherche de la France*, Paris, Le Seuil, 1963,

H. MENDRAS, *La Seconde Révolution française, 1965-1984*, Paris, Gallimard, 1988, rééd. « folio-essais », 1994.

G. VINCENT, *Les Français, 1945-1975*, Paris, Masson, 1977.

XXI. LA Ve RÉPUBLIQUE SOUS LES PRÉSIDENCES DE GEORGES POMPIDOU ET VALÉRY GISCARD D'ESTAING (1969-1981)

S. BERSTEIN, J.-P. RIOUX, *La France de l'expansion. 2. L'apogée Pompidou (1969-1974)*, t. 18 de la *Nouvelle Histoire de la France contemporaine*, Paris, Le Seuil, 1995.

J. CHAPSAL, *La Vie politique sous la Ve République, 1974-1987*, Paris, PUF, 1987.

F. DECAUMONT, *La Présidence de Georges Pompidou : essai sur le régime présidentialiste français*, Paris, Economica, 1979.

E. ROUSSEL, *Georges Pompidou*, Paris, J.-C. Lattès, 1984.

CH. DEBBASH, *La France de Pompidou*, Paris, PUF, 1974.

P. MURON, *Pompidou*, Paris, Flammarion, 1994.

J.-C. PETITFILS, *La Démocratie giscardienne*, Paris, PUF, 1981.

A. PEYREFITTE, *Le Mal français*, Paris, Plon, 1976.

XXII. LA POLITIQUE ÉTRANGÈRE DE LA Vᵉ RÉPUBLIQUE JUSQU'EN 1981

G. DE CARMOY, *Les Politiques extérieures de la France, 1944-1966*, Paris, La Table Ronde, 1967.
P.-G. CERNY, *Une Politique de grandeur*, Paris, Flammarion, 1986.
A. GROSSER, *La Politique extérieure de la Vᵉ République*, Paris, Le Seuil, 1965.
L. HAMON (dir.), *L'Élaboration de la politique étrangère*, Paris, PUF, 1969.
E. JOUVE, *Le Général de Gaulle et la construction de l'Europe*, Paris, LGDJ, 1967.
S. COHEN, *De Gaulle, les gaullistes et Israël*, Paris, A. Moreau, 1974.

XXIII. LA VIE POLITIQUE DEPUIS 1981

A. BERGOUNIOUX, G. GRUNBERG, *Le Long Remords du pouvoir, Le Parti socialiste français, 1905-1992*, Paris, Fayard, 1992.
P. FAVIER, M. MARTIN-ROLLAND, *La Décennie Mitterrand*, 2 vol., Paris, Le Seuil, 1990-1992.
F.-O. GIESBERT, *Le Président*, Paris, Le Seuil, 1990.
S. HOFFMANN, S. ROSS (dir.), *L'Expérience Mitterrand*, Paris, PUF, 1988.
N. MAYER, P. PERRINEAU, *Le Front national à découvert*, Paris, Presses de la FNSP, 1989.
E. MELCHIOR, *Le PS, du projet au pouvoir*, Paris, Éd. de l'Atelier, 1993.

XXIV. CRISE ET MUTATIONS DE LA SOCIÉTÉ FRANÇAISE DEPUIS LE MILIEU DES ANNÉES 1970

J. MARSEILLE, A. PLESSIS, *Vive la crise et l'inflation !*, Paris, Hachette, 1983.
J.-L. MONNERON, A. ROWLEY, *Les 25 ans qui ont transformé la France*, t. VI de l'*Histoire du peuple français*, Paris, Nouvelle librairie de France, 1986.
A. MINC, *L'après-crise est commencé*, Paris, Gallimard, 1984.
S. PAUGAM, *La Société française et ses pauvres*, Paris, PUF, 1993.

XXV - LA POLITIQUE ÉTRANGÈRE DE LA FRANCE DEPUIS 1981

S. COHEN, *La Monarchie nucléaire*, Paris, Hachette, 1986.
J.-B. RAIMOND, *Le Quai d'Orsay à l'heure de la cohabitation*, Paris, Flammarion, 1989.
H. G. SOUTOU, *L'Alliance incertaine. Les rapports politico-stratégiques franco-allemands, 1954-1996*, Paris, Fayard, 1996.
H. VEDRINE, *Le Monde de François Mitterrand ; À l'Élysée, 1981-1995*, Paris, Fayard, 1996.

XXVI. LA VIE INTELLECTUELLE DEPUIS 1945

R. BARTHES, *Mythologies*, Paris, Le Seuil, 1957.
J. BONIFACE, *Art de masse et grand public. La consommation culturelle en France*, Paris, Les Éditions ouvrières, 1961.
L. DOLLOT, *Culture individuelle et culture de masse*, Paris, PUF, «Que sais-je ?», 1974.
E. MORIN, *L'Esprit du Temps*, 1. *Névrose*, 2. *Nécrose*, Paris, Grasset, 1962.
P. ORY, *L'Aventure culturelle française, 1945-1989*, Paris, Flammarion, 1989.
P. ORY, *L'Entre-deux-mai*, Paris, Le Seuil, 1983.

XVII. LES FORCES RELIGIEUSES DANS LA FRANCE DU XXᵉ SIÈCLE

G. CHOLVY, Y.-M. HILAIRE, *Histoire religieuse de la France contemporaine*, t. 2 et 3., Toulouse, Privat, 1988.
F. ISAMBERT, J.-P. TERRENOIRE, *Atlas de la pratique religieuse en France*, Paris, Presses de la FNSP, 1980.
R. RÉMOND, *Histoire de la France religieuse, xxᵉ siècle*, t. 4., Paris, Le Seuil, 1992.
S. SCHARZFUCHS, *Du Juif à l'Israélite*, Paris, Fayard, 1989.
R. LEVEAU, G. KEPEL, *Les Musulmans dans la société française*, Paris, Presses de la FNSP, 1988.

XXVIII. COMMUNICATION ET MEDIAS DANS LA FRANCE DU XXᵉ SIÈCLE

(voir ouvrages généraux)

XXIX. IMMIGRATION ET INTÉGRATION

G. LE MOIGNE, *L'Immigration en France*, Paris, PUF, «Que sais-je ?», 1986.
Y. LEQUIN (dir.), *La Mosaïque France. Histoire des étrangers et de l'immigration en France*, Paris, Larousse, 1988.
O. MILZA, *Les Français devant l'immigration*, Bruxelles, Complexe, 1988.
P. MILZA, M. AMAR, *L'Immigration de A à Z*, Paris, Armand Colin, 1990.
G. NOIRIEL, *Le Creuset français. Histoire de l'immigration, xixᵉ-xxᵉ siècles*, Paris, Le Seuil, 1988.
R. SCHOR, *Histoire de l'immigration en France*, Paris, Armand Colin, 1996.
P. WEIL, *La France et ses étrangers. L'aventure d'une politique de l'immigration, 1938-1991*, Paris, Calmann-Lévy, 1991.

XXX. L'ENSEIGNEMENT

P. ALBERTINI, *L'École en France, xixᵉ-xxᵉ siècles. De la maternelle à l'université*, Paris, 1992.
J. BAUBEROT, *Vers un nouveau pacte laïque*, Paris, Le Seuil, 1990.

A. PROST, *Éducation, société et politique. Une histoire de l'enseignement en France de 1945 à nos jours*, Paris, Le Seuil, 1992.
R. RÉMOND, *Les Nouveaux Enjeux de la laïcité*, Paris, Le Centurion, 1990.

XXXI . VILLES ET BANLIEUES

A. FOURCAUT, *Bobigny, banlieue rouge*, Paris, Éditions ouvrières/Presses de la FNSP, 1986.
(voir également ouvrages généraux)

XXXII. LES PROBLÈMES DE DÉFENSE

S. COHEN, *La Défaite des généraux. Le pouvoir politique et l'armée sous la Ve République*, Paris, Fayard, 1994.
J. DOISE, M. VAISSE, *Diplomatie et outil militaire, 1871-1969*, Paris, Imprimerie nationale, 1987, rééd. Points-Seuil, 1991.
J.-L. DUFOUR, M. VAISSE, *La Guerre au XXe siècle*, Paris, Hachette, 1993.
R. GIRARDET, *Problèmes militaires et stratégiques contemporains*, Paris, Dalloz, 1989.
A. GLUCKSMAN, *Le Discours de la guerre*, Paris, L'Herne, 1967.
L. RUHL, *La Politique militaire de la Ve République*, Paris, Presses de la FNSP, 1976.

XXXIII. JUSTICE ET POLICE

J.-M. BERLIÈRE, *Le Monde des polices en France*, Bruxelles, Complexe, 1996.
G. CARROT, *Histoire de la police française*, Paris, Tallandier, 1991.
J.-C. CHESNAIS, *Histoire de la violence*, Paris, Robert Laffont, 1981.
M. LE CLERE, *Histoire de la police*, Paris, PUF, « Que sais-je ? », nombreuses rééditions.
A. NOYER, *La Sûreté de l'État (1789-1965)*, Paris, 1966.

XXXIV. LES FEMMES

M. ALBISTUR, D. ARMOGATHE, *Histoire du féminisme français du Moyen Âge à nos jours*, Paris, Des femmes, 1977.
H. BOUCHARDEAU, *Pas d'histoire, les femmes ?*, Paris, Odile Jacob, 1986.
D. KERGOAT, *Les Ouvrières*, Paris, Le Sycomore, 1982.
F. MONTREYNAUD, *Le XXe siècle des femmes*, Paris, Nathan, 1989.
J. MOSSUZ-LAVAU, *Enquête sur les femmes et la politique en France*, Paris, PUF, 1983.
J. MOSSUZ-LAVAU, *Les Lois de l'amour : les politiques de la sexualité en France (1950-1990)*, Paris, Payot, 1991.
F. THEBAUD (dir.), *Histoire des femmes. Le XXe siècle*, t. V de l'*Histoire des femmes* sous la direction de G. Duby et M. Perrot, Paris, Plon, 1992.

M. RÉMY, *De l'utopie à l'intégration : histoire des mouvements de femmes*, Paris, L'Harmattan, 1990.

XXXV. LES JEUNES

P. BOURDIEU, J.-C. PASSERON, *Les Héritiers, les étudiants et la culture*, Paris, Éd. de Minuit, 1964.

G. LÉVI, J.-C. SCHMITT (dir.), *Histoire des jeunes en Occident*, t. 2, *L'époque contemporaine*, Paris, Le Seuil, 1994.

O. GALLAND, *Les Jeunes*, Paris, La Découverte, 1984.

O. GALLAND, *Sociologie de la jeunesse, l'entrée dans la vie*, Paris, Armand Colin, 1991.

G. MAUGER, R. BENDIT, C. VON WOLFERDORFF, *Jeunesses et sociétés. Perspectives de la recherche en France et en Allemagne*, Paris, Armand Colin, Bibliothèque des sciences de l'éducation, 1994.

A. PERCHERON, A. MUXEL, *La Socialisation politique*, Paris, Armand Colin, 1993.

INDEX

Aubin Imprimeur, Ligugé. N° L 54569
N° de série éditeur : 19367
Dépôt légal : octobre 1997
Imprimé en France (printed in France) 741022-01 - Octobre 1997